आर. गुप्ता® कृत

पॉपुलर मास्टर गाइड

# CUET-PG

COMMON UNIVERSITY ENTRANCE TEST FOR POST GRADUATE PROGRAMMES

# प्राचीन भारतीय इतिहास, संस्कृति और वास्तुकला

## (ANCIENT INDIAN HISTORY, CULTURE & ARCHITECTURE)

**Test Paper Code—HUQP01**

## प्रवेश परीक्षा

राहुल कुमार

एवं

RPH संपादक मंडल

**2027**
EDITION

रमेश पब्लिशिंग हाउस, नई दिल्ली

*प्रकाशक*
ओ॰पी॰ गुप्ता, **रमेश पब्लिशिंग हाउस**

***प्रशासनिक कार्यालय***
12-H, न्यू दरियागंज रोड, ऑफिसर्स मेस के सामने,
नई दिल्ली-110002 ✆ 23275224, 23245124

**E-mail:** info@rameshpublishinghouse.com
**For Online Shopping:** www.rameshpublishinghouse.com

***विक्रय केन्द्र***
• बालाजी मार्किट, नई सड़क, दिल्ली-110006 ✆ 23282525 📱 9354373464
• 4457, नई सड़क, दिल्ली-110006



**Book Code: R-2638**

**ISBN: 978-93-5477-932-9**

**मूल्य: ₹ 380**

*मुद्रक:* दीपक ऑफसैट, दिल्ली

# अनुक्रमणिका



## प्राचीन भारतीय इतिहास, संस्कृति और वास्तुकला

---

## पिछले प्रश्न-पत्र

# Common University Entrance Test for PG Programmes

# CUET–PG—प्राचीन भारतीय इतिहास, संस्कृति और वास्तुकला प्रवेश परीक्षा, 2026

(Exam held on 17-03-2026)

**1.** निम्नलिखित शासकों में से किसने 'कुनिक' की उपाधि धारण की थी?
1. बिम्बिसार 2. शिशुनाग
3. कालाशोक 4. अजातशत्रु

**2.** निम्नलिखित में से कौन 'एन्शिएन्ट इन्डियन हिस्टोरिकल ट्रेडिशन' पुस्तक के लेखक हैं?
1. के.एम. पणिक्कर 2. वी.एस. पाठक
3. एफ.ई. पारजिटर 4. रोमिला थापर

**3.** अरिकामेडु पुरास्थल का उत्खनन निम्नलिखित में से किसने किया था?
1. मोर्टीमर व्हीलर 2. मक्खन लाल
3. एच.डी. सांकलिया 4. एच. हरग्रीव्स

**4.** निम्नलिखित में किस विद्वान ने सबसे पहले अंग्रेजी शब्द 'हिंदुइज्म' (हिंदुत्व) का उपयोग किया था?
1. भदन्त आनंद कौशल्यायान
2. एस. राधाकृष्णन
3. राजा राममोहन रॉय
4. स्वामी विवेकानंद

**5.** 'पंचरात्र सत्र' निम्नलिखित में से किस धार्मिक संप्रदाय से जुड़ा है?
1. लिंगायत संप्रदाय 2. महासंघिक संप्रदाय
3. वैष्णव संप्रदाय 4. शैव संप्रदाय

**6.** बौद्ध विद्वान चंद्रकीर्ति बौद्ध धर्म के निम्नलिखित में से किस दार्शनिक संप्रदाय के हैं?
1. माध्यमिक संप्रदाय 2. योगाचार संप्रदाय
3. सर्वास्तिवादिन संप्रदाय 4. महिसासक संप्रदाय

**7.** निम्नलिखित में से कौन ऋग्वैदिक काल के प्रसिद्ध 'पंच-जन' में सम्मिलित नहीं हैं?
1. यदु 2. तुरवाशु
3. कण्व 4. पुरु

**8.** प्राचीन भारत के प्रसिद्ध चिकित्सक, जिन्होंने मगध के सम्राट बिम्बिसार का उपचार किया, का नाम था:
1. चरक 2. सुश्रुत
3. जीवक 4. वररुचि

**9.** प्राचीन भारत के प्रसिद्ध पौराणिक इक्ष्वाकु वंश को इस नाम से भी जाना जाता था:
1. यदुवंशी 2. सूर्यवंशी
3. चंद्रवंशी 4. चेदिवंशी

**10.** निम्नलिखित में से किसने नवपाषाण स्थल के 'सेनुआर' का उत्खनन किया है?
1. बी.पी. सिंह 2. जी.आर. शर्मा
3. वी.डी. मिश्रा 4. जे.एन. पाल

**11.** जैन धार्मिक स्रोतों के अनुसार, पहले तीर्थंकर, ऋषभनाथ निम्नलिखित में से किस स्थान से थे?
1. काशी 2. कोसल
3. पावापुरी 4. वल्लभी

**12.** जैन परंपरा के अनुसार निम्नलिखित में से किस तीर्थंकर को एक महिला के रूप में जाना जाता है?
1. नेमिनाथ 2. शीतलनाथ
3. मल्लिनाथ 4. सुव्रतनाथ

**13.** निम्नलिखित में से किसे वेदांग (वेद के अंग) की सूची में सम्मिलित नहीं किया गया है?
1. छंद 2. व्याकरण
3. तर्क 4. ज्योतिष

**14.** निम्नलिखित में से कौन 'द टेक्नीक ऑफ कास्टिंग कॉइन्स इन एन्शिएन्ट इंडिया' पुस्तक के लेखक हैं?
1. बीरबल साहनी 2. ए.एम. शास्त्री
3. ई.जे. रैप्सन 4. बी.एन. मुकर्जी

| | | | | | | |
|---|---|---|---|---|---|---|
| **1.** 4 | **2.** 3 | **3.** 1 | **4.** 3 | **5.** 3 | **6.** 1 | **7.** 3 |
| **8.** 3 | **9.** 2 | **10.** 1 | **11.** 2 | **12.** 3 | **13.** 3 | **14.** 1 |

**15.** निम्नलिखित में से किस यूनानी शासक ने अपने सिक्कों पर लेख "कविशिये नगरदेवता" उत्कीर्ण करवाया था?

1. यूक्रेडाइट्स 2. हेलिओकेस
3. यूथिडेमोस 4. मिनेन्डर

**16.** निम्नलिखित में से किस स्थान पर हूण शासक तोरमाण के काल के शिलालेख वाली वराह प्रतिमा प्राप्त हुई हैं?

1. मथुरा 2. एरन
3. पाटलिपुत्र 4. गढवा

**17.** निम्नलिखित में से किस भारतीय देवता को प्राचीन भारतीय कला में आयुध-पुरुष के नाम से ज्ञात वामन परिचारकों के साथ दर्शाया गया है?

1. शिव 2. विष्णु
3. सूर्य 4. गणेश

**18.** निम्नलिखित में से कौन पुस्तक 'खंडखाद्यक' के लेखक हैं?

1. आर्यभट्ट 2. वराहमिहिर
3. आर्यदेव 4. ब्रह्मगुप्त

**19.** बख्शाली पांडुलिपि प्राचीन भारत में अध्ययन की किस शाखा से संबंधित हैं?

1. खगोल विज्ञान 2. चिकित्सा
3. गणित 4. कृषि

**20.** बोवर पांडुलिपि प्राचीन भारत में अध्ययन की निम्नलिखित में से किस शाखा से संबंधित है?

1. त्रिकोणमिति 2. चिकित्सा
3. गणित 4. कृषि

**21.** निम्नलिखित में से कौन 'अष्टांगहृदय' पुस्तक के लेखक हैं?

1. वाग्भट 2. चरक
3. जीवक 4. सुश्रुत

**22.** राजा जयवर्मन प्राचीन दक्षिण-पूर्व एशिया के निम्नलिखित किस राज्य से संबंधित थे?

1. फुनान 2. चंपा
3. सुमात्रा 4. जावा

**23.** इ-त्सिंग के अनुसार दक्षिणी सागर का निम्नलिखित में से कौन-सा द्वीप बौद्ध शिक्षा का केंद्र था?

1. फूनान 2. बोर्निओ
3. श्रीविजय 4. बाली

**24.** निम्नलिखित में से कौन 'कम्बुज' के अंतिम प्रसिद्ध शासक थे?

1. श्रेष्ठवर्मन 2. जयवर्मन VII
3. श्रुतवर्मन V 4. महेन्द्रवर्मन

**25.** निम्नलिखित में से किसने चंपा के हिन्दू राज्य में मैसोना में शिव मंदिर बनवाया था?

1. सत्यवर्मन 2. गंगराज
3. भद्रवर्मन 4. इंद्रवर्मन

**26.** निम्नलिखित में से कौन पल्लव राजवंश का अंतिम महत्वपूर्ण शासक था?

1. नंदीवर्मन I 2. नंदीवर्मन II
3. नृपतुंगवर्मन 4. अपराजित

**27.** निम्नलिखित में से किस संग्रहालय में दीदारगंज यक्षी प्रदर्शित हैं?

1. राष्ट्रीय संग्रहालय, नई दिल्ली
2. भारतीय संग्रहालय, कोलकाता
3. नालन्दा संग्रहालय, नालन्दा
4. बिहार संग्रहालय, पटना

**28.** बंगाल के सेन राजवंश में विजयसेन का उत्तराधिकारी कौन था?

1. बल्लालसेन 2. लक्ष्मणसेन
3. विनायकसेन 4. सामंतसेन

**29.** निम्नलिखित में से किसकी पहचान "प्रथम वास्तविक मानव" के रूप में की गई है?

1. होमो इरेक्टस 2. होमो सेपिएन्स
3. ऑस्ट्रेलोपिथीकस 4. होमो हेबिलिस

**30.** 'सिद्धमातृका' निम्नलिखित में से किस विषय से संबंधित है?

1. प्राचीन भारतीय भाषा
2. प्राचीन भारतीय लिपि
3. प्राचीन भारतीय धार्मिक संप्रदाय
4. प्राचीन भारतीय देवी

**31.** नीचे दी कथन दिए गए हैं: एक अभिकथन (A) के रूप में लिखित है तो दूसरा उसके कारण (R) के रूप में है।

**अभिकथन (A)**: मेगास्थनीज ने प्राचीन भारतीय समाज की जाति व्यवस्था का स्पष्ट लिखित विवरण दिया था।

**कारण (R)**: उन्होंने आठ वर्गों/जातियों के नाम दिए थे जिनमें भारत की पूरी जनसंख्या को विभाजित किया गया था।

उपर्युक्त कथन के आलोक में, नीचे दिए गए विकल्पों में से **सबसे उपयुक्त** उत्तर का चयन कीजिए:

1. (A) और (R) दोनों सही हैं और (R), (A) की सही व्याख्या है
2. (A) और (R) दोनों सही हैं, लेकिन (R), (A) की सही व्याख्या नहीं है
3. (A) सही है, लेकिन (R) सही नहीं है
4. (A) सही नहीं है, लेकिन (R) सही है

| **15.** 1 | **16.** 2 | **17.** 2 | **18.** 4 | **19.** 3 | **20.** 2 | **21.** 1 | **22.** 1 | **23.** 3 |
|---|---|---|---|---|---|---|---|---|
| **24.** 2 | **25.** 3 | **26.** 4 | **27.** 4 | **28.** 1 | **29.** 4 | **30.** 2 | **31.** 3 | |

**32.** नीचे दो कथन दिए गए हैं: एक अभिकथन (A) के रूप में लिखित है तो दूसरा उसके कारण (R) के रूप में है।

**अभिकथन (A):** कुषाण साम्राज्य का पतन वासुदेव I के शासनकाल से आरंभ हो गया था।

**कारण (R):** द्वितीय शताब्दी ई. के मध्य के आसपास ईरान के ससानिदों के उदय ने कुषाणों को उनके पश्चिमी प्रांतों से अपदस्थ कर दिया।

उपर्युक्त कथन के आलोक में, नीचे दिए गए विकल्पों में से **सबसे उपयुक्त** उत्तर का चयन कीजिए:

1. (A) और (R) दोनों सही हैं और (R), (A) की सही व्याख्या है
2. (A) और (R) दोनों सही हैं, लेकिन (R), (A) की सही व्याख्या नहीं है
3. (A) सही है, लेकिन (R) सही नहीं है
4. (A) सही नहीं है, लेकिन (R) सही है

**33.** नीचे दो कथन दिए गए हैं: एक अभिकथन (A) के रूप में लिखित है तो दूसरा उसके कारण (R) के रूप में है।

**अभिकथन (A):** प्राचीन भारतीयों ने लगभग दूसरी शताब्दी ईसा पूर्व में शून्य के अवधारणा की खोज की थी।

**कारण (R):** अरब वासियों ने इसे भारत से सीखा और अपनाया तथा यूरोप में इसका प्रसार किया।

उपर्युक्त कथन के आलोक में, नीचे दिए गए विकल्पों में से **सबसे उपयुक्त** उत्तर का चयन कीजिए:

1. (A) और (R) दोनों सही हैं और (R), (A) की सही व्याख्या है
2. (A) और (R) दोनों सही हैं, लेकिन (R), (A) की सही व्याख्या नहीं है
3. (A) सही है, लेकिन (R) सही नहीं है
4. (A) सही नहीं है, लेकिन (R) सही है

**34.** नीचे दो कथन दिए गए हैं: एक अभिकथन (A) के रूप में लिखित है तो दूसरा उसके कारण (R) के रूप में है।

**अभिकथन (A):** वराहमिहिर की विख्यात पुस्तक 'बृहत्संहिता' को छठवीं शताब्दी ई. में लिखा गया था जिसमें बताया गया है कि चंद्रमा पृथ्वी की परिक्रमा करता है और पृथ्वी सूर्य की परिक्रमा करती है।

**कारण (R):** उन्होंने ग्रहों की गति और कुछ अन्य खगोलीय प्रश्नों को समझने के लिए अनेक फारसी पुस्तकों/कार्यों का उपयोग किया।

उपर्युक्त कथन के आलोक में, नीचे दिए गए विकल्पों में से **सबसे उपयुक्त** उत्तर का चयन कीजिए:

1. (A) और (R) दोनों सही हैं और (R), (A) की सही व्याख्या है
2. (A) और (R) दोनों सही हैं, लेकिन (R), (A) की सही व्याख्या नहीं है
3. (A) सही है, लेकिन (R) सही नहीं है
4. (A) सही नहीं है, लेकिन (R) सही है

**35.** नीचे दो कथन दिए गए हैं: एक अभिकथन (A) के रूप में लिखित है तो दूसरा उसके कारण (R) के रूप में है।

**अभिकथन (A):** ताम्रपाषाणिक संस्कृति अनिवार्यतः ग्रामीण पृष्ठभूमि की थी।

**कारण (R):** भारत के अधिकांश भाग में पाई जाने वाली ताम्रपाषाणिक संस्कृतियाँ सिंधुघाटी सभ्यता की तुलना में बाद की थी और उन्होंने अधिकतर सिंधु जनों के उन्नत तकनीकी ज्ञान को अपनाया था।

उपर्युक्त कथन के आलोक में, नीचे दिए गए विकल्पों में से **सबसे उपयुक्त** उत्तर का चयन कीजिए:

1. (A) और (R) दोनों सही हैं और (R), (A) की सही व्याख्या है
2. (A) और (R) दोनों सही हैं, लेकिन (R), (A) की सही व्याख्या नहीं है
3. (A) सही है, लेकिन (R) सही नहीं है
4. (A) सही नहीं है, लेकिन (R) सही है

**36.** नीचे दो कथन दिए गए हैं: एक अभिकथन (A) के रूप में लिखित है तो दूसरा उसके कारण (R) के रूप में है।

**अभिकथन (A):** मुद्राशास्त्र हिंद-यूनानी राजनैतिक इतिहास के लिए एक महत्वपूर्ण स्रोत हैं।

**कारण (R):** अनेक हिंद-यूनानी राजाओं को केवल उनके सिक्कों से जाना जाता है।

उपर्युक्त कथन के आलोक में, नीचे दिए गए विकल्पों में से **सबसे उपयुक्त** उत्तर का चयन कीजिए:

1. (A) और (R) दोनों सही हैं और (R), (A) की सही व्याख्या है
2. (A) और (R) दोनों सही हैं, लेकिन (R), (A) की सही व्याख्या नहीं है
3. (A) सही है, लेकिन (R) सही नहीं है
4. (A) सही नहीं है, लेकिन (R) सही है

**37.** नीचे दो कथन दिए गए हैं: एक अभिकथन (A) के रूप में लिखित है तो दूसरा उसके कारण (R) के रूप में है।

**अभिकथन (A):** अशोक की ब्राह्मी लिपि में विरामादि विधान एक सामान्य नियम की बजाय अपवाद स्वरूप है।

**कारण (R):** प्रत्येक शब्द को अलग-अलग लिखने का विचार विकसित हो गया था और उसे नियमित रूप से अपनाया जाता था।

उपर्युक्त कथन के आलोक में, नीचे दिए गए विकल्पों में से **सबसे उपयुक्त** उत्तर का चयन कीजिए:

1. (A) और (R) दोनों सही हैं और (R), (A) की सही व्याख्या है
2. (A) और (R) दोनों सही हैं, लेकिन (R), (A) की सही व्याख्या नहीं है
3. (A) सही है, लेकिन (R) सही नहीं है
4. (A) सही नहीं है, लेकिन (R) सही है

| **32.** 3 | **33.** 2 | **34.** 3 | **35.** 3 | **36.** 1 | **37.** 3 |
|---|---|---|---|---|---|

**38.** नीचे दो कथन दिए गए हैं: एक अभिकथन (A) के रूप में लिखित है तो दूसरा उसके कारण (R) के रूप में है।

**अभिकथन (A)**: माध्यमिकों को इसलिए माध्यमिक कहा जाता था क्योंकि वे मध्यम-प्रतिपत को महत्व देते थे।

**कारण (R)**: बुद्ध ने सारनाथ में अपने प्रथम धर्मोपदेश में मध्यम-मार्ग की शिक्षा दी जो न तो आत्मदमन है और न ही इंद्रिय-सुखों को समर्पित जीवन है।

उपर्युक्त कथन के आलोक में, नीचे दिए गए विकल्पों में से **सबसे उपयुक्त** उत्तर का चयन कीजिए:

1. (A) और (R) दोनों सही हैं और (R), (A) की सही व्याख्या है
2. (A) और (R) दोनों सही हैं, लेकिन (R), (A) की सही व्याख्या नहीं है
3. (A) सही है, लेकिन (R) सही नहीं है
4. (A) सही नहीं है, लेकिन (R) सही है

**39.** नीचे दो कथन दिए गए हैं: एक अभिकथन (A) के रूप में लिखित है तो दूसरा उसके कारण (R) के रूप में है।

**अभिकथन (A)**: कोलडीहवा (प्रयागराज, उत्तर प्रदेश) में एक प्रमुख उत्खनित नवपाषाणिक स्थल है जो यमुना नदी के तट पर विंध्य के उत्तरी सीमांत क्षेत्रों में स्थित है।

**कारण (R)**: कोलडीहवा नवपाषाण से लेकर लौह युग तक सांस्कृतिक सततता को दर्शाता है।

उपर्युक्त कथन के आलोक में, नीचे दिए गए विकल्पों में से **सबसे उपयुक्त** उत्तर का चयन कीजिए;

1. (A) और (R) दोनों सही हैं और (R), (A) की सही व्याख्या है
2. (A) और (R) दोनों सही हैं, लेकिन (R), (A) की सही व्याख्या नहीं है
3. (A) सही है, लेकिन (R) सही नहीं है
4. (A) सही नहीं है, लेकिन (R) सही है

**40.** निम्नलिखित में से कौन-सा वर्धन शासकों का सही कालानुक्रमिक क्रम है:

A. हर्षवर्धन　　B. आदित्यवर्धन
C. नरवर्धन　　D. प्रभाकर वर्धन

नीचे दिए गए विकल्पों में से **सही** उत्तर का चयन कीजिए:

1. A, B, C और D　　2. D, B, C और A
3. C, B, D और A　　4. C, A, B और D

**41.** निम्नलिखित पल्लव शासकों को कालानुक्रमिक क्रम में व्यवस्थित कीजिए।

A. महेन्द्रवर्मन I　　B. सिंहविष्णु
C. परमेश्वर-वर्मन I　　D. नरसिम्ह-वर्मन I

नीचे दिए गए विकल्पों में से **सही** उत्तर का चयन कीजिए:

1. A, B, C और D　　2. D, B, C और A
3. B, A, D और C　　4. B, A, C और D

**42.** निम्नलिखित पुस्तकों को कालानुक्रमिक क्रम में व्यवस्थित कीजिए।

A. गौड़वाहो　　B. हर्षचरित
C. बुद्धचरित　　D. विक्रमांकदेवचरित

नीचे दिए गए विकल्पों में से सही उत्तर का चयन कीजिए:

1. A, B, C और D　　2. D, B, C और A
3. B, A, D और C　　4. C, B, A और D

**43.** निम्नलिखित विद्वानों को कालानुक्रमिक क्रम में व्यवस्थित कीजिए।

A. पातंजलि
B. पाणिनि
C. कालिदास
D. संध्याकरनंदी

नीचे दिए गए विकल्पों में से **सही** उत्तर का चयन कीजिए:

1. A, B, C और D　　2. D, B, C और A
3. B, A, C और D　　4. B, A, D और C

**44.** निम्नलिखित विदेशी यात्रियों को कालानुक्रमिक क्रम में व्यवस्थित कीजिए।

A फा-हियान　　B. मेगास्थनीज
C. नियारकस　　D. डाइमेकस

नीचे दिए गए विकल्पों में से **सही** उत्तर का चयन कीजिए:

1. C, D, B और A　　2. D, B, C और A
3. C, B, D और A　　4. B, A, D और C

**45.** निम्नलिखित अभिलेखों को कालानुक्रमिक क्रम में व्यवस्थित कीजिए।

A. समुद्रगुप्त का प्रयागस्तंभ लेख
B. खारवेल का हाथीगुम्फा अभिलेख
C. चंद्र का महरौली अभिलेख
D. कनिष्क I का सारनाथ अभिलेख

नीचे दिए गए विकल्पों में से **सही** उत्तर का चयन कीजिए:

1. C, D, B और A　　2. D, B, C और A
3. C, B, D और A　　4. B, D, A और C

**46.** निम्नलिखित बौद्ध विद्वानों को कालानुक्रमिक क्रम में व्यवस्थित कीजिए।

A. नागार्जुन　　B. शांतिदेव
C. मातृचेत　　D. चंद्रकीर्ति

नीचे दिए गए विकल्पों में से **सही** उत्तर का चयन कीजिए:

1. A, B, C और D　　2. A, C, D और B
3. B, A, C और D　　4. B, A, D और C

| **38.** 2 | **39.** 4 | **40.** 3 | **41.** 3 | **42.** 4 | **43.** 3 | **44.** 3 | **45.** 4 | **46.** 2 |
|---|---|---|---|---|---|---|---|---|

**47.** निम्नलिखित मंदिरों को कालानुक्रमिक क्रम में व्यवस्थित कीजिए।

A. ऐरावतेश्वर मंदिर B. मुक्तेश्वर मंदिर

C. शोर मंदिर D. बैकुंठ पेरुमाल मंदिर

नीचे दिए गए विकल्पों में से **सही** उत्तर का चयन कीजिए:

1. C, B, D और A 2. C, D, B और A

3. B, A, C और D 4. B, A, D और C

**48.** खारवेल की उपलब्धियों को कालानुक्रमिक क्रम में व्यवस्थित कीजिए।

A. पिथुडा नगर की विजय B. मगध की विजय

C. राष्ट्रिक की विजय D. गोरथगिरी की विजय

नीचे दिए गए विकल्पों में से **सही** उत्तर का चयन कीजिए:

1. C, B, D और A 2. C, D, A और B

3. B, A, C और D 4. B, A, D और C

**49.** निम्नलिखित में से कौन-सा प्रतीत्यसमुत्पाद या निर्भर उत्पत्ति का सही अनुक्रम है:

A. भोग-विलास में संलिप्त रहना (उपादान)

B. कार्मिक बलों का प्रभाव (संस्कार)

C. मनो-भौतिक जीव (नाम-रूप)

D. बोध-वस्तु-संपर्क (स्पर्श)

नीचे दिए गए विकल्पों में से **सही** उत्तर का चयन कीजिए:

1. C, B, D और A 2. C, D, A और B

3. B, C, D और A 4. B, A, D और C

**50.** निम्नलिखित चोल शासकों का सही कालानुक्रमिक क्रम क्या है?

A. राजाधिराज I B. राजेन्द्र I

C. राजराजा I D. कुलोत्तुंग I

नीचे दिए गए विकल्पों में से **सही** उत्तर का चयन कीजिए:

1. A, B, C और D 2. D, B, C और A

3. C, B, A और D 4. C, A, B और D

**51.** निम्नलिखित में से पुराणों में उल्लिखित विष्णु के अवतारों का सही अनुक्रम क्या है?

A. वराह B. मत्स्य

C. कूर्म D. वामन

नीचे दिए गए विकल्पों में से **सही** उत्तर का चयन कीजिए:

1. A, B, D और C 2. D, B, C और A

3. C, B, A और D 4. B, C, A और D

**52.** समुद्रगुप्त की दक्कन विजय के संदर्भ में सही संयोजन कौन-सा है?

A. महाकंतार के व्याघ्रराज B. काँची के हस्तिवर्मा

C. अवमुक्त के उग्रसेन D. देवराष्ट्र के कुवेर

E. इरंडापल्ला के दामन

नीचे दिए गए विकल्पों में से **सही** उत्तर का चयन कीजिए:

1. केवल A, C और D 2. केवल B, C और E

3. केवल B, D और E 4. केवल A, D और E

**53.** निम्नलिखित में से कौन-से चंद्रगुप्त II द्वारा जारी किए गए सिक्कों के प्रकार हैं?

A. धनुर्धर प्रकार B. व्याघ्रहन्ता प्रकार

C. सिंहहन्ता प्रकार D. अश्वारोही प्रकार

नीचे दिए गए विकल्पों में से **सही** उत्तर का चयन कीजिए:

1. केवल A, B और C 2. केवल A, C और D

3. केवल B, C और D 4. केवल A, B और D

**54.** निम्नलिखित में से कौन महायान बौद्ध धर्मसिद्धांत से यथार्थ रूप में संबंधित हैं?

A. महायानी शून्यता की संकल्पना में आस्था रखते हैं।

B. महायानी निकाय की संकल्पना में आस्था रखते हैं।

C. महायानी अरहत की संकल्पना में आस्था रखते हैं।

D. महायानी बोधिसत्व की संकल्पना में आस्था रखते हैं।

नीचे दिए गए विकल्पों में से **सही** उत्तर का चयन कीजिए:

1. केवल A, B और C 2. केवल A, B और D

3. केवल B, C और D 4. केवल A, C और D

**55.** निम्नलिखित में से कौन-से अष्टांग योग के संघटक भाग हैं?

A. यम B. धारणा

C. पारमिता D. प्रत्याहार

नीचे दिए गए विकल्पों में से **सही** उत्तर का चयन कीजिए:

1. केवल A, B और C 2. केवल B, C और D

3. केवल A, C और D 4. केवल A, B और D

**56.** निम्नलिखित में से कौन बौद्ध ग्रंथों में उल्लिखित गण या संघ हैं?

A. कौशाम्बी के मघ B. देवदह के कोलिय

C. अलकप्प के बुली D. पिप्पलीवन के मोरिय

नीचे दिए गए विकल्पों में से **सही** उत्तर का चयन कीजिए:

1. केवल A, B और C 2. केवल B, C और D

3. केवल A, C और D 4. केवल A, B और D

**57.** निम्नलिखित में से किन देवियों को सप्तमातृका (सात दिव्य माताएं) माना जाता है?

A. वराही B. छिन्नमस्ता

C. चामुण्डा D. इंद्राणी

नीचे दिए गए विकल्पों में से **सही** उत्तर का चयन कीजिए:

1. केवल A, B और C 2. केवल B, C और D

3. केवल A, C और D 4. केवल A, B और D

| **47.** 2 | **48.** 2 | **49.** 3 | **50.** 3 | **51.** 4 | **52.** 4 | **53.** 2 | **54.** 2 | **55.** 4 | **56.** 2 | **57.** 3 |
|---|---|---|---|---|---|---|---|---|---|---|

**58.** निम्नलिखित में से कौन पुराणों के पंचलक्षणों में सम्मिलित हैं?
A. जगत की रचना (सर्ग)
B. देवताओं और ऋषियों की वंशावलियाँ (वंश)
C. शाही राजवंशों का विवरण (वंशानुचरित)
D. जगत का भूगोल (भुवनकोश)
नीचे दिए गए विकल्पों में से **सही** उत्तर का चयन कीजिए:
1. केवल A, B और C 2. केवल B, C और D
3. केवल A, C और D 4. केवल A, B और D

**59.** निम्नलिखित में से कौन-से अभिलेख गुप्त शासकों के शासनकाल में जारी किए गए थे?
A. प्रयाग स्तंभ लेख B. सूपिआ प्रस्तर अभिलेख
C. बाँसखेड़ा ताम्र लेख D. भीतरी स्तंभ अभिलेख
नीचे दिए गए विकल्पों में से **सही** उत्तर का चयन कीजिए:
1. केवल A, B और C 2. केवल B, C और D
3. केवल A, C और D 4. केवल A, B और D

**60.** निम्नलिखित में से किन मंदिरों का निर्माण गुप्त शासकों के शासनकाल में हुआ था?
A. काँची का कैलाशनाथ मंदिर
B. देवगढ़ का दसावतार मंदिर
C. भूमरा का शिव मंदिर
D. नचना कुठार का पार्वती मंदिर
नीचे दिए गए विकल्पों में से **सही** उत्तर का चयन कीजिए:
1. केवल A, B और C 2. केवल A, C और D
3. केवल B, C और D 4. केवल A, B और D

**61.** निम्नलिखित में से कौन राजस्थान में स्थित ताम्रपाषाण युगीन स्थल हैं?
A. अहार B. बालाथल
C. ओजियाणा D. दाइमाबाद
नीचे दिए गए विकल्पों में से **सही** उत्तर का चयन कीजिए:
1. केवल A, B और C 2. केवल A, C और D
3. केवल B, C और D 4. केवल A, B और D

**62.** प्राचीन भारत में प्रागैतिहासिक शैलचित्रकला के बारे में निम्नलिखित में से कौन-से कथन सही हैं?
A. प्राचीन भारत की पहली शैलचित्रों की खोज ए.सी.एल. कार्लाइल द्वारा की गई थी।
B. भीमबेटका भारत के उत्तर प्रदेश में स्थित है।
C. वी.एस. वाकणकर ने सबसे पहले भीमबेटका में शैलचित्रों की पहचान की थी।
D. यशोधर माठपाल ने भीमबेटका के शैलचित्रों का विवेचनात्मक विश्लेषण किया था।
नीचे दिए गए विकल्पों में से **सही** उत्तर का चयन कीजिए:
1. केवल A, B और C 2. केवल B, C और D
3. केवल A, B और D 4. केवल A, C और D

**63.** ऐहोल के अभिलेख में चालुक्य शासक कीर्तिवर्मन I का निम्नलिखित शक्तियों पर विजय का उल्लेख है:
A. गंग B. नल
C. मौर्य D. कदम्ब
नीचे दिए गए विकल्पों में से **सही** उत्तर का चयन कीजिए:
1. केवल A, B और C 2. केवल B, C और D
3. केवल A, B और D 4. केवल A, C और D

**64.** सूची-I से सूची-II का मिलान कीजिए:

| सूची-I (पुस्तक) | सूची-II (लेखक) |
|---|---|
| A. ए स्टडी ऑफ एन्शियन्ट इंडियन न्यूमिसमैटिक्स | I. बी.एन. मुकर्जी |
| B. अर्ली इंडियन कॉइन्स एंड करेन्सी सिस्टम | II. ए.एन. लाहिड़ी |
| C. कॉर्पस ऑफ इंडो-ग्रीक कॉइन्स | III. एस.के. चक्रवर्ती |
| D. कुषाण कॉइन्स ऑफ द लैन्ड ऑफ फाइव रिवर्स | IV. एस.के. मैती |

नीचे दिए गए विकल्पों में से **सही** उत्तर चुनें:
1. A-II, B-III, C-IV, D-I
2. A-III, B-IV, C-II, D-I
3. A-IV, B-III, C-I, D-II
4. A-IV, B-III, C-II, D-I

**65.** सूची-I से सूची-II का मिलान कीजिए:

| सूची-I (उपाधि) | सूची-II (राजा) |
|---|---|
| A. अवनिसिम्हा | I. नरसिंह-वर्मन I |
| B. वातापिकोंडा | II. महेन्द्र-वर्मन I |
| C. अगमप्रिय | III. सिंहविष्णु |
| D. गुणभर | IV. नरसिंह-वर्मन II |

नीचे दिए गए विकल्पों में से **सही** उत्तर चुनें:
1. A-IV, B-III, C-II, D-I
2. A-III, B-IV, C-II, D-I
3. A-IV, B-III, C-I, D-II
4. A-III, B-I, C-IV, D-II

**66.** सूची-I से सूची-II का मिलान कीजिए:

| सूची-I (तीर्थंकर) | सूची-II (क्रम) |
|---|---|
| A. शीतलनाथ | I. 13वें |
| B. सुव्रतनाथ | II. 10वें |
| C. मल्लिनाथ | III. 19वें |
| D. विमलनाथ | IV. 20वें |

नीचे दिए गए विकल्पों में से **सही** उत्तर चुनें:
1. A-II, B-IV, C-III, D-I
2. A-II, B-I, C-III, D-IV
3. A-IV, B-III, C-I, D-II
4. A-III, B-I, C-IV, D-II

| **58.** 1 | **59.** 4 | **60.** 3 | **61.** 1 | **62.** 4 | **63.** 2 | **64.** 2 | **65.** 4 | **66.** 1 |
|---|---|---|---|---|---|---|---|---|

**67.** सूची-I से सूची-II का मिलान कीजिए:

| **सूची-I (महाजनपद)** | **सूची-II (राजधानी)** |
|---|---|
| A. अंग | I. विराटनगर |
| B. वत्स | II. सोथीवतनगर |
| C. मत्स्य | III. चंपा |
| D. चेदि | IV. कौशाम्बी |

नीचे दिए गए विकल्पों में से **सही** उत्तर चुनें:

1. A-II, B-IV, C-III, D-I
2. A-II, B-I, C-III, D-IV
3. A-IV, B-III, C-I, D-II
4. A-III, B-IV, C-I, D-II

**68.** सूची-I से सूची-II का मिलान कीजिए:

| **सूची-I (पुस्तक)** | **सूची-II (लेखक)** |
|---|---|
| A. शिशुपालवध | I. विशाखदत्त |
| B. नैषधचरित | II. हर्षवर्द्धन |
| C. देवीचंद्रगुप्तम | III. माघ |
| D. नागानंद | IV. श्री हर्ष |

नीचे दिए गए विकल्पों में से **सही** उत्तर चुनें:

1. A-I, B-IV, C-III, D-II
2. A-II, B-I, C-III, D-IV
3. A-III, B-IV, C-I, D-II
4. A-III, B-IV, C-II, D-I

**69.** सूची-I से सूची-II का मिलान कीजिए:

| **सूची-I (पुरास्थल)** | **सूची-II (उत्खनन कर्त्ता)** |
|---|---|
| A. चन्हुदड़ों | I. जे.पी. जोशी |
| B. बनावली | II. एस.आर. राव |
| C. भगवानपुरा | III. एन.जी. मजुमदार |
| D. लोथल | IV. आर.एस. बिष्ट |

नीचे दिए गए विकल्पों में से **सही** उत्तर चुनें:

1. A-I, B-IV, C-III, D-II
2. A-II, B-I, C-III, D-IV
3. A-III, B-IV, C-I, D-II
4. A-III, B-IV, C-II, D-I

**70.** सूची-I से सूची-II का मिलान कीजिए:

| **सूची-I (दार्शनिक सम्प्रदाय)** | **सूची-II (विद्वान)** |
|---|---|
| A. न्याय दर्शन | I. बादरायण |
| B. वैशेषिक दर्शन | II. कणाद |
| C. सांख्य दर्शन | III. गौतम |
| D. वेदान्त दर्शन | IV. ईश्वर कृष्ण |

नीचे दिए गए विकल्पों में से **सही** उत्तर चुनें:

1. A-I, B-IV, C-III, D-II
2. A-II, B-I, C-III, D-IV
3. A-III, B-IV, C-II, D-I
4. A-III, B-II, C-IV, D-I

**71.** सूची-I से सूची-II का मिलान कीजिए:

| **सूची-I (राजवंश)** | **सूची-II (शासक)** |
|---|---|
| A. सातवाहन | I. वासुदेव |
| B. कण्व | II. दशरथ |
| C. मौर्य | III. विंध्यशक्ति |
| D. वाकाटक | IV. सिमुक |

नीचे दिए गए विकल्पों में से **सही** उत्तर चुनें:

1. A-I, B-IV, C-III, D-II
2. A-IV, B-I, C-II, D-III
3. A-IV, B-I, C-III, D-II
4. A-III, B-II, C-IV, D-I

**72.** सूची-I से सूची-II का मिलान कीजिए:

| **सूची-I (अधिकारी)** | **सूची-II (विभाग)** |
|---|---|
| A. सीताध्यक्ष | I. पासपोर्ट विभागाध्यक्ष |
| B. लक्षणाध्यक्ष | II. सरकारी कृषि भूमि प्रमुख |
| C. पण्याध्यक्ष | III. टकसाल प्रमुख |
| D. मुद्राध्यक्ष | IV. वाणिज्य विभागाध्यक्ष |

नीचे दिए गए विकल्पों में से **सही** उत्तर चुनें:

1. A-I, B-IV, C-III, D-II
2. A-IV, B-I, C-II, D-III
3. A-II, B-I, C-III, D-IV
4. A-II, B-III, C-IV, D-I

**73.** सूची-I से सूची-II का मिलान कीजिए:

| **सूची-I (प्राचीन भारत के व्यवसाय)** | **सूची-II (कार्य)** |
|---|---|
| A. क्षुरकर्म | I. सारथी/रथ विज्ञान |
| B. सारथ्यम | II. लेखक |
| C. रुपम | III. मुद्रा-परिवर्तक |
| D. लेखम | IV. क्षौर कला |

नीचे दिए गए विकल्पों में से **सही** उत्तर चुनें:

1. A-I, B-IV, C-III, D-II
2. A-IV, B-I, C-III, D-II
3. A-IV, B-III, C-I, D-II
4. A-II, B-III, C-IV, D-I

| **67.** 4 | **68.** 3 | **69.** 3 | **70.** 4 | **71.** 2 | **72.** 4 | **73.** 2 |
|---|---|---|---|---|---|---|

**74.** सूची-I से सूची-II का मिलान कीजिए:

| सूची-I (पल्लव मंदिर शैली) | सूची-II (प्रतिनिधि मंदिर) |
|---|---|
| A. महेन्द्र शैली | I. महाबलिपुरम का रथ मंदिर |
| B. मामल्ल शैली | II. पालवरम का पंचपांडव मंडप |
| C. राजसिम्हा शैली | III. काँची का मातंगेश्वर मंदिर |
| D. नंदीवर्मन शैली | IV. काँची का वैकुण्ठ पेरुमाल मंदिर |

नीचे दिए गए विकल्पों में से **सही** उत्तर चुनें:

1. A-I, B-IV, C-III, D-II
2. A-IV, B-I, C-III, D-II
3. A-IV, B-III, C-I, D-II
4. A-II, B-I, C-IV, D-III

**75.** सूची-I से सूची-II का मिलान कीजिए:

| सूची-I (पुस्तक) | सूची-II (लेखक) |
|---|---|
| A. एन्शिएन्ट इंडियन सोशल हिस्ट्री | I. आर.एस. शर्मा |
| B. मेटीरियल कल्चर एंड सोशल फोर्मेशन इन एन्शिएन्ट इंडिया | II. कुमकुम रॉय |
| C. द पावर ऑफ जेन्डर एंड द जेन्डर ऑफ पावर : एक्सप्लोरेशन इन अर्ली इंडियन हिस्ट्री | III. रोमिला थापर |
| D. द सोशल डायमेन्शन्स ऑफ अर्ली बुद्धिज्म | IV. उमा चक्रवर्ती |

नीचे दिए गए विकल्पों में से **सही** उत्तर चुनें:

1. A-III, B-IV, C-II, D-I
2. A-III, B-I, C-II, D-IV
3. A-IV, B-III, C-I, D-II
4. A-IV, B-III, C-II, D-I

## व्याख्यात्मक उत्तर

**1.** अजातशत्रु मगध के हर्यंक वंश का शक्तिशाली शासक था और बौद्ध तथा जैन ग्रंथों में उसे 'कुणिक' अथवा 'कूणिक' नाम से भी संबोधित किया गया है। वह बिम्बिसार का पुत्र था और लगभग छठी-पाँचवीं शताब्दी ईसा पूर्व में मगध का शासक बना। उसने कोशल, काशी और वैशाली के लिच्छवियों के विरुद्ध युद्ध करके मगध राज्य का विस्तार किया तथा युद्ध में 'रथमूसल' और 'महाशिलाकंटक' जैसे नवीन अस्त्रों का प्रयोग किया। उसके शासनकाल में राजगृह में प्रथम बौद्ध संगीति आयोजित हुई, जबकि जैन परंपरा में उसे महावीर स्वामी का समकालीन और अनुयायी माना गया है।

**2.** *एन्शिएन्ट इन्डियन हिस्टोरिकल ट्रेडिशन* के लेखक एफ.ई. पारजिटर थे, जिनका पूरा नाम फ्रेडरिक ईडन पारजिटर था। इस पुस्तक में उन्होंने पुराणों, महाकाव्यों और प्राचीन वंशावलियों में सुरक्षित भारतीय ऐतिहासिक परंपराओं का व्यवस्थित अध्ययन किया। उनका उद्देश्य पौराणिक साहित्य में उपलब्ध राजवंशों, ऋषि-परंपराओं और प्राचीन राजनीतिक घटनाओं से ऐतिहासिक सामग्री को अलग करके प्रस्तुत करना था। पारजिटर ने मार्कण्डेय पुराण का अंग्रेजी अनुवाद भी किया और प्राचीन भारत के राजवंशीय इतिहास के पुनर्निर्माण में पुराणों की उपयोगिता को विशेष महत्त्व दिया।

**3.** अरिकामेडु पुरास्थल का प्रमुख वैज्ञानिक उत्खनन ब्रिटिश पुरातत्त्वविद् सर मोर्टीमर व्हीलर ने 1945 ई. में किया था। यह पुरास्थल पुदुचेरी के निकट अरियानकुप्पम नदी के तट पर स्थित है और प्राचीन भारत के समुद्री व्यापार का महत्त्वपूर्ण केंद्र था। उत्खनन में रोमन एम्फोरा पात्र, एरेटाइन मृद्भांड, काँच और पत्थर के मनके तथा रोमन संसार से संबंधित अन्य वस्तुएँ प्राप्त हुईं। इन पुरावशेषों से सिद्ध होता है कि प्रारंभिक ऐतिहासिक काल में दक्षिण भारत के भूमध्यसागरीय तथा रोमन व्यापारिक क्षेत्रों के साथ सक्रिय वाणिज्यिक संबंध थे।

**4.** अंग्रेजी शब्द 'हिंदुइज्म' अथवा उसके प्रारंभिक रूप 'हिन्दूइज्म' का प्रयोग करने वाले प्रथम प्रमुख भारतीय विद्वान राजा राममोहन राय माने जाते हैं। उन्होंने उन्नीसवीं शताब्दी के आरंभिक दशकों में हिंदू धार्मिक विश्वासों और प्रथाओं की चर्चा करते हुए इस शब्द का प्रयोग किया। राजा राममोहन राय एकेश्वरवाद के समर्थक थे तथा उन्होंने मूर्तिपूजा, सती प्रथा और सामाजिक रूढ़ियों का विरोध किया। उन्होंने 1828 ई. में ब्रह्म सभा की स्थापना की, जो आगे चलकर ब्रह्म समाज के रूप में विकसित हुई और भारतीय धार्मिक एवं सामाजिक सुधार आंदोलन की प्रमुख संस्था बनी।

**5.** पंचरात्र सत्र वैष्णव धार्मिक परंपरा से संबंधित है और विशेष रूप से नारायण-विष्णु तथा उनके विभिन्न व्यूह-रूपों की उपासना से जुड़ा हुआ है। 'पंचरात्र' शब्द का प्रारंभिक उल्लेख वैदिक साहित्य में पाँच रात्रियों तक चलने वाले धार्मिक अनुष्ठान के अर्थ में मिलता है, जबकि बाद में यह एक विकसित वैष्णव आगमिक परंपरा बन गया। पंचरात्र दर्शन में वासुदेव, संकर्षण, प्रद्युम्न और अनिरुद्ध को चार प्रमुख व्यूहों के रूप में स्वीकार किया गया है। इसके धार्मिक सिद्धांतों, मंदिर-निर्माण, मूर्ति-प्रतिष्ठा, पूजा-विधि और भक्ति-साधना का वर्णन पंचरात्र संहिताओं में मिलता है।

**6.** बौद्ध विद्वान चंद्रकीर्ति सातवीं शताब्दी के माध्यमिक दर्शन के प्रमुख आचार्य और नागार्जुन की दार्शनिक परंपरा के महत्त्वपूर्ण व्याख्याकार थे। माध्यमिक दर्शन का केंद्रीय सिद्धांत 'शून्यता'

| **74.** 4 | **75.** 2 |
|---|---|

है, जिसके अनुसार सभी वस्तुएँ स्वतंत्र स्वभाव से रहित हैं और प्रतीत्यसमुत्पाद के कारण अस्तित्व में दिखाई देती हैं। चंद्रकीर्ति को माध्यमिक दर्शन की प्रासंगिक शाखा का प्रमुख प्रतिनिधि माना जाता है। उनकी प्रसिद्ध रचनाओं में *माध्यमकावतार* और *प्रसन्नपदा* सम्मिलित हैं, जिनमें उन्होंने नागार्जुन के *मूलमध्यमककारिका* के सिद्धांतों की विस्तृत व्याख्या की है।

**7.** ऋग्वैदिक काल के प्रसिद्ध 'पंच-जन' में यदु, तुर्वश अथवा तुर्वसु, अनु, द्रुह्यु और पुरु नामक पाँच जनजातियाँ सम्मिलित थीं। इन जनजातियों का उल्लेख ऋग्वेद में आर्यों के प्रमुख जनसमूहों के रूप में मिलता है और वे सप्तसिंधु क्षेत्र की राजनीतिक तथा सामाजिक व्यवस्था में महत्त्वपूर्ण भूमिका निभाती थीं। कृवि नामक जनसमुदाय का ऋग्वेद में उल्लेख अवश्य मिलता है, परंतु उसकी गणना परंपरागत पंच-जन में नहीं की जाती। पुरु जनजाति आगे चलकर अत्यंत प्रभावशाली बनी और भरत तथा पुरु समूहों के मेल से कुरु जैसे शक्तिशाली जनपद के विकास का आधार तैयार हुआ।

**8.** जीवक प्राचीन भारत का प्रसिद्ध चिकित्सक था, जिसने मगध के हर्यंक वंशीय शासक बिम्बिसार का उपचार किया था। बौद्ध परंपरा के अनुसार उसका पूरा नाम जीवक कोमारभच्च था और उसने तक्षशिला में कई वर्षों तक चिकित्सा-विज्ञान का अध्ययन किया था। वह शल्यचिकित्सा, औषधि-विज्ञान और रोग-निदान में अत्यंत निपुण था तथा बिम्बिसार का राजवैद्य नियुक्त हुआ। जीवक ने भगवान बुद्ध और बौद्ध संघ के भिक्षुओं का भी उपचार किया तथा राजगृह के निकट स्थित अपना आम्रवन बौद्ध संघ को दान कर दिया था।

**9.** प्राचीन भारतीय पौराणिक परंपरा में इक्ष्वाकु वंश को सूर्यवंश के नाम से जाना जाता था, क्योंकि इसकी उत्पत्ति सूर्यदेव के पुत्र वैवस्वत मनु और उनके पुत्र इक्ष्वाकु से मानी गई है। इक्ष्वाकु इस वंश के प्रथम प्रमुख शासक माने जाते हैं और इसकी राजधानी अयोध्या बताई गई है। रामायण के अनुसार राजा दशरथ और भगवान राम भी इसी सूर्यवंशी-इक्ष्वाकु वंश से संबंधित थे। इस वंश में हरिश्चंद्र, सगर, भगीरथ, दिलीप और रघु जैसे प्रसिद्ध पौराणिक शासक हुए, इसलिए इसे रघुवंश भी कहा गया है।

**10.** बिहार के रोहतास जिले में स्थित नवपाषाणकालीन पुरास्थल सेनुआर का उत्खनन बी.पी. सिंह के निर्देशन में 1986-87 और 1989-90 के दौरान किया गया था। सेनुआर कैमूर क्षेत्र की प्रारंभिक कृषक बस्तियों के अध्ययन के लिए अत्यंत महत्त्वपूर्ण पुरास्थल है। यहाँ से नवपाषाण, ताम्रपाषाण और बाद के ऐतिहासिक कालों से संबंधित सांस्कृतिक अवशेष प्राप्त हुए हैं। उत्खनन में चावल, गेहूँ, जौ और दालों के प्रमाण, पॉलिश किए गए पाषाण उपकरण, अस्थि-उपकरण, मृद्भांड तथा पशुपालन के अवशेष मिले, जो यहाँ विकसित कृषि-आधारित अर्थव्यवस्था की पुष्टि करते हैं।

**11.** जैन धार्मिक परंपरा के अनुसार प्रथम तीर्थंकर ऋषभनाथ का जन्म अयोध्या में हुआ था, जो प्राचीन कोसल महाजनपद का प्रमुख नगर और उसकी राजधानी थी। उनके पिता का नाम राजा नाभिराय और माता का नाम मरुदेवी बताया गया है। ऋषभनाथ को आदिनाथ भी कहा जाता है और जैन परंपरा उन्हें मानव समाज को कृषि, शिल्प, लेखन, व्यापार तथा सामाजिक संगठन की शिक्षा देने वाला प्रथम महान शिक्षक मानती है। उनका चिह्न वृषभ अथवा बैल है और जैन मान्यता के अनुसार उन्होंने अष्टापद पर्वत पर निर्वाण प्राप्त किया था।

**12.** श्वेतांबर जैन परंपरा के अनुसार उन्नीसवें तीर्थंकर मल्लिनाथ को एक महिला तीर्थंकर माना जाता है और उनका नाम मल्लि देवी बताया गया है। इस परंपरा के अनुसार उनका जन्म मिथिला में राजा कुंभ और रानी प्रभावती के यहाँ हुआ था। मल्लिनाथ का धार्मिक चिह्न कलश माना जाता है और उन्हें वैराग्य, तपस्या तथा आध्यात्मिक ज्ञान का प्रतीक माना गया है। दिगंबर जैन परंपरा मल्लिनाथ को पुरुष मानती है, परंतु महिला तीर्थंकर की मान्यता विशेष रूप से श्वेतांबर परंपरा से संबंधित होने के कारण दिए गए विकल्पों में मल्लिनाथ सही उत्तर हैं।

**13.** तर्क को वेदांगों की परंपरागत सूची में सम्मिलित नहीं किया गया है। वेदांगों की संख्या छह है—शिक्षा, कल्प, व्याकरण, निरुक्त, छंद और ज्योतिष—जिनका विकास वेदों के शुद्ध उच्चारण, अर्थबोध, अनुष्ठान और काल-निर्धारण में सहायता के लिए हुआ था। शिक्षा उच्चारण-विज्ञान, कल्प वैदिक कर्मकांड, व्याकरण भाषा-संरचना, निरुक्त वैदिक शब्दों की व्युत्पत्ति, छंद वैदिक मंत्रों की छंद-रचना और ज्योतिष यज्ञों के उपयुक्त समय से संबंधित है। तर्क का व्यवस्थित विकास मुख्यतः न्याय-दर्शन के अंतर्गत हुआ, इसलिए वह वेदांग नहीं है।

**14.** *द टेक्नीक ऑफ कास्टिंग कॉइन्स इन एन्शिएन्ट इंडिया* पुस्तक के लेखक प्रसिद्ध भारतीय पुरावनस्पतिविज्ञानी बीरबल साहनी थे। उन्होंने रोहतक से प्राप्त मिट्टी के सिक्का-साँचों के हजारों टुकड़ों का अध्ययन करके प्राचीन भारत में सिक्के ढालने की तकनीक का पुनर्निर्माण किया। इन साँचों का उपयोग विशेष रूप से यौधेय शासकों के ढले हुए सिक्कों के निर्माण में किया गया था। बीरबल साहनी ने यह स्पष्ट किया कि मिट्टी की बहुस्तरीय साँचों की व्यवस्था में एक साथ अनेक सिक्के ढाले जा सकते थे, जिससे प्राचीन भारतीय धातुकर्म और मुद्रा-निर्माण की उन्नत अवस्था का पता चलता है।

**15.** इंडो-यूनानी शासक यूक्रेडाइट्स ने अपने कुछ ताम्र सिक्कों पर खरोष्ठी लिपि में 'कविशिये नगरदेवता' लेख उत्कीर्ण करवाया था, जिसका अर्थ 'कपिशा नगर का देवता' है। इन सिक्कों के पृष्ठभाग पर सिंहासनारूढ़ नगर-देवता के साथ हाथी का अग्रभाग और पर्वत का प्रतीक अंकित मिलता है। यह लेख यूक्रेडाइट्स के कपिशा क्षेत्र पर राजनीतिक अधिकार तथा वहाँ के स्थानीय धार्मिक प्रतीकों को मान्यता देने का प्रमाण है। यूक्रेडाइट्स दूसरी

शताब्दी ईसा पूर्व का शक्तिशाली बैक्ट्रियाई-यूनानी शासक था, जिसने बैक्ट्रिया के साथ उत्तर-पश्चिमी भारत के कुछ क्षेत्रों में भी अपनी सत्ता स्थापित की थी।

**16.** हूण शासक तोरमाण के शासनकाल से संबंधित शिलालेखयुक्त विशाल वराह प्रतिमा मध्य प्रदेश के सागर जिले में स्थित एरन पुरास्थल से प्राप्त हुई है। प्रतिमा के अभिलेख में तोरमाण को 'महाराजाधिराज श्री तोरमाण' कहा गया है और यह अभिलेख उसके शासन के प्रथम वर्ष का है। इस वराह प्रतिमा का निर्माण धन्यविष्णु ने अपने दिवंगत भाई मातृविष्णु की स्मृति में कराया था। एरन से गुप्त और हूण काल के अनेक महत्त्वपूर्ण अभिलेख तथा मूर्तियाँ प्राप्त हुई हैं; यहीं से भानुगुप्त के काल का गोपराज सती-स्तंभ अभिलेख भी मिला है।

**17.** प्राचीन भारतीय मूर्तिकला में भगवान विष्णु को उनके आयुधों के मानवीकृत रूपों के साथ चित्रित किया गया है, जिन्हें 'आयुध-पुरुष' कहा जाता है। ये आयुध-पुरुष प्रायः छोटे अथवा वामनाकार परिचारकों के रूप में विष्णु के समीप खड़े दिखाई देते हैं। विष्णु के प्रमुख आयुधों में सुदर्शन चक्र, कौमोदकी गदा, पांचजन्य शंख, नन्दक खड्ग और शार्ङ्ग धनुष सम्मिलित हैं। गुप्तकालीन विष्णु प्रतिमाओं में चक्रपुरुष और गदादेवी जैसे आयुधों का मानवीकरण विशेष रूप से लोकप्रिय हुआ तथा इससे देवता की सार्वभौम शक्ति और दैवी संरक्षण को अभिव्यक्त किया गया।

**18.** प्रसिद्ध गणितीय एवं खगोलीय ग्रंथ *खंडखाद्यक* की रचना सातवीं शताब्दी के महान भारतीय गणितज्ञ और खगोलशास्त्री ब्रह्मगुप्त ने 665 ई. के लगभग की थी। यह एक करण-ग्रंथ है, जिसमें ग्रहों की स्थिति, तिथि, नक्षत्र, चंद्र और सूर्य ग्रहण तथा अन्य खगोलीय गणनाओं की व्यावहारिक विधियाँ दी गई हैं। ब्रह्मगुप्त उज्जयिनी की प्रसिद्ध खगोलीय परंपरा से जुड़े थे और उन्होंने आर्यभट्ट की मध्यरात्रि-आधारित गणना-पद्धति का उपयोग इस ग्रंथ में किया। उनकी अन्य प्रमुख रचना *ब्रह्मस्फुटसिद्धांत* है, जिसमें शून्य, ऋणात्मक संख्याओं, द्विघात समीकरणों और चक्रीय चतुर्भुज से संबंधित महत्त्वपूर्ण नियम दिए गए हैं।

**19.** बख्शाली पांडुलिपि प्राचीन भारतीय गणित से संबंधित एक अत्यंत महत्त्वपूर्ण हस्तलिखित ग्रंथ है। यह वर्तमान पाकिस्तान के पेशावर के निकट बख्शाली नामक स्थान से प्राप्त हुई थी और शारदा लिपि में भोजपत्र पर लिखी गई है। इसमें अंकगणित, बीजगणित, भिन्न, वर्गमूल, लाभ-हानि, समानुपात और व्यावहारिक गणितीय समस्याओं के समाधान दिए गए हैं। इस पांडुलिपि में शून्य के लिए बिंदु-चिह्न का प्रयोग विशेष रूप से उल्लेखनीय है, जो भारतीय गणित में स्थानमान पद्धति और शून्य की अवधारणा के विकास का महत्त्वपूर्ण प्रमाण प्रदान करता है।

**20.** बोवर पांडुलिपि प्राचीन भारतीय चिकित्सा-विज्ञान और आयुर्वेद से संबंधित एक महत्त्वपूर्ण पांडुलिपि है। यह पांडुलिपि उन्नीसवीं शताब्दी में मध्य एशिया के कूचा क्षेत्र से प्राप्त हुई और इसका नाम ब्रिटिश अधिकारी हैमिल्टन बोवर के नाम पर रखा गया। यह भोजपत्र पर गुप्तकालीन ब्राह्मी लिपि तथा संस्कृत भाषा में लिखी गई है और सामान्यतः चौथी-पाँचवीं शताब्दी ई. की मानी जाती है। इसमें औषधियों, रोगों के उपचार, मंत्रों, लहसुन के चिकित्सकीय गुणों और कायचिकित्सा से संबंधित विवरण हैं, जिससे भारतीय चिकित्सा-ज्ञान के मध्य एशिया तक प्रसार का पता चलता है।

**21.** आयुर्वेद के प्रसिद्ध ग्रंथ *अष्टांगहृदय* के लेखक आचार्य वाग्भट हैं। यह ग्रंथ आयुर्वेद की आठ शाखाओं—कायचिकित्सा, शल्य, शालाक्य, कौमारभृत्य, अगदतंत्र, भूतविद्या, रसायन और वाजीकरण—का व्यवस्थित तथा संक्षिप्त विवेचन प्रस्तुत करता है। इसकी रचना मुख्यतः पद्यात्मक संस्कृत में हुई है, जिससे आयुर्वेदिक सिद्धांतों और उपचार-विधियों को स्मरण करना सरल हो जाता था। वाग्भट की एक अन्य प्रसिद्ध कृति *अष्टांगसंग्रह* है; उनके ग्रंथों में चरक और सुश्रुत की चिकित्सा-परंपराओं का समन्वय दिखाई देता है।

**22.** राजा जयवर्मन प्राचीन दक्षिण-पूर्व एशिया के फुनान राज्य से संबंधित थे। फुनान का विकास प्रथम से छठी शताब्दी ई. के बीच वर्तमान कंबोडिया और दक्षिणी वियतनाम के मेकांग डेल्टा क्षेत्र में हुआ था। चीनी विवरणों में जयवर्मन को फुनान का एक शक्तिशाली शासक बताया गया है, जिसने पाँचवीं शताब्दी ई. के उत्तरार्ध में शासन किया और चीन के साथ राजनयिक संबंध स्थापित किए। उसके शासनकाल में भारतीय धर्म, संस्कृत भाषा, राजकीय उपाधियों और ब्राह्मणीय संस्कारों का प्रभाव फुनान की राजनीतिक तथा सांस्कृतिक व्यवस्था पर स्पष्ट दिखाई देता है।

**23.** चीनी बौद्ध यात्री इ-त्सिंग के अनुसार दक्षिणी सागर का श्रीविजय राज्य बौद्ध शिक्षा का एक प्रमुख केंद्र था। इ-त्सिंग 671 ई. के लगभग भारत की यात्रा के दौरान श्रीविजय में रुका और उसने वहाँ संस्कृत व्याकरण तथा बौद्ध धर्म का अध्ययन किया। उसने चीनी भिक्षुओं को नालंदा जाने से पहले एक या दो वर्ष श्रीविजय में रहकर संस्कृत और बौद्ध अनुशासन सीखने की सलाह दी थी। श्रीविजय का केंद्र सुमात्रा के पालेमबांग क्षेत्र में था और वह सातवीं से तेरहवीं शताब्दी तक समुद्री व्यापार तथा महायान बौद्ध धर्म का प्रभावशाली राज्य रहा।

**24.** जयवर्मन सप्तम कम्बुज अथवा खमेर साम्राज्य के अंतिम महान और सर्वाधिक प्रसिद्ध शासकों में से एक थे। उन्होंने बारहवीं शताब्दी के उत्तरार्ध से तेरहवीं शताब्दी के आरंभ तक शासन किया तथा चंपा की सेनाओं को पराजित करके खमेर सत्ता को पुनः सुदृढ़ किया। वे महायान बौद्ध धर्म के अनुयायी थे और उन्होंने अंगकोर थॉम, बायोन मंदिर, ता प्रोम तथा प्रेह खान जैसे भव्य स्थापत्य स्मारकों का निर्माण कराया। उन्होंने पूरे साम्राज्य में सड़कों, विश्रामगृहों और आरोग्यशालाओं की स्थापना कराई, इसलिए उनका शासन कम्बुज के राजनीतिक, स्थापत्य और लोककल्याणकारी उत्कर्ष का अंतिम महान चरण माना जाता है।

**25.** चंपा के हिंदू शासक भद्रवर्मन ने वर्तमान वियतनाम में स्थित मैसोन में भगवान शिव का मंदिर बनवाया था। उसने चौथी-पाँचवीं शताब्दी ई. के दौरान शासन किया और मैसोन में 'भद्रेश्वर' नाम से शिवलिंग की स्थापना कराई, जिसमें शासक के नाम और ईश्वर के नाम का समन्वय दिखाई देता है। मैसोन आगे चलकर चंपा राज्य का प्रमुख शैव धार्मिक और राजकीय केंद्र बन गया। यहाँ ईंटों से निर्मित अनेक मंदिर-समूह, संस्कृत अभिलेख और शिव, गणेश, स्कंद तथा अन्य हिंदू देवी-देवताओं की मूर्तियाँ मिली हैं, जो चंपा पर भारतीय संस्कृति के गहरे प्रभाव को प्रमाणित करती हैं।

**26.** अपराजितवर्मन पल्लव राजवंश का अंतिम महत्त्वपूर्ण शासक था। उसने नौवीं शताब्दी ई. के उत्तरार्ध में शासन किया और प्रारंभ में चोल शासक आदित्य प्रथम के सहयोग से पांड्य शासक वरगुण द्वितीय को श्रीपुरम्बियम के युद्ध में पराजित किया। बाद में आदित्य प्रथम ने अपराजितवर्मन को युद्ध में परास्त करके उत्तरी तमिल क्षेत्र अर्थात् तोण्डमण्डलम पर अधिकार कर लिया। लगभग 897 ई. में अपराजित की पराजय और मृत्यु के साथ पल्लवों की स्वतंत्र राजनीतिक सत्ता समाप्त हो गई तथा कांची और उसके आसपास का क्षेत्र उदीयमान चोल साम्राज्य में सम्मिलित हो गया।

**27.** प्रसिद्ध दीदारगंज यक्षी वर्तमान में पटना स्थित बिहार संग्रहालय में प्रदर्शित है। यह प्रतिमा 1917 ई. में पटना के निकट दीदारगंज क्षेत्र में गंगा नदी के तट से प्राप्त हुई थी और इसे चमकदार चुनार बलुआ पत्थर से निर्मित किया गया है। प्रतिमा के दाहिने हाथ में चामर होने के कारण इसे 'दीदारगंज चामरग्राहिणी यक्षी' भी कहा जाता है। इसकी अत्यंत चिकनी चमकदार पॉलिश, सुसंगठित शारीरिक गठन, आभूषण और वस्त्रांकन विशेष उल्लेखनीय हैं; इसे पहले पटना संग्रहालय में रखा गया था, परंतु बाद में बिहार संग्रहालय में स्थानांतरित कर दिया गया।

**28.** बंगाल के सेन राजवंश में विजयसेन का उत्तराधिकारी उसका पुत्र बल्लालसेन था। विजयसेन ने पाल सत्ता के पतन का लाभ उठाकर बंगाल में सेन राज्य का व्यापक विस्तार किया और लगभग बारहवीं शताब्दी के मध्य तक शासन किया। उसके बाद बल्लालसेन ने सत्ता संभाली तथा ब्राह्मणवादी सामाजिक व्यवस्था, धर्मशास्त्र और कुलीन प्रथा को प्रोत्साहित किया। बल्लालसेन को *दानसागर* और *अद्भुतसागर* जैसे ग्रंथों की रचना से भी जोड़ा जाता है; उसके बाद उसका पुत्र लक्ष्मणसेन बंगाल का शासक बना, जिसे आगे चलकर बख्तियार खिलजी के आक्रमण का सामना करना पड़ा।

**29.** मानव-विकास के पारंपरिक अध्ययन में होमो हेबिलिस को 'प्रथम वास्तविक मानव' अथवा मानव वंश का प्रारंभिक वास्तविक प्रतिनिधि माना गया है। 'होमो हेबिलिस' का अर्थ 'कुशल मानव' अथवा 'हैंडी मैन' है, क्योंकि इसके साथ अफ्रीका में ओल्डोवान परंपरा के सरल पत्थर के औजार प्राप्त हुए हैं। यह लगभग 24 लाख से 14 लाख वर्ष पूर्व पूर्वी और दक्षिणी अफ्रीका में निवास करता था तथा इसकी मस्तिष्क-क्षमता ऑस्ट्रेलोपिथीकस की तुलना में अधिक थी। होमो इरेक्टस बाद का अधिक विकसित मानव था, जिसने सीधा चलने, आग के नियंत्रित उपयोग और अफ्रीका से बाहर व्यापक प्रसार में महत्त्वपूर्ण भूमिका निभाई।

**30.** सिद्धमातृका प्राचीन भारत की एक महत्त्वपूर्ण लिपि थी, जिसका विकास उत्तर-गुप्तकालीन ब्राह्मी लिपि से लगभग छठी-सातवीं शताब्दी ई. में हुआ। 'सिद्धमातृका' का अर्थ ऐसी लिपि से है जिसमें अक्षरमाला की प्रारंभिक शिक्षा 'सिद्धम्' अथवा 'सिद्धिरस्तु' जैसे मंगलसूचक शब्द से आरंभ की जाती थी। इसका प्रयोग संस्कृत बौद्ध ग्रंथों, अभिलेखों और धार्मिक मंत्रों को लिखने में किया गया तथा यह भारत से चीन और जापान तक पहुँची। आगे चलकर सिद्धमातृका से नागरी, शारदा, बंगाली और अन्य उत्तर भारतीय लिपियों के विकास में सहायता मिली; जापान में सिद्धम् लिपि को 'शित्तान' के नाम से जाना जाता है।

**31.** **अभिकथन (A):** सही है। मेगास्थनीज ने अपनी पुस्तक *इंडिका* में मौर्यकालीन भारतीय समाज की सामाजिक संरचना का विवरण प्रस्तुत किया था। उसने भारतीय समाज के विभिन्न पेशागत और सामाजिक समूहों का उल्लेख किया, जिसे यूनानी दृष्टिकोण से भारतीय जाति-व्यवस्था का विवरण माना गया।

**कारण (R):** सही नहीं है। मेगास्थनीज ने भारतीय जनसंख्या को आठ नहीं, बल्कि सात वर्गों—दार्शनिक, कृषक, पशुपालक एवं शिकारी, कारीगर, सैनिक, निरीक्षक तथा सभासद एवं प्रशासक—में विभाजित बताया था। ये वर्ग वास्तविक भारतीय वर्ण-जाति व्यवस्था का पूर्णतः सही चित्रण नहीं, बल्कि मुख्यतः व्यवसाय पर आधारित यूनानी वर्गीकरण थे।

अतः अभिकथन सही है, परंतु आठ वर्गों का उल्लेख करने वाला कारण तथ्यात्मक रूप से गलत है।

**32.** **अभिकथन (A):** सही है। कुषाण सम्राट वासुदेव प्रथम के शासनकाल के बाद कुषाण साम्राज्य की केंद्रीय सत्ता कमजोर होने लगी और साम्राज्य अनेक छोटे राजनीतिक भागों में विभाजित हो गया। वासुदेव प्रथम को सामान्यतः महान कुषाणों का अंतिम महत्त्वपूर्ण शासक माना जाता है और उसके बाद 'लघु कुषाण' शासकों का काल आरंभ हुआ।

**कारण (R):** सही नहीं है। ससानिद वंश का उदय ईरान में दूसरी शताब्दी के मध्य में नहीं, बल्कि तीसरी शताब्दी ई. के प्रारंभ में हुआ; अर्दशीर प्रथम ने लगभग 224 ई. में पार्थियन सत्ता को समाप्त करके ससानिद साम्राज्य स्थापित किया। इसके बाद ससानिदों ने बैक्ट्रिया और अफगानिस्तान के कुषाण क्षेत्रों पर अधिकार कर कुषाणशाहों की व्यवस्था स्थापित की।

अतः कुषाण पतन संबंधी अभिकथन सही है, किंतु ससानिदों के उदय का दिया गया काल गलत है।

**33.** **अभिकथन (A):** सही है। प्राचीन भारत में स्थानमान अंक-पद्धति के विकास के साथ शून्य की अवधारणा का क्रमिक विकास हुआ और दूसरी शताब्दी ईसा पूर्व के आसपास इसके प्रारंभिक संकेत

मिलने लगते हैं। बख्शाली पांडुलिपि में स्थानधारक के रूप में बिंदु का प्रयोग मिलता है, जबकि ब्रह्मगुप्त ने 628 ई. में शून्य के साथ गणितीय संक्रियाओं के स्पष्ट नियम दिए।

**कारण (R):** सही है। अरब गणितज्ञों ने भारतीय अंक-पद्धति और शून्य की अवधारणा को ग्रहण किया तथा भारतीय गणितीय ज्ञान का अरबी भाषा में प्रसार किया। अल-ख्वारिज्मी जैसे विद्वानों की रचनाओं के माध्यम से हिंदू-अरबी अंक-पद्धति पश्चिमी एशिया और बाद में यूरोप पहुँची।

परंतु अरबों द्वारा शून्य का प्रसार, भारत में उसकी खोज का कारण नहीं बल्कि उसके बाद की ऐतिहासिक घटना है; इसलिए कारण अभिकथन की सही व्याख्या नहीं करता।

**34. अभिकथन (A):** सही है। वराहमिहिर छठी शताब्दी ई. के प्रसिद्ध भारतीय खगोलशास्त्री थे और उनकी बृहत्संहिता की रचना इसी काल में हुई थी। इसमें खगोल-विज्ञान, ग्रह-नक्षत्र, वर्षा, वास्तु, ज्योतिष, रत्न, कृषि और प्राकृतिक घटनाओं सहित अनेक विषयों का विश्वकोशीय वर्णन मिलता है तथा ग्रहों और चंद्रमा की गतियों पर भी विचार किया गया है।

**कारण (R):** सही नहीं है। वराहमिहिर ने खगोलीय अध्ययन में मुख्यतः भारतीय परंपराओं के साथ यूनानी-रोमन खगोलीय सिद्धांतों का उपयोग किया था, न कि अनेक फारसी पुस्तकों का। उनकी पंचसिद्धांतिका में सूर्यसिद्धांत, पैतामह, वसिष्ठ, रोमक और पौलिश नामक पाँच खगोलीय सिद्धांतों का विवेचन किया गया है।

अतः पुस्तक और उसके खगोलीय स्वरूप से संबंधित अभिकथन स्वीकार्य है, लेकिन फारसी ग्रंथों के प्रयोग वाला कारण सही नहीं है।

**35. अभिकथन (A):** सही है। भारत की ताम्रपाषाणिक संस्कृतियाँ मूलतः ग्रामीण और कृषक-पशुपालक पृष्ठभूमि वाली थीं। आहड़, मालवा, कायथा और जोरवे संस्कृतियों की बस्तियों में मिट्टी तथा कच्ची ईंटों के मकान, कृषि, पशुपालन, तांबे एवं पत्थर के उपकरण और स्थानीय मृद्भांड परंपराएँ पाई गई हैं।

**कारण (R):** सही नहीं है। यद्यपि भारत की अधिकांश ताम्रपाषाणिक संस्कृतियाँ परिपक्व सिंधु सभ्यता के बाद विकसित हुईं, फिर भी उन्होंने सिंधु सभ्यता के अधिकांश उन्नत तकनीकी ज्ञान को नहीं अपनाया था। उनमें सिंधु नगरों जैसी नगर-योजना, पक्की ईंटों की विशाल संरचनाएँ, विकसित जल-निकासी, मानकीकृत बाट-माप और व्यापक लेखन-प्रणाली का अभाव था।

इसलिए ताम्रपाषाणिक संस्कृतियों का ग्रामीण स्वरूप सही है, लेकिन उसे सिंधु सभ्यता की उन्नत तकनीक अपनाने का परिणाम नहीं माना जा सकता।

**36. अभिकथन (A):** सही है। मुद्राशास्त्र हिंद-यूनानी शासकों के राजनीतिक इतिहास के पुनर्निर्माण का सबसे महत्त्वपूर्ण साधन है, क्योंकि उनके व्यवस्थित साहित्यिक और अभिलेखीय स्रोत बहुत सीमित हैं। सिक्कों से शासकों के नाम, उपाधियाँ, प्रतिमाएँ, धार्मिक प्रतीक, शासन-क्षेत्र और उत्तराधिकार के संबंध में जानकारी मिलती है।

**कारण (R):** सही है। अनेक हिंद-यूनानी शासक, जैसे एपोलोडोटस, एंटिमेकस, स्ट्रेटो और अन्य क्षेत्रीय राजा, मुख्यतः अपने सिक्कों के माध्यम से ही ज्ञात हैं। उनके द्विभाषी सिक्कों पर यूनानी और खरोष्ठी लिपियों में लेख मिलते हैं, जो उत्तर-पश्चिमी भारत में उनके शासन का प्रमाण देते हैं।

अनेक शासकों के बारे में सिक्कों के अतिरिक्त अन्य स्रोत न मिलने के कारण कारण, अभिकथन की प्रत्यक्ष और सही व्याख्या करता है।

**37. अभिकथन (A):** सही है। अशोककालीन ब्राह्मी अभिलेखों में विराम-चिह्नों का प्रयोग नियमित नियम के रूप में नहीं, बल्कि कभी-कभार अपवादस्वरूप किया गया था। कुछ अभिलेखों में वाक्य या अनुच्छेद अलग करने के लिए बिंदु, दंड अथवा रिक्त स्थान दिखाई देते हैं, किंतु इनका प्रयोग सर्वत्र समान नहीं था।

**कारण (R):** सही नहीं है। अशोक की ब्राह्मी लिपि में प्रत्येक शब्द को नियमित रूप से अलग-अलग लिखने की विकसित परंपरा नहीं थी। शब्द प्रायः निरंतर लिखे जाते थे और रिक्त स्थान या विराम-चिह्नों का उपयोग असंगत तथा सीमित था।

अतः विराम-विधान के अपवादस्वरूप होने का अभिकथन सही है, जबकि प्रत्येक शब्द को अलग लिखे जाने का कारण गलत है।

**38. अभिकथन (A):** सही है। माध्यमिक दर्शन के अनुयायियों को 'माध्यमिक' इसलिए कहा गया क्योंकि उन्होंने शाश्वतवाद और उच्छेदवाद जैसी दो दार्शनिक अतियों के बीच मध्यम प्रतिपदा को स्वीकार किया। नागार्जुन के अनुसार सभी धर्म प्रतीत्यसमुत्पन्न और स्वभाव-शून्य हैं; इसलिए न उनका पूर्ण शाश्वत अस्तित्व है और न पूर्ण अभाव।

**कारण (R):** सही है। बुद्ध ने सारनाथ में अपने प्रथम धर्मचक्र-प्रवर्तन उपदेश में भोग-विलास और कठोर आत्मपीड़न—इन दोनों अतियों को त्यागकर मध्यम मार्ग अपनाने की शिक्षा दी थी। यह नैतिक एवं साधनात्मक मध्यम मार्ग आर्य अष्टांगिक मार्ग के रूप में प्रस्तुत किया गया।

किंतु माध्यमिक संप्रदाय का नाम मुख्यतः अस्तित्व और अनस्तित्व की दार्शनिक अतियों के मध्य मार्ग से संबंधित है, जबकि कारण बुद्ध के साधनात्मक मध्यम मार्ग की व्याख्या करता है; अतः यह सीधी व्याख्या नहीं है।

**39. अभिकथन (A):** सही नहीं है। कोलडीहवा उत्तर प्रदेश के प्रयागराज जिले में विंध्य पर्वतमाला के उत्तरी सीमांत पर स्थित एक प्रमुख नवपाषाणिक स्थल है, परंतु यह सीधे यमुना नदी के तट पर स्थित नहीं है। यह बेलन नदी घाटी में स्थित है और महगड़ा तथा चोपनी-माण्डो जैसे अन्य प्रागैतिहासिक स्थलों के साथ इस क्षेत्र की प्राचीन कृषि-संस्कृति को दर्शाता है।

**कारण (R):** सही है। कोलडीहवा से नवपाषाण, ताम्रपाषाण और लौहकालीन स्तर प्राप्त हुए हैं, जो वहाँ लंबे सांस्कृतिक अनुक्रम

का प्रमाण देते हैं। यहाँ से हस्तनिर्मित मृद्भांड, पॉलिश किए हुए पाषाण उपकरण, पशु-अस्थियाँ और धान की खेती के प्रारंभिक प्रमाण प्राप्त हुए हैं।

अतः स्थल की नदी-संबंधी स्थिति वाला अभिकथन गलत है, जबकि नवपाषाण से लौह युग तक सांस्कृतिक निरंतरता का कथन सही है।

**40.** वर्धन शासकों का सही कालानुक्रमिक क्रम नरवर्धन, आदित्यवर्धन, प्रभाकरवर्धन और हर्षवर्धन है।

**C. नरवर्धनः** नरवर्धन पुष्यभूति अथवा वर्धन वंश के आरंभिक शासकों में था। उसके शासन के संबंध में विस्तृत राजनीतिक विवरण उपलब्ध नहीं है, किंतु वंशावली में उसका स्थान आदित्यवर्धन से पहले निर्धारित किया गया है।

**B. आदित्यवर्धनः** आदित्यवर्धन नरवर्धन का उत्तराधिकारी था और उसने उत्तर भारत में वर्धन परिवार की राजनीतिक स्थिति को आगे बढ़ाया। उसका विवाह उत्तरगुप्त शासक महासेनगुप्त की बहन महासेनगुप्ता से हुआ माना जाता है, जिससे वंश की प्रतिष्ठा बढ़ी।

**D. प्रभाकरवर्धनः** प्रभाकरवर्धन ने थानेश्वर के वर्धन राज्य को एक प्रभावशाली शक्ति बनाया और 'परमभट्टारक महाराजाधिराज' जैसी उपाधियाँ धारण कीं। बाणभट्ट ने उसे हूणों, सिंधु प्रदेश, गांधार और अन्य पड़ोसी शक्तियों का प्रतिरोध करने वाला पराक्रमी शासक बताया है।

**A. हर्षवर्धनः** हर्षवर्धन 606 ई. के लगभग अपने भाई राज्यवर्धन की मृत्यु के बाद सिंहासन पर बैठा और उसने कन्नौज को अपनी प्रमुख राजधानी बनाया। उसने लगभग 606 से 647 ई. तक शासन किया तथा चीनी यात्री ह्वेनसांग और लेखक बाणभट्ट उसके समय के प्रमुख व्यक्तित्व थे।

**41.** पल्लव शासकों का सही कालानुक्रमिक क्रम सिंहविष्णु, महेन्द्रवर्मन प्रथम, नरसिंहवर्मन प्रथम और परमेश्वरवर्मन प्रथम है।

**B. सिंहविष्णुः** सिंहविष्णु ने लगभग 575-600 ई. के दौरान शासन किया और पल्लव सत्ता को कलभ्रों के प्रभाव से मुक्त कर दक्षिण की ओर विस्तृत किया। वह पल्लवों की महान साम्राज्यवादी शाखा का संस्थापक माना जाता है।

**A. महेन्द्रवर्मन Iः** महेन्द्रवर्मन प्रथम ने लगभग 600-630 ई. तक शासन किया और शैलकृत मंदिर स्थापत्य को विशेष प्रोत्साहन दिया। उसने *मत्तविलासप्रहसन* की रचना की तथा चालुक्य शासक पुलकेशिन द्वितीय से संघर्ष किया।

**D. नरसिंहवर्मन Iः** नरसिंहवर्मन प्रथम ने लगभग 630-668 ई. तक शासन किया और पुलकेशिन द्वितीय को पराजित कर वातापी पर अधिकार किया। उसने 'वातापीकोंड' की उपाधि धारण की तथा मामल्लपुरम् के स्थापत्य विकास को प्रोत्साहित किया।

**C. परमेश्वरवर्मन Iः** परमेश्वरवर्मन प्रथम ने लगभग 670-695 ई. तक शासन किया और चालुक्य शासक विक्रमादित्य प्रथम से संघर्ष किया। उसके समय पल्लव-चालुक्य प्रतिद्वंद्विता पुनः तीव्र हुई तथा शैव धर्म को राजकीय संरक्षण मिला।

**42.** पुस्तकों का सही कालानुक्रमिक क्रम बुद्धचरित, हर्षचरित, गौड़वाहो और विक्रमांकदेवचरित है।

**C. बुद्धचरितः** अश्वघोष द्वारा रचित *बुद्धचरित* सामान्यतः प्रथम-द्वितीय शताब्दी ई. की कृति मानी जाती है। इसमें गौतम बुद्ध के जन्म, वैराग्य, ज्ञानप्राप्ति और जीवन की प्रमुख घटनाओं का संस्कृत महाकाव्यात्मक वर्णन है।

**B. हर्षचरितः** बाणभट्ट ने सातवीं शताब्दी ई. में सम्राट हर्षवर्धन के जीवन और वंश का वर्णन करते हुए *हर्षचरित* की रचना की। यह संस्कृत का प्रारंभिक ऐतिहासिक गद्य-काव्य है और पुष्यभूति वंश की जानकारी देता है।

**A. गौड़वाहोः** वाक्पति ने आठवीं शताब्दी ई. में कन्नौज के शासक यशोवर्मन की विजयगाथा के रूप में प्राकृत काव्य *गौड़वाहो* लिखा। इसमें यशोवर्मन द्वारा गौड़ शासक पर विजय का काव्यात्मक चित्रण मिलता है।

**D. विक्रमांकदेवचरितः** बिल्हण ने ग्यारहवीं-बारहवीं शताब्दी के आरंभ में पश्चिमी चालुक्य शासक विक्रमादित्य षष्ठ के सम्मान में *विक्रमांकदेवचरित* की रचना की। यह कृति उसके सैन्य अभियानों और राजकीय उपलब्धियों का विवरण देती है।

**43.** विद्वानों का सही कालानुक्रमिक क्रम पाणिनि, पतंजलि, कालिदास और संध्याकरनंदी है। ये विद्वान क्रमशः प्राचीन व्याकरण, संस्कृत साहित्य और मध्यकालीन ऐतिहासिक काव्य की विभिन्न परंपराओं का प्रतिनिधित्व करते हैं।

**B. पाणिनिः** पाणिनि सामान्यतः पाँचवीं-चौथी शताब्दी ईसा पूर्व के महान संस्कृत वैयाकरण माने जाते हैं। उनकी *अष्टाध्यायी* में लगभग चार हजार सूत्रों के माध्यम से संस्कृत व्याकरण का वैज्ञानिक निरूपण किया गया है।

**A. पतंजलिः** पतंजलि ने लगभग दूसरी शताब्दी ईसा पूर्व में पाणिनि की *अष्टाध्यायी* पर *महाभाष्य* की रचना की। इस ग्रंथ से शुंगकालीन समाज, राजनीतिक घटनाओं और यवन आक्रमणों की भी जानकारी मिलती है।

**C. कालिदासः** कालिदास सामान्यतः चौथी-पाँचवीं शताब्दी ई. के गुप्तकालीन कवि और नाटककार माने जाते हैं। उनकी प्रमुख रचनाओं में *अभिज्ञानशाकुंतलम्, मेघदूत, रघुवंश* और *कुमारसंभव* सम्मिलित हैं।

**D. संध्याकरनंदीः** संध्याकरनंदी ने लगभग ग्यारहवीं-बारहवीं शताब्दी ई. में *रामचरित* की रचना की। इस द्वयर्थक काव्य में रामकथा के साथ पाल शासक रामपाल और कैवर्त विद्रोह से संबंधित ऐतिहासिक विवरण भी दिया गया है।

**44.** विदेशी यात्रियों और राजदूतों का सही कालानुक्रमिक क्रम नियारकस, मेगास्थनीज, डाइमेकस और फा-हियान है। पहले तीन यूनानी जगत से संबंधित थे, जबकि फा-हियान चीन से भारत आने वाला बौद्ध यात्री था।

**C. नियारकसः** नियारकस सिकंदर महान का नौसेनापति था और उसने लगभग 325-324 ईसा पूर्व सिंधु नदी के मुहाने से फारस की खाड़ी तक समुद्री यात्रा की। उसके विवरण से उत्तर-पश्चिमी भारत के तटीय जीवन और व्यापार की जानकारी मिलती है।

**B. मेगास्थनीजः** मेगास्थनीज लगभग 302-298 ईसा पूर्व सेल्यूकस निकेटर का राजदूत बनकर चंद्रगुप्त मौर्य के दरबार में आया। उसने *इंडिका* में मौर्यकालीन प्रशासन, समाज, नगर-व्यवस्था और पाटलिपुत्र का वर्णन किया।

**D. डाइमेकसः** डाइमेकस को सेल्यूकस के उत्तराधिकारी एंटियोकस प्रथम ने बिंदुसार के दरबार में राजदूत के रूप में भेजा था। वह तीसरी शताब्दी ईसा पूर्व के प्रारंभ में मौर्य साम्राज्य में उपस्थित था।

**A. फा-हियानः** फा-हियान लगभग 399-414 ई. के बीच भारत आया और चंद्रगुप्त द्वितीय के शासनकाल में अनेक बौद्ध स्थलों की यात्रा की। उसके विवरण में गुप्तकालीन समाज, प्रशासन और बौद्ध धर्म की स्थिति का उल्लेख मिलता है।

**45.** अभिलेखों का सही कालानुक्रमिक क्रम खारवेल का हाथीगुम्फा अभिलेख, कनिष्क प्रथम का सारनाथ अभिलेख, समुद्रगुप्त का प्रयागस्तंभ लेख और चंद्र का महरौली लौह-स्तंभ अभिलेख है। ये अभिलेख क्रमशः ईसा पूर्व प्रथम शताब्दी से गुप्तकाल तक के राजनीतिक इतिहास को प्रकाशित करते हैं।

**B. खारवेल का हाथीगुम्फा अभिलेखः** यह अभिलेख ओडिशा की उदयगिरि पहाड़ी पर स्थित है और सामान्यतः प्रथम शताब्दी ईसा पूर्व का माना जाता है। इसमें कलिंग शासक खारवेल के शासन-वर्षों, सैन्य अभियानों और सार्वजनिक निर्माणों का वर्णन है।

**D. कनिष्क I का सारनाथ अभिलेखः** कनिष्क प्रथम का सारनाथ अभिलेख कुषाण काल, सामान्यतः दूसरी शताब्दी ई., से संबंधित है। इसमें कनिष्क की राजकीय सत्ता और सारनाथ क्षेत्र में बौद्ध संस्थाओं के संरक्षण की जानकारी मिलती है।

**A. समुद्रगुप्त का प्रयागस्तंभ लेखः** हरिषेण द्वारा रचित यह अभिलेख चौथी शताब्दी ई. में अशोक के स्तंभ पर उत्कीर्ण कराया गया था। इसमें समुद्रगुप्त की आर्यावर्त, दक्षिणापथ और सीमांत राज्यों से संबंधित विजय-नीति का विवरण है।

**C. चंद्र का महरौली अभिलेखः** दिल्ली के महरौली लौह-स्तंभ पर उत्कीर्ण यह अभिलेख सामान्यतः चंद्रगुप्त द्वितीय से संबंधित माना जाता है। इसमें 'चंद्र' नामक राजा की बंगाल और उत्तर-पश्चिम दिशा की विजयों तथा विष्णुभक्ति का उल्लेख मिलता है।

**46.** बौद्ध विद्वानों का सही कालानुक्रमिक क्रम नागार्जुन, मातृचेत, चंद्रकीर्ति और शांतिदेव है। ये विद्वान महायान बौद्ध धर्म की दार्शनिक, स्तोत्रात्मक और आचार-संबंधी परंपराओं के प्रमुख प्रतिनिधि थे।

**A. नागार्जुनः** नागार्जुन सामान्यतः दूसरी शताब्दी ई. के महान माध्यमिक दार्शनिक माने जाते हैं। उनकी *मूलमध्यमककारिका* में शून्यता, प्रतीत्यसमुत्पाद और दो सत्यों के सिद्धांत का दार्शनिक विवेचन किया गया है।

**C. मातृचेतः** मातृचेत लगभग दूसरी-तीसरी शताब्दी ई. के प्रसिद्ध बौद्ध कवि और स्तोत्रकार माने जाते हैं। उनकी प्रमुख रचनाओं में *शतपंचाशत्क स्तोत्र* सम्मिलित है, जिसमें बुद्ध के गुणों की स्तुति की गई है।

**D. चंद्रकीर्तिः** चंद्रकीर्ति सातवीं शताब्दी ई. के माध्यमिक विद्वान और नागार्जुन की परंपरा के प्रमुख भाष्यकार थे। उनकी *प्रसन्नपदा* और *माध्यमकावतार* माध्यमिक दर्शन की महत्त्वपूर्ण कृतियाँ हैं।

**B. शांतिदेवः** शांतिदेव सातवीं-आठवीं शताब्दी ई. के महायान बौद्ध आचार्य थे और उनका संबंध नालंदा महाविहार से माना जाता है। उनकी *बोधिचर्यावतार* में बोधिसत्त्व के आदर्श, करुणा, प्रज्ञा और पारमिताओं का विवेचन है।

**47.** मंदिरों का सही कालानुक्रमिक क्रम शोर मंदिर, बैकुंठपेरुमाल मंदिर, मुक्तेश्वर मंदिर और ऐरावतेश्वर मंदिर है। यह क्रम पल्लवकालीन द्रविड़ स्थापत्य से आरंभ होकर कलिंग और उत्तरकालीन चोल स्थापत्य तक पहुँचता है।

**C. शोर मंदिरः** महाबलीपुरम् का शोर मंदिर पल्लव शासक नरसिंहवर्मन द्वितीय राजसिंह के समय आठवीं शताब्दी ई. के आरंभ में निर्मित हुआ। यह संरचनात्मक द्रविड़ मंदिर है और इसमें शिव तथा विष्णु से संबंधित देवालय सम्मिलित हैं।

**D. बैकुंठपेरुमाल मंदिरः** कांचीपुरम् का बैकुंठपेरुमाल मंदिर पल्लव शासक नंदीवर्मन द्वितीय के समय आठवीं शताब्दी ई. में निर्मित हुआ। यह विष्णु को समर्पित है और इसकी दीवारों पर पल्लव वंश के ऐतिहासिक दृश्य अंकित हैं।

**B. मुक्तेश्वर मंदिरः** भुवनेश्वर का मुक्तेश्वर मंदिर लगभग दसवीं शताब्दी ई. में निर्मित हुआ और इसे कलिंग स्थापत्य का रत्न कहा जाता है। इसका अलंकृत तोरण, नाग-नागिन आकृतियाँ और सूक्ष्म मूर्तिकला विशेष प्रसिद्ध हैं।

**A. ऐरावतेश्वर मंदिरः** दारासुरम् स्थित ऐरावतेश्वर मंदिर का निर्माण चोल शासक राजराज द्वितीय ने बारहवीं शताब्दी ई. में कराया। यह शिव को समर्पित है और अपने रथाकार मंडप तथा अत्यंत सूक्ष्म शिल्पांकन के लिए प्रसिद्ध है।

**48.** खारवेल की उपलब्धियों का सही कालानुक्रमिक क्रम राष्ट्रिकों की विजय, गोरथगिरि की विजय, पिथुंड नगर की विजय और मगध अभियान है। हाथीगुम्फा अभिलेख में उसकी उपलब्धियाँ शासन-वर्षों के क्रम में वर्णित की गई हैं।

**C. राष्ट्रिक की विजयः** खारवेल ने अपने शासन के आरंभिक वर्षों में पश्चिमी दिशा में सेना भेजकर राष्ट्रिकों और भोजकों को अपनी शक्ति स्वीकार करने पर बाध्य किया। यह अभियान सामान्यतः उसके चौथे शासन-वर्ष से संबंधित माना जाता है।

**D. गोरथगिरि की विजयः** आठवें शासन-वर्ष में खारवेल ने गोरथगिरि के दुर्ग पर आक्रमण किया और राजगृह की ओर बढ़ा। उसके अभियान से यवन शासक के मथुरा की ओर पीछे हटने का उल्लेख अभिलेख में मिलता है।

**A. पिथुंड नगर की विजयः** ग्यारहवें शासन-वर्ष में खारवेल ने दक्षिण की ओर अभियान कर पिथुंड नगर को नष्ट किया। अभिलेख में इस नगर पर गधों से हल चलवाने का प्रतीकात्मक वर्णन उसकी निर्णायक विजय को व्यक्त करता है।

**B. मगध की विजयः** बारहवें शासन-वर्ष में खारवेल ने उत्तरापथ की ओर अभियान करके मगध के शासक को भयभीत किया और अपनी प्रभुता स्थापित की। वह कलिंग से पहले ले जाई गई जैन प्रतिमा को वापस लाया, जिससे उसकी धार्मिक प्रतिष्ठा बढ़ी।

**49.** दिए गए तत्वों में प्रतीत्यसमुत्पाद का सही क्रम संस्कार, नाम-रूप, स्पर्श और उपादान है। पूर्ण प्रतीत्यसमुत्पाद सिद्धांत में अविद्या से आरंभ होकर जरा-मरण तक बारह निदान बताए गए हैं।

**B. कार्मिक बलों का प्रभाव–संस्कारः** अविद्या के कारण संस्कार उत्पन्न होते हैं, जिनका अर्थ इच्छा-प्रेरित कर्म, मानसिक प्रवृत्तियाँ और कार्मिक निर्माण है। ये संस्कार आगामी चेतना तथा पुनर्जन्म की प्रक्रिया को प्रभावित करते हैं।

**C. मनो-भौतिक जीव–नाम-रूपः** विज्ञान के आधार पर नाम-रूप उत्पन्न होता है, जिसमें 'नाम' मानसिक अवस्थाओं और 'रूप' भौतिक शरीर का संकेत है। यह जीव के मनोदैहिक संगठन को व्यक्त करता है।

**D. बोध-वस्तु-संपर्क–स्पर्शः** षडायतन के सक्रिय होने पर इंद्रिय, विषय और संबंधित चेतना के संयोग से स्पर्श उत्पन्न होता है। स्पर्श आगे वेदना अर्थात् सुखद, दुखद या तटस्थ अनुभूति को जन्म देता है।

**A. भोग-विलास में संलिप्त रहना–उपादानः** तृष्णा के तीव्र और दृढ़ हो जाने पर उपादान अर्थात् आसक्ति या ग्रहण उत्पन्न होता है। उपादान के कारण भव, जाति और अंततः जरा-मरण की प्रक्रिया आगे बढ़ती है।

**50.** चोल शासकों का सही कालानुक्रमिक क्रम राजराज प्रथम, राजेन्द्र प्रथम, राजाधिराज प्रथम और कुलोत्तुंग प्रथम है। इन शासकों के काल में चोल साम्राज्य ने राजनीतिक विस्तार, समुद्री शक्ति और मंदिर स्थापत्य में उल्लेखनीय उन्नति की।

**C. राजराजा Iः** राजराज प्रथम ने 985-1014 ई. तक शासन किया और चोल साम्राज्य को दक्षिण भारत की प्रमुख शक्ति बनाया। उसने तंजावुर में बृहदीश्वर मंदिर का निर्माण कराया तथा श्रीलंका के उत्तरी भाग पर अधिकार किया।

**B. राजेन्द्र Iः** राजेन्द्र प्रथम ने 1012/1014-1044 ई. तक शासन किया और चोल साम्राज्य का विस्तार गंगा घाटी तथा दक्षिण-पूर्व एशिया तक किया। उसने गंगैकोंडचोलपुरम् नगर और वहाँ विशाल शिव मंदिर की स्थापना की।

**A. राजाधिराज Iः** राजाधिराज प्रथम ने 1044-1052/1054 ई. तक शासन किया और पश्चिमी चालुक्यों के विरुद्ध अनेक युद्ध किए। कोप्पम के युद्ध में वह हाथी पर युद्ध करते हुए मारा गया, जिसके बाद राजेन्द्र द्वितीय ने युद्धक्षेत्र में सत्ता संभाली।

**D. कुलोत्तुंग Iः** कुलोत्तुंग प्रथम ने 1070-1122 ई. तक शासन किया और पूर्वी चालुक्य तथा चोल वंशों की संयुक्त परंपरा स्थापित की। उसके शासन में प्रशासनिक पुनर्गठन, व्यापार और राजस्व व्यवस्था को सुदृढ़ किया गया।

**51.** पुराणों में वर्णित दशावतार परंपरा के अनुसार दिए गए अवतारों का सही क्रम मत्स्य, कूर्म, वराह और वामन है। यह क्रम विष्णु के अवतारों के परंपरागत अनुक्रम पर आधारित है।

**B. मत्स्यः** मत्स्य विष्णु का प्रथम अवतार माना जाता है। इस रूप में विष्णु ने प्रलय के समय मनु, सप्तर्षियों और सृष्टि के आवश्यक बीजों की रक्षा की थी।

**C. कूर्मः** कूर्म विष्णु का दूसरा अवतार है। समुद्र-मंथन के समय विष्णु ने कच्छप रूप धारण करके मंदराचल पर्वत को अपनी पीठ पर आधार प्रदान किया था।

**A. वराहः** वराह विष्णु का तीसरा अवतार माना जाता है। इस रूप में विष्णु ने हिरण्याक्ष का वध करके पृथ्वी को रसातल से बाहर निकाला था।

**D. वामनः** वामन विष्णु का पाँचवाँ अवतार है, जो राजा बलि से संबंधित है। वामन ने तीन पग भूमि माँगकर तीनों लोकों को नाप लिया और बलि के अभिमान का शमन किया।

**52.** समुद्रगुप्त के प्रयाग-प्रशस्ति अभिलेख में दक्षिणापथ के बारह शासकों का उल्लेख मिलता है। दिए गए युग्मों में महाकांतार के व्याघ्रराज, देवराष्ट्र के कुबेर और एरण्डपल्ल के दमन सही रूप से संबद्ध हैं।

**A. महाकांतार के व्याघ्रराजः** सही है। महाकांतार के शासक का नाम व्याघ्रराज था। समुद्रगुप्त ने उसे पराजित करने के बाद पुनः राज्य प्रदान किया और अपनी अधीनता स्वीकार कराई।

**B. काँची के हस्तिवर्माः** सही नहीं है। काँची का शासक विष्णुगोप था, जबकि हस्तिवर्मा वेंगी का शासक था। इसलिए स्थान और शासक का यह संयोजन गलत है।

**C. अवमुक्त के उग्रसेनः** सही नहीं है। अवमुक्त का शासक नीलराज था, जबकि उग्रसेन पालक्क का शासक था। अतः यह युग्म भी सही नहीं है।

**D. देवराष्ट्र के कुबेरः** सही है। प्रयाग-प्रशस्ति में देवराष्ट्र के शासक के रूप में कुबेर अथवा कुवेर का उल्लेख है। वह समुद्रगुप्त द्वारा पराजित दक्षिणापथ के शासकों में सम्मिलित था।

**E. इरंडापल्ला के दमनः** सही है। एरण्डपल्ल अथवा इरंडापल्ल का शासक दमन था। समुद्रगुप्त की दक्षिण नीति के अनुसार उसे पराजित कर पुनः शासन करने की अनुमति दी गई थी।

**53.** चंद्रगुप्त द्वितीय द्वारा जारी किए गए प्रमुख स्वर्ण सिक्कों में धनुर्धर, सिंहहन्ता और अश्वरोही प्रकार सम्मिलित हैं। व्याघ्रहन्ता प्रकार विशेष रूप से समुद्रगुप्त से संबंधित माना जाता है।

**A. धनुर्धर प्रकारः** सही है। इस प्रकार के सिक्के पर चंद्रगुप्त द्वितीय को धनुष और बाण धारण किए हुए दिखाया गया है। इसके पृष्ठभाग पर सामान्यतः कमल पर विराजमान लक्ष्मी का चित्र मिलता है।

**B. व्याघ्रहन्ता प्रकारः** सही नहीं है। व्याघ्रहन्ता प्रकार के सिक्के मुख्यतः समुद्रगुप्त ने जारी किए थे। इनमें राजा को व्याघ्र पर आक्रमण करते हुए दिखाया गया है।

**C. सिंहहन्ता प्रकारः** सही है। चंद्रगुप्त द्वितीय के सिंहहन्ता प्रकार के सिक्कों पर राजा को सिंह का वध करते हुए अंकित किया गया है। यह प्रकार उसकी वीरता और पश्चिमी भारत पर विजय का प्रतीक माना जाता है।

**D. अश्वरोही प्रकारः** सही है। इस प्रकार के सिक्कों पर चंद्रगुप्त द्वितीय को घोड़े पर सवार दिखाया गया है। यह उसकी सैन्य शक्ति और गतिशील साम्राज्यवादी नीति को व्यक्त करता है।

**54.** महायान बौद्ध धर्म में शून्यता, त्रिकाय अथवा बुद्ध के कायों की अवधारणा और बोधिसत्त्व आदर्श को विशेष महत्त्व दिया गया है। अरहत आदर्श का संबंध मुख्यतः प्रारंभिक बौद्ध परंपराओं और थेरवाद से है।

**A. महायानी शून्यता की संकल्पना में आस्था रखते हैं:** सही है। नागार्जुन द्वारा विकसित माध्यमिक दर्शन में सभी धर्मों को स्वभाव-शून्य माना गया है। शून्यता का अर्थ पूर्ण अभाव नहीं, बल्कि स्वतंत्र और स्थायी अस्तित्व का अभाव है।

**B. महायानी निकाय की संकल्पना में आस्था रखते हैं:** सही है। महायान में बुद्ध के धर्मकाय, संभोगकाय और निर्माणकाय की त्रिकाय अवधारणा विकसित हुई। इनसे बुद्ध के परम सत्य, दिव्य रूप और सांसारिक प्राकट्य को समझाया गया है।

**C. महायानी अरहत की संकल्पना में आस्था रखते हैं:** सही नहीं है। महायान में अरहत की तुलना में बोधिसत्त्व को श्रेष्ठ आध्यात्मिक आदर्श माना गया है। बोधिसत्त्व सभी प्राणियों के कल्याण के लिए अपने अंतिम निर्वाण को स्थगित करता है।

**D. महायानी बोधिसत्त्व की संकल्पना में आस्था रखते हैं:** सही है। करुणा और प्रज्ञा से युक्त बोधिसत्त्व महायान का केंद्रीय आदर्श है। अवलोकितेश्वर, मंजुश्री और मैत्रेय प्रमुख बोधिसत्त्व माने जाते हैं।

**55.** पतंजलि के अष्टांग योग के आठ अंग यम, नियम, आसन, प्राणायाम, प्रत्याहार, धारणा, ध्यान और समाधि हैं। पारमिता बौद्ध धर्म की साधना से संबंधित संकल्पना है, अष्टांग योग का अंग नहीं।

**A. यमः** सही है। यम अष्टांग योग का प्रथम अंग है और इसमें अहिंसा, सत्य, अस्तेय, ब्रह्मचर्य तथा अपरिग्रह सम्मिलित हैं। ये साधक के सामाजिक और नैतिक अनुशासन का आधार बनते हैं।

**B. धारणाः** सही है। धारणा अष्टांग योग का छठा अंग है, जिसमें मन को किसी एक बिंदु, विषय या स्थान पर स्थिर किया जाता है। यह ध्यान और समाधि की पूर्ववर्ती अवस्था है।

**C. पारमिताः** सही नहीं है। पारमिता विशेष रूप से महायान बौद्ध धर्म में बोधिसत्त्व के पूर्णता-गुणों को व्यक्त करती है। दान, शील, क्षांति, वीर्य, ध्यान और प्रज्ञा छह प्रमुख पारमिताएँ हैं।

**D. प्रत्याहारः** सही है। प्रत्याहार अष्टांग योग का पाँचवाँ अंग है। इसमें इंद्रियों को बाहरी विषयों से हटाकर मन के नियंत्रण में लाया जाता है।

**56.** बौद्ध ग्रंथों में देवदह के कोलिय, अलकप्प के बुलि और पिप्पलीवन के मोरिय गणराज्य अथवा गण-संघ के रूप में उल्लिखित हैं। कौशाम्बी वत्स महाजनपद की राजधानी थी और वहाँ 'मघ' नामक गण का उल्लेख नहीं मिलता।

**A. कौशाम्बी के मघः** सही नहीं है। कौशाम्बी वत्स महाजनपद की राजधानी थी, जहाँ उदयन जैसे राजतंत्रीय शासक का उल्लेख मिलता है। 'मघ' नामक गण या संघ बौद्ध राजनीतिक सूची में मान्य नहीं है।

**B. देवदह के कोलियः** सही है। कोलिय एक गणतंत्रीय समुदाय था, जिसका संबंध देवदह और रामग्राम से था। बुद्ध की माता महामाया और पालक माता महाप्रजापती गौतमी कोलिय वंश से थीं।

**C. अलकप्प के बुलीः** सही है। अलकप्प के बुलि अथवा बुली बौद्ध ग्रंथों में गणतंत्रीय समुदाय के रूप में उल्लिखित हैं। बुद्ध के महापरिनिर्वाण के बाद उन्हें अस्थि-अवशेषों का एक भाग प्राप्त हुआ था।

**D. पिप्पलीवन के मोरियः** सही है। पिप्पलीवन के मोरिय एक छोटे गणराज्य के रूप में वर्णित हैं। उन्हें बुद्ध के अवशेष नहीं मिले, परंतु उन्होंने चिता की राख प्राप्त करके उस पर स्तूप बनवाया था।

**57.** सप्तमातृका परंपरा में ब्राह्मणी, माहेश्वरी, कौमारी, वैष्णवी, वाराही, इंद्राणी और चामुंडा को सात मातृदेवियों के रूप में स्वीकार किया जाता है। छिन्नमस्ता दशमहाविद्याओं में सम्मिलित हैं, सप्तमातृकाओं में नहीं।

**A. वराहीः** सही है। वाराही वराह देवता अथवा विष्णु के वराह अवतार की शक्ति मानी जाती हैं। उन्हें वराह-मुखी देवी के रूप में चित्रित किया जाता है।

**B. छिन्नमस्ताः** सही नहीं है। छिन्नमस्ता तांत्रिक शक्ति परंपरा की दशमहाविद्याओं में से एक हैं। वे आत्मबलिदान, जीवन-शक्ति और सृजन-विनाश के द्वैत का प्रतीक हैं।

**C. चामुण्डाः** सही है। चामुंडा सप्तमातृकाओं में सम्मिलित उग्र देवी हैं। उनका नाम चंड और मुंड नामक असुरों के वध से संबंधित है।

**D. इंद्राणीः** सही है। इंद्राणी अथवा ऐंद्री देवताओं के राजा इंद्र की शक्ति मानी जाती हैं। उन्हें वज्र धारण किए और ऐरावत अथवा हाथी से संबद्ध रूप में दिखाया जाता है।

**58.** पुराणों के परंपरागत पंचलक्षण सर्ग, प्रतिसर्ग, वंश, मन्वंतर और वंशानुचरित हैं। भुवनकोश अथवा जगत का भूगोल पुराणों में वर्णित अवश्य है, पर वह मूल पंचलक्षणों में सम्मिलित नहीं है।

**A. जगत की रचना–सर्गः** सही है। सर्ग से ब्रह्मांड, तत्वों, देवताओं और जीव-जगत की मूल उत्पत्ति का बोध होता है। यह पुराणों का प्रथम लक्षण माना जाता है।

**B. देवताओं और ऋषियों की वंशावलियाँ–वंशः** सही है। वंश में देवताओं, ऋषियों और प्रजापतियों की वंश-परंपराओं का विवरण मिलता है। इससे पौराणिक परिवारों और उनके पारस्परिक संबंधों का ज्ञान होता है।

**C. शाही राजवंशों का विवरण–वंशानुचरितः** सही है। वंशानुचरित में सूर्यवंश, चंद्रवंश तथा अन्य राजवंशों के शासकों की कथाएँ और वंशावलियाँ दी गई हैं। इतिहास-लेखन के लिए इन विवरणों का सावधानी से उपयोग किया जाता है।

**D. जगत का भूगोल–भुवनकोशः** सही नहीं है। भुवनकोश में द्वीपों, समुद्रों, पर्वतों और लोकों का पौराणिक भूगोल मिलता है। यह पुराणों का महत्त्वपूर्ण विषय है, किंतु मूल पंचलक्षणों में सम्मिलित नहीं है।

**59.** प्रयाग स्तंभ लेख, सूपिया प्रस्तर अभिलेख और भीतरी स्तंभ अभिलेख गुप्त शासकों के शासनकाल में जारी किए गए थे। बाँसखेड़ा ताम्रपत्र अभिलेख पुष्यभूति शासक हर्षवर्धन से संबंधित है।

**A. प्रयाग स्तंभ लेखः** सही है। यह समुद्रगुप्त की प्रशस्ति है, जिसकी रचना उसके दरबारी कवि और संधिविग्रहिक हरिषेण ने की थी। इसमें समुद्रगुप्त की विजयों और विभिन्न श्रेणियों के अधीनस्थ राज्यों का वर्णन है।

**B. सूपिआ प्रस्तर अभिलेखः** सही है। मध्य प्रदेश के सूपिया से प्राप्त अभिलेख गुप्तकालीन शासक स्कंदगुप्त के समय से संबंधित है। इसमें गुप्त संवत् और गुप्त प्रशासन से संबंधित महत्त्वपूर्ण जानकारी मिलती है।

**C. बाँसखेड़ा ताम्र लेखः** सही नहीं है। बाँसखेड़ा ताम्रपत्र हर्षवर्धन के शासनकाल का अभिलेख है। इसमें हर्ष द्वारा ब्राह्मणों को ग्रामदान देने और प्रशासनिक अधिकारियों का उल्लेख मिलता है।

**D. भीतरी स्तंभ अभिलेखः** सही है। उत्तर प्रदेश के भीतरी से प्राप्त स्तंभ अभिलेख स्कंदगुप्त से संबंधित है। इसमें पुष्यमित्रों के विरुद्ध उसके संघर्ष और गुप्त वंश की प्रतिष्ठा पुनर्स्थापित करने का वर्णन है।

**60.** देवगढ़ का दशावतार मंदिर, भूमरा का शिव मंदिर और नचना कुठार का पार्वती मंदिर गुप्तकालीन मंदिर स्थापत्य के प्रमुख उदाहरण हैं। काँची का कैलासनाथ मंदिर पल्लवकालीन है, गुप्तकालीन नहीं।

**A. काँची का कैलासनाथ मंदिरः** सही नहीं है। इस मंदिर का निर्माण पल्लव शासक नरसिंहवर्मन द्वितीय राजसिंह ने आठवीं शताब्दी ई. के आरंभ में कराया था। यह द्रविड़ शैली के प्रारंभिक संरचनात्मक मंदिरों में से एक है।

**B. देवगढ़ का दशावतार मंदिरः** सही है। उत्तर प्रदेश के देवगढ़ का दशावतार मंदिर पाँचवीं-छठी शताब्दी ई. का गुप्तकालीन विष्णु मंदिर है। इसके शिल्पफलक में अनंतशायी विष्णु, गजेन्द्रमोक्ष और नर-नारायण के दृश्य अंकित हैं।

**C. भूमरा का शिव मंदिरः** सही है। मध्य प्रदेश के भूमरा का शिव मंदिर पाँचवीं शताब्दी ई. के गुप्तकालीन स्थापत्य का महत्त्वपूर्ण उदाहरण है। यहाँ से एकमुखी शिवलिंग और अलंकृत द्वारशाखाएँ प्राप्त हुई हैं।

**D. नचना कुठार का पार्वती मंदिरः** सही है। मध्य प्रदेश स्थित नचना कुठार का पार्वती मंदिर पाँचवीं शताब्दी ई. का माना जाता है। इसकी द्विस्तरीय संरचना और प्रारंभिक शिखर-रूप उत्तर भारतीय मंदिर स्थापत्य के विकास को दर्शाते हैं।

**61.** आहड़, बालाथल और ओजियाणा राजस्थान में स्थित ताम्रपाषाणकालीन पुरास्थल हैं तथा इनका संबंध मुख्यतः बनास अथवा आहड़-बनास संस्कृति से है। दाइमाबाद महाराष्ट्र में गोदावरी की सहायक प्रवरा नदी की घाटी में स्थित है, इसलिए वह राजस्थान का स्थल नहीं है।

**A. आहड़ः** सही है। आहड़ उदयपुर के निकट आयड़ नदी के तट पर स्थित ताम्रपाषाणकालीन पुरास्थल है और इसे 'ताम्रवती' तथा 'धूलकोट' के नाम से भी जाना जाता है। यहाँ से काले एवं लाल मृद्भांडों पर सफेद रंग की चित्रकारी, तांबे के उपकरण, अनाज और मकानों के अवशेष प्राप्त हुए हैं।

**B. बालाथलः** सही है। बालाथल राजस्थान के उदयपुर जिले की वल्लभनगर तहसील में स्थित आहड़-बनास संस्कृति का महत्त्वपूर्ण स्थल है। यहाँ से किलेबंद बस्ती, मिट्टी और पत्थर के मकान, कृषि, पशुपालन तथा तांबे के प्रयोग के प्रमाण मिले हैं।

**C. ओजियाणाः** सही है। ओजियाणा राजस्थान के भीलवाड़ा जिले में स्थित ताम्रपाषाणकालीन स्थल है और इसका संबंध आहड़-बनास सांस्कृतिक परंपरा से है। उत्खनन में चित्रित मृद्भांड, तांबे की वस्तुएँ, मनके तथा कृषि-पशुपालन आधारित जीवन के प्रमाण प्राप्त हुए हैं।

**D. दाइमाबादः** सही नहीं है। दाइमाबाद महाराष्ट्र के अहमदनगर जिले में स्थित एक प्रमुख ताम्रपाषाणकालीन स्थल है। यह सावालदा, उत्तर हड़प्पा, दाइमाबाद और जोरवे सांस्कृतिक चरणों तथा कांस्य की प्रसिद्ध मानव और पशु आकृतियों के लिए जाना जाता है।

**62.** ए.सी.एल. कार्लाइल ने भारत में प्रागैतिहासिक शैलचित्रों की प्रारंभिक खोज की थी, वी.एस. वाकणकर ने भीमबेटका के शैलाश्रयों की पहचान की और यशोधर माठपाल ने वहाँ के चित्रों का विस्तृत

विश्लेषण किया। भीमबेटका उत्तर प्रदेश में नहीं, बल्कि मध्य प्रदेश में स्थित है।

**A. प्राचीन भारत के पहले शैलचित्रों की खोज ए.सी.एल. कार्लाइल द्वारा की गई थीः** सही है। ए.सी.एल. कार्लाइल ने उन्नीसवीं शताब्दी में उत्तर प्रदेश के मिर्जापुर क्षेत्र में प्रागैतिहासिक शैलचित्रों की पहचान की थी। इन खोजों ने भारत में शैलकला के व्यवस्थित अध्ययन की आधारभूमि तैयार की।

**B. भीमबेटका भारत के उत्तर प्रदेश में स्थित हैः** सही नहीं है। भीमबेटका के शैलाश्रय मध्य प्रदेश के रायसेन जिले में विंध्य पर्वत की तलहटी में स्थित हैं। यहाँ पुरापाषाण काल से ऐतिहासिक काल तक मानव निवास और चित्रकला की दीर्घ परंपरा के प्रमाण मिले हैं।

**C. वी.एस. वाकणकर ने सबसे पहले भीमबेटका में शैलचित्रों की पहचान की थीः** सही है। विष्णु श्रीधर वाकणकर ने 1957 ई. में रेल यात्रा के दौरान इस क्षेत्र की शैल-संरचनाओं को देखकर भीमबेटका की पुरातात्त्विक महत्ता पहचानी। बाद में सर्वेक्षण और उत्खननों से सैकड़ों शैलाश्रय तथा अनेक चित्रित स्थल सामने आए।

**D. यशोधर माठपाल ने भीमबेटका के शैलचित्रों का विवेचनात्मक विश्लेषण किया थाः** सही है। यशोधर माठपाल ने भीमबेटका की शैलकला का विस्तृत प्रलेखन, वर्गीकरण और शैलीगत अध्ययन किया। उन्होंने चित्रों के विषय, रंग, तकनीक और सांस्कृतिक चरणों के आधार पर उनके विकास को समझाया।

**63.** ऐहोल अभिलेख में चालुक्य शासक कीर्तिवर्मन प्रथम की नल, मौर्य और कदम्ब शक्तियों पर विजय का उल्लेख मिलता है। गंगों पर विजय को इस विशेष सूची में कीर्तिवर्मन प्रथम की उपलब्धि के रूप में सम्मिलित नहीं किया गया है।

**A. गंगः** सही नहीं है। पश्चिमी गंग दक्षिणी कर्नाटक के प्रभावशाली शासक थे और बादामी चालुक्यों के साथ उनके राजनीतिक तथा वैवाहिक संबंध भी रहे। ऐहोल प्रशस्ति में कीर्तिवर्मन प्रथम की प्रमुख विजित शक्तियों की सूची में गंगों का नाम इस रूप में नहीं आता।

**B. नलः** सही है। नल वंश का प्रभाव बस्तर और उसके आसपास के मध्य भारतीय क्षेत्र में था। कीर्तिवर्मन प्रथम ने नलों को पराजित करके चालुक्य सत्ता का विस्तार पूर्व और उत्तर-पूर्व दिशा में किया।

**C. मौर्यः** सही है। यहाँ मौर्यों से अभिप्राय कोंकण के मौर्य शासकों से है, न कि प्राचीन मगध के मौर्य साम्राज्य से। उनकी पराजय ने पश्चिमी समुद्रतटीय क्षेत्र में चालुक्यों की राजनीतिक स्थिति को मजबूत किया।

**D. कदम्बः** सही है। बनवासी के कदम्ब प्रारंभिक कर्नाटक की प्रमुख शक्ति थे। कीर्तिवर्मन प्रथम ने उन्हें पराजित करके उनके क्षेत्र पर चालुक्य प्रभाव स्थापित किया और बादामी चालुक्य राज्य का विस्तार किया।

**64. A. ए स्टडी ऑफ एन्शिएन्ट इंडियन न्यूमिसमैटिक्स – III. एस.के. चक्रवर्तीः** एस.के. चक्रवर्ती ने इस ग्रंथ में प्राचीन भारतीय मुद्राशास्त्र का व्यवस्थित अध्ययन प्रस्तुत किया। इसमें प्रारंभिक सिक्का-प्रणालियों, भारमानों, धातुओं, मुद्रा-प्रकारों और उत्तर भारत की प्राचीन मौद्रिक परंपराओं का विवेचन किया गया है।

**B. अर्ली इंडियन कॉइन्स एंड करेंसी सिस्टम – IV. एस.के. मैतीः** एस.के. मैती की यह कृति प्रारंभिक भारतीय सिक्कों और मुद्रा-व्यवस्था के इतिहास से संबंधित है। इसमें प्राचीन सिक्कों की उत्पत्ति, विनिमय-व्यवस्था, धातु-मुद्रा और आर्थिक जीवन में सिक्कों की भूमिका का विश्लेषण किया गया है।

**C. कॉर्पस ऑफ इंडो-ग्रीक कॉइन्स – II. ए.एन. लाहिड़ीः** ए.एन. लाहिड़ी ने हिंद-यूनानी सिक्कों का विस्तृत संग्रह और वर्गीकरण प्रस्तुत किया। इन सिक्कों पर यूनानी तथा खरोष्ठी लेख, शासकों के नाम, देवताओं की आकृतियाँ और राजकीय उपाधियाँ हिंद-यूनानी इतिहास के पुनर्निर्माण में सहायक हैं।

**D. कुषाण कॉइन्स ऑफ द लैण्ड ऑफ फाइव रिवर्स – I. बी. एन. मुकर्जीः** बी.एन. मुकर्जी की यह कृति पंजाब अर्थात् पाँच नदियों की भूमि से प्राप्त कुषाण सिक्कों के अध्ययन से संबंधित है। कुषाण सिक्कों से शासकों की कालावधि, धार्मिक समन्वय, राजकीय प्रतीकों और उत्तर-पश्चिम भारत में उनके प्रभाव की जानकारी मिलती है।

**65. A. अवनिसिंह – III. सिंहविष्णुः** 'अवनिसिंह' सिंहविष्णु की उपाधि थी, जिसका आशय पृथ्वी पर सिंह के समान पराक्रमी शासक से है। सिंहविष्णु ने कलभ्रों को पराजित कर पल्लव सत्ता का पुनरुत्थान किया और राज्य का विस्तार कावेरी क्षेत्र की दिशा में किया।

**B. वातापिकोंड – I. नरसिंहवर्मन Iः** नरसिंहवर्मन प्रथम ने चालुक्य शासक पुलकेशिन द्वितीय को पराजित करके उसकी राजधानी वातापी पर अधिकार किया। इस विजय के उपलक्ष्य में उसने 'वातापिकोंड' अर्थात् 'वातापी का विजेता' उपाधि धारण की।

**C. आगमप्रिय – IV. नरसिंहवर्मन IIः** नरसिंहवर्मन द्वितीय, जिसे राजसिंह भी कहा जाता है, 'आगमप्रिय' उपाधि से प्रसिद्ध था। वह शैव आगमों का संरक्षक था और उसके शासनकाल में कांची का कैलासनाथ मंदिर तथा मामल्लपुरम् का शोर मंदिर निर्मित हुए।

**D. गुणभर – II. महेन्द्रवर्मन Iः** 'गुणभर' महेन्द्रवर्मन प्रथम की प्रसिद्ध उपाधि थी, जिसका अर्थ अनेक गुणों से परिपूर्ण व्यक्ति है। वह साहित्य, संगीत, चित्रकला और स्थापत्य का संरक्षक था तथा उसने संस्कृत प्रहसन *मत्तविलासप्रहसन* की रचना की।

**66. A. शीतलनाथ – II. 10वेंः** शीतलनाथ जैन धर्म के दसवें तीर्थंकर थे। जैन परंपरा के अनुसार उनका जन्म भद्रिलपुर में राजा दृढ़रथ और रानी सुनंदा के यहाँ हुआ था तथा उनका प्रतीक श्रीवत्स माना जाता है।

**B. सुव्रतनाथ – IV. 20वेंः** मुनिसुव्रतनाथ जैन धर्म के बीसवें तीर्थंकर थे। उनका जन्म राजगृह में राजा सुमित्र और रानी पद्मावती के यहाँ माना जाता है तथा उनका लांछन कछुआ है।

**C. मल्लिनाथ – III. 19वेंः** मल्लिनाथ जैन धर्म के उन्नीसवें तीर्थंकर थे और उनका जन्म मिथिला में माना जाता है। श्वेतांबर परंपरा उन्हें स्त्री तीर्थंकर मल्लि देवी मानती है, जबकि दिगंबर परंपरा उन्हें पुरुष स्वीकार करती है।

**D. विमलनाथ – I. 13वेंः** विमलनाथ जैन धर्म के तेरहवें तीर्थंकर थे। उनका जन्म कंपिल्य में राजा कृतवर्मा और रानी श्यामा के यहाँ माना जाता है तथा उनका प्रतीक वराह है।

**67. A. अंग – III. चंपाः** अंग महाजनपद की राजधानी चंपा थी, जो वर्तमान बिहार के भागलपुर क्षेत्र के निकट स्थित थी। चंपा गंगा नदी क्षेत्र का प्रमुख व्यापारिक नगर और पूर्वी भारत के व्यापार का महत्त्वपूर्ण केंद्र था।

**B. वत्स – IV. कौशाम्बीः** वत्स महाजनपद की राजधानी कौशाम्बी थी, जो यमुना नदी के तट पर स्थित एक समृद्ध नगर था। राजा उदयन वत्स का प्रसिद्ध शासक था और कौशाम्बी बौद्ध तथा व्यापारिक गतिविधियों का भी प्रमुख केंद्र बना।

**C. मत्स्य – I. विराटनगरः** मत्स्य महाजनपद की राजधानी विराटनगर थी, जिसकी पहचान सामान्यतः राजस्थान के बैराठ से की जाती है। महाभारत परंपरा में विराटनगर को राजा विराट की राजधानी तथा पांडवों के अज्ञातवास का स्थान बताया गया है।

**D. चेदि – II. सोथीवतनगरः** चेदि महाजनपद की राजधानी सोथीवती अथवा सोथीवतनगर मानी जाती है। चेदि का विस्तार बुंदेलखंड और उसके आसपास के क्षेत्र में था तथा पौराणिक परंपरा में शिशुपाल इसका प्रसिद्ध शासक था।

**68. A. शिशुपालवध – III. माघः** *शिशुपालवध* संस्कृत के महाकवि माघ द्वारा रचित महाकाव्य है। इसमें कृष्ण द्वारा राजसूय यज्ञ के अवसर पर चेदि नरेश शिशुपाल के वध की कथा का अलंकारपूर्ण वर्णन किया गया है।

**B. नैषधचरित – IV. श्रीहर्षः** *नैषधचरित* की रचना बारहवीं शताब्दी के संस्कृत कवि श्रीहर्ष ने की थी। यह नल और दमयंती की कथा पर आधारित महाकाव्य है तथा अपनी जटिल भाषा, शब्दालंकार और विद्वत्तापूर्ण शैली के लिए प्रसिद्ध है।

**C. देवीचंद्रगुप्तम् – I. विशाखदत्तः** *देवीचंद्रगुप्तम्* विशाखदत्त द्वारा रचित ऐतिहासिक संस्कृत नाटक था, जो अब पूर्ण रूप में उपलब्ध नहीं है। इसके उद्धरणों से रामगुप्त, चंद्रगुप्त द्वितीय और ध्रुवदेवी से संबंधित गुप्तकालीन राजनीतिक घटनाओं की जानकारी मिलती है।

**D. नागानंद – II. हर्षवर्धनः** *नागानंद* की रचना सम्राट हर्षवर्धन ने की थी। यह नाटक बोधिसत्त्व जीमूतवाहन के आत्मबलिदान की कथा पर आधारित है और इसमें बौद्ध करुणा तथा ब्राह्मणीय धार्मिक तत्वों का समन्वय दिखाई देता है।

**69. A. चान्हूदड़ो – III. एन.जी. मजूमदारः** चान्हूदड़ो की खोज और प्रारंभिक उत्खनन का श्रेय एन.जी. मजूमदार को दिया जाता है। सिंध क्षेत्र में स्थित यह हड़प्पा नगर मनका-निर्माण, शंख-शिल्प, मुहरों और अन्य औद्योगिक गतिविधियों के लिए प्रसिद्ध था।

**B. बनावली – IV. आर.एस. बिष्टः** हरियाणा के फतेहाबाद जिले में स्थित बनावली का उत्खनन आर.एस. बिष्ट ने किया था। यहाँ पूर्व-हड़प्पा और परिपक्व हड़प्पा दोनों सांस्कृतिक चरणों के प्रमाण तथा दुर्गीकृत नगर-योजना प्राप्त हुई है।

**C. भगवानपुरा – I. जे.पी. जोशीः** हरियाणा के कुरुक्षेत्र जिले में स्थित भगवानपुरा का उत्खनन जे.पी. जोशी के निर्देशन में किया गया था। यहाँ उत्तर हड़प्पा संस्कृति और चित्रित धूसर मृद्भांड संस्कृति के सह-अस्तित्व के प्रमाण मिले हैं।

**D. लोथल – II. एस.आर. रावः** गुजरात में स्थित लोथल का उत्खनन एस.आर. राव ने 1950 के दशक में किया था। यह स्थल अपनी गोदी-जैसी संरचना, मनका-निर्माण उद्योग, अग्निवेदियों और समुद्री व्यापार के प्रमाणों के लिए प्रसिद्ध है।

**70. A. न्याय दर्शन – III. गौतमः** न्याय दर्शन के प्रवर्तक अक्षपाद गौतम माने जाते हैं और इसका मूल ग्रंथ *न्यायसूत्र* है। न्याय दर्शन प्रत्यक्ष, अनुमान, उपमान और शब्द नामक चार प्रमाणों को मान्यता देता है तथा तर्क-विधि पर विशेष बल देता है।

**B. वैशेषिक दर्शन – II. कणादः** वैशेषिक दर्शन के संस्थापक महर्षि कणाद माने जाते हैं और इसका प्रमुख ग्रंथ *वैशेषिकसूत्र* है। यह दर्शन द्रव्य, गुण, कर्म, सामान्य, विशेष, समवाय और अभाव जैसे पदार्थों तथा परमाणुवाद का विवेचन करता है।

**C. सांख्य दर्शन – IV. ईश्वरकृष्णः** ईश्वरकृष्ण ने *सांख्यकारिका* की रचना करके सांख्य दर्शन के सिद्धांतों को व्यवस्थित रूप दिया। सांख्य दर्शन पुरुष और प्रकृति नामक दो स्वतंत्र तत्त्वों तथा प्रकृति से विकसित पच्चीस तत्त्वों को स्वीकार करता है।

**D. वेदान्त दर्शन – I. बादरायणः** वेदान्त दर्शन का मूल ग्रंथ *ब्रह्मसूत्र* बादरायण द्वारा रचित माना जाता है। वेदान्त उपनिषदों के ब्रह्म, आत्मा, जगत और मोक्ष संबंधी विचारों का दार्शनिक विवेचन प्रस्तुत करता है।

**71. A. सातवाहन – IV. सिमुकः** सिमुक को सातवाहन वंश का संस्थापक और प्रथम शासक माना जाता है। उसने दक्कन में सातवाहन सत्ता की नींव रखी तथा उसके बाद उसका भाई कृष्ण अथवा कान्ह सातवाहन सिंहासन पर बैठा।

**B. कण्व – I. वासुदेवः** वासुदेव कण्व ने अंतिम शुंग शासक देवभूति को हटाकर कण्व वंश की स्थापना की थी। पुराणों में वासुदेव, भूमिमित्र, नारायण और सुशर्मा नामक चार कण्व शासकों का उल्लेख मिलता है।

**C. मौर्य – II. दशरथः** दशरथ मौर्य सम्राट अशोक का पौत्र और उसका उत्तराधिकारी था। नागार्जुनी पहाड़ियों की गुफाओं के अभिलेखों से ज्ञात होता है कि उसने आजीवक संप्रदाय को गुफाएँ दान की थीं।

**D. वाकाटक – III. विंध्यशक्तिः** विंध्यशक्ति को वाकाटक राजवंश का संस्थापक माना जाता है। वाकाटकों ने तीसरी से पाँचवीं शताब्दी ई. के बीच मध्य भारत और दक्कन के कुछ भागों पर शासन किया तथा प्रवरसेन प्रथम ने इस राज्य का व्यापक विस्तार किया।

72. **A. सीताध्यक्ष – II. सरकारी कृषि भूमि प्रमुखः** सीताध्यक्ष राजकीय कृषि-भूमि और खेती की व्यवस्था का अधीक्षक था। वह राजकीय खेतों की जुताई, बीज, श्रमिकों, सिंचाई तथा कृषि-उत्पादन की देखरेख करता था।

**B. लक्षणाध्यक्ष – III. टकसाल प्रमुखः** लक्षणाध्यक्ष सिक्कों के लक्षण, मानक, भार और मुद्रा-निर्माण की व्यवस्था से संबंधित अधिकारी था। वह राजकीय टकसाल में निर्मित मुद्राओं की शुद्धता और निर्धारित मानकों की निगरानी करता था।

**C. पण्याध्यक्ष – IV. वाणिज्य विभागाध्यक्षः** पण्याध्यक्ष व्यापार और वाणिज्य का अधीक्षक था। वह वस्तुओं के मूल्य, बिक्री, राजकीय माल, बाजार-नियमन और व्यापारिक लाभ की सीमा पर नियंत्रण रखता था।

**D. मुद्राध्यक्ष – I. पासपोर्ट विभागाध्यक्षः** मुद्राध्यक्ष राज्य में प्रवेश और प्रस्थान के लिए आवश्यक राजकीय मुद्रा अथवा अनुमति-पत्र जारी करता था। इस कारण उसे पासपोर्ट और यात्रा-अनुमति व्यवस्था का प्रमुख अधिकारी माना जाता है।

73. **A. क्षुरकर्म – IV. क्षौर कलाः** क्षुरकर्म का संबंध उस्तरे द्वारा बाल और दाढ़ी काटने की कला से था। इस कार्य को करने वाला व्यक्ति नाई अथवा क्षौरकार कहलाता था और व्यक्तिगत स्वच्छता से संबंधित सेवाएँ प्रदान करता था।

**B. सारथ्यम् – I. सारथी/रथ विज्ञानः** सारथ्यम् का संबंध रथ चलाने, घोड़ों को नियंत्रित करने और युद्ध अथवा यात्रा में सारथी के कौशल से था। प्राचीन युद्ध-व्यवस्था में रथ और सारथी दोनों का अत्यंत महत्त्वपूर्ण स्थान था।

**C. रूपम् – III. मुद्रा-परिवर्तकः** रूप अथवा रूप्य से संबंधित व्यवसाय में सिक्कों की जाँच, मूल्यांकन और विनिमय का कार्य किया जाता था। मुद्रा-परिवर्तक विभिन्न सिक्कों की धातु, भार और प्रचलित मूल्य को देखकर उनका आदान-प्रदान करता था।

**D. लेखम् – II. लेखकः** लेखम् का संबंध लिखने, अभिलेख तैयार करने और हिसाब-किताब रखने के कार्य से था। लेखक राजकीय आदेशों, व्यापारिक विवरणों, दानपत्रों और प्रशासनिक अभिलेखों को लिखित रूप प्रदान करता था।

74. **A. महेन्द्र शैली – II. पालवरम का पंचपांडव मंडपः** महेन्द्रवर्मन प्रथम के काल में पल्लव स्थापत्य की शैलकृत मंडप शैली का विकास हुआ। पल्लवरम का पंचपांडव मंडप चट्टान काटकर निर्मित स्तंभयुक्त गुफा-मंदिर है और महेन्द्र शैली का प्रतिनिधि उदाहरण माना जाता है।

**B. मामल्ल शैली – I. महाबलिपुरम का रथ मंदिरः** नरसिंहवर्मन प्रथम 'मामल्ल' के काल में महाबलीपुरम के एकाश्मक रथ-मंदिरों का निर्माण हुआ। पंचरथों को अलग-अलग चट्टानों को तराशकर बनाया गया और इनमें द्रविड़ मंदिरों के विविध स्थापत्य रूपों का प्रयोगात्मक विकास दिखाई देता है।

**C. राजसिंह शैली – IV. काँची का वैकुण्ठ पेरुमाल मंदिरः** राजसिंह शैली पल्लव स्थापत्य के संरचनात्मक मंदिर-निर्माण चरण का प्रतिनिधित्व करती है। प्रश्न में दिए गए वर्गीकरण के अनुसार काँची का वैकुण्ठ पेरुमाल मंदिर इस विकसित संरचनात्मक शैली से संबद्ध किया गया है।

**D. नंदीवर्मन शैली – III. काँची का मातंगेश्वर मंदिरः** नंदीवर्मन शैली पल्लव स्थापत्य के अंतिम चरण से संबंधित है, जिसमें अपेक्षाकृत छोटे किंतु सुसज्जित संरचनात्मक मंदिर बने। काँची का मातंगेश्वर मंदिर इस उत्तरवर्ती पल्लव शैली का प्रतिनिधि उदाहरण माना जाता है।

75. **A. एन्शिएन्ट इंडियन सोशल हिस्ट्री – III. रोमिला थापरः** Ancient Indian Social History: Some Interpretations रोमिला थापर की कृति है। इसमें प्राचीन भारतीय समाज, वंश, राज्य-निर्माण, धार्मिक परंपराओं और सामाजिक संरचनाओं का ऐतिहासिक विश्लेषण प्रस्तुत किया गया है।

**B. मेटीरियल कल्चर एंड सोशल फॉर्मेशन इन एन्शिएन्ट इंडिया – I. आर.एस. शर्माः** इस पुस्तक में आर.एस. शर्मा ने भौतिक संस्कृति, तकनीकी विकास, कृषि, लोहे के उपयोग और सामाजिक संरचनाओं के पारस्परिक संबंधों का अध्ययन किया है। यह प्राचीन भारत के आर्थिक और सामाजिक इतिहास की महत्त्वपूर्ण कृति है।

**C. द पावर ऑफ जेन्डर एंड द जेन्डर ऑफ पावरः एक्सप्लोरेशन्स इन अर्ली इंडियन हिस्ट्री – II. कुमकुम रॉयः** कुमकुम रॉय की यह पुस्तक प्रारंभिक भारतीय इतिहास में लिंग, सत्ता, परिवार, राजव्यवस्था और सामाजिक संबंधों का विश्लेषण करती है। इसमें प्राचीन ग्रंथों और ऐतिहासिक परंपराओं के माध्यम से स्त्री-पुरुष संबंधों की संरचना को समझाया गया है।

**D. द सोशल डायमेन्शन्स ऑफ अर्ली बुद्धिज्म – IV. उमा चक्रवर्तीः** उमा चक्रवर्ती की यह कृति प्रारंभिक बौद्ध धर्म की सामाजिक पृष्ठभूमि, जाति, वर्ग, नगरीकरण और नए सामाजिक समूहों से उसके संबंधों की विवेचना करती है। इसमें बौद्ध धर्म के उदय को तत्कालीन सामाजिक-आर्थिक परिवर्तनों के संदर्भ में समझाया गया है।

## पिछले प्रश्न-पत्र

# Common University Entrance Test for PG Programmes

# CUET–PG—प्राचीन भारतीय इतिहास, संस्कृति और वास्तुकला प्रवेश परीक्षा, 2025

(Exam held on 16-03-2025)

**1.** आर्यभट्ट किस शताब्दी के थे?

1. चौथी शताब्दी
2. पाँचवीं शताब्दी
3. छठी शताब्दी
4. सातवीं शताब्दी

**2.** निम्नलिखित को कालानुक्रमिक क्रम में व्यवस्थित करें:

A. इंडो-ग्रीक
B. मौर्य
C. गुप्त
D. शक
E. चालुक्य

नीचे दिए गए विकल्पों में से **सही** उत्तर चुनें:

1. A, B, C, D और E
2. B, A, D, C और E
3. B, D, A, C और E
4. B, A, C, D और E

**3.** संस्कृत भाषा के नियमों को किसने सुव्यवस्थित रूप से संचित किया?

1. पाणिनी
2. पतंजलि
3. शंकराचार्य
4. याज्ञवलक्य

**4.** भारत ने सोने के सिक्के ढालने की कला इनमें प्राप्त की:

1. मिस्रवासी
2. चीनी
3. यूनानी और रोमन
4. इंडोनेशियाई

**5.** भारत में महापाषाण युग के लोग लोहे के औज़ारों तथा ______ का उपयोग करते थे।

1. गेरुआ रंग के मृदभांड
2. चित्रित धूसर मृदभांड
3. उत्तरी काले चमकदार मृदभांड
4. काले तथा लाल मृदभांड

**6.** समुद्रगुप्त के शासनकाल का सबसे महत्वपूर्ण अभिलेख, इलाहाबाद स्तंभ पर प्रशस्ति है। इसमें निम्नलिखित के अभिलेख भी हैं:

1. अशोक
2. कनिष्क
3. चंद्रगुप्त
4. हर्ष

**7.** ऋग्वेद में पाँच जनजातियों के समूह को पंचजन और पंचकृष्टि के रूप में चिह्नित किया गया है। निम्नलिखित में से कौन-सा उनमें से **नहीं** था?

1. तुर्व
2. यदु
3. भरत
4. पुरु

**8.** सूची-I और सूची-II का मिलान कीजिये:

| सूची-I | सूची-II |
|---|---|
| A. मगध | I. उज्जैन |
| B. अंग | II. विराटनगर |
| C. मत्स्य | III. चंपा |
| D. अवंती | IV. राजगृह |

नीचे दिए गए विकल्पों में से **सही** उत्तर चुनें:

1. A-III, B-II, C-IV, D-I
2. A-III, B-II, C-I, D-IV
3. A-I, B-II, C-IV, D-III
4. A-IV, B-III, C-II, D-I

**9.** निम्नलिखित में से किस यज्ञ में 'रत्निन्शी' नामक एक अनोखा अनुष्ठान शामिल है?

1. अश्वमेध
2. वाजपेय
3. पुत्रयेष्ठी
4. राजसूय

**10.** निम्नलिखित में से कौन-सा नाटक बताता है कि चंद्रगुप्त द्वितीय का एक बड़ा भाई रामगुप्त था जो सिंहासन का वास्तविक उत्तराधिकारी था?

1. दूतवाक्य
2. विक्रमोर्वशीय
3. हयग्रीववध
4. देवीचंद्रगुप्तम

**11.** ऋग्वेद में वर्णित, कुलों/कबीलों की संख्या है:

1. 122
2. 300
3. 244
4. 52

| 2 | **2.** 2 | **3.** 1 | **4.** 3 | **5.** 4 | **6.** 1 | **7.** 3 | **8.** 4 | **9.** 4 | **10.** 4 | **11.** 2 |
|---|---|---|---|---|---|---|---|---|---|---|

**12.** अपने सिक्कों पर शाही चित्रांकन सर्वप्रथम इनके द्वारा कराया गया:

1. शुंग 2. कुषाण
3. बैक्ट्रियन ग्रीक 4. गुप्त

**13.** बुद्ध ने दुखों से मुक्ति पर अपना पहला उपदेश, अपने पांच पूर्व साथियों को दिया। उनके पहले पाँच शिष्यों को जल्द ही सत्य का ज्ञान हुआ और वे ______ बन गए।

1. अरहट 2. आत्मा
3. संखार 4. अविज्ज

**14.** गुप्त काल के दौरान एक व्यक्ति के विभिन्न पदों पर रहने के ज्ञात मामलें हैं। समुद्रगुप्त के दरबारी कवि हरिषेण ने ______ के रूप में कार्य नहीं किया।

1. कुमारामात्य 2. संधिविग्राहक
3. महापीलुपति 4. महादंडनायक

**15.** ईसा पूर्व तीसरी शताब्दी में, भारत में देशभर की संपर्क भाषा कौन-सी थी?

1. प्राकृत 2. संस्कृत
3. पालि 4. तमिल

**16.** भौगोलिक प्रसार के संदर्भ में चित्रित धूसर मृदभांड निम्नलिखित से संबंधित है:

1. मध्य-गंगा घाटी 2. सिंधु घाटी
3. तवी घाटी 4. घग्गर के बाढ़ के मैदान

**17.** *सौन्दरानंद* किसने लिखा?

1. वात्स्यायन 2. पतंजलि
3. अश्वघोष 4. बाणभट्ट

**18.** 'नगर' शब्द निम्नलिखित में से किस ग्रंथ में प्रथम बार आया है?

1. ऋग्वेद 2. अर्थशास्त्र
3. विनय पिटक 4. बृहदारण्यकोपनिषद्

**19.** रामगढ़ पहाड़ी (छत्तीसगढ़ में) पर स्थित सीताबेंगा और जोगीमारा गुफाओं तक एक प्राकृतिक सुरंग के माध्यम से पहुँचा जा सकता है जिसका नाम है ______।

1. हाथीपोल 2. लायनपोल
3. टाइगरपोल 4. होर्सपोल

**20.** अजंता गुफाओं का शानदार स्थल सह्याद्री पहाड़ियों के एक घुमावदार हिस्से में बना हुआ है जिसके बिलकुल नजदीक ______ बहती है।

1. भीमा नदी 2. वाघोरा नदी
3. गोदावरी नदी 4. नर्मदा नदी

**21.** कुषाण साम्राज्य का संस्थापक कौन था?

1. कनिष्क 2. कुजुल कडफिसेस
3. गोंडोफेरेस 4. विम कडफिसेस

**22.** निम्नलिखित में से कौन-सा तांत्रिक बौद्ध परंपरा के प्रारंभिक ग्रंथ में से एक है?

1. मंजुश्रीमूलकल्प 2. बोधिचार्यवतार
3. चचनामा 4. आदि पुराण

**23.** निम्नलिखित में से किस विद्वान ने सुझाव दिया कि प्लिस्टोसीन के अंत में पर्यावरणीय परिवर्तनों ने खाद्य उत्पादन के लिए संभावनाएं खड़ी कीं?

1. रॉबर्ट जे. ब्रैडवुड 2. लुईस आर. बिनफोर्ड
3. केंट फ्लैनरी 4. वी. गॉर्डन चाइल्ड

**24.** निम्नलिखित को कालानुक्रमिक क्रम में व्यवस्थित करें:

A. एम.आर. मुगल ने बहावलपुर में अन्वेषण शुरू किया।
B. बी.बी. लाल और बी.के. थापर ने कालीबंगा में उत्खनन शुरू किया।
C. हड़प्पा मुहर पर अलेक्जेंडर कनिंघम की रिपोर्ट।
D. आर.एस. बिष्ट ने धोलावीरा में खुदाई शुरू की।
E. एस.आर. राव ने लोथल में खुदाई शुरू की।

नीचे दिए गए विकल्पों में से **सही** उत्तर चुनें:

1. C, E, B, A, D 2. A, B, E, C, D
3. B, E, A, D, C 4. E, C, B, D, A

**25.** सिक्के के केवल एक तरफ, एक उपकरण से, ठप्पा लगे, सब पुराने सिक्के इस काल के हैं:

1. ईसा पूर्व छठी शताब्दी का अंत
2. ईसा पूर्व चौथी शताब्दी का अंत
3. ईसा पूर्व दूसरी शताब्दी का अंत
4. ईसा पूर्व पहली शताब्दी का अंत

**26.** गैर-धार्मिक रचनाओं के लिए संस्कृत का उपयोग करने वाले प ज्ञात लेखक कौन थे?

1. पाणिनी 2. कालिदास
3. शूद्रक 4. अश्वघोष

**27.** किस नदी को परुष्णी के नाम से जाना जाता था?

1. चिनाब 2. रावी
3. व्यास 4. झेलम

| | | | | | | | |
|---|---|---|---|---|---|---|---|
| **12.** 3 | **13.** 1 | **14.** 3 | **15.** 1 | **16.** 1 | **17.** 3 | **18.** 4 | **19.** 1 |
| **20.** 2 | **21.** 2 | **22.** 1 | **23.** 4 | **24.** 1 | **25.** 1 | **26.** 4 | **27.** 2 |

**28.** निम्नलिखित में से कौन-से स्थल बेलन घाटी में स्थित हैं?

1. बगोर और महादहा
2. महागारा और कोल्डिहवा
3. सराय नहर राय और बागोर
4. आदमगढ़ और महादहा

**29.** महादहा में कंकालों के अध्ययन के दौरान, तेरह मृत व्यक्तियों की मृत्यु की औसत आयु का अनुमान निम्न के बीच लगाया गया:

1. 41 और 48 वर्ष 2. 51 और 58 वर्ष
3. 19 और 28 वर्ष 4. 31 और 40 वर्ष

**30.** राशि चक्र के संकेतों के संस्कृत नामों की उत्पत्ति ______ है।

1. रोमन 2. सुमेरियन
3. यूनानी 4. मिस्त्री

**31.** वासुदेव (गुप्त शासक) के सिक्कों के पृष्ठ पर लगभग अपरिवर्तनीय रूप से इस देवता का अंकन है:

1. शिव 2. हेलिओस
3. विष्णु 4. गरुड़

**32.** हर्ष के बड़े भाई के हत्यारे के रूप में किसे जाना जाता था?

1. तोरमान, हूण शासक 2. मौखरी के ईशानवर्मन
3. शशांक, गौड़ राजा 4. मैत्रक, वल्लभी शासक

**33.** न्यू आर्कियोलॉजी के क्षेत्र में, कौन-सा सम्प्रदाय, संस्कृति और सांस्कृतिक प्रक्रियाओं को समग्र रूप में समझने की कोशिश करता है?

1. उत्तर आधुनिकतावादी 2. प्रगतिवादी
3. राष्ट्रवादी 4. प्रक्रियात्मकवादी

**34.** निम्नलिखित में से कौन-सा चोलों का एक महत्वपूर्ण प्रशासनिक केंद्र और आवासीय राजधानी था?

1. पल्लनकोयिल 2. कुदामुक्कू
3. पलैयाराई 4. तिरुवरूर

**35.** *द स्टोरी ऑफ इंडियन आर्कियोलॉजी* पुस्तक के लेखक का नाम बताइए?

1. जॉन मार्शल 2. एस.एन. रॉय
3. आर. ई. एम. व्हीलर 4. अलेक्जेंडर कनिंघम

**36.** *सक्सेसर्स ऑफ दी सातवाहनाज* की रचना किसने की?

1. के. गोपालाचारी
2. डी.सी. सरकार
3. पी.टी. श्रीनिवास अयंगार
4. बी.एल. राइस

**37.** निम्नलिखित में से कौन-सा स्थल विभिन्न धार्मिक परंपराओं से संबंधित मंदिरों के संयोजन को दर्शाता है?

1. अजंता 2. कार्ले
3. एलोरा 4. खंडगिरी

**38.** ईसा पूर्व 5वीं-3वीं शताब्दी की गौतम की विधि पुस्तक में कितने प्रकार के ब्याजों (सूदों) का उल्लेख है?

1. चार 2. दो
3. आठ 4. छह

**39.** वत्सगुल्मा, जो द्वितीय प्रमुख वाकाटक वंशावली की राजधानी थी, की पहचान आधुनिक ______ के रूप में की गई है।

1. नासिक 2. सूरत
3. एलोरा 4. अकोला में वाशिम

**40.** किस गुप्त शासक ने राजधानी को पाटलिपुत्र से अयोध्या परिवर्तित किया?

1. समुद्रगुप्त 2. चंद्रगुप्त द्वितीय
3. स्कंदगुप्त 4. कुमारगुप्त

**41.** दक्षिण पूर्व एशिया के किस भाग को सुवर्णद्वीप कहा जाता था?

1. बर्मा 2. जावा
3. सुमात्रा 4. वियतनाम

**42.** हिन्द-चीन में शामिल हैं:

1. वियतनाम, कंबोडिया और लाओस
2. वियतनाम, कंबोडिया और बर्मा
3. वियतनाम, लाओस और इंडोनेशिया
4. कंबोडिया, लाओस और श्रीलंका

**43.** भारत ने किस शताब्दी से इंडोनेशिया में जावा के साथ घनिष्ठ व्यापारिक संबंध स्थापित किए?

1. दूसरी शताब्दी ई.
2. तीसरी शताब्दी ई.
3. चौथी शताब्दी ई.
4. पहली शताब्दी ई.

**44.** किसके शासनकाल में महायान संप्रदाय का उदय हुआ?

1. कनिष्क 2. हुविश्क
3. नहपान 4. अशोक

**45.** अजंता में प्रसिद्ध 9वीं गुफा का आकार ______ है।

1. वृत्ताकार 2. वर्गाकार
3. त्रिभुजाकार 4. आयताकार

| | | | | | | | | |
|---|---|---|---|---|---|---|---|---|
| **28.** 2 | **29.** 3 | **30.** 3 | **31.** 1 | **32.** 3 | **33.** 4 | **34.** 3 | **35.** 2 | **36.** 2 |
| **37.** 3 | **38.** 4 | **39.** 4 | **40.** 2 | **41.** 3 | **42.** 1 | **43.** 4 | **44.** 1 | **45.** 4 |

**46.** निम्नलिखित साहित्यिक स्रोतों को कालानुक्रमिक क्रम में व्यवस्थित करें:

A. इंडिका
B. अर्थशास्त्र
C. जेंद अवेस्ता
D. महाभाष्य
E. दीर्घ निकाय

नीचे दिए गए विकल्पों में से **सही** उत्तर चुनें:

1. A, B, C, E और D
2. C, A, B, E और D
3. C, E, A, B और D
4. B, C, A, D और E

**47.** निम्नलिखित को कालानुक्रमिक क्रम में व्यवस्थित करें:

A. मध्य पुरापाषाण काल
B. मध्यपाषाण काल
C. लौह युग
D. ताम्रपाषाण काल

नीचे दिए गए विकल्पों में से **सही** उत्तर चुनें:

1. A, C, B, D
2. C, A, D, B
3. A, B, D, C
4. B, C, A, D

**48.** निम्नलिखित को कालानुक्रमिक क्रम में व्यवस्थित करें:

A. शक
B. इंडो-सस्सानियन
C. कुषाण
D. पार्थियन
E. हिन्द-यूनानी (इंडो-ग्रीक)

नीचे दिए गए विकल्पों में से **सही** उत्तर चुनें:

1. A, B, C, D, E
2. E, B, C, D, A
3. E, A, D, C, B
4. A, C, B, D, E

**49.** निम्नलिखित को कालानुक्रमिक क्रम में व्यवस्थित करें:

A. कुम्हार का चाक।
B. दक्षिणी और पूर्वी भारत में नवपाषाण युगीन बस्तियों के नवीनतम प्रमाण।
C. चिरांद के नवपाषाण चरण की सबसे प्रारंभिक तिथि।
D. कश्मीर में नवपाषाण बस्ती की प्राचीनतम तिथि।
E. भारतीय उपमहाद्वीप में नवपाषाण बस्ती।

नीचे दिए गए विकल्पों में से **सही** उत्तर चुनें:

1. A, B, C, D, E
2. E, A, D, C, B
3. E, B, A, D, C
4. C, B, E, D, A

**50.** राजा हर्षवर्धन के संदर्भ में सही कथनों का चुनाव करें।

A. उन्होंने कन्नौज को अपनी सत्ता का केंद्र बनाया।
B. हर्षचरित को आर्यभट्ट ने लिखा।
C. ह्वेन-त्सांग ने उनके शासनकाल में भारत का भ्रमण किया।
D. महायान के सिद्धांत को व्यापक रूप से प्रचारित करने के लिए उन्होंने कन्नौज में एक भव्य सभा का आयोजन किया।

नीचे दिए गए विकल्पों में से **सही** उत्तर चुनें:

1. केवल A, B और C
2. केवल B, C और D
3. केवल A, C और D
4. केवल A, B और D

**51.** बौद्ध धर्म के प्रचार ने इसके साथ भारत के संपर्क को बढ़ावा दिया।

A. श्रीलंका
B. म्यांमार
C. मिस्र
D. मध्य एशिया

नीचे दिए गए विकल्पों में से **सही** उत्तर चुनें:

1. केवल A, B और C
2. केवल A और C
3. केवल B और C
4. केवल A, B और D

**52.** कश्मीर में जागीरदारों को इन रूपों में जाना जाता था:

A. दामरा
B. एकांग
C. तंत्रिन
D. विथी

नीचे दिए गए विकल्पों में से **सही** उत्तर चुनें:

1. केवल A, B और D
2. केवल A, B और C
3. केवल B, C और D
4. केवल A, C और D

**53.** सही कथनों की पहचान करें:

A. भारत में प्रथम शैलचित्रों की खोज ए.सी.एल. कार्लाइल द्वारा वर्तमान मिर्जापुर जिले (यू.पी.) में कश्मीर पहाड़ियों के सोहागीघाट में की गई।
B. आज भारतीय उपमहाद्वीप के विभिन्न हिस्सों में 150 से अधिक मध्यपाषाण शैल कला स्थल प्राप्त हैं।
C. मध्य भारत में स्थलों की विशेष रूप से समृद्ध सांद्रता है।
D. वी.एस. वाकांकर ने भारत में प्रथम शैल कला की खोज की।
E. मध्यपाषाण कला के अनेकों सचल (पोर्टेबल) उदाहरण भी उपलब्ध हैं।

नीचे दिए गए विकल्पों में से **सही** उत्तर चुनें:

1. केवल A, B और D
2. केवल A, B और C
3. केवल B, C और D
4. केवल A, C और D

**46.** 3 **47.** 3 **48.** 3 **49.** 2 **50.** 3 **51.** 4 **52.** 2 **53.** 2

**54.** निम्नलिखित को सही क्रम में व्यवस्थित करें:

A. कर्नाटक में सोने के भंडार पता चले।
B. मानसून की दिशा की खोज।
C. भारतीय उपमहाद्वीप का आविर्भाव।
D. हिमालय के उत्थापन का अंतिम चरण।
E. खेतड़ी में तांबा क्षेत्र की प्राचीनतम तिथि।

नीचे दिए गए विकल्पों में से **सही** उत्तर चुनें:

1. C, D, A, E, B
2. A, B, C, D, E
3. B, E, A, D, C
4. C, B, D, A, E

**55.** आर.एस. शर्मा द्वारा सुझाये गए मौर्य साम्राज्य के पतन के कारणों की पहचान करें।

A. वित्तीय संकट
B. अकाल
C. दमनकारी शासन
D. पश्चिमोत्तर सीमा प्रान्त की उपेक्षा और चीन की महान दीवार
E. पानी की कमी

नीचे दिए गए विकल्पों में से **सही** उत्तर चुनें:

1. केवल A, C और D
2. केवल A, B और C
3. केवल A, B, C और D
4. केवल A, C, D, E

**56.** निम्नलिखित को सही कालक्रमानुसार व्यवस्थित करें:

A. चरक और सुश्रुत संहिता।
B. पुराणों का संकलन।
C. आर्यभट्ट और वराहमिहिर द्वारा खगोल विज्ञान और गणित पर ग्रन्थ।
D. पाणिनी की अष्टाध्यायी।
E. त्रिपिटक सहित प्रारंभिक बौद्ध ग्रंथ।

नीचे दिए गए विकल्पों में से **सही** उत्तर चुनें:

1. A, B, C, E, D
2. D, E, A, B, C
3. B, A, E, D, C
4. C, E, B, D, A

**57.** निम्नलिखित को कालानुक्रमिक क्रम में व्यवस्थित करें:

A. अलेक्जेंडर कनिंघम ने अशोक के शिलालेखों पर एक खंड प्रकाशित किया।
B. *एपिग्राफिया इंडिका* का पहला अंक।
C. एशियाटिक सोसायटी (बंगाल) की स्थापना।
D. जेम्स प्रिन्सेप द्वारा अशोक की ब्राह्मी का वाचन।
E. दक्षिण भारत के शिलालेखों की एक पत्रिका, *एपिग्राफिया कर्नाटिका,* का पहला अंक।

नीचे दिए गए विकल्पों में से **सही** उत्तर चुनें:

1. A, E, B, C, D
2. C, D, A, E, B
3. B, E, A, D, C
4. C, B, D, A, E

**58.** निम्नलिखित को कालानुक्रमिक क्रम में व्यवस्थित करें:

A. कनिष्क का राज्यारोहण।
B. अरबों की सिंध पर विजय।
C. उत्तर-पश्चिम में हिन्द-यूनानी शासन।
D. सातवाहन शासकों द्वारा भूमि अनुदान का प्राचीनतम अभिलेखीय प्रमाण।

नीचे दिए गए विकल्पों में से **सही** उत्तर चुनें:

1. A, B, D, C
2. A, C, B, D
3. C, A, D, B
4. C, B, D, A

**59.** सूची-I का सूची-II के साथ मिलान करें:

| सूची-I | सूची-II |
|---|---|
| A. 2100-1599 ईसा पूर्व | I. जोरवे संस्कृति |
| B. 1700-1200 ईसा पूर्व | II. कायथा संस्कृति |
| C. 1400-1700 ईसा पूर्व | III. अहाड़ संस्कृति |
| D. 2000-1800 ईसा पूर्व | IV. मालवा संस्कृति |

नीचे दिए गए विकल्पों में से **सही** उत्तर चुनें:

1. A-III, B-IV, C-II, D-I
2. A-III, B-IV, C-I, D-II
3. A-I, B-II, C-IV, D-III
4. A-IV, B-III, C-I, D-II

**60.** सबसे व्यापक रूप से उपयोग की जाने वाली डेटिंग तकनीक, रेडियोकार्बन (सी-14) डेटिंग को 1949 में _______ द्वारा प्रस्तुत किया गया था।

1. एक रूसी भौतिक विज्ञानी
2. एक ब्रिटिश भौतिक विज्ञानी
3. एक अमेरिकी भौतिक विज्ञानी
4. एक जर्मन भौतिक विज्ञानी

**61.** निम्नलिखित को कालानुक्रमिक क्रम में व्यवस्थित करें:

A. जॉन मार्शल ने *संरक्षण नियमावली* प्रकाशित की।
B. भारतीय संग्रहालय, कलकत्ता की स्थापना।
C. एच.एच. कोल को प्राचीन स्मारकों का संरक्षक नियुक्त किया गया।
D. सांची को विश्व धरोहर स्थल घोषित किया गया।
E. ट्रेजर ट्रोव अधिनियम का पारित होना।

नीचे दिए गए विकल्पों में से **सही** उत्तर चुनें:

1. A, B, C, E, D
2. A, B, E, C, D
3. B, A, D, C, E
4. B, C, E, A, D

**54.** 1 **55.** 1 **56.** 2 **57.** 2 **58.** 3 **59.** 2 **60.** 3 **61.** 4

**62.** सूची-I को सूची-II से सुमेलित कीजिए:

| सूची-I | सूची-II |
|---|---|
| A. पोटेशियम आर्गन | I. कार्बनिक सामग्री जैसे चारकोल, लकड़ी, पौधे, 50-80 हजार साल पहले। |
| B. कार्बन 14 | II. एक लाख वर्ष से अधिक पुरानी ज्वालामुखीय चट्टानें। |
| C. इलेक्ट्रॉन चक्रण अनुनाद | III. एक लाख साल पूर्व तक की हड्डियाँ। |
| D. एमिनो एसिड विश्लेषण | IV. सैंकडों हजार साल पहले के हड्डियों के खोल |

नीचे दिए गए विकल्पों में से **सही** उत्तर चुनें:

1. A-II, B-III, C-IV, D-I
2. A-I, B-III, C-II, D-IV
3. A-II, B-I, C-IV, D-III
4. A-IV, B-III, C-I, D-II

**63.** सही कथनों की पहचान करें।

A. आधुनिक दिल्ली शहर और उसके आस-पास कई पाषाण युगीन स्थल हैं।

B. दक्षिण दिल्ली और आस-पास के क्षेत्रों में पाषाण युग के स्थलों के एक व्यवस्थित अध्ययन में 200 से अधिक पाषाण युगीन स्थलों की पहचान हुई है।

C. 1956 में दिल्ली रिज पर निम्न पुरापाषाण युग के प्रस्तर के चार औजार प्राप्त हुए।

D. 1983 में जे.एन.यू. के परिसर में एक उत्तर अशुलियन हस्तकुठार मिला।

E. अनंगपुर में खुदाई से हजारों प्रारंभिक और उत्तर अशुलियन उपकरण मिले।

नीचे दिए गए विकल्पों में से **सही** उत्तर चुनें:

1. केवल A, B, C और D
2. केवल A, B और C
3. केवल A, C, D और E
4. केवल B, C और D

**64.** सही कथनों की पहचान करें:

A. पूरे उपमहाद्वीप में बहुतायत से मिलने वाले पशु जीवाश्मों के विपरीत, मानव (होमिनिड) जीवाश्म के प्रमाण बहुत कम हैं।

B. 19वीं शताब्दी से शिवालिक पहाड़ियों में वानरों के जीवाश्मों के कई अवशेष मिले हैं।

C. संयुक्त रूप से शिवालिक पहाड़ियों से मिले बंदरों के जीवाश्मों को संयुक्त रूप से 'शिवालिक के देव-वानरों' की संज्ञा दी गई है।

D. श्रीलंका में किसी भी गुफा स्थल से 37,000-10,500 (वर्तमान से पूर्व) के बीच के संदर्भ में आधुनिक मनुष्यों के पुरावशेष नहीं मिले हैं।

नीचे दिए गए विकल्पों में से **सही** उत्तर चुनें:

1. केवल A, B और C
2. केवल A, B और D
3. केवल B, C) और D
4. केवल A और B

**65.** सूची-I को सूची-II से सुमेलित कीजिए:

| सूची-I | सूची-II |
|---|---|
| A. गोप | I. गुप्त एजेंट |
| B. ग्रामकूटम | II. रिकॉर्ड रखने वाले |
| C. ग्रामभृतक | III. गाँव का सेवक |
| D. ब्रह्मग्रीदह | IV. गाँव के बुजुर्ग |

नीचे दिए गए विकल्पों में से **सही** उत्तर चुनें:

1. A-II, B-I, C-III, D-IV
2. A-I, B-III, C-II, D-IV
3. A-I, B-II, C-IV, D-III
4. A-III, B-IV, C-I, D-II

**66.** सही कथनों की पहचान करें।

A. चार्ल्स डार्विन की पुस्तक *द ओरिजिन ऑफ स्पीशीज* 1859 में प्रकाशित हुई थी।

B. इस पुस्तक में बताया गया है कि गोद लेने (adoptation) के कारण नई प्रजातियों का उदय कैसे हुआ।

C. यह पुस्तक बताती है कि कैसे प्राकृतिक चयन की प्रक्रिया सबसे योग्य लोगों को जीवित रखती है।

D. चार्ल्स डार्विन थॉमस हेनरी हक्सले की पुस्तक *एविडेंस ऐज टू मैन्स प्लेस इन नेचर* से बहुत प्रभावित थे।

नीचे दिए गए विकल्पों में से **सही** उत्तर चुनें:

1. केवल A, B और D
2. केवल B, C और D
3. केवल A, B और C
4. केवल A, C और D

**67.** सूची-I को सूची-II से सुमेलित कीजिए:

| सूची-I | सूची-II |
|---|---|
| A. चालुक्य | I. त्रिपुरी |
| B. पल्लव | II. बादामी |
| C. पांड्य | III. कांचीपुरम |
| D. कलचुरि | IV. मदुरई |

नीचे दिए गए विकल्पों में से **सही** उत्तर चुनें:

1. A-II, B-III, C-IV, D-I
2. A-I, B-III, C-II, D-IV
3. A-II, B-I, C-IV, D-III
4. A-III, B-IV, C-I, D-II

**68.** निम्नलिखित में से किस ताम्रपाषाण स्थल को तांबावती कहा जाता है?

1. अहाड़
2. दाइमाबाद
3. चंदोली
4. नेवासा

**62.** 3 **63.** 3 **64.** 1 **65.** 1 **66.** 4 **67.** 1 **68.** 1

**69.** सिक्कों के बारे में सही कथनों की पहचान करें:

A. भारतीय उपमहाद्वीप में सिक्कों के सबसे पुराने निश्चित साहित्यिक और पुरातात्विक साक्ष्य चौथी-तीसरी शताब्दी ईसा पूर्व के हैं।

B. भारतीय सिक्का भार प्रणालियों की मूल इकाई एक लाल और काला बीज था जिसे *रक्तिका* या *रत्ती* के रूप में जाना जाता था।

C. भारतीय उपमहाद्वीप में पाए जाने वाले सबसे पुराने सिक्के आहत (पंच मार्क) सिक्के हैं।

D. आहत (पंच मार्क) सिक्के आकार में आमतौर पर नियमित हैं।

नीचे दिए गए विकल्पों में से **सही** उत्तर चुनें:

1. केवल A, B और C
2. केवल B और C
3. केवल B और D
4. केवल B, C और D

**70.** सही कथनों की पहचान करें:

A. भारतीय उपमहाद्वीप में समझ में आ सकने वाले प्राचीनतम अभिलेख, चौथी शताब्दी ईसा पूर्व के हैं।

B. अशोक के अभिलेखों की ब्राह्मी एक विकसित लिपि नहीं लगती है।

C. ब्राह्मी और खरोष्ठी दोनों लिपियाँ वर्णमाला और शब्दांश लिपियों के बीच की हैं।

D. पाणिनी की अष्टाध्यायी लिपि शब्द को संदर्भित करती है।

नीचे दिए गए विकल्पों में से **सही** उत्तर चुनें:

1. केवल A, C और D
2. केवल A, B और C
3. केवल B, C और D
4. केवल A, B और D

**71.** सूची-I को सूची-II से सुमेलित कीजिए:

| सूची-I | सूची-II |
|---|---|
| A. अग्रहार | I. एक शिव संप्रदाय |
| B. आयुक्त | II. आधिकारिक पदनाम |
| C. एरीपट्टी | III. ब्राह्मण को दान की गई भूमि |
| D. कपालिका | IV. एक भूमि जिसके राजस्व का उपयोग सिंचाई टंकी के रखरखाव के लिए किया जाता है |

नीचे दिए गए विकल्पों में से **सही** उत्तर चुनें:

1. A-IV, B-II, C-I, D-III
2. A-I, B-III, C-II, D-IV
3. A-III, B-II, C-IV, D-I
4. A-III, B-I, C-IV, D-II

**72.** सूची-I के साथ सूची-II का मिलान कीजिये:

| सूची-I | सूची-II |
|---|---|
| A. काशी | I. चंपा |
| B. कोसल | II. वाराणसी |
| C. अंग | III. श्रावस्ती |
| D. सूरसेन | IV. मथुरा |

नीचे दिए गए विकल्पों में से **सही** उत्तर चुनें:

1. A-I, B-II, C-III, D-IV
2. A-I, B-III, C-II, D-IV
3. A-II, B-III, C-I, D-IV
4. A-III, B-IV, C-I, D-II

**73.** सूची-I और सूची-II का मिलान कीजिये:

| सूची-I | सूची-II |
|---|---|
| A. एन.आर. बनर्जी | I. *रीसेंट ऑर्क्यिोलॉजिकल डिस्कवरीज इन इंडिया* |
| B. बी.के. थापर | II. *आयरन एज इन इंडिया* |
| C. दिलीप चक्रवर्ती | III. *दी ऑर्कियोलॉजी ऑफ एनसिएंट इंडिया* |
| D. के.के. सिन्हा | IV. *एक्सकवेशंस एट श्रावस्ती* |

नीचे दिए गए विकल्पों में से **सही** उत्तर चुनें:

1. A-II, B-I, C-III, D-IV
2. A-III, B-I, C-II, D-IV
3. A-IV, B-II, C-I, D-III
4. A-II, B-IV, C-I, D-III

**74.** सूची-I और सूची-II का मिलान कीजिये:

| सूची-I | सूची-II |
|---|---|
| A. मार्क ब्लॉक | I. *व्हाट इज हिस्ट्री* |
| B. ई.एच. कार | II. *ज्योग्राफी ऑफ दी पुरानाज* |
| C. एस.एम. अली | III. *दी हिस्टोरियंस क्राफ्ट* |
| D. एच.सी. रायचौधरी | IV. *स्टडीज इन इंडियन एंटीक्विटीज* |

नीचे दिए गए विकल्पों में से **सही** उत्तर चुनें:

1. A-I, B-II, C-III, D-IV
2. A-III, B-I, C-II, D-IV
3. A-I, B-III, C-IV, D-II
4. A-IV, B-II, C-I, D-III

**75.** सूची-I और सूची-II का मिलान कीजिये:

| सूची-I | सूची-II |
|---|---|
| A. सामंत | I. स्थानांतरण का चक्र |
| B. सेट्टी | II. राजा के अधीनस्थ भूमि मध्यस्थ |
| C. संसार | III. व्यापारी |
| D. पल्ली | IV. एक बस्ती |

नीचे दिए गए विकल्पों में से **सही** उत्तर चुनें:

1. A-I, B-II, C-IV, D-III
2. A-II, B-III, C-I, D-IV
3. A-II, B-I, C-IV, D-III
4. A-IV, B-II, C-III, D-I

**69.** 2 **70.** 1 **71.** 3 **72.** 3 **73.** 1 **74.** 2 **75.** 2

## व्याख्यात्मक उत्तर

**1.** आर्यभट्ट प्राचीन भारत के प्रसिद्ध गणितज्ञ और खगोलशास्त्री थे। उनका जन्म लगभग 476 ईस्वी में हुआ था, जो पाँचवीं शताब्दी का समय है। उन्होंने ''आर्यभटीय'' नामक ग्रंथ की रचना की, जिसमें गणित, खगोल, त्रिकोणमिति, और पृथ्वी की परिधि के संबंध में महत्वपूर्ण सूत्र दिए गए हैं।

**2.** ऐतिहासिक क्रम में इन वंशों का क्रम इस प्रकार है–

**B. मौर्य वंश :** तीसरी शताब्दी ई.पू. में अशोक जैसे शासकों के साथ सबसे पहले उदय हुआ।

**A. इंडो-ग्रीक :** मौर्यों के बाद दूसरी शताब्दी ई.पू. में उत्तर-पश्चिम भारत में शासन किया।

**D. शक :** प्रथम शताब्दी ई.पू. से पहली शताब्दी ई. में शासन किया।

**C. गुप्त :** चौथी से छठी शताब्दी ई. में भारतीय इतिहास का ''स्वर्ण युग'' कहा जाता है।

**E. चालुक्य :** छठी से आठवीं शताब्दी ई. में दक्षिण भारत में शासन किया।

**3.** संस्कृत भाषा के व्याकरण को वैज्ञानिक ढंग से व्यवस्थित करने का कार्य पाणिनी ने किया। उनका ग्रंथ 'अष्टाध्यायी' आठ अध्यायों में विभाजित है और यह विश्व के सबसे प्राचीन व्याकरणों में से एक है। उन्होंने भाषा के ध्वनि, रूप, और अर्थ को नियमबद्ध ढंग से प्रस्तुत किया।

**4.** भारत में सोने के सिक्के ढालने की कला यूनानी और रोमन प्रभाव से विकसित हुई। मौर्यकाल में प्रचलित पंचमार्क सिक्कों के बाद, इंडो-ग्रीक और रोमन संपर्क से भारत में सोने के सुंदर सिक्कों की परंपरा आरंभ हुई। विशेषकर कुषाण और गुप्त काल में यह कला परिपक्व हुई।

**5.** महापाषाण युग (लगभग 1000 ई.पू.-300 ई.पू.) के लोग लोहे के औजारों का प्रयोग करते थे और उनके साथ काले और लाल रंग के मृदभांड (Black and Red Ware) का उपयोग होता था। यह दक्षिण भारत और दक्कन क्षेत्र में प्रमुख रूप से पाए जाते हैं और धातु प्रयोग के आरंभ का प्रमाण देते हैं।

**6.** इलाहाबाद स्तंभ (जिसे प्रयाग स्तंभ भी कहा जाता है) पर समुद्रगुप्त की प्रसिद्ध प्रयाग प्रशस्ति उत्कीर्ण है, जिसे हरिषेण ने लिखा था। यह गुप्त काल का सबसे महत्वपूर्ण अभिलेख है और समुद्रगुप्त की विजयों व नीति का विवरण देता है।

यह स्तंभ मूल रूप से अशोक के काल का था और उस पर पहले से अशोक के शिलालेख भी खुदे हुए थे, जिन्हें बाद में समुद्रगुप्त की प्रशस्ति ने साझा किया।

**7.** ऋग्वेद में 'पंचजन' शब्द पाँच आर्य जनजातियों के लिए प्रयुक्त हुआ है– यदु, पुरु, अनु, द्रुह्य और तुर्वश। ये पाँचों जनजातियाँ प्रारंभिक वैदिक काल की प्रमुख आर्य शाखाएँ थीं, जिनका उल्लेख ऋग्वेद के अनेक सूक्तों में हुआ है। भरत जनजाति भी एक प्रभावशाली आर्य कुल थी, परंतु उसे 'पंचजन' के समूह में नहीं रखा गया था। भरतों का उल्लेख अलग रूप में हुआ है और वे विशेष रूप से सरस्वती क्षेत्र में प्रतिष्ठित माने जाते हैं।

8.
- मगध (A) की राजधानी राजगृह (IV) थी।
- अंग (B) की राजधानी चंपा (III) थी।
- मत्स्य (C) की राजधानी विराटनगर (II) थी।
- अवंती (D) की राजधानी उज्जैन (I) थी।

यह व्यवस्था महाजनपद काल के राजधानियों के ऐतिहासिक रूप से सही जोड़े दर्शाती है।

**9.** राजसूय यज्ञ एक राजकीय अनुष्ठान था जो किसी राजा के सार्वभौम अधिकार की स्थापना के लिए किया जाता था। इसमें कई अनूठे अनुष्ठान होते थे, जिनमें से एक था ''रत्विन्शी'', जो विशेष प्रकार का भोज और अनुष्ठानिक क्रिया थी, जिसमें कुल 27 राजाओं की उपस्थिति का प्रतीकात्मक आयोजन होता था।

**10.** 'देवीचंद्रगुप्तम्' : यह नाटक विशाखदत्त द्वारा रचित माना जाता है और इसमें बताया गया है कि चंद्रगुप्त द्वितीय (विक्रमादित्य) का एक बड़ा भाई रामगुप्त था, जो पहले राजा था परन्तु बाद में चंद्रगुप्त द्वितीय ने उसे अपदस्थ कर स्वयं सिंहासन ग्रहण किया। यह कथा गुप्तकालीन राजनीतिक घटनाओं की झलक प्रस्तुत करती है।

**11.** ऋग्वेद में लगभग 300 कुलों या कबीलों का उल्लेख मिलता है, जो वैदिक समाज की सामाजिक और राजनीतिक संरचना को उजागर करते हैं। इन कुलों का संबंध विभिन्न ऋषियों, देवताओं और यज्ञ परंपराओं से रहा है। ऋग्वेद में इन्हें अक्सर स्तोत्रों और मंत्रों में देवताओं के आह्वान, यज्ञ विधियों तथा सामाजिक संगठन के संदर्भ में उल्लिखित किया गया है। विद्वानों के अनुसार, लगभग 300 कुलों के नाम विभिन्न सूक्तों में पाए जाते हैं, जिनमें प्रमुख हैं–भरद्वाज, वशिष्ठ, विश्वामित्र, अत्रि, कण्व आदि। यह संख्या विभिन्न शाखाओं में थोड़े अंतर के साथ पाई जाती है, पर सामान्यतः 300 को ही सर्वाधिक स्वीकार्य माना गया है।

**12.** भारत में अपने सिक्कों पर शासकों की छवि अंकित करने की परंपरा की शुरुआत बैक्ट्रियन यूनानियों (इंडो-ग्रीक) ने की थी। उनके सिक्कों पर ग्रीक अक्षरों में नाम और शाही चित्र अंकित रहते थे। यह परंपरा बाद में कुषाण और गुप्त शासकों ने भी अपनाई।

**13.** बुद्ध ने अपना पहला उपदेश सारनाथ के मृगदाव में पाँच पूर्व साथियों – कोंडञ्ञ, भद्दिय, वप्प, महानाम और अस्सजि – को दिया। इस उपदेश को "धर्मचक्रप्रवर्तन सूत्र" कहा जाता है। इस उपदेश के बाद ये पाँचों व्यक्ति अरहट बन गए, अर्थात् उन्होंने निर्वाण प्राप्त कर लिया।

**14.** समुद्रगुप्त के दरबारी कवि हरिषेण ने प्रयाग प्रशस्ति में अपने कई पदों का उल्लेख किया है – जैसे कुमारामात्य, संधिविग्राहक, और महादंडनायक। परंतु उनका महापीलुपति (हाथियों का प्रमुख अधिकारी) होना प्रमाणित नहीं है। इसलिए यह पद उनके कार्यों में सम्मिलित नहीं था।

**15.** ईसा पूर्व तीसरी शताब्दी में, विशेषकर मौर्यकाल में, भारत की देशभर की संपर्क भाषा (lingua franca) प्राकृत थी। अशोक के शिलालेख विभिन्न प्राकृत बोलियों में हैं, जिन्हें जनसामान्य आसानी से समझ सकता था। संस्कृत उस समय केवल उच्च वर्ग और विद्वानों की भाषा थी।

**16.** चित्रित धूसर मृदभांड (Painted Grey Ware – PGW) संस्कृति का भौगोलिक प्रसार मुख्यतः मध्य गंगा घाटी और सिन्धु-यमुना दोआब क्षेत्र में पाया गया है। यह संस्कृति लगभग 1100 ई.पू. से 600 ई.पू. के बीच विकसित हुई थी और इसे महाभारत काल से जोड़ा जाता है। इन मृदभांडों पर धूसर पृष्ठभूमि पर काले रंग की रेखाएँ और ज्यामितीय आकृतियाँ अंकित होती थीं, जो एक विकसित लौह युगीन सभ्यता का संकेत देती हैं।

**17.** सौन्दरानंद एक महाकाव्य है जिसे अश्वघोष ने संस्कृत में लिखा था। इसमें गौतम बुद्ध के सौतेले भाई नंद की कथा है, जो प्रारंभ में भोग-विलासी था पर बाद में बुद्ध के उपदेश से प्रभावित होकर भिक्षु बन गया। यह काव्य न केवल बौद्ध उपदेश का उदाहरण है बल्कि उस युग की उत्कृष्ट काव्य-शैली को भी दर्शाता है।

**18.** 'नगर' शब्द का प्रथम उल्लेख बृहदारण्यकोपनिषद् में मिलता है, जो उत्तर वैदिक काल का एक प्रमुख दार्शनिक ग्रंथ है। ऋग्वेद में 'पुर' जैसे शब्द तो मिलते हैं, पर 'नगर' का प्रयोग वहाँ नहीं हुआ है क्योंकि उस समय समाज मुख्यतः ग्राम एवं जनजातीय जीवन पर आधारित था। उपनिषदों के काल तक नगरों और स्थायी बस्तियों का विकास प्रारंभ हो चुका था, जिससे यह शब्द प्रचलन में आया। बृहदारण्यकोपनिषद् में 'नगर' या 'पुर' का प्रयोग मानव शरीर और ब्रह्मांड की उपमा के रूप में भी हुआ है। अर्थशास्त्र और विनय पिटक जैसे ग्रंथों में बाद में नगरों की संरचना और शासन व्यवस्था का वर्णन विस्तार से मिलता है।

**19.** छत्तीसगढ़ के रामगढ़ पहाड़ी क्षेत्र में स्थित सीताबेंगा और जोगीमारा गुफाएँ प्रारंभिक बौद्ध और जातीय कलाओं के लिए प्रसिद्ध हैं। इन गुफाओं तक पहुँचने के लिए एक प्राकृतिक सुरंग से होकर गुजरना पड़ता है जिसे "हाथीपोल" कहा जाता है। यह सुरंग इन गुफाओं को जोड़ती है और अपने आकार के कारण हाथी के प्रवेश द्वार जैसी प्रतीत होती है।

**20.** अजंता गुफाएँ महाराष्ट्र की सह्याद्रि पहाड़ियों में स्थित हैं, और इनके पास से वाघोरा नदी बहती है। यह नदी घुमावदार रूप में बहती है, जिससे एक अर्धवृत्ताकार घाटी बनती है, जिसके किनारे पर कुल 30 बौद्ध गुफाएँ निर्मित हैं। नदी की उपस्थिति ने इन गुफाओं के प्राकृतिक सौंदर्य और स्थापत्य को और अधिक भव्य बना दिया है।

**21.** कुषाण साम्राज्य का संस्थापक कुजुल कडफिसेस (Kujula Kadphises) था, जो युए-ची (Yuezhi) जनजाति के पाँच प्रमुख कुलों में से 'कुषाण' कुल का नेता था। उसने लगभग प्रथम शताब्दी ईस्वी के आरंभ में विभिन्न युए-ची कबीलों को एकजुट कर उत्तर-पश्चिम भारत (विशेषतः अफगानिस्तान और गंधार क्षेत्र) में साम्राज्य की स्थापना की। उसके पश्चात् विम कडफिसेस और कनिष्क जैसे शासकों ने साम्राज्य का विस्तार मध्य एशिया से गंगा घाटी तक किया। कुजुल कडफिसेस ने सिक्कों के माध्यम से यूनानी-भारतीय मिश्रित सांस्कृतिक परंपरा की नींव रखी और भारत में शक्तिशाली कुषाण राजवंश की शुरुआत की।

**22.** यह ग्रंथ तांत्रिक बौद्ध परंपरा (वज्रयान) के आरंभिक और अत्यंत महत्वपूर्ण ग्रंथों में से एक है। इसमें बोधिसत्व मञ्जुश्री से संबंधित तांत्रिक साधनाओं, मंत्रों, अनुष्ठानों और ध्यान की विधियों का विस्तार से वर्णन है। मञ्जुश्रीमूलकल्प को मूल तंत्र (Root Tantra) माना गया है, जिसने वज्रयान बौद्ध धर्म की नींव रखी। यह ग्रंथ बौद्ध धर्म के दार्शनिक और तांत्रिक दोनों पक्षों का सेतु है, जो बाद में नेपाल, तिब्बत और पूर्वी एशिया में प्रचलित हुआ।

**23.** इस विचार को सबसे पहले 1952 में प्रसिद्ध पुरातत्वविद् वी. गॉर्डन चाइल्ड ने प्रस्तुत किया था। उन्होंने कहा कि प्लिस्टोसीन युग के अंत में जलवायु परिवर्तन – विशेषकर शुष्कता बढ़ने और वर्षा-पैटर्न में बदलाव – ने मानव जीवन को प्रभावित किया और खाद्य उत्पादन की दिशा में एक उत्प्रेरक की भूमिका निभाई। इस सिद्धांत को उन्होंने "नवपाषाण क्रांति (Neolithic Revolution)" कहा, जिसमें मनुष्य शिकार और संग्रहण से आगे बढ़कर स्थायी कृषि और पशुपालन अपनाने लगा। यह परिवर्तन मानव इतिहास में स्थायी निवास, ग्राम संगठन और सामाजिक जटिलता के विकास की शुरुआत बना।

**24.** इन पुरातात्विक कार्यों का कालानुक्रमिक क्रम इस प्रकार है–

C. अलेक्जेंडर कनिंघम द्वारा हड़प्पा मुहर पर रिपोर्ट (1875 ई.) – यह सिंधु सभ्यता की खोज की दिशा में पहला संकेत था।

E. एस.आर. राव द्वारा लोथल में खुदाई (1950 के दशक में) – गुजरात में सिंधु सभ्यता का प्रमुख बंदरगाह नगर मिला।

B. बी.बी. लाल और बी.के. थापर द्वारा कालीबंगा उत्खनन (1960 के दशक की शुरुआत में) – राजस्थान में योजनाबद्ध नगर और अग्निकुंडों की खोज हुई।

A. एम.आर. मुगल द्वारा बहावलपुर क्षेत्र में अन्वेषण (1970 के दशक में) – सिंधु सभ्यता के कई स्थलों का सर्वेक्षण किया गया।

D. आर.एस. बिष्ट द्वारा धोलावीरा खुदाई (1989 से आगे) – गुजरात के कच्छ क्षेत्र में सिंधु सभ्यता का अत्यंत परिष्कृत शहरी स्थल उजागर हुआ।

यह क्रम भारतीय पुरातत्व में सिंधु सभ्यता की खोज और उसके क्रमिक अध्ययन की ऐतिहासिक प्रगति को दर्शाता है।

**25.** भारत में सबसे प्राचीन सिक्के पंचमार्क सिक्के (Punch-marked coins) थे, जिन पर केवल एक तरफ प्रतीकों की छाप (ठप्पा) होती थी। ये सिक्के महाजनपद काल (लगभग 600 ई.पू.) में प्रचलित हुए। धातु की चांदी या तांबे की छोटी चपटी चादरों पर पंच (छिद्रक) से अलग-अलग चिह्न उकेरे जाते थे। ये सिक्के किसी एक राजा के नहीं बल्कि गणराज्यों या व्यापारिक संघों के प्रतीक थे। यह भारत की मौद्रिक प्रणाली की प्रारंभिक अवस्था का प्रतिनिधित्व करते हैं और वाणिज्यिक लेन-देन के लिए उपयोग में लाए जाते थे।

**26.** संस्कृत का उपयोग गैर-धार्मिक या लौकिक साहित्य के लिए करने वाले पहले ज्ञात लेखक अश्वघोष थे। वे प्रारंभिक बौद्ध काल (लगभग पहली-दूसरी शताब्दी ईस्वी) के विख्यात कवि, नाटककार और दार्शनिक थे। उन्होंने संस्कृत को केवल धार्मिक उपदेशों की भाषा से ऊपर उठाकर साहित्यिक अभिव्यक्ति का माध्यम बनाया।

उनकी प्रमुख कृतियों में–

- **'बुद्धचरित'** : एक संस्कृत महाकाव्य है जो भगवान बुद्ध के जीवन पर आधारित है। यद्यपि विषय धार्मिक है, पर इसकी रचना शैली, छंद-विन्यास और अलंकार प्रयोग पूरी तरह काव्यात्मक और लौकिक है।
- **'शारिपुत्रप्रकरण'** : यह एक नाटक है जिसमें बौद्ध पात्रों का चित्रण नाट्यशास्त्रीय नियमों के अनुरूप किया गया है, न कि केवल धार्मिक प्रवचन के रूप में।

अश्वघोष की रचनाओं ने संस्कृत को धार्मिक ग्रंथों की भाषा से निकालकर साहित्यिक और नाट्य-शैली की परिपक्व भाषा के रूप में स्थापित किया।

अन्य विकल्पों में–

- पाणिनी व्याकरणकार थे, साहित्यकार नहीं।
- कालिदास अश्वघोष के बहुत बाद के काल में हुए।
- शूद्रक की मृच्छकटिकम् लौकिक रचना है, पर वे अश्वघोष के पश्चात् आए।

**27.** वैदिक साहित्य में वर्णित परुष्णी नदी वर्तमान में रावी नदी के नाम से जानी जाती है। यह नदी पंजाब क्षेत्र में बहती है और ऋग्वेद में दस राजा युद्ध (दशराज्ञ युद्ध) के संदर्भ में इसका उल्लेख हुआ है। उस समय यह पुरु और भरत जनजातियों के क्षेत्रों के बीच स्थित थी। परुष्णी का उल्लेख आर्यों की प्रारंभिक भौगोलिक समझ का महत्वपूर्ण साक्ष्य है।

**28.** ये दोनों स्थल उत्तर प्रदेश की बेलन घाटी में स्थित हैं। यह घाटी प्रयागराज (इलाहाबाद) के पास है और भारतीय उपमहाद्वीप के प्रारंभिक नवपाषाण स्थलों में से एक है। कोल्डिहवा और महागारा से कृषि के शुरुआती प्रमाण मिले हैं – जैसे चावल के अवशेष, पशुपालन और मिट्टी के घरों के अवशेष। ये स्थल भारतीय कृषि संस्कृति के उद्भव को दर्शाते हैं।

**29.** महादहा (प्रयागराज के पास) में प्राप्त कंकालों के अध्ययन से पता चला कि वहाँ पाए गए तेरह व्यक्तियों की औसत मृत्यु आयु 19 से 28 वर्ष के बीच थी। यह स्थल मध्यपाषाण काल (Mesolithic period) से संबंधित है। अध्ययन से यह भी ज्ञात हुआ कि उस समय के लोग शिकार-संग्रह पर निर्भर थे और औसत जीवन प्रत्याशा बहुत कम थी, संभवतः कठिन पर्यावरणीय परिस्थितियों और सीमित चिकित्सा कारणों से।

**30.** राशि चक्र (Zodiac) के संकेतों के संस्कृत नामों की उत्पत्ति यूनानी (Greek) परंपरा से हुई है। ज्योतिषशास्त्र के भारतीय रूप में बारह राशियों – जैसे मेष (Aries), वृषभ (Taurus), मिथुन (Gemini) आदि – के नाम ग्रीक मूल के अनुरूप हैं। जब यूनानी खगोलशास्त्र और भारतीय ज्योतिष का सांस्कृतिक आदान-प्रदान हुआ (विशेषकर कुषाण और इंडो-ग्रीक काल में), तब ये नाम संस्कृत में रूपांतरित होकर भारतीय खगोल परंपरा का हिस्सा बन गए।

**31.** गुप्त शासक वासुदेव प्रथम (Chandragupta II Vikramaditya) के सिक्कों के पृष्ठ (reverse) पर लगभग हमेशा भगवान शिव का अंकन पाया जाता है। उनके सिक्कों के अग्र भाग पर राजा की प्रतिमा होती है, जबकि पृष्ठ भाग में शिव को त्रिशूलधारी मुद्रा में या नंदी के साथ दर्शाया गया है। यह उस समय गुप्त शासकों की शैव आस्था और हिंदू प्रतीकों के राजकीय प्रयोग को दर्शाता है। वासुदेव ने 'पारमेश्वर' उपाधि भी धारण की थी, जो शिव-भक्ति को प्रकट करती है।

**32.** हर्षवर्धन के बड़े भाई राज्यवर्धन की हत्या गौड़ के राजा शशांक ने की थी। यह घटना 7वीं शताब्दी ईस्वी के आरंभ की है। शशांक, बंगाल का शक्तिशाली शासक था, और उसकी इस हत्या से हर्ष ने प्रतिशोध की भावना से राजनीति में प्रवेश किया। इसके बाद हर्षवर्धन ने थानेश्वर और कन्नौज दोनों राज्यों को एकजुट कर अपना साम्राज्य स्थापित किया।

**33.** New Archaeology या Processual Archaeology आंदोलन 1960 के दशक में अमेरिकी पुरातत्वविदों जैसे लुईस बिनफोर्ड द्वारा शुरू किया गया था। इसका उद्देश्य संस्कृति और सांस्कृतिक प्रक्रियाओं को एक वैज्ञानिक, प्रणालीगत और समग्र दृष्टिकोण से

समझना था। इस दृष्टिकोण में पर्यावरण, तकनीक, और सामाजिक संरचनाओं को परस्पर संबंधित प्रक्रियाओं के रूप में देखा गया। इसे "Scientific Archaeology" भी कहा जाता है क्योंकि यह सांस्कृतिक परिवर्तन को प्राकृतिक विज्ञानों की तरह नियमों के अधीन समझने का प्रयास करता है।

**34.** पलैयाराई चोल साम्राज्य का एक महत्वपूर्ण प्रशासनिक केंद्र और आवासीय राजधानी था, विशेषकर प्रारंभिक चोल काल में। यह स्थल कावेरी नदी क्षेत्र (तमिलनाडु) में स्थित था और राजकीय दरबार, मंदिर, तथा शासकीय भवनों का प्रमुख केंद्र था। बाद में चोलों ने अपनी राजधानी गंगईकोंडचोलपुरम् और तंजावुर में स्थानांतरित की, पर पलैयाराई ने प्रारंभिक शासन में महत्वपूर्ण भूमिका निभाई।

**35.** "The Story of Indian Archaeology" पुस्तक के लेखक एस. एन. रॉय (S.N. Roy) थे। यह ग्रंथ भारत में पुरातात्विक अनुसंधान की प्रारंभिक यात्रा, विशेषकर 19वीं सदी से लेकर 1940 के दशक तक के उत्खनन कार्यों और प्रमुख खोजों का ऐतिहासिक विवरण प्रस्तुत करता है। इस पुस्तक में अलेक्जेंडर कनिंघम, जॉन मार्शल, और आर.ई.एम. व्हीलर जैसे प्रमुख पुरातत्वविदों के योगदान का विशद वर्णन मिलता है, जिससे भारतीय पुरातत्व के विकास का क्रम समझने में यह कृति अत्यंत उपयोगी है।

**36.** प्रसिद्ध इतिहासकार दिनेशचंद्र सरकार (D.C. Sarkar) ने "The Successors of the Satavahanas in Lower Deccan" नामक महत्वपूर्ण पुस्तक की रचना की थी, जो 1939 में प्रकाशित हुई। यह ग्रंथ दक्षिण भारत के प्राचीन इतिहास के अध्ययन में एक मील का पत्थर माना जाता है। इसमें उन्होंने सातवाहन साम्राज्य के पतन के बाद उभरने वाले राज्यों – जैसे आंध्र, अभीर, शक, मौर्य, इक्ष्वाकु आदि – का विस्तृत विश्लेषण किया है।

इस पुस्तक की विशेषताएँ इस प्रकार हैं–

- इसमें दक्षिण भारत के राजनीतिक, प्रशासनिक और सांस्कृतिक संक्रमण का गहन अध्ययन किया गया है।
- पुस्तक में पुराणों, शिलालेखों, मुद्राओं और पुरातात्त्विक साक्ष्यों का उपयोग करके सातवाहन-उपरांत युग का क्रमिक इतिहास पुनर्निर्मित किया गया।
- यह कृति विशेष रूप से निचले दक्कन (Lower Deccan) के राजनीतिक इतिहास को समझने का विश्वसनीय स्रोत है।

अन्य विकल्पों में–

- के. गोपालाचारी, पी.टी. श्रीनिवास अयंगार, और बी.एल. राइस ने भी दक्षिण भारतीय इतिहास पर महत्त्वपूर्ण कार्य किए, परंतु "The Successors of the Satavahanas in Lower Deccan" का लेखन डी.सी. सरकार द्वारा ही किया गया था।

**37.** एलोरा गुफाएँ (महाराष्ट्र) एक ही स्थल पर बौद्ध (गुफा 1-12), हिन्दू (13-29) और जैन (30-34) परंपराओं के स्मारकों का अद्वितीय समुच्चय दिखाती हैं–यही इसे विभिन्न धार्मिक परंपराओं के संयोजन का सबसे स्पष्ट उदाहरण बनाता है। यहाँ का कैलाशनाथ मंदिर (गुफा 16) एकाश्म शिल्पकला की पराकाष्ठा है, जबकि बौद्ध विहारों व जैन गुफाओं की मूर्तिकला धार्मिक सह-अस्तित्व और कलात्मक संवाद की झलक देती है।

**38.** ईसा पूर्व पाँचवीं से तीसरी शताब्दी के बीच रचित गौतम धर्मसूत्र (Gautama Dharma Sutra) में कुल छह प्रकार के ब्याज (सूद) बताए गए हैं, जिन्हें ''षड्विधम्'' (Shadvidham) कहा गया है। यह ग्रंथ प्राचीन भारत के सबसे पुराने धर्मसूत्रों में से एक है और इसमें ऋण, ब्याज, दंड तथा सामाजिक आचारों के अनेक नियम व्यवस्थित रूप में दिए गए हैं।

गौतम धर्मसूत्र के अध्याय XII के सूत्र 29-31 में ब्याज से संबंधित इन छह प्रकारों का उल्लेख मिलता है–

- **कायिक** (Kayika) : जब ऋणी अपने श्रम या सेवा के रूप में ऋण चुकाता है।
- **कालिक** (Kalika) : समय की अवधि के अनुसार लिया जाने वाला सामान्य ब्याज, जैसे मासिक या वार्षिक।
- **चक्रवृद्धि** (Chakravriddhi) : ब्याज पर ब्याज लगने वाला चक्रवृद्धि रूप।
- **कारित** (Karita) : ऋणी और ऋणदाता के बीच समझौते या अनुबंध के अनुसार निश्चित ब्याज।
- **शिखावृद्धि** (Sikhavriddhi) : ऐसा ब्याज जो निरंतर बढ़ता रहता है, जैसे बाल की चोटी की वृद्धि का प्रतीकात्मक रूप – जिसका भुगतान मूलधन चुकाए जाने तक होता रहता है।
- **भोगलाभ** (Bhogalabha) : वस्तु के उपयोग से मिलने वाला लाभ, जैसे गिरवी रखी संपत्ति से अर्जित आय को ब्याज माना जाना।

गौतम धर्मसूत्र में यह भी कहा गया है कि ब्राह्मणों के लिए ब्याज पर ऋण देना एक वैध और सामाजिक रूप से स्वीकार्य पेशा हो सकता है (अध्याय X, सूत्र 6)। इस प्रकार यह ग्रंथ न केवल धार्मिक आचारों बल्कि आर्थिक व्यवहार और ऋण प्रणाली के नियमन का भी एक महत्वपूर्ण स्रोत है।

**39.** वाकाटक वंश की द्वितीय प्रमुख शाखा (वत्सगुल्मा-वंश) की राजधानी वत्सगुल्मा का आधुनिक 'वाशिम' (जिला–पूर्व में अकोला क्षेत्र) से समन्वय किया जाता है। इस शाखा का विदर्भ में सांस्कृतिक संरक्षण विशेष महत्त्व रखता है–विशेषकर अजंता गुफाओं के संरक्षकत्व से। भौगोलिक-अभिलेखीय साक्ष्य (स्थानीय शिलालेख, पुरास्थलों का घनत्व, मार्ग-भूगोल) इस पहचान का समर्थन करते हैं।

**40.** गुप्त वंश के महान शासक चंद्रगुप्त द्वितीय, जिन्हें विक्रमादित्य के नाम से भी जाना जाता है, ने राजधानी को पाटलिपुत्र से अयोध्या स्थानांतरित किया था। उनका शासनकाल लगभग 375 ईस्वी से 415 ईस्वी के बीच रहा और यह काल गुप्त साम्राज्य का सांस्कृतिक एवं राजनीतिक स्वर्ण युग माना जाता है।

इस परिवर्तन के पीछे कई कारण माने जाते हैं–

- **राजनीतिक कारण :** पाटलिपुत्र पूर्व में स्थित था, जबकि साम्राज्य का विस्तार पश्चिम और दक्षिण भारत तक हो चुका था; इसलिए अयोध्या, भौगोलिक दृष्टि से अधिक केंद्रीय और सामरिक दृष्टि से सुरक्षित स्थान था।
- **धार्मिक कारण :** अयोध्या भगवान राम की जन्मभूमि होने के कारण धार्मिक और सांस्कृतिक प्रतिष्ठा रखती थी। विक्रमादित्य के रूप में चंद्रगुप्त द्वितीय ने स्वयं को उस सांस्कृतिक परंपरा से जोड़ने का प्रयास किया।
- **सांस्कृतिक संरक्षण :** उनके शासन में अयोध्या एक विद्या, कला, और मंदिर-निर्माण केंद्र के रूप में उभरकर आई।

इस प्रकार चंद्रगुप्त द्वितीय ने राजधानी को अयोध्या स्थानांतरित कर गुप्त साम्राज्य की राजनीतिक स्थिरता और सांस्कृतिक प्रभाव दोनों को सुदृढ़ किया।

**41.** दक्षिण-पूर्व एशिया का सुमात्रा द्वीप प्राचीन भारतीय ग्रंथों और यात्रियों के विवरणों में "सुवर्णद्वीप" (Suvarnadvipa) कहलाता था, जिसका अर्थ है "सोने का द्वीप"। यह नाम वहाँ की प्राकृतिक संपदा, विशेषकर सोने के भंडार और समृद्ध व्यापार के कारण पड़ा। भारतीय व्यापारियों और बौद्ध मिशनरियों ने ईसा पूर्व काल से ही इस क्षेत्र से संपर्क स्थापित किया था, जिससे भारतीय संस्कृति, धर्म और लिपि (खासकर पालि व संस्कृत) वहाँ तक पहुँची।

**42.** हिन्द-चीन (Indo-China) शब्द भौगोलिक रूप से उन क्षेत्रों के लिए प्रयुक्त होता है जो भारत और चीन दोनों के सांस्कृतिक प्रभाव में रहे। इसमें आधुनिक वियतनाम, कंबोडिया और लाओस शामिल हैं। यह नाम यूरोपीय औपनिवेशिक भूगोलविदों द्वारा दिया गया था, जिन्होंने इन देशों को भारत और चीन के बीच स्थित सांस्कृतिक मिश्रण क्षेत्र के रूप में देखा।

**43.** भारत ने पहली शताब्दी ईस्वी से इंडोनेशिया (विशेषकर जावा) के साथ घनिष्ठ व्यापारिक और सांस्कृतिक संबंध स्थापित किए। भारतीय व्यापारी वहाँ कपड़ा, मसाले, धातु और मोती लेकर जाते थे, जबकि जावा से मसाले, सोना और बहुमूल्य लकड़ियाँ लाते थे। इस व्यापार ने सांस्कृतिक संपर्क को भी गहरा किया, जिसके परिणामस्वरूप जावा में संस्कृत भाषा, ब्राह्मी लिपि, हिंदू-बौद्ध धर्म और रामायण-महाभारत परंपराएँ स्थापित हुईं।

**44.** महायान बौद्ध संप्रदाय का उदय कुषाण शासक कनिष्क के शासनकाल (लगभग 78-144 ईस्वी) में हुआ। कनिष्क ने बौद्ध धर्म का संरक्षण किया और कुंडलवन परिषद (कश्मीर) का आयोजन कराया, जिसमें बौद्ध धर्म को दो प्रमुख धाराओं – हीनयान और महायान – में विभाजित किया गया। महायान शाखा ने बुद्ध को ईश्वरतुल्य मानकर करुणा और बोधिसत्व आदर्श को केंद्र में रखा।

**45.** अजंता की 9वीं गुफा एक आयताकार चैत्यगृह (prayer hall) है। यह दूसरी शताब्दी ईसा पूर्व से पहली शताब्दी ईस्वी के बीच की बौद्ध वास्तुकला का उदाहरण है। इसमें एक स्तूप स्थापित है और छत पर घोड़े की नाल के आकार की खिड़की (chaitya arch) बनी है जो प्रकाश प्रवेश के लिए थी। यह गुफा प्रारंभिक बौद्ध स्थापत्य में रॉक-कट तकनीक की उत्कृष्टता को दर्शाती है।

**46.** साहित्यिक स्रोतों का कालानुक्रमिक क्रम इस प्रकार है–

**C. जेंद अवेस्ता :** ईरानी धर्मग्रंथ, लगभग 1000 ईसा पूर्व के आसपास रचित, जो ऋग्वैदिक काल के समान कालखंड का है।

**E. दीर्घ निकाय :** बौद्ध त्रिपिटक का भाग, पाँचवीं-चौथी शताब्दी ईसा पूर्व के बीच का माना जाता है।

**A. इंडिका :** यूनानी यात्री मेगस्थनीज की रचना, तीसरी शताब्दी ईसा पूर्व में मौर्यकाल में लिखी गई।

**B. अर्थशास्त्र :** कौटिल्य (चाणक्य) द्वारा रचित, लगभग तीसरी-दूसरी शताब्दी ईसा पूर्व का ग्रंथ।

**D. महाभाष्य :** पतंजलि द्वारा दूसरी शताब्दी ईसा पूर्व में रचित संस्कृत व्याकरण पर टीका।

**47. A. मध्य पुरापाषाण काल :** लगभग 1,00,000-40,000 वर्ष पूर्व, पत्थर के औजारों में सुधार हुआ।

**B. मध्यपाषाण काल :** लगभग 10,000-6,000 ईसा पूर्व, अर्ध-स्थायी जीवन और सूक्ष्म औजारों का प्रयोग।

**D. ताम्रपाषाण काल :** लगभग 4000-1500 ईसा पूर्व, ताँबे के उपकरणों का प्रयोग और कृषि का विकास।

**C. लौह युग :** लगभग 1200 ईसा पूर्व से आरंभ, जब लोहे के औजार और नगरीय जीवन का विस्तार हुआ।

**48. E. हिन्द-यूनानी (इंडो-ग्रीक) :** दूसरी शताब्दी ईसा पूर्व।

**A. शक :** पहली शताब्दी ईसा पूर्व से पहली शताब्दी ईस्वी।

**D. पार्थियन :** पहली शताब्दी ईस्वी।

**C. कुषाण :** पहली से तीसरी शताब्दी ईस्वी।

**B. इंडो-सस्सानियन :** तीसरी से चौथी शताब्दी ईस्वी।

**49. E. भारतीय उपमहाद्वीप में नवपाषाण बस्ती :** लगभग 7000 ईसा पूर्व में मेहरगढ़ से।

**A. कुम्हार का चाक :** लगभग 6000-5000 ईसा पूर्व में।

**D. कश्मीर में नवपाषाण बस्ती की प्राचीनतम तिथि :** लगभग 3000 ईसा पूर्व, बुर्जहोम से।

**C. चिरांद के नवपाषाण चरण की सबसे प्रारंभिक तिथि :** लगभग 2000 ईसा पूर्व।

**B. दक्षिणी और पूर्वी भारत में नवपाषाण युगीन बस्तियों के नवीनतम प्रमाण :** लगभग 1000 ईसा पूर्व।

**50.** A. हर्षवर्धन ने कन्नौज को अपनी सत्ता का केंद्र बनाया।

C. चीनी यात्री ह्वेनसांग (Xuanzang) ने उनके शासनकाल में भारत का भ्रमण किया।

D. हर्ष ने महायान बौद्ध धर्म के प्रचार हेतु कन्नौज में एक भव्य सभा आयोजित की।

B. गलत है क्योंकि हर्षचरित ग्रंथ बाणभट्ट ने लिखा था, न कि आर्यभट्ट ने।

**51.** बौद्ध धर्म के प्रचार ने भारत के संपर्क को विशेष रूप से श्रीलंका, म्यांमार (बर्मा) और मध्य एशिया से सुदृढ़ किया।

- **श्रीलंका :** सम्राट अशोक के पुत्र महिंद और पुत्री संगमित्रा ने बौद्ध धर्म का प्रचार यहाँ किया, जिससे यह देश थेरवाद परंपरा का केंद्र बना।
- **म्यांमार (बर्मा) :** भारतीय भिक्षुओं और व्यापारिक मार्गों के माध्यम से बौद्ध धर्म यहाँ पहुँचा और स्थानीय संस्कृति में रचा-बसा।
- **मध्य एशिया :** बौद्ध धर्म रेशम मार्ग के जरिए यहाँ पहुँचा, जहाँ से चीन और मंगोलिया तक फैला।

मिश्र (Egypt) का बौद्ध धर्म से कोई प्रत्यक्ष संबंध नहीं था।

**52.** कश्मीर में जागीरदारों या भूमि धारकों को विभिन्न नामों से जाना जाता था–

- **दामरा :** सबसे प्रमुख जमींदार वर्ग, जो स्थानीय शक्ति रखते थे और कई बार राजनीतिक विद्रोहों में शामिल रहे।
- **एकांग :** छोटे स्तर के भूमि अधिकारी या भू-स्वामी।
- **तंत्रिन :** ऐसे व्यक्ति जो सैन्य और प्रशासनिक अधिकार दोनों रखते थे।

विथी शब्द भूमि के क्षेत्रीय विभाजन के लिए प्रयुक्त होता था, न कि जागीरदार वर्ग के लिए।

**53.** A. भारत में प्रथम शैलचित्रों की खोज ए.सी.एल. कार्लाइल ने मिर्जापुर (उत्तर प्रदेश) के सोहागीघाट क्षेत्र में की।

B. अब तक भारतीय उपमहाद्वीप में 150 से अधिक मध्य-पाषाणकालीन शैल कला स्थल पहचाने जा चुके हैं।

C. मध्य भारत (विशेषकर भोपाल, भीमबेटका, होशंगाबाद, रायसेन) में इन स्थलों की सबसे अधिक सांद्रता पाई जाती है।

D. गलत है क्योंकि भारत में शैलकला की पहली वैज्ञानिक खोज का श्रेय ए.सी.एल. कार्लाइल को जाता है, न कि वाकांकर को (हालांकि वाकांकर ने भीमबेटका गुफाओं का बाद में महत्त्वपूर्ण अध्ययन किया)।

E. गलत है क्योंकि मध्यपाषाण शैल कला मुख्यतः स्थायी (rock surface) रूप में मिलती है, पोर्टेबल उदाहरण अत्यल्प हैं।

**54.** यह क्रम भारतीय उपमहाद्वीप की भूगर्भीय, खनिजीय और ऐतिहासिक घटनाओं के प्राकृतिक विकास के अनुरूप है–

**C. भारतीय उपमहाद्वीप का आविर्भाव :** यह सबसे प्रारंभिक घटना है। लगभग 10 करोड़ वर्ष पूर्व भारतीय प्लेट के यूरेशियन प्लेट से टकराने के परिणामस्वरूप उपमहाद्वीप का निर्माण हुआ।

**D. हिमालय के उत्थापन का अंतिम चरण :** टक्कर के बाद यह उत्थान कई चरणों में हुआ और लगभग 2.5 करोड़ वर्ष पूर्व इसका अंतिम चरण पूरा हुआ, जिससे एशिया की जलवायु और भौगोलिक रचना पर गहरा प्रभाव पड़ा।

**A. कर्नाटक में सोने के भंडार का पता चलना :** भूगर्भीय हलचलों के परिणामस्वरूप कोलार और हुट्टी क्षेत्रों में सोने की खानें बनीं, जो बाद में ऐतिहासिक काल में मानव द्वारा खोजी गईं।

**E. खेतड़ी में तांबा क्षेत्र की प्राचीनतम तिथि :** राजस्थान के खेतड़ी क्षेत्र में तांबे के उपयोग के पुरातात्त्विक साक्ष्य दूसरी सहस्राब्दी ईसा पूर्व के हैं, जब मानव ने धातु उपयोग का विस्तार किया।

**B. मानसून की दिशा की खोज :** यह सबसे बाद की ऐतिहासिक घटना है, जो मानव अवलोकन और नौवहन अनुभव से जुड़ी थी; मानसून की दिशा की पहचान ने समुद्री व्यापार और कृषि दोनों को प्रभावित किया।

यह क्रम स्पष्ट रूप से दर्शाता है कि घटनाएँ भूगर्भीय उत्पत्ति → खनिज निर्माण → प्रारंभिक धातु उपयोग → मानव पर्यावरणीय ज्ञान की क्रमिक प्रगति के अनुसार विकसित हुईं।

**55.** इतिहासकार आर.एस. शर्मा ने मौर्य साम्राज्य के पतन के निम्न प्रमुख कारण बताए–

**A. वित्तीय संकट :** विशाल प्रशासनिक और सैन्य ढांचे के रख-रखाव से राजकोष पर अत्यधिक बोझ पड़ा।

**C. दमनकारी शासन :** केंद्रीकरण और कठोर नीतियों के कारण जनता में असंतोष फैला।

**D. पश्चिमोत्तर सीमा प्रांत की उपेक्षा :** इस कारण यूनानी और शक आक्रमणों का मार्ग खुलाय चीन की महान दीवार का उल्लेख सीमा सुरक्षा की तुलना के रूप में किया गया।

(B) और (E) (अकाल व जल संकट) को प्रत्यक्ष कारण नहीं माना गया है, यद्यपि स्थानीय प्रभाव रहे होंगे।

**56.** यह क्रम भारतीय साहित्यिक परंपरा के ऐतिहासिक विकास पर आधारित है–

**D. पाणिनी की अष्टाध्यायी :** लगभग 5वीं-4वीं शताब्दी ईसा पूर्व की संस्कृत व्याकरण की आधारभूत रचना।

**E. त्रिपिटक सहित प्रारंभिक बौद्ध ग्रंथ :** लगभग 4वीं-3वीं शताब्दी ईसा पूर्व में रचित, जो बौद्ध धर्म के मूल उपदेशों का संग्रह है।

**A. चरक और सुश्रुत संहिता :** आयुर्वेद के ये दो प्रमुख ग्रंथ 2वीं शताब्दी ईसा पूर्व से 2वीं शताब्दी ईस्वी के बीच रचे गए।

**B. पुराणों का संकलन :** मुख्य रूप से 3वीं-6वीं शताब्दी ईस्वी में, जो धार्मिक, ऐतिहासिक और सांस्कृतिक आख्यानों का मिश्रण हैं।

**C. आर्यभट्ट और वराहमिहिर द्वारा खगोल और गणित ग्रंथ :** यह काल 5वीं-6वीं शताब्दी ईस्वी का है, जब खगोल और गणित में भारतीय विद्वानों ने महान प्रगति की।

**57.** घटनाओं का ऐतिहासिक क्रम इस प्रकार है–

**C. एशियाटिक सोसायटी (बंगाल) की स्थापना :** 1784 में सर विलियम जोन्स द्वारा, भारतीय प्राच्य अध्ययन की शुरुआत।

**D. जेम्स प्रिन्सेप द्वारा अशोक की ब्राह्मी का वाचन :** 1837 में ब्राह्मी लिपि का सफल पाठन।

**A. अलेक्जेंडर कनिंघम ने अशोक के शिलालेखों पर एक खंड प्रकाशित किया :** 1877 में Corpus Inscriptionum Indicarum का प्रथम खंड प्रकाशित हुआ।

**E. एपिग्राफिया कर्नाटिका का पहला अंक :** 1886 में दक्षिण भारतीय शिलालेखों पर केंद्रित इस पत्रिका का प्रकाशन आरंभ हुआ।

**B. एपिग्राफिया इंडिका का पहला अंक :** 1888 में भारतीय शिलालेखों का यह आधिकारिक संकलन प्रकाशित हुआ।

**58.** क्रम ऐतिहासिक घटनाओं की शृंखला पर आधारित है–

**C. उत्तर-पश्चिम में हिन्द-यूनानी शासन :** लगभग 2वीं शताब्दी ईसा पूर्व में।

**A. कनिष्क का राज्यारोहण :** लगभग 78 ईस्वी, कुषाण साम्राज्य का उत्कर्ष।

**D. सातवाहन शासकों के भूमि अनुदान का प्राचीनतम अभिलेखीय प्रमाण :** लगभग 2वीं शताब्दी ईस्वी के आसपास।

**B. अरबों की सिंध पर विजय :** 712 ईस्वी में, जब मुहम्मद-बिन-कासिम ने सिंध पर आक्रमण किया।

**59.** सांस्कृतिक अवधियों और उनके अनुमानित काल का सही संयोजन इस प्रकार है–

A. (2100-1599 ई.पू.) → III (अहाड़ संस्कृति): राजस्थान क्षेत्र की प्रारंभिक ताम्रपाषाण संस्कृति।

B. (1700-1200 ई.पू.) → IV (मालवा संस्कृति): मध्य भारत में विकसित कृषि और नगर आधारित संस्कृति।

C. (1400-700 ई.पू.) → I (जोरवे संस्कृति): महाराष्ट्र क्षेत्र में ताम्रपाषाण काल का अंतिम चरण।

D. (2000-1800 ई.पू.) → II (कायथा संस्कृति): मध्य प्रदेश में नर्मदा घाटी से प्राप्त नवपाषाण-ताम्रपाषाण संक्रमण कालीन संस्कृति।

**60.** रेडियोकार्बन (C-14) डेटिंग तकनीक का विकास 1949 में अमेरिकी भौतिक विज्ञानी विलार्ड एफ. लिब्बी (Willard F. Libby) ने किया। इस तकनीक से कार्बन-14 समस्थानिक के क्षय दर के आधार पर जैविक वस्तुओं की आयु का अनुमान लगाया जाता है। लिब्बी को इसके लिए 1960 में रसायन विज्ञान का नोबेल पुरस्कार भी मिला। यह आज भी पुरातत्व, जीवाश्म विज्ञान और भूविज्ञान में सबसे व्यापक रूप से प्रयुक्त डेटिंग विधि है।

**61.** घटनाओं का सही कालानुक्रमिक क्रम इस प्रकार है–

**B. भारतीय संग्रहालय, कलकत्ता की स्थापना (1814) :** भारत का सबसे पुराना संग्रहालय, जिसे डॉ. नाथनिएल वॉलिच ने स्थापित किया था।

**C. एच.एच. कोल को प्राचीन स्मारकों का संरक्षक नियुक्त किया गया** (1881) : ब्रिटिश सरकार ने भारत में पुरातात्त्विक कार्यों की निगरानी हेतु उन्हें पहला "Curator of Ancient Monuments" बनाया।

**E. ट्रेजर ट्रोव अधिनियम पारित हुआ (1878) :** यह अधिनियम पुरातात्विक वस्तुओं और खजानों की सुरक्षा हेतु पारित हुआ था।

**A. जॉन मार्शल ने संरक्षण नियमावली प्रकाशित की (1923) :** आर्कियोलॉजिकल सर्वे ऑफ इंडिया के तत्कालीन महानिदेशक के रूप में उन्होंने स्मारकों के संरक्षण के विस्तृत दिशानिर्देश जारी किए।

**D. सांची को विश्व धरोहर स्थल घोषित किया गया (1989) :** यूनेस्को द्वारा सांची स्तूप को विश्व धरोहर स्थल का दर्जा दिया गया।

**62.** सही मिलान इस प्रकार है–

A. पोटेशियम-आर्गन → II: एक लाख वर्ष से अधिक पुरानी ज्वालामुखीय चट्टानों की डेटिंग के लिए।

B. कार्बन-14 → I: चारकोल, लकड़ी, पौधों जैसी कार्बनिक सामग्री (लगभग 50,000-80,000 वर्ष पुरानी) की आयु ज्ञात करने के लिए।

C. इलेक्ट्रॉन स्पिन अनुनाद → IV: हड्डियों और खोलों की आयु मापने के लिए, सैकड़ों हजार वर्ष पुराने नमूनों तक लागू।

D. अमीनो अम्ल विश्लेषण → III: लगभग एक लाख वर्ष तक की हड्डियों की डेटिंग में प्रयुक्त।

**63.** A. आधुनिक दिल्ली और उसके आसपास कई पाषाण युगीन स्थल मिले हैं।

C. 1956 में दिल्ली रिज पर निम्न पुरापाषाण युग के चार प्रस्तर औजार खोजे गए।

D. 1983 में जे.एन.यू. परिसर में एक उत्तर अशुलियन हस्तकुठार (handaxe) मिला।

E. अनंगपुर (फरीदाबाद) की खुदाई में हजारों प्रारंभिक व उत्तर अशुलियन उपकरण प्राप्त हुए।

(B) में बताए गए 200 स्थलों की संख्या अतिशयोक्त है – अब तक ज्ञात स्थलों की संख्या कम है, इसलिए यह कथन सटीक नहीं माना गया।

**64.** A. पूरे भारतीय उपमहाद्वीप में पशु जीवाश्मों की तुलना में मानव जीवाश्म बहुत दुर्लभ हैं।

B. 19वीं शताब्दी से शिवालिक पहाड़ियों में प्राचीन वानर (ape) जीवाश्म मिले हैं।

C. इन्हें सामूहिक रूप से ''शिवालिक के देव-वानर'' (God-apes of the Siwaliks) कहा गया।

(D) गलत है, क्योंकि श्रीलंका के फाहियन लंका और पाहरनगला गुफा स्थलों से 37,000-10,500 वर्ष पूर्व के आधुनिक मानव अवशेष प्राप्त हुए हैं।

**65.** यह सुमेलन प्राचीन भारतीय प्रशासनिक व्यवस्था, विशेषकर मौर्य और गुप्त कालीन शासन संरचना पर आधारित है–

A. गोप → II. रिकॉर्ड रखने वालेः कौटिल्य के अर्थशास्त्र में 'गोप' को एक महत्वपूर्ण स्थानीय अधिकारी बताया गया है जो दस ग्रामों का प्रमुख होता था। उसका कार्य था जनगणना, भूमि रिकॉर्ड, आय-व्यय और कर-संग्रह से संबंधित अभिलेखों का संधारण करना। इस प्रकार वह एक प्रकार का ग्राम-लेखाधिकारी था।

B. ग्रामकूटम → I. गुप्त एजेंटः 'ग्रामकूट' या 'कूटपुरुष' शब्द का अर्थ गुप्तचर या जासूस से है। गुप्त काल और उसके बाद के दक्षिण भारतीय अभिलेखों में इसका उल्लेख राजकीय सूचना संग्रहकर्ता के रूप में हुआ है।

C. ग्रामभृतक → III. गाँव का सेवकः 'भृतक' का अर्थ वेतनभोगी सेवक है। अतः 'ग्रामभृतक' वह व्यक्ति था जो ग्राम प्रशासनिक कार्यों में सहायता करने वाला सेवक या मजदूर होता था।

D. ब्रह्मग्रीदह → IV. गाँव के बुजुर्गः यह शब्द 'ग्रामवृद्ध' का समानार्थी है, जिसका तात्पर्य ग्राम पंचायत के वरिष्ठ और अनुभवी व्यक्ति से है जो स्थानीय विवादों में निर्णय और परामर्श देने का कार्य करते थे।

इस प्रकार क्रम A-II, B-I, C-III, D-IV पूरी तरह सटीक है।

**66.** A. सही है – चार्ल्स डार्विन की प्रसिद्ध पुस्तक "The Origin of Species" सन् 1859 में प्रकाशित हुई।

B. गलत है – पुस्तक गोद लेने (adoption) से नहीं, बल्कि विकासवाद (evolution) की प्रक्रिया से संबंधित है।

C. सही है – इस पुस्तक में प्राकृतिक चयन (Natural Selection) की अवधारणा दी गई है, जिसमें कहा गया है कि ''सबसे योग्य जीवित रहते हैं'' (Survival of the Fittest)।

D. सही है – डार्विन पर थॉमस हेनरी हक्सले की पुस्तक "Evidence as to Man's Place in Nature" (1863) का प्रभाव पड़ा, जिसने मानव विकास के अध्ययन को मजबूत किया।

**67.** राजवंशों और उनकी राजधानियों का सटीक सुमेलन–

A. चालुक्य → II. बादामीः प्रारंभिक चालुक्यों की राजधानी बादामी (वातापी) थी।

B. पल्लव → III. कांचीपुरमः पल्लव राजवंश की राजधानी कांचीपुरम (तमिलनाडु) थी।

C. पाड्य → IV. मदुरईः पांड्य साम्राज्य का केंद्र मदुरई रहा।

D. कलचुरि → I. त्रिपुरीः कलचुरि वंश की राजधानी त्रिपुरी (जबलपुर के पास) थी।

**68.** राजस्थान का अहाड़ (Udaipur district) एक प्रमुख ताम्रपाषाण स्थल है और इसे ''तांबावर्ती'' (Copper Hoard or Copper Area) कहा जाता है। यहाँ ताँबे के औजारों जैसे कुल्हाड़ी, भाला, चाकू, और तीरों के सिरे प्राप्त हुए हैं। यह स्थल लगभग 2500-1500 ईसा पूर्व का है और इसे अहाड़-सांभर संस्कृति के अंतर्गत रखा जाता है।

**69.** सही कथन हैं– (B) और (C), जबकि (A) और (D) गलत हैं।

A. गलत – भारतीय उपमहाद्वीप में सिक्कों के सबसे पुराने निश्चित साहित्यिक और पुरातात्त्विक साक्ष्य छठी शताब्दी ईसा पूर्व (महाजनपद काल) के हैं, न कि चौथी-तीसरी शताब्दी ईसा पूर्व के। इस काल के आहत (पंच-मार्क) सिक्कों का उल्लेख अंगुत्तर निकाय और ब्रह्मजाल सुत्त जैसे बौद्ध ग्रंथों में मिलता है।

B. सही – भारतीय सिक्का भार प्रणाली की मूल इकाई 'रत्तिका' (रत्ती) थी, जो गुंजा या रक्तिका बीज पर आधारित थी। यह सोना, चाँदी और ताँबा जैसी धातुओं के तौल के लिए मानक इकाई थी, जिसका भार लगभग 0.1215 ग्राम माना जाता है।

C. सही – भारतीय उपमहाद्वीप में पाए गए सबसे पुराने सिक्के पंच-मार्क (आहत) सिक्के हैं, जो छठी शताब्दी ईसा पूर्व से चलन में आए। ये मुख्यतः चाँदी के बने होते थे और इनमें राज्य या व्यापारी संघ के प्रतीक पंचित किए जाते थे।

D. गलत – पंच-मार्क सिक्कों का आकार अनियमित (irregular) होता था क्योंकि वे ठप्पों से नहीं, बल्कि धातु की चादर काटकर और हथौड़े से प्रतीक अंकित करके बनाए जाते थे।

अतः सही उत्तर है – केवल (B) और (C)।

**70.** विस्तृत व्याख्या–

A. सहीः भारतीय उपमहाद्वीप में समझ में आने वाले सबसे प्राचीन अभिलेख चौथी शताब्दी ईसा पूर्व के हैं, विशेष रूप से सम्राट अशोक के शिलालेख। इन अभिलेखों ने भारत के प्रशासन, धर्म प्रचार और भाषा के इतिहास को उजागर किया।

B. गलतः अशोक की ब्राह्मी लिपि पूरी तरह विकसित थी और सुव्यवस्थित रूप में प्रयुक्त हुई। इसलिए यह कहना गलत है कि यह विकसित नहीं थी – वास्तव में, यह ही वह लिपि थी जिससे बाद की भारतीय लिपियों की उत्पत्ति मानी जाती है।

C. सहीः ब्राह्मी और खरोष्ठी दोनों लिपियाँ वर्णमाला (alphabetic) और अक्षरात्मक (syllabic) प्रणालियों के बीच की थीं, जिन्हें आधुनिक भाषाशास्त्र में अबुगिडा (Abugida) कहा जाता है। प्रत्येक व्यंजन में स्वाभाविक स्वर 'अ' निहित होता था।

D. सहीः पाणिनी की अष्टाध्यायी (लगभग 5वीं-4वीं शताब्दी ईसा पूर्व) में ''लिपि'' शब्द का प्रयोग 'शब्द' या 'लिखने के चिह्न' के संदर्भ में हुआ है, न कि किसी लेखन प्रणाली के तकनीकी अर्थ में।

इस प्रकार सत्य कथन हैं – (A), (C), और (D)।

**71.** सही सुमेलन इस प्रकार है–

A. अग्रहार → III. ब्राह्मण को दान की गई भूमिः यह वह भूमि थी जो शासक द्वारा ब्राह्मणों को स्थायी दान में दी जाती थी, जिस पर उन्हें कर-मुक्त अधिकार होता था।

B. आयुक्त → II. आधिकारिक पदनामः यह प्रशासनिक अधिकारी का पद था जो शासन व्यवस्था में उच्चाधिकारी के रूप में कार्य करता था।

C. एरीपट्टी → IV. सिंचाई टंकी के रखरखाव हेतु भूमिः तमिल प्रदेश में ''एरी'' का अर्थ टंकी (tank) और ''पट्टी'' का अर्थ भूमि होता है। ऐसी भूमि से प्राप्त राजस्व का उपयोग टंकी की मरम्मत में किया जाता था।

D. कपालिका → I. एक शिव संप्रदायः यह तांत्रिक और शैव परंपरा का एक संप्रदाय था जो शव-साधना और ध्यान विधियों से संबंधित था।

**72.** महाजनपदों और उनकी राजधानियों का सटीक सुमेलन–

A. काशी → II. वाराणसी

B. कोसल → III. श्रावस्ती

C. अंग → I. चंपा

D. सूरसेन → IV. मथुरा

**73.** यह सुमेलन भारतीय पुरातत्वविदों और उनकी प्रमुख कृतियों पर आधारित है–

A. एन.आर. बनर्जी → II. Iron Age in India

निर्मल रंजन बनर्जी भारतीय पुरातत्व के प्रमुख विद्वान थे। उन्होंने भारत में लौह युग (Iron Age) के विकास, वितरण और सांस्कृतिक प्रभावों पर गहन अध्ययन किया। यह पुस्तक भारतीय लौह युग के अध्ययन की एक मानक कृति मानी जाती है।

B. बी.के. थापर → I. Recent Archaeological Discoveries in India

बालकृष्ण थापर, भारतीय पुरातत्व सर्वेक्षण (ASI) से जुड़े हुए थे और उन्होंने देशभर में हुए हालिया पुरातात्विक खोजों और उत्खननों का विवरण इस पुस्तक में प्रस्तुत किया।

C. दिलीप चक्रवर्ती → III. The Archaeology of Ancient India

प्रो. दिलीप चक्रवर्ती ने भारतीय पुरातत्व के इतिहास, कार्यप्रणाली और क्षेत्रीय विशेषताओं का समग्र मूल्यांकन इस ग्रंथ में किया। यह पुस्तक भारतीय उपमहाद्वीप की पुरातात्विक परंपरा को वैज्ञानिक दृष्टि से व्यवस्थित करती है।

D. के.के. सिन्हा → IV. Excavations at Sravasti

कृष्ण कुमार सिन्हा ने श्रावस्ती (उत्तर प्रदेश) के बौद्ध स्थलों पर पुरातात्विक उत्खनन किया और अपनी रिपोर्ट इसी शीर्षक से प्रकाशित की, जो प्रारंभिक बौद्ध नगरीय जीवन के अध्ययन में महत्त्वपूर्ण स्रोत है।

**74.** लेखकों और उनकी पुस्तकों का सही संबंध–

A. मार्क ब्लॉक → III. The Historian's Craft

B. ई.एच. कार → I. What is History

C. एस.एम. अली → II. Geography of the Puranas

D. एच.सी. रायचौधरी → IV. Studies in Indian Antiquities

**75.** सही सुमेलन–

A. सामंत → II. राजा के अधीनस्थ भूमि मध्यस्थः सामंत साम्राज्यवादी प्रणाली में राजा के आश्रित सैन्य/भूमि मध्यस्थ होते थे।

B. सेठी → III. व्यापारीः सेठी या श्रेष्ठी बड़े व्यापारी और धनिक वर्ग को कहा जाता था।

C. संसार → I. स्थानांतरण का चक्रः यह बौद्ध और वैदिक दर्शन में जीवन-मरण के चक्र को संदर्भित करता है।

D. पल्ली → IV. एक बस्तीः पल्ली का अर्थ गाँव या छोटा बसावट क्षेत्र होता था।

पिछले प्रश्न-पत्र

# Common University Entrance Test for PG Programmes

# CUET-PG—प्राचीन भारतीय इतिहास, संस्कृति और वास्तुकला प्रवेश परीक्षा, 2024

(Exam held on 21-03-2024)

**1.** 18वीं और 19वीं शताब्दी में, लेखन में यूरोपीय विद्वानों का प्रभुत्व था, जिन्हें आमतौर पर ओरिएंटलिस्ट या इंडोलॉजिस्ट के रूप में जाना जाता था, यद्यपि वे खुद को अक्सर इस रूप में वर्णित करते थे :

A. आर्किओलोजिस्ट्स B. एंटीक्वेरियन्स
C. एपिग्राफिस्ट्स D. एनालिस्ट्स

**2.** 'शास्त्रीय संस्कृत' शब्द भाषा को संदर्भित करता है। इसके नियमों को इनके द्वारा संहिताबद्ध किया गया था :

A. पाणिनी B. ऋषि वशिष्ठ
C. अश्वघोष D. भास

**3.** निम्नलिखित में क्या, भास द्वारा नहीं लिखा गया है?

A. पंचरात्र B. दूतवाक्य
C. सौंदरानंद D. स्वप्न-वासवदत्ता

**4.** जैन पुराण, तीर्थंकरों के रूप में ज्ञात जैन संतों की जीवनी हैं। श्वेतांबर उन्हें कहते हैं :

A. चरित B. अंग
C. वृत्ति D. पट्टावलि

**5.** जातक (बुद्ध के पिछले जन्मों की कहानियाँ) इसकी 15 पुस्तकों में से एक हैं :

A. दीघ निकाय B. सम्युत्त निकाय
C. अंगुत्तर निकाय D. खुद्दक निकाय

**6.** समग्र वैदिक कोष के भीतर, निम्नलिखित में से किसे सबसे पुराना माना जाता है?

A. ऋग्वेद संहिता की पुस्तकें 1-9
B. ऋग्वेद संहिता की पुस्तकें 2-7
C. ऋग्वेद संहिता की पुस्तकें 1-6
D. ऋग्वेद संहिता की पुस्तकें 10

**7.** मद्रास के पास पल्लावरम में रॉबर्ट ब्रूस फूटे द्वारा खोजा गया पहला पुरापाषाण उपकरण था :

A. क्लीवर B. कंकड़ उपकरण
C. चॉपर D. हस्त-कुठार

**8.** निम्नलिखित में से कौन-सा युग सेनोजोइक या स्तनधारी युग का निर्माण करता है?

A. पेलियोजोइक और मेसोजोइक
B. केवल मेसोजोइक
C. केवल तृतीयक
D. तृतीयक और चतुर्थक

**9.** त्रियुग प्रणाली—यह विचार कि प्रस्तर औजारों का एक युग था, जिसके बाद कांस्ययुग और फिर लोहे के प्रभुत्व का युग आया—इनके द्वारा रखा गया :

A. पी.एफ. सुम और क्रिश्चियन थॉमसन
B. जॉन लूबैक और जैकब वोरसे
C. जॉन मार्शल और अलेक्जेंडर कनिंघम
D. एडौर्ड लार्टेट और जैकब वोरसे

**10.** निम्नलिखित को सही कालक्रमानुसार व्यवस्थित करें :

(*a*) मानसून की खोज
(*b*) संगम साहित्य का अंतिम रूप से संकलन
(*c*) महापाषाण संस्कृति की शुरूआत
(*d*) एक महत्वपूर्ण शक्ति के रूप में, चोलों की पुनर्स्थापना

नीचे दिए गए विकल्पों में से सही उत्तर चुनें :

A. (*a*), (*b*), (*d*), (*c*) B. (*c*), (*b*), (*a*), (*d*)
C. (*b*), (*a*), (*c*), (*d*) D. (*c*), (*a*), (*b*), (*d*)

**11.** निम्नलिखित को सही कालक्रमानुसार व्यवस्थित करें :

(*a*) परिपक्व हड़प्पा संस्कृति
(*b*) लोथल में चावल का उपयोग
(*c*) बलूचिस्तान में सबसे प्रारंभिक कृषि बस्तियाँ
(*d*) चोलिस्तान (पाकिस्तान) में हड़प्पा-पूर्व बस्तियाँ

नीचे दिए गए विकल्पों में से सही उत्तर चुनें :

A. (*d*), (*c*), (*b*), (*a*)
B. (*c*), (*d*), (*a*), (*b*)
C. (*b*), (*a*), (*d*), (*c*)
D. (*c*), (*d*), (*b*), (*a*)

**1.** B **2.** A **3.** C **4.** A **5.** D **6.** B **7.** D **8.** D **9.** A **10.** D **11.** B

**12.** मदुरई के निम्नलिखित पांड्य शासकों को सही कालक्रमानुसार व्यवस्थित करें :

(*a*) राजसिंह प्रथम (*b*) अरिकेसरी
(*c*) कडुंगन (*d*) रणधीर

नीचे दिए गए विकल्पों में से सही उत्तर चुनें :

A. (*c*), (*b*), (*a*), (*d*) B. (*a*), (*b*), (*d*), (*c*)
C. (*b*), (*c*), (*d*), (*a*) D. (*c*), (*b*), (*d*), (*a*)

**13.** निम्नलिखित को सही कालक्रमानुसार व्यवस्थित करें :

(*a*) अंग्रेज, अनेकों भारतीय सिक्कों को ब्रिटेन में निजी और सार्वजनिक संग्रहों में स्थानांतरित करने में सफल रहे।
(*b*) प्राचीनतम सिक्कों पर कुछ प्रतीक हैं।
(*c*) अफगानिस्तान के आसपास भारतीय-यूनानी सिक्के पाए गए।
(*d*) गुप्तोत्तर सिक्के व्यापार और वाणिज्य में गिरावट को दर्शाते हैं।

नीचे दिए गए विकल्पों में से सही उत्तर चुनें :

A. (*a*), (*b*), (*c*), (*d*) B. (*a*), (*c*), (*b*), (*d*)
C. (*b*), (*c*), (*d*), (*a*) D. (*d*), (*a*), (*b*), (*c*)

**14.** निम्नलिखित को कालक्रमानुसार व्यवस्थित करें :

(*a*) चंद्रगुप्त मौर्य का राज्यारोहण
(*b*) हाथीगुम्फा अभिलेख
(*c*) इलाहाबाद का गुप्त अभिलेख
(*d*) अतुल द्वारा मुशिका वंश

नीचे दिए गए विकल्पों में से सही उत्तर चुनें :

A. (*a*), (*b*), (*c*), (*d*) B. (*b*), (*a*), (*c*), (*d*)
C. (*b*), (*c*), (*d*), (*a*) D. (*c*), (*d*), (*b*), (*a*)

**15.** सूची-I का सूची-II से मिलान कीजिए :

| सूची-I | सूची-II |
|---|---|
| (*a*) विक्रमोरवशीय | I. भारवी |
| (*b*) काव्यालंकार | II. कालिदास |
| (*c*) किरातार्जुनीय | III. दंडी |
| (*d*) काव्यादर्श | IV. भामा |

नीचे दिए गए विकल्पों में से सही उत्तर चुनें :

| | (*a*) | (*b*) | (*c*) | (*d*) |
|---|---|---|---|---|
| A. | II | IV | III | I |
| B. | II | IV | I | III |
| C. | II | I | IV | III |
| D. | III | IV | I | II |

**16.** भारत में मध्यपाषाण शैल चित्रों के बारे में क्या सही है?

(*a*) भारत में प्रथम शैल चित्रों की खोज ए.सी.एल. कार्लाइल ने की।
(*b*) भीमबेटका चित्रों का अध्ययन वी.एस. वाकणकर ने नहीं किया है।
(*c*) अधिकांश मध्यपाषाण शैल कला स्थलों पर जानवरों के चित्रों का वर्चस्व है।
(*d*) भारतीय मध्यपाषाण शैल चित्रों में साँपों का चित्रण नहीं किया गया है।

नीचे दिए गए विकल्पों में से सही उत्तर चुनें :

A. केवल (*a*), (*b*) और (*d*) B. केवल (*a*), (*b*) और (*c*)
C. केवल (*a*), (*c*) और (*d*) D. केवल (*b*), (*c*) और (*d*)

**17.** उत्तरवैदिक ग्रंथ और पीजीडब्ल्यू संस्कृति, मध्य गंगा घाटी से संबंधित हैं, जबकि ऋग्वेद मुख्य रूप से निम्नलिखित से संबंधित है :

A. सरस्वती B. हाकरा
C. रावी D. सिंधु

**18.** अश्वमेध में, बलि के घोड़े के रक्षक, निम्न में से लिए जाते थे :

A. रत्निन B. विसपति
C. महिषी के रिश्तेदार D. ग्रामिणी

**19.** दक्षिण में छठी शताब्दी ईस्वी के आसपास गैर-ब्राह्मण गाँवों को कहा जाता था :

A. उर B. वेल्लनवाकी
C. करालार D. ब्रह्मदेय

**20.** प्राचीन तमिलों के मुख्य देवता कौन थे?

A. मुरुगन B. इंद्र
C. शिव D. विष्णु

**21.** हड़प्पा व्यापार के महत्वपूर्ण पहलू थे :

(*a*) दोपहिया बैलगाड़ियाँ परिवहन का एक महत्वपूर्ण साधन थीं।
(*b*) व्यापार और वाणिज्य के कई मार्ग हड़प्पा संस्कृति क्षेत्र के विभिन्न हिस्सों को जोड़ते थे।
(*c*) राजस्थान के खेतड़ी के भंडार तांबे के महत्वपूर्ण स्रोत नहीं थे।
(*d*) प्रतीत होता है कि घोड़े का उपयोग बहुत कम था।

नीचे दिए गए विकल्पों में से सही उत्तर चुनें :

A. केवल (*a*), (*b*) और (*d*) B. केवल (*a*), (*b*) और (*c*)
C. केवल (*a*), (*c*) और (*d*) D. केवल (*b*), (*c*) और (*d*)

**22.** सही कथनों की पहचान करें :

(*a*) गुप्त राजाओं ने महाराजाधिराज जैसी शाही उपाधियाँ ग्रहण कीं।
(*b*) उन्होंने परमाद्वैत (देवताओं के सबसे प्रमुख उपासक) जैसे विशेषणों के माध्यम से भी खुद को देवताओं से जोड़ा।
(*c*) इलाहाबाद प्रशस्ति में समुद्रगुप्त का वर्णन एक आम आदमी के रूप में किया गया है।
(*d*) कुछ इतिहासकारों के अनुसार गुप्त राजा दैव स्थिति का दावा करते थे।

नीचे दिए गए विकल्पों में से सही उत्तर चुनें :

A. केवल (*a*), (*b*) और (*d*) B. केवल (*a*), (*b*) और (*c*)
C. केवल (*b*), (*c*) और (*d*) D. केवल (*a*), (*c*) और (*d*)

**12.** D **13.** C **14.** A **15.** B **16.** C **17.** D **18.** A **19.** B **20.** A **21.** A **22.** A

**23.** सही कथनों की पहचान करें :

(*a*) 1921 में डी.आर. साहनी ने हड़प्पा की खुदाई की।

(*b*) 1921 में मार्शल ने मोहनजोदड़ो की खुदाई की।

(*c*) 1931 में मार्शल ने मोहनजोदड़ो की खुदाई की।

(*d*) 1940 में वत्स ने हड़प्पा की खुदाई की।

नीचे दिए गए विकल्पों में से सही उत्तर चुनें :

A. केवल (*a*), (*b*) और (*c*) B. केवल (*b*), (*c*) और (*d*)
C. केवल (*a*), (*c*) और (*d*) D. केवल (*a*), (*b*) और (*d*)

**24.** सही ढंग से युग्मित संरचनाओं और स्थानों की पहचान करें :

(*a*) आजीविक कक्ष, नागार्जुनी पहाड़ियाँ (बिहार)।

(*b*) आजीविक कक्ष, नागार्जुनी पहाड़ियाँ (महाराष्ट्र)।

(*c*) कार्ले गुफाएँ, पश्चिमी घाट।

(*d*) रानी गुम्फा, ओडिशा।

नीचे दिए गए विकल्पों में से सही उत्तर चुनें :

A. केवल (*a*), (*b*) और (*d*) B. केवल (*a*), (*c*) और (*d*)
C. केवल (*b*), (*c*) और (*d*) D. केवल (*a*), (*b*) और (*c*)

**25.** सूची-I का सूची-II से मिलान कीजिए :

| सूची-I | सूची-II |
|---|---|
| (*a*) द पांड्य किंगडम | I. वाई. सुब्बारयालू |
| (*b*) पीजेंट स्टेट एंड सोसाइटी इन मेडियावल साउथ इंडिया | II. टी.वी. महालिंगम |
| (*c*) साउथ इंडियन पोलिटी | III. बर्टन स्टीन |
| (*d*) पोलिटिकल जियोग्राफी ऑफ दी चोला कंट्री | IV. के.ए. नीलकंठ शास्त्री |

नीचे दिए गए विकल्पों में से सही उत्तर चुनें :

| | (*a*) | (*b*) | (*c*) | (*d*) |
|---|---|---|---|---|
| A. | I | III | II | IV |
| B. | IV | III | I | II |
| C. | I | II | IV | III |
| D. | IV | III | II | I |

**26.** सूची-I का सूची-II से मिलान कीजिए :

| सूची-I | सूची-II |
|---|---|
| (*a*) कटामाई | I. अनिवार्य श्रम सेवाएं |
| (*b*) कुटीमाई | II. राजस्व विभाग |
| (*c*) वेट्टी | III. भू-राजस्व |
| (*d*) पूरवुवरित-तिनैक-कलाम | IV. अधिभोग देयराशि |

नीचे दिए गए विकल्पों में से सही उत्तर चुनें :

| | (*a*) | (*b*) | (*c*) | (*d*) |
|---|---|---|---|---|
| A. | III | II | I | IV |
| B. | III | IV | I | II |
| C. | IV | II | I | III |
| D. | III | I | IV | II |

**27.** सूची-I का सूची-II से मिलान कीजिए :

| सूची-I | सूची-II |
|---|---|
| (*a*) सिंह शीर्ष | I. सांची |
| (*b*) हस्ति शीर्ष | II. वैशाली |
| (*c*) चार सिंह शीर्ष | III. रामपुरवा |
| (*d*) वृषभ शीर्ष | IV. संकिसा |

नीचे दिए गए विकल्पों में से सही उत्तर चुनें :

| | (*a*) | (*b*) | (*c*) | (*d*) |
|---|---|---|---|---|
| A. | II | III | I | IV |
| B. | I | III | II | IV |
| C. | I | IV | II | III |
| D. | II | IV | I | III |

**28.** इलाहाबाद प्रशस्ति मिश्रित गद्य और पद्य में है। इस शैली को इस रूप में जाना जाता है :

A. चंपू काव्य

B. माधुर्य

C. बोलियाँ

D. गद्य और पद्य शैली

**29.** निम्नलिखित में से कौन-सा ग्रंथ भारत में हेलेनिस्टिक खगोलीय विचारों के संचरण को दर्शाता है?

A. सांख्यकारिका B. योगसूत्र
C. यवनजातक D. विष्णुधर्मोत्तर पुराण

**30.** भारतीय गणित की जड़ों को इसमें खोजा जा सकता है :

A. शुल्वसूत्र B. आर्यभट्टियां
C. खंडखाद्यक D. बृहत्संहिता

**31.** अर्थशास्त्र के अनुसार, राज्य द्वारा कितने अधीक्षक (अध्यक्ष) नियुक्त किए गए थे?

A. 11 B. 9
C. 27 D. 37

**32.** सनौली कब्रिस्तान के संदर्भ में सही कथनों की पहचान करें :

(*a*) एम.एस. वत्स ने सनौली की खुदाई की।

(*b*) सनौली उत्तर प्रदेश के बागपत में स्थित है।

(*c*) सनौली में की गई खोजों की अनुमानित तिथि C. 2200-1800 ईसा पूर्व है।

(*d*) कब्रिस्तान के सामान में तांबे की वस्तुएँ, सोने के आभूषण, कांच आदि शामिल हैं।

नीचे दिए गए विकल्पों में से सही उत्तर चुनें :

A. केवल (*a*), (*b*) और (*d*)

B. केवल (*b*), (*c*) और (*d*)

C. केवल (*a*), (*c*) और (*d*)

D. केवल (*a*), (*b*) और (*c*)

**23.** C **24.** B **25.** D **26.** B **27.** D **28.** A **29.** C **30.** A **31.** C **32.** B

**33.** राजतरंगिणी के संबंध में सही कथनों की पहचान करें :
(*a*) कल्हण ने राजतरंगिणी में तीन महिला शासकों का उल्लेख किया है।
(*b*) दिद्दा यशस्कर वंश की शासक थी।
(*c*) दिद्दा गोनंदा वंश की शासक थी।
(*d*) नरवाहन ने रानी दिद्दा को सत्ताप्राप्ति में मदद की।
नीचे दिए गए विकल्पों में से सही उत्तर चुनें :
A. केवल (*a*), (*b*) और (*c*) B. केवल (*a*), (*b*) और (*d*)
C. केवल (*a*), (*c*) और (*d*) D. केवल (*b*), (*c*) और (*d*)

**34.** महरौली के लौह स्तम्भ के संबंध में सही कथनों की पहचान करें :
(*a*) इस स्तंभ पर एक संस्कृत शिलालेख है।
(*b*) यह स्तंभ शुद्ध लोहे (रोट आयरन) से बना है।
(*c*) यह एक उल्टे कमल के प्रतीक पर खड़ा हुआ है।
(*d*) यह स्तंभ 7.85 मीटर ऊँचा है।
नीचे दिए गए विकल्पों में से सही उत्तर चुनें :
A. केवल (*a*), (*b*) और (*d*) B. केवल (*a*), (*b*) और (*c*)
C. केवल (*b*), (*c*) और (*d*) D. (*a*), (*b*), (*c*) और (*d*)

**35.** अजंता की गुफाओं के संबंध में सही कथनों की पहचान करें :
(*a*) अजंता गुफाएँ सह्याद्री पहाड़ियों में स्थित हैं।
(*b*) 23 गुफाएँ वाकाटक काल की हैं।
(*c*) अजंता में कोई चैत्य नहीं हैं।
(*d*) अंजता की गुफाएँ वाघोरा नदी के पास स्थित हैं।
नीचे दिए गए विकल्पों में से सही उत्तर चुनें :
A. केवल (*b*), (*c*) और (*d*) B. केवल (*a*), (*b*) और (*c*)
C. केवल (*a*), (*c*) और (*d*) D. केवल (*a*), (*b*) और (*d*)

**36.** दसवीं शताब्दी के मध्य तक, कावेरी डेल्टा और उसके बाहर बड़े पैमाने पर भूस्वामियों का उदय हुआ। निम्नलिखित में से कौन-सी, उनके द्वारा धारण की गई उपाधि नहीं थी?
A. उदैयन B. वेलम
C. अजनापति D. अराइयन

**37.** अजंता में कितनी गुफाओं में आज भी चित्र मौजूद हैं?
A. 9 B. 26
C. 17 D. 6

**38.** बुद्धकाल में, निम्नलिखित में से कौन-सा, एक गैर-राजतंत्रीय महाजनपद था?
A. कोसल B. वत्स
C. अवंति D. वृजी या वज्जी

**39.** अतरंजीखेड़ा (एटा जिला, यू.पी.) में खुदाई इस नदी के तट पर की गई है :
A. गंगा B. यमुना
C. काली D. चंबल

**40.** किस जैन पुस्तक के अनुसार, बिंबिसार पत्नियों, रिश्तेदारों और सेवकों के साथ महावीर के पास गए और एक समर्पित अनुयायी बन गए?
A. उत्तराध्यायन सूत्र B. भगवती सूत्र
C. परिशिष्ठपर्वन D. हरिवंश पुराण

**41.** अशोक के लघु शिलालेख-I के अहरौरा संस्करण के अनुसार, बुद्ध की मृत्यु और शिलालेख के जारी होने के बीच कितने साल बीत चुके थे?
A. 218 वर्ष B. 256 वर्ष
C. 100 वर्ष D. 368 वर्ष

**42.** निम्नलिखित में से कौन-से उपनिषद प्राचीनतम हैं?
A. बृहदारण्यक और छान्दोग्य
B. केन और तैत्तिरीय
C. मुंडक और केन
D. श्वेताश्वतर और मुंडक

**43.** अधिकांश परिपक्व हड़प्पा कालीन ईंटों के आकार में मोटाई, चौड़ाई और लंबाई का समान अनुपात है। यह है :
A. 1 : 2 : 4 B. 1 : 2 : 6
C. 1 : 1 : 4 D. 2 : 2 : 10

**44.** पूर्व-हड़प्पा संस्कृति और परिपक्व हड़प्पा संस्कृति के बीच समानताओं की पहचान करने वाले पहले पुरातत्वविद् कौन थे?
A. ई.जे.एच. मैके B. डी.आर. साहनी
C. अमलानंद घोष D. मोर्टीमर व्हीलर

**45.** निम्नलिखित में से किस स्थल पर 9000-8000 ईसा पूर्व के ऊपरी पुरापाषाण कालीन मंदिर का प्रमाण मिलता है?
A. भीमबेटका, एम.पी. B. लोहंदा नाला, बेलन-घाटी
C. बाघोर I, एम.पी. D. पाटने, महाराष्ट्र

**46.** सूची-I का सूची-II से मिलान कीजिए :

| सूची-I | सूची-II |
|---|---|
| (*a*) दी इंडो ग्रीक्स | I. ए.के. नारायण |
| (*b*) अर्ली हिस्ट्री ऑफ दी डेक्कन | II. बी.एन. मुखर्जी |
| (*c*) दी राइज एंड फाल ऑफ दी कुषाण एम्पायर | III. जी. यजदानी |
| (*d*) दी अग्रेरियन सिस्टम इन एनसिएंट इंडिया | IV. यू.एन. घोषाल |

नीचे दिए गए विकल्पों में से सही उत्तर चुनें :

| | (*a*) | (*b*) | (*c*) | (*d*) |
|---|---|---|---|---|
| A. | I | II | III | IV |
| B. | I | III | II | IV |
| C. | I | II | IV | III |
| D. | III | IV | I | II |

**33.** B **34.** B **35.** D **36.** C **37.** D **38.** D **39.** C **40.** A **41.** B **42.** A
**43.** A **44.** C **45.** C **46.** B

**47.** सूची-I का सूची-II से मिलान कीजिए :

| सूची-I | सूची-II |
|---|---|
| (*a*) गुप्त | I. वल्लभी |
| (*b*) मौखरी | II. कन्नौज |
| (*c*) पुष्यभूति | III. मगध |
| (*d*) मैत्रक | IV. थानेसर |

नीचे दिए गए विकल्पों में से सही उत्तर चुनें :

| | (*a*) | (*b*) | (*c*) | (*d*) |
|---|---|---|---|---|
| A. | I | II | III | IV |
| B. | II | III | I | IV |
| C. | I | II | IV | III |
| D. | III | II | IV | I |

**48.** मेगास्थनीज के अनुसार, पाटलिपुत्र एक गहरी खाई से घिरा हुआ था तथा एक लकड़ी की दीवार पर 570 मीनारें थीं और इसमें _______ द्वार थे।

A. 64 B. 16
C. 32 D. 120

**49.** धातु से बने सिक्के सबसे पहले किस काल में सामने आए?

A. गुप्त काल B. बुद्ध काल
C. मौर्य काल D. मौर्येत्तर काल

**50.** निम्नलिखित में से किस शहर को एक प्राकृत ग्रंथ में वाणियागाम कहा गया और इसका अर्थ है, व्यापारियों की एक बस्ती?

A. वैशाली में सद्दूलापुत्ता B. भागलपुर के पास चंपा
C. श्रावस्ती D. राजगीर

**51.** किस नंद शासक ने एकराट (एकमात्र संप्रभु) होने का दावा किया?

A. महापद्म B. पण्डुक
C. राष्ट्रपाल D. उग्रसेन

**52.** पल्लव राजाओं द्वारा विभिन्न विरुदों (प्रशंसात्मक उपाधियों) को धारण किया गया था। निम्नलिखित में से कौन-सा उनके द्वारा अपनाए गए विरुदों में से एक नहीं था?

A. विचित्रचित्त B. महामल्ल
C. अरासु D. ज्ञानसागर

**53.** चंपा का राजा एक शैव था, और चंपा की आधिकारिक भाषा थी :

A. तमिल B. प्राकृत
C. संस्कृत D. सिंघली

**54.** सूची-I का सूची-II से मिलान कीजिए :

| सूची-I | सूची-II |
|---|---|
| (*a*) नर्तकी मूर्ति | I. सुरकोटडा |
| (*b*) मिट्टी का हल | II. कालीबंगा |
| (*c*) हड़प्पा संस्कृति में, यहाँ घोड़े के अवशेषों के बारे में पता चला है | III. मोहनजोदड़ो |
| (*d*) यहाँ जुते हुए खेत पाए जाते हैं | IV. बनावली |

नीचे दिए गए विकल्पों में से सही उत्तर चुनें :

| | (*a*) | (*b*) | (*c*) | (*d*) |
|---|---|---|---|---|
| A. | I | II | III | IV |
| B. | I | III | II | IV |
| C. | I | II | IV | III |
| D. | III | IV | I | II |

**55.** सूची-I का सूची-II से मिलान कीजिए :

| सूची-I | सूची-II |
|---|---|
| (*a*) भोगता | I. अनाज का एक माप |
| (*b*) आयुक्त | II. वह जो आनंद लेता है |
| (*c*) द्रोणवाप | III. आधिकारिक पदनाम |
| (*d*) चेट्टी | IV. व्यापारी |

नीचे दिए गए विकल्पों में से सही उत्तर चुनें :

| | (*a*) | (*b*) | (*c*) | (*d*) |
|---|---|---|---|---|
| A. | I | II | III | IV |
| B. | II | III | I | IV |
| C. | I | II | IV | III |
| D. | III | IV | I | II |

**56.** सूची-I का सूची-II से मिलान कीजिए :

| सूची-I | सूची-II |
|---|---|
| (*a*) नाट्यशास्त्र | I. भवभूति |
| (*b*) मालती माधव | II. विशाखदत्त |
| (*c*) मुद्राराक्षस | III. भरत |
| (*d*) शिशुपालवध | IV. माघ |

नीचे दिए गए विकल्पों में से सही उत्तर चुनें :

| | (*a*) | (*b*) | (*c*) | (*d*) |
|---|---|---|---|---|
| A. | I | II | III | IV |
| B. | I | III | IV | II |
| C. | III | I | II | IV |
| D. | II | IV | I | III |

**57.** श्रीनगर के निकट झेलम की दूसरी छत पर कम से कम दो नवपाषाण स्थल ज्ञात हैं। ये हैं मार्तंड और :

A. किली गुल मोहम्मद B. मेहरगढ़
C. बुर्जहोम D. दाम्ब सादात

**58.** मध्य संगम या नाडुक कंकम का स्थल था :

A. टेन मदुरई B. कपाड़ापुरम
C. रामेश्वरम् D. मदुरई

**59.** गांधार कला ने अपने विषय को पहले की बौद्ध मूर्तियों से लिया था, जबकि इसकी तकनीक और कौशल निम्न से लिए गए थे :

A. मौर्य कला B. मिश्र कला
C. यूनानी कला D. पार्थियन कला

| | | | | | | | | | |
|---|---|---|---|---|---|---|---|---|---|
| **47.** D | **48.** A | **49.** B | **50.** B | **51.** A | **52.** C | **53.** C | **54.** D | **55.** B | **56.** C |
| **57.** C | **58.** B | **59.** C | | | | | | | |

**60.** मौर्येत्तर काल की मूर्तिकला मुख्य रूप से ______ चरित्र में है।

A. बौद्ध B. ब्राह्मणवादी

C. जैन D. यूनानी

**61.** सूची-I का सूची-II से मिलान कीजिए :

| सूची-I | सूची-II |
|---|---|
| (*a*) भारतीय संग्रहालय, कलकत्ता की स्थापना | I. 1880 ई. |
| (*b*) एच.एच. कोल को प्राचीन स्मारकों का संरक्षक नियुक्त किया गया | II. 1923 ई. |
| (*c*) जॉन मार्शल ने संरक्षण नियमावली प्रकाशित की | III. 1814 ई. |
| (*d*) गवर्नमेंट म्यूजियम (सरकारी संग्रहालय), मद्रास की स्थापना | IV. 1851 ई. |

नीचे दिए गए विकल्पों में से सही उत्तर चुनें :

| | (*a*) | (*b*) | (*c*) | (*d*) |
|---|---|---|---|---|
| A. | I | II | III | IV |
| B. | III | I | II | IV |
| C. | I | II | IV | III |
| D. | III | I | IV | II |

**62.** दक्षिण भारत के राज्यों के संबंध में सही कथनों की पहचान करें।

(*a*) चोलों का राज्य कृष्णा घाटी में स्थित था।

(*b*) तमिलकम का प्रारंभिक राज्य चावल उगाने वाले क्षेत्रों में उभरा।

(*c*) उरैयूर चोलों की राजधानी थी।

(*d*) पांड्यों का राज्य ताम्रपर्णी और वैगई की घाटी में स्थित था।

नीचे दिए गए विकल्पों में से सही उत्तर चुनें :

A. केवल (*a*), (*c*) और (*d*) B. केवल (*a*), (*b*) और (*c*)

C. केवल (*b*), (*c*) और (*d*) D. केवल (*a*), (*b*) और (*d*)

**63.** निम्नलिखित को कालक्रमानुसार व्यवस्थित करें :

(*a*) मगध में अजातशत्रु का शासन।

(*b*) मगध में बिंबिसार का शासन।

(*c*) मौर्य साम्राज्य पर चन्द्रगुप्त का शासन।

(*d*) मगध में उदयिनी का शासनकाल।

नीचे दिए गए विकल्पों में से सही उत्तर चुनें :

A. (*b*), (*c*), (*a*) और (*d*) B. (*b*), (*a*), (*d*) और (*c*)

C. (*b*), (*a*), (*c*) और (*d*) D. (*d*), (*a*), (*b*) और (*c*)

**64.** सातवाहनों के बारे में सही कथनों की पहचान करें :

(*a*) सातवाहनों को पुराणों में उल्लिखित आंध्रों के रूप में माना जाता है।

(*b*) सातवाहन अभिलेखों में आंध्र नाम नहीं है।

(*c*) सातवाहनों के सबसे पुराने अभिलेख ईसा पूर्व तीसरी शताब्दी से संबंधित हैं।

(*d*) नासिक के पास पाए गए नहपान के 8000 से अधिक चांदी के सिक्कों पर सातवाहन राजा द्वारा फिर से छापे जाने के निशान हैं।

नीचे दिए गए विकल्पों में से सही उत्तर चुनें :

A. केवल (*a*), (*b*) और (*d*) B. केवल (*a*), (*b*) और (*c*)

C. केवल (*a*), (*c*) और (*d*) D. केवल (*b*), (*c*) और (*d*)

**65.** चंद्रगुप्त द्वितीय के शासनकाल के बारे में सही कथनों की पहचान करें।

(*a*) उन्होंने अपनी बेटी प्रभावती का विवाह ब्राह्मण जाति के वाकाटक राजकुमार से किया।

(*b*) उन्होंने पश्चिमी भारत के शक क्षत्रपों पर जीत के प्रतीक के रूप में विक्रमादित्य की उपाधि को अपनाया।

(*c*) उनके शासनकाल के दौरान चीनी तीर्थयात्री इ-त्सिंग ने भारत की यात्रा की।

(*d*) ऐसा लगता है कि चंद्रगुप्त द्वितीय ने उज्जैन को अपनी दूसरी राजधानी बनाया था।

नीचे दिए गए विकल्पों में से सही उत्तर चुनें :

A. केवल (*a*), (*b*) और (*d*) B. केवल (*a*), (*b*) और (*c*)

C. केवल (*b*), (*c*) और (*d*) D. केवल (*a*), (*c*) और (*d*)

**66.** कुषाणों के बारे में क्या सच है?

(*a*) कुषाण देवपुत्र जैसी उच्च लगने वाली उपाधियों का उपयोग करते थे।

(*b*) राजाओं की कुशलता के लिए लोगों द्वारा धार्मिक दान देना।

(*c*) देवकुलों की संस्था जिसमें मृत शासकों की मूर्तियाँ रखी जाती थीं।

(*d*) उत्तर भारत में कुषाणों के शासनकाल में केवल बौद्ध और जैन धर्म फले-फूले।

नीचे दिए गए विकल्पों में से सही उत्तर चुनें :

A. केवल (*a*), (*b*) और (*d*)

B. केवल (*a*), (*b*) और (*c*)

C. केवल (*a*), (*c*) और (*d*)

D. केवल (*b*), (*c*) और (*d*)

**67.** कौटिल्य द्वारा वर्णित राजस्व के विभिन्न शीर्ष :

सूची-I का सूची-II से मिलान कीजिए :

| सूची-I | सूची-II |
|---|---|
| (*a*) चारागाह के मैदान | I. खानी |
| (*b*) खानें | II. राष्ट्र |
| (*c*) ग्रामीण क्षेत्र | III. सेतु |
| (*d*) सिंचाई परियोजनाएँ | IV. व्रज |

नीचे दिए गए विकल्पों में से सही उत्तर चुनें :

| | (*a*) | (*b*) | (*c*) | (*d*) |
|---|---|---|---|---|
| A. | I | II | IV | III |
| B. | IV | I | II | III |
| C. | II | I | IV | III |
| D. | IV | II | III | I |

**60.** A **61.** B **62.** C **63.** B **64.** A **65.** A **66.** B **67.** B

**68.** प्राचीन भारतीयों द्वारा निम्नलिखित में से किसे सुवर्णद्वीप कहा जाता था?
A. जावा
B. वियतनाम
C. कंबोडिया
D. लाओस

**69.** उत्तर-वैदिक काल में जुताई अनुष्ठानों के बारे में निम्नलिखित में से कौन विस्तार से बताता है?
A. सामवेद
B. अथर्ववेद
C. शतपथ ब्राह्मण
D. ऐतरेय ब्राह्मण

**70.** निम्नलिखित में से कौन-सा वैदिक ग्रंथ अनुष्ठानिक सूत्रों से भरा हुआ है तथा अनुष्ठानों के सामाजिक और धार्मिक अर्थ की व्याख्या करता है?
A. अथर्ववेद
B. ब्राह्मण
C. उपनिषद
D. आरण्यक

**71.** ऋग्वेद में आर्य शब्द कितनी बार आता है?
A. 36
B. 56
C. 76
D. 16

**72.** बौद्ध धर्म के प्रसार ने दक्षिण पूर्व एशियाई देशों के साथ भारत के संपर्क को बढ़ावा दियां। दूसरी और पहली शताब्दी ईसा पूर्व से संबंधित ब्राह्मी लिपि में लघु अभिलेख यहाँ पाए गए हैं :
A. म्यांमार
B. श्रीलंका
C. चीन
D. इंडोनेशिया

**73.** चार्वाक द्वारा प्रतिपादित दर्शन को इस रूप में जाना जाता है :
A. सांख्य
B. न्याय
C. योग
D. लोकायत

**74.** भारतीय इस्पात का निर्यात बहुत पहले से अनेकों देशों में किया जाता था, जिसे बाद में _______ कहा जाने लगा।
A. फोर्जड स्टील
B. वूट्ज आयरन
C. एय
D. पसनधातु

**75.** ग्रन्थ (चरक संहिता) का मुख्य भाग अग्निवेश द्वारा अपने एक शिक्षक द्वारा प्रदत्त ज्ञान के रूप में है, जिनका नाम है :
A. भास्कर
B. अमोघवर्ष
C. अत्रेय
D. ब्रह्मगुप्त

## व्याख्यात्मक उत्तर

**1. (B):** 18वीं और 19वीं शताब्दी में यूरोपीय विद्वानों ने खुद को अक्सर 'एंटीक्वेरियन्स' के रूप में पहचाना। 'एंटीक्वेरियन' उन विद्वानों को कहा जाता है जो प्राचीन वस्तुओं, लिपियों और अन्य सांस्कृतिक अवशेषों का अध्ययन करते हैं और उनकी व्याख्या करते हैं। यह उन्हें सामान्य खोजकर्ताओं या संग्रहकर्ताओं से अलग करता है, जो मुख्य रूप से स्थलों की खुदाई और उन्हें संरक्षित करने में लगे होते हैं।

**2. (A):** 'शास्त्रीय संस्कृत' को पाणिनी ने संहिताबद्ध किया था। पाणिनी एक प्राचीन भारतीय विद्वान थे, जिन्होंने संस्कृत भाषा के व्याकरण के नियमों को अपनी प्रसिद्ध पुस्तक 'अष्टाध्यायी' में लिखा। यह ग्रंथ संस्कृत व्याकरण का सबसे महत्वपूर्ण और प्राधिकारिक स्रोत माना जाता है।

**3. (C):** 'सौंदरानंद' भास द्वारा नहीं लिखा गया था। यह काव्य ग्रंथ वास्तव में अश्वघोष द्वारा लिखा गया था, जो एक बौद्ध कवि और दार्शनिक थे। अश्वघोष ने बौद्ध धर्म के दार्शनिक विचारों को अपनी कविताओं के माध्यम से प्रस्तुत किया, जबकि भास ने मुख्य रूप से नाटकों की रचना की।

**4. (A):** जैन पुराणों को श्वेतांबर जैन समुदाय 'चरित' के रूप में संदर्भित करता है। ये पुराण जैन तीर्थंकरों की जीवनियाँ होती हैं, जिन्हें वे अपने धर्म के महान शिक्षकों और संतों के रूप में मानते हैं। 'चरित' शब्द का अर्थ होता है 'चरित्र' या 'जीवनी', जो इन पुस्तकों के साहित्यिक स्वरूप को दर्शाता है।

**5. (D):** जातक कथाएँ, जो बुद्ध के पिछले जन्मों की कहानियाँ हैं, 'खुद्दक निकाय' का हिस्सा हैं। यह बौद्ध साहित्य के 'सुत्त पिटक' का एक भाग है और इसमें छोटे ग्रंथ और कथाएँ संग्रहित होती हैं। 'जातक' में 547 कहानियाँ हैं जो बुद्ध के विभिन्न जन्मों और उनके बोधिसत्व के रूप में अनुभवों का वर्णन करती हैं।

**6. (B):** ऋग्वेद की संहिता की पुस्तकें 2-7 को सबसे पुराना माना जाता है। ऋग्वेद की विभिन्न पुस्तकों का संकलन विभिन्न समयों में हुआ था, जिसमें पुस्तक 2 और 7 को आम तौर पर अधिक प्राचीन माना जाता है क्योंकि इनमें भाषा और शैली अधिक आदिम और कठिन होती है, जो प्राचीनता का संकेत देती है।

**7. (D):** रॉबर्ट ब्रूस फूटे द्वारा पल्लावरम में खोजा गया पहला पुरापाषाण उपकरण 'हस्त-कुठार' था। यह उपकरण पाषाण युग की विशिष्टता को दर्शाता है, जिसमें पत्थरों को तराश कर उपकरण बनाए जाते थे। हस्त-कुठार का उपयोग मुख्य रूप से काटने और छीलने के लिए किया जाता था, जो उस समय के उपकरणों की उन्नति को दर्शाता है।

**8. (D):** सेनोजोइक या स्तनधारी युग का निर्माण 'तृतीयक' और 'चतुर्थक' युगों द्वारा हुआ था। इस समय के दौरान स्तनधारी जीवों का विकास और विस्तार हुआ, जिसने उन्हें पृथ्वी के प्रमुख जीवों के रूप में स्थापित किया। तृतीयक युग में जलवायु परिवर्तन और विभिन्न प्रकार के वातावरणों के उद्भव से स्तनधारियों की अनुकूलन क्षमता में वृद्धि हुई, जबकि चतुर्थक युग में हिम युग के दौरान उनके विकास को और बढ़ावा मिला।

**68.** A **69.** C **70.** B **71.** A **72.** B **73.** D **74.** B **75.** C

**9. (A):** त्रियुग प्रणाली–प्रस्तर युग, कांस्ययुग और लोहे के प्रभुत्व का युग–का विचार पी.एफ. सुम और क्रिश्चियन थॉमसन द्वारा प्रस्तुत किया गया था। यह प्रणाली तीन विशिष्ट युगों को परिभाषित करती है, जो मानव सभ्यता के तकनीकी और सांस्कृतिक विकास के चरणों को दर्शाती है। इस प्रणाली के अनुसार, प्रागैतिहासिक समय में मानव ने पहले पत्थर, फिर कांस्य और अंत में लोहे का उपयोग करना शुरू किया, जो क्रमशः उनके विकास के तीन युगों को प्रतिबिंबित करता है।

**10. (D):** सही कालक्रमानुसार व्यवस्थित करने पर (*c*) महापाषाण संस्कृति की शुरूआत, (*a*) मानसून की खोज, (*b*) संगम साहित्य का अंतिम रूप से संकलन, और (*d*) एक महत्वपूर्ण शक्ति के रूप में, चोलों की पुनर्स्थापना को दर्शाता है। यह क्रम इतिहास के विभिन्न महत्वपूर्ण घटनाक्रमों को समय के साथ सही तरीके से व्यवस्थित करता है, जिसमें प्रागैतिहासिक समय से लेकर ऐतिहासिक काल तक के घटनाक्रम शामिल हैं।

**11. (B):** सही कालक्रमानुसार, पहले (*c*) बलूचिस्तान में सबसे प्रारंभिक कृषि बस्तियाँ विकसित हुईं, जो नवपाषाण काल में मानव द्वारा कृषि के पहले प्रयोगों को दर्शाता है। इसके बाद (*d*) चोलिस्तान में हड़प्पा-पूर्व बस्तियाँ विकसित हुईं, जो सिंधु घाटी सभ्यता के विकास के पूर्व चरण का प्रतिनिधित्व करती हैं। फिर (*a*) परिपक्व हड़प्पा संस्कृति आती है, जो सिंधु घाटी सभ्यता के उच्चतम विकास को दर्शाती है। अंत में (*b*) लोथल में चावल का उपयोग हुआ, जो सभ्यता के अंतिम चरणों में कृषि में विविधता लाने का संकेत देता है।

**12. (D):** मदुरई के पांड्य शासकों का सही कालक्रम है (*c*) कडुंगन, जो सबसे पुराना ज्ञात शासक है, (*b*) अरिकेसरी, जो मध्यकालीन काल के दौरान आता है, (*d*) रणधीर, जो उससे थोड़ा बाद में आता है, और अंत में (*a*) राजसिंह प्रथम, जो अधिक हाल का शासक है।

**13. (C):** सही कालक्रमानुसार, (*b*) प्राचीनतम सिक्कों पर कुछ प्रतीक हैं, जो सिक्कों के शुरुआती उपयोग को दर्शाता है। इसके बाद (*c*) अफगानिस्तान के आसपास भारतीय-यूनानी सिक्के पाए गए, जो मौर्य काल के दौरान और उसके बाद की अवधि में सिक्कों के विस्तार को दर्शाते हैं। तत्पश्चात् (*d*) गुप्तोत्तर सिक्के व्यापार और वाणिज्य में गिरावट को दर्शाते हैं, जो गुप्त युग के बाद की अवधि में आता है। अंत में (*a*) अंग्रेजों ने कई भारतीय सिक्कों को ब्रिटेन में स्थानांतरित किया, जो औपनिवेशिक काल के दौरान हुआ।

**14. (A):** सही कालक्रमानुसार, (*a*) चंद्रगुप्त मौर्य का राज्यारोहण मौर्य साम्राज्य की स्थापना के समय का है, जो ईसा पूर्व चौथी शताब्दी में हुआ था। इसके बाद (*b*) हाथीगुम्फा अभिलेख आता है, जो कलिंग के राजा खारवेल द्वारा छोड़ा गया था और यह पहली शताब्दी ई.पू. का है। तदुपरांत (*c*) इलाहाबाद का गुप्त अभिलेख, जो गुप्त युग के दौरान चौथी शताब्दी ई. में है। अंत में (*d*) अतुल द्वारा मुशिका वंश की स्थापना, जो मध्यकाल के दौरान होती है।

**16. (C):** भारत में मध्यपाषाण शैल चित्रों के बारे में सही तथ्य यह हैं कि (*a*) ए.सी.एल. कार्लाइल ने वास्तव में पहले शैल चित्रों की खोज की थी। उन्होंने मिर्जापुर के पास इन चित्रों को खोजा, जिसे भारतीय प्राचीन कला के लिए महत्वपूर्ण माना जाता है। (*c*) इन शैल चित्रों में जानवरों के चित्रों का वर्चस्व है, जो उस समय के लोगों के जीवनशैली और वातावरण से संबंधित हैं। (*d*) भारतीय मध्यपाषाण शैल चित्रों में साँपों का चित्रण नहीं किया गया है, यह दर्शाता है कि प्राचीन कलाकारों ने विशेष रूप से उन जीवों को चित्रित किया जो उनके दैनिक जीवन में अधिक महत्वपूर्ण थे।

**17. (D):** ऋग्वेद का मुख्य संबंध सिंधु नदी से है। ऋग्वेद में सिंधु और उसकी सहायक नदियों का बार-बार उल्लेख होता है, जो वैदिक संस्कृति के प्रमुख भौगोलिक क्षेत्र के रूप में सिंधु घाटी को स्थापित करता है। यह वैदिक काल के विभिन्न रीति-रिवाजों और परंपराओं का वर्णन करता है जो इस नदी और इसके आसपास के क्षेत्र से गहराई से जुड़े थे।

**18. (A):** अश्वमेध यज्ञ में, बलि के घोड़े के रक्षक के रूप में 'रत्निन' नियुक्त किए जाते थे। ये रत्निन सम्राट के प्रमुख सहयोगी होते थे, जिनका काम यज्ञ के दौरान घोड़े की सुरक्षा सुनिश्चित करना था। यह यज्ञ राज्य की विजय और साम्राज्य के विस्तार का प्रतीक था।

**19. (B):** दक्षिण भारत में छठी शताब्दी ईस्वी के आसपास गैर-ब्राह्मण गाँवों को 'वेल्लनवाकी' कहा जाता था। यह शब्द तमिल सामाजिक संरचना में उन गाँवों को दर्शाता है जो मुख्य रूप से गैर-ब्राह्मण जातियों द्वारा बसाए गए थे। 'वेल्लनवाकी' शब्द का अर्थ होता है जो गैर-ब्राह्मण जातियों के आर्थिक और सामाजिक स्वायत्तता को प्रदर्शित करता है, विशेषकर वेलालर (खेतिहर) समुदाय के संदर्भ में।

**20. (A):** प्राचीन तमिलों के मुख्य देवता मुरुगन थे। मुरुगन, जिसे तमिल संस्कृति में युद्ध और विजय का देवता माना जाता है, की पूजा विशेष रूप से तमिलनाडु और इसके आसपास के क्षेत्रों में की जाती है। उन्हें युवाओं, वीरता और विवाह के संरक्षक के रूप में भी पूजा जाता है।

**21. (A):** हड़प्पा व्यापार के महत्वपूर्ण पहलू इस प्रकार हैं :

(*a*) दोपहिया बैलगाड़ियाँ हड़प्पा सभ्यता में परिवहन का एक प्रमुख साधन थीं, जिसके प्रमाण खुदाई में मिले वाहनों के चित्रणों से मिलते हैं।

(*b*) व्यापार मार्गों ने हड़प्पा संस्कृति के विभिन्न क्षेत्रों को आपस में जोड़ा, जिससे संस्कृति का व्यापारिक विस्तार हुआ।

(*d*) घोड़े का उपयोग हड़प्पा सभ्यता में कम ही होता था, जो कि खुदाई में मिले साक्ष्यों से स्पष्ट होता है।

**22. (A):** गुप्त साम्राज्य के संदर्भ में सही कथन हैं :

(*a*) गुप्त राजाओं ने 'महाराजाधिराज' जैसी उच्च शाही उपाधियाँ धारण कीं, जो उनके साम्राज्यिक दर्जे को दर्शाती हैं।

(*b*) गुप्त राजाओं ने 'परमाद्वैत' जैसे विशेषणों का प्रयोग किया, जिससे वे अपने आप को देवताओं के सबसे बड़े उपासक के रूप में प्रस्तुत करते थे।

(*d*) कुछ इतिहासकारों के अनुसार, गुप्त राजाओं ने दैवीय स्थिति का दावा किया, जिससे उनकी राजसी शक्ति और अधिकार को और बढ़ावा मिला।

**23. (C):** सही कथनों की पहचान करने पर :

(*a*) 1921 में डी.आर. साहनी ने हड़प्पा की खुदाई की, जिससे हड़प्पा सभ्यता के बारे में महत्वपूर्ण जानकारी मिली।

(*c*) 1931 में नहीं बल्कि मार्शल ने 1922 में मोहनजोदड़ो की खुदाई की थी, इसलिए (*b*) और (*c*) गलत हैं।

(*d*) 1940 में माधो स्वरूप वत्स ने हड़प्पा की खुदाई की, जिससे सभ्यता के और गहरे पहलुओं का पता चला।

**24. (B):** सही युग्मित संरचनाएँ हैं :

(*a*) आजीविक कक्ष, नागार्जुनी पहाड़ियाँ (बिहार) में हैं, जो आजीविक सम्प्रदाय के लिए प्रसिद्ध है।

(*c*) कार्ले गुफाएँ, पश्चिमी घाट में हैं, जो बौद्ध स्थापत्य कला का उत्कृष्ट उदाहरण हैं।

(*d*) रानी गुम्फा, ओडिशा में है, जो भारतीय गुफा वास्तुकला का उत्तम उदाहरण है।

**26. (B):** सूची-I का सूची-II से सही मिलान इस प्रकार है :

(*a*) 'कटामाई' का मतलब होता है भू-राजस्व, जो जमीन से संबंधित टैक्स या राजस्व है।

(*b*) 'कुटीमाई' अधिभोग देयराशि से संबंधित है, जो भूमि के उपयोग या कब्जे से जुड़ी हुई राशि है।

(*c*) 'वेट्टी' अनिवार्य श्रम सेवाएं दर्शाता है, जो कि राज्य या साम्राज्य द्वारा निर्धारित श्रम की बाध्यता होती थी।

(*d*) 'पूरखुवरित-तिनैक-कलाम' राजस्व विभाग का संदर्भ देता है, जिसमें राजस्व संग्रहण और प्रबंधन की बात की जाती है।

**27. (D):** सही युग्मित संरचनाएँ और स्थान हैं :

(*a*) 'सिंह शीर्ष' वैशाली में पाया जाता है, जो मशहूर वैशाली स्तंभ पर है।

(*b*) 'हस्ति शीर्ष' संकिसा में है, जहां एक हाथी के मूर्त शीर्ष पर स्थित है।

(*c*) 'चार सिंह शीर्ष' सांची में है, जो सांची के स्तूप पर मौजूद है।

(*d*) 'वृषभ शीर्ष' रामपुरवा में है, जहां एक बैल की प्रतिमा शीर्ष पर है।

**28. (A):** इलाहाबाद प्रशस्ति, जिसे समुद्रगुप्त की प्रशस्ति भी कहा जाता है, मिश्रित गद्य और पद्य में लिखी गई है। इस शैली को 'चंपू काव्य' के रूप में जाना जाता है, जिसमें गद्य और पद्य का संयोजन होता है और यह भारतीय साहित्य में एक प्रमुख विधा के रूप में प्रचलित है।

**29. (C):** 'यवनजातक' वह ग्रंथ है जो भारत में हेलेनिस्टिक खगोलीय विचारों के संचरण को दर्शाता है। इसमें यूनानी खगोलशास्त्र और ज्योतिष के प्रभाव को देखा जा सकता है, जो कि यूनानी विज्ञान के भारतीय उपमहाद्वीप में प्रवेश और स्वीकार्यता का संकेत देता है।

**30. (A):** भारतीय गणित की जड़ें 'शुल्वसूत्र' में खोजी जा सकती हैं। यह वैदिक ग्रंथ ज्यामितीय निर्माणों और मापों पर केंद्रित है, जिसमें विभिन्न यज्ञ-वेदियों के निर्माण के लिए आवश्यक गणितीय विधियाँ और सिद्धांत शामिल हैं। यह भारतीय गणितीय परंपरा की प्राचीनता और सूक्ष्मता को दर्शाता है।

**31. (C):** अर्थशास्त्र के अनुसार, राज्य द्वारा कुल 27 अधीक्षक (अध्यक्ष) नियुक्त किए गए थे। ये अधीक्षक विभिन्न प्रशासनिक विभागों की देखरेख के लिए जिम्मेदार थे, जिनमें वाणिज्य, न्याय, संग्रहण, और राजकीय कार्यशालाएँ शामिल थीं। इस प्रकार की व्यवस्था ने अर्थशास्त्र के तहत राज्य के व्यापक प्रशासनिक ढांचे को मजबूती प्रदान की थी।

**32. (B):** सनौली कब्रिस्तान के संदर्भ में सही कथन ये हैं :

(*b*) सनौली वास्तव में उत्तर प्रदेश के बागपत में स्थित है।

(*c*) सनौली में की गई खोजों की अनुमानित तिथि लगभग 2200-1800 ईसा पूर्व है, जो इसे ब्रोंज युग के अंतर्गत रखती है।

(*d*) इस कब्रिस्तान में तांबे की वस्तुएं, सोने के आभूषण, और कांच जैसी सामग्रियाँ पाई गई हैं, जो समाज की सांस्कृतिक और शिल्प कौशल की झलक प्रदान करती हैं।

**33. (B):** राजतरंगिणी के संबंध में सही कथन निम्न हैं :

(*a*) कल्हण ने राजतरंगिणी में तीन महिला शासकों का उल्लेख किया है, जिसने कश्मीर के इतिहास में महत्वपूर्ण भूमिका निभाई हैं।

(*b*) दिद्दा, जिसे कल्हण ने वर्णित किया है, यशस्कर वंश की शासक थी और कश्मीर में उसका शासनकाल उल्लेखनीय था।

(*d*) नरवाहन ने दिद्दा को सत्ताप्राप्ति में मदद की थी, जो राजतरंगिणी में वर्णित एक महत्वपूर्ण घटना है।

**34. (B):** महरौली के लौह स्तम्भ के संबंध में सही कथन ये हैं :

(*a*) इस स्तंभ पर एक संस्कृत शिलालेख है जो चंद्रगुप्त द्वितीय की विजयों का वर्णन करता है।

(*b*) यह स्तंभ शुद्ध लोहे (रॉट आयरन) से बना है, जो उसके जंगरोधी गुणों के लिए प्रसिद्ध है।

(*c*) स्तंभ एक उल्टे कमल के प्रतीक पर खड़ा हुआ है, जो उसके आधार की एक विशेषता है।

**35. (D):** अजंता की गुफाओं के संबंध में सही कथन ये हैं :

(*a*) अजंता गुफाएं सह्याद्री पहाड़ियों में स्थित हैं, जो उनके प्राकृतिक सौंदर्य और भौगोलिक स्थिति को दर्शाता है।

(*b*) 23 गुफाएं वाकाटक काल की हैं, जो इस अवधि के दौरान बौद्ध धर्म और कला के प्रचार को प्रदर्शित करती हैं।

(*d*) अजंता की गुफाएँ वाघोरा नदी के पास स्थित हैं, जिससे उनके स्थान की नदी के प्रति निकटता और महत्व स्पष्ट होता है।

**36. (C):** दसवीं शताब्दी के मध्य तक कावेरी डेल्टा में भूस्वामियों का उदय हुआ और विभिन्न उपाधियां धारण की गईं, जिनमें 'उदैयन', 'वेलम', और 'अराइयन' शामिल हैं। हालांकि, 'अजनापति' उन

उपाधियों में से नहीं है जिसे उस समय के भूस्वामियों ने धारण किया था। 'अजनापति' शब्द का अर्थ आम तौर पर 'गणराज्यों के संघ' या 'जनपदों के प्रमुख' से होता है, जो उस समय की भूमि मालिकों की उपाधियों में शामिल नहीं था।

37. **(D):** अजंता की गुफाओं में आज भी मौजूद चित्रों की संख्या 6 है। अजंता की कुल 29 गुफाओं में से अधिकांश गुफाओं में चित्रकला के अवशेष मिलते हैं, लेकिन पूरी तरह से संरक्षित और दृश्यमान चित्र केवल 6 गुफाओं में हैं। ये चित्र उनकी कलात्मकता और ऐतिहासिक महत्व के कारण महत्वपूर्ण हैं।

38. **(D):** बुद्धकाल में, 'वृजी या वज्जी' महाजनपद एक गैर-राजतांत्रिक महाजनपद था। यह एक गणराज्य था जिसमें कई छोटे जनजातियों और समूहों ने मिलकर एक संघ बनाया था। वज्जी संघ का प्रमुख केंद्र वैशाली था, जो बुद्ध के समय में एक महत्वपूर्ण धार्मिक और राजनीतिक केंद्र बन गया था।

39. **(C):** अतरंजीखेड़ा (एटा जिला, यू.पी.) में खुदाई काली नदी के तट पर की गई है। यह खुदाई स्थल उत्तर प्रदेश में स्थित है और पुरातात्विक महत्व का है, जहाँ से कई महत्वपूर्ण पुरातात्विक साक्ष्य प्राप्त हुए हैं जो उस क्षेत्र के प्राचीन इतिहास को दर्शाते हैं।

40. **(A):** जैन पुस्तक 'उत्तराध्यायन सूत्र' के अनुसार, बिंबिसार पत्नियों, रिश्तेदारों और सेवकों के साथ महावीर के पास गए और एक समर्पित अनुयायी बन गए। यह घटना महावीर और उनके धार्मिक प्रभाव की महत्वपूर्णता को दर्शाती है, साथ ही यह भी संकेत देती है कि किस प्रकार जैन धर्म उस समय में राजा बिंबिसार जैसे प्रमुख व्यक्तियों को प्रभावित करने में सक्षम था।

41. **(B):** अशोक के लघु शिलालेख-I के अहरौरा संस्करण के अनुसार, बुद्ध की मृत्यु और शिलालेख के जारी होने के बीच 256 वर्ष बीत चुके थे। यह शिलालेख अशोक के बौद्ध धर्म को अपनाने के बाद के काल में लिखा गया था, और इसमें अशोक द्वारा धर्म के प्रचार के लिए अपनाई गई नीतियों का वर्णन है। यह बुद्ध की मृत्यु के बाद बौद्ध धर्म के प्रसार और विकास की समयावधि को भी दर्शाता है।

42. **(A):** बृहदारण्यक और छान्दोग्य उपनिषद प्राचीनतम उपनिषदों में से हैं। ये दोनों उपनिषद वैदिक साहित्य के ज्ञानकांड का हिस्सा हैं और उपनिषदों की प्रारंभिक श्रृंखला में आते हैं। इनमें आध्यात्मिक ज्ञान और दर्शन पर गहराई से चर्चा की गई है, जिसने बाद के धार्मिक और दार्शनिक विकास में महत्वपूर्ण भूमिका निभाई है।

43. **(A):** अधिकांश परिपक्व हड़प्पा कालीन ईंटों का आकार अनुपात 1 : 2 : 4 है। यह समान अनुपात निर्माण में उनकी सामान्यीकृत विधियों को दर्शाता है और उनके निर्माण कौशल की उच्चता को प्रमाणित करता है। यह सांख्यिकीय अनुपात इमारतों के स्थायित्व और संरचनात्मक एकरूपता में योगदान देता था।

44. **(C):** अमलानंद घोष पहले पुरातत्वविद् थे जिन्होंने पूर्व-हड़प्पा संस्कृति और परिपक्व हड़प्पा संस्कृति के बीच की समानताओं की पहचान की। उनके अध्ययन और खोजों ने सिंधु घाटी सभ्यता के विकास की बेहतर समझ प्रदान की और इस क्षेत्र के पुरातत्विक अध्ययन में महत्वपूर्ण योगदान दिया।

45. **(C):** बाघोर, मध्य प्रदेश में 9000-8000 ईसा पूर्व के ऊपरी पुरापाषाण कालीन मंदिर का प्रमाण मिलता है। यह स्थल पुरातात्विक महत्व का है क्योंकि यहां पर मिले अवशेष उस काल के मानवीय निवास और धार्मिक प्रथाओं की जानकारी प्रदान करते हैं। यह खोज भारत में प्रारंभिक मानव सभ्यता के इतिहास और उसके धार्मिक विकास के अध्ययन में महत्वपूर्ण है।

48. **(A):** मेगास्थनीज के अनुसार, पाटलिपुत्रा एक गहरी खाई से घिरा हुआ था और इसकी लकड़ी की दीवार पर 570 मीनारें थीं, और इसमें 64 द्वार थे। यह जानकारी प्राचीन भारतीय नगर नियोजन और सैन्य वास्तुकला के बारे में मेगास्थनीज द्वारा दी गई विस्तृत विवरणी का हिस्सा है, जो पाटलिपुत्रा की सुरक्षा और सामरिक महत्व को उजागर करता है।

49. **(B):** धातु से बने सिक्के सबसे पहले बुद्ध काल में सामने आए। इस अवधि के दौरान, विभिन्न महाजनपदों और छोटी रियासतों में धातु के सिक्कों का उपयोग शुरू हुआ, जो व्यापार और लेन-देन के लिए एक मानकीकृत मुद्रा प्रदान करते थे। ये सिक्के आम तौर पर चांदी और तांबे से बने होते थे और उन पर विभिन्न प्रतीक, जैसे कि जानवरों की आकृतियाँ और अन्य चिह्न, अंकित होते थे। इस प्रकार के सिक्कों का प्रचलन बाद में मौर्य काल और उसके बाद के काल में और अधिक विकसित हुआ।

50. **(B):** भागलपुर के पास चंपा को एक प्राकृत ग्रंथ में 'वाणियागाम' कहा गया है, जिसका अर्थ है 'व्यापारियों की एक बस्ती'। चंपा व्यापार और वाणिज्य के लिए एक महत्वपूर्ण केंद्र था, जो अपने समृद्ध व्यापारिक संबंधों और व्यापारिक गतिविधियों के कारण प्राचीन भारत में प्रसिद्ध था।

51. **(A):** नंद शासक महापद्मनंद ने एकराट (एकमात्र संप्रभु) होने का दावा किया। उन्हें 'सर्वखत्त्येश्वर' या 'एकराट' के नाम से भी जाना जाता है, जिसका अर्थ है सभी भारतीय क्षत्रपों का शासक। महापद्मनंद को इतिहास में नंद वंश के संस्थापक के रूप में जाना जाता है और उन्होंने अपने शासनकाल में भारतीय उपमहाद्वीप के विभिन्न क्षेत्रों को जीतकर एक विशाल साम्राज्य स्थापित किया।

52. **(C):** पल्लव राजाओं द्वारा विभिन्न विरुदों को धारण किया गया था, जैसे कि 'विचित्राचित्त', 'महामल्ल', और 'ज्ञानसागर', लेकिन 'अरासु' उनके द्वारा अपनाई गई विरुदों में से एक नहीं थी। 'अरासु' शब्द का उपयोग दक्षिण भारत में आम तौर पर शासक या राजा के संदर्भ में किया जाता है, लेकिन यह पल्लव विरुद के रूप में प्रचलित नहीं था।

53. **(C):** चंपा के राजा एक शैव थे, और चंपा की आधिकारिक भाषा संस्कृत थी। चंपा के शासकों ने संस्कृत को उनके राजकीय और धार्मिक कार्यों की भाषा के रूप में अपनाया था, जिससे यह क्षेत्र में सांस्कृतिक और आध्यात्मिक जीवन की भाषा बन गई।

**54. (D):** सूची-I का सूची-II से सही मिलान इस प्रकार है :
(*a*) 'नर्तकी मूर्ति' मोहनजोदड़ो से मिली है, जो सिंधु घाटी सभ्यता की प्रमुख कलाकृतियों में से एक है।
(*b*) 'मिट्टी का हल' बनावली से मिला है, जहाँ कृषि की प्राचीन प्रथाओं के प्रमाण मिलते हैं।
(*c*) 'घोड़े के अवशेषों' के बारे में सुरकोटडा में पता चला है, जहाँ घोड़ों के अस्थियों की खोज की गई है।
(*d*) 'जुते हुए खेत' कालीबंगा में पाए गए हैं, जिससे कृषि की प्राचीन प्रथाओं का पता चलता है।

**55. (B):** सूची-I का सूची-II से सही मिलान इस प्रकार है :
(*a*) 'भोगता' वह है जो आनंद लेता है, इसलिए यह आनंद लेने वाले को दर्शाता है।
(*b*) 'आयुक्त' एक आधिकारिक पदनाम है, जो नियुक्त किए गए अधिकारी को संदर्भित करता है।
(*c*) 'द्रोणवाप' अनाज का एक माप है, जिसका उपयोग विशेष रूप से अनाज को मापने के लिए किया जाता था।
(*d*) 'चेट्टी' व्यापारी को दर्शाता है, विशेषकर दक्षिण भारत में व्यापारिक समुदायों में प्रचलित है।

**56. (C):** सूची-I का सूची-II से सही मिलान इस प्रकार है :
(*a*) 'नाट्यशास्त्र' के रचयिता भरत हैं, जिसे भारतीय नाट्य विधा का प्राथमिक ग्रंथ माना जाता है।
(*b*) 'मालती माधव' के रचयिता भवभूति हैं, जो प्रेमकथा पर आधारित एक संस्कृत नाटक है।
(*c*) 'मुद्राराक्षस' के रचयिता विशाखदत्त हैं, जो चाणक्य की कूटनीति पर आधारित नाटक है।
(*d*) 'शिशुपालवध' के रचयिता माघ हैं, जो महाकाव्य शैली में लिखा गया है।

**57. (C):** श्रीनगर के निकट झेलम की दूसरी छत पर कम से कम दो नवपाषाण स्थल ज्ञात हैं, जिनमें से एक मार्तंड है और दूसरा बुर्जहोम है। बुर्जहोम में उत्खनन से पता चला है कि यहां गोलाकार घरों का निर्माण किया गया था और यह क्षेत्र प्राचीन मानव सभ्यता के शुरुआती दौर के निवास स्थलों में से एक है।

**58. (B):** मध्य संगम या नाडुक कंकम का स्थल कपाड़ापुरम था। संगम साहित्य में कपाड़ापुरम को पांड्य राजाओं के दूसरे महत्वपूर्ण राजधानी शहर के रूप में वर्णित किया गया है, जहाँ से उन्होंने अपनी राजनीतिक और सांस्कृतिक गतिविधियों को संचालित किया।

**59. (C):** गांधार कला ने अपने विषय को पहले की बौद्ध मूर्तियों से लिया था, जबकि इसकी तकनीक और कौशल यूनानी कला से लिए गए थे। गांधार कला विशेष रूप से हेलेनिस्टिक प्रभावों के लिए प्रसिद्ध है, जिसमें मूर्तियाँ और रिलीफ यूनानी शैली की बारीकियों के साथ बनाई गईं थीं।

**60. (A):** मौर्येत्तर काल की मूर्तिकला मुख्य रूप से बौद्ध चरित्र में है। इस काल के दौरान बौद्ध धर्म के प्रभाव में अनेक मूर्तियां और शिल्प कृतियां निर्मित हुईं जो बौद्ध धार्मिक थीम्स और आकृतियों पर आधारित थीं। इन मूर्तियों में बुद्ध की विभिन्न आकृतियाँ और जातक कथाओं से जुड़े दृश्य शामिल थे।

**61. (B):** सूची-I का सूची-II से सही मिलान इस प्रकार है :
(*a*) भारतीय संग्रहालय, कलकत्ता की स्थापना 1814 ई. में हुई थी। इस संग्रहालय की स्थापना ने भारतीय पुरातत्व, कला और प्राकृतिक इतिहास के अध्ययन को बढ़ावा दिया।
(*b*) एच.एच. कोल को 1880 ई. में प्राचीन स्मारकों का संरक्षक नियुक्त किया गया था। उनकी नियुक्ति से भारतीय स्मारकों के संरक्षण और उनके अनुरक्षण में महत्वपूर्ण प्रगति हुई।
(*c*) जॉन मार्शल ने 1923 ई. में संरक्षण नियमावली प्रकाशित की थी, जिसने भारतीय पुरातत्व संरक्षण के नियमों और मानदंडों को मजबूती प्रदान की।
(*d*) गवर्नमेंट म्यूजियम (सरकारी संग्रहालय), मद्रास की स्थापना 1851 ई. में की गई थी, जो दक्षिण भारत में सांस्कृतिक और पुरातात्विक विरासत के संरक्षण के लिए महत्वपूर्ण संस्थान बना।

**62. (C):** दक्षिण भारत के राज्यों के संबंध में सही कथन ये हैं :
(*b*) तमिलकम का प्रारंभिक राज्य चावल उगाने वाले क्षेत्रों में उभरा, जिसमें कृषि की समृद्धि इस क्षेत्र की आर्थिक नींव को मजबूत करती थी।
(*c*) उरैयूर चोलों की राजधानी थी, जो तमिलनाडु में स्थित है और प्राचीन समय में चोल वंश के प्रमुख शासन केंद्रों में से एक था।
(*d*) पांड्यों का राज्य ताम्रपर्णी और वैगई की घाटी में स्थित था, जो दक्षिणी तमिलनाडु में पांड्य वंश के प्रमुख भूगोलिक क्षेत्रों को दर्शाता है।

**63. (B):** मगध के शासकों का सही कालक्रम यह है :
(*b*) बिंबिसार का शासन (544-492 BC) सबसे पहले आता है, जो हर्यंक वंश का संस्थापक था।
(*a*) अजातशत्रु (492-461 BC) बिंबिसार का पुत्र था और उसके बाद शासन में आया।
(*d*) उदयिनी (461-445 BC) बिंबिसार का पोता था और उसने पाटलिपुत्र की स्थापना की।
(*c*) चन्द्रगुप्त मौर्य का शासन (323-298 BC), जो मौर्य वंश की स्थापना करता है, सबसे बाद में आता है।

**64. (A):** सातवाहनों के बारे में सही कथन ये हैं :
(*a*) सातवाहनों को पुराणों में उल्लिखित आंध्रों के रूप में माना जाता है, जो दक्षिण मध्य भारत में उनकी साम्राज्य की पहचान करता है।
(*b*) सातवाहन अभिलेखों में आंध्र नाम नहीं है, जो उनके ऐतिहासिक अभिलेखों में उनके नाम के उल्लेख की कमी को दर्शाता है।
(*d*) नासिक के पास पाए गए नहपान के 8000 से अधिक चांदी के सिक्कों पर सातवाहन राजा द्वारा फिर से छापे जाने के निशान हैं, जो उनकी आर्थिक गतिविधियों और मुद्रा प्रणाली को दर्शाते हैं।

**65. (A):** चंद्रगुप्त द्वितीय के शासनकाल के बारे में सही कथन ये हैं :

(*a*) उन्होंने अपनी बेटी प्रभावती का विवाह ब्राह्मण जाति के वाकाटक राजकुमार से किया, जो राजनीतिक और सैन्य गठजोड़ को मजबूत करने के लिए था।

(*b*) उन्होंने पश्चिमी भारत के शक क्षत्रापों पर विजय प्राप्त की और विक्रमादित्य की उपाधि को अपनाया, जो उनकी सैन्य उपलब्धियों का प्रतीक है।

(*d*) चंद्रगुप्त द्वितीय ने उज्जैन को अपनी दूसरी राजधानी बनाया था, जो उस समय के भारतीय राजनीतिक और सांस्कृतिक केंद्रों में से एक था।

**66. (B):** कुषाणों के बारे में सही कथन ये हैं :

(*a*) कुषाण राजाओं ने देवपुत्र जैसी उच्च लगने वाली उपाधियों का उपयोग किया, जो उनकी दैवीय संप्रभुता को दर्शाता है।

(*b*) राजाओं की कुशलता और उनकी शक्तियों के लिए लोगों द्वारा धार्मिक दान देना उनकी समृद्धि और समर्थन को दर्शाता है।

(*c*) देवकुलों की संस्था में मृत शासकों की मूर्तियाँ रखी जाती थीं, जो उनकी पूजा को सुनिश्चित करती थीं और सत्ता के पारिवारिक संचरण को प्रतिबिंबित करती थीं।

**67. (B):** कौटिल्य द्वारा वर्णित राजस्व के विभिन्न शीर्षों का सही मिलान यह है :

(*a*) चारागाह के मैदान को 'व्रज' के रूप में वर्णित किया गया है, जो पशुओं के चराने के लिए आरक्षित था।

(*b*) खानें को 'खानी' के रूप में वर्णित किया गया है, जिसमें खनिज संसाधनों का निष्कर्षण शामिल है।

(*c*) ग्रामीण क्षेत्रों को 'राष्ट्र' के रूप में वर्णित किया गया है, जो व्यापक राज्य राजस्व के एक महत्वपूर्ण स्रोत के रूप में था।

(*d*) सिंचाई परियोजनाएं को 'सेतु' के रूप में वर्णित किया गया है, जो जल संसाधनों के प्रबंधन और उपयोग के लिए था।

**68. (A):** सुवर्णद्वीप के रूप में जावा को जाना जाता था। प्राचीन भारतीय व्यापारियों ने इसे सोने के व्यापार के लिए प्रसिद्ध एक धनी क्षेत्र के रूप में पहचाना था, जहाँ वे सोने और अन्य मूल्यवान सामग्रियों के लिए व्यापार करते थे। जावा दक्षिण पूर्व एशिया में अपने धन और संसाधनों के लिए प्रसिद्ध था।

**69. (C):** शतपथ ब्राह्मण उत्तर-वैदिक काल में जुताई अनुष्ठानों के बारे में विस्तार से बताता है। यह ग्रंथ विस्तारित अनुष्ठानों और यज्ञों का वर्णन करता है, जिसमें खेती के लिए जमीन की तैयारी और उसके धार्मिक महत्व को समझाया गया है, यह दर्शाता है कि कैसे वैदिक लोग प्राकृतिक संसाधनों और उनके उपयोग को धार्मिक कृत्यों के साथ जोड़ते थे।

**70. (B):** ब्राह्मण ग्रंथ अनुष्ठानिक सूत्रों से भरा हुआ है और अनुष्ठानों के सामाजिक और धार्मिक अर्थ की व्याख्या करता है। यह वैदिक साहित्य का हिस्सा है जो विस्तार से यज्ञों और अन्य धार्मिक कर्मकांडों का वर्णन करता है, उनके उद्देश्य, संरचना, और उनके निष्पादन की विधियों को समझाता है, जिससे उनके धार्मिक और सामाजिक महत्व को उजागर किया जा सके।

**71. (A):** ऋग्वेद में 'आर्य' शब्द 36 बार आता है। यह शब्द विशेष रूप से ऋग्वेद के विभिन्न मंडलों में वर्णित होता है और इसका उपयोग अक्सर उस समय के समाज में उच्च वर्ण या समूह को दर्शाने के लिए किया गया है। 'आर्य' शब्द का उपयोग सम्मान, मान्यता और सामाजिक स्थान को व्यक्त करने के लिए होता था।

**72. (B):** बौद्ध धर्म के प्रसार ने दक्षिण पूर्व एशियाई देशों के साथ भारत के संपर्क को बढ़ावा दिया। श्रीलंका में पहली शताब्दी ईसा पूर्व से संबंधित ब्राह्मी लिपि में लघु अभिलेख पाए गए हैं, जो दर्शाता है कि इस क्षेत्र में भारतीय संस्कृति और भाषाई प्रभाव प्रमुख था। ये अभिलेख बौद्ध धर्म के प्रसार और सांस्कृतिक विनिमय के महत्वपूर्ण साक्ष्य हैं।

**73. (D):** चार्वाक दर्शन को लोकायत के रूप में जाना जाता है। यह भौतिकवादी और नास्तिक विचारधारा पर आधारित एक दर्शन है, जो अनुभवजन्य प्रमाणों और इंद्रिय ग्राह्यता को महत्व देता है। चार्वाक दर्शन सामाजिक मूल्यों और धार्मिक विचारों के प्रति आलोचनात्मक रुख अपनाता है और इसे भारतीय दर्शन के अधिक उदार और तार्किक धाराओं में गिना जाता है।

**74. (B):** भारतीय इस्पात का निर्यात बहुत पहले से किया जाता रहा है, जिसे बाद में वूट्ज आयरन कहा जाने लगा। यह उच्च गुणवत्ता का इस्पात था जिसका उपयोग मध्यकालीन यूरोप में तलवारें और अन्य हथियार बनाने में किया जाता था। भारतीय वूट्ज इस्पात की विशेषता उसकी उच्च कार्बन सामग्री और कमजोरी के बिना अद्वितीय लचीलापन थी, जिसने इसे दुनिया भर में प्रसिद्ध बना दिया।

**75. (C):** चरक संहिता का मुख्य भाग अग्निवेश द्वारा अपने शिक्षक अत्रेय से प्राप्त ज्ञान पर आधारित है। यह ग्रंथ आयुर्वेद के मुख्य स्तंभों में से एक है और इसमें चिकित्सा के विभिन्न पहलुओं, रोगों के निदान, उपचार और जीवन शैली संबंधी सलाह शामिल हैं। अत्रेय के अध्यापन ने अग्निवेश को आयुर्वेदिक ज्ञान के प्रमुख सिद्धांतों को समझने और उन्हें व्यापक रूप से विकसित करने की नींव प्रदान की।

पिछले प्रश्न-पत्र ( हल सहित )

Common University Entrance Test for PG Programmes

# CUET-PG—प्राचीन भारतीय इतिहास, संस्कृति और वास्तुकला

## प्रवेश परीक्षा, 2023

(Exam held on 24-06-2023)

**निर्देश (प्र.सं. 1 से 5) :** *नीचे दिए गए पद्यांश को पढ़कर निम्नलिखित प्रश्नों के उत्तर दीजिए।*

जीवन अस्थिर अनजाने ही, हो जाता पथ पर मेल कहीं,
सीमित पग डग, लम्बी मंजिल, तय कर लेना कुछ खेल नहीं।
दाएँ-बाएँ सुख-दुख चलते, सम्मुख चलता पथ का प्रसाद
जिस-जिस से पथ पर स्नेह मिला, उस-उस राही को धन्यवाद।

साँसों पर अवलम्बित काया, जब चलते-चलते चूर हुई,
दो स्नेह-शब्द मिल गये, मिली नव स्फूर्ति, थकावट दूर हुई।
पथ के पहचाने छूट गये, पर साथ-साथ चल रही याद-
जिस-जिस से पथ पर स्नेह मिला, उस-उस राही को धन्यवाद।

जो साथ न मेरा दे पाये, उनसे कब सूनी हुई डगर?
मैं भी न चलूँ यदि तो भी क्या, राही मर लेकिन राह अमर।
इस पथ पर वे ही चलते हैं, जो चलने का पा गये स्वाद
जिस-जिस से पथ पर स्नेह मिला, उस-उस राही को धन्यवाद।

**1.** पद्यांश के आधार पर निम्न शब्दों का सही क्रम लगाइयेः
(*a*) स्फूर्ति
(*b*) सम्मुख
(*c*) पहचाने
(*d*) प्रसाद
(*e*) स्वाद

नीचे दिए गए विकल्पों में से सही उत्तर का चयन कीजिएः
A. (*a*), (*b*), (*c*), (*d*), (*e*)
B. (*b*), (*d*), (*a*), (*c*), (*e*)
C. (*e*), (*d*), (*a*), (*c*), (*b*)
D. (*b*), (*d*), (*c*), (*a*), (*e*)

**2.** 'अस्थिर' शब्द का विलोम होगाः
A. दौड़-भाग करना B. अस्वस्थ
C. स्थिर D. दुःखी

**3.** 'स्नेह' शब्द का पर्यायवाची हैः
A. दुलार B. माया
C. राह D. सूनी

**4.** 'जो साथ न दें' उसके लिए उपयुक्त शब्द होगाः
A. राही B. ग्रामीण
C. परिचित D. धोखेबाज

**5.** उपर्युक्त पद्यांश का शीर्षक होगाः
A. आभारी हूँ
B. पथ का प्रसाद
C. जिस-जिस से पथ पर स्नेह मिला
D. पथ के साथी

**6.** 'अत्यंत' में कौन-सा उपसर्ग प्रयुक्त हुआ है?
A. अति B. अत्य
C. अ D. अतः

**7.** 'अद्यतन' का विलोम कौन-सा शब्द है?
A. अन्त B. पुरातन
C. ससीम D. अवनि

**8.** निम्नलिखित में 'टोपी उछालना' मुहावरे का सही अर्थ हैः
A. अपमानित करना
B. टोपी नीचे गिराना
C. टोपी से खेलना
D. शोषण करना

| 1. B | 2. C | 3. A | 4. D | 5. C | 6. A | 7. B | 8. A |
|---|---|---|---|---|---|---|---|

**9.** कौन-सा शब्द 'पर्वत' का समानार्थी है?

A. शैल B. मूप

C. द्रुम D. विटप

**10.** निम्नलिखित में शुद्ध शब्द हैं:

(*a*) आक्रमन (*b*) संप्रेषण

(*c*) उज्जवल (*d*) चमत्कार

(*e*) राष्ट्रीय

नीचे दिए गए विकल्पों में से सही उत्तर का चयन कीजिए:

A. केवल (*a*), (*d*) और (*e*)

B. केवल (*a*), (*b*) और (*c*)

C. केवल (*b*), (*c*) और (*d*)

D. केवल (*b*), (*d*) और (*e*)

**11.** भारत के किस केंद्रीय मंत्रालय ने 'टेम्पल 360' पोर्टल की शुरुआत की है?

A. पर्यटन मंत्रालय B. संस्कृति मंत्रालय

C. आवास नगर मंत्रालय D. गृह मंत्रालय

**12.** 'गाइडेंस' किस राज्य की निवेश प्रोत्साहन एजेंसी है?

A. तमिलनाडु B. गुजरात

C. केरल D. दिल्ली

**13.** निम्नलिखित में से कौन नोबेल पुरस्कार विजेता नहीं हैं?

A. रविन्द्र नाथ टैगोर B. डॉ. सी.वी. रमन

C. अमर्त्य सेन D. डॉ. होमी जहांगीर भाभा

**14.** निम्नलिखित में से कौन-सा 'G 20' का सदस्य नहीं है?

A. भारत B. नेपाल

C. चीन D. यू.एस.ए.

**15.** सूची-I के साथ सूची-II का मिलान कीजिए :

| सूची-I (नृत्य प्रकार) | सूची-II (कलाकार) |
|---|---|
| (*a*) भारतनाट्यम | I. सोनल मानसिंह |
| (*b*) कथक | II. सोनल देवी |
| (*c*) कुच्चीपुड़ी | III. बिरजु महाराज |
| (*d*) ओडिसी | IV. यामिनी रेड्डी |

नीचे दिए गए विकल्पों में से सही उत्तर का चयन कीजिए :

| | (*a*) | (*b*) | (*c*) | (*d*) |
|---|---|---|---|---|
| A. | III | II | I | IV |
| B. | II | III | IV | I |
| C. | II | III | I | IV |
| D. | I | III | II | IV |

**16.** एक विशेष 'कोड' में BROTHER को EQRSKDU लिखा जाता है, तो RECENT को उस कोड में कैसे लिखा जाएगा?

A. UHFHQW B. QDBDMS

C. UDFDQS D. UDGDRS

**17.** दिए गए 'समूह' में ऐसा शब्द चुनिए जो दूसरों से भिन्न हो।

A. चमगादड़ B. आर्कटिक टर्न

C. ओस्टरिच D. पेंग्विन

**18.** छः सहेलियाँ आस्था, बीना, चेतना, देविका, इशिता और फाल्गुनी एक पंक्ति में उत्तर की ओर मुँह करके बैठी हैं। चेतना देविका के बगल में नहीं बैठी है जो कि सबसे दाहिने सिरे पर बैठी है। इशिता आस्था और चेतना के बीच में हैं। आस्था फाल्गुनी और देविका के बगल में नहीं बैठी है। बीना फाल्गुनी और देविका के बीच में है। आस्था के ठीक दाहिने कौन है?

A. बीना B. चेतना

C. इशिता D. फाल्गुनी

**19.** शृंखला 1296, 648, 216, 108, 36, ....... में अगली संख्या क्या होगी?

A. 18 B. 16

C. 14 D. 12

**20.** छात्रों की एक पंक्ति में विजय का स्थान पंक्ति के बायें सिरे से 16वें स्थान पर है। विजय का स्थान पंक्ति के दाहिने सिरे से 28वाँ है। पंक्ति में छात्रों की कुल संख्या ज्ञात कीजिए।

A. 42 B. 43

C. 44 D. 45

**21.** 220 मीटर लंबी एक ट्रेन 54 किमी/घंटे की गति से दौड़ रही है। उसी दिशा में 18 किमी/घंटे की गति से दौड़ रहे एक व्यक्ति को पार करने में इसे कितना समय लगेगा?

A. 30 सेकंड B. 20 सेकंड

C. 25 सेकंड D. 22 सेकंड

**22.** समान ब्याज दर पर, एक वर्ष के साधारण ब्याज पर कुल धनराशि तथा दो वर्षों के चक्रवृद्धि ब्याज पर कुल धनराशि (वार्षिक ब्याज पर) का अनुपात 3 : 4 है। तो ब्याज दर का मान क्या होगा?

A. $16\frac{2}{3}\%$ B. 20%

C. $33\frac{1}{3}\%$ D. 30%

**23.** A और B दो स्वतंत्र घटनाएँ हैं जैसे कि $P(A \cup B) = \frac{7}{10}$ और $P(B) = \frac{5}{8}$ तो P(A) का मान है:

A. $\frac{3}{8}$ B. $\frac{4}{5}$

C. $\frac{1}{5}$ D. $\frac{3}{5}$

| | | | | | | | |
|---|---|---|---|---|---|---|---|
| **9.** A | **10.** D | **11.** B | **12.** A | **13.** D | **14.** B | **15.** B | **16.** C |
| **17.** A | **18.** C | **19.** A | **20.** B | **21.** D | **22.** C | **23.** C | |

**24.** यदि $3x + 4y = 60$ और $4x + 3y = 59$, तो $x + y$ का मान क्या होगा?

A. 17 B. 15
C. 16 D. 18

**25.** किसी ठोस लकड़ी के बेलन की ऊँचाई इसके आधार के व्यास के बराबर है, जिसमें से अधिकतम संभावित आकार का एक गोला काटकर निकाल लिया जाता है। इस प्रक्रिया में व्यर्थ लकड़ी का प्रतिशत कितना है?

A. $\frac{100}{3}\%$ B. $\frac{80}{3}\%$
C. $\frac{70}{3}\%$ D. 30%

**26.** भारतीय इतिहास को कालक्रमों में बांटने वाला प्रथम विद्वान कौन था?

A. रिचर्ड जोन्स B. हेनरी मेन
C. जेम्स मिल D. एम. एलफिन्सटन

**27.** किस इतिहासकार ने ब्राह्मणों की सांस्कृतिक उच्चता पर बल दिया है, तथा प्राचीन भारतीय समाज में व्याप्त सौहार्द्र पर प्रकाश डाला है?

A. वी.ए. स्मिथ B. के.ए. नीलकंठशास्त्री
C. आर.जी. भंडारकर D. राजेन्द्र लाल मिश्र

**28.** नीचे दो कथन हैं: एक अभिकथन (A) के रूप में लिखित है तो दूसरा उसके कारण (R) के रूप में।

**अभिकथन (A):** डी.डी. कोसाम्बी ने भारतीय इतिहास को एक नई दिशा दिखाई।

**कारण (R):** उन्होंने इतिहास की एक भौतिकवादी व्याख्या की।

उपरोक्त कथनों के प्रकाश में नीचे दिये गये विकल्पों में से सही उत्तर का चयन कीजिए:

A. (A) तथा (R) दोनों सही हैं और (R), (A) की सही व्याख्या है।
B. (A) तथा (R) दोनों सही हैं, लेकिन (R), (A) की सही व्याख्या नहीं है।
C. (A) सही है, लेकिन (R) सही नहीं है।
D. (A) सही नहीं है, लेकिन (R) सही है।

**29.** सूची-I का सूची-II के साथ मिलान कीजिए :

| सूची-I | सूची-II |
|---|---|
| (*a*) डी.डी. कोसाम्बी | I. हिस्ट्री एण्ड कल्चर ऑफ द इंडियन पीपल |
| (*b*) के.पी. जायसवाल | II. द सिविलाइजेशन ऑफ एनशियन्ट इंडिया इन हिस्टोरीकल आउटलाइन |
| (*c*) आर.सी. मजूमदार | III. हिन्दू पोलिटी |
| (*d*) के.ए. नीलकंठशास्त्री | IV. ए हिस्ट्री ऑफ एनशियन्ट इंडिया |

नीचे दिए गए विकल्पों में से सही उत्तर का चयन कीजिए :

| | (*a*) | (*b*) | (*c*) | (*d*) |
|---|---|---|---|---|
| A. | II | IV | III | I |
| B. | II | III | I | IV |
| C. | I | III | II | IV |
| D. | III | II | IV | I |

**30.** निम्नलिखित में से किसमें हाथियों की प्रमुख बीमारियों के निदान तथा उपचार का वर्णन है?

A. हस्ति आयुर्वेद B. श्रगंधारा संहिता
C. अष्टांग हृदय D. सुश्रुत संहिता

**31.** निम्नलिखित को सही काल क्रमानुसार व्यवस्थित कीजिए:

(*a*) सुश्रुत संहिता (*b*) अष्टांग हृदय
(*c*) कश्यप सार संग्रह (*d*) चरक संहिता
(*e*) श्रंगधारा संहिता

निम्नलिखित विकल्पों में से सही उत्तर का चयन कीजिए:

A. (*b*), (*a*), (*c*), (*d*), (*e*) B. (*c*), (*d*), (*a*), (*b*), (*e*)
C. (*d*), (*a*), (*b*), (*c*), (*e*) D. (*d*), (*a*), (*c*), (*e*), (*b*)

**32.** महायान की त्रिकाय (तीन-शरीर) की अवधारणा के अनुसार निर्माण कार्य का अर्थ है:

A. बुद्ध द्वारा बोधिसत्वों के मनोरंजन के लिये प्रकट होने तथा शिक्षा देने के उद्देश्य से ग्रहण किये गये अनंत रूप।
B. बुद्ध द्वारा एक बुद्धक्षेत्र पर अधिकार।
C. बुद्ध द्वारा धरती पर लोगों के प्रति करूणा से प्रेरित होकर विभिन्न रूपों को धारण करना।
D. अन्यतम् बुद्धत्व की स्थिति।

**33.** निम्नलिखित में से वह कौन-सा भारतीय या भारतीय मूल का भिक्षु नहीं था जिसने चीन की यात्रा की थी?

A. कुमारजीव B. प्रमार्थ
C. बोधिधर्म D. कॉसमॉस

**34.** नीचे दो कथन दिये गये हैं:

**कथन I:** अजातशत्रु की एक प्रमुख सफलता, उसकी लिच्छवियों पर विजय थी।

**कथन II:** यह जान कर कि वह उनको प्रत्यक्ष युद्ध में पराजित नहीं कर पायेगा, अजातशत्रु ने अपने मंत्री वस्सकार को एक विशेष गुप्त अभियान पर भेजा ताकि धीरे-धीरे परन्तु निश्चित रूप से उनके सामाजिक सौहार्द्र में फूट डाल दी जाये।

उपरोक्त कथनों के प्रकाश में निम्नलिखित विकल्पों में से सही उत्तर का चयन कीजिए:

A. कथन I और कथन II दोनों सही हैं।
B. कथन I और कथन II दोनों गलत हैं।
C. कथन I सही है, लेकिन कथन II गलत है।
D. कथन I गलत है, लेकिन कथन II सही है।

**24.** A **25.** A **26.** C **27.** B **28.** A **29.** B **30.** A **31.** C
**32.** C **33.** D **34.** A

**35.** सूची-I का सूची-II के साथ मिलान कीजिए :

| सूची-I | सूची-II |
|---|---|
| (*a*) कालीदास | I. किरातार्जुनीय |
| (*b*) भास | II. मृच्छकटिक |
| (*c*) भारवी | III. दूतवाक्य |
| (*d*) शूद्रक | IV. कुमारसम्भव |

नीचे दिए गए विकल्पों में से सही उत्तर का चयन कीजिए :

| | (*a*) | (*b*) | (*c*) | (*d*) |
|---|---|---|---|---|
| A. | IV | III | II | I |
| B. | IV | III | I | II |
| C. | III | IV | II | I |
| D. | I | II | IV | III |

**36.** निम्नलिखित शासकों में से विक्रमी संवत किसने शुरू किया?

A. कनिष्क
B. चन्द्रगुप्त-II
C. चन्द्रगुप्त-I
D. उज्जैन का शासक जो शकारी कहलाता था

**37.** भारतीय राष्ट्र राज्य का राष्ट्रीय चिह्न इस पर आधारित है.....

A. सारनाथ स्तम्भशीर्ष B. रामपूरवा स्तम्भशीर्ष
C. संकिसा स्तम्भशीर्ष D. वैशाली स्तम्भशीर्ष

**38.** नीचे दो कथन हैं: एक अभिकथन (A) के रूप में लिखित है तो दूसरा उसके कारण (R) के रूप में।

**अभिकथन (A):** सातवाहन शासकों ने धर्मशास्त्रों द्वारा निर्धारित शाही आदर्श स्थापित करने का प्रयास किया।

**कारण (R):** सातवाहनों ने अशोक कालीन प्रशासनिक ढाँचे के कुछ पहलूओं को बनाये रखा।

उपरोक्त कथनों के प्रकाश में नीचे दिये गये विकल्पों में से सर्वाधिक उपयुक्त उत्तर का चयन कीजिए:

A. (A) तथा (R) दोनों सही हैं और (R), (A) की सही व्याख्या है।
B. (A) तथा (R) दोनों सही हैं, लेकिन (R), (A) की सही व्याख्या नहीं है।
C. (A) सही है, लेकिन (R) सही नहीं है।
D. (A) सही नहीं है, लेकिन (R) सही है।

**39.** नीचे दो कथन हैं: एक अभिकथन (A) के रूप में लिखित है तो दूसरा उसके कारण (R) के रूप में।

**अभिकथन (A):** गुप्त साम्राज्य अपने प्रादेशिक विस्तार के चरम पर चन्द्रगुप्त-I के शासन काल में पहुँच गया।

**कारण (R):** अभिलेखों में उसके पास महाराजाधिराज की उपाधि थी तथा इसके बाद इस प्रकार की उपाधियाँ शाही शक्ति तथा हैसियत की प्रतीक बन गईं।

उपरोक्त कथनों के प्रकाश में नीचे दिये गये विकल्पों में से सही उत्तर का चयन कीजिए:

A. (A) तथा (R) दोनों सही हैं तथा (R), (A) की सही व्याख्या है।
B. (A) तथा (R) दोनों सही हैं, लेकिन (R), (A) की सही व्याख्या नहीं है।
C. (A) सही है, लेकिन (R) गलत है।
D. (A) गलत है, लेकिन (R) सही है।

**40.** नीचे दो कथन हैं: एक अभिकथन (A) के रूप में लिखित है तो दूसरा उसके कारण (R) के रूप में।

**अभिकथन (A):** चोल सैन्य अभियान श्रीलंका, मलेशिया तथा इंडोनेशिया भेजे गये।

**कारण (R):** उनका उद्देश्य महत्वपूर्ण व्यापारिक क्षेत्रों पर नियन्त्रण था।

उपरोक्त कथनों के प्रकाश में नीचे दिये गये विकल्पों में से सर्वाधिक उपयुक्त उत्तर का चयन कीजिए:

A. (A) तथा (R) दोनों सही हैं और (R), (A) की सही व्याख्या है।
B. (A) तथा (R) दोनों सही हैं, लेकिन (R), (A) की सही व्याख्या नहीं है।
C. (A) सही है, लेकिन (R) सही नहीं है।
D. (A) सही नहीं है, लेकिन (R) सही है।

**41.** सूची-I का सूची-II के साथ मिलान कीजिए :

| सूची-I | सूची-II |
|---|---|
| (*a*) डायोडोरस | I. इंडिका |
| (*b*) स्ट्राबो | II. ज्योग्राफी |
| (*c*) एरियन | III. नैचुरल हिस्ट्री |
| (*d*) प्लिनी | IV. लाइब्रेरी ऑफ हिस्ट्री |

नीचे दिए गए विकल्पों में से सही उत्तर का चयन कीजिए :

| | (*a*) | (*b*) | (*c*) | (*d*) |
|---|---|---|---|---|
| A. | I | II | IV | III |
| B. | IV | II | I | III |
| C. | III | I | II | IV |
| D. | II | I | III | IV |

**42.** नीचे दो कथन हैं: एक अभिकथन (A) के रूप में लिखित है तो दूसरा उसके कारण (R) के रूप में।

**अभिकथन (A):** बौद्ध धर्म के प्रचार ने, श्रीलंका, म्यांमार, चीन तथा एशिया में भारत के सम्बन्धों का विस्तार किया।

**कारण (R):** 5वीं सदी ईसा पूर्व में बौद्ध प्रचारक श्रीलंका भेजे गये।

उपरोक्त कथनों के प्रकाश में नीचे दिये गये विकल्पों में से सर्वाधिक उपयुक्त उत्तर का चयन कीजिए:

A. (A) तथा (R) दोनों सही हैं और (R), (A) की सही व्याख्या है।
B. (A) तथा (R) दोनों सही हैं, लेकिन (R), (A) की सही व्याख्या नहीं है।
C. (A) सही है, लेकिन (R) सही नहीं है।
D. (A) सही नहीं है, लेकिन (R) सही है।

**35.** B **36.** D **37.** A **38.** B **39.** D **40.** A **41.** B **42.** C

**43.** निम्नलिखित को सही काल क्रमानुसार व्यवस्थित कीजिएः

(*a*) राजा इश्वरता का कालाचाला अनुदान
(*b*) इलाहाबाद प्रशस्ति
(*c*) ताम्बूर का अभिलेख
(*d*) शक शासक रूद्रदमन का अभिलेख
(*e*) सातवाहन अभिलेख जिसमें कर छूट के साथ भूअनुदान वर्णित है

नीचे दिए गए विकल्पों में से सही उत्तर चुनिएः

A. (*a*), (*e*), (*d*), (*c*) तथा (*b*)
B. (*b*), (*d*), (*c*), (*e*) तथा (*a*)
C. (*e*), (*d*), (*a*), (*b*) तथा (*c*)
D. (*e*), (*a*), (*d*), (*b*) तथा (*c*)

**44.** सूची-I का सूची-II के साथ मिलान कीजिए :

| सूची-I | सूची-II |
|---|---|
| (*a*) पाण्ड्य | I. बाघ एक छतरी के नीचे बैठा है |
| (*b*) चोल | II. चक्र एवं शंख के साथ बैठे विष्णु |
| (*c*) विजयनगर | III. छतरी के नीचे दो मछलियाँ |
| (*d*) पदम-टंका | IV. अष्टदल (eight-petalled) कमल |

नीचे दिए गए विकल्पों में से सही उत्तर का चयन कीजिए :

| | (*a*) | (*b*) | (*c*) | (*d*) |
|---|---|---|---|---|
| A. | II | III | I | IV |
| B. | III | I | II | IV |
| C. | II | I | IV | III |
| D. | III | II | IV | I |

**45.** नीचे दो कथन दिये गये हैं:

**कथन I:** 1863 में जॉन लुबक ने पाषाण युग को दो भागों में विभाजित किया।

**कथन II:** मुख्यतः जंतु समूह में परिवर्तन के आधार पर एडवर्ड लार्टट ने पुरापाषाण काल को, निम्न, मध्य तथा उच्च में विभाजित किया।

उपरोक्त कथनों के प्रकाश में निम्नलिखित विकल्पों में से सही उत्तर का चयन कीजिएः

A. कथन I तथा कथन II दोनों सही हैं।
B. कथन I तथा कथन II दोनों गलत हैं।
C. कथन I सही है, लेकिन कथन II गलत है।
D. कथन I गलत है, लेकिन कथन II सही है।

**46.** सूची-I का सूची-II के साथ मिलान कीजिए :

| सूची-I | सूची-II |
|---|---|
| (*a*) निम्न पुरापाषाण | I. शल्क-औजार (Flake-tools) |
| (*b*) मध्य पुरापाषाण | II. सूक्ष्म पाषाण |
| (*c*) उच्च पुरापाषाण | III. कंकर एवं कोर (Pebble and core) औजार |
| (*d*) मध्यपाषाण | IV. फलक-औजार (Blade tools) |

नीचे दिए गए विकल्पों में से सही उत्तर का चयन कीजिए :

| | (*a*) | (*b*) | (*c*) | (*d*) |
|---|---|---|---|---|
| A. | II | III | IV | I |
| B. | II | IV | I | III |
| C. | III | II | I | IV |
| D. | III | I | IV | II |

**47.** भीमबेटका की पहाड़ी इनसे बनी हैः

A. बलुआ पत्थर तथा अम्लीय मृदा
B. बलुआ पत्थर तथा चर्ट (Chert)
C. बलुआ पत्थर तथा स्फटिक (Quartzite)
D. बलुआ पत्थर तथा चूना पत्थर

**48.** किस पुरातत्ववेत्ता ने एक ट्रेन की खिड़की से भीमबेटका के पत्थरों को देखा?

A. ए.सी.एल. कार्लाइल
B. वी.एस. वाकणकर
C. यशोधर मठपाल
D. अर्विन न्यूमेयर

**49.** निम्नलिखित को सही काल क्रमानुसार व्यवस्थित कीजिएः

(*a*) प्रथम मुक्त स्थापित (free-standing) मंदिर
(*b*) बुद्ध का चिन्हों से प्रतिनिधित्व
(*c*) मथुरा शैली
(*d*) उत्कीर्ण मुद्राएं
(*e*) द्रविड़ शैली

निम्नलिखित विकल्पों में से सही उत्तर का चयन कीजिएः

A. (*a*), (*b*), (*c*), (*d*) तथा (*e*)
B. (*d*), (*b*), (*c*), (*a*) तथा (*e*)
C. (*d*), (*a*), (*c*), (*e*) तथा (*b*)
D. (*e*), (*a*), (*c*), (*d*) तथा (*b*)

**50.** नीचे दो कथन हैंः एक अभिकथन (A) के रूप में लिखित है तो दूसरा उसके कारण (R) के रूप में।

**अभिकथन (A):** उत्तर भारत में 10वीं तथा 11वीं शताब्दियों में अनेकों ब्राह्मणी (Brahmanic) मंदिरों का निर्माण हुआ।

**कारण (R):** खजुराहो उनका प्रमुख केन्द्र था।

उपरोक्त कथनों के प्रकाश में नीचे दिये गये विकल्पों में से सही उत्तर का चयन कीजिएः

A. (A) तथा (R) दोनों सही हैं तथा (R), (A) की सही व्याख्या है।
B. (A) तथा (R) दोनों सही हैं, लेकिन (R), (A) की सही व्याख्या नहीं है।
C. (A) सही है, लेकिन (R) गलत है।
D. (A) गलत है, लेकिन (R) सही है।

**43.** C **44.** B **45.** A **46.** D **47.** C **48.** B **49.** B **50.** B

**51.** सूची-I का सूची-II के साथ मिलान कीजिए :

| सूची-I | सूची-II |
|---|---|
| (*a*) कैलाश पर्वत उठाते हुए रावण | I. गुप्त (4थी सदी) |
| (*b*) वाराह | II. चोल (11वीं सदी) |
| (*c*) कालिया-कृष्णा | III. वाकाटक (5वीं सदी) |
| (*d*) कल्याणसुन्दर शिव | IV. पल्लव चोल (9वीं सदी) |

नीचे दिए गए विकल्पों में से सही उत्तर का चयन कीजिए :

| | (*a*) | (*b*) | (*c*) | (*d*) |
|---|---|---|---|---|
| A. | III | I | IV | II |
| B. | III | II | I | IV |
| C. | II | I | III | IV |
| D. | IV | I | III | II |

**52.** ऋग्वैदिक काल में रत्नविंशी इसका भाग था:

A. वाजपेय यज्ञ B. सोमपान

C. राजसूय यज्ञ D. मंडल

**53.** ऋग्वेद में युद्ध के लिये शब्द हैं:

A. दस्यू B. गविष्ठि

C. हौमा D. भुर्ज

**54.** मगध में 12 वर्षों तक लम्बे चले महान अकाल के कारण, अनेकों जैनियों ने इनके नेतृत्व में दक्षिण को प्रवास किया:

A. स्थलबाहू B. चन्द्रगुप्त मौर्य

C. सिद्धार्थ D. भद्रबाहू

**55.** निम्नलिखित को सही काल क्रमानुसार व्यवस्थित कीजिए:

(*a*) अशोक द्वारा कलिंग की विजय

(*b*) पुष्यमित्र शुंग द्वारा मौर्य साम्राज्य का विनाश

(*c*) मगध के नंदों की कलिंग का निर्माण

(*d*) चीन की महान दीवार का निर्माण

(*e*) मध्य गंगा मैदान में इस्पात की वस्तुओं की प्राप्ति

निम्नलिखित विकल्पों में से सही उत्तर का चयन कीजिए:

A. (*a*), (*c*), (*d*), (*b*) तथा (*e*)

B. (*b*), (*d*), (*e*), (*c*) तथा (*a*)

C. (*c*), (*b*), (*a*), (*d*) तथा (*e*)

D. (*c*), (*a*), (*d*), (*e*) तथा (*b*)

**56.** मौर्य पूर्व काल में ग्राम के मुखिया को विभिन्न उपाधियों से जाना जाता था। निम्नलिखित में से कौन-सा सही है:

(*a*) ग्रामभोजक

(*b*) ग्राम-प्रधान

(*c*) ग्रामिणी

(*d*) ग्रामिका

(*e*) आयुक्त

नीचे दिये गये विकल्पों में से सही उत्तर चुनिए:

A. केवल (*a*), (*b*) तथा (*c*)

B. केवल (*a*), (*c*) तथा (*e*)

C. केवल (*b*), (*d*) तथा (*e*)

D. केवल (*a*), (*c*) तथा (*d*)

**57.** तमिल परम्परा के अनुसार, तीसरा संगम कहाँ हुआ था?

A. मदुरई B. कोरकई

C. वानजी D. तन्जौर

**58.** पाण्ड्य राज्य की राजधानी थी:

A. बादामी B. वैगेयी

C. तिरुचिरापल्ली D. मदुरई

**59.** कौन-सा अभिलेख कुषाण वंशावली पर प्रकाश डालता है?

A. उज्जैन अभिलेख

B. नासिक अभिलेख

C. रबातक अभिलेख

D. मालवा अभिलेख

**60.** कौटिल्य, बाजार और व्यापार पर सख्त नियंत्रण रखने की बात करते हैं। निम्नलिखित में से कौन-सा अधिकारी व्यापार का प्रभारी था?

A. शून्यनिवेश B. पण्याध्यक्ष

C. संस्थाध्यक्ष D. सूत्राध्यक्ष

**61.** अशोक का एक द्विभाषी ग्रीक-आर्मेनिक अभिलेख यहाँ मिला:

A. कन्धार B. पेशावर

C. मानसेहरा D. गिरनार

**62.** निम्न में से कौन शिव को त्रिनेत्र भगवान, अपने शीर्ष पर चाँद धारण करने वाला तथा अपने संग उमा को रखने वाला, बताता है?

A. विम B. अंडाल

C. नक्किरर D. अकानानुरू

**63.** अशोक पर तथा प्राचीन भारतीय राजनीतिक संस्थानों पर पुस्तकें प्रकाशित करने वाला पुरालेखवेत्ता कौन था?

A. पी.वी. काने

B. डी.आर. भंडारकर

C. हेमचंद्र रायचौधरी

D. आर.सी. मजूमदार

**64.** प्राचीन भारत को आधुनिक दृष्टिकोण से देखने पर किसने प्रश्नचिह्न लगाया?

A. ए.एल. बाशम B. डी.डी. कोसाम्बी

C. के.पी. जायसवाल D. वी.ए. स्मिथ

| | | | | | | |
|---|---|---|---|---|---|---|
| **51.** A | **52.** C | **53.** B | **54.** D | **55.** D | **56.** D | **57.** A |
| **58.** D | **59.** C | **60.** B | **61.** A | **62.** D | **63.** B | **64.** A |

**65.** सही कथनों की पहचान कीजिए:

(*a*) इकोनोमिक हिस्ट्री ऑफ एनशियन्ट इंडिया, आर.के. चौधरी ने लिखी।

(*b*) ओरिजिन एण्ड डेवेलपमेंट ऑफ वैष्णविज्म को सुवीरा जायसवाल ने लिखा।

(*c*) के.एम. पणिक्कर ने पोलिटिकल हिस्ट्री ऑफ एनशियन्ट इंडिया लिखी।

(*d*) आर.एन. नंदी ने सोशल रूट्स ऑफ रिलिजन इन एनशियन्ट इंडिया लिखी।

(*e*) डी.आर. चानना ने ज्योग्राफिकल फैक्टर्स इन इंडियन हिस्ट्री का संकलन किया।

नीचे दिये गये विकल्पों में से सही उत्तर चुनिए:

A. केवल (*a*), (*b*) तथा (*d*) B. केवल (*a*), (*b*) तथा (*e*)
C. केवल (*a*), (*c*) तथा (*e*) D. केवल (*b*), (*d*) तथा (*e*)

**66.** नीचे दो कथन दिये गये हैं:

**कथन I**: दूसरी सदी ईस्वी में भारत में आयुर्वेद के दो विख्यात विद्वान हुए।

**कथन II**: सुश्रुत संहिता खानपान तथा साफ सफाई पर विशेष बल देती है।

उपरोक्त कथनों के प्रकाश में निम्नलिखित विकल्पों में से सर्वाधिक उपयुक्त उत्तर का चयन कीजिए:

A. कथन I तथा कथन II दोनों सही हैं।
B. कथन I तथा कथन II दोनों गलत हैं।
C. कथन I सही है, लेकिन कथन II गलत है।
D. कथन I गलत है, लेकिन कथन II सही है।

**67.** अन्य मध्यपाषाण युगीन शैलचित्रों की तरह भीमबेटका के शैलचित्र स्थलों में भी जानवरों के दृश्यों का वर्चस्व रहा। यहाँ जन्तुओं की कितनी प्रजातियाँ निरूपित हैं?

A. 29 प्रजातियाँ B. 11 प्रजातियाँ
C. 69 प्रजातियाँ D. 41 प्रजातियाँ

**68.** बौद्ध धर्म में धम्मचक्क-पवत्तन क्या है?

A. बुद्ध द्वारा अपने सिद्धान्तों की शिक्षा देते हुए घूमना।
B. बुद्ध ने दुखों से निवृत्ति पर अपना पहला प्रवचन दिया।
C. एक युवती द्वारा उनको (बुद्ध को) खीर देना।
D. बुद्ध द्वारा निर्वाण की प्राप्ति।

**69.** अधिकांश अभिलेखों में अशोक का उल्लेख दो उपनामों से किया गया - देवानामपिय तथा पियदसी। लघु शिलालेख-I जिसके विभिन्न संस्करणों में सम्राट के व्यक्तिगत नाम अशोक का उल्लेख है, यह सबसे पहले यहाँ मिला:

A. टोपरा B. मास्की
C. लौरिया नंदनगढ़ D. रामपुरवा

**70.** सूची-I का सूची-II के साथ मिलान कीजिए :

| सूची-I | सूची-II |
|---|---|
| (*a*) धम्म महामात्त | I. स्त्री कल्याण से सम्बन्धित |
| (*b*) अन्ता महामात्त | II. नगर प्रशासन में सहायता |
| (*c*) इत्तिझक्क महामात्त | III. धर्म से सम्बन्धित |
| (*d*) नगलाविया हालका महामात्त | IV. सीमान्त क्षेत्रों से सम्बन्धित |

नीचे दिए गए विकल्पों में से सही उत्तर का चयन कीजिए :

| | (*a*) | (*b*) | (*c*) | (*d*) |
|---|---|---|---|---|
| A. | III | IV | I | II |
| B. | III | I | II | IV |
| C. | III | IV | II | I |
| D. | IV | II | I | III |

**71.** नीचे दो कथन दिये गये हैं:

**कथन I**: महाजनपदों की सूची में दो प्रकार के राज्य सम्मिलित थे- राजतांत्रिक (राज्य) तथा गैर राजतांत्रिक जिन्हें गण अथवा संघ के रूप में जाना जाता था।

**कथन II**: गण एवं संघ अल्पतन्त्र थे जिनमें सत्ता का प्रयोग लोगों के एक समूह द्वारा किया जाता था।

उपरोक्त कथनों के प्रकाश में निम्नलिखित विकल्पों में से सर्वाधिक उपयुक्त उत्तर का चयन कीजिए:

A. कथन I तथा कथन II दोनों सही हैं।
B. कथन I तथा कथन II दोनों गलत हैं।
C. कथन I सही है, लेकिन कथन II गलत है।
D. कथन I गलत है, लेकिन कथन II सही है।

**72.** दीपवंश तथा महावंश के अनुसार, परिनिबाण (बुद्ध की मृत्यु) तथा अशोक के राज्यारोहण के बीच कितने वर्ष का अन्तर था?

A. 544 B. 218
C. 368 D. 254

**73.** सही कथनों की पहचान कीजिए:

(*a*) गुप्त शासकों ने बड़ी मात्रा में सोने के सिक्के जारी किये।
(*b*) इन पर राजाओं के नाम या उपाधियाँ नहीं हैं।
(*c*) कुछ गुप्त शासकों ने चांदी के सिक्के भी जारी किये।
(*d*) गुप्तों के तांबे के सिक्के बहुत कम हैं।
(*e*) गुप्तों के सिक्कों पर किसी देवी देवता के चित्र उपलब्ध नहीं हैं।

नीचे दिए गए विकल्पों में से सर्वाधिक उपयुक्त उत्तर चुनिए:

A. केवल (*b*), (*c*) तथा (*d*) B. केवल (*a*), (*d*) तथा (*e*)
C. केवल (*a*), (*b*) तथा (*e*) D. केवल (*a*), (*c*) तथा (*d*)

**65.** A **66.** A **67.** A **68.** B **69.** B **70.** A **71.** A **72.** B **73.** D

**74.** पश्चिम भारत में रह रहे एक पौराणिक (Legendary) नायक, जिसे कृष्ण-वासुदेव के रूप में जाना गया, उसका सम्बन्ध किस कबीले से था?

A. वृष्णि B. भोज

C. कुरू D. पुरू

**75.** निम्नलिखित को काल क्रमानुसार व्यवस्थित कीजिए:

(*a*) संगम साहित्य का अन्तिम रूप से संकलन।

(*b*) उत्तर तथा धुर दक्षिण के बीच सांस्कृतिक एवं आर्थिक सम्बन्ध जिन्हें 'तमीजाकम' के रूप में जाना जाता था।

(*c*) महापाषाण संस्कृति की शुरूआत।

(*d*) मानसून की खोज।

(*e*) एक महत्वपूर्ण शक्ति के रूप में चोलों का पुनः अभ्युदय।

निम्नलिखित विकल्पों में से सही उत्तर का चयन कीजिए:

A. (*b*), (*d*), (*a*), (*c*), (*e*)

B. (*c*), (*d*), (*a*), (*e*), (*b*)

C. (*c*), (*b*), (*d*), (*a*), (*e*)

D. (*e*), (*d*), (*b*), (*c*), (*a*)

**76.** सही कथनों की पहचान कीजिए:

(*a*) हर्ष ने मौखरी के शासक के विरुद्ध एक बड़ी सेना भेजी।

(*b*) हर्ष ने अपना शासन 606 ई. में प्रारम्भ किया।

(*c*) हर्ष अपनी शक्ति का विस्तार दक्कन में करने में असफल रहा।

(*d*) पुलकेशिन-II ने हर्ष को हराया।

नीचे दिये गये विकल्पों में से सही उत्तर चुनिए:

A. केवल (*a*), (*b*) तथा (*c*) B. केवल (*b*), (*c*) तथा (*d*)

C. केवल (*a*), (*c*) तथा (*d*) D. केवल (*a*), (*b*) तथा (*d*)

**77.** नीचे दो कथन हैं: एक अभिकथन (A) के रूप में लिखित है तो दूसरा उसके कारण (R) के रूप में।

**अभिकथन (A):** दक्षिण, दक्षिण-पूर्व तथा पूर्व एशिया के कुलीनों के बीच आपसी अन्तः क्रिया विद्यमान थी।

**कारण (R):** राजेन्द्र चोल द्वारा 1018 ई. में एक व्यापारिक अभियान चीन भेजा गया।

उपरोक्त कथनों के प्रकाश में नीचे दिये गये विकल्पों में से सर्वाधिक उपयुक्त उत्तर का चयन कीजिए:

A. (A) तथा (R) दोनों सही हैं तथा (R), (A) की सही व्याख्या है।

B. (A) तथा (R) दोनों सही हैं, लेकिन (R), (A) की सही व्याख्या नहीं है।

C. (A) सही है, लेकिन (R) सही नहीं है।

D. (A) सही नहीं है, लेकिन (R) सही है।

**78.** सूची-I का सूची-II के साथ मिलान कीजिए :

| सूची-I | सूची-II |
|---|---|
| (*a*) बौद्ध मिशनरी श्रीलंका भेजे गए | I. 56 ईस्वी |
| (*b*) जावा में प्राचीनतम भारतीय बस्ती | II. 3री सदी ई. पूर्व |
| (*c*) कम्बोज राज्य की स्थापना | III. 8वीं सदी ईस्वी |
| (*d*) बोरो बुदूर मन्दिर का निर्माण | IV. 6ठी सदी ईस्वी |

नीचे दिए गए विकल्पों में से सही उत्तर का चयन कीजिए :

| | (*a*) | (*b*) | (*c*) | (*d*) |
|---|---|---|---|---|
| A. | I | II | III | IV |
| B. | II | IV | III | I |
| C. | II | I | IV | III |
| D. | III | IV | I | II |

**79.** निम्नलिखित में से जावा की यात्रा करने वाला चीनी यात्री कौन था?

A. ह्वेन सांग B. आई-त्सांग

C. फाह्यान D. तुन-हुआंग

**80.** नीचे दो कथन हैं: एक अभिकथन (A) के रूप में लिखित है तो दूसरा उसके कारण (R) के रूप में।

**अभिकथन (A):** एशिया के दक्षिण पूर्वी भागों की यात्राएं मसालों की खोज से प्रोत्साहित हुई थी।

**कारण (R):** दन्तकथाओं के अनुसार दक्षिण पूर्व एशिया में राज्यों के अभ्युदय के बारे में कहानियाँ भारतीय राजकुमारों तथा व्यापारियों से जुड़ी हैं।

उपरोक्त कथनों के प्रकाश में नीचे दिये गये विकल्पों में से सर्वाधिक उपयुक्त उत्तर का चयन कीजिए:

A. (A) तथा (R) दोनों सही हैं और (R), (A) की सही व्याख्या है।

B. (A) तथा (R) दोनों सही हैं, लेकिन (R), (A) की सही व्याख्या नहीं है।

C. (A) सही है, लेकिन (R) सही नहीं है।

D. (A) सही नहीं है, लेकिन (R) सही है।

**81.** निम्नलिखित को काल क्रमानुसार व्यवस्थित कीजिए:

(*a*) ठप्पा लगे (die-stuck) इंडो ग्रीक सिक्के।

(*b*) नासिक क्षेत्र में क्षत्रप शासक नैहपान द्वारा चांदी की मुद्रा का आरम्भ।

(*c*) ठप्पा लगे (die-stuck) सिक्के।

(*d*) कुषाणों के सोने के सिक्के।

(*e*) अच्छी तरह बनाये गये ठप्पा लगे (die-stuck) सोने के सिक्के जिन पर संस्कृत में क्रमबद्ध उक्तियाँ अंकित है।

निम्नलिखित विकल्पों में से सही उत्तर का चयन कीजिए:

A. (*b*), (*e*), (*a*), (*d*) तथा (*c*)

B. (*c*), (*a*), (*d*), (*b*) तथा (*e*)

C. (*d*), (*e*), (*a*), (*b*) तथा (*c*)

D. (*e*), (*b*), (*a*), (*c*) तथा (*d*)

| **74.** A | **75.** C | **76.** B | **77.** A | **78.** C | **79.** C | **80.** B | **81.** B |
|---|---|---|---|---|---|---|---|

**82.** नीचे दो कथन दिये गये हैं:

**कथन I:** मध्य पाषाण कालीन उद्योग मध्य तथा प्रायद्वीपीय भारत में स्थित हैं।

**कथन II:** सबसे पहले एच.डी. संकालिया ने नेवासान उद्योग की खोज की।

उपरोक्त कथनों के प्रकाश में निम्नलिखित विकल्पों में से सही उत्तर का चयन कीजिए:

A. कथन I तथा कथन II दोनों सही हैं।
B. कथन I तथा कथन II दोनों गलत हैं।
C. कथन I सही है, लेकिन कथन II गलत है।
D. कथन I गलत है, लेकिन कथन II सही है।

**83.** नीचे दो कथन दिये गये हैं:

**कथन I:** गुडियाम गुफा से निम्न, मध्य तथा उच्च पुरापाषाण कालीन औजारों का क्रम प्राप्त हुआ।

**कथन II:** अत्तीराम्पक्कम स्थल की खोज 1860 में हुई।

उपरोक्त कथन के आलोक में, नीचे दिए गए विकल्पों में से सबसे उपयुक्त उत्तर का चयन कीजिए:

A. कथन I तथा कथन II दोनों सही हैं।
B. कथन I तथा कथन II दोनों गलत हैं।
C. कथन I सही है, लेकिन कथन II गलत है।
D. कथन I गलत है, लेकिन कथन II सही है।

**84.** भारत में पशुओं को पालतू बनाने के प्राचीनतम प्रमाण हैं:

A. 24000 ईसा पूर्व
B. 34000 ईसा पूर्व
C. 7000 ईसा पूर्व
D. 5000 ईसा पूर्व

**85.** निम्नलिखित में से कौन-सा, एक पाषाण औजार निर्माण का केन्द्र था?

A. गुडियम गुफा
B. आदमगढ़ पहाड़ी
C. भीमबेटका
D. इसामपुर

**86.** नीचे दो कथन दिये गये हैं:

**कथन I:** गुप्त काल में मूर्तिकला सर्वोच्च विकास पर पहुँची।

**कथन II:** गुप्त काल (चौथी से पाँचवीं सदी ईस्वी) सही अर्थों में भारतीय कला का शास्त्रीय युग था।

उपरोक्त कथनों के प्रकाश में निम्नलिखित विकल्पों में से सर्वाधिक उपयुक्त उत्तर का चयन कीजिए:

A. कथन I तथा कथन II दोनों सही हैं।
B. कथन I तथा कथन II दोनों गलत हैं।
C. कथन I सही है, लेकिन कथन II गलत है।
D. कथन I गलत है, लेकिन कथन II सही है।

**87.** निम्नलिखित को काल क्रमानुसार व्यवस्थित कीजिए:

(*a*) एक खाने की तश्तरी ले जाती हुई लड़की (मथुरा)।
(*b*) मोहनजोदड़ो से मातृदेवी की मृण्मूर्ति।
(*c*) मगरमच्छ पर सवार गंगा (उड़ीसा)।
(*d*) गंगा को अपने केशों में ग्रहण करते हुए गन्धार (त्रिचिरापल्ली)।
(*e*) इच्छा पूरी करने वाले वृक्ष के नीचे गंगा (बंगाल)।

निम्नलिखित विकल्पों में से सही उत्तर का चयन कीजिए:

A. (*a*), (*b*), (*d*), (*c*) तथा (*e*)
B. (*b*), (*c*), (*d*), (*a*) तथा (*e*)
C. (*b*), (*a*), (*d*), (*c*) तथा (*e*)
D. (*b*), (*a*), (*c*), (*d*) तथा (*e*)

**88.** सही कथनों की पहचान कीजिए:

(*a*) दन्तिवर्मन का तिरूवेतल्लराई अभिलेख प्रारम्भिक तमिल का एक सुन्दर उदाहरण प्रस्तुत करता है।
(*b*) सबसे सुन्दर चोल लिपि का समय 9वीं सदी के अंत से है।
(*c*) राजेन्द्र चोल का तिरूवेलांगडू फलक, 11वीं सदी की प्रारूपिक चोल लिपि दिखाता है।
(*d*) प्राचीनतम तमिल लिपि कैलाशनाथ मन्दिर में है।
(*e*) विजयनगर अभिलेख तमिल लिपि का अन्तिम चरण दिखाता है।

नीचे दिये गये विकल्पों में से सही उत्तर चुनिए:

A. केवल (*a*), (*b*) तथा (*c*)
B. केवल (*a*), (*c*) तथा (*d*)
C. केवल (*a*), (*c*) तथा (*e*)
D. केवल (*b*), (*d*) तथा (*e*)

**89.** उपनिषद शब्द का शाब्दिक अर्थ है:

A. किसी के पास बैठना
B. उपदेश देना
C. ऊँचा
D. मुक्त करना

**90.** जैन मठीय संस्थानों को कहा जाता है:

A. विहार
B. मंडल
C. बसाड़ी
D. मठ

**91.** सही कथनों की पहचान कीजिए:

(*a*) कलात्मक मूर्तिकला को समझने के लिये कालीदास, भवभूति तथा बाण के कार्य अपरिहार्य हैं।
(*b*) कला की व्याख्या करने के लिये संस्कृत भाषा का प्रयोग नहीं हो सकता।
(*c*) भारतीय कला पर प्रकाश डालने में मायामत (Mayamatta) मदद करती है।
(*d*) संगीत रत्नाकर भारतीय कला को समझने में सहायता करती है।

नीचे दिये गये विकल्पों में से सही उत्तर चुनिए:

A. केवल (*a*), (*b*) तथा (*c*)
B. केवल (*a*), (*c*) तथा (*d*)
C. केवल (*b*), (*c*) तथा (*d*)
D. केवल (*a*), (*b*) तथा (*d*)

**82.** A **83.** C **84.** D **85.** D **86.** A **87.** C **88.** C **89.** A **90.** C **91.** B

**92.** सही कथनों की पहचान कीजिए:

(*a*) निष्क तथा शतमान (Satamana) जैसे शब्द सिक्कों के नाम थे।

(*b*) प्राचीनतम सिक्के ज्यादातर चांदी के बनते थे।

(*c*) सिक्के इसलिये आहत अंकित कहे जाते हैं क्योंकि उन पर विभिन्न चिह्न अंकित होते हैं।

(*d*) मौर्य काल में केवल ढाले गये सिक्के प्रयोग होते थे।

(*e*) सिक्कों के प्राचीनतम ढेर गुजरात एवं राजस्थान में मिले हैं।

नीचे दिये गये विकल्पों में से सर्वाधिक उपयुक्त उत्तर चुनिए:

A. केवल (*a*), (*b*) तथा (*c*) B. केवल (*a*), (*c*) तथा (*d*)
C. केवल (*c*), (*d*) तथा (*e*) D. केवल (*b*), (*c*) तथा (*e*)

**93.** सात फन वाले नाग की मूर्ति कहाँ पाई गई है?

A. मथुरा B. राजगृह
C. उज्जैन D. पवाया

**94.** निम्न में से कौन-सा चेर राज्य का एक प्रमुख बन्दरगाह था?

A. करूवूर B. पुहार
C. टोन्डी D. कोरकाई

**95.** सातवाहन साम्राज्य कई बड़े प्रशासनिक खण्डों में विभक्त था, जिन्हें जाना जाता था:

A. महारथी B. महाभोज
C. आहार D. खण्ड

**96.** पुराणों के अनुसार अन्तिम शुंग शासक कौन था?

A. वासुदेव B. एन्तालकियाडस
C. भागवत D. देवभूति

**97.** कौन-सा ग्रन्थ चन्द्रगुप्त मौर्य को मोर पालने वाले (मोर पोषक) गाँव के मुखिया की पुत्री का पुत्र बताता है?

A. महावंश B. दीर्घ निकाय
C. परिशिष्टपर्व D. मुद्रा राक्षस

**98.** जैन सिद्धान्त के अनुसार, पशुओं तथा पौधों की सबसे निम्न श्रेणी क्या है?

A. त्रियंचा B. निगोडा
C. नारकी D. स्थावर

**99.** निम्नलिखित में से कौन-सा शिव का एक पौराणिक रूप नहीं है?

A. गंगाधर B. अर्धनारीश्वर
C. शंकर D. रूद्र

**100.** वैदिक युग में गर्भाधान संस्कार को कहा जाता था:

A. जय B. संस्कार
C. पुंसवन D. योशा

## व्याख्यात्मक उत्तर

**26. (C):** जेम्स मिल एक स्कॉटिश अर्थशास्त्री, राजनीतिज्ञ और दार्शनिक थे। उन्होंने 1817 में भारतीय इतिहास को तीन कालक्रमों में विभाजित किया—हिंदू, मुस्लिम और ब्रिटिश। 'ए हिस्ट्री ऑफ ब्रिटिश इण्डिया' में मिल में सुझाव दिया कि भारतीयों के ज्ञान और खुशी को सुनिश्चित करने के लिए अंग्रेजों को भारत के सभी क्षेत्रों पर विजय प्राप्त करनी चाहिए। उनका मानना था कि ब्रिटिश शासन प्रगति और सभ्यता की सभी शक्तियों का प्रतिनिधित्व करता है।

**28. (A):** डी.डी. कोसाम्बी ने 1956 प्रकाशित अपनी पुस्तक 'इन्ट्रोडक्शन टू द स्टडी ऑफ इंडियन हिस्ट्री' में इतिहास की भौतिकवादी व्याख्या कर इसे नयी दिशा दी। जहाँ एक ओर उन्होंने पश्चिमी इतिहासकारों को इस आधार पर चुनौती दी, वहीं दूसरी ओर उन्होंने प्राचीन काल को स्वर्ण युग बताने वाले हमारे अपने देश के देशाहंकारी भाटों के दंभ को चूर-चूर डाला।

**29. (B):** दिए गए इतिहासकारों की प्रमुख रचनाएँ—

**डी.डी. कोसाम्बी—**
- मिथ एंड रियलिटी
- स्टडीज इन द फार्मेशन ऑफ इंडियन कल्चर
- द कल्चर एण्ड सिविलाइजेशन ऑफ एनशियन्ट इंडिया इन हिस्टोरिकल आउटलाइन

**के.पी. जायसवाल**
- हिंदू पॉलिटी
- इन इंपीरियल हिस्ट्री ऑफ इंडिया
- ए क्रोनोलॉजी एण्ड हिस्ट्री ऑफ नेपाल
- अंधकारयुगीन भारत

**आर.सी. मजुमदार**
- हिस्ट्री एण्ड कल्चर ऑफ द इंडियन पीपल
- एन एडवांस्ड हिस्ट्री ऑफ इंडिया
- ए सिपॉय म्यूटिनी एण्ड द रिवेलियन ऑफ 1857-1957
- हिंदू कोलोनिज इन इंडिया

**के.ए. नीलकंठशास्त्री**
- दक्षिण भारत का इतिहास
- ए हिस्ट्री ऑफ एनशिएन्ट इंडिया

**30. (A):** हस्ति आयुर्वेद हाथियों की प्रमुख बीमारियों के निदान तथा उपचार पर लिखित सबसे प्राचीन कृति है। इस ग्रंथ के रचनाकार ऋषि पालकाव्य हैं।

**92.** A **93.** A **94.** C **95.** C **96.** D **97.** C **98.** B **99.** D **100.** C

**31. (C):** चरक संहिता कनिष्क के शासनकाल 78 ई. के आस-पास लिखी गई चिकित्सा-ग्रंथ है। सुश्रुत संहित की रचना चरक संहिता के बाद हुई। आयुर्वेद के प्रसिद्ध ग्रंथ अष्टांग हृदय के रचयिता वाग्भट हैं। इसका रचनाकाल 500 ई.पू. से लेकर 250 ई.पू. तक अनुमानित है।

**32. (C):** त्रिकाय बौद्ध धर्म की महायान शाखा की एक अवधारणा है जिसके अनुसार किसी जीव के बुद्धत्व प्राप्त होने पर उसके अस्तित्व के तीन भाग हैं—धर्मकाय, सम्भोगकाय तथा निर्माणकाय। निर्माणकाय का आशय बुद्ध द्वारा धरती पर समय और स्थान के अनुसार विभिन्न रूपों में प्रकट होने से है।

**33. (D):** चीन में बौद्ध धर्म के प्रचार प्रसार से कुमारजीव, संघभूति, धर्मरक्ष, संघदेव, विमलाक्ष, धर्मयश, बुद्धजीव, गुणवर्मन, परमार्थ, धर्ममित्र, बुद्धयशस, धर्मरूचि, बोधिरूचि, मेघभिखा तथा बोधिधर्म आदि सम्बद्ध रहे हैं। कॉसमॉस भूगोल से सम्बन्धित थे।

**34. (A):** मगध का शासक बनने के बाद अजातशत्रु ने अपने सौतेले भाई हल्ल तथा बेहल्ल से पिता द्वारा दिए गए हाथी की मांग की, जिससे दोनों सौतेले भाई घबड़ाकर अपने नाना चेटक के पास भाग गए। इससे क्रुद्ध होकर अजातशत्रु ने लिच्छवियों को पराजित करने के लिए अपने मंत्री वस्सकार के कूटनीति का लाभ उठाया तथा वज्जियों में फूट डलवा दी। इस युद्ध को जीतने के लिए अजातशत्रु ने रथमूसल तथा महाशिलाकंटक का प्रयोग किया। इस युद्ध में लिच्छवि पराजित हुए।

**36. (D):** विक्रम संवत् की शुरूआत 57 ई.पू. में उज्जैन के राजा विक्रमादित्य जो शकारि कहलाता था, द्वारा किया गया था। हालाँकि बी.ए. स्मिथ और डी.आर. भंडारकर का मानना है कि चन्द्रगुप्त द्वितीय ने विक्रमादित्य की उपाधि धारण की थी। जो भी हो कालक्रम के हिसाब से उज्जैन का राजा ही समीचीन लगता है।

**37. (A):** भारत का राष्ट्रीय चिह्न सारनाथ स्तम्भशीर्ष से लिया गया है। मूल रूप से इसमें चार शेर हैं जो चारों दिशाओं की ओर मुँह किए खड़े हैं। इसके नीचे एक गोलाकार आधार है जिस पर एक हाथी, एक दौड़ता हुआ घोड़ा, एक सांड़ और एक सिंह बने हैं। हर पशु के बीच में एक धर्मचक्र बना हुआ है। राष्ट्रीय प्रतीक के रूप में इसे 26 जनवरी 1950 में भारत सरकार द्वारा अपनाया गया।

**38. (B):** सातवाहनों में बौद्ध-जैन के बाद चरमरा रही ब्राह्मणीय व्यवस्था के पुनरूद्धार के लिए धर्मशास्त्रों द्वारा निर्धारित शाही आदर्श स्थापित करने का प्रयास किया। साथ ही प्रशासनिक ढाँचे के कुछ आयाम में अशोक के ढाँचे का अनुकरण भी किया परन्तु अशोक कालीन प्रशासनिक ढाँचे से दिए गए शाही आदर्शों के स्थापित करने से कोई प्रत्यक्ष-अप्रत्यक्ष सम्बन्ध नहीं है। अतः दोनों कथन सही है परंतु कारण, कथन की सही व्याख्या नहीं है।

**39. (D):** गुप्त साम्राज्य अपने प्रदेशिक विस्तार के चरम पर चन्द्रगुप्त-I के समय नहीं अपितु चन्द्रगुप्त-II के शासनकाल में पहुँच गई थी। चन्द्रगुप्त-I ने लिच्छवि कुल की कन्या कुमारदेवी से विवाह किया तथा 'महाराजाधिराज' की उपाधि धारण की थी। इस प्रकार कथन गलत है जबकि कारण सही है।

**40. (A):** चोल शासक राजराज प्रथम तथा राजेन्द्र प्रथम ने श्रीलंका का अभियान किया। श्रीलंका का राजा पंचम पराजित हुआ। अन्य अभियानों में चोल सेनाएँ जावा, चम्पा द्वीप तक गई थी। इन सैन्य अभियानों का महत्वपूर्ण उद्देश्य महत्वपूर्ण व्यापारिक क्षेत्रों पर नियंत्रण था।

**42. (C):** बौद्ध धर्म के प्रचारक श्रीलंका, म्यांमार, चीन तथा मध्य एशिया गए थे। प्रचारकों ने बौद्ध-धर्म के प्रचार-प्रसार के साथ सांस्कृतिक सम्बन्धों का भी प्रसार किया। तीसरी सदी ई.पू. में अशोक ने अपने पुत्र महेन्द्र तथा पुत्री संघमित्रा को श्रीलंका की धर्मयात्रा पर भेजा। परन्तु पाँचवीं सदी ईसा पूर्व में श्रीलंका जाने वाले बौद्ध प्रचारकों का किसी ग्रंथों में उल्लेख नहीं है।

**43. (C):** सातवाहन अभिलेख की रचना 230 ई.पू. - 60 ई.पू. में हुई थी। शक शासक रूद्रदमन का अभिलेख 150 ई. का है। इलाहाबाद का लेख हरिषेण ने 345 ई. में समुद्रगुप्त की प्रशस्ति में उत्कीर्ण की। यह चम्पू शैली में है।

**45. (A):** पाषाण उपकरणों एवं तकनीकी विशेषताओं के आधार पर जॉन लुबक ने पाषाण युग को दो भागों में विभाजित किया। लुबक में इसे पुरापाषाण काल तथा नवपाषाण काल कहा। 1970 में एडवर्ड लार्टेट ने पुरापाषाण काल को तीन भागों में विभाजित किया– (1) पूर्व पुरापाषाण काल, (2) मध्य पाषाण काल, (3) उत्तर पाषाण काल। लार्टेट ने यह विभाजन उपकरणों की विधि में परिवर्तन तथा उस काल की जलवायु में आये परिवर्तनों के आधार पर किया था। 1961 में कॉमसन तथा ब्रैडवुड ने नवपाषाण काल तक के समय को तीन भागों में बाँटा। ब्रैडवुड ने प्रथम काल भोजन संग्रहण तथा द्वितीय मध्य पाषाण काल को भोजन एकत्र करने वाला तथा तीसरे नवपाषाण काल को भोजन उत्पादन का काल कहा है।

**46. (D):** पाषाण काल के उपकरण और औजार समय के साथ सुड़ौल और परिष्कृत होते गये। उच्च पुरापाषाण काल के उपकरण– बेड़ौल फलक वाले, मध्य पुरापाषाण काल के उपकरण शल्क वाले, निम्न पुरापाषाण काल में पेबल और कोर तथा मध्यपाषाण काल के औजार सूक्ष्म पाषाण के रूप में परिस्कृत होते गए।

**47. (C):** भीमबेटका का शैलाश्रय मध्य प्रदेश के रायसेन जिले में स्थित है। यह रतापानी वन्यजीव अभ्यारण्य के पास है। इसकी खोज पुरातत्वविद वी.एस. वाकणकर द्वारा 1957-58 में की गई। शैलाश्रय जिस पहाड़ी से बनी है वह बलुआ पत्थर तथा स्फटिक से बनी है।

**48. (B):** विष्णु श्रीधर वाकणकर भारतीय पुरातत्वविद् थे जिन्होंने 1957 में भीमबेटका की गुफाओं की खोज की थी। उन्हें भारत में पत्थर कला अध्ययन के 'पितामह' की उपाधि से सम्मानित किया गया था। उन्हें 1975 में पद्मश्री से सम्मानित किया गया था। सबसे पहली बार इन्होंने ट्रेन यात्रा के समय भीमबेटका पहाड़ी को देखा।

**50. (B):** खजुराहो मध्य प्रदेश में स्थित प्राचीन एवं मध्यकालीन मंदिरों के लिए विश्वविख्यात है। चंदेल वंश द्वारा 950-1050 ई.पू. के बीच निर्मित खजुराहो मंदिर भारतीय कला के सबसे महत्वपूर्ण नमूनों में से एक है। यहाँ जैन मंदिरों के अलावा विष्णु, शिव और गणेश आदि हिंदू देवी-देवताओं के मंदिर है। चंदेल शासकों के समय खजुराहो जैन धर्म का महत्वपूर्ण केन्द्र था।

**52. (C):** रत्नविंशी (रत्न चढ़ाने का समारोह) राजसूत्र यज्ञ का एक हिस्सा था। इसमें राजन कुछ दिनों तक रत्निनों के घर जाता था। ये 'रत्निन' राजन के बड़े-बड़े अधिकारी होते थे। पुरोहित, राजन्य, महिषी, षटवृति, सेनानी, सुत तथा ग्रामणी वैदिक काल में मुख्य रत्निन होते थे।

**53. (B):** ऋग्वेद में 'गविष्ठि' शब्द की चर्चा है। वैदिक काल में गाय पवित्र और काफी कीमती मानी जाती थी। उस समय गायों की चोरी होती थी। सारी लड़ाई गायों के लेकर होती थी। 'गविष्ठि' का अर्थ गायों के लिए युद्ध से है।

**54. (D):** मगध में भीषण अकाल पड़ने पर चन्द्रगुप्त मौर्य जैन आचार्य भद्रबाहू के साथ दक्षिण चला गया। वहीं 'सल्लेखना' विधि से अपने शरीर का त्याग किया। भद्रबाहू के नेतृत्व वाले जैन अनुयायी दिगम्बर कहे गए।

**55. (D):** हाथीगुम्फा अभिलेख के अनुसार नंदराजा ने (344 ई.पू. से 322 ई.पू.) एक जिनसेन की प्रतिमा उठा ले गया तथा कलिंग में एक नहर का निर्माण कराया। अशोक ने कलिंग पर विजय 261 ई. में प्राप्त की। चीन के सम्राट किन शि हुआंग (220-206 ई. पू.) ने चीन के महान दीवार का निर्माण करवाया था। सेनापति पुष्यमित्र शुंग द्वारा अपने स्वामी बृहद्रथ की हत्या कर 185 ई.पू. में शुंग वंश की स्थापना की गई। छठी शताब्दी ई.पू. गंगा घाटी में द्वितीय नगरीकरण का काल माना जाता है जिसका कारण था– लौह का खोज।

**56. (D):** मौर्य प्रशासन की सबसे छोटी इकाई 'ग्राम' थी। गाँव के मुखिया को 'ग्रामिक' कहा जाता था। इसे ग्रामभोजक, ग्रामिणी तथा ग्रामिका भी कहा जाता है।

**57. (A):** तमिल परम्परा में कुल तीन संगमों का उल्लेख है। पहला और तीसरा संगम मदुरई में तथा दूसरा कपाटपुरम में आयोजित किया गया। तीसरे संगम की अध्यक्षता नक्कीरर ने की थी।

**58. (D):** तमिल प्रदेश का इतिहास प्रमुखतः तीन राजवंशों से आरम्भ हुआ। ये राजवंश थे–चोल, चेर और पांड्य। पांड्य राजवंश का वर्णन मेगस्थनीज करता है। यह राज्य सुदूर दक्षिण में अवस्थित था, जिसकी राजधानी मदुरई थी।

**59. (C):** रबातक अभिलेख से कनिष्क और उसके समकालीन शासकों के बारे में पता चलता है। बैक्ट्रियन भाषा और ग्रीक लिपि में एक चट्टान पर लिखा गया प्रसिद्ध रबातक अभिलेख कनिष्क पर महत्वपूर्ण जानकारी उपलब्ध करता है।

**60. (B):** पण्याध्यक्ष मौर्य काल में महत्वपूर्ण पद था। यह व्यापार और वाणिज्य का अध्यक्ष था।

**61. (A):** अशोक के अभिलेखों में ब्राह्मी, खरोष्ठी, अरामाइक और ग्रीक भाषा प्रयुक्त हुआ है। पश्चिमोत्तर अभिलेखों में खरोष्ठी लिपि तथा शेष भारत में ब्राह्मी लिपि का उपयोग हुआ है। शेर-कुना (कंधार) अभिलेख को द्विभाषी अभिलेख कहा गया है। यह ग्रीक-अरामाइक भाषा में है।

**62. (D):** विम कडफिसस कुषाणवंशी शैव शासक था। अंडाल एकमात्र स्त्री थी जो अलवार संत थी। नक्किरर के समय तृतीय संगम का आयोजन मदुरई में सम्पादित हुआ। आकानानुरू का मानना था कि त्रिनेत्रधारी भगवान शिव अपने मस्तक पर चाँद तथा उमा (पार्वती) के साथ विराजमान रहते हैं।

**63. (B):** डी. आर. भण्डारकर ने अशोक का इतिहास उसके अभिलेखों के आधार पर लिखा। उनकी प्रसिद्ध पुस्तक 'अशोक' 1923 में प्रकाशित हुई।

**64. (A):** आर्थर लेवेलिन बाशम प्रसिद्ध इतिहासकार, भारतविद् तथा अनेकों पुस्तकों के रचनाकार थे। इंग्लैण्ड में पले-बढ़े बाशम की प्रसिद्ध कृति 'द वंडर दैट वॉज इण्डिया' (अद्भुत भारत) है। इन्होंने प्राचीन भारत के इतिहास को समझने की आधुनिक दृष्टि की आलोचना कर इतिहास दर्शन को नवीन दृष्टि दी। उनका मानना था कि इतिहासकार की दृष्टि बैरिस्टर की नहीं अपितु जज की होनी चाहिए।

**65. (A):** पोलिटिकल हिस्ट्री ऑफ एन्शियंट इण्डिया के रचनाकार हेमचन्द्र राय चौधरी हैं। के. एम. पणिक्कर की प्रसिद्ध इतिहास कृति ज्योग्राफिकल फैक्टर्स इन इण्डियन हिस्ट्री है।

**66. (A):** चरक और सुश्रुत संहिता दूसरी शताब्दी ईसा पूर्व से दूसरी शताब्दी ईस्वी के बीच रची गई आयुर्वेद की प्रसिद्ध रचना है। सुश्रुत संहिता शल्य चिकित्सा पर लिखी गई रचना में खानपान और साफ-सफाई का भी उल्लेख है। इसमें मनुष्य की आंतों में कर्कट रोग के कारण उत्पन्न हानिकर उत्तकों का विवरण है।

**67. (A):** भीमबेटका के चित्रों को पुरापाषाण काल से मध्यपाषाण काल के बीच के समय का माना जाता है। यह भारतीय उपमहाद्वीप में मानव जीवन के प्राचीनतम चिह्न हैं। यहाँ 600 शैलाश्रय हैं जिनमें 275 शैलाश्रय चित्रों द्वारा सज्जित हैं। इसमें जानवरों के 29 प्रजातियों का चित्रण है।

**68. (B):** ज्ञान प्राप्ति के बाद महात्मा बुद्ध द्वारा आठ कौडिन्य ब्राह्मणों सारनाथ में दिये गये उपदेश को धम्मचक्क-प्रवर्तन कहा गया है।

**69. (B):** अभिलेखों में अशोक को 'देवानामपिय', 'देवानामपियदसी' से सम्बोधित किया गया है। पुराणों में उसे 'अशोकवर्धन' कहा गया है। गुर्जरा, मास्की तथा उद्गोलम से प्राप्त लघु शिलालेख में सम्राट का व्यक्तिगत नाम अशोक मिलता है।

**71. (A):** कल्पसूत्र तथा अंगुत्तरनिकाय में महाजनपदों के नामों का उल्लेख है। इसके अलावा 10 गणराज्यों की भी चर्चा है। लिच्छवि गणराज्य विश्व का प्राचीनतम गणराज्य माना जाता है। इन गणों में सत्ता लोगों के समूह द्वारा संचालित होता था।

**73. (D):** गुप्तों ने बड़ी मात्रा में सोने के सिक्के जारी किये थे। गुप्तों द्वारा जारी स्वर्ण सिक्कों को 'दीनार' कहा जाता है। चन्द्रगुप्त प्रथम ने सबसे पहले सिक्कों का प्रचलन शुरू किया था। इन सिक्कों के एक ओर चन्द्रगुप्त तथा दूसरी ओर रानी कुमारदेवी को अंकित किया गया था। समुद्रगुप्त ने वीणावादन तथा यज्ञ करते हुए सिक्कों का प्रचलन करवाया। इस काल में तांबे के सिक्कों का प्रचलन नामा मात्र का था।

**74. (A):** वैष्णवों का विकास भागवत धर्म से हुआ। परम्परा के अनुसार इसके प्रवर्तक वृष्णि वंशी कृष्ण थे, जिन्हें वासुदेव का पुत्र होने के कारण वासुदेव कृष्ण कहा जाता था। वासुदेव-कृष्ण मूलतः मथुरा के निवासी थे।

**75. (C):** लगभग 1000 ई.पू. से ईस्वी सन् की आरम्भिक सदियों तक प्रायद्वीपीय उच्च भागों में महापाषाणिक संस्कृति के लोगों का समय माना जाता है। इसका पता हमें बड़े-बड़े पत्थरों के टुकड़ों से घेरकर बनाई गई क्रबों से चलता है। माना जाता है कि ग्रीक नाविक हिप्पालस ने ईसा पूर्व पहली सदी के दौरान मानसूनी हवाओं की खोज की थी। ईसा पूर्व दूसरी शताब्दी से लेकर ईसा के पश्चात् दूसरी शताब्दी तक लिखे गए तमिल साहित्य को संगम कहते हैं। लगभग 850 ई. में पल्लवों के अवशेषों पर चोल सत्ता का पुरूत्थान हुआ।

**76. (B):** पुष्यभूति वंश का शासक हर्षवर्द्धन अपने बड़े भाई राज्यवर्द्धन के बाद थानेश्वर की गद्दी पर 606 ई. में बैठा। हर्ष की महत्वाकांक्षा दक्षिण विजय की थी परन्तु चालुक्य वंशी पुलकेशिन द्वितीय से पराजित होने के बाद उसका स्वप्न अधूरा रह गया। मौखरी नरेश ग्रहवर्मा हर्ष का बहनोई था। ग्रहवर्मा की हत्या गौड़ नरेश शशांक ने की थी।

**79. (C):** फाह्यान चीनी यात्री था। लगभग 65 वर्ष की अवस्था में वह बौद्ध धर्म संबंधी यात्रा के लिए भ्रमण पर निकला। भारत के पाटलिपुत्र, गंधार, तक्षशिला, उच्छ, मथुरा, वाराणसी, गया आदि का भ्रमण करते हुए यवनद्वीप (जावा) होते हुए 412 ई. में शांतुंग प्रायद्वीप के चिंगचाऊ स्थान से वापस चीन पहुँच गया।

**80. (B):** प्राचीन समय से ही मालाबार इलाके में मसालों का उत्पादन बहुतायत होता था। इसी प्रकार दक्षिण पूर्व एशिया के जावा-सुमात्रा, कम्बोडिया आदि में मसाला उत्पादन के लिए उपयुक्त परिस्थिति थी। यूरोप में कच्चे मांस को सुरक्षित रखने के लिए मसालों की आवश्यकता होती थी। इस मसालों की उपलब्धता ने ही यूरोपीयों को इन इलाकों में यात्रा करने के लिए प्रोत्साहित किया। दिए गए कारण में दंतकथाओं का कोई प्रत्यक्ष सम्बन्ध दक्षिण पूर्वी एशिया में मसालों के लिए प्रोत्साहन से नहीं है। अतः दोनों कथन सही है परंतु कारण, कथन की सही व्याख्या नहीं करता।

**81. (B):** मौर्य काल में आहत सिक्कों का प्रचलन था। कालान्तर में इन पंचमार्क सिक्कों पर संस्कृत में क्रमबद्ध उक्तियाँ अंकित होने लगी। मौर्य काल के बाद इण्डोग्रीक ने पंचमार्क सिक्के जारी किए। कुषाण शासक बिम कडफिसस ने बड़ी मात्रा में सोने के सिक्के जारी किए। शक क्षत्रप भी नासिक में अपना राजनैतिक अधिकार स्थापित कर चुके थे। नहपान के सिक्के प्रचुर रूप में मिले हैं।

**82. (A):** नेवासा में पुरापाषाण काल के प्रस्तर उपकरण प्राप्त हुए हैं। 1959-1961 ई. में इस स्थल पर एच.डी. सांकलिया एवं जेड.डी. अंसारी ने उत्खनन और अन्वेषण का कार्य करवाया। यहाँ से कुल्हाड़ियाँ, चाकू, चुड़ियाँ मनके और अंजन शलाकाएँ मिली हैं। नेवासा महाराष्ट्र के अहमदनगर जिले में अवस्थित है।

**83. (C):** ईस्ट इंडिया कम्पनी के भूवैज्ञानिक सर्वेक्षक राबर्ट ब्रूस फ्रूट और विलियम किंग ने 1863 ई. के शुरूआत में अत्तीराम्पक्कम से पुरापाषाण उपकरण खोजे।

**84. (D):** जानवरों को पालतू बनाने का पहला प्रयास मध्यपाषाण काल के दौरान किया गया था। पालतू बनाया जाने वाला पहला जानवर कुत्ता था। जानवरों को पालतू बनाने का सबसे पहला साक्ष्य 5500 ई.पू. और 4500 ई.पू. राजस्थान के आदमगढ़ और बागोर से मिलता है।

**85. (D):** महाराष्ट्र स्थित इसामपुर पुरापाषाणिक शैलाश्रयों के लिए जाना जाता है। इन आश्रयों से पत्थर के औजार और प्राचीन चुल्हों के निशान मिले हैं। साथ ही यह पाषाण औजार निर्माण का केन्द्र भी था।

**86. (A):** गुप्तकालीन कला का सर्वोत्तम पक्ष उसकी मूर्तिकला है। इस काल तक आते-आते मूर्तिकला अपने सर्वोच्च शिखर तक जा पहुँची। इनकी अधिकांश मूर्तियाँ हिन्दू देवी-देवताओं से सम्बन्धित हैं। इस काल की मूर्तियों में कुषाणकालीन नग्नता एवं कामुकता का पूर्णतः लोप हो गया था। इस काल के मूर्तिकारों ने शारीरिक आकर्षण को छिपाने के लिए मूर्तियों में वस्त्रों के प्रयोग को प्रारम्भ किया। इस काल की मूर्तियों में सारनाथ की बैठे हुए बुद्ध की मूर्ति एवं सुल्तानगंज की कांसे की बुद्ध मूर्ति उल्लेखनीय है। मूर्तिकला, स्थापत्य एवं चित्रकला के चहुँमुखी विकास के कारण गुप्तकाल को कला एवं साहित्य का 'स्वर्ण काल' कहा जाता है।

**87. (C):** मोहनजोदड़ो से प्राप्त मातृदेवी की मृण्मूर्ति 2000 ई.पू. से सिंधु घाटी सभ्यता से प्राप्त हुआ। कला का संबंध कुषाण (78 ई.) काल से है। उदयगिरि की प्राचीन पहाड़ी में मकरवाहिनि गंगा की प्रतिमा का अंकन चन्द्रगुप्त द्वितीय (375-414 ई.) के शासनकाल में हुआ। कल्पतरू के नीचे गंगा की सुन्दर आकृति का अंकन पाल-सेन वंश के शासकों के अधीन हुआ।

**88. (C):** तमिल भाषा के प्राचीनतम लेख दक्षिण भारत की कुछ गुफाओं में मिलते हैं। ये लेख पहली-दूसरी शताब्दी के माने गए हैं और इनकी लिपि ब्राह्मी है। दन्तिवर्मन का तिरूवेतल्लराई अभिलेख प्रारम्भिक तमिल का एक सुन्दर उदाहरण प्रस्तुत करता है। इस लिपि का अन्तिम चरण विजयनगर अभिलेख में दृष्टिगोचर होता है।

**89. (A):** उपनिषद का शाब्दिक अर्थ होता है गुरु के निकट बैठ कर ज्ञान प्राप्त करना। उसी ज्ञान को लिपिबद्ध कर लिखे गए ग्रन्थ को उपनिषद कहा जाता है।

**90. (C):** जैन मठों को बसाड़ी कहा जाता है।

**91. (B):** ऐतिहासिकता की दृष्टि से संस्कृत संसार की सभी भाषाओं की जननी है। यह संसार की प्राचीनतम एवं प्रथम भाषा है। कला का व्याख्यान जितना अन्य भाषाओं में सम्भव है उस अर्थ में संस्कृत भी उतना ही कारगर और सक्षम है।

**92. (A):** 6ठी शताब्दी ई.पू. में प्रचलित सिक्के आहत सिक्के कहे जाते थे। इन सिक्कों पर ठप्पा मार कर ज्यामितीय आकार बनाए जाते थे। प्राचीनतम सिक्के मुख्यतः चाँदी के होते थे। इन्हें कार्षापण कहा जाता है। सर्वप्रथम सोने के सिक्के इण्डो-ग्रीक शासकों ने जारी किए। कुषाण शासक विम कडफिसस ने भारी मात्रा में सोने के सिक्के चलवाए। प्राचीन ग्रंथों में निष्क, कार्षापण, शतमान, काकणी और माषक सिक्कों के नाम थे।

**93. (A):** सात फन वाले कलिया नाग की मूर्ति, जैत, मथुरा में अवस्थित है।

**94. (C):** संगम साहित्य में सर्वाधिक प्राचीन वंश चेरों का उल्लेख है। इनका राजकीय प्रतीक चिह्न धनुष तथा राजधानी वाजी थी। चेरों के प्रमुख बंदरगाह टोंडी, मुशिरी, बन्दर, नौरा, नेलसिंडा, करूर आदि थे।

**95. (C):** सातवाहनों के समय तीन प्रकार के सामंत पाए जाते थे। ये समाज के उच्चत्तम वर्ग का नेतृत्व करते थे–(1) महारथी व राजा, जिसे सिक्के जारी करने का अधिकार होता था, (2) महाभोज और (3) महासेनापति। सामंतों के स्वामित्व वाले क्षेत्रों को छोड़कर, साम्राज्य को जनपदों, आहारों, निगमों और ग्रामों में विभक्त किया गया था।

**96. (D):** पुराणों के अनुसार अन्तिम शुंग शासक देवभूति था। देवभूति की हत्या कर उसके आमात्य कण्ववंशी वासुदेव ने 73 ई.पू. में कण्व वंश की स्थापना की।

**97. (C):** चन्द्रगुप्त मौर्य की जाति के विषय में विद्वान एक मत नहीं हैं। ब्राह्मण साहित्य उन्हें 'शुद्र' तथा बौद्ध एवं जैन ग्रन्थ इन्हें 'क्षत्रिय' कुल में उत्पन्न बताते हैं। विशाखादत्त कृत 'मुद्राराक्षस' में इनके लिए 'वृषल' शब्द का प्रयोग किया गया है। वृषल का अर्थ निम्न कुल से है। परिशिष्टपर्वन इसे मोर पोषकों के कुल से तथा रोमिला थापर ने मौर्यों को वैश्य जाति का माना है।

**98. (B):** जैन सिद्धांत के अनुसार, पशुओं तथा पौधों की सबसे निकृष्ट श्रेणी निगोडा है।

**99. (D):** 'रूद्र' की परम्परा काफी प्राचीन है। यह शिव का संहारक रूप है। वेद, उपनिषद में इनका उल्लेख है। पुष्णों में शिव के 'रूद्र' रूप का चित्रण नहीं है।

**100. (C):** व्यास स्मृति में 16 संस्कारों का वर्णन है। पहला संस्कार गर्भाधान संस्कार होता है जिसे पुंसवन संस्कार भी कहा जाता है। इससे रीति-नियामानुकूल संसर्ग से इच्छित पुत्र या पुत्री की प्राप्ति होती है।

❑❑❑❑❑

पिछले प्रश्न-पत्र (हल सहित)

Common University Entrance Test for PG Programmes

# CUET-PG—प्राचीन भारतीय इतिहास, संस्कृति और वास्तुकला

## प्रवेश परीक्षा, 2022

(Exam held on 11-09-2022)

**1.** निम्नलिखित में से कौन-सा संयुक्त व्यंजन नहीं है?

A. क्ष B. ज
C. त्र D. ज्ञ

**2.** निम्नलिखित में से कौन-सा शब्द 'फारसी' भाषा का नहीं है?

A. बाग, अफसोस
B. चाकू, शिकायत
C. चश्मा, कारखाना
D. कालीन, बेगम

**3.** 'संज्ञा के जिस रूप से किसी वस्तु के अलग होने का भाव प्रकट होता है' उसे कौन-सा कारक कहते हैं?

A. कर्त्ताकारक
B. कर्मकारक
C. अपादान कारक
D. सम्प्रदान कारक

**4.** नीचे दो कथन दिए गए हैं : एक अभिकथन (A) के रूप में लिखित है तो दूसरा उसके कारण (R) के रूप में :

**अभिकथन (A):** 'क्रिया विशेषण' अविकारी शब्द है।

**कारण (R):** वाक्य में प्रयोग करने के बाद 'क्रियाविशेषण' का रूप बदल जाता है।

उपरोक्त कथन के आलोक में, नीचे दिए गए विकल्पों में से सही उत्तर का चयन कीजिए :

A. (A) और (R) दोनों सत्य हैं और (R), (A) की सही व्याख्या है
B. (A) और (R) दोनों सत्य हैं, लेकिन (R), (A) की सही व्याख्या नहीं है
C. (A) सत्य है, लेकिन (R) असत्य है
D. (A) असत्य है, लेकिन (R) सत्य है

**5.** सूची-I के साथ सूची-II का मिलान कीजिए :

| सूची-I (शब्द) | सूची-II (समानार्थी) |
|---|---|
| (*a*) अरण्य | I. कुंभी |
| (*b*) उत्कर्ष | II. कानन |
| (*c*) विटप | III. अभ्युदय |
| (*d*) गज | IV. तरू |

नीचे दिए गए विकल्पों में से सही उत्तर का चयन कीजिए :

| | (*a*) | (*b*) | (*c*) | (*d*) |
|---|---|---|---|---|
| A. | IV | III | I | II |
| B. | II | III | IV | I |
| C. | I | II | III | IV |
| D. | II | IV | III | I |

**6.** नीचे दो कथन दिए गए हैं : एक अभिकथन (A) के रूप में लिखित है तो दूसरा उसके कारण (R) के रूप में :

**अभिकथन (A):** 'किनारा खींचना' का वाच्यार्थ है किसी डूबते व्यक्ति को धारा से खींचकर किनारे लाना।

**कारण (R):** इस मुहावरे का व्यंग्यार्थ है दूर होना।

उपरोक्त कथन के आलोक में, नीचे दिए गए विकल्पों में से सही उत्तर का चयन कीजिए :

A. (A) और (R) दोनों सत्य हैं और (R), (A) की सही व्याख्या है
B. (A) और (R) दोनों सत्य हैं, लेकिन (R), (A) की सही व्याख्या नहीं है
C. (A) सत्य है, लेकिन (R) असत्य है
D. (A) असत्य है, लेकिन (R) सत्य है

**1.** B **2.** D **3.** C **4.** C **5.** B **6.** D

**7.** निम्नलिखित में से कौन-सा युग्म सही नहीं है?

A. अकारान्त - घर B. इकारान्त - भाई
C. उकारान्त - साधु D. ऋकारान्त - मातृ

**8.** सूची-I के साथ सूची-II का मिलान कीजिए :

| सूची-I | सूची-II |
|---|---|
| (*a*) पिता से प्राप्त हुई संपत्ति | I. पैतृक |
| (*b*) जिसके पार देखा जा सके | II. पठनीय |
| (*c*) जो पढ़ने योग्य हो | III. पारदर्शी |
| (*d*) किसी कार्य को करने के बदले मिला हुआ धन | IV. पारिश्रमिक |

नीचे दिए गए विकल्पों में से सही उत्तर का चयन कीजिए :

| | (*a*) | (*b*) | (*c*) | (*d*) |
|---|---|---|---|---|
| A. | IV | III | II | I |
| B. | III | IV | I | II |
| C. | II | I | IV | III |
| D. | I | III | II | IV |

**9.** निम्नलिखित में से शुद्ध वाक्य चिह्नित कीजिए:

A. वेदों पर छः अंग माने जाते हैं।
B. वेदों से छः अंग माने जाते हैं।
C. वेदों के छः अंग माने जाते हैं।
D. वेदों में छः अंग माने जाते हैं।

**10.** निम्नलिखित में शुद्ध शब्द हैं:

(*a*) राष्ट्रिय
(*b*) आर्शीवाद
(*c*) उज्ज्वल
(*d*) चमत्कार
(*e*) कवयित्री

नीचे दिए गए विकल्पों में से सही उत्तर का चयन कीजिए:

A. (*c*), (*d*) और (*e*)
B. (*b*), (*c*) और (*e*)
C. (*c*), (*d*), (*e*) और (*a*)
D. (*a*), (*b*) और (*c*)

**11.** इनमें से किसने एलोरा में शिव-मंदिर का निर्माण करवाया?

A. चालुक्य शासक पुलकेशी II
B. गुप्त शासक समुद्रगुप्त
C. मौर्य सम्राट अशोक
D. राष्ट्रकूट शासक कृष्ण I

**12.** भारतीय संगीत का उद्‌गम निम्नांकित किस वैदिक संहिता से हुआ है?

A. अथर्ववेद B. यजुर्वेद
C. सामवेद D. ऋग्वेद

**13.** बौद्धधर्म ने समाज के हाशिए पर पड़े निम्नांकित किस वर्ग को अपने धर्म में शामिल कर उन पर एक महत्वपूर्ण प्रभाव डाला?

(*a*) महिला वर्ग
(*b*) योद्धा
(*c*) व्यापारी वर्ग
(*d*) शूद्र

नीचे दिए गए विकल्पों में से सबसे उपयुक्त उत्तर का चयन कीजिए:

A. केवल (*a*) B. केवल (*a*) और (*d*)
C. केवल (*a*) और (*c*) D. केवल (*d*)

**14.** निम्नलिखित में से किन की नियुक्तियों के लिए भारत के राष्ट्रपति को सामर्थ्यता प्राप्त है?

(*a*) सेना प्रमुख
(*b*) लोकसभा अध्यक्ष
(*c*) भारत के मुख्य न्यायाधीश
(*d*) वायु सेना प्रमुख

नीचे दिए गए विकल्पों में से सही उत्तर का चयन कीजिए:

A. केवल (*a*), (*b*) और (*d*)
B. केवल (*a*) और (*d*)
C. केवल (*a*) और (*c*)
D. केवल (*a*), (*c*) और (*d*)

**15.** स्वच्छ भारत मिशन-शहरी के बारे में निम्नलिखित कौन से कथन सही हैं?

(*a*) इसका व्यय 1.41 लाख करोड़ है और इसे 5 वर्षों में क्रियान्वित किया जाएगा।
(*b*) इसका नोडल मंत्रालय, "आवास और शहरी कार्य एवं नगर मंत्रालय" है।
(*c*) एस.बी.एम.- यू फेज 2 हरदीप सिंह पुरी द्वारा प्रारंभ किया गया था।
(*d*) एस.बी.एम. 2 अक्टूबर 2014 को प्रारंभ हुआ था।

नीचे दिए गए विकल्पों में से सही उत्तर का चयन कीजिए:

A. केवल (*a*), (*b*) और (*d*) B. केवल (*a*) और (*b*)
C. केवल (*a*) और (*d*) D. केवल (*a*), (*b*), (*c*) और (*d*)

**16.** एक विशेष कूट भाषा में

"book pen mouse computer" का कूट है– "er gh iu cv".
"keypad pen book bottle" का कूट है– "gh ty iu kl"
"computer pen bottle paper" का कूट है– "cv kl io gh".

"pen" के लिए निम्नलिखित में से सही कूट पहचानिये:

A. gh B. iu
C. cv D. io

**7.** B **8.** D **9.** C **10.** A **11.** D **12.** C **13.** B **14.** D
**15.** A **16.** A

**17.** एक विशेष कूट भाषा में:

'Attend class daily good' को 9$5, 24%9, 24*3 लिखा जाता है

'Begin great any matter' को 3&3, 8$9, 10*15, 14$4 लिखा जाता है

'Less error and fire' को 10$7, 23%8, 9%14, 24&3 लिखा जाता है

'Tool better than screw' को 16%22, 5$21, 10*4, 14%22 लिखा जाता है।

ऊपर दिए गए कूटों के अनुसार शब्द 'Burst' का कूट क्या है?

A. 8$4 B. 6$2
C. 8$2 D. 6#4

**18.** यदि संकेत '+' का अर्थ '–' है और '*' का अर्थ '/' है और इसका विपरीत भी मान्य है तो निम्नलिखित समीकरण का मान क्या होगा?

4 * 2 / 4 – 2 + 3

A. 7 B. 3
C. –8 D. 10

**19.** यदि V सबसे पहले प्रस्तुति देता है तो निम्नलिखित में से कौन-सा विकल्प सत्य होगा?

(*a*) T छठवें क्रम पर प्रस्तुति देता है।
(*b*) X तीसरे क्रम पर प्रस्तुति देता है।
(*c*) Z सातवें क्रम पर प्रस्तुति देता है।
(*d*) Y के तुरन्त बाद T प्रस्तुति देता है।
(*e*) X के तुरन्त बाद W प्रस्तुति देता है।

नीचे दिए गए विकल्पों में से सही उत्तर का चयन कीजिए:

A. (*c*) और (*e*) सही है B. (*d*) और (*e*) सही है
C. (*a*) और (*b*) सही है D. (*c*) और (*d*) सही है

**20.** 6 किमी चलने के बाद, आराधना दाहिने मुड़ी और 2 किमी चली। उसके बाद वह बायें मुड़ी और 10 किमी चली। अन्त में आराधना उत्तर दिशा में चल रही है। आराधना ने अपनी यात्रा किस दिशा से शुरू की थी?

A. उत्तर B. दक्षिण
C. पूरब D. पश्चिम

**21.** 7 पुरुषों एवं 5 महिलाओं में से 6 सदस्यीय समिति का चयन कितने प्रकार से किया जा सकता है, जिसमें 4 पुरुष एवं 2 महिलाएँ शामिल हों?

A. 200 B. 250
C. 350 D. 450

**22.** एक शंकु और एक गोले की त्रिज्या एवं आयतन समान हैं। तो गोले के व्यास का शंकु की ऊँचाई से अनुपात कितना होगा?

A. 1:4 B. 1:2
C. 4:1 D. 2:1

**23.** कोई धनराशि चक्रवृद्धि ब्याज की दर से 15 वर्षों में दोगुनी हो जाती है। कितने वर्षों में यह आठ गुनी हो जायेगी?

A. 15 वर्ष B. 30 वर्ष
C. 40 वर्ष D. 45 वर्ष

**24.** किसी पासे को दो बार फेंकने से योग 9 प्राप्त करने की प्रायिकता कितनी है?

A. $\frac{1}{12}$ B. $\frac{1}{4}$
C. $\frac{1}{9}$ D. $\frac{1}{6}$

**25.** यदि समीकरण $2x^2 + 3x + p = 0$ के समान मूल हैं, तो $p$ का मान कितना होगा?

A. $\frac{7}{8}$ B. $\frac{1}{8}$
C. $\frac{8}{9}$ D. $\frac{9}{8}$

**26.** जैन धर्म में सर्वोच्च ज्ञान को कहते हैं:

A. श्रुति B. केवल
C. मति D. अवधि

**27.** निम्नलिखित में से किस शिलालेख में गौतम बुद्ध का जन्म-स्थान निर्देशित है?

A. 13वाँ शैल आदेशपत्र
B. रूमिनदेई स्तंभ शिलालेख
C. दिल्ली-टोपरा स्तंभ शिलालेख
D. लोरिया नंदनगढ़ स्तंभ शिलालेख

**28.** निम्नलिखित में से किस शिलालेख में चंद्रगुप्त (मौर्य) का नाम पहली बार उल्लिखित हुआ?

A. अशोक का बारहवां शिलालेख
B. समुद्रगुप्त का इलाहाबाद स्तंभ शिलालेख
C. रुद्रदमन I का जूनागढ़ शिलालेख
D. खारवेल का हाथीगुम्फा शिलालेख

**29.** ऋग्वेद के किस मण्डल में, पहली बार शूद्र का उल्लेख किया गया?

A. प्रथम मण्डल B. पाँचवाँ मण्डल
C. सातवाँ माण्डल D. दसवाँ मण्डल

**30.** चीनी तीर्थयात्री ह्वेन-त्सांग ने किसके शासनकाल में पल्लव राजधानी काँची की यात्रा की?

A. सिंहविष्णु B. महेन्द्रवर्मन-I
C. नरसिंहवर्मन-I D. नरसिंहवर्मन-II

| | | | | | | |
|---|---|---|---|---|---|---|
| **17.** A | **18.** A | **19.** A | **20.** B | **21.** C | **22.** B | **23.** D |
| **24.** C | **25.** D | **26.** B | **27.** B | **28.** C | **29.** D | **30.** C |

**31.** निम्नलिखित में से गुप्त वंश के किस राजा को लिच्छवि-दौहित्र के रूप में वर्णित किया गया है?

A. चन्द्रगुप्त-I B. समुद्रगुप्त
C. चन्द्रगुप्त-II विक्रमादित्य D. स्कन्दगुप्त

**32.** निम्नलिखित में से किस धर्म में महापुरुषों को शलाकापुरुष कहा जाता है?

A. जैन धर्म B. बौद्ध धर्म
C. शैव धर्म D. वैष्णव धर्म

**33.** निम्नलिखित में से किस मंदिर का निर्माण गुप्त काल में नहीं हुआ था?

A. भूमरा का शैव मंदिर B. देवगढ़ का दशावतार मंदिर
C. कोणार्क का सूर्य मंदिर D. भीतरगाँव का विष्णु मंदिर

**34.** किस जैन आचार्य के साथ चन्द्रगुप्त मौर्य दक्षिण भारत गया था?

A. इन्द्रभूति गौतम B. भद्रबाहु-I
C. स्थूलभद्र D. सुहास्ति

**35.** निम्नलिखित में से कौन-सा स्थल नवपाषाण काल से संबंधित नहीं है?

A. मेहरगढ़ B. चोपनीमाण्डो
C. कुन्झुम D. कोल्डिहवा

**36.** अधिकांश अभिलेख एक ही भाषा 'प्राकृत' में उत्कीर्णित हैं। यह प्राकृत भाषा किस नाम से जानी जाती है?

A. मागधी B. अर्धमागधी
C. सौरसेनी D. महाराष्ट्री

**37.** ताण्ड्य महाब्राह्मण को ........... नाम से भी जाना जाता है।

A. ऐतरेय ब्राह्मण B. शतपथ ब्राह्मण
C. पंचविंश ब्राह्मण D. गोपथ ब्राह्मण

**38.** प्राचीन नगर उर संबंधित हैः

A. हड़प्पा सभ्यता से B. सुमेर सभ्यता से
C. मिस्र की सभ्यता से D. चीन की सभ्यता से

**39.** 'पृथ्वीराजविजय' नामक पुस्तक का लेखक कौन था?

A. चन्द्रशेखर B. जयानक
C. जगनिक D. सन्ध्याकर नन्दी

**40.** किस पुरास्थल पर राजा अशोक और उसकी रानी की महिला सेविकाओं के साथ उन्मुक्त मूर्ति प्राप्त हुई?

A. साँची स्तूप B. सारनाथ स्तूप
C. कनंगनहल्ली स्तूप D. भरहुत स्तूप

**41.** निम्नलिखित में से किस शिलालेख में 'भारत' शब्द उत्कीर्णित है?

A. रुद्रदमन का जूनागढ़ का शिलालेख
B. कनिष्क का सुइ-बिहार का शिलालेख
C. खारवेल का हाथीगुम्फा शिलालेख
D. धनदेव का अयोध्या का शिलालेख

**42.** दशराज्ञ क्या है?

A. विष्णु के दस अवतार
B. वैदिक काल का राजा
C. ऋग्वेद में वर्णित दस राजाओं का युद्ध
D. एक मंत्री जिसने दस अश्वमेघ यज्ञ किये

**43.** भगवान महावीर निम्नलिखित में से किस कुल से संबंधित थे?

A. शाक्य B. विदेह
C. ज्ञातृक D. लिच्छवि

**44.** निम्नलिखित में से कौन-सा वैदिक शास्त्र उपनयन संस्कार का विस्तारपूर्वक वर्णन करता है?

A. शतपथ ब्राह्मण B. ऐतरेय ब्राह्मण
C. गोपथ ब्राह्मण D. पंचविंश ब्राह्मण

**45.** 'तथागत' किसे कहा जाता है?

A. महावीर B. मखलिपुत्र गोशाल
C. गौतम बुद्ध D. अजीत केशकम्बली

**46.** निम्न समूह में से कौन सुमेलित नहीं है?

A. पाणिनि - अष्टाध्यायी
B. पतंजलि - महाभाष्य
C. भवभूति - गार्गी संहिता
D. कालिदास - ऋतुसंहार

**47.** निम्नलिखित में से कौन-सा बौद्ध ग्रंथ नहीं है?

A. चुल्लवग्ग B. मिलिन्दपन्हो
C. सुत्तपिटक D. कथा कोश

**48.** निम्न में से कौन-सा राजा गौतम बुद्ध का समकालीन नहीं था?

A. बिम्बिसार B. कालाशोक
C. अजातशत्रु D. चंडप्रद्योत

**49.** निम्नलिखित में से किस नदी के साथ लोथल पत्तन अच्छी तरह से संबद्ध है?

A. नर्मदा B. भीमा
C. भोगवा D. ताप्ती

**50.** निम्नलिखित में से कौन-सा स्थल गुजराल में स्थित नहीं है?

A. सुरकोटदा B. लोथल
C. धौलावीरा D. आलमगीरपुर

**51.** सम्राट अशोक की निम्नलिखित में से किस पत्नी ने धार्मिक कार्यों के लिए दान दिया था?

A. असंधिमित्ता B. पद्मावती
C. विदिशा महादेवी D. कारूवाकी

| | | | | | | | | | | |
|---|---|---|---|---|---|---|---|---|---|---|
| **31.** B | **32.** A | **33.** C | **34.** B | **35.** B | **36.** B | **37.** C | **38.** B | **39.** B | **40.** C | **41.** C |
| **42.** C | **43.** C | **44.** A | **45.** C | **46.** C | **47.** D | **48.** B | **49.** C | **50.** D | **51.** D | |

**52.** अशोक का वह एकमात्र शिलालेख कौन-सा है जिसमें कराधान के विषय में वर्णन किया गया है?

A. छठा शिलालेख
B. रुम्मिनदेई का स्तंभ लेख
C. तेरहवाँ शिलालेख
D. ब्रह्मगिरि लघु आदेशपत्र

**53.** सम्राट अशोक के शासनकाल में निम्न में से किस विदेशी को सौराष्ट्र का गवर्नर नियुक्त किया गया था?

A. मेगास्थनीज
B. प्लूटार्क
C. तुषास्फ
D. जस्टिन

**54.** भारत सरकार के प्रत्येक राष्ट्रीय चिह्न पर 'सत्यमेव जयते' लिखा हुआ है। यह शब्द कहाँ से लिया गया है?

A. मुण्डक उपनिषद
B. माण्डूक्य उपनिषद
C. कठोपनिषद
D. ऋग्वेद

**55.** निम्न में से कौन-सी हर्यंक वंश के बिम्बिसार की रानी नहीं थी?

A. चेलना
B. प्रभावती
C. क्षेमा
D. महाकोसला

**56.** निम्नलिखित में से किस राजा का नाम अपने पिता के हत्यारे के रूप में उल्लिखित है?

A. बिम्बिसार
B. अजातशत्रु
C. बिंदुसार
D. दर्शक

**57.** निम्न में से कौन-सा जोड़ा सही रूप से मेलित है?

A. प्रसेनजित - मगध
B. उदयन - वत्स
C. कालाशोक - अवन्ति
D. चंडप्रद्योत - कोसल

**58.** निम्नलिखित में से कौन-सा अभिलेख भागवत पंथ से संबंधित है?

A. रुद्रदामन का जूनागढ़ शिलालेख
B. खारवेल का हाथीगुम्फा शिलालेख
C. दशरथ का गुफा शिलालेख
D. हेलियोडोरस का बेसनगर स्तंभ अभिलेख

**59.** निम्नलिखित में से किस तीर्थंकर को ब्राह्मण परम्परा के श्रीकृष्ण के समकालीन माना जाता है?

A. पार्श्वनाथ
B. महावीर
C. अरिष्टनेमि
D. श्रेयांशनाथ

**60.** भारतीय गणित की प्राचीनतम जड़ें पायी जाती हैं:

A. यवन जातक में
B. पंञ्च सिद्धांतिका में
C. आर्यभट्टीय में
D. शुल्व सूत्र में

**61.** धर्मचक्रप्रवर्तनय क्या है?

A. बुद्ध की मृत्यु
B. महावीर की मृत्यु
C. बुद्ध का संन्यास
D. बुद्ध द्वारा किया गया प्रथम प्रवचन

**62.** भारत में बौद्ध परम्परा का सबसे प्राचीन स्तूप कौन-सा है?

A. साँची
B. सारनाथ
C. बोधगया
D. अमरावती

**63.** निम्नलिखित में से किन शिलालेखों में अशोक का नाम है?

A. मास्की, गुर्जरा
B. मास्की, पिपरहवा
C. महास्थान, सोहगोरा
D. गुर्जरा, पिकलीहल

**64.** कार्बन-14 की अर्धआयु है:

A. 5668 वर्ष
B. 5658 वर्ष
C. 6658 वर्ष
D. 5568 वर्ष

**65.** निम्नलिखित में से कौन-सा साहित्य प्रमुखतः महात्मा बुद्ध के पूर्व जन्म की कथाओं का वर्णन करता है?

A. महावंश
B. दीपवंश
C. जातक कथा
D. मिलिन्दपन्हो

**66.** नीचे दो कथन दिए गए हैं: एक अभिकथन (A) के रूप में लिखित है तो दूसरा उसके कारण (R) के रूप में:

**अभिकथन (A):** प्राचीन भारतीय समाज में दासों को रोमन समाज के दासों की तरह उत्पादक कार्यों में व्यापक रूप से नियोजित नहीं किया जाता था।

**कारण (R):** उत्पादन और श्रम का बोझ वैश्यों और शूद्रों पर टिका हुआ था।

उपरोक्त कथन के आलोक में, नीचे दिए गए विकल्पों में से सबसे उपयुक्त उत्तर का चयन कीजिए:

A. (A) और (R) दोनों सही हैं और (R), (A) की सही व्याख्या है
B. (A) और (R) दोनों सही हैं, लेकिन (R), (A) की सही व्याख्या नहीं है
C. (A) सही है, लेकिन (R) सही नहीं है
D. (A) सही नहीं है, लेकिन (R) सही है

**67.** नीचे दो कथन दिए गए हैं: एक अभिकथन (A) के रूप में लिखित है तो दूसरा उसके कारण (R) के रूप में:

**अभिकथन (A):** राजेन्द्र चोल I ने 'गंगइकोंड चोल' की उपाधि को धारण किया था।

**कारण (R):** राजेन्द्र चोल I ने एक राजा के रूप में श्रीलंका के अधिकांश द्वीपों पर विजय प्राप्त कर ली थी।

उपरोक्त कथन के आलोक में, नीचे दिए गए विकल्पों में से सबसे उपयुक्त उत्तर का चयन कीजिए:

A. (A) और (R) दोनों सही हैं और (R), (A) की सही व्याख्या है
B. (A) और (R) दोनों सही हैं, लेकिन (R), (A) की सही व्याख्या नहीं है
C. (A) सही है, लेकिन (R) सही नहीं है
D. (A) सही नहीं है, लेकिन (R) सही है

| | | | | | | | |
|---|---|---|---|---|---|---|---|
| **52.** B | **53.** C | **54.** A | **55.** B | **56.** B | **57.** B | **58.** D | **59.** C |
| **60.** D | **61.** D | **62.** B | **63.** A | **64.** * | **65.** C | **66.** A | **67.** B |

**68.** नीचे दो कथन दिए गए हैं: एक अभिकथन (A) के रूप में लिखित है तो दूसरा उसके कारण (R) के रूप में:

**अभिकथन (A):** बुद्ध की शिक्षाओं के अनुसार अष्टांग मार्ग द्वारा दुखों को दूर किया जा सकता है।

**कारण (R):** अष्टांग मार्ग ज्ञान, व्यवहार तथा ध्यान साधना से संबंधित बहुत-सी गतिविधियों से मिलकर बना है।

उपरोक्त कथन के आलोक में, नीचे दिए गए विकल्पों में से सबसे उपयुक्त उत्तर का चयन कीजिए:

A. (A) और (R) दोनों सही हैं और (R), (A) की सही व्याख्या है
B. (A) और (R) दोनों सही हैं, लेकिन (R), (A) की सही व्याख्या नहीं है
C. (A) सही है, लेकिन (R) सही नहीं है
D. (A) सही नहीं है, लेकिन (R) सही है

**69.** नीचे दो कथन दिए गए हैं: एक अभिकथन (A) के रूप में लिखित है तो दूसरा उसके कारण (R) के रूप में:

**अभिकथन (A):** अहाड़ का प्राचीन नाम तांबवती या ताँबे का स्थान है।

**कारण (R):** अहाड़ संस्कृति के एक स्थानीय केन्द्र को गिलुन्द नाम से जाना जाता है।

उपरोक्त कथन के आलोक में, नीचे दिए गए विकल्पों में से सबसे उपयुक्त उत्तर का चयन कीजिए:

A. (A) और (R) दोनों सही हैं और (R), (A) की सही व्याख्या है
B. (A) और (R) दोनों सही हैं, लेकिन (R), (A) की सही व्याख्या नहीं है
C. (A) सही है, लेकिन (R) सही नहीं है
D. (A) सही नहीं है, लेकिन (R) सही है

**70.** नीचे दो कथन दिए गए हैं: एक अभिकथन (A) के रूप में लिखित है तो दूसरा उसके कारण (R) के रूप में:

**अभिकथन (A):** मेगास्थनीज के अनुसार, नगर प्रबंधन छः समितियों द्वारा किया जाता था। प्रत्येक समिति में पाँच सदस्य होते थे।

**कारण (R):** मेगास्थनीज ने भारतीय समाज को सात वर्गों में वर्गीकृत किया।

उपरोक्त कथन के आलोक में, नीचे दिए गए विकल्पों में से सही उत्तर का चयन कीजिए:

A. (A) और (R) दोनों सत्य हैं और (R), (A) की सही व्याख्या है
B. (A) और (R) दोनों सत्य हैं, लेकिन (R), (A) की सही व्याख्या नहीं है
C. (A) सत्य है, लेकिन (R) असत्य है
D. (A) असत्य है, लेकिन (R) सत्य है

**71.** नीचे दो कथन दिए गए हैं: एक अभिकथन (A) के रूप में लिखित है तो दूसरा उसके कारण (R) के रूप में:

**अभिकथन (A):** गुप्त काल के दौरान राज्यों को अनेक 'भुक्तियों' में विभाजित किया गया था, जिनके सर्वोच्च अधिकारी का नाम 'उपरिक' था।

**कारण (R):** इस काल में सरकारी अधिकारियों तथा सेना की सेवा करने के लिए ग्रामीणों को विष्टि (निःशुल्क श्रम) करना पड़ता था।

उपरोक्त कथन के आलोक में, नीचे दिए गए विकल्पों में से सही उत्तर का चयन कीजिए:

A. (A) और (R) दोनों सत्य हैं और (R), (A) की सही व्याख्या है
B. (A) और (R) दोनों सत्य हैं, लेकिन (R), (A) की सही व्याख्या नहीं है
C. (A) सत्य है, लेकिन (R) असत्य है
D. (A) असत्य है, लेकिन (R) सत्य है

**72.** नीचे दो कथन दिए गए हैं: एक अभिकथन (A) के रूप में लिखित है तो दूसरा उसके कारण (R) के रूप में:

**अभिकथन (A):** मौर्य राज्य में आय का मुख्य स्रोत भू-राजस्व था।

**कारण (R):** राज्य की कृषि भूमि से प्राप्त आय को 'सीता' कहते थे।

उपरोक्त कथन के आलोक में, नीचे दिए गए विकल्पों में से सही उत्तर का चयन कीजिए:

A. (A) और (R) दोनों सत्य हैं और (R), (A) की सही व्याख्या है
B. (A) और (R) दोनों सत्य हैं, लेकिन (R), (A) की सही व्याख्या नहीं है
C. (A) सत्य है, लेकिन (R) असत्य है
D. (A) असत्य है, लेकिन (R) सत्य है

**73.** निम्नलिखित राजाओं में से कौन राजा हर्षवर्धन के समकालीन नहीं था?

(*a*) शशांक
(*b*) यशोवर्मन
(*c*) ध्रुवसेन II
(*d*) पुलकेशिन II
(*e*) ध्रुवसेन III

नीचे दिए गए विकल्पों में से सही उत्तर का चयन कीजिए:

A. (*a*), (*c*)
B. (*b*), (*c*), (*d*)
C. (*b*), (*e*)
D. (*c*), (*d*), (*e*)

**74.** वराहमिहिर छठी शताब्दी के वैज्ञानिक थे। उनके रचित ग्रंथ हैं:

(*a*) वेदांगज्योतिष
(*b*) खण्डखाद्यक
(*c*) पंचसिद्धान्तिका
(*d*) बृहत्संहिता
(*e*) गणितसार संग्रह

नीचे दिए गए विकल्पों में से सही उत्तर का चयन कीजिए:

A. (*a*) और (*c*)
B. (*b*) और (*d*)
C. (*c*) और (*e*)
D. (*c*) और (*d*)

**68.** A **69.** B **70.** B **71.** B **72.** A **73.** C **74.** D

**75.** निम्नलिखित में से अपने कौन से राज्य वर्ष में मौर्य वंश के राजा अशोक ने कलिंग के साथ युद्ध किया?

(*a*) सातवाँ (*b*) आठवाँ
(*c*) नवाँ (*d*) दसवाँ
(*e*) तेरहवाँ

नीचे दिए गए विकल्पों में से सही उत्तर का चयन कीजिए:

A. (*d*) B. (*b*)
C. (*e*) D. (*a*)

**76.** वे कौन से त्रि-रत्न हैं जो जैन परम्परा में सबसे पवित्र माने जाते हैं?

(*a*) सम्यक् दर्शन
(*b*) अहिंसा
(*c*) पुरुषार्थ
(*d*) सम्यक् ज्ञान
(*e*) सम्यक् चरित्र

नीचे दिए गए विकल्पों में से सही उत्तर का चयन कीजिए:

A. (*b*), (*c*), (*d*) B. (*a*), (*b*), (*d*)
C. (*a*), (*d*), (*e*) D. (*c*), (*d*), (*e*)

**77.** किस मौर्य राजा की हत्या के बाद पुष्यमित्र शुंग ने शुंगवंश को स्थापित किया?

(*a*) दशरथ (*b*) सम्प्रति
(*c*) बृहद्रथ (*d*) इन्द्रपालित
(*e*) आदित्यसेन

नीचे दिए गए विकल्पों में से सही उत्तर का चयन कीजिए:

A. (*a*) B. (*d*)
C. (*c*) D. (*e*)

**78.** आर्यभट्टीय पाई का मान प्रदान करता है।

A. 3.1416 B. 3.1426
C. 3.1776 D. 3.1676

**79.** जातकों में गौतम बुद्ध के विभिन्न जन्मों का वर्णन दिया गया है। यह जातकग्रंथ निम्नलिखित में से किसका भाग है?

(*a*) दीघनिकाय
(*b*) मज्झिम निकाय
(*c*) खुद्दक निकाय
(*d*) मिलिंदप्रश्न
(*e*) बुद्ध चरित्र

नीचे दिए गए विकल्पों में से सही उत्तर का चयन कीजिए:

A. (*a*) B. (*d*)
C. (*c*) D. (*e*)

**80.** नीचे दो कथन दिए गए हैं:

**कथन I:** तीर्थंकर पार्श्वनाथ ने धर्म के चातुर्यामों की शिक्षा दी।

**कथन II:** उनका जन्म भगवान महावीर से एक हजार वर्ष पूर्व हुआ था। ये जैन परम्परा के चौबीसवें तीर्थंकर थे।

उपरोक्त कथन के आलोक में, नीचे दिए गए विकल्पों में से सबसे उपयुक्त उत्तर का चयन कीजिए:

A. कथन I और II दोनों सही हैं
B. कथन I और II दोनों गलत हैं
C. कथन I सही है, लेकिन कथन II गलत है
D. कथन I गलत है, लेकिन कथन II सही है

**81.** नीचे दो कथन दिए गए हैं:

**कथन I:** महापरिनिब्बान सुत्त के अनुसार बुद्ध की मृत्यु कुसीनारा में हुई।

**कथन II:** बुद्ध ने आनन्द से कहा कि उनके अवशेषों के साथ किसी महाराजा के अवशेषों की तरह व्यवहार किया जाए।

उपरोक्त कथन के आलोक में, नीचे दिए गए विकल्पों में से सबसे उपयुक्त उत्तर का चयन कीजिए:

A. कथन I और II दोनों सही हैं
B. कथन I और II दोनों गलत हैं
C. कथन I सही है, लेकिन कथन II गलत है
D. कथन I गलत है, लेकिन कथन II सही है

**82.** नीचे दो कथन दिए गए हैं:

**कथन I:** अंगकोरवाट मंदिर कम्बोडिया (कम्पूचिया) में स्थित है।

**कथन II:** रामायण और महाभारत की कहानियों को भू-आकृतियों के माध्यम से मंदिर की दीवार पर दर्शाया गया है।

उपरोक्त कथन के आलोक में, नीचे दिए गए विकल्पों में से सबसे उपयुक्त उत्तर का चयन कीजिए:

A. कथन I और II दोनों सही हैं
B. कथन I और II दोनों गलत हैं
C. कथन I सही है, लेकिन कथन II गलत है
D. कथन I गलत है, लेकिन कथन II सही है

**83.** नीचे दो कथन दिए गए हैं:

**कथन I:** चोल राजा राजराजा-I ने शैलेन्द्र राजा श्रीमार विजयोतुंगवर्मन के निवेदन पर चूड़ामणि विहार दान कर दिया था।

**कथन II:** राजराजा-I शैव धर्म का एक पवित्र अनुयायी था।

उपरोक्त कथन के आलोक में, नीचे दिए गए विकल्पों में से सबसे उपयुक्त उत्तर का चयन कीजिए:

A. कथन I और II दोनों सही हैं
B. कथन I और II दोनों गलत हैं
C. कथन I सही है, लेकिन कथन II गलत है
D. कथन I गलत है, लेकिन कथन II सही है

| **75.** B | **76.** C | **77.** C | **78.** A | **79.** C | **80.** C | **81.** A | **82.** A | **83.** A |
|---|---|---|---|---|---|---|---|---|

**84.** नीचे दो कथन दिए गए हैं: एक अभिकथन (A) के रूप में लिखित है तो दूसरा उसके कारण (R) के रूप में:

**अभिकथन (A):** महावीर स्वामी को केवलिन कहा जाता है।

**कारण (R):** उसकी माता त्रिशला ने उन्हें कैवल्य प्रदान किया था।

उपरोक्त कथन के आलोक में नीचे दिए गए विकल्पों में से सही उत्तर का चयन कीजिए:

A. (A) और (R) दोनों सत्य हैं और (R), (A) की सही व्याख्या है।
B. (A) और (R) दोनों सत्य हैं, लेकिन (R), (A) की सही व्याख्या नहीं है।
C. (A) सत्य है, लेकिन (R) असत्य है।
D. (A) असत्य है, लेकिन (R) सत्य है।

**85.** नीचे दो कथन दिए गए हैं:

**कथन I:** विनयपिटक का संपादन द्वितीय बौद्ध महासभा में किया गया।

**कथन II:** इस ग्रंथ में भगवान बुद्ध की शिक्षाओं तथा प्रवचनों का विस्तारपूर्वक वर्णन दिया गया है।

उपरोक्त कथन के आलोक में, नीचे दिए गए विकल्पों में से सबसे उपयुक्त उत्तर का चयन कीजिए:

A. कथन I और II दोनों सही हैं
B. कथन I और II दोनों गलत हैं
C. कथन I सही है, लेकिन कथन II गलत है
D. कथन I गलत है, लेकिन कथन II सही है

**86.** नीचे दो कथन दिए गए हैं:

**कथन I:** पल्लव राजाओं के शासन काल में काँचीपुरम को एक बड़े शिक्षा केन्द्र के रूप में विकसित किया गया।

**कथन II:** विष्णुगोप के शासन काल में चीनी तीर्थयात्री ह्वेन-त्सांग पल्लव राजधानी में गया।

उपरोक्त कथन के आलोक में, नीचे दिए गए विकल्पों में से सबसे उपयुक्त उत्तर का चयन कीजिए:

A. कथन I और II दोनों सही हैं
B. कथन I और II दोनों गलत हैं
C. कथन I सही है, लेकिन कथन II गलत है
D. कथन I गलत है, लेकिन कथन II सही है

**87.** बेसनगर अभिलेख में निम्न में से भागवत पंथ के किस देवता/देवताओं का वर्णन मिलता है?

(*a*) संकर्षण (*b*) प्रद्युमन
(*c*) पंचरात्र (*d*) वासुदेव
(*e*) श्रीकृष्ण

नीचे दिए गए विकल्पों में से सही उत्तर का चयन कीजिए:

A. केवल (*a*) और (*c*) B. केवल (*a*)
C. केवल (*c*) और (*e*) D. केवल (*d*)

**88.** मौर्य वंश के इतिहास को ज्ञात करने के लिए निम्नलिखित ग्रंथ प्रसिद्ध हैं।

(*a*) हर्षचरित (*b*) राजतरंगिणी
(*c*) कादम्बरी (*d*) दशकुमार चरितम्
(*e*) दिव्यावदान

नीचे दिए गए विकल्पों में से सही उत्तर का चयन कीजिए:

A. केवल (*b*), (*c*), (*d*) B. केवल (*c*), (*d*), (*e*)
C. केवल (*a*), (*b*), (*e*) D. केवल (*a*), (*b*), (*d*)

**89.** निम्नलिखित सूची में से कौन-सा बौद्ध इतिहास-लेखन का स्रोत नहीं है?

(*a*) दिव्यावदान (*b*) ललितविस्तार
(*c*) जातक (*d*) दीपवंश
(*e*) उत्तराध्ययनसूत्र

नीचे दिए गए विकल्पों में से सबसे उपयुक्त उत्तर का चयन कीजिए:

A. केवल (*a*), (*b*) B. केवल (*c*), (*d*)
C. केवल (*e*) D. केवल (*b*), (*c*)

**90.** निम्नलिखित सूची में से कौन-सा जैन इतिहास-लेखन का स्रोत नहीं हैं?

(*a*) हरिवंशपुराण (*b*) आदिपुराण
(*c*) परमचरित (*d*) हर्षचरित
(*e*) कल्पसूत्र

नीचे दिए गए विकल्पों में से सबसे उपयुक्त उत्तर का चयन कीजिए:

A. केवल (*a*) B. केवल (*b*), (*c*)
C. केवल (*a*), (*e*) D. केवल (*d*)

**91.** (*a*) 'राजपूत' शब्द, संस्कृत शब्द 'राजपुत्र' से व्युत्पन्न हैं।
(*b*) 'पृथ्वीराज रासो' में ऋषि वशिष्ठ द्वारा आबू पर्वत पर संपन्न किए गए एक यज्ञ की कहानी है।
(*c*) प्रतिहार, चालुक्य, चाह्मान और परमार यज्ञ की अग्नि से उत्पन्न हुए चार योद्धा थे।
(*d*) धर्मपाल, परमार वंश का महानतम राजा था।
(*e*) धर्मपाल, पाल वंश का महानतम राजा था।

नीचे दिए गए विकल्पों में से सबसे उपयुक्त उत्तर का चयन कीजिए:

A. केवल (*a*), (*b*), (*c*), (*e*) B. केवल (*a*), (*d*), (*c*), (*e*)
C. केवल (*a*), (*b*), (*d*), (*e*) D. केवल (*a*), (*c*)

**84.** C **85.** B **86.** C **87.** D **88.** C **89.** C **90.** D **91.** A

**92.** (*a*) ग्रीक रचनाओं में चन्द्रगुप्त मौर्य को सैन्ड्रोकोट्टस के नाम से जाना जाता है।

(*b*) मेगास्थनीज ने 'इंडिका' नामक पुस्तक लिखी।

(*c*) विष्णुगुप्त या चाणक्य, चन्द्रगुप्त मौर्य का जनक था।

(*d*) 'मुद्राराक्षस' विशाखदत्त द्वारा लिखी गई।

(*e*) मेगास्थनीज, सेल्यूकस का राजदूत था।

नीचे दिए गए विकल्पों में से सबसे उपयुक्त उत्तर का चयन कीजिए:

A. केवल (*b*), (*c*), (*d*), (*e*)

B. केवल (*a*), (*b*), (*d*), (*e*)

C. केवल (*a*), (*b*), (*c*)

D. केवल (*c*), (*d*), (*e*)

**93.** चन्द्रगुप्त II विक्रमादित्य के शासन काल से सम्बन्धित कथनों पर विचार करें।

(*a*) वह समुद्रगुप्त का पौत्र था।

(*b*) उसके शासन काल में चीनी तीर्थयात्री फाह्यान आया।

(*c*) उसने हूणों के साथ बहादुरी से युद्ध किया।

(*d*) वह 'शकारि' के रूप में प्रसिद्ध हुआ।

(*e*) उसकी पुत्री प्रभावती गुप्ता का विवाह चालुक्य राजा के साथ सम्पन्न हुआ।

नीचे दिए गए विकल्पों में से सबसे उपयुक्त उत्तर का चयन कीजिए:

A. केवल (*a*), (*e*)

B. केवल (*b*), (*c*), (*d*)

C. केवल (*b*), (*d*)

D. केवल (*c*), (*d*), (*e*)

**94.** सूची-I के साथ सूची-II का मिलान कीजिए :

| सूची-I | सूची-II |
|---|---|
| (*a*) निष्क | I. ताँबा |
| (*b*) बर्तन | II. चाँदी |
| (*c*) मषक | III. स्वर्ण |
| (*d*) काकणी | IV. ताँबा |

नीचे दिए गए विकल्पों में से सही उत्तर का चयन कीजिए :

| | (*a*) | (*b*) | (*c*) | (*d*) |
|---|---|---|---|---|
| A. | I | II | III | IV |
| B. | III | II | IV | I |
| C. | II | III | IV | I |
| D. | IV | III | II | I |

**95.** सूची-I के साथ सूची-II का मिलान कीजिए :

| सूची-I | सूची-II |
|---|---|
| (*a*) गुर्जर-प्रतिहार | I. यशोविग्रह |
| (*b*) पाल | II. नागभट्ट |
| (*c*) गहड़वाल | III. गोपाल |
| (*d*) चंदेल | IV. नन्नुक |

नीचे दिए गए विकल्पों में से सही उत्तर का चयन कीजिए :

| | (*a*) | (*b*) | (*c*) | (*d*) |
|---|---|---|---|---|
| A. | II | III | I | IV |
| B. | I | II | III | IV |
| C. | IV | III | II | I |
| D. | II | I | IV | III |

**96.** सूची-I के साथ सूची-II का मिलान कीजिए :

| सूची-I | सूची-II |
|---|---|
| (*a*) भारतीय निम्न पुरापाषाण काल | I. फ्लैक उपकरण |
| (*b*) भारतीय मध्य पुरापाषाण काल | II. पेबल हस्तकुल्हाड़ियाँ, विभेदक |
| (*c*) भारतीय मध्यप्रस्तर काल | III. आदिम कुल्हाड़ियाँ (घिसी हुई, परिष्कृत, हस्तकुल्हाड़ियाँ) |
| (*d*) भारतीय नवपाषाण काल | IV. लघु पाषाण |

नीचे दिए गए विकल्पों में से सही उत्तर का चयन कीजिए :

| | (*a*) | (*b*) | (*c*) | (*d*) |
|---|---|---|---|---|
| A. | I | II | IV | III |
| B. | II | I | IV | III |
| C. | III | IV | II | I |
| D. | IV | III | I | II |

**97.** सूची-I के साथ सूची-II का मिलान कीजिए :

| सूची-I | सूची-II |
|---|---|
| (*a*) भारतीय निम्न पुरापाषाण काल | I. 7,000 B.C. |
| (*b*) भारतीय मध्य पुरापाषाण काल | II. 2,50,000-1,00,000 B.C. |
| (*c*) भारतीय उच्च पुरापाषाण काल | III. 1,00,000-40,000 B.C. |
| (*d*) नवपाषाण काल | IV. 40,000-10,000 B.C. |

नीचे दिए गए विकल्पों में से सही उत्तर का चयन कीजिए :

| | (*a*) | (*b*) | (*c*) | (*d*) |
|---|---|---|---|---|
| A. | II | III | IV | I |
| B. | III | II | I | IV |
| C. | I | IV | III | II |
| D. | IV | II | III | I |

**92.** B **93.** C **94.** B **95.** A **96.** B **97.** A

**98.** सूची-I के साथ सूची-II का मिलान कीजिए :

| सूची-I | सूची-II |
|---|---|
| (*a*) हाथीगुम्फा शिलालेख | I. अशोक |
| (*b*) बांसखेड़ा शिलालेख | II. खारवेल |
| (*c*) जूनागढ़ शिलालेख | III. हर्षवर्धन |
| (*d*) शाहबाजगढ़ी शिलालेख | IV. रुद्रदमन |

नीचे दिए गए विकल्पों में से सही उत्तर का चयन कीजिए :

| | (*a*) | (*b*) | (*c*) | (*d*) |
|---|---|---|---|---|
| A. | II | I | IV | III |
| B. | III | IV | I | II |
| C. | II | III | IV | I |
| D. | IV | I | III | II |

**99.** सूची-I के साथ सूची-II का मिलान कीजिए :

| सूची-I | सूची-II |
|---|---|
| (*a*) बिलसड़ अभिलेख | I. गोविन्द गुप्त |
| (*b*) प्रयाग स्तंभ अभिलेख | II. कुमार गुप्त |
| (*c*) भितरी स्तम्भ अभिलेख | III. समुद्र गुप्त |
| (*d*) मंदसौर अभिलेख | IV. स्कन्दगुप्त |

नीचे दिए गए विकल्पों में से सही उत्तर का चयन कीजिए :

| | (*a*) | (*b*) | (*c*) | (*d*) |
|---|---|---|---|---|
| A. | III | IV | II | I |
| B. | I | II | III | IV |
| C. | II | IV | III | I |
| D. | II | III | IV | I |

**100.** सूची-I के साथ सूची-II का मिलान कीजिए :

| सूची-I | सूची-II |
|---|---|
| (*a*) मोहनजोदड़ो | I. 1922 |
| (*b*) हड़प्पा | II. 1921 |
| (*c*) कालीबंगा | III. 1950 |
| (*d*) आमरी | IV. 1929 |

नीचे दिए गए विकल्पों में से सही उत्तर का चयन कीजिए :

| | (*a*) | (*b*) | (*c*) | (*d*) |
|---|---|---|---|---|
| A. | I | IV | II | III |
| B. | III | II | IV | I |
| C. | I | II | III | IV |
| D. | IV | III | II | I |

## व्याख्यात्मक उत्तर

**26. (B):** जैन धर्म में सर्वोच्च ज्ञान को 'कैवल्य' कहते हैं। कैवल्य शब्द का तात्पर्य पूर्ण ज्ञान या आध्यात्मिक मुक्ति से है। कहा जाता है कि महावीर को तेरह वर्ष की कठोर तपस्या और साधना के बाद सर्वोच्च आध्यात्मिक ज्ञान की प्राप्ति हुई जिसे 'कैवल्य' कहा जाता है। इसके बाद वे महावीर या जिन कहे जाने लगे।

**27. (B):** रुम्मिनदेई के स्तम्भ पर लिखा हुआ लेख ब्राह्मी लिपि में है जो बाईं ओर से दाईं ओर को पढ़ा जाता है। इस स्तम्भ से ज्ञात होता है कि सम्राट अशोक अपने राज्याभिषेक के बीस वर्ष बाद लुम्बिनी आया था। उसने यहाँ अर्चना की क्योंकि यह शाक्यमुनि की पावन जन्म-स्थली है। अशोक ने यहाँ एक बड़ी दीवार बनवाई और एक प्रस्तर स्तम्भ स्थापित करवाया।

**28. (C):** रूद्रदामन का गिरनार शिलालेख पश्चिमी क्षत्रप नरेश रूद्रदमन I द्वारा लिखवाया गया शिलालेख है। यह शिलालेख गिरनार पर्वत पर अवस्थित है जो जूनागढ़ के निकट स्थित है। इस शिलाओं पर अशोक और स्कंदगुप्त के शिलालेख भी हैं। अभिलेख में रूद्रदमन द्वारा सुदर्शन झील के मरम्मत का वर्णन है। आरम्भ में इस झील का निर्माण चन्द्रगुप्त मौर्य के अधिकारी पुष्यगुप्त द्वारा करवाये जाने का वर्णन है। कालान्तर में अशोक के समय में तुषाष्प तथा रूद्रदमन के समय सुविशाख द्वारा झील के मरम्मत का वर्णन है।

**29. (D):** ऋग्वेद के दसवें मण्डल को पुरूष सुक्त कहा गया है। इसमें विराट पुरूष द्वारा चारो वर्णो के उत्पत्ति का उल्लेख है।

**30. (C):** नरसिंह वर्मन प्रथम को उसके अभिलेखों में 'वातापीकोंड' के रूप में उद्धृत किया गया है। कांची के निकट एक बंदरगाह वाला नगर महामल्लपुरम (महाबलिपुरम) बसाने का श्रेय नरसिंहवर्मन प्रथम को दिया जाता है। उसके शासनकाल में चीनी यात्री ह्वेनसांग कांची गया था।

**31. (B):** समुद्रगुप्त गुप्त राजवंश का चौथा शासक था। इसे 'लिच्छवि-दौहित्र' कहा गया है। इसके पिता का नाम चन्द्रगुप्त प्रथम तथा माता लिच्छवि राजकुमारी कुमारदेवी था। अपनी विजयों के कारण उसे भारत का नेपोलियन कहा गया है।

**32. (A):** जैन धर्म में 63 शलाकापुरुष हुए हैं। ये 63 महापुरुष जिन्हें त्रिषष्टिशलाकापुरुष भी कहते हैं के जीवन चरित्र दूसरों के लिए प्रेरणादायी होते हैं। ये चौबीस तीर्थंकर, बारह चक्रवर्ती, नौ बलभद्र, नौ वासुदेव और नौ प्रति वासुदेव से मिलकर बने हैं।

**33. (C):** कोणार्क के शिव मंदिर का निर्माण राजा नरसिंहदेव प्रथम द्वारा 13वीं शताब्दी (1238-1264 ई.) में किया गया था। यंह मंदिर गंग वंश के वैभव, स्थापत्य, मजबूती और स्थिरता के साथ-साथ ऐतिहासिक परिवेश का प्रतिनिधित्व करता है।

**98.** C  **99.** D  **100.** C

**34. (B):** भद्रबाहु सुप्रसिद्ध जैन आचार्य थे। इनके समय मगध में भयंकर अकाल पड़ा। अकाल के समय सम्राट चन्द्रगुप्त मौर्य भद्रबाहु के साथ दक्षिण चले गए, जो नहीं गए वे स्थुलभद्र के नेतृत्व में मगध में ही रहे। स्थुलभद्र के अनुदायी श्वेताम्बर तथा भद्रबाहू के अनुयायी दिगम्बर कहे गए हैं।

**35. (B):** बेलनघाटी में अवस्थित चोपानीमाण्डो स्थल उच्च पुरापाषाण काल से सम्बन्धित है। यह प्रयागराज के पास भेजा तालुके में स्थित है। यहाँ से विश्व के प्राचीनतम हस्तनिर्मित मृद्माण्ड तथा अनेक लघु पाषाण निर्मित उपकरण प्राप्त हुए हैं।

**36. (B):** प्राचीन काल में मगध क्षेत्र में प्रचलित भाषा अर्धमागधी नाम से जानी गई। जैन धर्म के 24वें तीर्थंकर महावीर ने उसी भाषा में अपने धर्मोपदेश दिए थे। आचार्य हेमचन्द्र ने अर्धमागधी को आर्ष प्राकृत कहा है।

**37. (C):** 'ताण्ड्य' नामक आचार्य द्वारा रचे जाने के कारण इसे ताण्ड्य ब्राह्मण कहा गया है। इसकी विशालता के कारण इसे 'महाब्राह्मण' भी कहते हैं। इस ग्रन्थ में कुल 25 अध्याय हैं, जिसके कारण इसे 'पंचविंश ब्राह्मण' भी कहा जाता है। 'पंचविश' सामवेद का ब्राह्मण ग्रन्थ है।

**38. (B):** प्राचीन नगर 'उर' और 'मलिहा' सुमेरियन सभ्यता से सम्बन्धित है। माना जाता है कि इसका व्यापारिक सम्बन्ध हड़प्पा सभ्यता से था।

**39. (B):** 'पृथ्वीराजविजय' के रचयिता जयानक भट्ट हैं। यह चहमान वंशीय राजा पृथ्वीराज चौहान के जीवन पर एक प्रशंसनीय संस्कृत महाकाव्य है। इतिहासकारों का मानना है कि पृथ्वीराज विजय की तथ्य और तिथियाँ इतिहास से ज्यादा मेल खाती हैं, जबकि पृथ्वीराज रासो में शिष्ट के साथ कल्पना का अपूर्व संगम है।

**40. (C):** कनंगनहल्ली स्तूप का निर्माण सातवाहन राजाओं ने करवाया था। इस स्तूप में महिला परिचारकों के साथ रानी का चित्र उत्कीर्ण है। इस स्तूप को अशोक का एकमात्र उत्कीर्णित शैल चित्र कहा गया है। कनंगनहल्ली स्तूप सम्राट अशोक की वास्तविक गैलरी है जिसे सातवाहन राजाओं ने अशोक से सम्बन्धित चित्रों को चित्रित करके अमर बना दिया है।

**41. (C):** उड़ीसा के भुवनेश्वर से तीन मील दूर उदयगिरि नामक पहाड़ी से हाथीगुम्फा अभिलेख प्राप्त हुआ है। यह कलिंग के महामेघवाहन शासक महाराजा खारवेल से सम्बन्धित है। इस अभिलेख में प्राकृत भाषा में भारत शब्द उत्कीर्णित है।

**42. (C):** वैदिक काल में राजा सुदास तथा दस राजाओं की सम्मिलित सेनाओं के मध्य हुए युद्ध को 'दशराज्ञ युद्ध' कहा गया है। इसमें राजा सुदास के गुरु वशिष्ठ तथा दसों राजाओं के आचार्य विश्वामित्र थे। यह युद्ध परूष्णी (रावी) नदी के तट पर हुआ जिसमें राजा सुदास विजयी हुए।

**43. (C):** जैनियों के 24वें तीर्थंकर एवं जैन धर्म के वास्तविक संस्थापक महावीर स्वामी का जन्म 599 ई.पू. में वैशाली के निकट कुण्डग्राम में हुआ। वे इक्ष्वाकु वंश के ज्ञातृक क्षत्रीय थे। इनके पिता सिद्धार्थ वज्जि संघ के प्रमुख तथा माता त्रिशला लिच्छवि कुल के प्रमुख चेटक की बहन थी।

**44. (A):** उपनयन संस्कार 16 संस्कारों में प्रमुख संस्कार है। इस संस्कार का सम्बन्ध बालक के यज्ञोपवीत धारण कर शिक्षा आरम्भ करने से है। गृह्यसूत्रों में चारों वर्णों के बालकों का शिक्षा आरम्भ का उम्र तथा शतपथ ब्राह्मण में इसका विस्तार-पूर्वक वर्णन किया गया है।

**45. (C):** गौतम बुद्ध को 'तथागत' कहा गया है। तथागत से अभिप्राय वस्तुओं के वास्तविक स्वरूप को जानने से है। बौद्ध धर्म में तथागत उस व्यक्ति को कहा गया है जिसने निर्वाण को अंगीकार किया हो।

**46. (C):** श्रीकृष्ण के गुरु गर्गाचार्य द्वारा रचित गार्गी संहिता में भगवान श्रीकृष्ण और उनकी लीलाओं का सबसे पौराणिक और दिव्य आधार का वर्णन किया गया है।

भवभूति की प्रमुख रचनाएँ हैं—मालती माधव, उत्तररामचरितम, महावीरचरितम आदि।

**47. (D):** कथा कोश प्राचीन ऐतिहासिक ग्रन्थों और प्रशस्तियों के आधार पर ऐतिहासिक वृत्तांत प्रस्तुत करते हैं। मिलिन्दपन्हो में नागसेन और मिनांडर के बीच दार्शनिक शास्त्रार्थ का वर्णन है। मिलिन्दपन्हो, चुल्लवग्ग तथा सुत्तपिटक बौद्ध धर्म से सम्बन्धित हैं।

**48. (B):** कालाशोक नागवंश से सम्बन्धित शिशुनाग का उत्तराधिकारी था। इसके समय में द्वितीय बौद्ध संगीति का आयोजन वैशाली में सम्पन्न हुआ। कालाशोक का शासनकाल 394 ई.पू. से 366 ई.पू. माना गया है, जबकि गौतम बुद्ध की मृत्यु 483 ई.पू. में कुशीनारा में हुई। अतः कालाशोक गौतम बुद्ध का समकालीन नहीं था।

**49. (C):** हड़प्पा कालीन स्थल लोथल से डॉकयार्ड पाया गया है। यह भोगवा नदी के किनारे है। इस स्थल के खोजकर्त्ता रंगनाथ राव हैं।

**50. (D):** गुजरात से पाये गये प्रसिद्ध हड़प्पा स्थल हैं—लोथल, धौलावीरा तथा रंगपुर है जबकि आलमगीरपुर मेरठ के पास उत्तर प्रदेश में अवस्थित है।

**51. (D):** अभिलेखों में अशोक की एकमात्र रानी कारूवाकी का उल्लेख है। कौशाम्बी अभिलेख को रानी का अभिलेख कहा जाता है। इसमें रानी द्वारा दान दिए जाने की चर्चा है।

**52. (B):** रुम्मिनदेई के स्तम्भ लेख में अशोक द्वारा 'लुम्बिनी' यात्रा का वर्णन है। इस अभिलेख में अशोक द्वारा लुम्बिनी ग्राम को धार्मिक कर माफ कर मालगुजारी के रूप में 1/8वाँ भाग लेने का उल्लेख है।

**53. (C):** रुद्रदामन के जूनागढ़ अभिलेख में सुदर्शन झील के मरम्मत का वर्णन है। अशोक के काल में वहाँ के गवर्नर तुषास्फ ने झील का मरम्मत किया। अतः अभिलेख में दिये गये सूचना के आधार पर पाया गया है कि अशोक ने सौराष्ट्र का गवर्नर तुषास्फ को नियुक्त किया था।

**54. (A):** भारत सरकार द्वारा प्रयुक्त राष्ट्रीय प्रतीक पर वाक्य 'सत्यमेव जयते' मुण्डकोपनिषद से लिया गया है।

**55. (B):** हर्यंक वंश के संस्थापक बिम्बिसार की प्रमुख तीन रानियों का उल्लेख है—महाकोसला (कोसल नरेश प्रसेनजित की बहन), चेलना (वैशाली के राजा चेटक की पुत्री) तथा क्षेमा (मद्र देश की राजकुमारी)। प्रभावती गुप्ता चन्द्रगुप्त II की पुत्री थी।

**56. (B):** हर्यंक वंश को 'पितृहन्ताओं का वंश' कहा गया है। अजातशत्रु ने अपने पिता की हत्याकर सिंहासन प्राप्त की थी। ऐसे ही उदयिन ने भी अपने पिता अजातशत्रु की हत्या की थी।

**57. (B):** प्रसेनजित का सम्बन्ध कोसल से था जबकि कालाशोक का मगध से था। अवन्ति का राजा चंडप्रद्योत था। उदयन का सम्बन्ध वत्स महाजनपद से था।

**58. (D):** बेसनगर स्तम्भ बिदिशा जिले में अवस्थित है। इसका निर्माण 110 ई.पू. में हेलियोडोरस ने कराया था। हेलियोडोरस यूनानी राजा एन्टियोकस का दूत था जो काशी नरेश भागभद्र के दरबार में निवास करता था। यह स्तम्भलेख भागवत धर्म से सम्बन्धित है।

**59. (C):** अरिष्टनेमि जैन धर्म के 22वें तीर्थंकर थे। वासुदेव कृष्ण अरिष्टनेमि के समकालीन थे। अरिष्टनेमि का वर्णन ऋग्वेद में भी मिलता है।

**60. (D):** शुल्व सूत्र श्रौत सूत्र का हिस्सा है। यह वैदिककालीन भारतीय गणित का श्रोत है। यह माप हेतु वेदी निर्माण का नियम प्रदान करता है। चूंकि वैदिक काल में अनुष्ठान, बलिदान के लिए वेदी को सटीक माप की आवश्यकता होती थी। प्रमुख शुल्व सूत्र-बौधायन, अपस्तंब तथा कात्यायन शुल्व सूत्र है।

**61. (D):** महात्मा बुद्ध ने उरूवेला में ज्ञान प्राप्त करने के बाद ऋषिपत्तनम में कौडिन्य ब्राह्मणों को अपना पहला उपदेश दिया। इस पहले उपदेश को ही बौद्ध धर्म में 'धर्मचक्रप्रवर्तनय' कहा गया है।

**62. (B):** सम्राट अशोक ने बौद्ध धर्म के प्रचार-प्रसार के लिए कई सारे स्तूप के निर्माण करवाये। बौद्ध परम्परानुसार सारनाथ स्थित 'धमेख या धामेक स्तूप' को सर्वप्राचीन माना गया है। इसकी नींव सम्राट अशोक के काल में पड़ी तथा अन्तिम रूप गुप्त काल में दिया गया।

**63. (A):** पुराणों में अशोक का नाम 'अशोक वर्धन' मिलता है। राज्याभिषेक से सम्बन्धित लघु शिलालेखों में अशोक ने स्वयं को 'बुद्धशाक्य' कहा है। अभिलेखों में अशोक को 'देवानामपिय', 'देवानामपियदसी' से सम्बोधित किया गया है। सर्वप्रथम मास्की अभिलेख में अशोक का नाम मिलता है। गुर्जरालेख में भी इसका नाम 'अशोक' मिलता है। मास्की, गुर्जरा, नेतूर, उद्‌गोलम के अभिलेखों में अशोक का व्यक्तिगत नाम मिलता है।

**65. (C):** जातक कथा त्रिपिटक के अन्तर्गत खुद्दकनिकाय का 10वाँ भाग है। इन कथाओं में भगवान बुद्ध के पूर्वजन्म की कथायें हैं।

**67. (B):** राजेन्द्र चोल ने गंगाघाटी में पाल वंशीय महीपाल को पराजित कर 'गंगैकोंडचोल' की उपाधि ली थी। इसने 1017 ई. में सिंहल द्वीप के अभियान के विरुद्ध वहाँ के शासक महेन्द्र पंचम को परास्त कर सम्पूर्ण सिंहल राज्य को अपने अधिकार में कर लिया।

**68. (A):** बौद्ध धर्म में दुख से मुक्ति के आठ उपायों को आष्टांगिक मार्ग कहा गया है। ये आठ मार्ग हैं—सम्यक् दृष्टि, सम्यक् संकल्प, सम्यक् वाणी, सम्यक् कर्मांत, सम्यक् आजीविका, सम्यक् व्यायाम, सम्यक् स्मृति और सम्यक् समाधि।

**69. (B):** राजसमन्द जिले में स्थित गिलुन्द कस्बे में बनास नदी के तट पर दो टीलों के उत्खनन के फलस्वरूप आहड़ संस्कृति से जुड़ी सभ्यता प्रकाश में आई, जिसे बनास संस्कृति कहा जाता है। अहाड़ का प्राचीन नाम तांबेवती था, यह नाम उत्खनन में पाये गए ताम्रयुगीन सभ्यता के अवशेष के कारण थी।

**70. (B):** दिए गए दोनों कथन सही हैं, परन्तु समाज के वर्गीकरण से छः समितियों का कोई सम्बन्ध नहीं है। अतः कारण कथन की व्याख्या नहीं करता है।

**71. (B):** दिए गए कारण में 'विष्टि' का कोई सम्बन्ध 'भुक्ति' से नहीं है। दोनों ही कथन सही हैं परन्तु कारण, कथन की सही व्याख्या नहीं है।

**72. (A):** मौर्यों का राजस्व का मुख्य स्रोत भूमि कर था। राजकीय भूमि को 'सीता' कहा जाता था।

**73. (C):** हर्षवर्द्धन का समकालीन गौड़ शासक शशांक था, जिसने हर्ष के भाई राज्यवर्द्धन की हत्या कर दी थी। ऐहोल अभिलेख से ज्ञात होता है कि हर्ष को चालुक्य वंशीय शासक पुलकेशिन II से पराजित होना पड़ा था।

**74. (D):** वराहमिहिर (499 ई.-587 ई.) गुप्तवंशीय सम्राट चन्द्रगुप्त II के दरबार के नवरत्नों में से एक थे। वे एक महान गणितज्ञ थे। इनकी प्रसिद्ध रचनाएँ हैं—वृहत्जातक, बृहत्संहिता और पंचसिद्धांतिका।

**75. (B):** अशोक के राज्याभिषेक के 8 वर्ष बाद 261 ई.पू. में कलिंग युद्ध हुआ। इस युद्ध में हुए नरसंहार से राजा द्रवित हो गया और सांस्कृतिक विजय की नीति के पक्ष में भौतिक अधिपत्य की नीति को त्याग दिया। अशोक के तेरहवें शिलालेख में कलिंग युद्ध का विस्तृत वर्णन है।

**76. (C):** जैन धर्म में पूर्व जन्म के कर्म फल को समाप्त करने एवं इस जन्म के कर्म फल से बचने के लिए 'त्रिरत्नों' के पालन की बात

की गई है। ये जैन परम्परा में सबसे पवित्र माने जाते हैं। ये त्रि-रत्न हैं– (1) सम्यक् ज्ञान, (2) सम्यक् दर्शन और (3) सम्यक् चरित्र।

**77. (C):** शुंग वंश मगध साम्राज्य पर आसीन सातवाँ राजवंश था। पुष्यमित्र शुंग अंतिम मौर्य सम्राट बृहद्रथ के सेनापति थे। उन्होंने अपने स्वामी की हत्या कर मगध की सत्ता प्राप्त की।

**78. (A):** आर्यभट्ट प्राचीन भारत के महान गणितज्ञ और ज्योतिषविद् थे। उन्होंने 'आर्यभट्टीय' ग्रंथ की रचना की जिसमें ज्योतिषशास्त्र के अनेक सिद्धांतों का प्रतिपादन है। उन्होंने पाई का मान 3.1416 बताया जो आज भी सर्वमान्य है। उन्होंने शून्य, पृथ्वी की गति और गणित के कई सूत्रों का खोज किया।

**79. (C):** जातकग्रंथ बौद्ध त्रिपिटक के सुत्तपिटक के अर्न्तगत खुद्दक निकाय का 10वां भाग है। इन कथाओं में भगवान बुद्ध की कथायें हैं।

**80. (C):** जैन परम्परा में 23वें तीर्थंकर पार्श्वनाथ तथा 24वें महावीर थे। पार्श्वनाथ के चातुर्यामों में महावीर ने ब्रह्मचर्य को सम्मिलित कर 'पाँच महाव्रत' के सिद्धांत प्रस्तुत किये। तीर्थंकर पार्श्वनाथ का जन्म 872 ई.पू. में बनारस में हुआ था। इनके जन्म के लगभग 273 वर्षो के बाद 599 ई.पू. में भगवान महावीर का जन्म हुआ था।

**81. (A):** महापरिनिब्बान सुत्त के अनुसार महात्मा बुद्ध जीवन के अंतिम पड़ाव में कुशीनारा पहुँचे, जहाँ पर 483 ई.पू. में 80 वर्ष की अवस्था में इनकी मृत्यु हुई, जिसे बौद्ध ग्रन्थों में 'महापरिनिर्वाण' की संज्ञा दी गयी। अपने प्रिय शिष्य आंनद से उन्होंने मृत्यु से पूर्व कहा था कि उनके शरीर के अवशेषों से किसी महाराजा के अवशेषों की तरह व्यवहार किया जाय। कालान्तर में उनके शरीर के अवशेष को आठ भाग में विभाजित कर आठ स्तूपों का निर्माण कराया गया।

**82. (A):** अंगकोरवाट का विष्णु मंदिर कंबोडिया में स्थित है। यह मंदिर विष्णु के मंदिर के लिए विश्वप्रसिद्ध है। यह विष्णु भगवान की सबसे बड़ी मंदिर मानी जाती है। मंदिर की अन्य विशेषता इसकी दीवार पर रामायण-महाभारत की कहानियों का उत्कीर्णन है।

**83. (A):** राजराजा प्रथम ने शैव मतानुयायी होने के कारण शिववादशेखर की उपाधि धारण की। उसने श्रीलंका के शासक महेन्द्र पंचम पर आक्रमण कर उसकी राजधानी 'अनुराधापुरम' को बुरी तरह नष्ट कर दिया। राजराजा प्रथम ने शैलेन्द्रवंशी श्रीमार विजयोतुंग वर्मन को नागपट्टम में 'चूड़ामणि' नामक बौद्ध विहार बनाने की अनुमति दी और साथ ही इसके निर्माण में आर्थिक सहायता भी दी।

**84. (C):** महावीर स्वामी जैन धर्म के वास्तविक संस्थापक माने गए हैं। उन्होंने 12 वर्ष तक लगातार कठोर तपस्या एवं साधना की। उन्हें 42 वर्ष की अवस्था में जाम्भिक ग्राम के निकट ऋजुपालिका नदी के तट पर साल वृक्ष के नीचे कैवल्य (ज्ञान) प्राप्त हुआ।

**85. (B):** बौद्ध संघ की आचार-नियम तथा अनुशासन का संकलन विनयपिटक है। इसका संकलन द्वितीय बौद्ध संगीति, वैशाली में हुआ।

**86. (C):** चीनी यात्री ह्वेनसांग नरसिंह वर्मन प्रथम के शासन काल में कांची गया था।

**87. (D):** हेलियोडोरस ने वैदिक धर्म से प्रभावित भागवत धर्म की उपासना स्वीकार किया। उसने भक्तिभाव से गरुड़ विहार तथा उसके सामने गरुड़ ध्वज स्तम्भ का निर्माण करवाया। यह अभिलेख भागवत धर्म के कृष्ण भक्ति से प्रेरित है।

**88. (C):** मौर्य वंश के इतिहास के साहित्यिक स्रोत हैं– मेगास्थनीज की इण्डिका, कौटिल्य का अर्थशास्त्र, विशाखदत्त का मुद्राराक्षस, कलामंजरी तथा वृहत्कथासागर। कादम्बरी बाणभट्ट रचित प्रेमकथा है। दंडी रचित दशकुमार चरित भी 6ठी-7वीं शताब्दी की पल्लवकालीन रचना है जिसमें धूर्तता, चालाकी, हत्या, अवैध प्रेम का वर्णन है।

**89. (C):** उत्तराध्ययनसूत्र जैन धर्म के श्वेताम्बर पंथ का धर्मग्रन्थ है। इसमें महावीर स्वामी के निर्वाण के कुछ समय पूर्व के दिए गए उपदेश संग्रहित हैं।

**90. (D):** कल्पसूत्र जैन तीर्थकरों के जीवनचरित का संकलन है। भद्रबाहु इसके रचयिता माने गये हैं। इसका अर्थ है—आचार सूत्र। इसके दो प्रकार हैं—श्रोतसूत्र तथा स्मार्तसूत्र।

**92. (B):** चाणक्य अथवा कौटिल्य मौर्य वंश के संस्थापक चंद्रगुप्त मौर्य के गुरु व प्रधानमंत्री थे। माना जाता है कि बाल्यावस्था में चाणक्य की नजर बालक चन्द्रगुप्त पर पड़ी, जो 'राजकीलम' नामक खेल में व्यस्त था। इसके ओज और कुशाग्र बुद्धि को देखकर चाणक्य ने इसे अस्त्र-शस्त्र की शिक्षा दी।

**93. (C):** चन्द्रगुप्त II, समुद्रगुप्त के पुत्र थे। उन्होंने आक्रामक विस्तार की नीति एवं लाभदायक पारिग्रहण नीति का अनुसरण करके सफलता प्राप्त की। उसे शक राजा को हराने के कारण 'शकारि' कहा गया है। उसके शासनकाल में चीनी यात्री फाह्यान भारत आया था।

# प्राचीन भारतीय इतिहास, संस्कृति और वास्तुकला

## अध्याय–1

# भारतीय प्रागैतिहासिक काल और आद्य इतिहास (Prehistory and Proto History of India)

## प्रागैतिहासिक काल और आद्य इतिहास

### प्रागैतिहासिक काल

सभ्यता के आरम्भ का वह काल जब वर्तमान मनुष्य के पैतृक कहे जाने वाले प्राणी अपने वानर समान संबंधियों से अलग होना शुरू हो गए थे। यह 25 लाख वर्षों की यात्रा को दर्शाता है। इसी क्रम में जैविक संरचना, जैसे कि दो पैरों पर चलने एवं मस्तिष्क की वृद्धि जैसे पहलुओं में सुधार हुए। सांस्कृतिक जीवन में पत्थर एवं लकड़ी जैसे प्राकृतिक पदार्थों से उपकरणों का जीवनोपयोगी निर्माण एक महत्वपूर्ण कारक था।

पुरातत्व की वह शाखा जो मानव इतिहास के प्रारंभिक चरण के अध्ययन से संबंधित है प्राक्-इतिहास (Prehistory) कहलाती है। दूसरे शब्दों में, प्राक्-इतिहास लेखन प्रणालियों के आविष्कार से पहले के मानव समाजों की उत्पति और वृद्धि से संबंधित है। इसके बाद आद्य-इतिहास (Protohistory) आता है जो प्राक्-इतिहास एवं इतिहास के बीच का संक्रमण काल है। आद्य-इतिहास का समय सामान्य युग से पूर्व तीसरी और दूसरी सहस्त्राब्दि तथा पहली सहस्त्राब्दि का शुरुआती अर्धकाल माना गया है। यह अनेक प्रारंभिक नवपाषाण-ताम्रयुगीन समुदायों के विकास को दर्शाता है जिसकी विशेषता व्यवस्थित ग्राम्य जीवन; मवेशी और भेड़-बकरी जैसे जानवरों का पालन; गेहूँ, जौ, चावल और बाजरा जैसी फसलों की खेती के साथ-साथ विभिन्न कलाओं एवं शिल्पों का उद्‌भव है। सिंधु घाटी में इसी चरण के दौरान शहरी योजना और कांस्य तकनीक के आधार पर एक नगरीय सभ्यता का विकास हुआ। कृषि जीवन से पहले शिकार और संग्रहण की सहायता से जीवन यापन की एक लम्बी अवधि है। यही प्राक्-इतिहास की विषय-वस्तु है।

मानव अतीत या इतिहास तीन प्रमुख कालों में विभाजित है, जिनके नाम हैं :

1. पाषाण युग,
2. कांस्य युग, और
3. लौह युग।

ये केवल तकनीकी क्रम नहीं हैं। इनका अर्थ केवल यह नहीं है कि पाषाण युग में पत्थरों, कांस्य युग में कांसे एवं लौह युग में लोहे के उपकरणों एवं औजारों का निर्माण किया गया था। इन युगों का महत्व तकनीकी विकास से कहीं अधिक है। ये आवश्यकता-आधारित अर्थव्यवस्था (Subsistence economy) या भोजन प्राप्त करने के तरीकों एवं सामाजिक संगठन के विभिन्न स्वरूपों, जैसे निर्बल, बीमार एवं वृद्धों की देखभाल एवं मृतकों के निपटान की विधि, कला एवं जीवन के अन्य पहलुओं इत्यादि को दर्शाते हैं।

पाषाण युग का विभाजन तीन कालों में किया गया है, जिनके नाम हैं :

1. पुरापाषाण काल,
2. मध्यपाषाण काल, और
3. नवपाषाण काल।

### भारत की भौगोलिक विशेषताएँ

भारत (या सामान्य भौगोलिक और सांस्कृतिक उद्देश्यों के दृष्टिकोण से दक्षिण एशिया) उपमहाद्वीपीय स्तर पर एक अलग भौगोलिक इकाई है। भारतीय परिदृश्य शिकार-संग्रहण की सफल जीवन पद्धति की सारी आवश्यकताओं की पूर्ति से परिपूर्ण हैः शिकारी-संग्रहकर्ता समूहों के स्वच्छंद संचलन के लिए उपयुक्त भू-भाग, उपकरण बनाने के लिए विभिन्न प्रकार की मूल चट्टानों और सिलिकामय (Siliceous) पत्थरों की उपलब्धता, बड़ी और छोटी धाराओं और झरनों के रूप में बारहमासी जल निकायों

की मौजूदगी, और जंगली पौधों तथा पशु खाद्य पदार्थों की एक विशाल विविधता की उपलब्धता। इसलिए, यह आश्चर्य की बात नहीं है कि समुचित हिमालयी प्रदेश एवं सिंधु-गंगा के जलोढ़ भूभाग को छोड़कर पाषाण युगीन मानव समूह पूरे भारतीय भू-भाग पर फैल गए।

## पुरापाषाण काल

भारतीय पुरापाषाण विकास तीन चरणों में विभाजित है :

(*i*) निम्न,

(*ii*) मध्य, और

(*iii*) उच्च।

निम्न पुरापाषाण युग की दो सांस्कृतिक परंपराएँ हैं :

(*i*) सोहनियन (Soanian), कंकड़ की उपकरण परंपरा, और

(*ii*) भारतीय प्रायद्वीपीय कुल्हाड़ी-विदारक पंरपरा।

इन परंपराओं में बड़े कंकड़ों या परतों (Flakes) से गँड़ासे और काटने के उपकरण, कुल्हाड़ियाँ, विदाकर (Cleavers), चाकू जैसे औजारों का निर्माण शामिल है। मध्य पुरापाषाण काल में खुरचनी, नोक (Point), छिद्रक (Borer) और अन्य उपकरणों का निर्माण विभिन्न प्रकार के शल्कों (Flakes) को मूल पत्थरों (Cores) से निकाल कर किया जाता था। आगे चलकर, उच्च पुरापाषाण काल में इन औजारों में और परिष्करण हुआ। अब, छेदक/छिद्रक (Punch) तकनीक द्वारा बेलनाकार मूल पत्थरों से काटकर एक श्रृंखला में बनाए गए लंबे, समानांतर पक्षीय (Parallel-sided) ब्लेडों पर बनाए जाने वाले औजारों, जैसे कि कुंद किए गए (Blunted) और कलमतराश (Penknife) ब्लेडो, दाँतेदार (Serrated) किनारों वाले ब्लेडों और तीर अंकों (Arrow Points) आदि का निर्माण किया जाने लगा।

सापेक्ष काल-निर्धारण के अलावा, हाल के वर्षों में कुछ स्थलों का 'रेडियोकार्बन', पुराचुम्बकत्व (Palaeomagnetism), ताप-संदीप्ति प्रणाली (Thermoluminiscence), 'पोटेशियम-आर्गन', और 'यूरेनियम-थोरियम' जैसी वैज्ञानिक पद्धतियों के माध्यम से सटीक और असंदिग्ध दिनांकन कर पाना पूर्णतः संभव हो गया है।

## पुरातात्विक साक्ष्य

पुरापाषाण काल के पुरातात्विक स्थल मुख्यतः दो प्रकार के हैं:

(*i*) मैदानी स्थल/अनावृत स्थल, और

(*ii*) शैलगुफाएँ (Rock-shelters)।

मैदानी स्थल भारत के सभी हिस्सों में पाए जाते हैं और बड़ी-छोटी नदियों पर या उनके पास तथा पहाड़ी इलाकों की आंतरिक घाटियों या गिरिपाद (Foothill) क्षेत्रों में होते हैं। ये अपक्षीण/ऋतुक्षरित (Weathered) आधार-शैल (Bedrock) या फिर नरम गाद (Silt) पर पाए गए वास्तविक स्वस्थानी (insitu) या अबाधित स्थलों से लेकर मिश्रोढक (Colluvium) और नदी-जनित बजरी (Gravels) के रूप में होने वाली विभिन्न प्रकार की गठन प्रक्रियाओं का प्रतिनिधित्व करते हैं। शैलगुफाएँ पहाड़ी क्षेत्रों में पाई जाती हैं जो अवसादित/तलछटी (Sedimentary) पत्थरों अथवा चट्टानों (बलुआ पत्थर एवं चूना पत्थर) से ढके होते हैं। मध्य प्रदेश में भीमबेटका परिसर और आंध्र प्रदेश में कर्नूल/कुरनल गुफाएँ प्रसिद्ध उदाहरण हैं।

## निम्न पुरापाषाण काल

भारत में निम्न पुरापाषाण के चरणों में दो प्रमुख औजार निर्माण की सांस्कृतिक परंपराएं आती हैं जो निम्नांकित हैं:

(अ) पूर्व और दक्षिणी-पूर्व एशियाई गँड़ासे-काटने के उपकरण बनाने की परंपरा के एक अंश के रूप में सोहनियन परंपरा, और

(ब) 'पुरातन विश्व' (अफ्रीका, पश्चिमी यूरोप, पश्चिमी और दक्षिण एशिया) के पश्चिमी भाग से व्यापक रूप से जानी गयी अशूलियन (Acheulian) परंपरा का गठन करते कुल्हाड़ियों-विदारकों या दोहरी सतह वाले (Biface) उपकरणों के संग्रह।

"पुरातन विश्व (Old World)" शब्द का प्रयोग पश्चिमी विश्व में अफ्रीका, यूरोप और एशिया (एफ्रो-यूरेशिया अथवा पूर्वी गोलाधी) को संदर्भित करने के लिए किया जाता है जिसे सामूहिक रूप से विश्व के उस हिस्से के रूप में माना जाता है जो अमरीका और ओशिनिया (Oceania) या "नवीन विश्व (New World)" या पश्चिमी गोलार्ध कहे जाने वाले हिस्से से संपर्क में आने से पहले था।

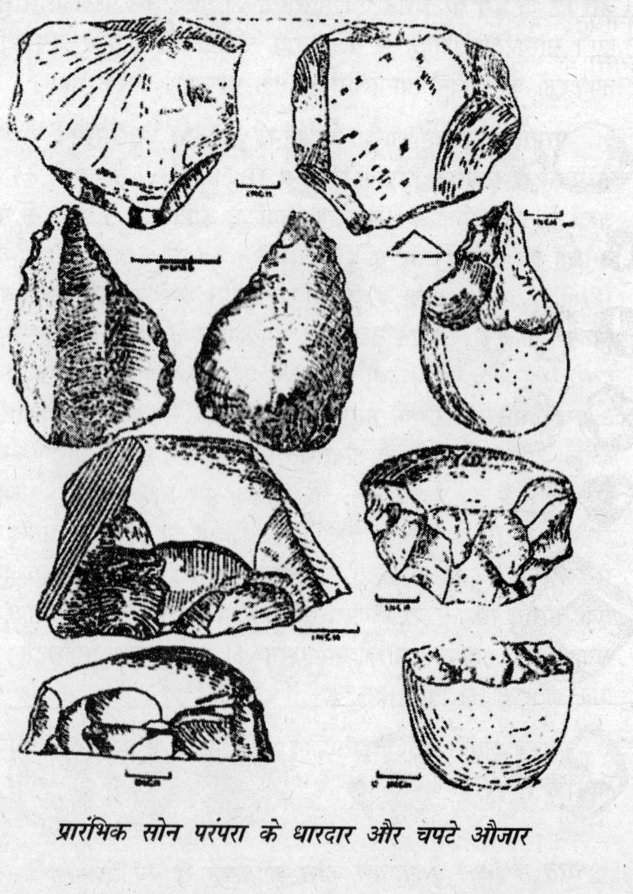

*प्रारंभिक सोन परंपरा के धारदार और चपटे औजार*

**सोहनियन सांस्कृतिक परंपराः** इस परंपरा के अस्तित्व को भारतीय उपमहाद्वीप के उत्तर-पश्चिमी क्षेत्र में 1939 में कैम्ब्रिज विश्वविद्यालय के टी.टी. पैटर्सन और येल विश्वविद्यालय के एच.डी. टैरा द्वारा पहचाना गया। अपने क्षेत्रीय अध्ययन (Field Study) के आधार पर उन्होंने सोन नदी पर पाँच सोपानों (Terraces) की एक शृंखला की पहचान की जो सिंधु जल निकासी प्रणाली का हिस्सा थी। सोपान कश्मीर घाटी की हिमनदियों एवं अंतर-हिमनदियों से मिलते-जुलते हैं और स्तर विन्यास एवं वर्गीकरण के आधार पर इन्हें सोन संस्कृति अनुक्रम (Culture sequence) का नाम दिया गया।

उपकरणों में अधिकांश एक या दोनों सतहों/बाह्य परतों के शल्कन (Flaking) द्वारा प्राप्त कंकड़ों (Pebbles) के औजार हैं जिनकी दोनों छोरों/किनारों पर धार होती है। ये मुख्यतः गँड़ासों और काटने के औजारों के रूप में प्रयुक्त होते हैं।

रॉबिन डनल, जिन्होंने 1980 के दशक में इस क्षेत्र (जो अब पाकिस्तान में है) में कार्य किया, ने टैरा और पैटर्सन द्वारा प्रस्तुत पुराकालीन मौसम/जलवायु की व्याख्या और सांस्कृतिक अनुक्रम पर सवाल उठाया। लेकिन भारतीय प्राक्-इतिहास में ''सोन संस्कृति'' एक महत्वपूर्ण बिंदु है। सीमा के भारतीय भाग से कंकड़ के बने उपकरणों के जमावड़े हरियाणा में सिरसा और घग्गर की घाटियों में, हिमाचल प्रदेश की ब्यास और बाणगंगा घाटियों में और शिवालिक पर्वतों की अग्र शृंखला पर बसे होशियारपुर-चंडीगढ़ वृत्त-खंड में पाए गए पंजाब की सोन संस्कृति से संबंधित जमावड़ों को कुछ पुरातत्वविदों/विद्वानों द्वारा मध्य पुरापाषाण परंपरा का बताया गया है।

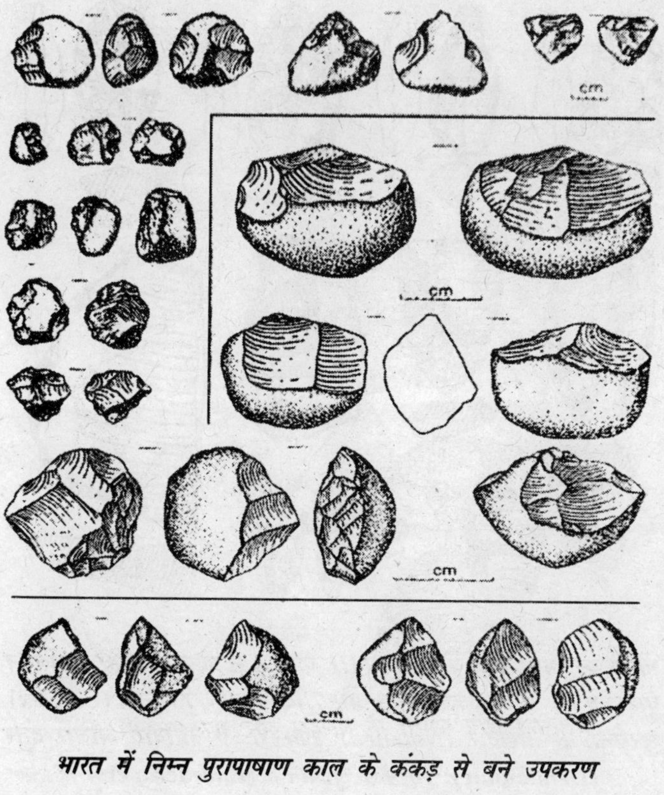


*भारत में निम्न पुरापाषाण काल के कंकड़ से बने उपकरण*

**अशूलियन (Acheulian) सांस्कृतिक परंपराः** 'अशूलियन' शब्द का प्रयोग कुल्हाड़ियों तथा विदारकों के रूप में उन्नत और तेजी से बढ़ते सममित/सममितीय (Symmetrical) आकारों को दर्शाते औजारों के जमावड़ों के लिए किया जाता है। उपकरण बनाने के लिए क्वार्टजाइट (Quartzite) को अत्यधिक महत्वपूर्ण माना जाता था। प्राकृतिक रूप से जहाँ इसकी उपलब्धता नहीं थी, अशूलियन मानव समूह अन्य उपलब्ध पत्थरों का प्रयोग करते थे जैसे भीमा घाटी में चूना पत्थर, महाराष्ट्र में डोलराइट (Dolerite) एवं असिताष्म (Basalt), और बिहार एवं बंगाल में शीलीभूत लकड़ी (Fossil Wood)। पत्थर के हथौड़े, नरम हथौड़े और उद्यत आन्तरक (Prepared core) तकनीकों के माध्यम से परतों/टुकड़ों को अलग करके उन्हें औजारों का रूप दिया जाता था।

पत्थर के उपकरण प्रमुख साक्ष्य हैं जिनके माध्यम से प्रागैतिहासिक लोगों के रहनसहन को समझा जा सकता है। पुरातत्वविद इन पत्थर के उपकरणों को परिभाषित करने के लिए निश्चित शब्दावली का प्रयोग करते हैं। यदि किसी बड़े पत्थर को जानबूझकर एक या अधिक भागों में तोड़ा जाता है, सबसे बड़े हिस्से को मूल पत्थर (Core) और इससे बने उपकरण को मूल पाषाण उपकरण (Core tool) कहा जाता है। मूल चट्टान से तोड़कर अलग किए गए छोटे टुकड़ों को परत (Flakes) और इससे बने उपकरणों को परत उपकरण (Flake tools) कहा जाता है।

**भारत के विभिन्न चरण**

भारत में निम्न पुरापाषाण काल : 600,000 वर्ष ई.पू. से 150,000 वर्ष ई.पू.

भारत में मध्य पुरापाषाण काल : 165,000 वर्ष ई.पू. से 31,000 वर्ष ई.पू.

भारत में उच्च पुरापाषाण काल : 40,000 वर्ष ई.पू. से 12,000 वर्ष ई.पू.

**निम्न पुरापाषाण काल के महत्पूर्ण स्थलः**

1. पश्चिमी राजस्थान के सिंगितलव (SingiTalav) में कुल्हाड़ियों/गँड़ासों, बहुफलकों (Polyhedrons), दोहरी सतह वाले उपकरणों (Bifaces), खुरचनियों एवं नुकीले औजारों (Points) का एक जमावड़ा मिला है।
2. मध्य प्रदेश में भीमबेटका की शैलगुफा संख्या III एफ-23 ने अशूलियन, मध्य पुरापाषाणीय तथा उच्च पुरापाषाणीय स्तरों को दर्शाया है।
3. मध्य प्रदेश के आदमगढ़ ने मध्य पुरापाषाणीय भंडार के नीचे एक अशूलियन स्तर का खुलासा किया है।
4. उत्तर प्रदेश में ललितपुर (झाँसी जिला) में ग्रेनाइट निर्मित उपकरणों का एक प्रारंभिक और प्राचीन स्वस्थान (*In situ*) जमावड़ा प्राप्त हुआ है।
5. बिहार के मुंगेर जिले के पैसरा में एक प्रारंभिक अशूलियन जमावड़ा मिला है। खुदाई में गड्ढों (Post-holes) के संरक्षणों

(Alignments) व पाषाण खंडों (Stone blocks) की गोलाकार व्यवस्था के रूप में झोपड़ीनुमा आवासीय संरचनाएं उद्धारित हुई हैं।

6. महाराष्ट्र के चिरकी-नेवासा में डोलराइट पुरावशेषों के साथ-साथ जंगली मवेशियों एवं अन्य पशुओं की हड्डियों के जीवाष्म मिले हैं। यह स्थल मौसम के अनुसार बना हुआ एक शिविर था जिसका इस्तेमाल विभिन्न उद्देश्यों के लिए होता था। इन पुरावशेषों में कुल्हाड़ियों, खुरचनियों और चाकुओं के साथ-साथ बिल्लौर और सिक्थ स्फटिक (Chalcedony) से बने छोटे-छोटे परतदार उपकरणों (Flake tools) का भंडार भी शामिल है।

7. भीमा जलप्रवाह घाटी में दक्कन असिताष्म भूदृश्य (Deccan Basalt Landscape) के एक स्थल मोरगाँव (Morgaon) से विदारकों और कुल्हाड़ियों समेत 162 नमूने मिले हैं।

8. उत्तरी कर्नाटक में हुंस्गी (Hunsgi) घाटी में हुंस्गी तथा बैचबल (Baichbal) घाटी में येदियापुर से स्वस्थान सांस्कृतिक चरणों के साक्ष्य प्राप्त हुए हैं। यहाँ कई पुरावशेष प्राप्त हुए हैं।

9. उत्तरी कर्नाटक में हुंस्गी घाटी में स्थित इसमपुर (Isampur) एक खदान-सह-शिविर स्थल है। यहाँ मूल पत्थरों (Cores), अधूरे शल्कों/फलकों (Flake Blanks), पूर्णतः निर्मित औजारों एवं चूना पत्थर के अपशिष्ट उत्पाद मिले हैं। हिरन एवं कछुए के खोल के अवशेष भी मिले हैं। इसमपुर ने हुंस्गी घाटी के इस हिस्से में एक स्थानीयकृत केन्द्र के रूप में कार्य किया, जहाँ से आदि मानव (Hominins) अपनी दैनिक संगृहण प्रक्रिया के लिए आसपास के चूना पत्थर के पठारों और घाटी के तलों में भ्रमण करते थे।

*कर्नाटक के इसमपुर में पुरातात्विक गर्त I में अशूलियन स्तर की खोज*

10. तमिलनाडु के एक स्वस्थान अशूलियन स्थल अत्तिरम्पक्कम से अबरक (Quartzite) और जंगली मवेशियों एवं अन्य प्रजातियों की हड्डियों के जीवाष्म अशूलियन जमावड़े मिले हैं। एक विकसित वैज्ञानिक तकनीक के माध्यम से हाल ही में इस स्थल का काल 15 लाख वर्ष ई.पू. निर्धारित किया गया है।

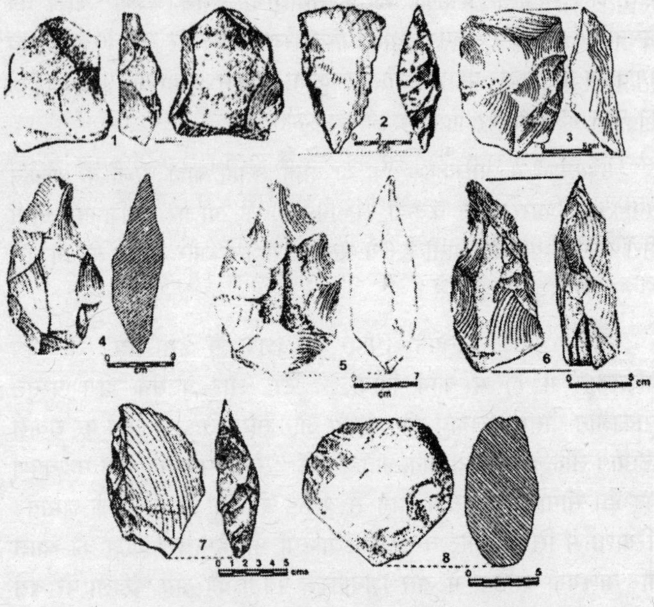

***इसमपुर, कर्नाटक से प्राप्त निम्न अशूलियन पुरावशेष : 1 मूल पत्थर (Cores); 2 और 3 विदारक; 4 और 5 कुल्हाड़ियाँ; 6 छेदक (Perforators); 7 चाकू; 8 हथौड़े।***

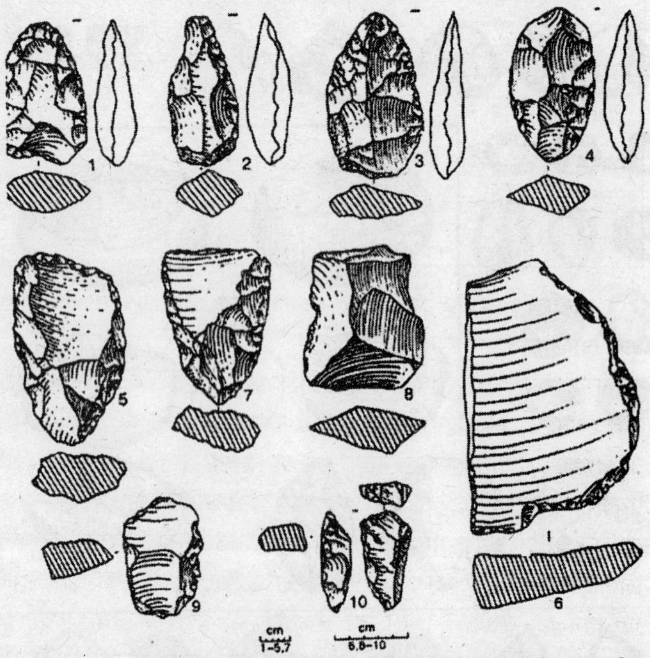

***भीमबेटका, मध्य प्रदेश के शैलाश्रय-III एफ-23 से प्राप्त विकसित अशूलियन पुरावशेष। 1 से 4 कुल्हाड़ियाँ; 5 और 7 विदारक; 6 उत्तलनुमा (Convex) खुरचनी; 8 ताखदार (Notched) उपकरण; 9 दांतेदार औजार/दंतुर (Denticulate); 10 फल खुरचनियाँ (End-Scrapers)।***

## मध्य पुरापाषाण काल

मध्य पुरापाषाण संस्कृति निम्न पुरापाषाण संस्कृति के बाद का चरण है। जैसा कि पहले बताया जा चुका है, निम्न पुरापाषाण कालीन संस्कृति की विशेषता हस्त-कुल्हाड़ियों (Handaxes) और विदारकों जैसे वजनदार हथियार हैं। दूसरी ओर, मध्य पुरापाषाण कालीन संस्कृति को विशिष्ट तकनीकों से निर्मित फलकों/शल्कों (Flakes) पर बनाए गए विविध प्रकार के औजारों से जाना जाता है। इसलिए, इसे व्यापक स्तर पर शल्क उपकरण (Flake tool) उद्योग भी कहा जाता है। यूरोप, दक्षिण-पश्चिमी एशिया और अफ्रीका की मध्य पुरापाषाण कालीन संस्कृति को मुस्टेरियन (Mousterian) संस्कृति भी कहा जाता है, जिसे फ्रांस में ल मूस्तिये (Le Mostier) नामक शैलाश्रय के नाम पर रखा गया है। मुस्टेरियन संस्कृति से जुड़ी मानव प्रजाति विलुप्त हो चुकी *होमो निएंडरथेलेंसिस (Homo Neanderthalensis)* थी। इस प्रजाति का लोकप्रिय नाम निएंडरथल (Neanderthal) मानव है। वह उच्च प्रतिनूतन (Upper Pleistocene) युग में रहता था।

**हस्त-कुल्हाड़ी (Hand-axe):** सामान्यतः यह मूल पत्थर से बना एक उपकरण है। यह एक दोहरी सतह का औजार है क्योंकि इसके दोनों किनारों को तराशा जाता है। मौटे तौर पर यह त्रिकोणीय आकार का होता है, जो एक तरफ से चौड़ा और दूसरी तरफ से नुकीला होता है। यह पीछे की तरफ से हाथ में लेकर उपयोग किया जाता है। इसे कभी-कभी हत्थों (Handles) के रूप में ताड़वृंत (Haft) किंया जाता है।

**विदारक (Cleaver):** एक सपाट उपकरण है जो एक चौड़े आयताकार या त्रिकोणीय शल्क (Flake) पर बना होता है। इसके एक सिरे पर एक चौड़ी, काटने वाली सीधी धार होती है।

**गंड़ासा (Chopper):** एकल सतह वाला बड़ा उपकरण जिसके सिर्फ एक किनारे को घिसकर तैयार किया जाता है।

**काटने का उपकरण (Chopping tool):** एक मूल पत्थर या एक कंकड़ पर बना एक औजार जिसकी दोनों सतहों को एक लहराती धार बनाने के उद्देश्य से बारी-बारी से तराशा जाता है।

**मुस्टेरियन उद्योगः** मुस्टेरियन उद्योग यूरोप, दक्षिण-पश्चिमी एशिया और अफ्रीका में निएंडरथल प्रजाति द्वारा उपयोग किए जाने वाले उपकरण बनाने की एक मध्य पुरापाषाण युगीन परंपरा है। पत्थर के उपकरण बनाने वाले उद्योग की व्यापकता, जिसमें पूर्ववर्ती सांस्कृतिक चरण की हस्तकुल्हाड़ियों और विदारकों के विपरीत मुख्य रूप से फलक (Flakes) बनाए और प्रयुक्त किए जाते थे, की शुरुआत मध्य प्रतिनूतन (Pleistocene) युग के अंत के आसपास मानी गई है। फलकों का निर्माण शिकार करने के लिए इस्तेमाल किए जाने वाले विकसित उपकरणों के रूप में तकनीकी परिवर्तन का सूचक है। इस नई तकनीक में, पहले से तैयार एक मूल पत्थर (Core) से एक झटके में बनाए गए एक संपूर्ण औजार का निर्माण किया जाता था जिसके दौरान यह सुनिश्चित किया जाता था कि अलग किए गए शल्कों (Flakes) को विशिष्ट आकार/स्वरूप दिया जा सके। इतना ही नहीं, अलग किये गये शल्कों/पत्तरों को अनेक उपकरणों में ढाला जा सकता था। विभिन्न कार्यों के लिए अनेक प्रकार के उपकरण बनाना आसान हो गया था।

**भारत में मध्य पुरापाषाण कालः** भारत में मध्य पुरापाषाण कालीन संस्कृति के चरण की विशेषता को परतदार उपकरण उद्योग द्वारा चित्रित किया जाता है। 1956 में एच.डी. सांकलिया ने पहली बार इन परतदार उपकरणों का उल्लेख किया एवं प्रदर्शित किया जो पहले प्रवर (नेवासा, महाराष्ट्र) में और बाद में उत्तरी कर्नाटक की गोदावरी घाटी में पाया जाता है। उन्होंने इस उद्योग को नेवासियन (मुस्टेरियन की तरह) कहा। शीघ्र ही, उनके उत्तरवर्ती शोध से ज्ञात होता है कि नेवासियन कोई स्थानीय घटना नहीं थी बल्कि भारतीय पाषाण युगीन संस्कृति की सामान्य विशेषता थी। शुरुआत में, भारतीय प्राक्-इतिहास के इस काल के लिए मध्य पाषाण युग शब्द का प्रयोग किया गया। बाद में, मध्य पुरापाषाण को स्वीकार कर लिया गया।

भारतीय मध्य पुरापाषाण काल के विभिन्न उपकरण विभिन्न प्रकार की खुरचनियाँ हैं: एक तरफा, दो तरफा, सतहनुमा, सीधी, टेढ़ी, अवतल, उत्तल, अवतल-उत्तल, नोकदार और मूलपत्थर खुरचनी, सुतारी, एक तरफ धार वाली, दोनों तरफ नोक वाली, लेवालोय (Levallois) नोक वाली घुमावदार और चौड़ी, लघु हस्त-कुल्हाड़ियाँ एवं विदारक और उपयोग किए जा चुके फलक। अहरन/सन्दान (Anvils) और हथौड़े भी निर्माण स्थल पर पाए गए हैं।

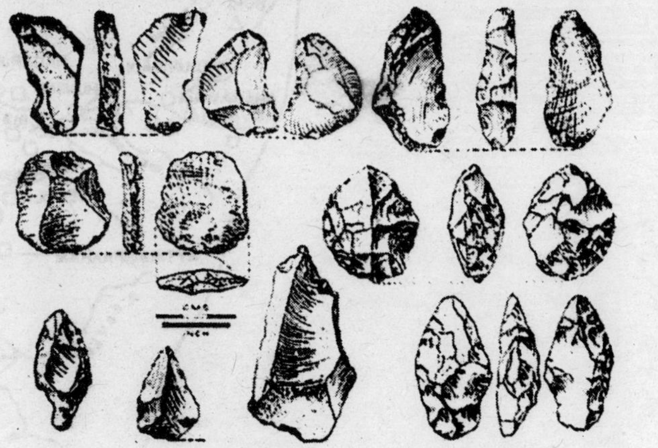

*मध्य पुरापाषाण काल के उपकरण*

उपकरणों के निर्माण के लिए जिन तकनीक का उपयोग किया गया वे हैं : हथौड़ा, बेलनाकार हथौड़ा और लेवालोय (Levallois)। कच्ची सामग्री के रूप में जिन पत्थरों का उपयोग किया गया वे दानेदार क्वार्टजाइट से लेकर बिल्लौर, सूर्यकांत मणि और सिक्थ स्फटिक हैं।

**लेवालोय तकनीकः** पेरिस के एक उपनगर लेवालोय के नाम पर इस तकनीक का नाम रखा गया, जहाँ एक खास प्रकार का मूल पत्थर तैयार किया जाता था। यह तकनीक 'कछुए के आकार वाले मूल पत्थर' से निर्मित एक नए उपकरण का उत्पादन करती थी जिस पर एक बार चोट करने पर परतें झड़ जाती थी। इसे 'मूल पत्थर को तैयार करने वाली तकनीक' (Prepared Core technique) भी कहा जाता है।

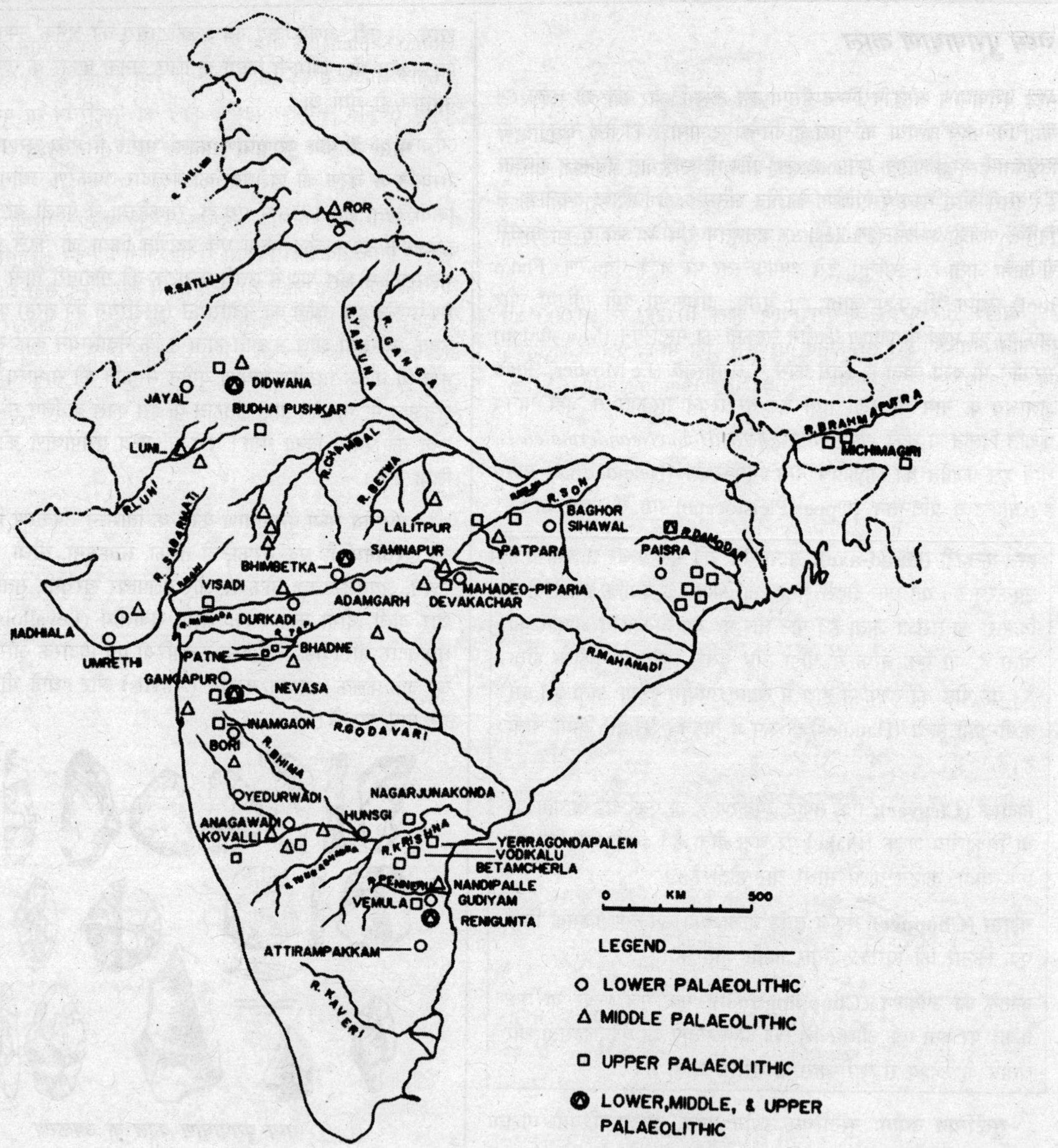


*भारतीय मध्य पुरापाषाण काल के स्थल (वी.एन. मिश्रा, 1989)*

**मध्य पुरापाषाण कालीन स्थलः** भारतीय उपमहाद्वीप के अधिकांश भाग में मध्य पुरापाषाण काल के स्थल मिलते हैं। मध्य पुरापाषाण काल के उपकरण नदियों द्वारा निर्मित पथरीले जमावड़ों के रूप में मिलते हैं जो हमें वहाँ की जलवायु की अवस्था के बारे में बताते हैं। इन स्थलों में कुछ निम्नांकित हैं:

1. राजस्थान में डीडवाना
2. गुजरात में हिरन घाटी
3. सिंधु और झेलम नदियों के बीच पोटवार पठार
4. पाकिस्तान के उत्तर-पश्चिमी सीमांत प्रदेश में संघाव (Sanghao) गुफा
5. राजस्थान में बुद्ध पुष्कर
6. अरावली पहाड़ियों के पश्चिम में लूनी नदी द्वारा प्रदत्त औजार उद्योग
7. महाराष्ट्र में चिरकी-नेवासा
8. उत्तर प्रदेश में कालपी

## उच्च पुरापाषाण काल

उच्च पुरापाषाण काल पुरापाषाण युग का तीसरा और अंतिम उपखंड है जो मानव उपलब्धियों की पराकाष्ठा को दर्शाता है। उच्च पुरापाषाण संस्कृतियों का विकास यूरोप, दक्षिण-पश्चिमी एशिया, अफ्रीका, दक्षिण एशिया और दक्षिण-पूर्व एशिया में उच्च प्रतिनूतन युग के उत्तरवर्ती काल में हुआ, जिसे अतिकालीन (Late) प्रतिनूतन युग के रूप में भी जाना जाता है।

व्यापक तौर पर, उच्च पुरापाषाण काल 40,000 से 10,000 वर्ष पूर्व माना गया है। इस सांस्कृतिक चरण से जुड़ी मानव प्रजाति शारीरिक रूप से आधुनिक होमो सेपियंस (AMHS: Anatomically Modern Homo Sapiens) के नाम से जानी जाती है, जो वर्तमान समय की तथा एकमात्र जीवित मानव प्रजाति है। हम इसी प्रजाति के हैं। उच्च पुरापाषाण युगीन संस्कृति मध्य पुरापाषाण काल की मुस्टेरियन या पुराने पत्तरनुमा औजारों की संस्कृति के बाद आती है जो पुरातन विश्व (Old World) के विभिन्न हिस्सों में पाई जाती है।

पत्थरों के उपकरणों के निर्माण के क्षेत्र में उच्च पुरापाषाण काल की पहचान इसके तकनीकी विकास से की जाती है। इन औजारों में एक ओर धार को तेज किया जाता था तथा दूसरी तरफ कुंद रखा जाता था। धार परतदार होती है, लेकिन बहुत पतली और चपटी, जो आकार में लंबी और दोनों तरफ से बराबर होती है। धार बनाने के लिए पहले मूल पत्थर को चारों तरफ से घिसकर चिकना किया जाता था। उसके बाद, उसे चारों

*भारत में उच्च पुरापाषाण कालीन स्थलों का वितरण*

तरफ से काटकर, ठोककर, कई धारों को तैयार किया जाता था। इसका अर्थ था कि धार को अप्रत्यक्ष चोट से न कि प्रत्यक्ष चोट से तैयार किया जाता था। धार या ब्लेड की पहली शृंखला के निकलने के बाद दूसरी, तीसरी एवं अन्य शृंखलाएँ निकाली जाती थीं जब तक कि मूल पत्थर समाप्त न हो जाए। इस प्रकार, इस ब्लेड बनाने की तकनीक में एक मूल पत्थर से अनेक ब्लेड तैयार किये जाते थे। यह मूल पत्थर देखने में घनक्षेत्र (Prism) के जैसा या बाँसुरीनुमा होता है; अतः इस तकनीक को "Prismatic Core" या "Fluted Core" तकनीक कहा जाता है। इन ब्लेडों को बहुत अधिक तराशा जाता था, जिसमें इसे कुंद करके अन्य कई उपकरण बनाए जाते थे। इस प्रकार के तराशने को मोटी किनारी बनाना, जिससे आधार प्रदान होता है, (Backing) कहा जाता है और इस प्रक्रिया से बने उपकरणों को आधारयुक्त-ब्लेड-उपकरण (Backed Blade Tools) कहा जाता है। उच्च पुरापाषाण कालीन उद्योग के उपकरण फलक और मूल पत्थर के बने काफी विविध प्रकार के होते हैं, जैसे एकतरफा खुरचनी, अंडाकार खुरचनी, नोकदार खुरचनी, गोलाकार खुरचनी, एक सतह वाली और दोहरी सतह वाली खुरचनियाँ। इनमें से कुछ पत्तर के उपकरण लेवालोय (Levallois) तकनीक व (Discoid core) तकनीक से निर्मित होते हैं और गोलाकार खुरचनियाँ मध्य पुरापाषाण काल की परंपरा की निरंतरता को दर्शाते थे। इनमें से कुछ पत्तरों से बने एकतरफा ब्लेडों को मुट्ठा (Hafts) में जोड़ा जाता था जिससे घेरानुमा या घुमावदार मत्स्यबर्छियाँ (Harpoons) बनाई जाती थीं। इन उपकरणों में दानेदार पत्थरों का प्रयोग कच्ची सामग्री के रूप में किया जाता था।

**भारत में उच्च पुरापाषाण काल**

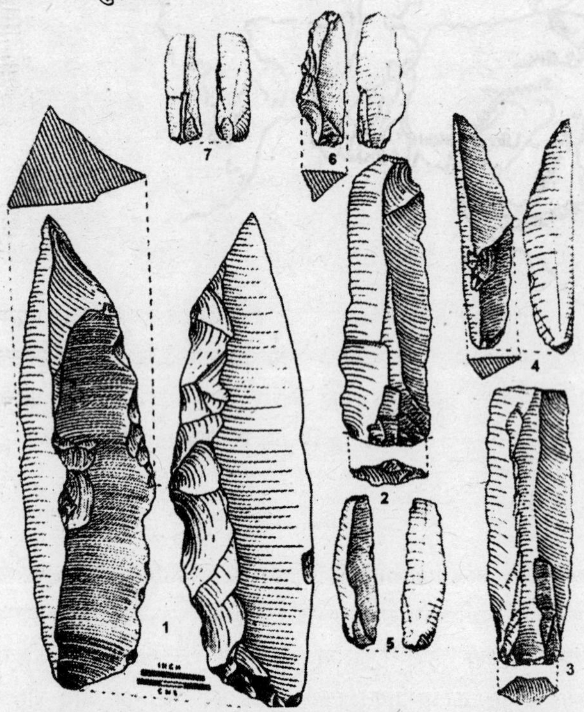


***रेनीगुंटा के निकट रल्लाकलावा (Rallakalava) घाटी से प्राप्त ब्लेड-और-तक्षणी उद्योग के पुरावशेष। 1, 4, 6: पुनःसज्जित (Retouched) ब्लेड; 2, 3, 5, 7: साधारण ब्लेड (मूर्थी Murthi)***

ब्लेड रूपी उपकरण बनाने की तकनीक पर आधारित उच्च पुरापाषाण काल की संस्कृति के अवशेष भारत के विभिन्न भौगोलिक क्षेत्रों में पत्थर के उपकरणों के रूप में मिलते हैं। चूँकि इनमें से अधिकतर उपकरण कार्बनिक (Carbonic) पदार्थ से बने थे, अतः खुली हवा में ये नष्ट हो गए हैं जिसके कारण इनका पता करना कठिन है। हड्डियों से बने उपकरणों को आंध्रप्रदेश के कर्नूल से प्राप्त किया गया है जहाँ इनके संरक्षण की परिस्थितियाँ अनुकूल थीं।

दक्षिणी पूर्वी घाट (Southern Eastern Ghats) में राल्लाकलावा (Rallakalava), नल्लागुंडलू (Nallagundlu), और गुंजूना (Gunjuna), वोडिकालु (Vodikalu), बेल्लु (Bellu), घाटियों में से ब्लेड-और-तक्षणी (Burin) उद्योग की पुष्टि करने वाले सर्वोत्तम नमूने मिले हैं।

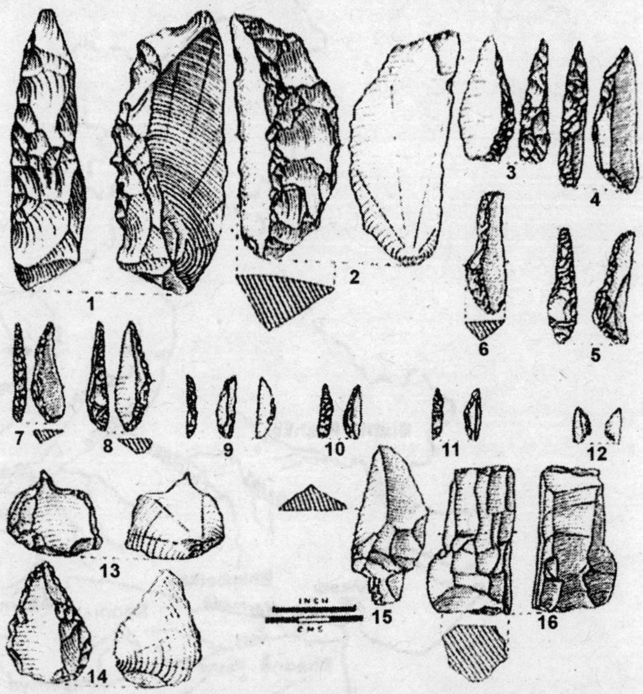


***रेनीगुंटा के निकट रल्लाकलावा घाटी से प्राप्त ब्लेड-और-तक्षणी उद्योग की पुरावशेष। 1, 2 आधारयुक्त/मुट्ठानुमा (Backed) चाकू; 3-12 मुट्ठानुमा ब्लेड और ब्लेड (Bladelet) वाले उपकरणों के प्रकार (5 और 6 मुट्ठानुमा कलमतराश चाकू (Pen Knives) हैं); 13 सुतारी (Awl); 14 एकतरफा खंती (Unifacial Point); 15 चूलदार (Tanged) खंती; 16 ब्लेडनुमा मूल प्रत्थर (Blade Core), मूर्थी (Murthy) 1979।***

भारत के विभिन्न हिस्सों से प्राप्त उच्च पुरापाषाण काल की रेडियोकार्बन तिथियाँ और कर्नूल की गुफाओं से प्राप्त ताप संदीप्ति काल-निर्धारण पद्धति (Thermoluminiscence) की तिथियाँ 40,000 ई.पू. से 8000 ई.पू. के बीच पड़ती हैं। कर्नूल से प्राप्त उच्च पुरापाषाण काल के पशुओं के अवशेष भी उत्तरवर्ती प्रतिनूतन युग से संबंधित हैं।

**उच्च पुरापाषाण काल के स्थानः** भारतीय उपमहाद्वीप के कुछ प्रमुख उच्च पुरापाषाण कालीन स्थल निम्नांकित हैं:

1. उच्च सिंध में रोहिरी (Rohiri) की पहाड़ियाँ

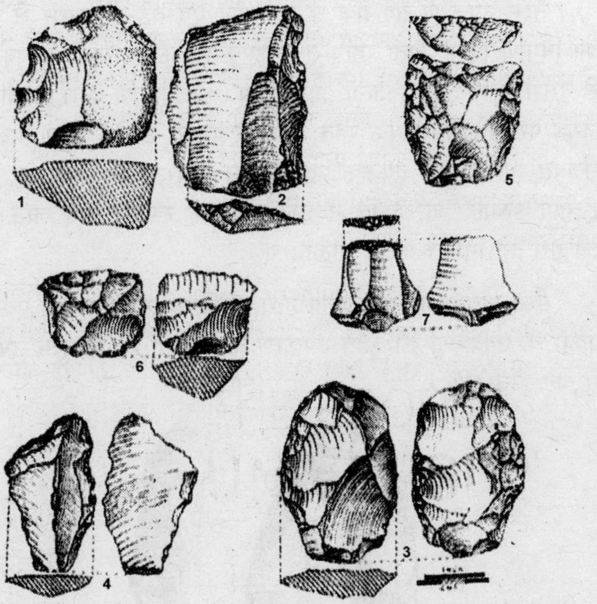

*रेनीगुंटा के निकट रल्लाकलावा से प्राप्त ब्लेड-और-तक्षणी उद्योग के पुरावशेष 1 उत्तलनुमा खुरचनी; 2, 4 एकतरफा खुरचनी (Side Scraper); 3 अंडाकार खुरचनी (Ovate Scraper); 5, 6, 7 नुकीली खुरचनी (end Scraper)*

2. बेलन घाटी में चोपानी माण्डो (Chopani Mando)
3. मध्य प्रदेश में बागोर
4. बिहार के मुंगेर जिले में पैसरा
5. बांग्लादेश में लालमाई (Lalmai) पहाड़ियाँ
6. पश्चिमी त्रिपुरा में हाओरा (Haora) और खोवाई (Khowai) नदी घाटियाँ
7. आंध्र प्रदेश में कर्नूल
8. आंध्र प्रदेश के चित्तोर (Chittor) जिले में रेनीगुंटा

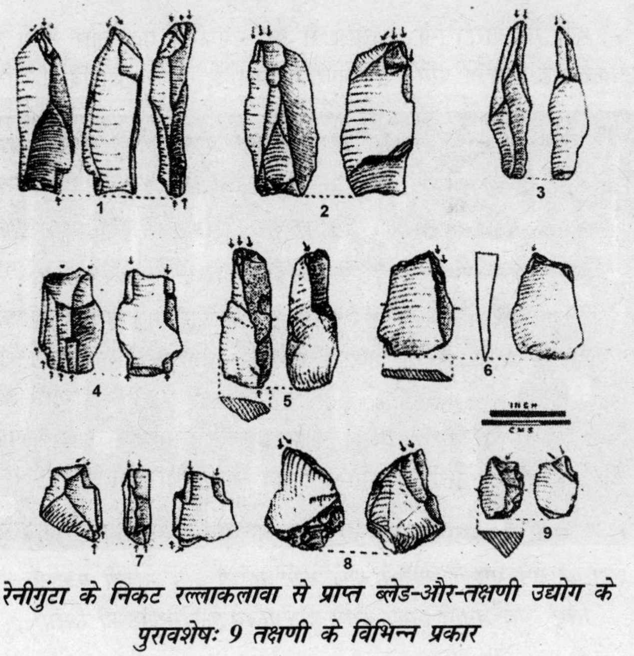

*रेनीगुंटा के निकट रल्लाकलावा से प्राप्त ब्लेड-और-तक्षणी उद्योग के पुरावशेषः 9 तक्षणी के विभिन्न प्रकार*

**हड्डी उपकरण (Bone Tool) उद्योगः** उच्च पुरापाषाण काल के हड्डी उपकरण आंध्र प्रदेश के कूर्नूल गुफा स्थलों से प्राप्त होते हैं। रॉबर्ट ब्रूस फुट और उनके पुत्र हेनरी ब्रूस फुट ने 1880 में बिल्लासुरगम गुफाओं की खुदाई से उत्तरवर्ती प्रातिनूतन काल के पशुओं की हड्डियों से बने उपकरण प्राप्त किए। इन उपकरणों में नुकीले तीर, खंजर, खुरचने वाला चाकू, छेनी, कील, कुल्हाड़ी इत्यादि शामिल थे। 1970 में की गई खुदाई से यह बात पुनः पुष्ट होती है। गुफाओं के इन हड्डी से बने उपकरणों से उनकी अपरिपक्व तकनीक का पता चलता है। ऐसा इसलिए था क्योंकि गुफाएँ अल्पकालीन आश्रय होती थीं, अतः अल्पकालीन आश्रय की स्थिति में पूरी तरह तैयार पुरावशेषों की संपूर्ण प्रस्तुति संभव नहीं होती। मुच्छातला चिंतामनु गवि गुफा में अधिक खुदाई से उत्तरवर्ती प्रातिनूतन के समय के पशुओं की हड्डियों से बने उपकरणों के साथ-साथ ब्लेडनुमा उपकरण भी प्राप्त हुए हैं। इस गुफा के हड्डी उपकरणों में खुरचनियाँ, छेदक, छेनियाँ, करछे (Scoops), डोल, कंधे/कंधेदार वाली खंती, सूआ, कंटिया इत्यादि औजार शामिल हैं।

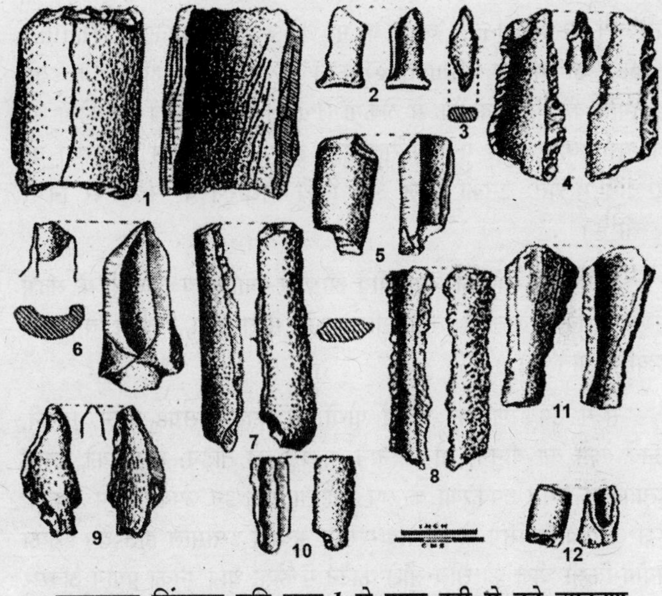

*मुच्छातला चिंतामनु गवि गुफा 1 से प्राप्त हड्डी से बने उपकरण (कूर्नूल गुफाएँ): 1. विदारक; 2-3 छेदक; 4-5 छेनी; 7-8 स्पैटुला; 9 घुमावदार चाकू; 10 चौड़ा चाकू, टूटा हुआ; 11 अस्थि ब्लेन्क; 12 दोधारी अस्थि चाकू।*

## मध्य पाषाण काल

मध्यपाषाण काल की शुरुआत 8000 ई.पू. में शुरू हुई। यह पुरापाषाण काल और नवपाषाण काल के बीच का संक्रमण काल था। इस समय तापमान अधिक था और जलवायु आर्द्र एवं शुष्क थी। ऐसी जलवायु ने मानव जीवन को प्रभावित किया तथा वनस्पति एवं जीव जंतुओं में परिवर्तन हुआ। गर्म जलवायु होलोसीन (Holocene) युग से संबंधित थी। प्रतिनूतन युग के बाद होलोसीन काल आया। होलोसीन को नव या नवतापीय चरण के रूप में भी जाना जाता है।

मध्य पाषाण काल के लोगों का जीवन वैसे तो पुरापाषाण काल के खानाबदोश जीवन जैसा था, परन्तु पुरापाषाण काल के लोगों की जीवन शैली की तुलना में अधिक विस्तृत था। पौधों और पशुओं के साथ उनके लंबे अनुभव तथा परस्पर क्रिया ने उन्हें प्रजाति-विशिष्ट शिकारी व संग्रहकर्ता बना दिया। अर्थात् वे कुछ पादपों और पशुओं को अन्य पादपों एवं पशुओं की तुलना में अधिक तवज्जो देते थे। उत्तर प्रतिनूतन युग के दौरान प्रारंभिक होलोसीन काल में यूरोप में उत्पन्न हुई संस्कृति, को मध्य पाषाण काल की संस्कृति कहते हैं।

**उपकरणों के प्रकार तथा प्रौद्योगिकीः** इस सांस्कृतिक चरण के सबसे आम और प्रमुख उपकरण सूक्ष्म उपकरण (Microliths) हैं। प्रौद्योगिकी के लिहाज से, यह परंपरा पुरापाषाण काल से निरंतर चली आ रही थी। ये सूक्ष्म उपकरण पुरापाषाण काल के अंतिम चरण से बनना शुरू हुए जो मध्य पाषाण काल में प्रमुख हो गए। सूक्ष्म उपकरण निर्धारित करने के लिए उपकरण की लंबाई की सीमा तीन से.मी. मानी जाती है। इसके अलावा, मध्य पाषाण काल के सूक्ष्म उपकरण इस काल के तकनीकी रूप से समृद्ध लोगों द्वारा बनाए जाते थे। यह मुख्यतः औजार के किनारे को परिष्कृत (Retouching) करके या मूठ को जोड़ने वाले किनारे (Hafling edge) को भोथरा (Blunting) करने से परिलक्षित होता है। इसमें इस्तेमाल की गयी तकनीक में ठोकना (Punch) और दबाव देना होता था, जो पुरापाषाण काल में विकसित हुई। इस कारण, सूक्ष्म उपकरणों की पहचान मुख्यतः उनकी खोज और तिथि निर्धारण के संदर्भ पर निर्भर करती है।

सूक्ष्म उपकरणों को ज्यामितीय और गैर-ज्यामितीय आकारों के संदर्भ में वर्णित किया जाता है। ज्यामितीय प्रकारों में समलंबी, त्रिकोण, चन्द्राकार इत्यादि आते हैं।

सूक्ष्म उपकरणों का प्रयोग पौधों को काटने, संग्रह करने, छाँटने, उनके रेशों को बीनने; जाल बनाने; पत्थरों को तोड़ने; धनुष को बनाने इत्यादि में समग्र उपकरणों के रूप में होता था। इन उपकरणों में लकड़ी, हड्डी और बारह सिंगे के शाखादार सींग इत्यादि इस्तेमाल होते थे। इनका प्रयोग किसी चीज को सीध-सीधे काटने में होता था। इनका प्रयोग अक्सर तिरछे ब्लेडों, छोटे ब्लेडों, चौड़े, समलंबी, घुमावदार एवं रेतीदार ब्लेडों के निर्माण में भी होता था। कभी-कभी चन्द्राकार और त्रिकोणीय उपकरणों को उर्ध्वाधर रखकर आरी की धार को तैयार किया जाता था। ऐसे जटिल उपकरणों को बनाने की प्रक्रिया उच्च पुरापाषाण काल से मध्य पाषाण काल तक जारी रही।

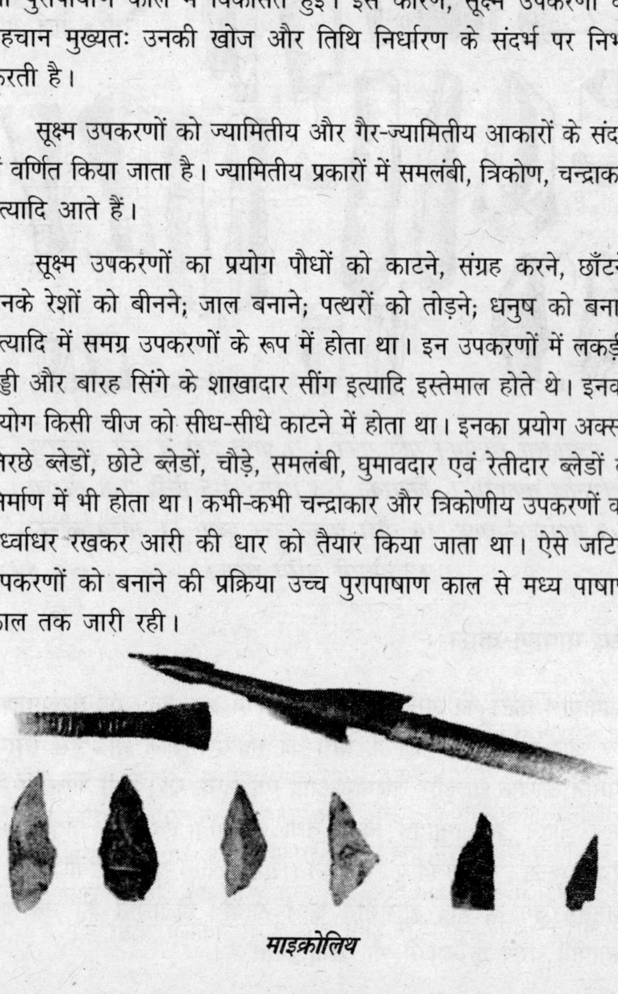

माइक्रोलिथ

सूक्ष्म उपकरण तकनीक से छोटे-छोटे एवं बड़े-बड़े पत्थर से औजार का निर्माण किया जाता रहा। सूक्ष्म उपकरणों को आसानी से एक जगह से दूसरी जगह तक ले जाना आसान था। मध्यपाषाण काल के लोग एक जगह पर लंबे समय तक रहते थे। इस प्रकार, उन्होंने बहुत तीक्ष्ण एवं मजबूत सामग्री जैसे चकमक पत्थर/अग्नि पत्थर, सिक्थ स्फटिक, गोमेद, इंद्रगोप इत्यादि जो प्रकृति में छोटे पिंडों के रूप में पाए जाते थे, से औजारों को निर्मित करना सीखा।

मध्य पाषाण काल के लोगों द्वारा उपयोग किए जाने वाले एक अन्य प्रकार के उपकरणों को बृहत् उपकरण कहा जाता है। ये सूक्ष्म उपकरणों से बड़े होते थे।

*बृहत् उपकरण*

ये उच्च पुरापाषाण काल के उपकरणों जैसे खुरचनियों की निरंतरता को दर्शाते हैं। साथसाथ नए प्रकार के औजार जैसे कुल्हाड़ियाँ और कुदालियाँ भी इस्तेमाल होने लगे। इन्हें भारी उपकरण माना जाता है। वे मुख्यतः चकमक पत्थरों के बने होते थे। औजारों को परतें उतार कर तैयार किया जाता था जिसमें उनकी धार (Working edge) को आड़ा (Traverse) बनाया जाता था। किनारे (Edge) की प्रकृति के अनुसार उन्हें कुल्हाड़ी (Adze) कहा जाता है। वे लकड़ी पर काम करने के लिए प्रयुक्त होते थे। कुल्हाड़ी, बसूले या कुदाली को लकड़ी, हड्डी या बारहसिंगे के सींग से जोड़कर बनाया जाता था। इन उपकरणों से जंगलों के वातावरण से निपटने में सहायता मिलती थी।

हड्डी या बारहसिंगों के सींग से बने उपकरण एक और श्रेणी के उपकरण हैं जिनका प्रयोग मध्यपाषाण काल के लोगों द्वारा किया जाता

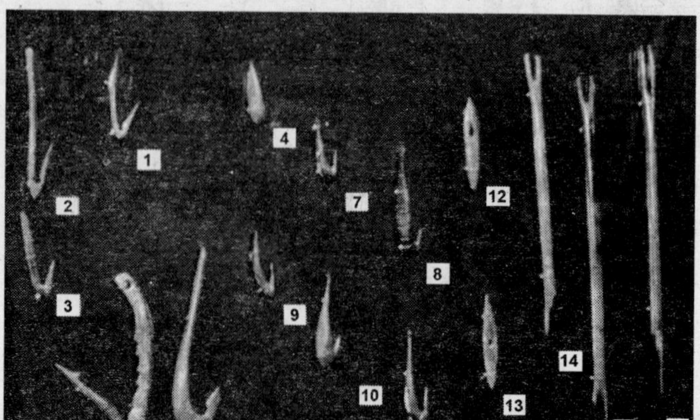


*हड्डी से बने मछली पकड़ने वाले कांटे सुइयाँ और मछली पकड़ने के लिए जाल बनाने वाली ढरकियाँ (सर्जियेवो-पोसाडिसकी जिला)*

था। हड्डी का इस्तेमाल मुख्य रूप से कांटेदार बर्छियाँ (Harpoons) बनाने के लिए किया जाता था। कंटियाओं (Barbs) की संख्या, मूठ (Shaft) के बराबर में उनकी अविस्थिति तथा उनकी प्रकृति व आकार के आधार पर बर्छियों में विभिन्न प्रकार पहचाने जाते हैं। उनका प्रयोग मछली पकड़ने के कांटों और अंकों के रूप में किया जाता था। समग्र उपकरण बनाने के लिए हड्डियों का प्रयोग दस्तों (Hafts) के रूप में भी होता था।

अधिकांशतः बारहसिंगों के कटे हुए सिंग का इस्तेमाल उपकरण बनाने में होता था। सिंग को भौंहों के पास से काटा जाता था जिसका प्रयोग कुल्हाड़ी या बसूला बनाने में किया जाता था। कभी-कभी बारसिंगे के सींग को कुल्हाड़ियों व बसूलों के मूठ के रूप में इस्तेमाल किया जाता था।

**मध्य पाषाण काल की संस्कृतिः** मध्यपाषाण काल या मध्य प्रस्तर युग (Middle Stone Age) पुरापाषाण की तुलना में कहीं अल्प अवधि के लिए था। यह श्रीलंका एवं अफ्रीका के कुछ हिस्सों में 30,000 वर्षों से लेकर भारत और पश्चिम एशिया में 10,000 वर्षों तक चला। सूक्ष्म उपकरणों के प्रयोग के अलावा, मध्य पाषाणकाल के लोगों ने शिकार करने के लिए तीर, धनुष, वनस्पति खाद्य पदार्थों जैसे जड़ व कंद के अनेक प्रकार विकसित किए। उन्होंने हजारों चित्र बनाए जिससे उनके सौंदर्यबोध का आभास होता है। साथ ही, यह भी पता चलता है कि कैसे उन्होंने अपने जीवन निर्वाह के लिए तकनीकी उपकरणों, जीवन निर्वाह आधारित अर्थव्यवस्था (Subsistence economy) के तरीकों, संस्कृति की भौतिक सामग्रियों, सामाजिक संगठन एवं धर्म का विकास किया।

**मध्य पाषाणकालीन स्थानः** सूक्ष्म उपकरण और अन्य मध्यपाषाण कालीन उपकरणों की सबसे प्राचीन खोज ए.सी.एल. कार्लाइल द्वारा की गई थी। उन्हें उत्तर प्रदेश के मिर्ज़ापुर जिले के शैलाश्रयों में सूक्ष्म उपकरण, शिलाचित्र, पीसने के निशान युक्त वर्णक टुकड़े (Pigment pieces) मानव कंकाल, पशु हड्डियों, राख, कोयले के टुकड़े मिले। उन्होंने भाला, तीर, धनुष और कटार से जंगली पशुओं का शिकार करते दिखाते चित्रों की भी खोज की। मध्य पाषाणकालीन जीवन को दर्शाती कला की यह पहली खोज थी। फलतः आगे चलकर उत्तर प्रदेश, आंध्रप्रदेश में कर्नूल गुफाओं और दक्षिण भारत और गुजरात के बड़े स्थलों पर शोध किये गए। मध्य पाषाणकालीन स्थल उत्तर-पूर्व को छोड़कर लगभग पूरे भारत में पाए जाते हैं। यहाँ तक कि ये गंगा के मैदानी इलाकों, जहाँ पत्थर के संसाधन कम हैं, में भी पाए जाते हैं। यह दर्शाता है कि मध्य पाषाणकालीन खानाबदोशों ने पूरे उपमहाद्वीप में अपना विस्तार किया। प्राक्-इतिहास के पूरे 20 लाख वर्षों में ऐसा पहली बार हुआ था।

**प्रमुख उत्खनन स्थलः**

- राजस्थान में गणेश्वर, बागोर, तिलवारा।
- गुजरात में लंघनाज, अखज (Akhaj), वलासना, अमरापुर, देवनिमोरी, तरसंग।
- महाराष्ट्र में पाटन (Patne), पचाड़ हाटखंबा।
- उत्तर प्रदेश में मोरटना, लेखाहिया (Lekhahia), बाघाई खार (Baghai Khar), सराई नाहर राय, महादहा, दमदमा, चौपानी मांडो, बैधा पुतपुरीहवा।
- मध्यप्रदेश में पंचमढ़ी, आदमगढ़, पुतलीकरार, भीमबेटका, घांघरिया।
- बिहार में पैसरा (मुंगेर)
- उड़ीसा में कुचाई
- पश्चिम बंगाल में बीरभानपुर
- आंध्र प्रदेश में मुच्छातला चिंतामनु गवि, गोरी गुंडम
- कर्नाटक में संगनाकल्लु
- केरल में तेनामल्लाई

उपर्युक्त उत्खनन स्थलों से हमें प्रौद्योगिकी, भौतिक अवशेष, दफनाने की व्यवस्था, शारीरिक अवशेष, दफन से संबंधित प्रथाओं, कला एवं चारकोल की भरपूर जानकारी मिलती है।

रेडियो कार्बन एवं थर्मोल्युमिनिसेंस विधि से प्राप्त आँकड़ों से यह ज्ञात होता है कि मध्य पाषाणकालीन लोग 10,000 ई.पू से 2000 ई.पू. के बीच के समय के दौरान रहते थे। उनके उत्तरवर्ती इतिहास में वे अनेक ग्रामीण एवं शहरी संस्कृतियों के संपर्क में आए। इस संपर्क के परिणास्वरूप, उनके खानाबदोश शैली वाले जीवन में अभूतपूर्व बदलाव आया। अधिकांशतः खाना-बदोश बस गए, कृषि के साथ-साथ अन्य स्थानबद्ध व्यवसायों को अपनाया और धीरे-धीरे हिंदू जाति व्यवस्था पर आधारित समाज में आत्मसात हो गए।

## नव पाषाण काल

विश्व स्तरीय संदर्भ में नव पाषाण युग 9000 ई.पू. में आरंभ होता है। भारतीय उपमहाद्वीप में नव पाषाण युग की एक मात्र बस्ती ऐसी मिली है जिसका समय 7000 ई.पू. बताया जाता है। यह पाकिस्तान के एक प्रान्त बलूचिस्तान में अवस्थित मेहरगढ़ में है। आरंभ में 5000 ई.पू. से पहले इस स्थान के लोग मृदभांड का प्रयोग नहीं करते थे। विंध्य पर्वत के उत्तरी पृष्ठों पर पाये गए कुछ नव पाषाण स्थलों को 5000 ई.पू. तक पुराना बताया जाता है किन्तु सामान्यतः दक्षिण भारत में पाई गई नव पाषाण बस्तियाँ 2500 ई.पू. से अधिक पुरानी नहीं हैं। भारत के कुछ दक्षिणी और पूर्वी भागों में तो ऐसे स्थल महज 1000 ई.पू. के हैं। इस युग के लोग पॉलिशदार पत्थर के औजारों और हथियारों का प्रयोग करते थे। वे खास तौर से पत्थर की कुल्हाड़ियों का इस्तेमाल किया करते थे। ये कुल्हाड़ियाँ देश के पहाड़ी इलाकों के अनेकों भाग में विशाल मात्रा में पाई गई हैं। काटने के इस औजार से लोग कई तरह के काम लेते थे।

नवपाषाण युग के निवासियों द्वारा व्यवहृत कुल्हाड़ियों के आधार पर हम उनकी बस्तियों के तीन महत्वपूर्ण क्षेत्र देखते हैं— उत्तरी पश्चिमी, उत्तर पूर्वी और दक्षिणी। उत्तर पश्चिमी समूह के नवपाषाण औजारों में वक्र धार की तिकोनी कुल्हाड़ियाँ हैं। उत्तर पूर्वी समूह की कुल्हाड़ियाँ पालिशदार पत्थर की होती थी जिसमें तिकोना दस्ता लगा रहता था और कभी-कभी स्कन्धीन हो (Shouldered hoe) भी लगे होते थे। दक्षिणी समूह की कुल्हाड़ियों की बगले अंडाकार होती और हत्था नुकीला रहता है।

उत्तर पश्चिम में, कश्मीरी नवपाषाण संस्कृति की कई विशेषताएं हैं, जैसे आवास गर्त, मृदभांड की विविधता, पत्थर और हड्डी के औजारों का प्रकार और सूक्ष्म पाषाण का पूरा अभाव। इसका एक महत्वपूर्ण स्थल है बुर्जहोम, जिसका अर्थ है जन्म स्थान। यह श्रीनगर से उत्तर पश्चिम की ओर 16 किलोमीटर दूर है वहाँ नव पाषाणिक लोग एक झील के किनारे गर्तावासों (गड्ढों) में रहते थे और शिकार और मछली पर जीते थे। शायद वे खेती से परिचित थे। एक अन्य नव पाषाण स्थल है गुफकराल (कुकाल अर्थात कुम्हार की गुहा) जो श्रीनगर से 41 किलोमीटर दक्षिण-पश्चिम में है। यहाँ के लोग कृषि और पशुपालन दोनों धंधे करते थे। कश्मीर में नवपाषाण युगीन लोग न केवल पत्थर के पालिशदार औजारों का प्रयोग करते थे, अपितु इससे भी मजेदार बात है कि वे हड्डी के बहुत सारे औजारों और हथियारों का भी प्रयोग करते थे। जहाँ प्रचुर मात्रा में हड्डी का उपकरण पाया गया हो भारत में ऐसा एक ही स्थान चिरांद है, जो गंगा के उत्तर किनारे पर पटना से 40 किलोमीटर पश्चिम में है। ये उपकरण हिरण के सींगों के हैं और परवर्ती नवपाषाणीय परिवेश में 100 सेंटीमीटर वर्षा वाले क्षेत्र में पाये गए हैं। यहाँ बस्ती इसलिए संभव हुई कि गंगा, सोन, गंडक और घाघरा इन चारों नदियों का संगमस्थल होने के कारण यहाँ खुली जमीन उपलब्ध थी। यहाँ पत्थर के औजारों की कमी ध्यान देने योग्य हैं। बुर्जहोम के लोग रूखड़े धूसर मृदभांडों का प्रयोग करते थे। यह रोचक बात है कि यहाँ कब्रों में पालतू कुत्ते भी अपने मालिकों के शवों के साथ दफनाये जाते थे। गड्ढ़ों में रहने और पालतू कुत्तों को उनके मालिकों की कब्रों में दफनाने की प्रथा भारत में अन्य किसी भी भाग में नव पाषाण युगीन लोगों में शायद नहीं थी। बुर्जहोम के बारे में सबसे पूर्व की तिथि 2400 ई.पू. किन्तु चिरांद में मिली हड्डियों की तिथि 1600 ई.पू. से पहले नहीं रखी जा सकती है और सम्भवतः वे औजार ताम्र पाषाणिक हैं। नव पाषाण युग के लोगों का दूसरा समूह दक्षिण-भारत में गोदावरी नदी के दक्षिण में रहता था। वे लोग आमतौर से नदी के किनारे ग्रेनाइट की पहाड़ियों के ऊपर या पठारों में बसते थे। वे पत्थर की कुल्हाड़ियों का और कई प्रकार के प्रस्तर फलकों का भी प्रयोग करते थे। पक्की मिट्टी की मूर्तिकाओं से प्रकट होता है कि वे बहुत से जानवर पालते थे। उनके पास गाय, बैल, भेड़ और बकरी होती थी। वे सिलबट्टे का प्रयोग करते थे जिससे प्रकट होता है कि वे अनाज पैदा करना जानते थे।

तीसरा क्षेत्र जहाँ नवपाषाण युग के औजार मिले हैं, असम की पहाड़ियों में पड़ता है। नव पाषाण औजार भारत की उत्तर पूर्वी सीमा पर मेघालय की गारो पहाड़ियों में भी पाए गए हैं। इसके अतिरिक्त, हम विन्ध्य के उत्तरी पृष्ठों पर मिर्जापुर और इलाहाबाद जिलों में भी कई नवपाषाण स्थल पाते हैं। इलाहाबाद जिले के नवपाषाण स्थलों की यह विशेषता है कि यहाँ ईसा पूर्व छठी शताबदी में भी चावल का उत्पादन होता था।

जिन कई नव पाषाण स्थलों का या नवपाषाण परतों वाले स्थलों का उत्खनन हुआ है उनमें प्रमुख है कर्नाटक में मास्की, ब्रम्हगिरि, हल्लुर, कोडक्कल, पिकलीहल, सगनकल्लु, टी. नरसीपुर और तैक्कलककोट तथा तमिलनाडु में पैयमपल्ली। उतनूर आन्ध्रप्रदेश का एक महत्वपूर्ण नवपाषाण स्थल है। जान पड़ता है दक्षिण भारत में नवपाषाणावस्था 2000 ई.पू. से 1000 ई.पू. तक जारी रही। कर्नाटक के पिकलीहल के नव पाषाणयुगीन निवासी पशु पालक थे और गाय, बैल, बकरी भेड़ आदि पालते थे। वे खम्भे और खूंटे गाड़कर मवेशियों के बाड़े बनाते और उनके बीच में मौसमी निवास स्थलों में रहते थे। इन बाड़ों में वे गोबर जमा करते थे। फिर उस सारे निवास स्थलों में आग लगाकर उसे साफ कर देते थे ताकि अगले मौसम में फिर शिविर लगाए जाएें। पिकलीहल में राख के ढ़ेर और निवास स्थान दोनों मिले हैं।

नव पाषाण युग के निवासी सबसे पुराने कृषक समुदाय थे। वे पत्थर के कुदालों (हो) और खोदने के डंडों से, जिनके एक ओर एक से आधे किग्रा. वजन के प्रस्तर बल्लम लगे रहते थे, जमीन को तोड़ते थे। पत्थर के पालिशदार औजारों के अलावा वे सूक्ष्म पाषाण फलकों का भी प्रयोग करते थे। वे मिट्टी एवं सरकंडें के बने गोलाकार या आयताकार घरों में रहते थे। बताया जाता है कि गोलाकार घरों में रहने वालों की सम्पत्ति पर सामुदायिक प्रभुत्व होता था। जो भी हो, इतना तो निश्चित है कि ये नवपाषाण युगीन लोग स्थाई रूप से घर बनाकर बसने वाले हो चले थे। ये रागी और कुल्थी पैदा करते थे। मेहरागढ़ में बसने वाले नवपाषाण युग के लोग अधिक उन्नत थे। वे गेहूँ और रूई उपजाते थे और कच्ची ईंटों के घरों में रहते थे।

चूंकि नवपाषाण अवस्था के कई स्थिरवासी अनाजों की खेती से परिचित हो गए थे और पालतू पशु भी रखने लगे थे, इसलिए अनाज रखने के बरतनों की उन्हें जरूरत हुई। फिर पकाने, खाने और पीने के पात्रों की भी आवश्यकता हुई। अतः कुम्भकारी सबसे पहले इसी अवस्था में दिखाई देती है। आरंभ में हाथ से बनाए गए मृदभांड मिलते हैं। बाद में मिट्टी के बर्तन चाक पर बनने लगे। इन बर्तनों में पॉलिशदार काला भांड, धूसर भांड और मन्दवर्ण भांड शामिल हैं।

नवपाषाण युग के सेल्ट, कुल्हाड़ियाँ, बसूले, छेनी आदि औजार उड़ीसा और छोटा नागपुर के पहाड़ी इलाकों में भी पाए गए हैं परन्तु मध्य प्रदेश के कुछ भागों में तथा उच्च दक्कन के कई प्रदेशों में नवपाषाण बस्तियों का आभास आमतौर से बहुत कम मिलता है, जिसका कारण यह है कि वहाँ उन किस्मों के पत्थर नहीं थे जिन्हें आसानी से खराद कर चिकना किया जा सके। 9000 ई.पू. और 3000 ईसा पूर्व के बीच की अवधि में पश्चिम एशिया में भारी तकनीकी प्रगति हुई, क्योंकि इसी अवधि में लोगों ने खेती, बुनाई, कुम्भकारी, भवन निर्माण, पशुपालन आदि कौशल विकसित किया। फिर भी भारतीय उपमहाद्वीप में नवपाषाणयुग ईसा पूर्व छठी शताब्दी के आस-पास शुरू हुआ। चावल, गेहूँ, जौ आदि सहित कई महत्वपूर्ण फसलें इस उपमहाद्वीय में इसी अवधि से उपजाई जाने लगी और संसार के इस भाग में कई गांव बसे। लगता है यहाँ आकर मानव ने सभ्यता के द्वार पर अपना पांव रखा।

## हड़प्पा सभ्यता

हड़प्पा सभ्यता भारतीय संस्कृति की लम्बी एवं वैविध्यपूर्ण कहानी का प्रारम्भिक बिन्दु है। वर्षों पहले तक यह माना जाता रहा कि हमारी संस्कृति की शुरुआत वैदिक युग से होती है परन्तु 1921 ई. में दयाराम साहनी

द्वारा सिन्धु सभ्यता की खोज ने इस बात को गलत साबित कर दिया और हमारी सभ्यता एवं संस्कृति को 1000 वर्ष अधिक प्राचीन होने का गौरव प्रदान किया, हाल ही के शोधों के आधार पर इस सभ्यता का काल और पहले लगभग 3500 ई.पू. माना जाने लगा है।

भारत में प्रागैतिहासिक स्थलों को खोजने का कार्य भारतीय पुरातत्व विभाग के जन्मदाता अलेक्जेंडर कनिंघम को माना जाता है। भारतीय पुरातत्व विभाग की नींव वायसराय लार्ड कर्जन के काल में पड़ी। जब भारतीय पुरातत्व विभाग के महानिदेशक जान मार्शल थे, तब दयाराम साहनी ने 1921 ई. में हड़प्पा की तथा राखालदास बनर्जी ने 1922 ई. में मोहनजोदड़ों की खोज की।

**काल-निर्धारणः** सिंधु सभ्यता का कालक्रम निर्धारित करना जटिल कार्य है। इसकी लिपि का उद्घाचन न हो पाना इसे जटिल बना देता है। प्रारम्भ में इसका काल निर्धारण-प्रमुख रूप से मेसोपोटामिया में 'उर' और 'किश' स्थलों पर प्राप्त हड़प्पाई मुद्राओं के आधार पर किया गया। अनेक विद्वानों ने निम्न कालक्रम सुझाए हैं :

(*i*) सर मार्टिमर व्हीलर ने 2500 ई.पू. से 1500 ई.पू. निर्धारित किया है।

(*ii*) श्री डी.पी. अग्रवाल ने 2350 ई.पू. से 1750 ई.पू. बताया है।

(*iii*) सर जॉन मार्शल, जिन्होंने मोहनजोदड़ो में व्यापक उत्खनन कार्य किए थे, ने (3250 ई.पू.-2750 ई.पू.) कालक्रम निर्धारित किया है। उन्होंने यह विचार भी व्यक्त किया कि इस अवधि को सिन्धु सभ्यता के पूरे उत्थान और पतन के साथ नहीं जोड़ा जाना चाहिए।

(*iv*) मैके ने इसे 2800 ई.पू. से 2500 ई.पू. निर्धारित किया है।

(*v*) एम.एस. वत्स जिन्होंने हड़प्पा के उत्खनन का कार्य करवाया था, के अनुसार सिंधु सभ्यता की अवधि 3500 ई.पू. से 2500 ई.पू. है।

(*vi*) डेल्स ने 2900 ई.पू. से 1900 ई.पू. तक का समय निश्चित किया है।

(*vii*) रेडियो कार्बन पद्धति के अनुसार

पूर्व हड़प्पाई चरण–3500 ई.पू.-2600 ई.पू.

परिपक्व हड़प्पाई चरण–2600 ई.पू.-1900 ई.पू.

उत्तर हड़प्पाई चरण–1900 ई.पू.-1300 ई.पू.

लगभग 1900 ई.पू. के बाद हड़प्पाई सभ्यता की एकरूपता कमजोर हो गई और प्रादेशिक रूपान्तर उत्पन्न होने लगा। सिन्धु सभ्यता का यह काल-क्रम सर्वाधिक मान्य है।

**उद्भवः** सिन्धु सभ्यता के उद्भव में सबसे बड़ी समस्या यह है कि इस सभ्यता के अवशेष जहाँ कहीं भी मिले हैं वे अत्यन्त विकसित अवस्था में ही मिले हैं। अतः इसके आदि और अंत का पता ही नहीं चल पाता है। इतिहासकारों में इस सभ्यता के उद्भव को लेकर सामान्यतः दो मत हैं।

**विदेशी उद्भव का मत :** इस मत को मानने वाले इतिहासकारों में मार्शल, व्हीलर, गार्डन चाइल्ड, क्रेमर एवं डी.डी. कौशाम्बी प्रमुख हैं। इन लोगों का मानना है कि सिन्धु सभ्यता का उद्भव मेसोपोटामिया की सुमेरियन सभ्यता से हुआ तथा वहाँ से इस सभ्यता के तत्व मिस्र होते हुए यहाँ पहुँचे।

**स्वदेशी उद्भव के मत :** इस मत को मानने वालों में फेयर सर्विस, अमलानन्द घोष, एस.आर. राव एवं डी.पी. अग्रवाल प्रमुख हैं। इन विद्वानों का मानना है कि सिन्धु सभ्यता का उद्भव ईरानी, बलूच और सिंधु संस्कृतियों (आमरी, कोटदीजी) तथा भारत की स्थानीय संस्कृतियों से हुआ।

**विस्तार :** सिंधु सभ्यता की सीमा रेखा उत्तर में जम्मू-कश्मीर के मांडा से लेकर दक्षिण में नर्मदा के मुहाने तक तथा पूर्व में उत्तर प्रदेश के आलमगीरपुर से पश्चिम में सुत्कागेंडोर तक विस्तृत है।

उत्तर–मांडा (जम्मू-कश्मीर)

दक्षिण–दैमाबाद (महाराष्ट्र)

पूर्व–आलमगीरपुर (उत्तर प्रदेश)

पश्चिम–सुत्कागेंडोर (बलुचिस्तान)

- पूर्व से पश्चिम तक की लम्बाई–1600 किमी.
- उत्तर से दक्षिण तक की लम्बाई–1100 किमी.
- सभ्यता का आकार–त्रिभुजाकार

## हड़प्पा कालीन प्रमुख नगर

वैसे तो हड़प्पा संस्कृति में लगभग 1500 स्थलों का पता लग चुका है, किन्तु उनमें केवल सात को ही नगर की संज्ञा दी जा सकती है। ये निम्न हैं :

### *हड़प्पा*

हड़प्पा का पुरास्थल पाकिस्तान के पंजाब प्रान्त में माण्टगोमरी जिले में (आधुनिक शाहीवाल) रावी नदी के बाएं तट पर स्थित था। इसका सर्वप्रथम उल्लेख 1826 ई. में चार्ल्स मेसन ने किया। हड़प्पा के बारे में दूसरा उल्लेख तब आया जब 1856 ई. में करांची से लाहौर रेलवे लाइन बिछाते समय जॉन ब्रंटन और विलयम ब्रंटन ने यहाँ से प्राप्त ईंटों का उपयोग रोड़ों के रूप में किया। भारतीय पुरातत्व सर्वेक्षण के महानिदेशक जॉन मार्शल के निर्देश में 1921 ई. में दयाराम साहनी ने इसकी खोज की।

हड़प्पा क्षेत्रफल की दृष्टि से सिन्धु सभ्यता का दूसरा सबसे बड़ा स्थल है। यह लगभग 150 हेक्टेयर के घेरे में बसा हुआ था। इसके दुर्ग के टीले को AB नाम दिया गया। दुर्ग के बाहर उत्तर दिशा में स्थित लगभग 6 मी. ऊँचे टीले को F नाम दिया गया। इसी टीले पर अन्नागार, अनाज कूटने के वृत्ताकार चबूतरे और श्रमिक आवास के साक्ष्य मिले हैं। अन्नागार रावी नदी के तट पर स्थित था। हड़प्पा के F टीले में पकी हुई ईंटों से निर्मित 18 वृत्ताकार चबूतरे मिले हैं। जिसका उपयोग अनाज पीसने के लिए होता था। इसी टीले पर श्रमिक आवास भी मिला है। इस आवास में 15 मकान दो पंक्तियों में बनाए गए थे। इसी बस्ती के समीप

16 भट्ठियाँ और धातु बनाने की एक मूषा (Crucible) मिली है। सम्भवतः इस बस्ती में ताम्रकार रहते थे।

हड़प्पा नगर क्षेत्र के दक्षिण दिशा में एक कब्रिस्तान मिला है, जिसे समाधि R-37 (Cemetry R-37) नाम दिया गया है। हड़प्पा में सन् 1934 ई. में एक अन्य समाधि मिली थी, जिसे समाधि H (Cemetry H) नाम दिया गया। इसका सम्बन्ध सिन्धु सभ्यता के बाद के काल से था।

## *मोहनजोदड़ो*

यह पाकिस्तान के सिन्ध प्रान्त के लरकाना जिले में सिन्धु नदी के दाहिने तट पर स्थित था। यह क्षेत्रफल की दृष्टि से सबसे बड़ा नगर था; जो 250 हेक्टेयर में बसा था। इसकी जनसंख्या सर्वाधिक थी। मोहनजोदड़ो का अर्थ है—प्रेतों का टीला। इसे 'सिन्धु का बाग' भी कहा जाता है। मोहनजोदड़ो की खोज 1922 ई. में राखालदास बनर्जी ने की।

मोहनजोदड़ो के दुर्ग टीले को **स्तूप टीला** भी कहते हैं, क्योंकि इस टीले पर कुषाण काल का एक स्तूप बना है। दुर्ग के टीले पर ही स्नानागार, अन्नागार, सभा भवन एवं पुरोहित आवास बने हुए थे।

**स्नानागार :** मोहनजोदड़ो का सबसे महत्वपूर्ण सार्वजनिक स्थल विशाल स्नानागार है। इसका जलाशय दुर्ग के टीले में है। यह 11.88 मी. लम्बा 7.01 मी. चौड़ा और 2.43 मी. गहरा है। दोनों सिरों पर तल तक सीढ़ियाँ बनी हुई है। स्नानागार का फर्श पकी ईंटों का बना है। पास के कमरे में बड़ा सा कुआँ है, इससे पानी निकालकर हौज में डाला जाता था। स्नानागार के दक्षिण पश्चिम से गन्दा पानी निकालने के लिए नाली बनायी गई थी। इस विशाल स्नानागार का उपयोग सार्वजनिक रूप से धर्मानुष्ठान सम्बन्धी स्नान के लिए होता था। मार्शल ने विशाल स्नानागार को तत्कालीन विश्व का आश्चर्यजनक निर्माण बताया है।

**अन्नागार :** व्हीलर के अनुसार मोहनजोदड़ो की सबसे बड़ी इमारत अन्नागार या अन्नकोठार है। यह 45.71 मी. लम्बा और 15.23 मी. चौड़ा है।

**सभा भवन :** दुर्ग के दक्षिण में 27 × 27 मी. के आकार का वर्गाकार भवन प्राप्त हुआ है। इसे सभा भवन की संज्ञा दी गई है।

**पुरोहित आवास :** स्नानागार के उत्तर-पूरब में 70.1 × 23.77 मी. के आकार का विशाल भवन मिला है इसे पुरोहित आवास कहा गया है।

मोहनजोदड़ो के पूर्वी टीले को HR, VS तथा DK क्षेत्रों में बाँटा गया था इसमें HR क्षेत्र अत्यन्त प्रसिद्ध है। HR क्षेत्र से प्राप्त काँसे की नर्तकी की मूर्ति विशेष उल्लेखनीय है। मोहनजोदड़ो में कुल 21 मानव कंकाल प्राप्त हुए हैं। परन्तु यहाँ किसी कब्रिस्तान का उल्लेख नहीं है। हड़प्पा तथा मोहनजोदड़ो एक-दूसरे से 482 किमी. दूर सिन्धु नदी द्वारा जुड़े थे। पिग्गट महोदय ने इन नगरों को 'सिन्धु सभ्यता की जुड़वां राजधानी' कहा है।

## *चन्हूदड़ो*

यह सिन्धु नदी के बाएं तट पर स्थित था। इसकी खोज 1931 में एन.जी. मजूमदार ने की। चन्हूदड़ो में सिन्धु संस्कृति के बाद झूकर संस्कृति तथा झाँगर संस्कृति विकसित हुई। मैके ने यहाँ से मनके बनाने का कारखाना खोजा है। यहाँ से एक ऐसी मुद्रा मिली है जिस पर तीन घड़ियाल तथा दो मछलियों का अंकन है। यहीं से ईंटों पर एक बिल्ली का पीछा करते हुए कुत्ते के पंजों का निशान मिला है। यह एक मात्र ऐसा स्थल है जहाँ से वक्राकार ईंटें मिली हैं। यहाँ से लिपिस्टिक, काजल, कंघा, उस्तरा, आदि के प्रमाण भी मिले हैं। चन्हूदड़ो एकमात्र ऐसा स्थल है जहाँ पर मिट्टी की पकी हुई पाइपनुमा नालियों का प्रयोग किया गया है।

## *लोथल*

इसे 'लघु हड़प्पा' या 'लघु मोहनजोदड़ों' भी कहा जाता है। इसकी खोज 1954 ई. में एस.आर. राव ने की। यह गुजरात के अहमदाबाद जिले में भोगवा नदी के किनारे स्थित है। लोथल के पूर्वी भाग में एक गोदीवाड़ा का साक्ष्य मिला है। इसकी लम्बाई 223 मी., चौड़ाई 35 मी. तथा गहराई 3.8 मी. थी। गोदीवाड़ा के उत्तरी दीवार में 12 मी. चौड़ा एक प्रवेशद्वार था। जिससे जहाज आते-जाते थे और दक्षिणी दीवार में अतिरिक्त जल का निकासद्वार था। इस प्रकार इस नगर में जल प्रबंधन की सबसे उत्तम व्यवस्था थी।

लोथल में नगर क्षेत्र के बाहर उत्तरी-पश्चिमी किनारे पर समाधि क्षेत्र था, जहाँ से 20 समाधियाँ मिली हैं। लोथल से तीन युग्मित समाधियों के उदाहरण भी मिले हैं, जिससे यहाँ सती प्रथा का अनुमान लगाया जाता है। लोथल से एक अग्निकुण्ड का अवशेष भी मिला है। लोथल के दुर्ग क्षेत्र से 126 मी. लम्बा एवं 30 मी. चौड़ा एक भवन मिला है, जिसे प्रशासनिक भवन की संज्ञा दी गई। लोथल से भी चन्हूदड़ो की भाँति मनके बनाने का कारखाना प्राप्त हुआ है। यहाँ से एक रंगाई कुण्ड मिला है, जो निचले नगर में स्थित था।

## *कालीबंगा*

कालीबंगा का अर्थ है—काले रंग की चूड़ियाँ। 100 हेक्टेयर में बसे, राजस्थान के गंगानगर जिले में स्थित इस नगर की खोज सन् 1951 ई. में अमलानन्द घोष ने की। यह प्राचीन सरस्वती एवं दृष्द्वती नदियों के बीच स्थित था। सरस्वती का आधुनिक नाम घग्घर एवं दृष्द्वती का चौतंग है। सरस्वती नदी के किनारे घग्घर-हाकरा पाटपर पर सर्वाधिक स्थलों का संकेन्द्रण था। कालीबंगा के पश्चिमी टीले पर सैन्धव सभ्यता के नीचे प्राक्-सैन्धव संस्कृति के प्रमाण प्राप्त हुए हैं। इन प्रमाणों में हल से जुते हुए खेत का साक्ष्य सबसे महत्वपूर्ण है। इसकी जुताई आड़ी-तिरछी की गई थी, जिससे दो फसलों के एक साथ बोए जाने का अनुमान लगाया जाता है। कालीबंगा के दुर्ग टीले के दक्षिणी भाग में मिट्टी और कच्ची ईंटों के बने हुए पाँच-छः चबूतरे मिले हैं, जिनके ऊपर कई अग्निकुण्ड या वेदिकाएं बनी हुई मिली हैं, जो कि आयताकार हैं।

कालीबंगा में दुर्ग वाले टीले के दक्षिण-पश्चिम में लगभग 300 मीटर की दूरी पर कब्रिस्तान स्थित था। यहाँ से शव विसर्जन के 37 उदाहरण मिले हैं। यहाँ अन्त्येष्टि संस्कार की तीनों विधियों-पूर्ण समाधीकरण, आंशिक समाधीकरण एवं दाह संस्कार के साक्ष्य मिले हैं। यहाँ से एक युगल

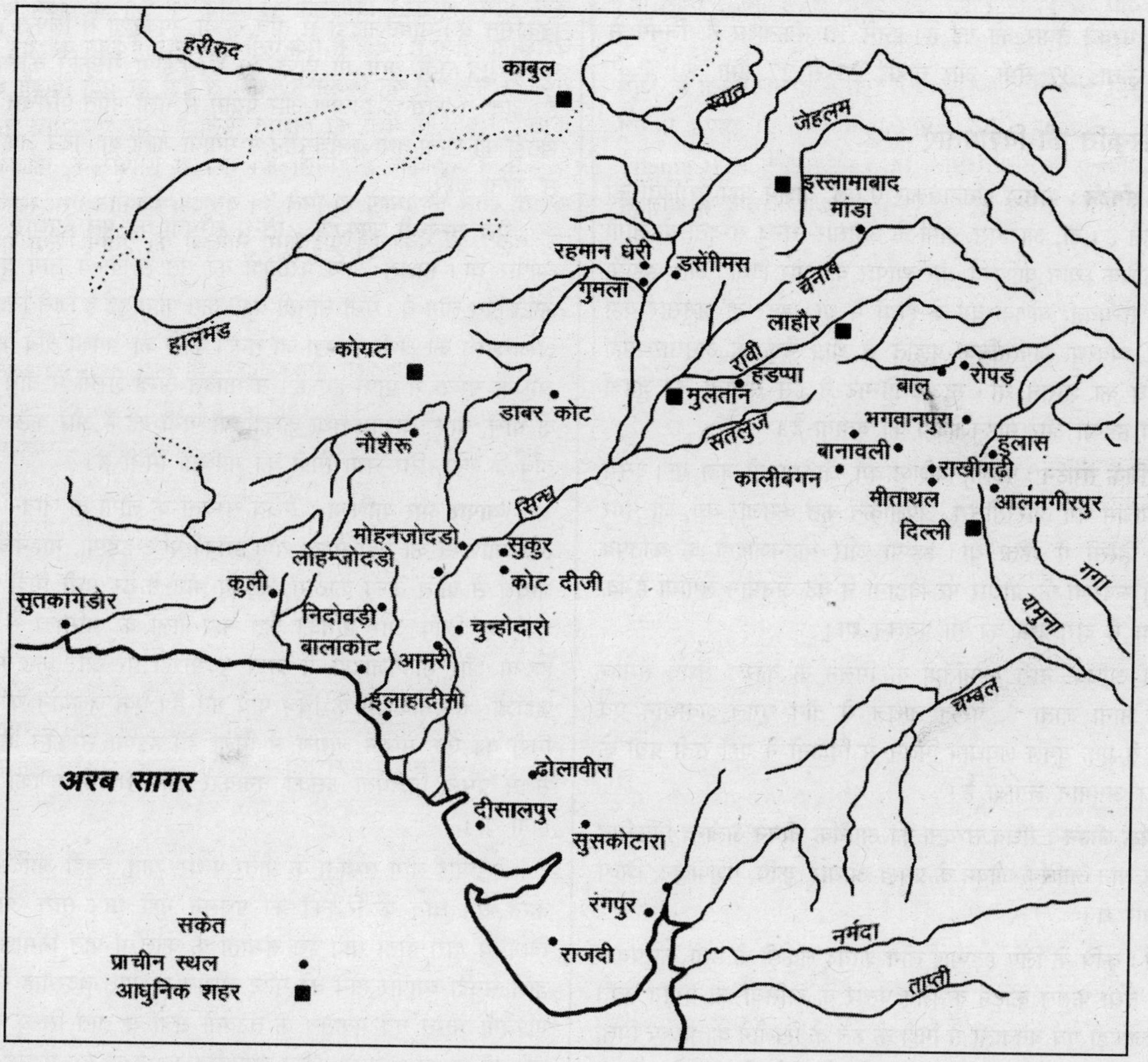


शवाधान भी प्राप्त हुआ है। यहाँ से अण्डाकार कब्रें भी प्राप्त हुई हैं जिसमें एक बच्चे की खोपड़ी में 6 छिद्र किए जाने का प्रमाण है। इसे शल्य क्रिया का प्राचीनतम उदाहरण माना जा सकता है।

कालीबंगा के मकान कच्ची ईंटों के बने हैं। नगर टीले से अलंकृत ईंटों के प्रयोग के प्रमाण मिले हैं। कालीबंगा में स्पष्ट तौर पर घरेलू जल निकास प्रणाली का अभाव दिखता है। यहाँ पर भूकम्प के सबसे प्राचीनतम साक्ष्य प्राप्त हुये हैं।

## *बनवाली*

यह स्थल हरियाणा के हिसार जिले में सरस्वती नदी के किनारे स्थित था। इसकी खोज 1974 ई. में आर.एस. विष्ट ने की। यहाँ से मिट्टी का बना हल तथा बढ़िया किस्म का जौ प्राप्त हुआ है। बनवाली में सिन्धु सभ्यता की सबसे महत्वपूर्ण विशेषता जल-निकास प्रणाली का अभाव था। यहाँ से प्राक् हड़प्पा, हड़प्पा एवं हड़प्पोत्तर काल के प्रमाण प्राप्त हुये हैं। यहाँ के मकानों के साज-सामान से पता चलता है कि यह समृद्ध लोगों का नगर था। बनवाली के कई मकानों से अग्निवेदियाँ मिली हैं। इनके साथ अर्द्ध वृत्ताकार ढ़ांचे हैं जिसके आधार पर कुछ विद्वान यहाँ मन्दिर होने की सम्भावना व्यक्त करते हैं।

## *धौलावीरा*

धौलावीरा का नगर आयताकार बना था। इस नगर को तीन भागों किला, मध्यनगर एवं निचला नगर में विभाजित किया गया था। यह भारत में स्थित सिन्धु सभ्यता का दूसरा सबसे बड़ा नगर है। यहाँ के उत्खनन में हड़प्पा संस्कृति के तीन चरणों का पता चला है, यहाँ से प्राप्त कुछ महत्वपूर्ण पुरावशेष हैं, घोड़े के अवशेष एवं पशु की छोटी कांस्य आकृति। यहाँ से एक ऐसा अभिलेख प्राप्त हुआ है, जिसके 9 वर्ण हैं और प्रत्येक 37 सेमी. लम्बे और 27 सेमी. चौड़े हैं और जो दूधिया सफेद पदार्थ के कटे टुकड़ों से अभिलिखित है। हड़प्पा सभ्यता का एक मात्र स्टेडियम (क्रीड़ागार) यहीं से प्राप्त हुआ है। धौलावीरा में एक बड़ा उत्कीर्ण लेख सम्भवतः गिरा हुआ साइनबोर्ड, मुख्य प्रवेश द्वार के पास मिला है। इस लेख के वर्ण किसी भी हड़प्पाई नगर से अब तक प्राप्त लिखावट के सबसे बड़े नमूने हैं। यह लिखावट एक काठ की तख्ती पर खुदाई करके उसमें

सफेद चूना भरकर तैयार की गई है। इनमें 10 संकेताक्षर हैं, जिनमें से प्रत्येक की ऊँचाई 37 सेमी. और चौड़ाई 25 से 27 सेमी. है।

## हड़प्पा संस्कृति की विशेषताएँ

**राजनीतिक संगठन :** प्रसिद्ध इतिहासकार ए.एल. वाशम यहाँ पुरोहितों का शासन मानते हैं। डॉ. आर.एस. शर्मा के अनुसार सिन्धु सभ्यता के लोगों ने सबसे अधिक ध्यान वाणिज्य और व्यापार की ओर दिया। अतः हड़प्पा का शासन सम्भवतः वणिक वर्ग के हाथों में था। हंटर के अनुसार यहाँ की शासन व्यवस्था जनतांत्रिक पद्धति से थी। मैके के अनुसार यहां जनप्रतिनिधि का शासन था। स्टुअर्ट पिग्गट ने इस सभ्यता की जुड़वाँ राजधानियाँ हड़प्पा और मोहनजोदड़ों को बताया है।

**सामाजिक संगठन :** पहला, विशिष्ट वर्ग, जो नगर से जुड़ा था। दूसरा खुशहाल मध्यम वर्ग और तीसरा, अपेक्षाकृत कुछ कमजोर वर्ग, जो नगर के निचले हिस्सों में रहता था। हड़प्पा और मोहनजोदड़ो के कतिपय मकानों की रूपरेखा के आधार पर विद्वानों ने यह अनुमान लगाया है कि इस सभ्यता में दास-प्रथा का भी प्रचलन था।

सबसे अधिक नारी मृण्मूर्तियों के मिलने के कारण सैंधव समाज मातृप्रधान माना जाता है, परन्तु लोथल से तीन युगल शवाधान एवं कालीबंगा से एक युगल शवधान मिलने से विद्वानों ने यहाँ सती प्रथा के प्रचलन का अनुमान लगाया है।

**आर्थिक जीवन :** सैंधव सभ्यता का आर्थिक जीवन अत्यन्त विकसित अवस्था में था। आर्थिक जीवन के प्रमुख आधार, कृषि, पशुपालन, शिल्प और व्यापार थे।

**कृषि :** कृषि के लिए हड़प्पाई लोग शायद लकड़ी के हलों का प्रयोग करते थे। तथा फसल काटने के लिए पत्थर के हासियों का प्रयोग करते थे। मोहनजोदड़ो एवं बनवाली से मिट्टी के हल के खिलौने का प्रारूप मिला है। हड़प्पाई लोगों को कुल नौ फसलें ज्ञात थी—गेहूँ की तीन किस्में, जौ की दो किस्में, कपास, खजूर, तरबूज, मटर, राई, सरसों और तिल। चावल के भी प्रमाण हैं जैसे—लोथल से चावल के अवशेष एवं रंगपुर से धान की भूसी प्राप्त हुई है।

अनाज सम्भवतः कर के रूप में वसूला जाता था, क्योंकि प्रमुख नगरों में अन्नागार प्राप्त हुए हैं। लोथल से आटा पीसने की पत्थर की चक्की के दो पाट मिले हैं।

**पशुपालन :** हड़प्पाई लोग बहुत सारे पशु पालते थे। परन्तु उन्हें कूबड़ वाला सांड अधिक प्रिय था। सामान्यतः हड़प्पाई संस्कृति में घोड़े के अस्तित्व को स्वीकार नहीं किया जाता परन्तु गुजरात के सुरकोटडा से घोड़े के अस्थिपंजर, रानाघुंडइ से घोड़े के दाँत, मोहनजोदड़ो की एक ऊपरी सतह से घोड़े के अस्तित्व का संकेत मिला है। घोड़े की हड्डियाँ लोथल, सुरकोटडा, कालीबंगा आदि स्थलों से प्राप्त हुई है। गाय के प्रमाण यद्यपि मिले हैं परन्तु आश्चर्य जनक तथ्य यह है कि इस पशु का अंकन मृण्मूर्तियों, मृदभाण्डों आदि पर नहीं हुआ है।

**शिल्प एवं उद्योग धन्धे :** हड़प्पा सभ्यता का सबसे प्रमुख उद्योग वस्त्र उद्योग था। सूत की कताई और सूती वस्त्रों की बुनाई के धन्धे अत्यन्त विकसित थे। मोहनजोदड़ो से ताँबे के दो उपकरणों में लिपटा हुआ सूती कपड़ा एवं सूती धागे भी प्राप्त हुए हैं। हड़प्पा संस्कृति काँस्य युग की है। अतः वे काँसे के निर्माण और प्रयोग से भली भाँति परिचित थे। ताँबा खेतड़ी की खानों तथा बलुचिस्तान से मंगाया जाता था। टिन अफगानिस्तान से आता था।

**युद्ध सम्बन्धी उपकरण :** सिन्धु सभ्यता का मूल आधार कृषि तथा व्यापार था। मार्शल आदि पुराविदों का मत है कि ये लोग युद्ध विमुख शांति प्रिय लोग थे। ऐसी सामग्री बहुत कम प्राप्त हुई है जिसे निश्चय-पूर्वक अस्त्र-शस्त्र की श्रेणी में रखा जा सके। काँसे की अपेक्षा ताँबे के उपकरण अधिक संख्या में प्राप्त हुए हैं। सम्भावित अस्त्र-शस्त्रों में ताँबे एवं काँसे के भाले, चाकू, बाणाग्र तथा कुल्हाड़ियाँ पायी गई हैं और कुछ पत्थर और ताँबे के गदा, सिर तथा मिट्टी की गोलियाँ मिली हैं।

**व्यापार और वाणिज्य :** सैंधव सभ्यता के लोगों के जीवन में व्यापार और वाणिज्य का बड़ा महत्व था। इसकी पुष्टि हड़प्पा, मोहनजोदड़ो और लोथल से प्राप्त अन्न कोठारों, बड़े भू-भाग में ढ़ेर सारी मिट्टी की मुहरों, एक रूप लिपि और मानकी कृत माप-तोलों के अस्तित्व से होती है। हड़प्पा और मोहनजोदड़ो से प्राप्त मृदभाण्डों पर और कुछ मुद्राओं पर जहाजों और नौकाओं के चित्र पाये गए हैं। एक जलयान या नौका का मिट्टी का एक मॉडल लोथल से मिला है। हड़प्पा संस्कृति के बाटों की सबसे प्रमुख विशेषता उसका घनाकार और 16 के गुणकों में प्रयुक्त होना था।

हड़प्पाई लोग सभ्यता के भीतर पत्थर, धातु, हड्डी आदि का व्यापार करते थे। धातु के सिक्कों का प्रचलन नहीं था। सारा आदान-प्रदान विनिमय द्वारा होता था। इस सभ्यता के काल में पोत निर्माण एवं नावों द्वारा समुद्री व्यापार होने की पुष्टि लोथल से प्राप्त बंदरगाह से होती है। पश्चिमी भारत एवं मकरान के तटवर्ती क्षेत्रों से ज्ञात सिन्धु सभ्यता की बस्तियाँ सम्भवतः समुद्र तटीय व्यापारिक पड़ाव के रूप में स्थित बंदरगाह थीं।

**आंतरिक व्यापार :** सिंधु सभ्यता का आंतरिक व्यापार अत्यन्त विकसित अवस्था में था। उद्योग धन्धों एवं शिल्पकार्यों के लिए कच्चा माल गुजरात, सिंध, राजस्थान, दक्षिण भारत, बलुचिस्तान आदि के आंतरिक क्षेत्रों के अतिरिक्त अफगानिस्तान, तुर्कमेनिया, ईरान तथा मेसोपोटामिया आदि से मंगाया जाता था। मनके बनाने के लिए गोमेद गुजरात से आता था। खेतड़ी के अतिरिक्त बलुचिस्तान तथा अफगानिस्तान से ताँबा प्राप्त किया जाता था। सोना कर्नाटक स्थित कोलार की हट्टी की खानों से मिलता था। कार्नेलियन मनके गुजरात तथा सिंध से, सीसा दक्षिण भारत से, लाजवर्द, मणियाँ कश्मीर और अफगानिस्तान से, फिरोजा और हरिताश्म मध्य एशिया या ईरान से, अम्बु मणि महराष्ट्र से तथा गोमेद और इन्द्रगोप सौराष्ट्र से आता था।

**विदेशी व्यापार :** सिन्धु सभ्यता के नगरों का मध्य एवं पश्चिम एशिया के देशों के साथ घनिष्ठ व्यापारिक सम्बन्ध था। अफगानिस्तान, फारस की खाड़ी क्षेत्र में स्थित देशों, ईरान और ईराक से व्यापारिक सम्पर्क के प्रमाण मिले हैं। सैंधव निवासियों का बाह्य-व्यापार बहरीन, ओमान आदि देशों से

था। 'बहरीन' सिन्धु और मेसोपोटामिया के बीच होने वाले व्यापार में बिचौलिए का कार्य करता था। ईरान से फिरोजा, टिन तथा चाँदी आयात की जाती थी। फारस की एक मुहर के प्रमाण लोथल से प्राप्त हुए हैं। सिन्धु सभ्यता के नगर इन क्षेत्रों को सूती वस्त्र, हाथी दाँत की बनी हुई वस्तुएं एवं इमारती लकड़ी आदि निर्यात करते हैं। मिस्र के साथ भी सैंधववासियों के व्यापारिक सम्बन्ध के साक्ष्य मिलते हैं। लोथल से मिट्टी का ममी का एक मॉडल प्राप्त हुआ है जो मिस्र में प्रचलित था।

**सैंधव कला :** सैंधव कला के अन्तर्गत मूर्ति निर्माण, मुहर निर्माण तथा बर्तन निर्माण कला का उल्लेख किया जा सकता है। इसके अतिरिक्त मुहरें, मनके और मृदभाण्ड एवं लघु कलाएं इनके सौन्दर्य बोध को इंगित करती हैं।

**मूर्ति निर्माण कला :** हड़प्पा सभ्यता में मूर्ति निर्माण की कला विकसित थी। विभिन्न स्थानों से काफी मात्रा में मूर्तियाँ पाई गई हैं।

1. **मोहनजोदड़ो :** (*i*) सेलखड़ी की खंडित मानव की मूर्ति। (*ii*) चूने पत्थर का बना काफी बड़ा सिर, पुरुष द्वारा बाल बढ़ाने तथा मूँछ मुड़ाने का साक्ष्य।
2. **हड़प्पा :** (*i*) नृत्य मुद्रा में बनी बिना सिर की मूर्ति। मार्शल ने इसे नटराज का पूर्व रूप माना है। (*ii*) योगासन की मुद्रा में बैठे पुरुष का धड़।

मूर्तियों में स्त्री मृण्मूर्तियाँ सर्वाधिक है। इनमें मुख्य रूप से पक्षी, कुत्ते, भेड़, गाय-बैल और बंदर की प्रतिकृतियाँ महत्वपूर्ण है।

**बर्तन निर्माण कला :** इस काल में चाक से बने बर्तन की अपेक्षा हस्त निर्मित बर्तन अधिक पाये जाते हैं। मोहनजोदड़ों से प्राप्त बर्तन पर मनुष्य का अंकन नहीं पाया गया है जबकि हड़प्पा के बर्तन पर मनुष्य का अंकन पाया गया है। इस काल के मृदभाण्डों की विशेषता है—काले रंग की आकृतियों से चित्रित लाल मृदभांड।

**मुहर निर्माण कला :** मोहनजोदड़ो से सर्वाधिक संख्या में मुहरें प्राप्त हुई हैं। इन मुहरों पर स्वास्तिक का निशान पाया गया है। ये मुहरें सर्वाधिक सेलखड़ी से बनी हुई हैं।

**लिपि :** ये लिपि या तो इंडियन आर्यन समूह की हैं या द्रविड़ियन समूह की थी। यह अभी तक अपठ्य है जो भाव चित्रात्मक शैली में है। अभी तक इसके 396 प्रतीक प्राप्त हुए हैं।

**धार्मिक मान्यताएँ :** सैंधव धर्म के विषय में लिखित साक्ष्यों का पूर्णतः अभाव है, केवल पुरातात्विक साक्ष्य के आधार पर इसके स्वरूप का अनुमान लगाया जाता है। इस काल के देव मंदिर का कोई साक्ष्य नहीं है, हालाँकि व्हीलर ने मोहनजोदड़ों के एक भवन को देवालय माना है पर यह विवादित है। सैंधव निवासियों की धार्मिक मान्यताओं में मातृदेवी की पूजा, योगी की उपासना, लिंग और योनि की उपासना, वृक्ष की पूजा, पशु उपासना, सर्प पूजा, जल पूजा, अग्नि पूजा तथा जादू-टोने आदि के प्रचलन का पता चलता है।

**हड़प्पा सभ्यता का पतन :** हड़प्पा सभ्यता जिस द्रुतगति से प्रकाश में आयी उसी गति से ही यह विनष्ट हो गई। इसके पतन के लिए विद्वानों ने कई कारण बताए है। जैसे—बाढ़, आर्यो का आक्रमण, जलवायु परिवर्तन, भू-तात्विक परिवर्तन, व्यापार में गतिरोध, प्रशासनिक शिथिलता, महामारी एवं साधनों का अधिक उपभोग आदि।

| कारण | विद्वान |
|---|---|
| बाढ़ | मार्शल तथा मैके |
| आर्यो का आक्रमण | व्हीलर, गार्डन चाइल्ड, मैके, पिग्गट |
| जलवायु परिवर्तन | ऑरेल स्टाइन, अमलानन्द घोष |
| भू-तात्विक परिवर्तन | एम.आर. साहनी, आर.एल. राइक्स, जॉर्ज डेल्स, एच.टी. लैम्ब्रिक |
| विदेशी व्यापार में गतिरोध | डब्ल्यू.एफ. अल्ब्राइट |
| प्रशासनिक शिथिलता | मार्शल |
| महामारी | के.यू.आर. केनेडी |
| अदृश्य गाज | एम. दिमित्रियेव |

## बहुविकल्पीय प्रश्नोत्तर

**1.** विन्ध्य क्षेत्र के किस शिलाश्रय से सर्वाधिक मानव कंकाल मिले हैं?
A. बेलन घाटी B. इसामपुर
C. लेखहिया D. मेहरगढ़

**2.** हड्डी से निर्मित मातृदेवी की आकृति कहाँ से प्राप्त हुई है?
A. लेखहिया B. इसामपुर-कर्नाटक
C. मेहरगढ़-बलूचिस्तान D. बेलन घाटी-उत्तरप्रदेश

**3.** पहिए का आविष्कार कब हुआ?
A. नव पाषाण काल में B. पुरापाषाण काल में
C. मध्य पाषाणकाल में D. इनमें से कोई नहीं

**4.** मध्य पाषाण कालीन मानव शिकार के लिए किससे बने उपकरणों का प्रयोग करता था?
A. लकड़ी B. पत्थर
C. तांबा D. कांसा

**5.** निम्न विशेषता किन सिक्कों की है?
1. ये भारत में सबसे पहले विद्यमान सिक्के थे
2. इन पर एक से अधिक पंच की मुहरे हैं
3. इन पर अनेक प्रकार के प्रतीक निरुपित होते हैं
4. इन पर हमेशा जारी करने वालों के उत्कीर्ण लेख नहीं होते हैं

A. आहत/पंच मार्क सिक्के B. रूप्यारूपा
C. स्वर्णरूपा D. ताम्ररूपा

**6.** गुफ्कराल (नवपाषाणकालीन) कहाँ स्थित है?
A. बेलन घाटी B. इसामपुर
C. सोहन घाटी D. जम्मू-कश्मीर

**7.** किस स्थल से स्थायी जीवन के प्राचीनतम प्रमाण मिले है?
A. हनुमानगढ़ B. उदयपुर
C. चुरू D. मेहरगढ़

**8.** रॉबर्ट ब्रूस कूट कौन थे?
A. एक गणितज्ञ B. एक खगोल शास्त्री
C. एक ज्योतिषी D. एक भू वैज्ञानिक

**9.** निम्न में से प्रागैतिहासिक कालीन स्थल है?
A. मेहरगढ़ B. भीमबेटका
C. कालपी D. इनमें से कोई नहीं

**10.** गंगा के मैदान में मानव बस्ती का प्राचीन अवशेष कहाँ मिला है?
A. मेहरगढ़ B. भीमबेटका
C. कालपी D. इनमें से कोई नहीं

**11.** किस व्यक्ति ने पल्लवरम से प्रथम पूरा प्रस्तर युगीन औजार की खोज कर देश में प्रागैतिहासिक अध्ययन का रास्ता खोला?
A. अरस्तु B. रॉबर्ट ब्रूस कूट
C. हरीश चन्द्र D. मेघनाद साहा

**12.** 7000 ईसा पूर्व की बस्ती एवं कृषि के प्राचीनतम साक्ष्य कहाँ से मिले हैं?
A. मेहरगढ़ B. हनुमान गढ़
C. पाली D. गणेश्वर

**13.** प्राचीनतम गौ शाला के साक्ष्य कहाँ से मिले हैं?
A. बिला सुरगाम B. कौशाम्बी
C. महगरा D. अनुराधापुर

**14.** इनाम गांव स्थित है?
A. गुजरात B. मध्यप्रदेश
C. राजस्थान D. महाराष्ट्र

**15.** नवपाषाण कालीन गर्तावसो (गड्ढा घर) के अवशेष कहाँ से प्राप्त हुए हैं?
A. बुर्जहोम व गुफ्कराल B. महगरा
C. काल्पी D. इनमें से कोई नहीं

**16.** होमो इरेक्टस का कपाल कहाँ से प्राप्त हुआ है?
A. हनुमानगढ़ B. उदयपुर
C. हथनौरा (नर्मदा घाटी) D. इनमें से कोई नहीं

**17.** मध्यपुरापाषाण कालीन संस्कृति को किस नाम से जाना जाता है?
A. शैल संस्कृति B. फलक संस्कृति
C. लौह संस्कृति D. इनमें से कोई नहीं

**18.** भारतीय प्रागैतिहासिक पुरातत्व का जनक किसे कहा जाता है?
A. जेम्स प्रिंसेप B. मेजर किट्टो
C. दामोदर धर्मानंद कौशाम्बी D. ए. कनिंघम को

**19.** पेरीप्लस ऑफ द एरिथ्रियन सी नामक पुस्तक मुख्य रूप से किस पर प्रकाश डालती है?
A. व्यापार B. व्यापार एवं वाणिज्य
C. संगीत D. खेल

**20.** दक्षिण भारत की महापाषाणिक समाधियां किस काल की हैं?
A. ताम्र काल की B. कांस्य काल की
C. लौह काल की D. इनमें से कोई नहीं

**21.** इतिहास का पिता किसे कहा जाता है?
A. चार्ल्स डार्विन B. निकोलस
C. हेरोडोट्स को D. गेलीलियो

**22.** प्रागैतिहासिक काल की जोती हुई भूमि खोजी गयी है
A. कालीबंगा में B. गणेश्वर में
C. बागोर में D. उदयपुर में

**23.** प्रागैतिहासिक कुल्हाड़ियाँ प्राप्त हुई हैं?
A. बागोर से B. कालीबंगा से
C. आहड से D. अतिरम्पक्क्म से

**24.** चिरांद स्थित है?
A. उत्तरप्रदेश B. राजस्थान
C. बिहार D. तमिलनाडु

**25.** किसने अपनी पुस्तक 'Pre Historic India' में पाषाणकाल के बारे में विस्तृत चर्चा की है?
A. चार्ल्स डार्विन B. निकोलस
C. गैलीलियो D. स्टुअर्ट पिग्गट

**26.** पाषाणकाल को कितने भागों में बाँटा गया है?
A. एक B. दो
C. तीन D. चार

**27.** पुरापाषाण काल को कितने भागों में बाँटा गया है?
A. एक B. दो
C. तीन D. चार

**28.** निम्न पुरापाषाण काल की विशेषताएं हैं?
A. उपकरण बनाने के लिए कोर प्रणाली का प्रयोग
B. चौपर-चौपिंग उत्तरी भारत की संस्कृति जबकि हैंड एक्स दक्षिण भारत की संस्कृति है
C. उत्तरी भारत व दक्षिण भारत की मिश्रित संस्कृतियों के औजार चौतरा (J&K) में पाए गये हैं
D. उपरोक्त सभी सही हैं

**29.** मानव ने आग का प्रयोग किस काल में प्रारम्भ किया?
A. मध्यपाषाण काल B. नवपाषाण काल
C. ताम्रपाषाण काल D. कांस्य काल

**30.** आदिमानव ने सर्वप्रथम किस पशु को पालतू बनाया था?
A. बैल B. कुत्ता
C. गाय D. हाथी

**31.** हड़प्पा के अवशेषों को देखने वाले प्रथम व्यक्ति थेः
A. चार्ल्स मैसोन B. दयाराम साहनी
C. डॉ. व्हीलर D. एम.एस. वत्स

**32.** हड़प्पा में उत्खनन कार्य किसने प्रारंभ करवाया?
A. दयाराम साहनी B. डॉ. व्हीलर
C. जे.पी. जोशी D. एम.एस. वत्स

**33.** निम्नलिखित में से कौन सर्वाधिक मानक हड़प्पाई उत्पाद थे?
A. मृद्भांड B. मृण्मूर्तिकाएँ
C. ईंटें D. प्रतिमाएँ

**34.** खेत जोते जाने का साक्ष्य सर्वप्रथम कहाँ से प्राप्त होता है?
A. हड़प्पा B. कालीबंगन
C. रोपड़ D. रंगपुर

**35.** निम्नांकित में से किस हड़प्पाई नगर में घरों के दरवाजे मुख्य सड़कों पर खुलते थे?
A. लोथल B. सुरकोतड़ा
C. चन्हुदड़ो D. बनवाली

**36.** अधिकांश हड़प्पाई मृद्भाण्ड थेः
A. बहुरंगी B. काले चित्रित
C. लाल चित्रित D. सादे

**37.** ऊँट की हड्डियाँ कहाँ से पायी गयी हैं?
A. कालीबंगन B. लोथल
C. हड़प्पा D. मोहनजोदड़ो

**38.** निम्नांकित में से हड़पाई मुहरों के प्राचीनतम पुरोगामी कौन थीं?
A. मेहरगढ़ से प्राप्त मृण्मुहरें
B. अमरी से प्राप्त प्रस्तर-मुहरें
C. कालीबंगन से प्राप्त मृण्पट्टिकाएँ
D. कोटदीजी से प्राप्त ताम्र पट्टिकाएँ

**39.** हड़प्पाई स्थलों का अधिकतम संकेन्द्रण हैः
A. बलूचिस्तान की अधित्यका में
B. कच्छ के रण की दलदली भूमियों में
C. सिन्धु और इसकी सहायक नदियों के मैदान में
D. हिमालय की तराइयों में

**40.** सूची-I को सूची-II से सुमेलित करेंः

| सूची-I (हड़प्पाई स्थल) | सूची-II (शवाधान रिवाज) |
|---|---|
| (*a*) हड़प्पा | 1. ईंटनिर्मित प्रकोष्ठ या ताबूत |
| (*b*) लोथल | 2. पेटी में शवाधान |
| (*c*) कालीबंगन | 3. पात्र में शवाधान |
| (*d*) सुरकोतड़ा | 4. दोहरा शवाधान |

निम्नांकित कूटों से सही उत्तर चुनेंः

| | (*a*) | (*b*) | (*c*) | (*d*) |
|---|---|---|---|---|
| A. | 2 | 4 | 3 | 1 |
| B. | 4 | 2 | 1 | 3 |
| C. | 2 | 4 | 1 | 3 |
| D. | 1 | 3 | 2 | 4 |

**41.** सूची-I को सूची-II पर विचार करेंः

| सूची-I | सूची-II |
|---|---|
| I. हिन्द (इंडो)- आर्य | सिन्धु |
| II. यूनानी और रोमन | हिन्दू |
| III. फारसी और अरब | इंडस |

उपर्युक्त में से कौन सही सुमेलित नहीं है?
A. केवल I B. I और II
C. II और III D. I, II और III

**42.** हाल ही में खोजे गए हड़प्पाई स्थलों में सर्वाधिक उल्लेखनीय स्थल, जो संभवतः एक व्यापार सीमा-केन्द्र (विशेषकर लाजवर्त प्राप्त करने हेतु) था, स्थित थाः
A. उत्तर-पूर्व अफगानिस्तान के शोर्तुगाई में
B. पश्चिमोत्तर सीमा प्रान्त के मुसाखेल में
C. दक्षिण अफगानिस्तान के मुंडीगाक में
D. उत्तर-पूर्व बलूचिस्तान के दम्ब सादात में

**43.** स्त्री जननांगों के प्रस्तर प्रतीक किस स्थान से प्राप्त हुए हैं?
A. लोथल से B. हड़प्पा से
C. चन्हुदड़ो से D. कालीबंगन से

**44.** पर्याप्त खाद्यान्नों का उत्पादन करने के लिए हड़प्पाई गाँव अधिकांशतः अवस्थित थेः
A. समुद्र तटीय क्षेत्रों में B. बाढ-मुक्त मैदानी इलाकों में
C. बाढ़-ग्रस्त मैदानी इलाकों में D. सूखे क्षेत्रों में

**45.** हड़प्पावासी अपने बच्चों की काफी परवाह करते थे। यह साबित होता हैः
A. बच्चों के चित्रवाली मुहरों से
B. मिट्टी के बने बहुत सारे खिलौनों से
C. खेल के मैदान से
D. उपर्युक्त सभी

**46.** हड़प्पा-कालीन सभ्यता मुख्यतः निम्नांकित किन प्रदेशों में केन्द्रीयभूत थी?
A. पंजाब, राजस्थान और गुजरात
B. पंजाब, राजस्थान और उत्तर प्रदेश
C. हरियाणा, राजस्थान और दिल्ली
D. गुजरात, हरियाणा और पश्चिमी उत्तरप्रदेश

**47.** हड़प्पा सभ्यता की दो सर्वाधिक महत्वपूर्ण फसलें थीं:
A. गेहूँ और जौ B. तिल और सरसों
C. धान और मटर D. कपास और गन्ना

**48.** हड़प्पा-कालीन देवी-देवताओं में किसे परवर्त्ती हिन्दू धर्म में अंगीकार नहीं किया गया?

A. पशुपति महादेव B. सप्त मातृका
C. मिश्रित प्राणी D. एक शृंगी जीव

**49.** सिन्धु घाटी के लोगों द्वारा सबसे अधिक प्रयुक्त की जाने वाली धातु थीः

A. ताँबा B. कांस्य
C. स्वर्ण और चाँदी D. टिन

**50.** सिन्धु घाटी के लोग निम्नलिखित में से किस औजार एवं उपकरण का प्रयोग *नहीं* करते थे?

A. हँसिया और हल
B. काँटा और चम्मच
C. सूइयाँ और उस्तरे
D. गेहूँ पीसने की पत्थर की चक्की, सिलबट्टा

**51.** अभी हाल ही में खोदे गए किस स्थान से हड़प्पा-कालीन बस्तियों के तीन चरण (हड़प्पा पूर्व, हड़प्पा और परवर्त्ती-हड़प्पा) पाए गए हैं?

A. रोजदी B. देसलपुर
C. सुरकोतड़ा D. उपर्युक्त सभी

**52.** उपलब्ध प्रमाणों के आधार पर, हड़प्पा सभ्यता ने मानव जाति को जो दो स्थायी उपहार प्रदान किए वे थेः

A. गेहूँ और कपास की खेती
B. गणित और दशमलव प्रणाली का ज्ञान
C. ताम्र और कांस्य आगलन प्रौद्योगिकी
D. सोख्ते और मिट्टी के पाइप बनाना

**53.** सिन्धु घाटी के लोगों को संभवतः किस प्रसाधन और शृंगार सामग्री की जानकारी *नहीं* थी?

A. ताम्र दर्पण B. हाथी दाँत के कंघे
C. सुरमा लगाने की सलाइयाँ D. केश रंग-रोगन

**54.** निम्नांकित किस संदर्भ में विभिन्न हड़प्पा युगीन स्थलों में सुस्पष्ट एकरूपता पायी जाती है–

A. कृषि संबंधी व्यवसाय B. शिल्पकला
C. नगर-योजना D. मुहरें

**55.** हड़प्पा-कालीन लगभग सभी नगरों में विशाल अन्नागार थे क्योंकिः

A. अन्नागार करों के भुगतान के लिए सार्वजनिक कोष थे।
B. गाँवों के अधिशेष उत्पादन को नगरों में रखा जाता था।
C. खाद्यान्नों का संग्रह व्यापार के प्रयोजन से किया जाता था।
D. उपर्युक्त सभी।

**56.** निम्नांकित किस स्थान से आनुष्ठानिक स्नानागारों के निकट निर्मित अग्निवेदियों की कतारें मिली हैं?

A. मोहनजोदड़ो B. हड़प्पा
C. कालीबंगा D. लोथल

**57.** हड़प्पा वासियों द्वारा आयातित सबसे महत्वपूर्ण वस्तु थीः

A. धातु और बहुमूल्य पत्थर B. खाद्यान्न
C. वस्त्र D. मिट्टी के बर्त्तन

**58.** कौन सी भारतीय लिपि हड़प्पाकालीन लिपि के सर्वाधिक निकट या समानुरूपी प्रतीत होती है?

A. ब्राह्मी B. द्रविड़
C. खरोष्ठी D. देवनागरी

**59.** हड़प्पा-कालीन लोगों द्वारा समान अन्त्येष्टि प्रणाली का अनुसरण करने की निम्नलिखित में से किस तथ्य की पुष्टि होती है–

A. शव को भूमि में गाड़ने की प्रथा, जिसमें कब्र में शव सिर सामान्यतः उत्तर दिशा में होता था।
B. मृतक के साथ सामान्य उपभोग की वस्तुओं की शवाधि
C. उपर्युक्त (A) और (B) दोनों
D. बैठी हुई मुद्रा में शवाधान

**60.** निम्नलिखित में से कौन सी फसल हड़प्पा-कालीन लोगों द्वारा उत्पादित *नहीं* की जाती थी–

A. जौ B. दाल
C. चावल D. गेहूँ

**61.** हड़प्पा-कालीन मुहरों पर किस पशु की आकृति को सबसे अधिक उत्कीर्णित किया गया था?

A. कूबड़ रहित साँड़ अथवा एक शृंगी बैल
B. हाथी
C. जंगली साँड़
D. बाघ

**62.** हड़प्पा-कालीन लोगों द्वारा सर्वाधिक प्रयुक्त ताम्र धातु कहाँ से लाया जाता था?

A. बलूचिस्तान
B. खेतड़ी की खानें
C. मेसोपोटामिया
D. उपर्युक्त (A) और (B) दोनों

**63.** हड़प्पा-कालीन मिट्टी के पकाए गए बर्त्तनों पर निम्नांकित कौन सी विशेषता *नहीं* पायी जाती हैः

A. अच्छे पके हुए लाल बर्त्तन
B. रंगे हुए काले चित्र A
C. बर्त्तनों पर बनी वानस्पतिक और ज्यातिमीय आकृतियाँ
D. लाल और काले चमकदार बर्त्तन

**64.** हड़प्पा-कालीन सभ्यता एवं सुमेर, मेसोपोटामिया और मिस्त्र जैसी अन्य प्राचीन सभ्यताओं के बीच निम्नलिखित में से कौन सी समानता परिलक्षित *नहीं* होती?

A. संगठित नगरीय जीवन
B. अंत्येष्टि प्रणाली और धार्मिक विश्वास
C. कुम्हार का चाक
D. पशुपालन

**65.** निम्नलिखित में से कौन सी विशेषता हड़प्पा-कालीन भौतिक संस्कृति से संबंधित *नहीं* है?
A. आयताकार नगर योजना
B. नहर प्रणाली द्वारा सिंचाई व्यवस्था का अभाव
C. उपकरणों के लिए ताम्र अथवा कांस्य के साथ-साथ लोहे का प्रयोग
D. मोहनजोदड़ो और हड़प्पा के विशाल अन्नागार

**66.** हड़प्पा-कालीन सभ्यता मानव इतिहास के किस युग से संबंधित हैः
A. पूर्व-पाषाण युग
B. नव-पाषाण युग
C. ताम्र-पाषाण युग
D. लौह युग

**67.** निम्नलिखित में से कौन-सा स्थान पूर्व-सभ्यता संस्कृति से परिपक्व हड़प्पा संस्कृति में पारगमन का सुराग देता है?
A. बनवाली B. चन्हुदड़ो
C. हड़प्पा D. अमरी

**68.** हड़प्पा संस्कृति के प्रसार और सुदूर स्थानों में नई बस्तियों की स्थापना का कारण थाः
A. अपने धार्मिक दायित्वों का निर्वाह करना
B. उपनिवेश बनाने की उनकी इच्छा
C. आबादी का विस्तार
D. अपने सुरक्षा प्रबन्धों की हिफाजत करना

**69.** निम्नलिखित में से किस स्थान पर उसके उत्तर हड़प्पाई चरण में "झंगर संस्कृति" नामक संस्कृति थी?
A. कालीबंगन में B. मोहनजोदड़ो में
C. चन्हुदड़ो में D. अमरी में

**70.** निम्नलिखित में से कौन सा सिन्धु स्थल आग द्वारा नष्ट हुआ था?
A. लोथल B. कालीबंगन
C. कोटदीजी D. अमरी

**71.** निम्नलिखित में से किस स्थान में *गर्त्त-निवास* का प्रमाण *नहीं* मिला है?
A. बुर्जहोम B. सरायखोला
C. जलीलपुर D. गुफ्कराल

**72.** हड़प्पाई स्थलों के कब्रगाह प्रायः स्थित थेः
A. बस्तियों की परिधि के आसपास
B. नगर-दुर्ग के अन्दर
C. नगरों के मध्य में
D. आवासों के निकट

**73.** निम्नांकित में से कौन सा सिन्धु नगर गुजरात राज्य में *नहीं* है?
A. सुत्कागेंडोर B. सुरकोतड़ा
C. धौलावीरा D. लोथल

**74.** सूची-I को सूची-II से सुमेलित करेंः

| सूची-I | सूची-II |
|---|---|
| (*a*) ताम्र गैंडा | 1. चन्हुदड़ो |
| (*b*) सर्पदेवी | 2. लोथल और कालीबंगन |
| (*c*) चिकित्सा में विश्वास एवं शल्य दक्षता | 3. गुमला |
| (*d*) बैलगाड़ियों एवं इक्के के कांस्य प्रतिमान | 4. दैमाबाद |

निम्नांकित कूटों से सही उत्तर का चयन करेंः

| | (*a*) | (*b*) | (*c*) | (*d*) |
|---|---|---|---|---|
| A. | 4 | 3 | 2 | 1 |
| B. | 1 | 2 | 3 | 4 |
| C. | 2 | 3 | 4 | 1 |
| D. | 3 | 1 | 4 | 2 |

**75.** हड़प्पाई घरों में निम्नलिखित में कौन-से लक्षण थे?
1. आयताकार घर।
2. लकड़ी का व्यापक प्रयोग।
3. ईंट के अस्तर वाले स्नानघर एवं कुएँ।
4. बाहर से लगी सीढ़ियाँ।
5. घरों के बीच में प्रवेश द्वार।

नीचे दिए गए कूटों से उत्तर का चयन कीजिएः
A. केवल 2, 4 और 5 B. केवल 1, 2 और 3
C. केवल 1, 3 और 4 D. केवल 2, 3 और 4

**76.** राख के टीले, जो पुरातत्वविदों के लिए एक रहस्य बने रहे हैं, कहाँ पाए गए हैं?
I. महागार II. पल्लवय
III. कुपगल IV. चिरांद
V. उटनूर IV. कोडेकाल

निम्नांकित कूटों से सही उत्तर का चयन करेंः
A. I, II, III, एवं IV
B. II, III, IV एवं V
C. III, IV, V एवं VI
D. II, III, V एवं VI

**77.** हड़प्पा-कालीन सभ्यता के सबसे अधिक संभावित प्रणेता कौन थे?
A. सुमेरियाई
B. द्रविड़ अथवा भूमध्य सागरीय
C. आर्य
D. आस्ट्रेलायड

**78.** ईरान की सीमा के पास स्थित हड़प्पा-कालीन स्थल है—
A. सुरकोतड़ा B. सुत्कागेन्डोर
C. कोटला निहंगखान D. आलमगीरपुर

**79.** हड़प्पा-कालीन लोगों के आभूषण किस धातु/वस्तु से निर्मित *नहीं* किए जाते थे?

A. सोना और चाँदी
B. हाथी दाँत और हड्डियाँ
C. ताम्र और बहुमूल्य पत्थर
D. श्वेत धातु एवं मिश्रित धातु

**80.** हड़प्पा-कालीन मुहरों पर अंकित शृंग युक्त शिरोवस्त्र पहने और पशुओं से घिरे हुए योगी की निम्नलिखित में से किसके साथ पहचान की गयी है:

A. महायोगेश्वर के रूप में B. पशुपति शिव के रूप में
C. मुरूगन के रूप में D. रूद्र के रूप में

**81.** भारत में विशालतम हड़प्पा-कालीन बस्ती कौन सी है?

A. लोथल B. कालीबंगा
C. कुन्तासी D. धौलावीरा

**82.** हड़प्पा-कालीन सभ्यता के सर्वाधिक घनी आबादी वाले दो नगर थे:

A. मोहनजोदड़ो और हड़प्पा B. कालीबंगन और लोथल
C. रोपड़ और रंगपुर D. लोथल और देसलपुर

**83.** हड़प्पा-कालीन कृषि व्यवस्था मुख्यतः किस पर आधारित थी?

A. फसल चक्र
B. वर्षा सिंचित कृषि
C. गेहूँ तथा सम्बद्ध शीतकालीन फसलें
D. शुष्क कृषि

**84.** निम्नांकित कौन सा नगर एक प्रमुख हड़प्पा-कालीन औद्योगिक केन्द्र *नहीं* था:

A. लोथल B. चन्हुदड़ो
C. हड़प्पा D. कालीबंगन

**85.** निम्नलिखित में से कौन से पशु न तो मुहरों पर चित्र के रूप में और न ही मृण्मूर्तिकाओं के रूप में मिले हैं?

I. गाय II. घोड़ा
III. शेर IV. बाघ

निम्नांकित कूटों से सही उत्तर का चयन करें:

A. I, II एवं IV B. I, II एवं III
C. II, III एवं IV D. उपर्युक्त सभी

**86.** निम्नलिखित किस सिन्धु स्थल में कुछ लोगों की हिंसात्मक मृत्यु होने का प्रमाण मिला है?

A. लोथल B. हड़प्पा
C. मोहनजोदड़ो D. कालीबंगन

**87.** निम्नलिखित में कौन-कौन से निश्चित रूप से सिन्धु लोगों के विश्वास और प्रथाएँ मानी जा सकती हैं?

I. पुरुष और स्त्री जननांगों की पूजा, जैसा कि पत्थर के उनके प्रतीकों से स्पष्ट है।
II. वृक्षों, पशुओं और पक्षियों की पूजा।
III. विभिन्न देवों की मूर्तियों की पूजा।
IV. भूत और प्रेतात्माओं में विश्वास।
V. मृत्यु के बाद के जीवन में विश्वास।

नीचे दिए कूटों से सही उत्तर का चयन करें:

A. I, II एवं III B. II, III एवं IV
C. I, II, IV एवं V D. उपरोक्त सभी

**88.** निम्नलिखित में से किन स्थानों में प्राक् हड़प्पा काल में खेत जोते जाने का प्रमाण मिला है?

I. मोहनजोदड़ो II. कालीबंगन
III. लोथल IV. बनवाली
V. चन्हुदड़ो

नीचे दिए कूटों से सही उत्तर का चयन करें:

A. I एवं II B. II एवं IV
C. III एवं IV D. IV एवं V

**89.** सिन्धु लोगों द्वारा निर्यात की जाने वाली निम्नलिखित चीजों में कौन-कौन सी प्रमुख चीजें थीं?

I. सोना और चाँदी II. सूती वस्तुएँ
III. पकी मिट्टी की वस्तुएँ IV. मुहरें
V. मृद्भांड

नीचे दिए कूटों से सही उत्तर का चयन करें:

A. II, III एवं V B. I, III एवं IV
C. I, II, IV एवं V D. सभी

**90.** सूची-I को सूची-II से सुमेलित करें और अपनी उत्तर का चयन उन सूचियों के नीचे दिए कूटों का प्रयोग कर करें:

| सूची-I | सूची-II |
|---|---|
| (*a*) लोथल | 1. सिन्धु |
| (*b*) रोपड़ | 2. सरस्वती |
| (*c*) चन्हुदड़ो | 3. भोगव |
| (*d*) बनवाली | 4. सतलज |

कूटः

| | (*a*) | (*b*) | (*c*) | (*d*) |
|---|---|---|---|---|
| A. | 4 | 3 | 1 | 2 |
| B. | 3 | 4 | 1 | 2 |
| C. | 2 | 1 | 4 | 3 |
| D. | 1 | 4 | 3 | 2 |

**91.** नीचे दिए कूटों से उस विकल्प का चयन कीजिए जो सूची-I और सूची-II के मदों का सही युग्मन बताता है:

| सूची-I | सूची-II |
|---|---|
| (*a*) कालीबंगन | 1. पंजाब |
| (*b*) मोहनजोदड़ो | 2. राजस्थान |
| (*c*) हड़प्पा | 3. गुजरात |
| (*d*) सुरकोतड़ा | 4. सिन्ध |

कूटः

| | (*a*) | (*b*) | (*c*) | (*d*) |
|---|---|---|---|---|
| A. | 4 | 2 | 3 | 1 |
| B. | 3 | 1 | 2 | 4 |
| C. | 1 | 3 | 4 | 2 |
| D. | 2 | 4 | 1 | 3 |

**92.** निम्नलिखित सिन्धु स्थलों का उनके विशिष्ट लक्षणों के साथ युग्म बनाइए:

| | |
|---|---|
| (*a*) हड़प्पा | 1. सबसे बड़ा सिन्धु स्थल |
| (*b*) चन्हुदड़ो | 2. चावल की भूसी की प्राप्ति |
| (*c*) मोहनजोदड़ो | 3. सबसे पहले खोजा गया सिन्धु स्थल |
| (*d*) रंगपुर | 4. बिना नगर-दुर्ग वाला एकमात्र सिन्धु नगर |

**कूट:**

| | (*a*) | (*b*) | (*c*) | (*d*) |
|---|---|---|---|---|
| A. | 4 | 1 | 3 | 2 |
| B. | 4 | 3 | 1 | 2 |
| C. | 3 | 4 | 1 | 2 |
| D. | 3 | 4 | 2 | 1 |

**93.** निम्नलिखित सिन्धु स्थलों का प्राप्ति के अनुसार सही कालानुक्रम क्या है?

I. रोपड़ II. मोहनजोदड़ो
III. कोटदीजी IV. बनवाली
V. सुरकोतड़ा

नीचे दिए कूटों से सही उत्तर का चयन कीजिए:

A. II, I, III, IV एवं V B. IV, II, III, I एवं V
C. III, IV, V, I एवं II D. II, III, I, V एवं IV

**94.** किन दो स्थानों से सिन्धु लोगों की खोपड़ी की शल्यक्रिया और चिकित्सीय विश्वासों का प्रमाण मिला है?

A. हड़प्पा और अमरी B. कालीबंगन और बनवाली
C. लोथल और कालीबंगन D. लोथल और बनवाली

**95.** मोहनजोदड़ो में हुए उत्खननों से प्राप्त साक्ष्यों के आधार पर निम्नलिखित वर्गों को उनकी जनसंख्या के आधार पर आरोही क्रम (न्यूनतम जनसंख्या से अधिकतम जनसंख्या की ओर) में सजाएँ:

I. प्रशासक और व्यापारी
II. जनसाधारण और दास
III. शिल्पकार

नीचे दिए कूटों से सही उत्तर का चयन करें:

A. III, I, II B. I, II, III
C. I, III, II D. II, III, I

**96.** निम्नलिखित में से किस सिन्धु नगर के बाद के चरण में सुरक्षा प्रबंधों को और मजबूत किए जाने का प्रमाण मिला है?

A. हड़प्पा B. मोहनजोदड़ो
C. चन्हुदड़ो D. कालीबंगन

**97.** सिन्धु लोगों को अधिकतम मानकीकरण प्राप्त हुआ:

A. मुहरों में B. मृद्भांडों में
C. मूर्तियों में D. ईंटों में

**98.** भारत में मानव का प्राचीनतम प्रमाण मिलता है:

A. नीलगिरि में B. नल्लामाला पहाड़ियों में
C. शिवालिक पहाड़ियों में D. नर्मदा घाटी में

**99.** सूची-I को सूची-II से सुमेलित करें और नीचे दिए गए कूटों से उत्तर चुनें:

| सूची-I | सूची-II |
|---|---|
| (*a*) आरंभिक पुरापाषाण काल | 1. सूक्ष्माश्म |
| (*b*) मध्य पुरापाषाण काल | 2. खुरचनी और पत्तर |
| (*c*) उच्च पुरापाषाण काल | 3. हस्त-कुल्हाड़ी और विदारक |
| (*d*) मध्यपाषाण काल | 4. फलक और तक्षणी |

**कूट:**

| | (*a*) | (*b*) | (*c*) | (*d*) |
|---|---|---|---|---|
| A. | 3 | 4 | 1 | 2 |
| B. | 3 | 2 | 4 | 1 |
| C. | 3 | 4 | 2 | 1 |
| D. | 1 | 2 | 4 | 3 |

**100.** कोटदीजी में पूर्व-हड़प्पा संस्कृति नष्ट हुई:

A. भूकम्प द्वारा B. बाढ़ द्वारा
C. आग द्वारा D. उपर्युक्त में कोई नहीं

**101.** निम्नलिखित में से किस सिन्धु नगर में अर्द्ध-चिकने पत्थरों से बनी विशाल किला दीवार हमें मिली है?

A. लोथल में B. बनवाली में
C. सुत्कागेन्डोर D. सुरकोतड़ा में

**102.** इस उपमहाद्वीप में स्थायी कृषि का अभी तक उपलब्ध प्राचीनतम प्रमाण मिला है:

A. कालीबंगन से B. अमरी से
C. मेहरगढ़ से D. ईमामगढ़ से

**103.** निम्नांकित किन स्थानों में हमें कोई भी स्त्री मृण्मूर्त्तिका नहीं मिली है?

A. लोथल और कालीबंगन में
B. अमरी और कोटदीजी में
C. सुरकोतड़ा और बनवाली में
D. हड़प्पा और अमरी में

**104.** सिन्धु स्थलों से प्राप्त काले कोयले के टुकड़ों को माना गया है:

A. सौन्दर्य प्रसाधन B. लिखनेवाली पेंसिल
C. शिलाजीत D. रंग के टुकड़े

**105.** निम्नलिखित में से कौन दैमाबाद में नहीं मिला है?

A. ताम्र गैंडा B. ताम्र बाघ
C. ताम्र रथ D. ताम्र हाथी

**106.** हड़प्पा के लोगों के बारे में कौन सी बात सत्य नहीं है?

A. मानकीकरण
B. सफाई और ध्यान
C. कला और क्रीड़ा के प्रति प्रेम
D. दूसरों का अनुकरण

**107.** कालीबंगन

I. का अर्थ है काली चूड़ियाँ।

II. में प्राक्-हड़प्पाई संस्तरों मे इस-रेखा के प्रमाण हैं।

III. में घोड़े के नियमित प्रयोग का प्रमाण मिला है।

IV. में अग्नि-पूजा के प्रचलन का प्रमाण मिला है।

उपरोक्त में सेः

A. I, II और III सत्य हैं।  B. II, III और IV सत्य हैं।

C. I, II, और IV सत्य हैं।  D. सभी सत्य हैं।

**108.** सूची-I को सूची-II से सुमेलित करें:

| सूची-I | सूची-II |
|---|---|
| (*a*) हड़प्पा (1921) | 1. एम.जी. मजूमदार |
| (*b*) मोहनजोदड़ो (1931) | 2. आर.डी. बनर्जी |
| (*c*) चन्हुदड़ो (1935) | 3. एफ.ए. खान |
| (*d*) कोटदीजी (1935) | 4. दयाराम साहनी |

**कूटः**

| | (*a*) | (*b*) | (*c*) | (*d*) |
|---|---|---|---|---|
| A. | 4 | 2 | 1 | 3 |
| B. | 1 | 3 | 4 | 2 |
| C. | 3 | 1 | 2 | 4 |
| D. | 2 | 4 | 3 | 1 |

**109.** निम्नालिखित में से किसने सिन्धु सभ्यता को "हड़प्पा सभ्यता" की संज्ञा दी?

A. सर एम.ई.एम. ह्वीलर  B. डॉ. एस.आर. राव

C. सर जॉन मार्शल  D. डॉ. संखालिया

**110.** हड़प्पाकालीन नगरों पर कौन शासन करता था?

A. राजा

B. पुरोहित राजा

C. व्यापारियों का अल्प तंत्र

D. शासन व्यवस्था अज्ञात है

## उत्तरमाला

| 1 | 2 | 3 | 4 | 5 | 6 | 7 | 8 | 9 | 10 |
|---|---|---|---|---|---|---|---|---|---|
| C | D | A | B | A | D | D | D | B | C |
| **11** | **12** | **13** | **14** | **15** | **16** | **17** | **18** | **19** | **20** |
| B | A | C | D | A | C | B | D | B | C |
| **21** | **22** | **23** | **24** | **25** | **26** | **27** | **28** | **29** | **30** |
| C | A | D | C | D | C | C | D | B | B |
| **31** | **32** | **33** | **34** | **35** | **36** | **37** | **38** | **39** | **40** |
| A | A | C | B | A | D | A | A | C | C |
| **41** | **42** | **43** | **44** | **45** | **46** | **47** | **48** | **49** | **50** |
| C | A | B | C | B | A | A | D | B | B |
| **51** | **52** | **53** | **54** | **55** | **56** | **57** | **58** | **59** | **60** |
| D | A | D | C | D | C | A | B | C | B |
| **61** | **62** | **63** | **64** | **65** | **66** | **67** | **68** | **69** | **70** |
| A | D | D | B | C | C | D | C | D | C |
| **71** | **72** | **73** | **74** | **75** | **76** | **77** | **78** | **79** | **80** |
| C | A | A | A | C | D | B | B | D | B |
| **81** | **82** | **83** | **84** | **85** | **86** | **87** | **88** | **89** | **90** |
| D | A | C | D | B | D | C | B | A | B |
| **91** | **92** | **93** | **94** | **95** | **96** | **97** | **98** | **99** | **100** |
| D | C | D | C | C | A | D | C | B | C |
| **101** | **102** | **103** | **104** | **105** | **106** | **107** | **108** | **109** | **110** |
| D | C | A | C | B | D | C | A | C | D |

❑❑❑

## अध्याय–2

# भारत का राजनैतिक इतिहास (600 ई.पू. से 1200 ई.)
# (Political History of India (600 B.C. to 1200 A.D.))

### महाजनपद

प्राचीन भारत के इतिहास में छठी शताब्दी ई.पू. को एक महत्वपूर्ण परिवर्तनकारी काल माना जाता है। इस काल को प्रायः आरंभिक राज्यों, नगरों, लोहे के बढ़ते प्रयोग और सिक्कों के विकास के साथ जोड़ा जाता है। इसी काल में सिन्धु सभ्यता के बाद भारत में नगरीकरण की दूसरी प्रक्रिया प्रारंभ हुई और इसी समय बौद्ध तथा जैन सहित विभिन्न दार्शनिक विचारधाराओं का विकास हुआ। बौद्ध और जैन धर्म के आरंभिक ग्रंथों में 16 महाजनपदों का उल्लेख मिलता है।

ग्रामीण एवं नगरीय दोनों प्रकार की परिधियों के सह-अस्तित्व इन महाजनपदों की विशेषता थी। यह उत्तर-वैदिक काल का वह समय था जब भारत में सिन्धु सभ्यता के बाद दूसरा नगरीकरण हो रहा था। ये सभी महाजनपद आज के उत्तरी अफगानिस्तान से पूर्वी-बिहार तक और दक्षिण भारत में गोदावरी नदी के बेसीन तक फैले हुए थे। कालांतर में मगध महाजनपद इन सभी महाजनपदों में सबसे शक्तिशाली रूप से उभरा और भारत का प्रथम साम्राज्य बना। बौद्ध ग्रन्थों में भारत को पाँच भागों में विभाजित किया गया है–उत्तरापथ (पश्चिमोत्तर भाग), मध्यदेश, प्राची (पूर्वी भाग), दक्षिणापथ तथा अपरान्त (पश्चिमी भाग)। यद्यपि महाजनपदों के नाम की सूची समकालीन ग्रंथों में एकसमान नहीं है लेकिन थोड़े-बहुत परिवर्तन के साथ जैन ग्रन्थ 16 महाजनपद की पुष्टि करते हैं।

ये 16 महाजनपद थे : 1. काशी, 2. कोसल, 3. अंग, 4. मगध, 5. वज्जि, 6. मल्ल, 7. चेदि, 8. वत्स, 9. कुरु, 10. पांचाल, 11. मत्स्य, 12. शूरसेन, 13. अश्मक, 14. अवन्ति, 15. गांधार तथा 16. कंबोज।

### *16 महाजनपद–उनकी राजधानी एवं भौगोलिक स्थिति*

**महाजनपद, उनकी राजधानी एवं भौगोलिक क्षेत्र**

| क्र.सं. | महाजनपद | राजधानी | वर्तमान भौगोलिक स्थिति |
|---|---|---|---|
| 1. | अंग | चंपा | भागलपुर/मुंगेर के आस-पास का क्षेत्र-पूर्वी बिहार |
| 2. | मगध | राजगृह, वैशाली, पाटलिपुत्र | पटना/गया (मगध के आस-पास का क्षेत्र) मध्य दक्षिणी बिहार |
| 3. | काशी | वाराणसी | आधुनिक बनारस–उत्तर प्रदेश |
| 4. | वत्स | कौशाम्बी | इलाहाबाद (प्रयागराज)–उ. प्रदेश |
| 5. | वज्जि | वैशाली, विदेह, मिथिला | दरभंगा/मधुबनी के आस-पास का क्षेत्र–बिहार |
| 6. | कोसल | श्रावस्ती | अयोध्या/फैजाबाद के आस-पास का क्षेत्र–उत्तर प्रदेश |
| 7. | अवन्ति | उज्जैन, माहिष्मति | मालवा–मध्य प्रदेश |
| 8. | मल्ल | कुशावती | देवरिया–उत्तर प्रदेश |
| 9. | पांचाल | अहिच्छत्र, काम्पिल्य | उत्तरी उत्तर प्रदेश |
| 10. | चेदि | शक्तिमति | बुंदेलखंड–उ. प्रदेश एवं म. प्रदेश |
| 11. | कुरू | इंद्रप्रस्थ | दिल्ली, मेरठ एवं हरियाणा के आस-पास का क्षेत्र |
| 12. | मत्स्य | विराटनगर | जयपुर–राजस्थान |
| 13. | कम्बोज | हाटक | राजौरी-हाजरा–उत्तर प्रदेश |
| 14. | शूरसेन | मथुरा | आधुनिक मथुरा–उत्तर प्रदेश |
| 15. | अश्मक | पोतन/पोटली | द. भारत में गोदावरी नदी घाटी के आस-पास का क्षेत्र (द. भारत का एक मात्र महाजनपद) |
| 16. | गांधार | तक्षशिला | पेशावर व रावलपिंडी के आस-पास का क्षेत्र–पाकिस्तान |

1. **अवन्ति :** इसकी पहचान मध्य प्रदेश के आधुनिक मालवा क्षेत्र से की जा सकती है। विन्ध्य पर्वत शृंखला इसे दो भाग में विभाजित करती थी–उत्तरी अवन्ति और दक्षिणी अवन्ति। उत्तरी अवन्ति की राजधानी उज्जयिनी और दक्षिणी अवन्ति की राजधानी माहिष्मति (आधुनिक माहेश्वर) थी। ये दोनों राजधानियां उत्तर भारत के एक ओर दक्कन से और पश्चिमी समुद्री तट के बंदरगाहों से जोड़ने वाले व्यापारिक मार्ग पर स्थित होने के कारण अत्यंत महत्वपूर्ण थीं। प्राचीन काल में यहाँ हैहय वंश का शासन था। प्रद्योत यहाँ का प्रतापी शासक हुआ।
2. **अश्मक या अस्सक :** पाणिनी की "अष्टाध्यायी", मार्कण्डेय पुराण, बृहत् संहिता व कई यूनानी स्रोतों के अनुसार अश्मक का राज्य उत्तर-पश्चिमी भारत में था। जबकि बौद्ध ग्रन्थों के अनुसार यह नर्मदा और गोदावरी नदियों के बीच स्थित था और दक्षिण भारत का एकमात्र महाजनपद था। इस प्रदेश की राजधानी पोतन या पोटली थी। इस राज्य के राजा इक्ष्वाकु वंश के थे। इसका अवन्ति के साथ निरंतर संघर्ष चलता रहता था और अंततः यह राज्य अवन्ति के अधीन हो गया।
3. **अंग :** यह मगध के पूरब में, बिहार के वर्तमान मुंगेर और भागलपुर जिले के आसपास का क्षेत्र था। यह चम्पा नदी (आधुनिक चन्दन नदी) द्वारा मगध से अलग होता था। इसकी राजधानी भी चंपा ही थी जिसे पहले मालिनी नाम से भी जाना जाता था। चंपा उस समय भारत के सबसे प्रसिद्ध नगरों में से एक थी। अंग का मगध के साथ हमेशा संघर्ष होता रहता था और अंत में मगध ने इस राज्य को पराजित कर अपने में मिला लिया। महाभारत का प्रसिद्ध राजा कर्ण इस अंग देश का ही राजा था। दीर्घ निकाय के अनुसार महागोविंद ने इस नगर की निर्माण योजना बनाई थी। बिंबिसार ने अंग के शासक ब्रह्मदत्त को हराकर इस राज्य को मगध साम्राज्य में समाहित कर लिया तत्पश्चात् अजातशत्रु को अंग का उप राजा नियुक्त किया गया।
4. **कम्बोज :** यह गांधार-कश्मीर के उत्तर में आधुनिक पामीर का पठार क्षेत्र में स्थित था जहाँ राजौड़ी व हजड़ा क्षेत्र आते थे। हाटक या राजापुर इस राज्य की राजधानी थी। वर्तमान में यह भारत से बाहर स्थापित है। चन्द्र वर्धन व सूदाक्ष्ना इसके दो सबसे प्रसिद्ध शासक हुए।
5. **काशी :** काशी का राज्य उत्तर में वरुणा और दक्षिण में असि नदी के बीच बसा था। इसकी राजधानी उत्तर प्रदेश का वर्तमान बनारस (वाराणसी–जिसका नाम वरुणा और असि नदियों के नाम पर ही पड़ा है) था। 23वें जैन तीर्थंकर पार्श्वनाथ के पिता अश्वसेन काशी के ही राजा थे। इसका कोसल, मगध व अंग राज्य के साथ संघर्ष चलता रहता था। गुत्तिल जातक के अनुसार काशी नगरी 12 योजन विस्तृत थी और भारत वर्ष की सर्वप्रधान नगरी थी। अंततः इसे कोसल राज्य में मिला लिया गया।
6. **कुरू :** परंपरानुसार यह युधिष्ठिर के परिवार द्वारा शासित था और इसकी राजधानी आधुनिक इन्द्रप्रस्थ (जो बाद में 7वीं सदी में तोमर राजपूतों द्वारा दिल्ली नाम से स्थापित की गई) थी। इस महाजनपद में आधुनिक हरियाणा तथा दिल्ली के यमुना नदी के पश्चिम के क्षेत्र शामिल थे। जैनों के उत्तराध्ययन सूत्र ग्रन्थ में यहाँ के इक्ष्वाकु नामक राजा का उल्लेख मिलता है। जातक कथाओं में सुतसोम, कौरव और धनंजय यहाँ के राजा माने गए हैं। कुरुधम्मजातक के अनुसार, यहाँ के लोग अपने सीधे-सच्चे मनुष्योचित बर्ताव के लिए अग्रणी माने जाते थे और दूसरे राष्ट्रों के लोग उनसे धर्म सीखने आते थे। बुद्ध के काल तक कुरू एक छोटा-सा राज्य था जो आगे चलकर एक गण-संघ बना।
7. **कोशल/कोसल :** यह एक शक्तिशाली राज्य था जिसमें वर्तमान उत्तर प्रदेश के अयोध्या, गोंडा, गोरखपुर और बहराइच जिलों के क्षेत्र शामिल थे। यह पूर्व में गंडक (जिसे शास्त्रों में सदानीरा कहा गया है), पश्चिम में गोमती, दक्षिण में साईं (सर्पिका नदी) और उत्तर में हिमालय की तराई के बीच स्थित एक सुरक्षित राज्य था। सरयू नदी इस राज्य को उत्तरी व दक्षिणी दो हिस्सों में बीच से विभाजित करती थी। उत्तरी कोसल की प्रथम राजधानी अयोध्या थी। श्रावस्ती (जिसकी पहचान आधुनिक सहेत-महेत के रूप में की गई है) इसकी द्वितीय राजधानी थी। कुशावती व सिरपुर (आधुनिक श्रीपुर) द. कोसल की राजधानी थी। कोशल के एक राजा कंश को पालिग्रंथों में 'बारानसिग्गहो' कहा गया है। उसी ने काशी को जीत कर कोशल में मिला लिया था। कोशल के सबसे प्रतापी राजा प्रसेनजित हुए जो बुद्ध के समकालीन थे।
8. **गांधार :** पाकिस्तान का पश्चिमी तथा अफगानिस्तान का पूर्वी क्षेत्र और कश्मीर के कुछ भाग इस राज्य में आते थे। इसकी राजधानी तक्षशिला थी जो की एक समकालीन ज्ञान एवं व्यापार की नगरी के रूप में प्रसिद्ध थी। यहीं भारत का पहला विश्वविद्यालय स्थापित हुआ था। प्राचीन तक्षशिला एक अत्यंत प्रमुख नगर था जो अफगानिस्तान और मध्य एशिया को जाने वाले स्थल मार्गों पर पड़ता था और यह नगर सिंधु नदी के द्वारा अरब सागर में स्थित सामुद्रिक मार्गों से भी जुड़ा हुआ था। महाकाव्यों के अनुसार, इसी स्थान पर जनमेजय ने प्रसिद्ध नाग यज्ञ करवाया था। बौद्ध, जैन और यूनानी स्रोतों में इस नगर की काफी चर्चा हुई है। इस स्थान पर किये गये पुरातात्त्विक उत्खननों के दौरान तीन प्रमुख बस्तियों को रेखांकित किया गया है जो भीर, सिरकप और सिरसुख के नाम से जाने जाते हैं। भीर का टीला इस नगर की प्राचीनतम बस्ती है जहाँ 6ठी-5वीं शताब्दी ई.पू. से लेकर दूसरी शताब्दी ई.पू. तक के अवशेष मिले हैं। ध्यातव्य है कि गांधार का यह राज्य आधुनिक कंदहार से अलग है जो कि इस क्षेत्र से दक्षिण में स्थित था। पुक्कुसती या पुश्करसिन 6ठी सदी में यहाँ का प्रसिद्ध शासक हुआ जिसने अवन्ति को पराजित किया था।
9. **चेदि :** वर्तमान उत्तर प्रदेश के बुंदेलखंड का क्षेत्र था। इसकी राजधानी शक्तिमति थी जो सेत्तीवती नगर के नाम से जानी

जाती थी। इस राज्य का उल्लेख महाभारत में भी है। शिशुपाल यहाँ का प्रसिद्ध राजा था जिसका वध परंपरानुसार भगवान कृष्ण ने किया था।

**10. वज्जि या वृजि :** वज्जि का शाब्दिक अर्थ होता है–पशुपालक समुदाय। यह 8 (कुछ स्रोतों के अनुसार 9) राज्यों का एक संघ था जो अट्ठकुलिक कहलाते थे। यह गंगा नदी के उत्तर में नेपाल की तराई में स्थित था। वज्जियों के इन आठ कुलों में वज्जि, लिच्छवि और विदेह और ज्ञात्रिक सर्वाधिक महत्वपूर्ण थे। अन्य कुल उग्र, भोग, कौरव, एच्छवक आदि थे जिनके बारे में अधिक जानकारी नहीं मिलती। ज्ञात्रिक की राजधानी 'नादिका' थी। जैन महावीर इसी कुल के थे। इस संघ का सर्वाधिक शक्तिशाली गणराज्य वैशाली के लिच्छवियों का था, जो क्षत्रिय थे। इस राज्य की राजधानी वैशाली थी, जिसकी पहचान आधुनिक बिहार के मुजफ्फरपुर जिले में गंडक नदी के तट पर स्थित वशाढ़ से की गई है। विदेह की राजधानी मिथिला थी, जो वर्तमान नेपाल की सीमा में जनकपुर नामक कस्बे के रूप में आज भी विद्यमान है। गंगा नदी वज्जि और मगध के बीच की सीमा का निर्धारण करती थी। जैन परंपरा के अनुसार, यहां महावीर का जन्म स्थान था और पुराणों में इसे वीसल नामक शासक का नगर बतलाया है, जिसके कारण वैशाली नाम पड़ा। राजा वीसल का गढ़ कहे जाने वाले पुरातात्विक टीले से पुराने दुर्ग के अवशेष मिले हैं। यहीं से प्राप्त एक तालाब को लिच्छवियों के राज्याभिषेक से जुड़े प्रसिद्ध तालाब के रूप में माना जाता है। **लिच्छवि गणराज्य को विश्व का पहला गणतंत्र माना जाता है।** मगध के शासक अजातशत्रु ने अपने मंत्री वस्सकार की सहायता से वज्जि कुल पर विजय प्राप्त कर ली। ''महावस्तु'' से ज्ञात होता है कि महात्मा बुद्ध 11 लिच्छवियों के निमंत्रण पर वैशाली गए थे। वज्जि गण संघ के शासक चेटक त्रिशाला (महावीर की माता) के भाई थे और मगध के राजा बिम्बिसार की पत्नी चेलना के पिता।

**11. वत्स :** उत्तर प्रदेश के प्रयाग (आधुनिक इलाहाबाद अथवा प्रयागराज) के आस-पास का क्षेत्र। इसकी राजधानी कौशाम्बी थी जो बौद्ध व जैन दोनों धर्मों का प्रमुख केंद्र थी। यह अपने उत्कृष्ट सूती वस्त्रों के लिए प्रसिद्ध था। बुद्ध काल में यहाँ पौरव वंश का शासन था जिसका प्रतापी राजा उदयन हुआ। उसने अवन्ति के शासक चंड प्रद्योत को बंदी बना लिया था। पुराणों के अनुसार, राजा निचक्षु ने यमुना नदी के तट पर अपने राज्यवंश की स्थापना तब की थी जब हस्तिनापुर राज्य का पतन हो गया था।

**12. पांचाल :** इसके अंतर्गत मध्य गंगा-यमुना दोआब का पश्चिमी उत्तर प्रदेश समाहित था जिसमें रुहेलखण्ड आता है। यह गंगा नदी द्वारा दो शाखाओं में विभाजित था–उत्तरी पांचाल और दक्षिणी पांचाल। उत्तरी पांचाल की राजधानी अहिच्छत्र थी जिसको आधुनिक बरेली के रामनगर से चिन्हित किया जाता है, और दक्षिणी पांचाल की राजधानी काम्पिल्य थी जिसकी पहचान फरुखाबाद जिले के काम्पिल्य से की गई है। कन्नौज भी इसी क्षेत्र में स्थित था। ब्रह्मदत्त पांचाल देश का एक महान शासक हुआ।

**13. मत्स्य या मच्छ :** इसमें वर्तमान राजस्थान के अलवर, भरतपुर तथा जयपुर के क्षेत्र शामिल थे। इसकी राजधानी विराटनगर थी जिसकी पहचान आधुनिक वैराट के रूप में की गई है। इसका नाम इस राज्य के संस्थापक विराट के नाम पर पड़ा। ऐसा माना जाता है कि अज्ञातवास के दौरान इसी राज्य ने पांडवों को शरण दिया था।

**14. मल्ल :** यह 9 कुलों का एक गण संघ था जो पूर्वी उत्तर प्रदेश के देवरिया और गोरखपुर के आसपास विस्तृत था। मल्लों की दो शाखाएँ थीं। एक की राजधानी कुशीनारा थी जो वर्तमान कुशीनगर या कसिया है तथा दूसरे की राजधानी पावा या पव थी जो वर्तमान फाजिलनगर है। प्रारंभ में मल्ल का राज्य एक राजतंत्र था जो कि बाद में गणतंत्र में परिवर्तित हो गया। कुश जातक में गोकाक को वहां का प्रसिद्ध राजा बताया गया है।

**15. सुरसेन या शूरसेन :** यह प. उत्तर प्रदेश में स्थित था जिसकी राजधानी मथुरा थी। प्रारंभिक ऐतिहासिक काल के प्रमुख नगरों में मथुरा का स्थान आता है। महाभारत और पुराणों में इस स्थान को यादव वंशों से जोड़ा गया जिनमें वृष्णी भी एक कुल था जिसमें कृष्ण का जन्म हुआ था। यह नगर गंगा के उर्वर मैदानों के द्वार पर स्थित और उत्तरापथ का एक प्रमुख केन्द्र है क्योंकि यहां से उत्तरापथ दक्षिणवर्ती दिशा में मालवा की ओर जाता था और एक मार्ग पश्चिमी तट को और मथुरा नगर के उत्तर में यमुना के निकट अंबरोश टोला को मथुरा के सांस्कृतिक स्तर विन्यास में कालखंड से जोड़ा गया है। बौद्ध ग्रंथों के अनुसार अवंति पुत्र यहाँ का राजा था जो बुद्ध का शिष्य था। उसी के प्रयासों से इस राज्य में बौद्ध धर्म का विस्तार हुआ। पुराणों में मथुरा के राजवंश को यदुवंश कहा जाता था।

**16. मगध :** मगध महाजनपद दक्षिण बिहार के वर्तमान पटना व गया जिले में स्थित था व सभी 16 महाजनपदों में सबसे शक्तिशाली सिद्ध हुआ क्योंकि धीरे-धीरे अन्य सभी राज्यों को स्वयं में समाहित कर यह भारत का प्रथम साम्राज्य बना। मगध का प्रथम स्पष्ट उल्लेख अथर्व वेद में मिलता है। हालांकि ऋग्वेद में मगध का प्रत्यक्ष उल्लेख तो नहीं किंतु कीकट जाति और उसके राजा परमअंगद की चर्चा है जो कि संभवतः इसी क्षेत्र से संबंधित है। मगध के बारे में अधिक जानकारी हमें महाभारत और पुराणों से मिलती है। शतपथ ब्राह्मण में भी इस क्षेत्र को 'कीकट' कहा गया है। गंगा नदी घाटी के क्षेत्र में आने के कारण यह एक अत्यंत उपजाऊ क्षेत्र भी था। इसकी प्रारम्भिक राजधानी राजगृह (वर्तमान राजगीर) थी जो चारों तरफ से पर्वतों से घिरी होने के कारण गिरिव्रज के नाम से भी जानी जाती थी जो सामरिक रूप से बहुत सुरक्षित थी। राजगीर के ऐतिहासिक महत्व को बौद्ध एवं जैन दोनों धर्मों से जोड़ा गया है। यहाँ दो नगरों को रेखांकित किया जा सकता है–प्राचीन राजगीर एवं

नवीन राजगीर। प्राचीन राजगीर पांच पहाड़ियों के बीच स्थित था जिसके चारों तरफ दोहरे पत्थर के सुरक्षा घेरे बने हुए थे जो बिम्बिसार के द्वारा बनवाए गए थे। नवीन राजगीर भी पत्थर की दीवारों से घिरा था और प्राचीन राजगीर के उत्तर में बसाया गया था। ये सुरक्षा घेरे 25 से 30 मील के दायरे में फैले थे और संभवतः अजातशत्रु के द्वारा बनवाए गए थे। राजगृह के बाद वैशाली एवं पाटलिपुत्र मगध साम्राज्य की राजधानियां बनी।

## बुद्ध कालीन प्रमुख गणराज्य

बुद्ध काल में सोलह महाजनपदों के अलावा गंगा घाटी में कई गणराज्यों के अस्तित्व के प्रमाण मिलते हैं। जो इस प्रकार हैं :

1. **कपिलवस्तु के शाक्य :** यह गणराज नेपाल की तराई में स्थित था। इसकी पहचान नेपाल में स्थित आधुनिक तिलोराकोट से की जाती है। कुछ विद्वान इसकी पहचान सिद्धार्थनगर जिले के पिपरहवा नामक स्थान से करते हैं।
2. **सुमसुमार पर्वत के भग्ग :** सुमसुमार पर्वत का समीकरण मिर्जापुर जिले में स्थित वर्तमान चुनार से किया जाता है। यहाँ वत्सराज उदयन का पुत्र बोधि निवास करता था।
3. **अलकप्प के बुलि :** यह गणराज्य आधुनिक बिहार प्रान्त के शाहाबाद, आरा और मुजफ्फरपुर जिलों के बीच स्थित था। इनकी राजधानी वेठद्वीप (बेतिया) थी।
4. **केसपुत्त के कालाम :** यह गणराज्य कोसल के पश्चिम में स्थित था। सम्भवतः यह राज्य सुल्तानपुर जिले के कुंडवार से लेकर पालिया नामक स्थान तक विस्तृत था। आलारकालाम नामक आचार्य इसी गणराज्य के थे।
5. **रामग्राम के कोलिय :** यह शाक्य गणराज्य के पूर्व में स्थित था। रामग्राम की पहचान वर्तमान गोरखपुर जिले में स्थित रामगढ़ ताल से की गई है।
6. **कुशीनारा के मल्ल :** कुशीनारा की पहचान आधुनिक कुशीनगर नामक जिले से की जाती है। रामायण में मल्लों को लक्ष्मण के पुत्र चन्द्रकेतुमल्ल का वंशज कहा गया है।
7. **पावा के मल्ल :** पावा आधुनिक कुशीनगर जिले में स्थित पड़रौना नामक स्थान पर था। मनुस्मृति में मल्लों को व्रात्य क्षत्रियों में परिगणित किया गया है। मल्ल लोग सैनिक प्रवृत्ति के थे। मल्ल गणतन्त्र को आनन्द और अनिरुद्ध नामक दो प्रसिद्ध नेताओं को जन्म देने का श्रेय प्राप्त है।
8. **पिप्पलिवन के मोरिय :** पिप्पलिवन का समीकरण गोरखपुर जिले में कुसुम्ही के पास स्थित राजधानी नामक ग्राम से किया जाता है।
9. **वैशाली के लिच्छिवि :** यह बुद्ध काल का सबसे बड़ा तथा शक्तिशाली गणराज्य था।
10. **मिथिला के विदेह :** बिहार के भागलपुर तथा दरभंगा जिलों के भूभाग में विदेह गणराज्य स्थित था।

# प्राचीन भारतीय साम्राज्यों का उदय

## हर्यंक वंश (545 ई.पू. से 412 ई.पू.)

**बिम्बिसार (545 ई.पू. – 493 ई.पू.):** इस वंश का सबसे अधिक प्रतापी राजा बिम्बिसार था जिसने गिरिब्रज को अपनी राजधानी बनाया। बिम्बिसार का उपनाम 'श्रेणिक' था। इसने कोशल एवं वैशाली के राज परिवारों से वैवाहिक सम्बन्ध कायम किया। कुशल प्रशासन की आवश्यकता पर सर्वप्रथम बिम्बिसार ने ही जोर दिया। पुराणों के अनुसार बिम्बिसार ने करीब 28 वर्ष तक शासन किया। बिम्बिसार महात्मा बुद्ध का मित्र एवं संरक्षक था। विनयपिटक से ज्ञात होता है कि बुद्ध से मिलने के बाद उसने बौद्ध धर्म ग्रहण कर लिया और बेलुवन नामक उद्यान बुद्ध तथा संघ के निमित्त प्रदान कर दिया। अन्तिम समय में अजातशत्रु ने अपने पिता बिम्बिसार की हत्या कर दी।

**अजातशत्रु (493 ई.पू.–461 ई.पू.) :** अजातशत्रु जिसे कूणिक भी कहा जाता था, पिता की हत्या कर मगध के सिंहासन पर बैठा। यह एक दुर्धर्ष साम्राज्यवादी था। इसने एक लम्बे संघर्ष के बाद काशी एवं वज्जि संघ को जीत लिया। इन लड़ाइयों में अजातशत्रु ने रथमुशल एवं महाशिलाकण्टक नाम के हथियारों का प्रयोग किया। इसने अपनी राजधानी राजगृह की सुरक्षा हेतु एक मजबूत दुर्ग का निर्माण करवाया। इसके शासन काल के आठवें वर्ष में बुद्ध को निर्वाण प्राप्त हुआ था। महापरिनिर्वाण सूत्र के अनुसार अजातशत्रु ने बुद्ध के कुछ अवशेषों को लेकर राजगृह में एक स्तूप निर्मित कराया। इसके शासनकाल में ही राजगृह के सप्तपर्णि गुफा में 483 ई.पू. में प्रथम बौद्ध संगीति का आयोजन हुआ, जहाँ पर बुद्ध की शिक्षाओं को सुत्तपिटक एवं विनयपिटक में विभाजित किया गया। अजातशत्रु ने पुराणों के अनुसार 28 वर्ष एवं बौद्ध साक्ष्य के आधार पर 32 वर्ष तक शासन किया। अन्तिम समय में अजातशत्रु की हत्या उसके पुत्र उदायिन द्वारा कर की गयी।

**उदायिन (461 ई.पू.–445 ई.पू.) :** परिशिष्टपर्वन, गार्गी संहिता एवं वायु पुराण के अनुसार उदायिन ने गंगा एवं सोन नदी के संगम पर पाटलिपुत्र (वर्तमान पटना) नामक राजधानी की स्थापना की। पुराणों के अनुसार उदायिन ने 33 वर्ष एवं महावंश के अनुसार 16 वर्ष तक शासन किया। उदायिन जैन मतानुयायी था।

बौद्ध साहित्य के अनुसार उदायिन के बाद अनिरुद्ध, मुण्डक और नागदशक ने मिलकर करीब 412 ई.पू. तक शासन किया। इस वंश के अन्तिम शासक नागदशक को शिशुनाग नाम के एक योग्य अमात्य ने अपदस्थ कर दिया। अन्तिम राजा नागदशक को कुछ पुराणों में 'दर्शक' कहा गया है।

## शिशुनाग वंश (412 ई.पू. से 345 ई.पू.)

शिशुनाग ने मगध साम्राज्य में अवन्ति एवं वत्सराज को जीत कर मिलाया, जिससे मगध साम्राज्य का विस्तार उत्तरी भारत में मालवा से बंगाल तक हो गया। इसने वैशाली को अपनी राजधानी बनाया।

**कालाशोक या काकवर्ण (394 ई.पू.–366 ई.पू.) :** पुराण एवं दिव्यावदान में कालाशोक का नाम काकवर्ण मिलता है। इसने वैशाली के स्थान पर पुनः पाटलिपुत्र को अपनी राजधानी बनाया। सिंहली महाकाव्यों के अनुसार बुद्ध के महापरिनिर्वाण के करीब सौ वर्ष बाद कालाशोक के शासन काल के दसवें वर्ष वैशाली में द्वितीय बौद्ध संगीति का आयोजन हुआ। इसी संगीति (383 ई.पू.) में बौद्ध संघ स्थाविर एवं महासांघिक के रूप में बंट गया था। दीपवंश एवं महावंश के अनुसार कालाशोक ने करीब 28 वर्ष तक शासन किया। इसकी मृत्यु के उपरान्त इसके उत्तराधिकारियों ने करीब 22 वर्ष तक शासन किया। इस वंश का अन्तिम राजा सम्भवतः नंदिवर्द्धन था।

## ■। नन्द वंश (344 ई.पू. से 322 ई.पू.)

पुराणों के अनुसार इस वंश का संस्थापक महापद्मनंद एक शूद्र शासक था। पुराणों में इसके लिए एकच्छत्र पृथ्वी का राजा 'अनुल्लंघित शासक', भार्गव (परशुराम) के समान 'सर्वक्षत्रान्तक' (क्षत्रियों का नाश करने वाला) एवं एकराट आदि उपाधियां दी गयी हैं। 'महाबोधिवंश' उसे 'उग्रसेन' कहता है। अपनी विजयों के फलस्वरूप महापद्मनन्द ने मगध को एक विशाल साम्राज्य में परिणत कर दिया। खारवेल के हाथीगुम्फा अभिलेख से उसकी कलिंग विजय सूचित होती है। इसके अनुसार नन्दराजा जिनसेन की प्रतिमा उठा ले गया तथा उसने कलिंग में एक नहर का निर्माण कराया।

महापद्मनंद के आठ पुत्रों में अन्तिम पुत्र घनानन्द सिकन्दर का समकालीन था। ग्रीक लेखकों ने इसे अग्रमीज (Agrammes) एवं जैन्द्रमीज (Xandrames) कहा है। इसके शासन काल में ही सिकन्दर ने करीब 325 ई.पू. में पश्चिमी तट पर आक्रमण किया। घनानंद का विनाश चन्द्र गुप्त मौर्य ने किया।

# मौर्य साम्राज्य

नन्द वंश के अन्तिम शासक घनानंद को मारकर, जिस व्यक्ति ने मौर्य वंश की स्थापना की उसका नाम युनानी लेखकों ने 'सेन्ड्रोकोट्स' बताया। सर्वप्रथम सर विलियम जोंस ने इस सेन्ड्रोकोट्स की पहचान चन्द्रगुप्त मौर्य के रूप में की है।

मौर्य साम्राज्य के विषय में जानकारी के प्रमुख स्रोत निम्नलिखित हैं :

1. कौटिल्य का अर्थशास्त्र
2. मेगस्थनीज की इण्डिका
3. रूद्रदामन का जूनागढ़ अभिलेख
4. विशाखदत्त का 'मुद्राराक्षस'
5. बौद्ध और जैन ग्रन्थ
6. अशोक के अभिलेख

मौर्यों का इतिहास जानने के लिए साहित्यिक स्रोतों में सबसे महत्वपूर्ण विवरण 'अर्थशास्त्र' है। अर्थशास्त्र, राजनीति और लोक-प्रशासन पर लिखी गई पहली प्रामाणिक पुस्तक है। कौटिल्य को भारत का मैकियावेली भी कहा जाता है। अर्थशास्त्र में 'कुल 15 अधिकरण तथा 180 प्रकरण हैं। कौटिल्य ने राज्य को सात तत्वों से निर्मित माना है। इन्हें राज्य का सप्तांग सिद्धांत कहा जाता है। ये तत्व हैं–(*i*) स्वामी, (*ii*) आमात्य, (*iii*) जनपद, (*iv*) दुर्ग, (*v*) कोष, (*vi*) दण्ड, (*vii*) मित्र।

मेगस्थनीज, सेल्यूकस का एक राजदूत था जो चन्द्रगुप्त मौर्य के दरबार में 304 ई.पू. से 299 ई.पू. के बीच रहा। उसके ग्रन्थ 'इण्डिका' से चन्द्रगुप्त मौर्य के प्रशासन की विश्वसनीय जानकारी प्राप्त होती है। वह पाटलिपुत्र नगर, नगर प्रशासन तथा राजस्व प्रशासन आदि पर प्रकाश डालता है। नगर प्रशासन का उल्लेख करते हुए मेगस्थनीय कहता है यह 6 समितियों में विभक्त था तथा राजा भू राजस्व का 1/4 भाग लेता था।

मेगस्थनीज के वर्णन में कुछ भ्रामक विवरण भी है–वह भारतीय समाज को सात जातियों में विभक्त मानता है, इसके अलावा यहाँ अकाल न पड़ने तथा दास प्रथा के न होने का वर्णन करता है जो असत्य है।

इस काल का वर्णन कुछ विदेशी लेखक भी करते हैं, जैसे–स्ट्रैबो, डियोडोरस, प्लिनी, एरियन, प्लूटार्क, जस्टिन आदि। रूद्रदामन के जूनागढ़ अभिलेख से पता चलता है कि चन्द्रगुप्त ने सौराष्ट्र प्रांत में सुदर्शन झील का निर्माण कराया था। इस समय यहाँ का प्रशासक पुष्यगुप्त वैश्य था। इसी अभिलेख से पता चलता है कि अशोक के समय में सुदर्शन झील का पुनर्निमाण करवाया गया, उस समय राज्यपाल तुषास्फ था। रूद्रदामन के समय में इस झील के बाँध का पुनर्निर्माण कराया गया। उस समय वहाँ का राज्यपाल सुविशाख था। स्कंदगुप्त के समय पर्णदत्त राज्यपाल हुआ, उसके पुत्र एवं गिरिनार नगर के प्रशासक चक्रपालित ने इस झील के बाँध का पुनर्निर्माण करवाया।

अशोक का इतिहास मुख्यतः उसके अभिलेखों से ही ज्ञात होता है। अभी तक उसके 40 से अधिक अभिलेख प्राप्त हो चुके हैं। प्रसिद्ध इतिहासकार डी.आर. भण्डारकर महोदय ने केवल अभिलेखों के आधार पर ही अशोक के दिल्ली-टोपरा अभिलेख को पढ़ने में सफलता पायी जबकि सबसे पहले 1750 ई. में पाटेद्री फैंथलर महोदय द्वारा खोजा गया अभिलेख दिल्ली-मेरठ अभिलेख था।

## *चन्द्रगुप्त मौर्य*

मौर्य साम्राज्य का संस्थापक चन्द्रगुप्त मौर्य था। इसके जन्म और जाति के बारे में विद्वानों में मतभेद है। मुद्राराक्षस उसे निम्न कुल तथा बौद्ध-जैन ग्रन्थ उसे क्षत्रिय मानते हैं। उसने अपने गुरु विष्णुगुप्त (चाणक्य) की सहायता से नंद साम्राज्य का तख्ता पलट कर मगध साम्राज्य की गद्दी हासिल की। साम्राज्य को स्थायी बनाने के उद्देश्य से सीरिया के युनानी शासक सेल्यूकस को पराजित कर उसकी पुत्री हेलेना के साथ विवाह किया। इस संधि के बाद सेल्यूकस ने चंद्रगुप्त मौर्य के दरबार में मेगास्थनीज को भेजा तथा चन्द्रगुप्त ने सेल्यूकस को उपहार स्वरूप 500 हाथी प्रदान किए। बौद्ध साहित्य के अनुसार चन्द्रगुप्त मौर्य ने लगभग 24 वर्ष तक शासन किया। जैन साहित्य के अनुसार उसने अपने पुत्र बिंदुसार को शासन सौंपकर जैन धर्म स्वीकार कर लिया तथा जैन भिक्षु भद्रबाहु के साथ मैसूर चला गया। वहीं श्रवणबेलगोला में 298 ई.पू. धीरे-धीरे अन्न जल त्याग कर प्राण छोड़ दिया।

## *बिन्दुसार*

298 ई.पू. में चन्द्रगुप्त मौर्य के पश्चात् उसका पुत्र बिन्दुसार मौर्य साम्राज्य का उत्तराधिकारी बना। युनानी लेखकों ने उसका नाम अमित्रवात' या 'अमित्रोचेट्स' कहा है। जैन ग्रन्थों ने इसका उल्लेख 'सिंहसेन' नाम से किया है। दिव्यावदान में बिन्दुसार के शासनकाल में तक्षशिला में होने वाले विद्रोह का उल्लेख प्राप्त होता है। जिसके दमन करने के लिए उसने अपने पुत्र अशोक को भेजा।

## *अशोक*

परम्परानुसार अशोक ने अपने भाइयों की हत्या करके सिंहासन पर अधिकार किया। अशोक ने राज्याभिषेक के नवें वर्ष में कलिंग पर आक्रमण किया। कलिंग युद्ध के भीषण नरसंहार को देखकर अशोक इतना द्रवित हुआ कि उसने भविष्य में कभी युद्ध न करने का संकल्प लिया और द्विग्विजय के स्थान पर 'धम्म विजय' की नीति को अपनाया। भाब्रु अभिलेख में उल्लिखित है कि ढाई वर्षों के बाद ही उपगुप्त नामक एक बौद्ध भिक्षु के प्रभाव में आकर वह बौद्ध धर्म का प्रबल अनुयायी हो गया। तीसरी बौद्ध संगीति का आयोजन पाटलिपुत्र (250 ई.पू.) में करवाया जिसकी अध्यक्षता मोगलीपुत्र तिस्स ने की थी।

## मौर्य कालीन संस्कृति

मौर्य प्रशासन का भारतीय प्रशासनिक इतिहास में महत्वपूर्ण स्थान है। यह भारत की प्रथम केन्द्रीकृत प्रशासन प्रणाली का उल्लेख है। प्रशासन का केन्द्रबिन्दु राजा होता था। वह कार्यपालिका, व्यवस्थापिका एवं न्यायपालिका का प्रमुख था। 'इण्डिका' से पता चलता है कि चन्द्रगुप्त मौर्य को चारों तरफ से अंगरक्षिकाएं घेरे रहती थीं। कौटिल्य के अर्थशास्त्र में राजा की परिषद का उल्लेख है। मंत्रिपरिषद के सदस्यों का चुनाव आमात्यों में से उपधा परीक्षण के बाद होता था। अर्थशास्त्र में 18 तीर्थों का उल्लेख है। इन तीर्थों के अलावा 26 अध्यक्षों का भी वर्णन है जो अपने विभाग के प्रधान होते थे।

**प्रांतीय प्रशासन :** केन्द्र प्रांतों में बँटा था। प्रांतों का प्रशासन वायसराय रूपी अधिकारी द्वारा होता था। ये अधिकारी राजवंश के होते थे। अशोक के अभिलेखों में उन्हें कुमार या आर्यपुत्र कहा गया है। केन्द्रीय शासन की ही भाँति प्रान्तीय शासन में भी मंत्रिपरिषद् होती थी। प्रांतीय मंत्रिपरिषद् सीधा केन्द्र के सम्पर्क में होता था। अशोक के समय में 5 प्रांतों का उल्लेख है :

| प्रांत | राजधानी |
|---|---|
| उत्तरापथ | तक्षशिला |
| दक्षिणापथ | सुवर्णगिरी |
| अवन्ति | उज्जयिनी |
| प्राची | पाटलिपुत्र |
| कलिंग | तोसली |

सौराष्ट्र की स्थिति अर्द्धस्वतंत्र प्रान्त की थी। मौर्य साम्राज्य में प्रांतों को चक्र कहते थे। इन प्रांतों के अन्तर्गत कई मण्डलों का प्रशासनिक विभाजन किया जाता था। जिन पर महामात्य नामक अधिकारी होते थे। मण्डलों के अधिकारियों के नाम प्रदेष्टा या प्रादेशिक भी मिलते हैं। ये मण्डल जिलों में विभक्त थे जिन्हें आहार या विषय कहते थे। यह विषयपति के अधीन था।

संक्षेप में प्रांतीय प्रशासन और उसके विभाजन को निम्न प्रकार आसानी से समझा जा सकता है :

केन्द्र > प्रांत > मण्डल > आहार या विषय > स्थानीय > द्रोणमुख > खार्वटिक > संग्रहण > ग्राम

**नगर प्रशासन :** मेगस्थनीज की इण्डिका से ही पाटलिपुत्र के नगर प्रशासन का वर्णन मिलता है। उसने नगर के प्रमुख अधिकारी को 'एस्ट्रोनोमोई' कहा है। उसके अनुसार जिले का अधिकारी एग्रोनोमोई था। यही सड़क निर्माण का भी अधिकारी था। नगर का प्रशासन 30 सदस्यों के एक समूह द्वारा होता था। इसकी कुल 6 समितियाँ होती थी तथा प्रत्येक समिति में 5 सदस्य होते थे। अर्थशास्त्र के अनुसार नगर का प्रमुख अधिकारी 'नागरक' होता था, जिसका मुख्य कार्य नगर की सफाई एवं सुरक्षा था।

**गुप्तचर व्यवस्था :** मौर्यकाल में गुप्तचरों का महत्वपूर्ण स्थान था। गुप्तचरों को गूढ़पुरूष तथा इसके प्रमुख अधिकारी को सर्वमहामात्य कहा गया है, अर्थशास्त्र में दो प्रकार के गुप्तचरों का वर्णन है—

1. **संस्था :** ऐसे गुप्तचर जो संस्थाओं में संगठित होकर एक जगह कार्य करते थे।
2. **संचार :** ये भ्रमणशील गुप्तचर होते थे।

- गुप्तचरों के अतिरिक्त शांति व्यवस्था बनाए रखने तथा अपराधों की रोकथाम के लिए पुलिस भी होती थी जिसे अर्थशास्त्र में 'रक्षिन' कहा गया है।

**न्याय प्रशासन :** सबसे उच्च न्यायालय राजा का न्यायालय होता था। सबसे छोटा ग्राम न्यायालय था। ग्राम न्यायालय तथा राजा के न्यायालय को छोड़कर अन्य सभी न्यायालय दो प्रकार के थे :

1. **धर्मस्थीय न्यायालय (दीवानी न्यायालय) :** यह दीवानी मामलों से सम्बन्धित न्यायालय होता था। इसके न्यायाधीश को धर्मस्थ या व्यावहारिक कहा जाता था।
2. **कण्टकशोधन (फौजदारी) न्यायालय :** व्यक्ति और राज्य के बीच के विवादों का निपटारा इन न्यायालयों में होता था। इस न्यायालय के न्यायाधीश को धर्मस्थ या व्यावहारिक कहा जाता था।

**राजस्व प्रशासन :** समाहर्ता राजस्व प्रशासन का प्रमुख अधिकारी था जो राज्य के समस्त राजस्व का संकलन करता था। वह 'अक्षपटलाध्यक्ष' के कार्यो का निरीक्षण एवं समस्त आय-व्यय पर निगरानी रखता था।

भूमि कर, सिंचाई कर, पथ कर, वाणिज्य कर, चारागाह कर, सीमा शुल्क, खाद्यान्न कर, वन कर, राजकीय भूमि से प्राप्त राजस्व, जुआघरों एवं वेश्यालयों से प्राप्त कर राज्य के राजस्व का मुख्य साधन थे। इन सबके अतिरिक्त 'पिण्ड कर' जिसका उल्लेख कौटिल्य करता है, एक प्रकार का रिवाजी कर था जिसका निर्धारण सामूहिक रूप से होता है।

- **सीता :** राज्यभूमि पर खेती से प्राप्त होने वाली आय सीता कहलाता था।
- **भाग :** स्वतंत्र रूप से खेती करने वाले किसानों से प्राप्त आय। मौर्यकाल में इसकी मात्रा 1/6 से 1/4 भाग थी।

**सामाजिक जीवन :** कौटिल्य ने अर्थशास्त्र में समाज के चारों वर्णों—ब्राह्मण, क्षत्रिय, वैश्य और शूद्र का उल्लेख किया है। 'अर्थशास्त्र' में अनेक वर्ण-संकर जातियों का भी उल्लेख किया गया है जिनकी उत्पत्ति अनुलोम और प्रतिलोम विवाहों से बतायी गई है। मेगस्थनीज ने भारतीय समाज को सात जातियों में विभक्त किया गया है : 1. दार्शनिक, 2. किसान, 3. अहीर व ग्वाले, 4. कारीगर व शिल्पी, 5. सैनिक, 6. निरीक्षक, 7. सभासद।

**स्त्रियों की दशा :** परिवार में स्त्रियों की दशा स्मृति काल की अपेक्षा अधिक अच्छी थी। उन्हें पुनर्विवाह तथा नियोग की अनुमति थी। अर्थशास्त्र में सती प्रथा के प्रचलित होने का प्रमाण नहीं मिलता, किंतु यूनानी लेखकों ने उत्तर-पश्चिम में सैनिकों की स्त्रियों के सती होने का उल्लेख किया है।

इस युग में गणिका या वेश्याओं का भी उल्लेख मिलता है। स्वतंत्र रूप से वेश्यावृत्ति करने वाली स्त्रियाँ 'रूपाजीवा' कहलाती थी। गणिकाओं के कार्यों का निरीक्षण गणिकाध्यक्ष करता था। समाज में विधवा विवाह प्रचलित था।

**आर्थिक जीवन :** राज्य की अर्थव्यवस्था कृषि, पशुपालन और वाणिज्य-व्यापार पर आधारित थी। इनको सम्मिलित रूप से 'वार्ता' कहा गया है। इन व्यवसायों में कृषि मुख्य था।

**उद्योग धन्धे :** इस समय अनेक उद्योग धन्धे भी प्रचलित थे। इस समय का प्रधान उद्योग सूत कातने और बुनने का था। अर्थशास्त्र से पता चलता है कि काशी, बंग, पुण्ड्र, कलिंग और मालव सूती वस्त्रों के लिए प्रसिद्ध थे। काशी और पुण्ड्र में रेशमी कपड़े भी बनते थे। बंग का मलमल विश्वविख्यात था। कौटिल्य ने चीनपट्ट का भी उल्लेख किया है। यह रेशम चीन से आता था।

**व्यापार-वाणिज्य :** उस समय बाह्य-व्यापार यूनान एवं बर्मा से होता था। मसाले, सूती वस्त्र, हीरे-मोती, हाथी-दाँत से बनी वस्तुएँ, चमड़े, कंबल, शंख आदि निर्यात की वस्तुएँ थीं। घोड़ा, सोना, काँच, क्षौम आदि आयात होते थे। व्यापार संतुलन भारत के पक्ष में था। विक्रय कर मूल्य का दसवाँ होता था। यह स्थानीय वस्तुओं पर 5 प्रतिशत और आयातित वस्तुओं पर 10 प्रतिशत था।

### *यातायात एवं परिवहन*

आंतरिक व्यापार भाग

1. दक्षिणी-पश्चिमी मार्ग—श्रावस्ती से प्रतिष्ठान।
2. दक्षिण-पूर्व मार्ग—श्रावस्ती से राजगृह।
3. पूर्व-पश्चिमी मार्ग—गंगा एवं जमुना का जल प्रवाह क्षेत्र।

**सबसे महत्वपूर्ण व्यापार मार्ग :** उत्तर-पश्चिम में तक्षशिला क्षेत्र से पाटलिपुत्र को जोड़ने वाला मार्ग (उत्तरापथ)।

**बंदरगाह :** इस समय का सबसे प्रमुख बंदरगाह पश्चिमी तट पर 'भड़ौच' या 'भृगुकच्छ' था। पश्चिमी तट पर ही 'सोपारा' अन्य बंदरगाह था। पूर्वी तट का सबसे प्रसिद्ध बंदरगाह ताम्रलिप्ति या तामलुक था। मौर्य काल में भारत का व्यापार मुख्यतः पश्चिमी एशिया, मिस्र, चीन तथा श्रीलंका से होता था। चीन से रेशम प्राप्त होता था।

**सिक्के :** इस काल के सिक्के स्वर्ण, चाँदी और ताँबे के बने होते थे।
स्वर्ण सिक्के—निष्क एवं सुवर्ण
चाँदी के सिक्के—पण, कार्षापण, धरण और शतमान
ताँबे के सिक्के—माषक एवं काकणि

## मौर्य कला

मौर्यकालीन कला को दो भागों में बाँटा जा सकता है—राजकीय कला एवं लोक कला।

राजकीय कला के अन्तर्गत नगर निर्माण, स्तूप, गुफाएं एवं स्तम्भ आते हैं। मेगास्थनीज ने पालिब्रोथा (पाटलिपुत्र) का वर्णन किया है। गुप्तकालीन विदेशी यात्री फाह्यान ने लिखा है कि पाटलिपुत्र का राजप्रासाद देवताओं द्वारा निर्मित है। गुफाओं का निर्माण भी मौर्यकाल में ही प्रारम्भ हुआ। अशोक एवं उसके पौत्र दशरथ ने बराबर एवं नागार्जुनी पहाड़ी में आजीवकों को गुफाएं काटकर दान में दी। मौर्यकालीन कला का उत्कृष्ट प्रदर्शन अशोक के स्तम्भों में दिखाई पड़ता है ये मथुरा और चुनार की पहाड़ियों से लाकर लाल बलुए पत्थर से बनाए गए हैं। मूर्तिकला में दीदारगंज से प्राप्त चामरग्राहिणी यक्षी की मूर्ति कला के क्षेत्र में उत्कृष्ट है। मौर्यकालीन मृदभाण्डों में सबसे उत्कृष्ट उत्तरी काली पॉलिश वाले मृदभाण्ड (N.B.P.W) उल्लेखनीय है।

**पतन के कारण :**

- पंडित महामहोपाध्याय हरप्रसाद शास्त्री—ब्राह्मणीय प्रतिक्रिया
- हेमचन्द्र राय चौधरी—अशोक की शांतिवादी नीति
- रोमिला थापर—अतिकेन्द्रीकृत शासन
- निहार रंजन—विदेशी विचारों को अपनाया जाना।

# मौर्योत्तर काल

## शुंग वंश

मौर्य वंश के अन्तिम शासक बृहद्रथ को मारकर उसके प्रधान सेनापति पुष्यमित्र शुंग ने 184 ई.पू. में शुंग वंश की स्थापना की। पुष्यमित्र वीर योद्धा, योग्य सेनापति, चतुर कूटनीतिज्ञ तथा एक महान शासक था। इसने 36 वर्ष (148 ई.पू.) तक शासन किया। इसने दो बार अश्वमेध यज्ञ किया था। शुंग वंश के अन्तिम शासक देवभूति को मारकर उसके मंत्री वसुदेव कण्व ने 72 ई.पू. में कण्व वंश की स्थापना की। कण्व वंश के अन्तिम शासक सुशर्मा को परास्त कर सातवाहन वंश के सिमुक ने मगध की राजसत्ता अपने हाथ में ले ली। इस सातवाहन वंश में 19 शासक हुए, सिमुक इनमें सबसे महत्वपूर्ण शासक था।

भारत में व्याप्त इस अराजकता का लाभ विदेशियों ने उठाया और भारत पर उत्तर-पश्चिम दिशा से विदेशी आक्रमण हुये।

## विदेशी आक्रमण

अशोक के समकालीन चीनी सम्राट शी-ह्वांग-ती (246-211 ई.पू.) ने हूणों के आक्रमण से चीन की रक्षा करने हेतु चीन में विश्वप्रसिद्ध महादीवार का निर्माण कराया। हूण अब चीन जा नहीं सकते थे। अतः उन्होंने पश्चिम की ओर रुख किया। उन्होंने शक जाति को वहाँ से खदेड़ा। शकों ने अपने पड़ोसी बैक्ट्रिया के यूनानियों को खदेड़ा। इस प्रकार ये यूनानी भारत पर आक्रमण करने को मजबूर हुये। इस प्रकार भारत के उत्तर-पश्चिमी सीमान्त से पहले यूनानियों ने भारत पर आक्रमण किया, फिर पर्शिया के पहलव आये, उनके बाद शक आये एवं उनके पीछे कुषाण एवं हूण भारत आये।

### इण्डो–ग्रीक (हिन्द–यूनानी)

भारत पर आक्रमण करने वाला सर्वप्रथम शासक डेमेट्रियस था जिसने पंजाब का एक बड़ा भाग जीता था। इनमें सर्वप्रसिद्ध शासक मिनाण्डर (166-145 ई.पू.) था जो मिलिन्द के नाम से भी जाना जाता था। उसने अपने साम्राज्य का विस्तार अफगानिस्तान, पंजाब, काठियावाड़, सिन्धु राजपूताना तथा मथुरा तक किया। नागसेन (नागार्जुन) ने इसे बौद्ध धर्म में दीक्षित किया। 'मिलिन्दपन्हो' नामक ग्रन्थ में मिनाण्डर द्वारा पूछे गये प्रश्नों के नागार्जुन द्वारा दिये गये उत्तरों का संग्रह है। भारत में सर्वप्रथम सोने के सिक्के जारी करने का श्रेय इण्डो-ग्रीक को जाता है। ये हेलोनिष्टिक कला के भारत में जन्मदाता थे। गान्धार कला इसका उदाहरण है। मिनाण्डर की राजधानी साकल (स्यालकोट) थी।

### शक

शक घुमन्तू जाति के लोग थे। यू-ची (Yeuh-chi) नामक अन्य घुमन्तू जाति के दूसरे लोगों ने इन्हें इनकी मातृभूमि से खदेड़ दिया था। सिन्धु को अपनी शक्ति का केन्द्र बनाकर शकों ने भारत के अन्य भागों पंजाब, काठियावाड़, सौराष्ट्र, उज्जयनी एवं मथुरा पर अधिकार किया। इन्होंने क्षत्रप प्रणाली लागू की। रुद्रदामन इनका प्रसिद्ध शासक था। महाक्षत्रप रुद्रदामन का गिरनार अभिलेख हमें सुदर्शन झील की मरम्मत की जानकारी देता है। उसने गुजरात, मालवा, कच्छ, सिन्ध एवं कोंकण पर शासन किया। इसने यौधेयों एवं सातवाहन नरेश वशिष्ठीपुत्र पुलमावी को परास्त किया। इनकी मृत्यु के पश्चात् शकों का पतन हो गया।

### पार्थियन

इण्डो-ग्रीक के पश्चात् पार्थियन (पहलव) हिन्दुकुश और सुलेमान पर्वत को पार कर भारत में आये। इन्होंने यहाँ आकर भारतीय संस्कृति में अपने को आत्मसात कर लिया। इनके शासक गोंडोफर्नीज ने 25 वर्ष भारत में (48-20 ई.पू. के लगभग) शासन किया। उसके राज्य में कंधार, काबुल एवं तक्षशिला शामिल थे। कहा जाता है कि ईसाई पादरी सेंट थामस इसी के काल में भारत आया था।

### कुषाण वंश

चीन में महादीवार बनने के कारण हूणों ने अपने पड़ोसी कबीले यूची को पश्चिम की ओर खदेड़ा। कुषाण इसी यूची कबीले की एक शाखा थी। भारत में कुजुल कडफिसस (15 ई.–65 ई.) ने कुषाण वंश की स्थापना की। इसके बाद शैव मतावलम्बी विम कडफिसस (65-78 ई.) शासक बना। कुषाण वंश का महानतम शासक कनिष्क था जो 78 ई. में सम्राट बना एवं 101 ई. तक शासन किया। कनिष्क ने चीन को विजित किया। चीन से दो राजकुमार भारत आये जिन्होंने भारत में नाशपाती एवं आड़ू की खेती आरम्भ की। कनिष्क ने कश्मीर में कनिष्कपुर नगर बसाया। उसके द्वारा किये जाने वाले युद्धों से तंग आकर उसके ही सेनापतियों ने (बौद्ध साहित्य के अनुसार) उसको मार डाला। कनिष्क के बाद कुषाण वंश का अन्त यौधेयों द्वारा किया गया। कालान्तर में यौधेयों का अन्त कर शक्तिशाली गुप्त साम्राज्य की स्थापना हुई।

## मौर्योत्तरकालीन संस्कृति

**प्रशासनः** कुषाण राजाओं ने चीनी शासकों के अनुरूप देवपुत्रषाहिषाहानुषाहि जैसी उपाधियाँ धारण की जो उनकी दैवीय उत्पत्ति में विश्वास को प्रदर्शित करता है। रोम के शासकों के समान मृत राजाओं की मूर्तियाँ स्थापित करने के लिए मन्दिर बनवाने की प्रथा भी प्रारम्भ हुई।

सातवाहन शासकों ने ब्राह्मणों एवं बौद्ध भिक्षुओं को पहली शताब्दी ई.पू. में कर मुक्त भूमि प्रदान करने की प्रथा आरम्भ की। सातवाहनों के समय का नानाघाट अभिलेख भूमिदान का प्रथम अभिलेखीय प्रमाण है। शकों तथा पार्थियन शासकों ने संयुक्त शासन का चलन प्रारम्भ किया। शक और कुषाण लोग पार्थियनों के माध्यम से हखमनी राजवंश की क्षत्रप-प्रणाली भी इस देश में ले आये। कुषाणों ने प्रांतों में द्वैध शासन प्रणाली का प्रचलन किया।

**सामाजिक दशा :** वर्ण पर आधारित समाज व्यवस्था को विदेशी आक्रमणकारियों से खतरा हो गया था जबकि ये विदेशी शक्ति-सम्पन्न थे इसलिए ब्राह्मण इन्हें मलेच्छ नहीं कह सकते थे। स्मृतिकारों ने यवन, शक, पार्थियन, कुषाण आदि विदेशी शासकों को 'निम्न कोटि के क्षत्रिय' की संज्ञा दी। भारतीय धर्म को अंगीकार कर ये विदेशी सरलता से भारतीय समाज में घुल-मिल गये। बौद्ध धर्म के अलावा वैष्णव और शैव धर्म को भी इन शासकों ने संरक्षण प्रदान किया। युनानी राजदूत तक्षशिला निवासी हेलियोडोरस ने बेसनगर में प्रसिद्ध गरूड़ध्वज की स्थापना की थी। बौद्ध धर्म की ओर विदेशी शासकों का झुकाव अधिक इसलिए था क्योंकि उसमें जाति का कठोर बंधन नहीं था। इस समय वैश्यों तथा शुद्रों के बीच का अन्तर कुछ कम हो गया था।

**आर्थिक दशा :** मौर्योत्तर काल आर्थिक दृष्टि से समृद्धि का काल था। शिल्प और व्यापार वाणिज्य की अभूतपूर्व उन्नति हुई। सिक्के अधिक मात्रा में प्रचलित हुए तथा बंदरगाहों तथा नगर मार्गों का सम्पूर्ण भारत में जाल बिछ गया। इसी समय भूमिदान की अक्षयनीवी प्रणाली की भी शुरुआत हुई।

मौर्योत्तर काल में कारीगरी एवं शिल्पों का विलक्षण विकास हुआ। मौर्य-पूर्व काल के दीर्घ निकाय में लगभग 24 प्रकार के व्यवसायों का उल्लेख है।

व्यापारिक प्रगति के कारण शिल्पकारों ने शिल्प श्रेणियों को संगठित किया। मौर्योत्तर राज-व्यवस्था की प्रमुख बात यह है कि ई.पू. दूसरी तथा पहली शताब्दी में उत्तर भारत में कम से कम एक दर्जन ऐसे नगर थे जो लगभग स्वशासी संगठनों की तरह कार्य करते थे। इन नगरों के व्यापारियों के संघ सिक्के जारी करते थे।

**प्रमुख उद्योग :** इस काल में वस्त्र उद्योग, लोहा और इस्पात उद्योग, सीसा उद्योग तथा हाथी दाँत शिल्प उद्योग सर्वाधिक विकसित अवस्था में थे। पतंजलि ने मथुरा के शाटक और चितौड़ के माध्यमिका वस्त्र के बारे में वर्णन किया है। कुषाणों का रोम के साथ व्यापार में सीसे का प्रमुख योगदान था। रोमन सीसे की वस्तुएँ तक्षशिला और अफ़ग़ानिस्तान में मिली हैं।

**साहित्यिक प्रगति :** इस काल में साहित्य ने काफी प्रगति की। कनिष्क के समय त्रिपिटक पर महाविभाष नामक टीका का संकलन किया गया। कनिष्क को बौद्ध धर्म की दीक्षा देने वाला उसके दरबारी कवि 'अश्वघोष' ने बुद्धचरित, सौदरानंद, सारिपुत्र प्रकरण नामक ग्रन्थों की रचना की। 'बुद्धचरित' को बौद्ध ग्रन्थों में महाकाव्य का स्थान प्राप्त है। माध्यमिक दर्शन का एक अन्य विद्वान आचार्य नागार्जुन भी कनिष्क के दरबार में रहता था। इसने अपनी पुस्तक प्रज्ञापारमितासूत्र में शून्यवाद के सिद्धांत को प्रस्तुत किया। 'भारत का आइंस्टीन' कहे जाने वाले नागार्जुन की तुलना मार्टिन लूथर से की जाती है। कनिष्क के दरबारी आयुर्वेद विद्वान चरक ने 'चरक संहिता' की रचना की। भारत का नाट्य शास्त्र सम्भवतः इसी काल की रचना है। वात्स्यायन का कामसूत्र, भारवि की स्वप्नवासवदत्ता इसी काल की रचना थी।

## मौर्योत्तर कला

शुंगों के समय भरहूत, साँची तथा बोधगया के प्रसिद्ध स्तूपों का पुनरूद्धार हुआ। भरहूत स्तूप जिसका निर्माण अशोक ने करवाया था, का शुंग काल में विस्तार हुआ। स्तूप के चारों तरफ पत्थर की एक वेदिका और तोरण द्वारों का निर्माण किया गया। साँची के स्तूप का भी इस काल में जीर्णोद्धार किया गया।

**अमरावती स्तूप :** यह सातवाहनों के समय की अमूल्य निधि है। इसका निर्माण द्वितीय शताब्दी ई.पू. में हुआ। स्तूप के चारों ओर सातवाहनों के समय में बाड़ बनाई गई। ईंटों से निर्मित इस स्तूप में कहीं-कहीं संगमरमर का भी प्रयोग हुआ है।

### *गान्धार कला शैली*

कुषाण काल में विकसित कला की गान्धार शैली को ग्रीको-रोमन, ग्रीको-बुद्धिष्ट, हिन्दू-यूनानी आदि नामों से भी पुकारा जाता है। इस कला-शैली का मुख्य केन्द्र भारत के उत्तर-पश्चिमी सीमा क्षेत्र में स्थित गान्धार क्षेत्र था। गान्धार कला शैली पर निःसन्देह यूनानी, रोमन अथवा हैलेनिक (हैलेनिस्टिक) कलाओं का प्रभाव था परन्तु इस कला का विकास भारत में यूनानियों अथवा रोमनों ने नहीं किया वरन् कला के क्षेत्र में उनकी परम्परा को निभाने वाले शकों एवं कुषाणों ने किया। कनिष्क के समय में महात्मा बुद्ध की बहुसंख्यक मूर्तियों का निर्माण होना प्रारम्भ हुआ। इस समय जो मूर्तियाँ बनीं उनमें से अधिकांश मूर्तियों में स्वदेशी और विदेशी प्रभावों का सम्मिश्रण था। इस प्रभाव के अन्तर्गत बनी हुई मूर्तियाँ भारत के गान्धार प्रदेश, पेशावर के निकट का काबुल घाटी का निम्न भाग और सिन्धु घाटी के ऊपरी भाग में पायी गयीं एवं इस कला शैली का विकास भी यहीं हुआ। इसी कारण इसे गान्धार शैली के नाम से जाना जाता है।

गान्धार शैली के अन्तर्गत बुद्ध की मूर्तियों को इतना सुन्दर बनाने का प्रयत्न किया गया था कि वे यूनानियों के सौन्दर्य देवता 'अपोलो' की भाँति लगती हैं। वस्तुतः गान्धार कला के तहत बुद्ध एवं बोधिसत्वों की बहुसंख्यक मूर्तियों का निर्माण हुआ। ये ध्यान, पद्मासन, धर्म चक्र प्रवर्तन, वरद हस्त तथा अभय आदि मुद्राओं में हैं। इसके साथ-साथ बुद्ध के जीवन तथा पूर्व जन्मों से सम्बन्धित विविध घटनाओं के दृश्यों—बुद्ध के जन्म, महाभिनिष्क्रमण, सम्बोधि, धर्म-चक्र-प्रवर्तन, महापरिनिर्वाण आदि का अंकन गान्धार शैली में दृष्टिगोचर होता है।

गान्धार मूर्ति कला के निर्माण विषय महायान सम्प्रदायों की परम्पराओं, धर्म पुस्तकों तथा कहानियों से लिये गये हैं। गान्धार मूर्ति कला से हमें महायान धर्मानुयायिओं के विश्वास एवं परम्परा का भी ज्ञान होता है। गान्धार कला शैली में प्रत्येक वर्ग एवं विभिन्न रीति-रिवाजों को भी उत्कीर्ण किया गया है। इस शैली में निर्मित कुछ दृश्य अत्यन्त कारुणिक एवं प्रभावोत्पादक हैं। तपस्यारत बुद्ध का एक दृश्य, जिसमें उपवास के कारण उनका शरीर अत्यन्त क्षीण हो गया है, गान्धार कला के सर्वोत्तम नमूनों में से है। इसमें तपस्वी के शरीर का यथार्थ चित्रण है। नसों तथा पसलियों को अत्यन्त कुशलतापूर्वक उभारा गया है जबकि पेट अन्दर धँसा हुआ है। इसके बावजूद मुख-मण्डल की शान्ति दृढ़ इच्छा-शक्ति को प्रकट करती है।

बुद्ध के अलावा जो बोधिसत्वों की इस शैली की मूर्तियाँ मिली हैं, उनमें अधिकांश मैत्रेय की हैं। मैत्रेय के अलावा अवलोकितेश्वर एवं पद्मपाणि की भी मूर्तियाँ मिली हैं। गान्धार शैली की अधिकांश मूर्तियाँ लाहौर तथा पेशावर के संग्रहालयों में सुरक्षित हैं। इन मूर्तियों की एवं गान्धार शैली की कुछ प्रमुख विशेषताएँ ऐसी हैं, जिनके आधार पर वे भारतीय कला से स्पष्टतः पृथक् की जा सकती हैं। ये विशेषताएँ निम्नलिखित हैं :

1. मानव शरीर के यथार्थ चित्रण की ओर विशेष ध्यान दिया गया है। इनमें मानव शरीर की सुन्दर रचना एवं माँस-पेशियों की सूक्ष्मता परिलक्षित होती है। मूँछों एवं लहरदार बालों का भी अत्यन्त सूक्ष्म ढंग से प्रदर्शन हुआ है।
2. बुद्ध की वेशभूषा यूनानी है, उनके पैरों में जूते दिखाये गये हैं, प्रभा-मण्डल सादा तथा अलंकरण रहित है।
3. शरीर से अत्यन्त सटे अंग-प्रत्यंग दिखाने वाले पारदर्शी वस्त्रों का अंकन हुआ है, जिनमें सलवटें तक स्पष्ट देखी जा सकती हैं।
4. अनुपम नक्काशी भी इस शैली की विशेषता है।

मूर्तियों के सिर पर घुँघराले बाल दिखाये गये हैं, अतः बुद्ध की मूर्ति यूनानी देवता अपोलो की तरह लगती है। डॉ. ए.एल. वाशम के अनुसार, ''गान्धार शिल्पियों ने यूनानी रोमन संसार के देवताओं को अपना आदर्श माना है। कभी-कभी उनकी प्रेरणा पूर्णतया पश्चिमी प्रतीत होती है।

गान्धार कला में सुन्दरता भले ही हो मगर इनमें वह भावात्मक स्नेह नहीं है जो भरहुत, साँची, बोधगया अथवा अमरावती की मूर्तियों में दृष्टिगोचर होता है। वस्तुतः गान्धार कला में आध्यात्मिकता तथा भावुकता न होकर बौद्धिकता एवं शारीरिक सौन्दर्य को ही प्रधानता दी गयी है। अतः डॉ. मजूमदार द्वारा ठीक ही कहा गया है कि ''गान्धार शैली के कलाकार के पास यूनानी हाथ तो था, मगर एक भारतीय का हृदय नहीं था।'' गान्धार कला अपने यूनानी स्वरूप के कारण भारतीय कला की मुख्य धारा को व्यापक रूप से प्रभावित करने में पूर्णतः असमर्थ रही, जबकि भारत के बाहर गान्धार कला का व्यापक प्रभाव परिलक्षित होता है। इसने चीन, तुर्किस्तान, मंगोलिया, कोरिया तथा जापान की बौद्ध कला को जन्म दिया। इस तारतम्य में मार्शल महोदय का यह कथन काफी उपयुक्त प्रतीत होता है कि ''यूनानी तथा रोमन कलाओं ने गान्धार शैली को जन्म देने के अतिरिक्त भारतीय कला के ऊपर कभी भी वैसा प्रभाव उत्पन्न नहीं किया जैसा कि इटली अथवा पश्चिमी एशिया की कला के ऊपर किया।''

गान्धार कला की मूर्तियाँ स्लेटी पाषाण, चूने तथा पकी मिट्टी से बनी हुई थीं। यद्यपि इन मूर्तियों का प्रधान विषय बौद्ध धर्म से सम्बन्धित है मगर इसमें ब्राह्मण देवी-देवताओं का भी प्रदर्शन हुआ है। गान्धार कला शैली की दृष्टि से विदेशी होते हुए भी इसकी आत्मा भारतीय है। मार्शल महोदय के अनुसार, गान्धार की पाषाण कला का चतुर्थ सदी ई. के प्रारम्भ में ह्रास हो गया था।

## *मथुरा कला शैली*

कुषाण शासक कनिष्क, हुविष्क तथा वासुदेव के काल में मथुरा कला का सर्वोत्कृष्ट विकास हुआ। मथुरा शैली का आरम्भ ए.एल. वाशम के अनुसार सम्भवतः ई.पू. प्रथम शताब्दी के अन्त में हुआ। यद्यपि कुछ विद्वान इसकी तिथि और बाद में निर्धारित करते हैं। ईसा की पहली सदी से प्रगति करती हुई इस शैली ने आगे आने वाले समय में उत्तर भारत की मूर्ति कला की शैलियों में श्रेष्ठ स्थान प्राप्त किया। गुप्त काल में विकसित श्रेष्ठ मूर्ति कला शैली को वस्तुतः मथुरा कला शैली का ही विकसित स्वरूप माना गया है। मथुरा शैली में निर्मित मूर्तियाँ पश्चिम में तक्षशिला और मध्य एशिया तक तथा पूर्व में श्रावस्ती और सारनाथ तक भेजी जाती थीं।

प्रारम्भ में यह माना जाता था कि मथुरा शैली का विकास गान्धार की बौद्ध मूर्तियों के प्रभाव एवं अनुकरण से ही हुआ था परन्तु शोधों द्वारा अब यह निश्चित रूप से सिद्ध हो चुका है कि मथुरा की बौद्ध मूर्तियाँ गान्धार कला से सर्वथा भिन्न एवं स्वतन्त्र थीं तथा उनका आधार मूल रूप से भारतीय ही था। प्रारम्भ में अनेक यूरोपीय विद्वानों का मानना था कि सर्वप्रथम बुद्ध की मूर्ति गान्धार कला में ही निर्मित हुई परन्तु अब भारतीय विद्वानों (जैसे—वसुदेवशरण अग्रवाल) ने यह स्पष्ट कर दिया है कि बुद्ध की मूर्ति सर्वप्रथम मथुरा कला में ही बनी।

इस बात के पर्याप्त प्रमाण हैं कि ई.पू. प्रथम शताब्दी में मथुरा भक्ति आन्दोलन का केन्द्र बन गया था। संकर्षण, वसुदेव, कृष्ण, बलराम आदि की प्रतिमाओं के साथ-साथ इस समय जैन तीर्थंकरों की प्रतिमाओं का भी विकास हो चुका था। यही नहीं, मथुरा में लोक कला के तहत यक्ष-यक्षणी की भी विशाल प्रतिमाएँ निर्मित हुईं। इसका प्रभाव निश्चित रूप से बौद्ध धर्म पर भी पड़ा होगा। कनिष्क के काल में चतुर्थ बौद्ध संगीति के पश्चात् जब महायान सम्प्रदाय का उदय हुआ तो इसमें बुद्ध की मूर्ति रूप में पूजा किये जाने का विधान था और मथुरा में बन रही विभिन्न धर्मों की मूर्तियों को देखते हुए बौद्धों को भी मानव रूप में देखने की आवश्यकता प्रतीत हुई होगी और इस प्रकार अन्ततोगत्वा मथुरा कला के अन्तर्गत ही पहले बोधिसत्व और बाद में प्रथम बार बुद्ध की मूर्ति निर्मित की गयी होगी।

मथुरा और गान्धार शैली में एक अन्तर यह भी है कि मथुरा से कुछ ऐसी बोधिसत्व प्रतिमाएँ मिली हैं जिन पर कनिष्क सम्वत् की प्रारम्भिक तिथियों में लेख खुदे हैं। इसके विपरीत गान्धार कला की मूर्तियों में से एक पर भी कोई परिचित सम्वत् नहीं है और कुछ मूर्तियों पर जो तिथियाँ दी गयी हैं, वे पहली से तीसरी सदी ई. की हैं। अतः इस दृष्टि से मथुरा की बौद्ध प्रतिमाएँ प्राचीनतम सिद्ध होती हैं। कुछ विद्वानों के अनुसार गान्धार कला ने पद्मासन, ध्यान, नासाग्रदृष्टि आदि प्रतीकात्मक लक्षण मथुरा के शिल्पियों से ही ग्रहण किये होंगे क्योंकि इन प्रतीकात्मक लक्षणों का स्रोत भारत ही था, न कि ईरान अथवा यूनान।

मथुरा कला की विशेषता का प्रधान कारण यह था कि यहाँ के कलाकारों ने मूर्तियों के निर्माण में निजी परम्पराओं को अपनाया। वस्तुतः मथुरा कला का उदय सांची, सारनाथ और भरहुत की स्वदेशी कला के सूत्र को लेकर हुआ। मथुरा कला शैली में निर्मित मूर्तियों की प्रमुख विशेषताएँ निम्नलिखित हैं—

1. मथुरा के निकटवर्ती खानों में लाल बलुआ पत्थर बहुतायत में मिलता था और मूर्तियाँ भी इसी पत्थर से निर्मित हैं।
2. बुद्ध की प्रतिमाओं के चेहरे और दिव्य प्रकाश को चक्र द्वारा प्रदर्शित करने का प्रयत्न मथुरा शैली के अन्तर्गत ही आरम्भ हुआ।
3. इस कला के मुख्य नमूने इन्द्रिय सुख और सौन्दर्य से व्याप्त स्त्रियों की मूर्तियाँ हैं। स्त्रियों के गोल व सुडौल वक्ष एवं भारी व उभरे हुए कूल्हें न केवल स्त्री की प्रजनन शक्ति के प्रतीक हैं अपितु स्त्री शरीर के सौन्दर्य को भी प्रदर्शित करते हैं।
4. महात्मा बुद्ध प्रायः मुण्डित शीश हैं, उनके मुख पर मूँछें भी नहीं हैं।
5. मूर्तियों का एक कन्धा खुला व एक ढँका है।
6. मथुरा शैली यथार्थ की अपेक्षा आदर्श, प्रतीकात्मक तथा आध्यात्मिक एवं भावना-प्रधान है।
7. इस शैली के तहत बुद्ध तथा बोधिसत्वों (मैत्रेय, कश्यप, अवलोकितेश्वर आदि) की खड़ी तथा बैठी मुद्रा में बनी हुई मूर्तियाँ मिली हैं। इनके व्यक्तित्व में चक्रवर्ती तथा योगी दोनों का ही आदर्श देखने को मिलता है।

8. बुद्ध के जन्म, अभिषेक, महाभिनिष्क्रमण, सम्बोधि, धर्म-चक्र-प्रवर्तन, महापरिनिर्वाण आदि उनके जीवन की विविध घटनाओं का कुशलतापूर्वक अंकन इस शैली में किया गया है।
9. यहाँ के कलाकारों ने ईरानी तथा यूनानी कला के कुछ प्रतीकों को भी ग्रहण कर उन पर भारतीयता का रंग चढ़ाया है।

मथुरा शैली का एक सुन्दर उदाहरण यहाँ से मिली कनिष्क की एक सिरविहीन मूर्ति है। यह खड़ी मुद्रा में है। इसमें कनिष्क घुटने तक कोट पहने है, पैरों में जूते हैं, दायें हाथ में गदा एवं बायें हाथ में तलवार है। पाषाण निर्मित इस मूर्ति में मानव शरीर का यथार्थ चित्रण दर्शनीय है। इस मूर्ति को मथुरा के संग्रहालय में रखा गया है। ए.एल. वाशम के अनुसार, ''मथुरा के मूर्तिकारों ने अपनी बौद्ध मूर्तियों के लिए एक ओर तो प्रारम्भिक शताब्दियों की हृष्ट-पुष्ट यक्ष की मूर्तियों से और दूसरी ओर ध्यानावस्थित जैन तीर्थंकरों की मूर्तियों से प्रेरणा प्राप्त की। समस्त कला को शास्त्रीय सिद्धान्तों की कसौटी पर कसे जाने पर यह शैली भारतीय कला की सर्वश्रेष्ठ शैली समझी जाती थी।'' मथुरा कला की एक और मूर्ति काशी में रखी गयी है। यह मूर्ति एक दासी की है जिसके दांयें हाथ में कुछ प्रसाधन सामग्री तथा बायें हाथ में एक टोकरी है जो एक मालदार महिला के शृंगार के लिए तत्परता से खड़ी है।

### *अमरावती शैली*

कुषाणकालीन मथुरा एवं गान्धार शैली से पृथक् दक्षिण भारत में एक पृथक् अमरावती शैली का विकास हुआ। यह शैली द्वितीय शताब्दी के उत्तरार्द्ध में कृष्णा और गोदावरी नदी के मुहानों पर विकसित हुई। अमरावती शैली भरहुत, गया और सांची तथा बाद में गुप्त और पल्लव कला को जोड़ने वाली कड़ी है। इस कला की प्रमुख विशेषता यह है कि इसमें बौद्ध प्रतिमाओं के साथ-साथ स्त्री-पुरुषों की मूर्तियों की प्रधानता है। यहाँ के कलाकारों का आदर्श था 'कला को कला के लिए'। अतः हाव-भाव और शारीरिक सौन्दर्य की दृष्टि से ये मूर्तियाँ समकालीन सभी मूर्तियों से श्रेष्ठ मानी जा सकती हैं। स्त्री सौन्दर्य, भाव, मुद्रा आदि मथुरा शैली से भी श्रेष्ठ है। मूर्तियाँ आकार की दृष्टि से भी विशाल हैं। मूर्तियों में वैराग्य एवं भक्ति को भी प्रदर्शित किया गया है। इस शैली की एक और प्रमुख विशेषता सफेद संगमरमर का प्रयोग था।

अमरावती की कला में पशुओं और पुष्पों का अभूतपूर्व चयन हुआ है। इस शैली की एक अपनी विशेषता यह है कि यह शैली अपने देश की मिट्टी में उत्पन्न हुई, वर्धित हुई और कलाकारों ने समाज तथा धर्म से प्रेरणा ली।

## दक्षिण भारतीय आरम्भिक राज्य

### आन्ध्र–सातवाहन (60 ई.पू. से 240 ई.)

पुराणों में इस राजवंश को आन्ध्र भृत्य एवं आन्ध्र जातीय कहा गया है। यह इस बात का सूचक है कि जिस समय पुराणों का संकलन हो रहा था सातवाहनों का शासन आन्ध्र प्रदेश में ही सीमित था। इस वंश की स्थापना सिमुक नामक व्यक्ति ने लगभग 60 ई.पू. में कण्व वंशी सुशर्मा की हत्या करके की। सिमुक के विषय में अधिकांश जानकारी हमें पुराण एवं नानाघाट प्रतिमा लेख से मिलती है। पुराणों में सिमुक को सिंधुक, शिशुक, शिप्रक एवं वृषल आदि नामों से सम्बोधित किया गया है। इतिहासकार राय चौधरी के मतानुसार सिमुक ने 60 से 37 ई.पू. तक शासन किया। सिमुक के बाद उसका छोटा भाई कृष्ण (कान्ह) गद्दी पर बैठा। पुराणों के अनुसार कृष्ण ने करीब 18 वर्ष तक शासन किया। इनके समय में सातवाहन साम्राज्य का विस्तार पश्चिम में नासिक की ओर हुआ। पुराणों के अनुसार कृष्ण का पुत्र एवं उत्तराधिकारी शातकर्णी प्रथम शासक हुआ। यह सातवाहन वंश का प्रथम शातकर्णी उपाधि धारण करने वाला राजा था। इसके शासन के बारे में हमें नागनिका एवं नानाघाट अभिलेख से महत्वपूर्ण जानकारी मिलती है। शातकर्णी प्रथम ने दो अश्वमेध यज्ञ एवं एक राजसूय यज्ञ सम्पन्न कर सम्राट की उपाधि धारण की। इसके अलावा शातकर्णी ने दक्खिनापथपति एवं अप्रतिहतचक्र की उपाधि धारण की। पुराणों के अनुसार शातकर्णी ने करीब 56 वर्ष तक शासन किया। इसने सातवाहनों की सार्वभौम सत्ता का दक्षिण में विस्तार किया। इसकी 'श्रीसात' नाम की प्राप्त मुद्राओं से शातकर्णी का पश्चिमी मालवा पर अधिकार स्पष्ट होता है। इसके अतिरिक्त इसने अनूप प्रदेश एवं विदर्भ प्रदेश पर भी विजय प्राप्त की। गोदावरी के तट पर स्थित 'प्रतिष्ठान' को इसने अपनी राजधानी बनाया।

शातकर्णी की मृत्यु के समय उसके दो पुत्र वेदश्री एवं शक्ति श्री अल्पायु थे, इसलिए इसकी पत्नी नागनिका ने संरक्षिका के रूप में प्रशासन का संचालन किया। सातवाहनों का इतिहास कुछ समय के लिए शातकर्णी की मृत्यु के बाद अन्धकारपूर्ण रहा है।

शातकर्णी प्रथम से लेकर गौतमी पुत्र शातकर्णी के बीच कई शासक हुए जिनमें हाल का स्थान महत्वपूर्ण है। हाल के शासन का विवरण काव्यमीमांसा, लीलावती, अभिधान चिंतामणि एवं गाथासप्तशती में मिलता है। मत्स्य पुराण के अनुसार यह सातवाहन वंश का 17वां राजा था। इसका शासन काल सम्भवतः 20 ई. से 24 ई. तक था। हाल ने 'गाथासप्तशती' नामक ग्रंथ की रचना की। 'गाथासप्तशती' प्राकृत भाषा के ग्रंथ हैं। हाल के राजसभा में 'वृहत्कथा' के रचयिता गुणाढ्य तथा 'कातन्त्र' नामक व्याकरण के लेखक शर्ववर्मन् निवास करते थे। राजा हाल के सेनापति विजयानन्द ने लंका को अपने स्वामी के लिए विजित किया। संभवतः कालान्तर में राजा हाल ने लंका के शासक की पुत्री लीलावती से विवाह किया। हाल इस वंश का महान कवि एवं साहित्यकार था। क्षहरात वंश के शक-क्षत्रप शासकों ने पश्चिमी दक्कन प्रदेश से सातवाहनों को खदेड़ दिया था, पर शीघ्र ही सातवाहन वंश के महानतम् शासक गौतमी पुत्र शातकर्णी ने शकों, यवनों, पल्लवों एवं क्षहरातों को परास्त कर सातवाहन वंश की पुनः प्रतिष्ठा की। गौतमी पुत्र शातकर्णी ने शक शासक नहपान को परास्त कर उसके चाँदी के सिक्कों पर अपना नाम खुदवाया। पुराण गौतमीपुत्र शातकर्णी को सातवाहन वंश का 23वां राजा मानते हैं। उसने 106-130 ई. तक शासन किया। उसके तीन अभिलेख–दो नासिक से और एक कार्ले से मिलते हैं। उसकी सैनिक विजयों की जानकारी उसकी माँ बलश्री की नासिक प्रशस्ति से भी मिलती है। गौतमीपुत्र

शातकर्णी ने 'वेणकटक स्वामी' की उपाधि धारण की थी। साथ ही इसने वेणकटक नाम के नगर की स्थापना की। इसने नासिक के बौद्ध संघ को 'अजकालकिय' नामक क्षेत्र एवं कार्ले के भिक्षु संघ को 'करजक' नामक ग्राम दान में दिया। वाशिष्ठी पुत्र पुलुमावी के नासिक अभिलेख में गौतमीपुत्र के व्यक्तित्व एवं कृतित्व का उल्लेख मिलता है। इस राजा ने 'राजराज' 'महाराज' एवं 'स्वामी' जैसी उपाधियाँ धारण की। शकों के विरुद्ध सफलता का उल्लेख पुलुवामी की नासिक प्रशस्ति में 'शक यवन पहलव-निसूदन' 'खखरात-वस-निखसेसकर', सातवाहन कुलयसपतिथापनकर के रूप में किया गया है। शकों, यवनों, पहलवों को परास्त कर गौतमी पुत्र ने ऋषिक, अस्मक (हैदराबाद), मूलक (राजधानी प्रतिष्ठान) एवं विदर्भ पर अपने अधिकार को सुरक्षित रखा। उस समय उसके साम्राज्य की सीमा दक्षिण में गोदावरी से उत्तर में मालवा एवं काठियावाड़ तक, पूर्व में बरार से पश्चिम में कोंकण तक फैली थी। गौतमीपुत्र शातकर्णी को 'त्रि-समुद्र तोय-पिता-वाहन' भी कहा जाता था जिसका अर्थ है उसके घोड़ों ने तीनों समुद्रों का पानी पिया था। शून्यवाद के संस्थापक एवं माध्यमिक सम्प्रदाय के प्रवर्तक नागार्जुन सम्भवतः गौतमीपुत्र शातकर्णी के ही समकालीन थे।

गौतमीपुत्र शातकर्णी की मृत्यु के बाद उसका पुत्र वाशिष्ठी पुत्र पुलुमावी (130-154 ई.) राजा हुआ। इसके विषय में अमरावती से प्राप्त एक लेख से जानकारी मिलती है। इसके (पुलुमावी) समय में ही अमरावती बौद्ध स्तूप के चारों ओर वेष्टिनी का निर्माण कर स्तूप को संवर्द्धित किया गया। पुलमावी अकेला सातवाहन राजा है जिसका उल्लेख अमरावती से प्राप्त एक लेख में हुआ है। इसका विवाह शक महाक्षत्रप रुद्रदामन की पुत्री से किया गया था। पुलुमावी को 'दक्षिणापथेश्वर' भी कहा जाता था। सम्भवतः आन्ध्र प्रदेश में वाशिष्ठीपुत्र पुलुमावी के प्राप्त अभिलेख ही सातवाहन वंश के आन्ध्र प्रदेश में पाए गए अभिलेखों में सबसे प्राचीन हैं। उसी के काल में सातवाहनों ने आन्ध्र प्रदेश पर आधिपत्य स्थापित करने में सफलता प्राप्त किया था। उसके कुछ सिक्कों पर 'दो पतवारों वाले जहाज' का चित्र बना हुआ है जो सातवाहनों की नौशक्ति के पर्याप्त विकसित होने का प्रमाण है।

वाशिष्ठी पुत्र पुलुमावी ने एक नये नगर 'नवनगर' की स्थापना कर 'नवनगरस्वामी' की उपाधि धारण की। इसके अतिरिक्त पुलुमावी ने 'महाराज' एवं 'दक्षिणापथेश्वर' की भी उपाधि धारण की थी। प्रसिद्ध भूगोलवेत्ता टॉलमी ने पुलुमावी को 'पोलोमैओस' कह कर उल्लिखित किया। जूनागढ़ अभिलेख से पुलुमावी के शक राजा रुद्रदामन से पराजित होने का उल्लेख है।

पुलुमावी ने अपने पैतृक राज्य अवन्ति, अनूप, अनार्त, सुराष्ट्र, श्वभ्र, मरु, कच्छ, सिन्धु, सौवीर, कुकुर, अपरान्त एवं निषाद में सम्भवतः सुराष्ट्र, अवन्ति एवं अपरान्त को खो दिया था।

सातवाहन वंश का 27वां शासक यज्ञश्री शातकर्णी (174-203 ई.) इस वंश के अन्तिम प्रतापी राजा के रूप में गद्दी पर बैठा। उसने शकों द्वारा जीते गए अपने भू-भागों को पुनः जीता। उसके विषय में 'वायुपुराण' से जानकारी मिलती है। उसके द्वारा जारी किए गए ढेर सारे सिक्के मिलते हैं। सिक्कों पर जहाज के चित्र से प्रकट होता है कि उसका लगाव जलयात्रा एवं समुद्री व्यापार से था। इसके लेख नासिक, कान्हेरी एवं कृष्णा जिले के चित्र गंजाम स्थान से प्राप्त हुए हैं। इसके तमाम सिक्के कृष्णा, गोदावरी, बरार, उत्तरी कोंकण, बड़ौदा एवं सौराष्ट्र से मिले हैं। सोपारा से यज्ञश्री शातकर्णी के कुछ चाँदी के सिक्के मिले हैं। पुराणों के अनुसार इसने करीब 29 वर्ष तक शासन किया। इसका शासन काल 174 ई. से 203 तक था।

सातवाहनवंशी राजकुमारों को 'कुमार' कहा जाता था। बड़े पुत्र को युवराज नहीं बनाया जा सकता था। इस समय सरकारी आय के महत्वपूर्ण साधन भूमिकर, नमककर एवं न्याय शुल्क कर थे। प्रशासन के महत्वपूर्ण अधिकारी थे—अमात्य, महामात्र एवं भण्डारगारिक। सातवाहनों के समय में तीन प्रकार के सामन्त पाए जाते थे। ये समाज के उच्चतम वर्ग का नेतृत्व करते थे—1. महारथी व राजा, जिसे सिक्के जारी करने का अधिकार होता था, 2. महाभोज और 3. महासेनापति। सातवाहनों के समय में व्यवसायियों ने अपने संगठन, श्रेणी एवं गिल्ड का निर्माण कर लिया था। नैगम व्यापारी को, सार्थवाह व्यापारियों के काफिले के प्रमुख एवं 'श्रेष्ठिक' व्यापार निगम के प्रमुख को कहा गया।

सातवाहनों के अधिकतर सिक्के सीसे के मिले हैं। सीसे के अतिरिक्त पीतल, ताँबे एवं कांसे की मुद्राओं के निर्माण के साक्ष्य मिले हैं। ब्राह्मणों को सर्वप्रथम भूमिदान एवं जागीर देने की प्रथा का आरम्भ सातवाहनों ने ही किया।

सातवाहनों ने अनेक चैत्य एवं विहार बनवाए—

**विहार :** इसका निर्माण भिक्षुओं के निवास के लिए किया जाता था। विहारों में बौद्ध भिक्षु वर्षाकाल में निवास करते थे।

**चैत्य :** बौद्धों के मन्दिर के रूप में अनेकानेक स्तंभों पर खड़ा एक लम्बा हाल होता था। पश्चिमी दक्कन में स्थित कार्ले का चैत्य 40 मीटर लम्बा एवं 15 मी. ऊंचा है जो वास्तुकला का एक अनोखा उदाहरण है।

सातवाहनों की राजकीय भाषा 'प्राकृत' थी। लिपि के रूप में ये ब्राह्मी लिपि का प्रयोग करते थे। गौतमीपुत्र शातकर्णी ने वर्ण संकर कुप्रथा को रोकने के लिए चार वर्णों की प्रथा को पुनः स्थापित किया। पुराणों के अनुसार सातवाहनों ने कुल 300 वर्ष तक शासन किया।

## कलिंग नरेश खारवेल

उड़ीसा के प्राचीन राजाओं में महाराजा खारवेल का नाम सर्व उल्लेखनीय है। कलिंग राज्य के विषय में जानकारी के महत्वपूर्ण स्रोत अष्टाध्यायी, महाभारत, पुराण, रामायण, कालिदासकृत रघुवंश महाकाव्य, दण्डी का दशकुमारचरित, जातक, जैनग्रंथ उत्तराध्ययनसूत्र, टॉलेमी का भूगोल, अशोक के लेख एवं खारवेल का हाथीगुम्फा अभिलेख हैं।

हाथीगुम्फा अभिलेख से खारवेल के वंश एवं उसके पिता तथा पितामह के विषय में कोई जानकारी नहीं मिलती है। सम्पूर्ण अभिलेख में खारवेल का नाम विभिन्न उपाधियों—आर्य महाराज, महामेघवाहन, कलिंगाधिपति, श्री खारवेल तथा राजा श्री खारवेल के साथ उल्लिखित है।

15 वर्ष की अवस्था में खारवेल युवराज बना और 24 वर्ष की अवस्था में इसका राज्याभिषेक किया गया। खारवेल कलिंग के तीसरे राजवंश चेदि वंश या महामेघ वाहन वंश से सम्बन्धित था। खारवेल को

ऐरा, महाराज, महामेघवाहन एवं कलिंगाधिपति कहा गया है। खारवेल ने अपने शासनकाल के दूसरे वर्ष शातकर्णी (सातवाहन) की उपेक्षा करते हुए कश्यप क्षत्रियों के सहयोग से 'यूषिक' राजाओं की राजधानी को पूर्ण रूप से नष्ट कर दिया। शासन काल के पांचवें वर्ष में खारवेल ने नंदों द्वारा खुदवाई नहर तनसूलि को अपनी राजधानी में मिला लिया। सम्भवतः शासनकाल के सातवें वर्ष में खारवेल ने अपना विवाह किया और साथ ही मसूलीपट्टम को जीता। ऐसा प्रतीत होता है कि खारवेल का सामना करने के लिए दक्षिण के तमिल राजाओं ने एक संघ का निर्माण कर लिया था जिसे खारवेल ने नष्ट कर दिया। लेख के अनुसार खारवेल ने 'पिथुण्ड' नगर में गदहों का हल चलवाया था। इस नगर की पहचान मसूलीपट्टम स्थित पिटुण्ड्र नामक स्थान से की जाती है। अपने शासन काल के 8वें वर्ष में खारवेल मगध पर आक्रमण कर बराबर पहाड़ी (गया) तक पहुँच गया। उसने बराबर पहाड़ी में स्थित गोरठगिरि किले को नष्ट कर दिया। फलस्वरूप उसने राजगृह पर आक्रमण किया। अपने शासन के 9वें वर्ष में खारवेल ने ब्राह्मणों को सोने का कल्पवृक्ष भेंट किया। इस वृक्ष के पत्ते तक सोने के बने थे। इसी वर्ष खारवेल ने प्राचीन नदी के दोनों किनारों पर लगभग 35 लाख रजत मुद्राओं की लागत से 'विजय प्रासाद' नामक एक महल बनवाया। शासन के 11वें वर्ष में खारवेल ने लकड़ी द्वारा निर्मित 1300 वर्ष पुरानी केतुभद्र की प्रतिमा के साथ एक जुलूस निकाला, इसके पूर्व यह प्रतिमा पृथु-दंक-दर्भ शहर में स्थापित की गई थी। शासन के 12वें वर्ष में खारवेल ने उत्तरापथ पर आक्रमण कर अंग और मगध से कीमती उपहार प्राप्त किया। इन उपहारों में प्रथम जिन की प्रतिमा तथा पद-चिह्न शामिल हैं जो नंदों के पास था। खारवेल ने शासन के 12वें वर्ष में ही दक्षिण के पाड्य राजाओं से हाथी, घोड़े, हीरे तथा जवाहरात उपहार में प्राप्त किये। शासन के 13वें वर्ष में खारवेल का झुकाव धर्म की ओर हुआ जिसके परिणामस्वरूप कुमारी पर्वत पर अर्हतों के लिए उसने देवालय निर्मित करवाया। खारवेल को शान्ति एवं समृद्धि का सम्राट, भिक्षुसम्राट एवं धर्मराज के रूप में भी जाना जाता था। सम्भवतः खारवेल जैन धर्म का अनुयायी था। उदयगिरि का हाथीगुम्फा अभिलेख भारतीय इतिहास में मौर्यों के अधःपतन से लेकर गुप्तों के अभ्युदय के पूर्व के अंधकार युग को प्रकाशित करता है।

## संगम काल

भारत के सुदूर दक्षिण में कृष्णा एवं तुंगभद्रा नदियों के मध्य स्थित प्रदेश को 'तमिलकम् प्रदेश' कहा जाता था। इस प्रदेश में अनेक छोटे-छोटे राज्यों का अस्तित्व था, जिनमें चेर, चोल एवं पाण्ड्य राज्य सर्वाधिक महत्वपूर्ण थे। धुर दक्षिण में पाण्ड्य राज्य था जिसकी राजधानी मदुरई थी। इसके अतिरिक्त चोलों की राजधानी उरैयुर एवं चेरों की वान्जी थी। इन राज्यों के विषय में जानकारी अशोक के अभिलेखों तथा मेगस्थनीज एवं कौटिल्य के विवरणों से मिलती है। 'हाथी गुम्फा अभिलेख' के विवरण के आधार पर कहा जाता है कि कलिंग नरेश खारवेल ने अपने शासन काल के 11वें वर्ष में लगभग 165 ई.पू. में 113 वर्ष पुराने संघत्रमिर देश संघातकम् को बुरी तरह परास्त किया था। तमिल प्रदेश के साहित्य, संस्कृति एवं इतिहास के बारे में स्पष्ट जानकारी हमें संगम साहित्य व तमिल साहित्य से मिलती है।

**संगम युग के तिथि निर्धारण पर विभिन्न विद्वानों के मत**

| विद्वान | काल |
|---|---|
| नीलकण्ठ शास्त्री, श्रीनिवास आयंगर, आर.सी. मजुमदार | 100 से 300 ई. के मध्य |
| एम.ए. मेहण्डले, सी.एस. निवालाचारी | 500 ई.पू. से 500 ई. |
| प्रो.आर. एस. अय्यर, एच.वी. श्रीनिवासमूर्ति, एम.एम. वेंकटरमन्नपा | 150 से 550 ई. |
| राम शरण शर्मा | 300 से 600 ई. के मध्य |
| सर्वाधिक मान्य तिथि | ईसा की प्रथम शती से तृतीय शती के मध्य। |

### *संगम साहित्य*

**संगम शब्द का आशय :** यहां 'संगम' शब्द का अर्थ है–संघ, परिषद्, गोष्ठी अथवा संस्थान। वास्तव में संगम, तमिल कवियों, विद्वानों, आचार्यों, ज्योतिषियों एवं बुद्धिजीवियों की एक परिषद थी। तमिल भाषा में लिखे गये प्राचीन साहित्य को ही संगम साहित्य कहा जाता है। सर्वप्रथम इन परिषदों का आयोजन पाण्ड्य राजाओं के राजकीय संरक्षण में किया गया। संगम का महत्वपूर्ण कार्य होता था उन कवियों व लेखकों की रचनाओं का अवलोकन करना, जो अपनी रचनाओं को प्रकाशित करवाना चाहते थे। परिषद् अथवा संगम की संस्तुति के उपरान्त ही वह रचना प्रकाशित हो पाती थी। प्राप्त साक्ष्यों के आधार पर यह निष्कर्ष निकलता है कि इस प्रकार की तीन परिषदों का आयोजन पाण्ड्य शासकों के संरक्षण में किया गया।

तीनों संगम कुल 9990 वर्ष तक चले। इस अवधि में लगभग 8598 कवियों ने अपनी रचनाओं से संगम साहित्य की उन्नति की। लगभग 197 पाण्ड्य शासकों ने इन संगमों को अपना संरक्षण प्रदान किया।

संगम साहित्य का रचना काल विवादास्पद है। इस विषय में प्रामाणिक जानकारी का अभाव है फिर भी जो संकेत मिलते हैं उनके आधार पर यही अनुमान लगाया जा सकता है कि संगम साहित्य का संकलन 100 से 600 ई. के मध्य हुआ होगा।

### संगम साहित्य के महत्वपूर्ण ग्रंथ

**तोल्काप्पियम :** द्वितीय संगम का एक मात्र शेष ग्रंथ 'तोल्काप्पियम' अगत्स्य ऋषि के बारह योग्य शिष्यों में से एक तोल्काप्पियर द्वारा लिखा गया ग्रंथ है। सूत्र शैली में रचा गया यह ग्रंथ तमिल भाषा का प्राचीनतम् व्याकरण ग्रंथ है।

**एत्तुतौकै (अष्ट पदावली) :** तीसरे संगम में संग्रह किये गये ग्रंथ। ऐतुतौकै में 8 संग्रह मिलते हैं :

1. **नण्णिनै :** इसमें लगभग 400 पद्य मिलते हैं, जिनकी रचना 175 कवियों ने मिल कर की थी।
2. **कुरुन्थोकैः** इसमें लगभग 402 छोटे गीत मिलते हैं। ये प्रेम प्रधान गीत तमिल सामन्त पूरिक्को के संरक्षण में संग्रहीत किये गये।

3. **एन्कुरूनूर :** किलार द्वारा संग्रहीत 500 लघु गीतों वाले इस संग्रह में प्रेम के सभी लक्षण दृष्टिगोचर होते हैं।
4. **पदितुप्पत्तु :** 8 कविताओं के इस संग्रह में चेर शासकों की प्रशंसा की गयी है।
5. **परिपादल :** 24 कविताओं के इस संग्रह में देवताओं की प्रशंसा की गयी है।
6. **कलिथौकै :** इसमें प्रणय विषय पर आधारित 150 कविताओं का संग्रह किया गया है।
7. **अहनानूरु :** प्रणय विषय पर आधारित 400 कविताओं का यह संग्रह मदुरा निवासी रुद्रशर्मा द्वारा संग्रहीत किया गया।
8. **पुरनानूरु :** 400 गीतों के इस संग्रह में राजाओं की प्रशंसा की गयी है।

हालाँकि तृतीय संगम के अधिकांश ग्रंथ नष्ट हो गये हैं अपितु अवशिष्ट तमिल साहित्य इसी संगम से सम्बन्धित है जो ग्रंथों और महाकाव्यों के रूप में मिलते हैं यद्यपि महाकाव्यों को संगमयुग के बाद रखा जाता है। संगम साहित्य के अधिकांश ग्रंथ, साउथ इंडिया शैव सिद्धांत पब्लिशिंग सोसाइटी, तिलेवेल्ली द्वारा प्रकाशित किये गये हैं।

**पतुप्पातु (दशगीत)** : दस गीतों के संग्रह वाला यह ग्रंथ संगम का दूसरा संग्रह ग्रंथ है। इसकी प्रमुख रचनाएँ निम्नलिखित हैं :

1. **तिरुमुरुकात्रुप्पदे :** इसकी रचना नक्कीरर ने की। इसमें संगम कालीन देवता मुरुगन एवं उसके पर्वतीय निवास स्थलों की प्रशंसा की गयी है।
2. **नेडुनल्वादै :** नक्कीरर की इस रचना में विरह का स्वाभाविक चित्र प्रस्तुत किया गया है।
3. **पेरुम्पानात्रुप्पदे :** 500 गीतों वाले इस संग्रह की रचना रुद्रन कन्नार ने की। इस संग्रह से कांची के शासक तोण्डैमान इलण्डिरैपन के विषय में ऐतिहासिक जानकारी मिलती है।
4. **पत्तिनप्पालै :** प्रणय विषय पर आधारित इस संग्रह की रचना रुद्रन कन्नार ने की। ऐसा माना जाता है कि चोल नरेश करिकाल ने रुद्रन कन्नार की रचनाओं से प्रभावित होकर उसे बहुत सा धन उपहार में दिया। कन्नार की इस रचना में चोल बन्दरगाह कावेरीपट्टनम के विषय में जानकारी मिलती है।
5. **पोरुनरात्रप्पदै :** कन्नियार द्वारा रचित इस कविता संग्रह में चोल नरेश करिकाल की प्रशंसा की गयी है।
6. **मदुरैकांचि :** मागुदि मरुथनार द्वारा रचित इस संग्रह में पाण्ड्य नरेश तैलयालंगानम् नेडुन्जेलियन की प्रशंसा की गयी है।
7. **सिरुपानात्रप्पदै :** इस संग्रह से चेर, चोल एवं पाण्ड्य राजाओं, उनकी राजधानियों एवं उस समय की सामाजिक स्थिति पर प्रकाश पड़ता है। इसके रचनाकार नथ्थयनार थे।
8. **मुल्लैप्पातु :** नप्पुथनार कृत इस संग्रह में एक रानी के पति-विरह का वर्णन किया गया है।
9. **कुरिन्चिप्पातु :** कपिलार द्वारा रचित इस संग्रह में ग्रामीण जीवन की झांकी प्रस्तुत की गयी है।
10. **मलैपदुकदाम :** कौशिकनार द्वारा रचित 600 गीतों वाले इस संग्रह में प्रकृतिचित्रण एवं नृत्यकला पर प्रकाश डाला गया है।

**तमिल अनुश्रुतियों पर आधारित तीनों परिषदों के आयोजन का विवरण**

| **प्रथम संगम** | |
|---|---|
| स्थान | मदुरा |
| अध्यक्ष | आचार्य अगत्तियनार (अगत्स्य ऋषि) |
| सदस्यों की संख्या | 549 |
| संरक्षक शासकों की संख्या | 89 |
| प्रेषित रचनायें | 4,499 |
| अवधि | 4,400 वर्ष |
| महत्वपूर्ण रचनायें | परिपाडल-मुदनारै, अकत्तियम, मुदुकुरुक एवं कलिरियाविरै |
| उपलब्ध ग्रंथ | कोई नहीं। |
| अन्य विद्वान | तिरिपुर मेरिथ, विरिसदैक्क दबुल, कुत्रमेरिन्द, मुरुगवल व मुदिनागरायर |
| **द्वितीय संगम** | |
| स्थान | कपाट पुरम् (अलवै) |
| अध्यक्ष | अगत्स्य एवं तोल्कापियर |
| सदस्य संख्या | 49 |
| संरक्षकों की संख्या | 59 |
| प्रस्तुत रचनायें | 3,700 |
| अवधि | 3,700 वर्ष |
| संग्रहीत ग्रन्थों की संख्या | 8,114 |
| महत्वपूर्ण ग्रन्थ | अगत्तियम, मापुरानम्, कलि, व्यालमाले, इसैन्नुनुक्कम्, भूतपुरानम, कुरुक आदि |
| उपलब्ध ग्रंथ | एक मात्र ग्रंथ तोल्कापियर द्वारा रचित 'तोल्काप्पियम' (व्याकरण ग्रंथ) |
| अन्य विद्वान | इरुन्द्रयूर, कुरुगोलिमोसी, वेल्लूर काप्पियन् आदि |
| **तृतीय संगम** | |
| स्थान | उत्तरी मदुरा |
| अध्यक्ष | नक्कीरर |
| सदस्यों की संख्या | 49 |
| संरक्षक शासकों की संख्या | 49 |
| प्रस्तुत रचनायें | 449 |
| अवधि | 1,850 वर्ष |
| महत्वपूर्ण रचनाएं | नेडुण्थोकै, कुरुन्थोकै, नत्रिनै, एन्कुरुब्रूरु, पदित्रपत्रु, परिपादल नूत्रैमम्बथु, पेरिसै, सित्रिसै आदि |
| उपलब्ध ग्रंथ | उपलब्ध समस्त तमिल ग्रंथ इसी संगम से सम्बन्धित हैं |
| अन्य विद्वान | इरैयनार, कपिलर, परनर, सित्तलै सत्तनार, उग्र (पांड्य शासक) |

**पदिनेकिकणक्कु (अष्टादश लघु उपदेश गीत) :** तीसरे संगम के इस तीसरे बड़े संग्रह में नीति एवं उपदेश परक लघु गीत संग्रहीत हैं।

इन संग्रहों के अतिरिक्त तृतीय संगम में तीन बड़े महाकाव्य भी रचे गये, जो निम्नलिखित हैं :

1. **शिलप्पदिकारम :** यह तमिल साहित्य का प्रथम महाकाव्य है, जिसका शाब्दिक अर्थ है—'नूपुर की कहानी'। इस महाकाव्य की रचना चेर शासक सेन गुट्टुवन के भाई इंलांगोआदीगल ने लगभग ईसा की दूसरी-तीसरी शताब्दी में की थी। इस महाकाव्य की सम्पूर्ण कथा नूपुर के चारों ओर घूमती है। इस महाकाव्य के नायक और नायिका कोवलन और कण्णगि हैं। यह महाकाव्य 'पुहारक्कांडम', मदुरैक्कांडम और वंजिक्कांडम में विभाजित है, जिनमें क्रमशः चोल, पाण्ड्य और चेर राज्यों का वर्णन है। इस महाकाव्य में कवि ने तत्कालीन तमिल समाज का सजीव चित्र प्रस्तुत करने के साथ-साथ समाज में प्रचलित नृत्यों, व्यवसायों आदि का भी परिचय दिया है।
2. **मणिमेखलै :** इस महाकाव्य की रचना मदुरा के एक बौद्ध व्यापारी सीतलै सत्तनार ने की। मणिमेखलै की रचना शिलप्पदिकारम के बाद की गयी। ऐसी मान्यता है कि जहां पर शिलप्पदिकारम की कहानी खत्म होती है वहीं से मणिमेखलै की कहानी प्रारम्भ होती है। सत्तानार कृत इस महाकाव्य की नायिका 'मणिमेखलै' शिलप्पदिकारम के नायक कोवलन् की दूसरी पत्नी माधवी (वेश्या) की पुत्री थी। मणिमेखलै साक्षात् देवी के समान जनता के लिए आम-सुखों का त्याग करती है। इस महाकाव्य में मानवीय संवेदनाओं को झलकाते हुए मानवता को महत्वपूर्ण स्थान दिया गया है। मणिमैखलै से सम्बन्धित कुछ परवर्ती रचनाओं में महत्वपूर्ण हैं—भारती दासन् कृत 'मणिमेखलै वेण्बा', इसमें मणिमेखलै एवं माधवी के चरित्र को उभारा गया है।
3. **जीवक चिन्तामणि :** जीवक चिंतामणि, जैन मुनि एवं महाकवि तिरुतक्कदेवर की अमर कृति है। इस ग्रंथ को तमिल साहित्य के 5 प्रसिद्ध ग्रंथों में गिना जाता है। 13 खण्डों में विभाजित इस ग्रंथ में कुल करीब 3,145 पद हैं। 'जीवक चिन्तामणि' महाकाव्य में कवि ने जीवक नामक राजकुमार का जीवनवृत्त प्रस्तुत किया है। इस काव्य का नायक जीवक आठ विवाह करता है। वह जीवन का समस्त सुख और दुःख को भोग लेने के उपरान्त राज्य और परिवार का त्याग कर संन्यास ग्रहण कर लेता है। अन्ततः उसे सशरीर मुक्ति मिल जाती है। इसके लेखक ने जैन मतानुसार गृहस्थ जीवन के स्वरूप को स्पष्ट किया है। इस ग्रंथ में मुख्य रूप से शृंगार रस का प्रयोग किया गया है। चूँकि इस ग्रंथ में आठ विवाह का वर्णन किया गया है इसलिए इसे 'मणनूल' (विवाह ग्रंथ) भी कहा जाता है। अलंकारों में कुछ महत्वपूर्ण जैसे उपमा, रूपक आदि का प्रयोग किया गया है। छंद में 'विरुत्तम' छन्द का प्रयोग हुआ है। इस महाकाव्य का साहित्यिक, धार्मिक एवं ऐतिहासिक महत्व अक्षुण्ण है।

उपर्युक्त तीन महाकाव्यों के अतिरिक्त संगमकालीन दो अन्य महाकाव्य 'वलयपति' एवं 'कुडलकेशि' माने जाते हैं किन्तु इनकी विषय वस्तु के संदर्भ में विस्तृत जानकारी उपलब्ध नहीं है।

## संगमकालीन राजनैतिक इतिहास

संगम साहित्य में तत्कालीन तीन राजवंशों—चेर, चोल एवं पाण्ड्य के विषय में जानकारी मिलती है।

### *चेर राजवंश*

'ऐतरेय ब्राह्मण' में उल्लेखित चेरपादः सम्भवतः चेरों के विषय में प्रथम जानकारी है। इसके अतिरिक्त रामायण, महाभारत, अशोक के शिलालेख, कालिदास के रघुवंश महाकाव्य एवं संगम साहित्य से चेरों के बारे में भी जानकारी मिलती है। चेर राज्य आधुनिक कोंकण, मालाबार का तटीय क्षेत्र तथा उत्तरी त्रावनकोर एवं कोचीन तक विस्तृत था। चेरों का राजकीय चिन्ह 'धनुष' था।

अशोक के शिलालेखों में 'केरलपुत्र'' के नाम से चर्चित चेर राज्य को उडावर, विल्लवर, कुट्टबर, पेरियर, मुलैयार एवं बनावर आदि नामों से संबोधित किया गया है।

### *प्रमुख शासक*

**उदियन जेरल** (लगभग 130 ई.) : उदियन जेरल चेर वंश का प्रथम शासक था। ये संगम कालीन तमिल कवि 'परनार' के समकालीन थे, इन्हें 'पेरूनजोरम उदयन' तथा 'वाराभवन' के नाम से भी जाना जाता है।

**नेदुन जेरल आदन :** उदियन जेरल के पुत्र नेदुन जेरल आदन ने अपने पड़ोसी शत्रु राज्य पर आक्रमण कर वहां से कुछ यवन व्यापारियों को बन्दी बना लिया जिन्हें कालान्तर में काफी धन लेने के बाद मुक्त किया। सम्भवतः आदन ने उस समय के सात छत्रधारी राजाओं पर विजय प्राप्त की थी। इसके अतिरिक्त उसने चोल नरेश 'उरुवप्पधरेर इलैयन' के विरुद्ध भी अभियान का नेतृत्व किया था पर युद्ध के अन्तिम चरण में दोनों की हत्या कर दी गई और दोनों की रानियां सती हो गईं। आदन ने अपने 55 वर्ष के शासन काल में 'आधिराज' एवं 'श्रमयवरम्बन' की उपाधि धारण की।

**पल्यानैशेल्केलु कुट्टवन :** आदन की मृत्यु के बाद उसका छोटा भाई कुट्टवन उत्तराधिकारी बना। संगम साहित्य की जानकारी के अनुसार उसने अगप्पा दुर्ग एवं कोंगु प्रदेश को विजित किया था। उसकी सेना में हाथियों की संख्या सर्वाधिक थी। उसने 'अधिराज' की उपाधि धारण की।

**शेनगुट्टवन अथवा धर्मपरायण कुट्टवन** (लगभग 180 ई.) : चेर वंश के इस महानतम शासक को 'लालचेर' भी कहा जाता था। इसकी प्रशंसा के संगमकालीन कवियों में सर्वाधिक महत्वपूर्ण कवि 'परणर' ने की। चेरकालीन इतिहास में इसे महान योद्धा एवं कला तथा साहित्य के संरक्षक के रूप में भी जाना जाता है। उसने अपनी मजबूत नौसेना द्वारा मोहुर प्रदेश पर विजय प्राप्त की। शेनगुट्टवन की सर्वाधिक महत्वपूर्ण उपलब्धि थी दक्षिणी प्रायद्वीप में सर्वप्रथम 'पत्तिनी' या 'कण्णागी' पूजा की प्रथा को

प्रारम्भ करना। इस पूजा के अन्तर्गत एक आदर्श तथा पति धर्म की प्रतीक पत्नी की देवी के रूप में मूर्ति बनाकर पूजा की जाती थी। शेनगुट्टवन ने सती 'कण्णागी' की याद में एक विशाल मंदिर एवं उसकी प्रतिमा का निर्माण करवाया। उसने 'अधिराज' की उपाधि को धारण किया।

**पेरुनेजेरल इरंपोरई** (लगभग 190 ई.) : आदन के पुत्र इरंपोरई ने सामन्तों की राजधानी तडगूर (धर्मपुर) पर आक्रमण कर जीत लिया। उसे विद्वान, अनेक यज्ञ को सम्पन्न कराने वाला एवं अनेक वीर पुत्रों का पिता कहा जाता है। इरंपोरई का विरोधी तगडूर के राजा 'अडिगयमान' अथवा नडुमान का महत्वपूर्ण कार्य था—दक्षिणी भू-भाग में सर्वप्रथम गन्ने की खेती को आरंभ करवाना। इरंपोरई के विषय में कहा जाता है कि उसने पाण्ड्य तथा चोल शासकों से युद्ध किया और बहुत-सा धन अपनी राजधानी वांजि (करुवुर) लाया। टॉलमी ने यहाँ अनेक रोमन सिक्के मिलने की बात कही है। संगमकालीन कवियों ने इरंपोरई को अन्तिम चेर शासक माना है पर लगभग 290 ई. में एक चेर शासक जिसका नाम 'शेय' (हाथी की आंख वाला) एवं जिसकी उपाधि 'मांदरंजेरल इरंपोरई' थी, का उल्लेख मिलता है।

## *चोल राजवंश*

चोलों के विषय में प्रथम जानकारी पाणिनी कृत 'अष्टाध्यायी' से मिलती है। इस विषय में जानकारी के अन्य स्रोत हैं—कात्यायन कृत वार्तिक, महाभारत, संगम साहित्य, 'पेरिप्लस ऑफ दी इरीथियन सी' एवं टॉलमी का उल्लेख आदि। चोल राज्य आधुनिक कावेरी नदी घाटी, कोरोमण्डल, त्रिचिरापल्ली एवं तंजोर तक विस्तृत था। साक्ष्यों के आधार पर माना जाता है कि इनकी पहली राजधानी 'उत्तरी मनलूर' थी। कालान्तर में उरैयुर तथा तंजावुर चोलों की राजधानी बनी। चोलों का शासकीय चिह्न बाघ था। चोल राज्य किल्लि, वलावन, सोम्बिदास तथा नेनई जैसे नामों से भी प्रसिद्ध है।

### *प्रमुख शासक*

**उरवप्पहर्रे इलन जेत चेन्नी** : यह चोल राजवंश का प्रथम शासक था। उसने अपनी राजधानी उरैयुर में स्थापित की। वैलिर वंश से उसके वैवाहिक सम्बन्ध थे। वह युद्ध में प्रयुक्त होने वाले अपने सुन्दर रथों के लिए प्रसिद्ध था।

**करिकाल** : यह प्रारम्भिक चोल शासकों में सर्वाधिक महत्वपूर्ण शासक था। इसे 'जले हुए पैरों वाला' कहा गया है। अनुमानतः इस शासक ने 190 ई. में शासन किया। यह साम्राज्यवादी शासक था। इसने अपने शासन के आरम्भिक वर्षों में 'वण्णि' नामक स्थान पर वेलरि तथा अन्य ग्यारह शासकों की संयुक्त सेना को पराजित कर प्रसिद्धि प्राप्त किया। उसकी दूसरी महत्वपूर्ण सफलता थी वहैप्परन्दलई के 9 छोटे-छोटे शासकों की संयुक्त सेना को पराजित करना। इस प्रकार करिकाल ने पूरे तमिल प्रदेश को अपनी भुजाओं के पराक्रम के द्वारा अधीन कर लिया। उसके शासन काल में पाण्ड्य एवं चेर शासक महत्वहीन हो गये। संगम साहित्य के अनुसार करिकाल ने कावेरी नदी के मुहाने पर 'पूहार' पत्तन (कावेरी पट्टनम) की स्थापना की। शक्तिशाली नौसेना रखने वाला करिकाल शायद संगम-युग का सबसे महान एवं पराक्रमी शासक था। 'पट्टिनप्पालै' कृति के उल्लेख के आधार पर ऐसा प्रतीत होता है कि करिकाल के समय में उद्योग तथा व्यापार उन्नति की अवस्था में थे। करिकाल ने पट्टिनप्पालै के लेखक को 1,60,000 स्वर्ण मुद्रायें उपहार में दिया था।

करिकाल के बाद उत्तराधिकार के लिए गृहयुद्ध हुआ। करिकाल के दो पुत्र नलन्गिल्लित एवं नेडुंजेलि ने दो राजधानियों से अलग-अलग शासन किया। बड़े पुत्र ने उरैयुर से तथा छोटे पुत्र ने पुहार से शासन किया। इस वंश का करिकाल के बाद अन्तिम महान शासक नेडुजेलियन था। उसने सफलता पूर्वक पाण्ड्यों तथा चेरों के विरुद्ध लड़ाई लड़ी उसकी मृत्यु युद्ध क्षेत्र में हुई। उसकी प्रशंसा में संगम साहित्य में अनेक कविताओं का उल्लेख मिलता है। ईसा की तीसरी शताब्दी से 9वीं शताब्दी तक चोलों का इतिहास अंधेरे में था, पर 9वीं शताब्दी के मध्य में ही चोल नरेश विजयालय ने चोल शक्ति का पुनः उद्धार किया।

## *पाण्ड्य राजवंश*

यह संगमकालीन सुदूर दक्षिण का महत्वपूर्ण राज्य था। इस राजवंश का प्रारम्भिक उल्लेख पाणिनी के 'अष्टाध्यायी' में मिलता है। इसके अतिरिक्त अशोक के अभिलेख, महाभारत एवं रामायण में भी पाण्ड्य राज्य के विषय में जानकारी मिलती है। मेगस्थनीज पांड्य राज्य का उल्लेख 'माबर' नाम से करता है। उसके विवरणानुसार पांड्य राज्य पर हेराक्लिज की पुत्री का शासन था तथा वह राज्य मोतियों के लिए प्रसिद्ध था। पाण्ड्यों की राजधानी मदुरा (मदुरई) थी, जिसके विषय में कौटिल्य के अर्थशास्त्र से जानकारी मिलती है। मदुरा अपने कीमती मोतियों, उच्च कोटि के वस्त्रों एवं उन्नतिशील व्यापार के लिए प्रसिद्ध था। 'इरिथ्रियन सी' के विवरण के आधार पर पाण्ड्यों की प्रारम्भिक राजधानी 'कोल्कई' को माना जाता है। सम्भवतः पाण्ड्य राज्य मदुरई, रामनाथपुरम्, तिरुनेलवेलि, तिरुचिरापल्ली एवं त्रावनकोर तक विस्तृत था। पाण्ड्यों का राजचिन्ह् मत्स्य (मछली) था। पांड्य राज्य को मिनावर, कबूरियार, पंचावर, तेन्नार, मरार, बालुडी तथा सेलियर नामों से जाना जाता है।

### *प्रमुख शासक*

**नेडियोन** : पाण्ड्य शासक नेडियोन के विषय में जानकारी 'पत्तुपात्तु' में संकलित मन्गुडिकिलार तथा नक्कीरर की कविताओं से मिलती है। नेडियोन का शाब्दिक अर्थ है—'लम्बा आदमी'। साक्ष्यों के आधार पर यह अनुमान लगाया जाता है कि उसके कारण ही 'पहरूली नदी' अस्तित्व में आई। उसने 'सागर पूजा' की परम्परा को आरम्भ किया। नेडियोन को एक पौराणिक पात्र माना जाता है।

**पलशालैमुडुकुड़्मी** : वेलविकुडी दान पत्र के उल्लेख के आधार पर पलशालैमुडुकुड़्मी को पाण्ड्य वंश का प्रथम ऐतिहासिक शासक माना जाता है। अनेक यज्ञों का अनुष्ठान करवाने के कारण ही उसे 'पलाशालै' यानि 'अनेक यज्ञशालायें बनाने वाला' कहा गया है। वह अपने द्वारा जीते गये राज्यों के साथ कठोरता का व्यवहार करता था।

**नेडुंजेलियन** : पाण्ड्य शासक नेडुंजेलियन ने 'तलैयालंगानम के युद्ध विजेता' की उपाधि धारण की। तलैयालंगानम युद्ध में नेडुंजेलियन ने चोलों

एवं चेरों को उनके अन्य 5 सामन्त मित्रों के साथ बुरी तरह पराजित किया। उसने चेर शासक शेय (हाथी की आंख वाला) को बंदी बनाकर बंदीगृह में डाल दिया। नेडुंजेलियन की राजधानी मदुरा एवं उनके कुशल प्रशासन के विषय में हमें 'मदुरैकांजी' ग्रंथ से जानकारी मिलती है। उसकी सेना में मोती तथा मछली संग्रह करने वाले पूर्वी समुद्रतटीय लोगों को विशेष महत्व प्रदान किया जाता था। उसने अपने समकालीन कवियों नक्कीरर, कल्लादनार एवं मागुंडिमरुदन को संरक्षण प्रदान किया। शिलप्पदिकारम की नायिका 'कण्णगी' के निर्दोष पति कोवलन को हार चुराने के अपराध में नेडुंजेलियन ने मुत्यु दण्ड दे दिया, पर कालान्तर में वास्तविकता पता चलने पर राजा ने एक निर्दोष व्यक्ति को प्राणदण्ड देने के प्रायश्चित में आत्महत्या कर ली।

**वेरिवरशेलिय कोरकै :** नेजेलियन के बाद उसका छोटा भाई कोरकै गद्दी पर बैठा। उसने 'सती कण्णगी' के सम्मान में विशाल उत्सव आयोजित करवाया। उसने संभवतः 'नवरत्न' की उपाधि भी धारण की थी।

संगमकालीन ग्रंथ 'पत्तुपातु' में शिरुषाण आतरुप्पडै नाम की नत्ततनार द्वारा रचित कविता में नल्लियक्कोडन को संगम युग (लगभग 270 ई.) का अन्तिम शासक माना जाता है। इसी कविता संग्रह में संगम काल की तीन राजधानियों बंजी, उरैयूर एवं मदुरा के महान एवं उदार शासकों के शासन काल के समाप्त होने का वर्णन है।

## राजनीतिक दशा

संगमकालीन शासन का स्वरूप राजतंत्रात्मक था। राजा का पद वंशानुगत एवं ज्येष्ठता पर आधारित था। प्रशासन का समस्त अधिकार राजा के पास होता था इसलिए उसकी प्रवृत्ति में निरंकुशता का समावेश होता था। राजा का मुख्य आदर्श था–दिग्विजय करना, प्रजा का पुत्रवत पालन करना एवं निष्पक्ष भाव से शासन के कार्यों का संचालन करना। राजा प्रत्येक दिन अपनी सभा (नलवै) में प्रजा की कठिनाइयों को सुनता था। राज्य का सर्वोच्च न्यायालय मनरम होता था जिसका सर्वोच्च न्यायाधीश राजा होता था। राजा का जन्मदिन प्रतिवर्ष मनाया जाता था जिसे 'पेरूनल' कहते थे।

प्रतिनिधि परिषदें राजा की निरंकुशता पर अंकुश लगाती थीं, साथ ही वह प्रशासन में राजा का सहयोग करती थीं। इन परिषदों के सदस्य जन प्रतिनिधि, पुरोहित, ज्योतिषी, वैद्य एवं मंत्रीगण होते थे। इस परिषद को पंचवारम या पंचमहासभा भी कहा जाता था। मंत्रियों के बाद दूतों का प्रशासन में विशेष महत्व होता था। शासन में गुप्तचर भी महत्वपूर्ण भूमिका निभाते थे, उन्हें 'औरर' या 'वै' कहा जाता था।

प्रशासनिक सुविधा के लिए राज्य या मंडलम 'नाडु' में तथा नाडु 'उर' में विभाजित था। 'पत्तिनाम' समुद्र तटीय कस्बे को कहते थे। बड़े गांव को 'पेरूर', छोटे गांव को 'सिरूर' तथा पुराने गांव को 'मुडूर' कहते थे।

**राजकीय आय के स्रोत एवं कर व्यवस्था :** संगमकालीन राजकीय आय के महत्वपूर्ण स्रोतों में कृषि तथा व्यापार पर लगने वाले कर थे। भूमि पर लगने वाले कर को 'कराई' तथा सामन्तों द्वारा दिया जाने वाला कर एवं लूट द्वारा प्राप्त धन 'इराई' कहा जाता था। सीमा शुल्क द्वारा प्राप्त धन को 'उल्गू' या 'संगम' कहा जाता था। राज्य की ओर से धन के अतिरिक्त मांग एवं जबरन लिए गये उपहार को 'इराबू' (Iravu) कहा जाता था। सम्भवतः सकल उत्पादन का 1/6 भाग भूमिकर के रूप में लिया जाता था।

## आर्थिक स्थिति

संगम काल में महत्वपूर्ण कृषि उत्पादन के रूप में गन्ना, रागी, चावल एवं कपास का उत्पादन किया जाता था। चेर राज्य कटहल, काली मिर्च एवं हल्दी के लिए प्रसिद्ध था। पारी जैसे कम क्षेत्रफल वाले राज्य में अनेक प्रकार के अनाज, कटहल, अनेक तरह के कंद, मूल, फल आदि की पैदावार होती थी। कृषकों में संगम काल में 'वल्लाल' वर्ग का महत्वपूर्ण स्थान था। वल्लाल वर्ग दो भागों में बँटे थे :

1. **सम्पन्न कृषक या वल्लाल वर्ग :** इनकी नियुक्ति सेना एवं प्रशासकीय कार्यों के लिए की जाती थी।
2. **विपन्न कृषक या मजदूर कृषक वर्ग :** इनके पास अपनी स्वयं की जमीन नहीं होती थी और ये सम्पन्न वल्लालों की जमीन पर काम करके अपना जीवन-यापन करते थे। इनकी संख्या संगम युग में अधिक थी। इनके प्रमुख को 'वेलारि' कहा जाता था।

संगम साहित्य में व्यापारी वर्ग को 'वेनिगर' कहा गया है। इस वर्ग के लोग ही आंतरिक एवं विदेशी व्यापार का संचालन करते थे। संगमकालीन विदेशी व्यापार का अधिकांश भाग पुहार बन्दरगाह से संचालित होता था, इसलिए यहां के निवासी काफी सम्पन्न थे। पाण्ड्य देश के 'शालियूर' और चेर देश के 'वेदर' नगर सर्वाधिक महत्वपूर्ण बंदरगाह थे। पुहार, तोण्डी, मुशिरी एवं वज्जि स्थलों की खुदाई से ऐसे अवशेष मिले हैं जिनसे यह प्रमाणित होता है कि यहां यवन लोग बड़ी संख्या में रहते थे। चेरों की प्रारम्भिक राजधानी 'कुरूर' में किये गये उत्खनन में रोमन सुराहियों के टुकड़े एवं रोमन ताम्र सिक्के मिले हैं। यवन लोग 'मुशिरी' बन्दरगाह पर अपने जहाजों पर सोना लादकर लाते थे और बदले में यहां से काली मिर्च एवं ऐसी वस्तुएं ले जाते थे जो उनके यहां उपलब्ध नहीं होती थी।

पुरातात्विक साक्ष्यों से यह प्रमाणित होता है कि तत्कालीन नगर 'अरिकामेडु' एक प्रसिद्ध व्यापारिक केन्द्र था जहां पर वस्तुओं को एकत्र कर भारत के विभिन्न भागों में भेजा जाता था। रोमन सम्राट ऑगस्टस तथा रिवेरियस के मुहर वाले सोने के सिक्के मुजीरिस, पुहार एवं अरिकामेडु से मिले हैं। मुजीरिस में रोमन सम्राट ऑगस्टस का मंदिर रोमनों द्वारा बनवाया गया था। 'तिरुकाम्पलियर' नामक स्थान चोल, चेर एवं पाण्ड्य तीनों राज्यों के संगम स्थल के रूप में प्रसिद्ध था। उरैगुर सूती कपड़ों के व्यापार के लिए प्रसिद्ध था। यहां के महीन सूती कपड़ों की विश्व के बाजारों में बड़ी खपत थी। यहाँ की मुख्य निर्यातक वस्तुएं थीं–काली मिर्च, हाथी दांत, मोती, मलमल, रेशमी कपड़े, कीमती रत्न, हीरे, नीलम, कीमती पत्थर आदि। यहाँ इसे आयात की जाने वाली मुख्य वस्तएं थीं–काँच, मूंगा, शराब, सोना, तांबा, चांदी, सिक्के आदि। रोमन लोगों के अतिरिक्त तमिल प्रदेश के लोगों का व्यापार मिस्र, अरब, चीन, एवं मलय द्वीप से

था। संगमयुगीन राज्यों के कुछ भागों से नीरो (54-68 ई.) के सोने एवं चाँदी के सिक्के मिले हैं। स्ट्रैवो के अनुसार ऑगस्टस-सीजर के दरबार में किसी पाण्ड्य नरेश ने लगभग दूसरी सदी ई. पू. में दो दूतमण्डल भेजा था। सम्भवतः इसका उद्देश्य व्यापारिक सम्बन्धों को प्रगाढ़ बनाना था। संगम काल के अन्य व्यावसायिक वर्ग थे–'पुलैयन' (रस्सी बनाने वाला) चरवाहे, एनियर (शिकारी), मछुआरे, कुम्हार, लुहार, स्वर्णकार, बढ़ई आदि। 'मलबर' नाम के लोगों का व्यवसाय डाका डालना था। 'अबनम' संगम काल में बाजार को कहते थे। इस काल के व्यापार के विषय में विस्तृत जानकारी पहली सदी में किसी अज्ञात रचयिता द्वारा लिखी गयी पुस्तक 'पेरिप्लस ऑफ दि एरीथ्रियन सी' से मिलती है। इस समय व्यापारिक कारवां का नेतृत्व करने वाले स्थल सार्थवाह को 'मासात्तुवान' एवं समुद्री सार्थवाह को 'मानामिकन्' कहा जाता था।

**सेना :** संगम काल में राजा अपनी सेना में पेशेवर सैनिकों की भर्ती करता था। रथ, हाथी, घोड़े एवं पैदल सैनिक ही सेना के महत्वपूर्ण अंग थे। हथियार के रूप में तलवार, धनुष बाण (बिल कोल), भाला (बेल), खड़क (बाल), बाघम्बर आदि का प्रयोग किया जाता था। सेनानायक को 'एनाडि' कहा जाता था। युद्ध में मृत सैनिकों की याद में पत्थर की मूर्तियां बनाकर उन स्थानों पर गाड़ा जाता था जहां उनकी मृत्यु हुई रहती थी। युद्ध के समय स्थापित किये जाने वाले शिविरों का विशेष महत्व होता था। समय के विषय में जानकारी जल घड़ी द्वारा मिलती थी। राजा के महल पर सशस्त्र महिलाओं का पहरा होता था।

## सामाजिक स्थिति

**वर्ण एवं जाति व्यवस्था :** तमिल प्रदेश में उत्तर भारत की तरह चातुर्वर्ण व्यवस्था मान्यता प्राप्त नहीं कर सकी थी। संगम साहित्य में समाज के पांच वर्गों में विभक्त होने के प्रमाण मिलते हैं जो इस प्रकार हैं–

1. **ब्राह्मण** (पुरोहित वर्ग) : इन्हें समाज में उच्च स्थान प्राप्त था। इनका पदार्पण तमिल प्रदेश में संगम काल में हुआ।
2. **अरसर** (शासक वर्ग) : राजपरिवार से जुड़े ये लोग राजनीतिक दृष्टि से प्रतिष्ठित होते थे।
3. **बेनिगर** (वाणिक् वर्ग) : ये लोग तमिल प्रदेश के आन्तरिक एवं बाह्य व्यापार का संचालन करते थे।
4. **वल्लाल** (बड़े कृषक एवं शासक वर्ग) : तमिल ग्रंथ 'पुनानूर' के उल्लेख के आधार पर यह ज्ञात होता है कि यह वर्ग शासक वर्ग के समान ही प्रतिष्ठित था। इनकी नियुक्ति सेना में उच्च पदों पर की जाती थी। चोल सेना में इस वर्ग को 'अरशु' एवं 'वेल' तथा पाण्ड्य सेना में इन्हें 'कविदी' कहा जाता था।
5. **वेल्लार** (मजदूर कृषक वर्ग) : इनका मुख्य व्यवसाय खेती करना था। इनके मुखियों को 'वेल्लरि' कहा जाता था।

दास प्रथा का प्रचलन संगम काल में नहीं था।

**विवाह :** संगमकालीन ग्रंथ तोलकप्पियम में विवाहों का उल्लेख मिलता है। हालांकि आठों प्रकार के विवाह का स्पष्ट उल्लेख नहीं मिलता है। वैसे एक पत्नी प्रथा का प्रचलन था परन्तु सम्पन्न वर्ग के लोग एक से अधिक पत्नी रखते थे। संगमयुगीन ग्रंथों में प्रेम विवाह को 'पंचतिणै', एक पक्षीय प्रेम को 'कैक्किणै' एवं अनुचित प्रेम को 'पेरूनिदिणै, कहा गया है।

**स्त्रियों की स्थिति :** संगम काल में स्त्रियों की स्थिति बहुत सन्तोष जनक नहीं थी, लड़की के जन्म को अशुभ माना जाता था। पितृसत्तात्मक परिवार होता था। निम्नवर्ग की स्त्री खेतों में काम करती थी। उच्च वर्ग की कुछ स्त्रियां जैसे औवैयर एवं नच्चेलियर ने एक सफल कवियित्री के रूप में अपने को स्थापित किया और इस वर्ग की स्त्रियाँ शिक्षा प्राप्त करती थीं। विधवाओं की स्थिति इतनी बदतर थी कि वे स्वेच्छा से सती होना अधिक सरल समझती थीं। स्वैच्छिक सती प्रथा का प्रचलन संगमकालीन समाज में था।

संगमकालीन समाज में गणिकाओं एवं नर्तकियों के रूप में क्रमशः 'परत्तियर' व 'कणिगैचर' का उल्लेख मिलता है। ये वेश्यावृत्ति द्वारा जीवनयापन करती थीं।

**मनोरंजन :** प्रायः कविता पाठ, गायन, वादन, नृत्य, नाटक आदि द्वारा मनोरंजन किया जाता था। 'याल' नामक किसी वाद्य यंत्र का जिक्र मिलता है। अन्य मनोरंजन के साधन थे–शिकार खेलना, कुश्ती लड़ना, पासा खेलना, गोली खेलना आदि।

**धार्मिक स्थिति :** वैदिक व ब्राह्मण धर्म का प्रचलन तमिल प्रदेश में अधिक था। ब्राह्मण राजा के पुरोहित का काम करते थे और बदले में दान प्राप्त करते थे। संगम काल में तमिल प्रदेश में मुरुगन, शिव, बलराम एवं कृष्ण की उपासना की जाती थी। इनमें से मुरुगन या मुरकन की उपासना सर्वाधिक पुरानी थी। कालान्तर में मुरुगन को 'सुब्रह्मण्यम' कहा गया। मुरुगन का एक अन्य नाम 'वेल्लन' भी मिलता है। स्कन्द-कार्तिकेय से मुरुगन देवता की अभिन्नता स्थापित की गयी। तमिल प्रदेश के स्कन्द-कार्तिकेय को उत्तर भारत में शिव-पार्वती के पुत्र के रूप में जाना जाता है। तमिल प्रदेश में मुरुगन का प्रतीक मुर्गा (कुक्कुट) को माना गया, जिसे पर्वत-शिखर पर क्रीड़ा करना पसन्द है।

संगम काल में तमिल प्रदेश में बलि प्रथा का प्रचलन था।

मणिमेखलै में शैवधर्म में 'कापालिक' सम्प्रदाय का वर्णन मिलता है। बौद्ध धर्म के प्रचलन का भी उल्लेख हमें संगम साहित्य से मिलता है। मरियम्मा (परशुराम की माता) चेचक से संबंधित शीतला माता थी जबकि येलम्मा सीमा की देवी थीं।

# गुप्त काल

मौर्यकाल के बाद पुनः उत्तर भारत में एक चक्रवर्ती साम्राज्य की स्थापना हुई जिसने अपना आधिपत्य कुषाण और सातवाहन दोनों के पिछले राज्यक्षेत्रों के बहुत बड़े भाग पर स्थापित किया। गुप्त मूलतः क्षत्रिय रहे होंगे। रोमिला थापर गुप्तों को 'वैश्य' मानती है। गुप्त साम्राज्य उतना विशाल तो नहीं था जितना मौर्य साम्राज्य, फिर भी इसने सारे उत्तर भारत को 335 ई. से 455 ई. तक एक सदी से ऊपर राजनीतिक एकता के सूत्र में बाँधे रखा। ईसा की तीसरी सदी के अंत में गुप्त वंश का आरंभिक राज्य उत्तर प्रदेश और बिहार में था। संभवतः गुप्त लोग कुषाणों के सामंत थे, और लगता है थोड़े ही दिनों में उनके उत्तराधिकारी बन बैठे।

## चन्द्रगुप्त प्रथम (319–334 ई.)

गुप्तवंश का पहला प्रसिद्ध राजा चंद्रगुप्त प्रथम था। उसने एक लिच्छवि राजकुमारी से विवाह किया जो संभवतः नेपाल की थी। इससे उसकी सत्ता को बल मिला। चंद्रगुप्त प्रथम महान शासक हुआ, क्योंकि उसने 319-20 ई. में अपने राज्यारोहण के स्मारक के रूप में गुप्त संवत् चलाया।

## समुद्रगुप्त (335–380 ई.)

चन्द्रगुप्त प्रथम के पुत्र और उत्तराधिकारी समुद्रगुप्त (335-380 ई.) ने गुप्त राज्य का अपार विस्तार किया। उसके दरबारी कवि हरिषेण ने अपने आश्रयदाता के पराक्रम का उदात्त वर्णन किया है। एक लंबे अभिलेख में कवि ने गिनाया है कि समुद्रगुप्त ने किन-किन लोगों और किन-किन देशों पर विजय प्राप्त की। यह अभिलेख इलाहाबाद के उसी स्तम्भ पर खुदे हैं जिस पर अशोक का अभिलेख है। समुद्रगुप्त द्वारा विजित स्थान और क्षेत्र पाँच समूहों में बाँटे जा सकते हैं। प्रथम समूह में गंगा-यमुना दोआब के वे राजा हैं, जिन्हें हरा कर उनके राज्य गुप्त साम्राज्य में मिला लिए गए। द्वितीय समूह में पूर्वी हिमालय के राज्यों और कुछ सीमावर्ती राज्यों के शासक हैं, जैसे नेपाल, असम, बंगाल आदि के राजा। समुद्रगुप्त ने उन्हें अपने बाहुबल के प्रभाव का अनुभव कराया। इस समूह में पंजाब के कुछ गणराज्य भी हैं। जो गणराज्य मौर्य साम्राज्य के खंडहरों पर टिमटिमा रहे थे उन्हें समुद्रगुप्त ने सदा के लिए बुझा दिया। तृतीय समूह में वे अटाविक राज्य (जंगली क्षेत्रों में स्थित राज्य) थे जो विन्ध्य क्षेत्र में पड़ते थे। उन सबों को समुद्रगुप्त ने अपने वश में कर लिया। चतुर्थ समूह में पूर्वी दक्कन और दक्षिण भारत के 12 शासक हैं, जिन्हें हराकर छोड़ दिया गया। उसने पल्लवों से अपनी प्रभुसत्ता स्वीकार कराई। पांचवें समूह में शकों और कुषाणों के नाम हैं, जिनमें से कुछ अफगानिस्तान में राज करते थे। कहा गया है कि समुद्रगुप्त ने उन्हें पदच्युत कर दिया और सुदूर देश के शासकों को अपने अधीन कर लिया। समुद्रगुप्त की प्रतिष्ठा और प्रभाव भारत के बाहर भी फैला। एक चीनी स्रोत के अनुसार, श्रीलंका के राजा मेघवर्मन ने गया में बुद्ध का मंदिर बनवाने की अनुमति प्राप्त करने के लिए समुद्रगुप्त के पास दूत भेजा था। अनुमति दी गई और यह मन्दिर विशाल बौद्ध विहार के रूप में विकसित हो गया। यदि हम इलाहाबाद की प्रशस्ति पर विश्वास करें तो प्रतीत होगा कि समुद्रगुप्त को कभी पराजय का सामना नहीं करना पड़ा। उसे अपनी बहादुरी एवं युद्ध कौशल के कारण 'भारत का नेपोलियन' कहा जाता है।

## चन्द्रगुप्त द्वितीय (380–412 ई.)

चंद्रगुप्त द्वितीय के शासन काल में गुप्त साम्राज्य अपने उत्कर्ष की चोटी पर पहुँचा। उसने वैवाहिक संबंध और विजय दोनों के सहारे साम्राज्य की सीमा बढ़ाई। चन्द्रगुप्त ने अपनी कन्या प्रभावती का विवाह वाकाटक राजा से कराया, जो ब्राह्मण जाति का था और मध्य भारत में शासन करता था। प्रभावती गुप्त के माध्यम से मध्य भारत स्थित वाकाटक राज्य पर अप्रत्यक्ष रूप से अपना अधिक प्रभाव जमा कर चन्द्रगुप्त द्वितीय ने पश्चिमी मालवा और गुजरात पर प्रभुत्व स्थापित कर लिया, और वहाँ 400 साल पुराने शक क्षत्रपों के शासन का अंत किया। इन विजयों से चन्द्रगुप्त को पश्चिमी समुद्रतट मिल गया जो व्यापार-वाणिज्य के लिए मशहूर था। इससे मालवा और उसका मुख्य नगर उज्जैन समृद्ध होता गया। लगता है चन्दगुप्त द्वितीय ने उज्जैन को द्वितीय राजधानी बनाया।

दिल्ली में कुतुब मीनार के पास खड़े एक लौह स्तम्भ पर खुदे हुए अभिलेख में चन्द्र नामक किसी राजा का कीर्ति वर्णन किया गया है। चन्द्रगुप्त द्वितीय ने विक्रमादित्य की उपाधि धारण की। यही उपाधि इससे पूर्व 57 ई. पू. में उज्जैन के शासक ने भी पश्चिमी भारत में शक क्षत्रपों पर विजय पाने के उपलक्ष्य धारण की थी। चन्द्रगुप्त द्वितीय का उज्जैन स्थित दरबार कालिदास और अमरसिंह जैसे बड़े-बड़े विद्वानों से विभूषित था।

चन्द्रगुप्त के समय में ही चीनी यात्री फा-हियान (399-414 ई.) भारत आया जो यहाँ के लोगों के जीवन के बारे में विस्तृत विवरण देता है।

### *गुप्त साम्राज्य का पतन*

चन्द्रगुप्त द्वितीय के उत्तराधिकारियों को ईसा की पाँचवीं सदी के उत्तरार्ध में मध्य एशिया के हूणों के आक्रमण का सामना करना पड़ा। आरंभ में गुप्त सम्राट स्कन्दगुप्त ने हूणों को भारत में आगे बढ़ने से रोकने के लिए प्रयास किया, लेकिन उसके उत्तराधिकारी लोग कमजोर ठहरे और आक्रमणकारी हूणों के सामने टिक नहीं पाए। हूण घुड़सवारी में बेजोड़ थे और शायद धातु के बने रकाबों का इस्तेमाल करते थे। वे तेजी से बढ़ सकते थे, और उत्तम धनुर्धर होने के कारण न केवल ईरान में बल्कि भारत में भी खूब सफल हुए होंगे।

करद सामंत राजाओं ने भी गुप्त साम्राज्य को और भी दुर्बल बना दिया। गुप्त सम्राटों की ओर से उत्तरी बंगाल में नियुक्त शासनाध्यक्ष (गवर्नर) लोगों ने और समतट अर्थात दक्षिण-पूर्व बंगाल के उनके सामंतों ने अपने को स्वतंत्र बनाना शुरू कर दिया। मगध के परवर्ती गुप्त शासकों ने बिहार में अपनी शक्ति जमाई। उनके साथ ही साथ मौखरि वंश के लोगों ने बिहार और उत्तर प्रदेश में राजसत्ता स्थापित की और कन्नौज को राजधानी बनाया। सम्भवतः 550 ई. के आते-आते बिहार और उत्तर प्रदेश गुप्त शासकों के हाथ से चले गए। वल्लभी के शासकों ने गुजरात और पश्चिमी मालवा पर अधिकार कर लिया। स्कन्दगुप्त के शासन के बाद, अर्थात् 467 ई. के आगे शायद ही कोई गुप्त मुद्रा या अभिलेख पश्चिम मालवा और सौराष्ट्र में मिला हो। संभवतः पाँचवीं सदी का अंत होते-होते पश्चिमी भारत गुप्त शासकों के हाथ से निकल गया। फलतः व्यापार और वाणिज्य से होने वाली आय से गुप्त शासकों को हाथ धोना पड़ा और वे आर्थिक रूप से पंगु हो गए। इन सभी कारणों ने गुप्त काल के पतन में योगदान दिया।

## गुप्तकालीन संस्कृति

### *प्रशासन–पद्धति*

मौर्य राजाओं के विपरीत गुप्त राजाओं ने परमेश्वर महाराजधिराज, परमभट्टारक आदि आडंबर-पूर्ण उपाधियाँ धारण कीं। इससे यह संकेत मिलता है कि उन्होंने अपने साम्राज्य के भीतर छोटे-छोटे राजाओं पर शासन किया।

राजपद वंशगत था, परंतु राजसत्ता ज्येष्ठाधिकार की अटल प्रथा के अभाव में सीमित थी। राजगद्दी हमेशा ज्येष्ठ पुत्र को ही नहीं मिलती थी। इससे अनिश्चितता की स्थिति उत्पन्न हो जाती थी, जिसका लाभ सामंत और उच्चाधिकारी उठा सकते थे। गुप्त राजाओं ने ब्राह्मणों को उदारतापूर्वक दान दिए।

गुप्त सेना की संख्या ज्ञात नहीं है। लगता है, राजा स्थायी सेना रखता था, और सामंतों द्वारा समय-समय पर प्रदत्त सेनाएं उसकी पूरक होती थीं। अश्वचालित रथ के दिन लद चुके थे, और घुड़सवारों की महत्ता बढ़ गई थी। घोड़े पर सवार हो कर तीर चलाना अच्छा रण-कौशल था।

गुप्त काल में भूमिसंबंधी करों की संख्या बढ़ गई, परंतु वाणिज्य-करों की संख्या घटी। संभवतः राज्य उपज का चौथे भाग से लेकर छठे भाग तक कर के रूप में लेता था। इसके अतिरिक्त, जब भी राजकीय सेना गाँवों से गुजरती थी तो उसे खिलाना-पिलाना स्थानीय प्रजा का कर्त्तव्य होता था। ग्रामीण क्षेत्रों में काम करने वाले राजकीय अधिकारी अपने निर्वाह के लिए किसानों से पशु, अन्न, खाट आदि वस्तुएँ लेते थे। मध्य और पश्चिम भारत में ग्रामवासियों से सरकारी सेना और अधिकारियों की सेवा के लिए बेगार (निःशुल्क श्रम) भी कराया जाता था जो विष्टि कहलाता था।

पहले की अपेक्षा गुप्तकाल में न्याय-पद्धति अधिक विकसित थी। इस काल में अनेक विधि-ग्रंथ संकलित किए गए। पहली बार दीवानी और फौजदारी कानून (व्यवहार-विधि और दण्ड-विधि) भली-भाँति परिभाषित और पृथक्कृत हुए। पहले की भाँति बहुत-सारे नियमों का आधार वर्णभेद रहा। नियम-कानून बनाए रखना राजा का कर्त्तव्य रहा। राजा न्याय-निर्णय ब्राह्मण पुरोहितों की सहायता से करता था। शिल्पी, वणिक आदि के संगठनों (श्रेणिओं) पर उनके अपने ही नियम लागू होते थे। वैशाली से और इलाहाबाद के निकटवर्ती भीटा से प्राप्त मुहरों से पता चलता है कि गुप्तकाल में श्रेणियाँ अच्छी अवस्था में चल रही थीं।

गुप्तों का अधिकारी-वर्ग उतना बड़ा नहीं था जितना मौर्यों का। गुप्त साम्राज्य के सबसे बड़े अधिकारी कुमारामात्य होते थे। उन्हें राजा उनके अपने प्रांत में ही नियुक्त करता था।

गुप्त राजाओं ने प्रांतीय और स्थानीय शासन की पद्धति चलाई। राज्य कई भुक्तियों अर्थात प्रांतों में विभाजित था और हर भुक्ति एक-एक उपरिक के प्रभार में रहती थी। भुक्तियाँ कई विषयों अर्थात् जिलों में विभाजित थीं। हर विषय का प्रभारी विषयपति होता था। पूर्वी भारत में प्रत्येक विषय को बीथियों में बांटा गया था और बीथियाँ ग्रामों में विभाजित थीं।

गुप्त काल में गाँव का मुखिया अधिक महत्वपूर्ण हो गया। वह ग्रामश्रेष्ठों की सहायता से गाँव का काम-काज देखता था। ग्रामों और छोटे-छोटे शहरों के प्रशासन से प्रमुख स्थानीय लोग जुड़े हुए थे। उनकी अनुमति के बिना जमीन की खरीद-बिक्री नहीं हो सकती थी।

भूमि-अनुदान प्रथा का आरंभ दकन में सातवाहनों ने किया, और गुप्तकाल में, खास कर मध्य प्रदेश में, तो यह सामान्य परिपाटी बन गई। पुरोहितों और अन्य धर्माचार्यों को कर-मुक्त भूमि दान में दी जाती थी और उन्हें वैसे सभी कर उगाहने का अधिकार भी दे दिया जाता था, जो अन्यथा राजकोष में जाते थे। जो ग्राम दे दिए जाते थे उनमें राजा के अधिकारियों और अमलों को प्रवेश करने का हक नहीं रहता था। अनुदानभोगी वहाँ के अपराधकर्मियों को सजा भी दे सकता था।

## *व्यापार और कृषिमूलक अर्थव्यवस्था की प्रवृत्तियाँ*

गुप्त कालीन आर्थिक जीवन की कुछ झलक हमें चीनी बौद्ध यात्री फा-हियान से मिलती है जो गुप्त साम्राज्य के विभिन्न भागों में घूमा था। अन्य बातों के अलावा, वह बताता है कि मगध नगरों और धनवानों से भरा-पूरा था, और धनी लोग बौद्ध धर्म का संपोषण करते थे और उसके लिए दान देते थे।

प्राचीन भारत के गुप्त राजाओं ने सबसे अधिक स्वर्णमुद्राएँ जारी की, जो उनके अभिलेखों में दीनार कही गई हैं। नियन्त्रित आकार और भार वाली ये स्वर्ण-मुद्राएँ अनेक प्रकारों और उपप्रकारों में पायी जाती हैं। इन पर गुप्त राजाओं के स्पष्ट चित्र हैं, और इनसे उनकी युद्धप्रियता और कलाप्रियता का संकेत मिलता है। यद्यपि स्वर्णांश में ये मुद्राएँ उतनी शुद्ध नहीं हैं जितनी कुषाण-मुद्राएँ। गुजरात-विजय के बाद गुप्त राजाओं ने बड़ी संख्या में चाँदी के सिक्के भी जारी किए, जो केवल स्थानीय लेन-देन में चलते थे, क्योंकि पश्चिमी क्षत्रपों के यहाँ चाँदी के सिक्कों का महत्वपूर्ण स्थान था।

पूर्व काल की तुलना में, दूर व्यापार में ह्रास दिखाई देता है। 550 ई. तक भारत पूर्वी रोमन साम्राज्य के साथ कुछ-कुछ व्यापार करता रहा, जहाँ वह रेशम भेजता था। 550 ई. के आसपास पूर्वी रोमन साम्राज्य के लोगों ने चीनियों से रेशम पैदा करने की कला सीख ली। इससे भारत के निर्यात-व्यापार पर बुरा असर पड़ा। छठी सदी का मध्य आते-आते भारतीय रेशम की माँग विदेश में कमजोर पड़ गई थी। पाँचवीं सदी के मध्य में रेशम बुनकरों की एक श्रेणी पश्चिम भारत स्थित अपने मूल निवास स्थान लाट देश को छोड़कर मंदसोर चली गई, और वहाँ उन बुनकरों ने अपना मूल व्यवसाय छोड़कर अन्य व्यवसायों को अपनाया।

## *सामाजिक गतिविधि*

ब्राह्मणों को बड़े पैमाने पर ग्राम-अनुदान मिलना इस बात का द्योतक है कि ब्राह्मणों की श्रेष्ठता गुप्त काल में बनी रही। ब्राह्मणों ने गुप्त राजाओं को देवताओं के गुणों से अलंकृत रूप में चित्रित किया। इससे गुप्त राजाओं की हैसियत धर्मशास्त्र-सम्मत हो गई और वे ब्राह्मण-प्रधान वर्णव्यवस्था के परम प्रतिपालक हो गए। भारी संख्या में मिले ग्राम-अनुदानों के फलस्वरूप ब्राह्मणों ने खूब धन-संचय किया। इस प्रकार ब्राह्मणों ने बहुत-से विशेषाधिकार अर्जित किए जो लगभग पाँचवीं सदी में रचित नारद स्मृति में गिनाए गए हैं।

वर्ण अगणित जातियों-उपजातियों में बँट गए। इसके दो कारण हुए, भारी संख्या में विदेशों से आए लोग भारतीय समाज में घुल-मिल गए और उन विदेशियों का हर समूह एक-एक-खास जाति समझा जाने लगा। चूँकि विदेशी लोग विजेता के रूप में आए इसलिए समाज में उन्हें क्षत्रिय का

स्थान मिला। हूण लोग पाँचवीं सदी का अंत होते-होते आए और अन्ततः राजपूतों के छत्तीस कुलों में से एक कुल के मान लिए गए। इस काल में शूद्रों की स्थिति सुधरी। अब उन्हें रामायण, महाभारत और पुराण सुनने का अधिकार मिल गया। उन्हें कुछ गृह्य संस्कारों या घरेलू अनुष्ठानों का भी अधिकार मिला। यह समझा जा सकता है कि ये सभी शूद्रों की आर्थिक स्थिति में हुए सुधार के ही परिणाम थे। सातवीं सदी से उनकी पहचान मुख्यतः कृषक के रूप में होने लगी, जबकि पूर्व काल में उनका चित्रण केवल अपने ऊपर के तीनों वर्णों के वास्ते काम करने वाले सेवक, दास और कृषि-मजदूर के रूप में ही होता था।

इस काल में अछूतों की संख्या में वृद्धि हुई, विशेष कर चाण्डालों की संख्या में। चाण्डाल समाज में बहुत ही पहले ईसा-पूर्व पाँचवीं सदी से ही दिखाई देते हैं। फा-हियान ने लिखा है कि चाण्डाल गाँव के बाहर ही बसते थे और मांस का व्यवसाय करते थे, जब कभी वे नगर में प्रवेश करते, उच्च वर्ण के लोग, उनसे दूर ही रहते क्योंकि वे मानते थे कि चाण्डालों के स्पर्श से सड़क अपवित्र हो जाती है।

गुप्त काल में शूद्रों की भाँति स्त्रियों को भी रामायण, महाभारत और पुराण सुनने का अधिकार प्राप्त हुआ, और उनके लिए कृष्ण का पूजन विहित किया गया। लेकिन गुप्त काल के पहले और गुप्त काल में भी उच्च वर्णों की स्त्रियों को स्वतंत्र जीवन-निर्वाह का साधन प्राप्त नहीं था।

## कलाएँ

गुप्त काल प्राचीन भारत का स्वर्ण-युग कहा जाता है। ऐसा कहना आर्थिक क्षेत्र में गलत भी हो सकता है, क्योंकि इस काल में उत्तर भारत में कई नगरों का पतन हुआ। लेकिन गुप्तों के पास सोना भारी मात्रा में था। चाहे वह किसी भी स्रोत से आया हो, पर गुप्तों ने सबसे अधिक स्वर्णमुद्राएँ जारी की। अमीर और रईस लोग अपनी आय का कुछ भाग कला और साहित्य की साधना में लगे लोगों के भरण-पोषण में लगाने में समर्थ थे। समुद्रगुप्त और चन्द्रगुप्त द्वितीय दोनों कला और साहित्य के संपोषक हुए। समुद्रगुप्त को अपने सिक्के पर वीणा बजाते हुए दिखाया गया है और चन्द्रगुप्त का दरबार नवरत्न अर्थात् नौ बड़े-बड़े विद्वानों से अलंकृत था।

मौर्य काल और मौर्योत्तर काल में कला को बौद्ध धर्म से खूब ही बढ़ावा मिला। फलस्वरूप पत्थर के बड़े-बड़े स्तम्भ खड़े किए गए, चट्टानों को काट-काट कर सुंदर गुफाएँ बनाई गई और ऊँचे-ऊँचे स्तूप खड़े किए गए। बुद्धसंबंधी पुरावशेषों पर निर्मित गोलाकार आधारों पर टिकी गुम्बदनुमा मिट्टी, ईंट या प्रस्तर की संरचना को स्तूप कहते हैं। बुद्ध की अनगिनत प्रतिमाएँ बनाई गईं।

गुप्तकाल में बनी दो मीटर से भी ऊँची बुद्ध की कांस्यमूर्ति भागलपुर के निकट सुल्तानगंज में पाई गई हैं। गुप्तकाल में सारनाथ और मथुरा में बुद्ध की सुंदर प्रतिमाएँ बनीं। लेकिन गुप्तकालीन बौद्ध कला का सर्वश्रेष्ठ नमूना है अजंता की चित्रावली। यद्यपि इस चित्रावली में ईसा की पहली सदी से लेकर सातवीं सदी तक के चित्र शामिल हैं, फिर भी अधिकतर गुप्तकालीन ही है। इन चित्रों में गौतम बुद्ध और उनके पिछले जन्मों की विभिन्न घटनाएँ चित्रित हैं। ये चित्र वास्तविक—जैसे सजीव और सहज लगते हैं और आश्चर्य यह है कि चौदह सौ वर्ष के बाद भी उनके रंगों की चमक में विशेष अंतर नहीं है, यद्यपि गुप्त राजा अजंता चित्रकारियों के संरक्षक नहीं थे।

चूंकि गुप्तवंशी राजा हिन्दू धर्म के संपोषक थे, इसलिए पहली बार हम गुप्त काल में ही विष्णु, शिव तथा अन्य हिन्दू देवताओं की प्रतिमा पाते हैं वास्तुकला में गुप्त काल पिछड़ा था। वास्तुकला के नाम पर हमें ईंट के बने कुछ मंदिर उत्तर प्रदेश में मिले हैं। एक पत्थर का मंदिर भी मिला है। यहाँ कानपुर के भीतरगाँव, गाजीपुर के भीतरी और झाँसी के देवगढ़ के ईंट के मंदिर भी उल्लेखनीय हैं। नालंदा का बौद्ध महाविहार पाँचवीं सदी में बना, और इसकी सबसे पहले की संरचना, जो ईंट की है, गुप्तकाल में बनी है।

## साहित्य

गुप्तकाल लौकिक साहित्य की सर्जना के लिए स्मरणीय है। भास के तेरह नाटक इसी काल के हैं। शूद्रक का लिखा नाटक मृच्छकटिक, जिसमें निर्धन ब्राह्मण के साथ वेश्या का प्रेम वर्णित है, प्राचीन नाटकों में सर्वोत्कृष्ट कोटि का माना जाता है। परंतु जिसको लेकर गुप्त काल का सबसे ऊँचा नाम है वह है कालिदास की कृति। कालिदास का अभिज्ञानशाकुन्तलम् विश्व की उत्कृष्टतम साहित्यिक कृतियों में एक है। इसमें राजा दुष्यन्त और शकुन्तला के प्रेम की कथा चित्रित है, जिनका पुत्र भरत नामी राजा हुआ। अभिज्ञानशाकुन्तलम् प्रथम भारतीय रचना है जिसका अनुवाद यूरोपीय भाषाओं में हुआ। ऐसी दूसरी रचना है भगवद्गीता।

इस काल में धार्मिक साहित्य की रचना में भी भारी प्रगति हुई है। दो महान गाथाकाव्य रामायण और महाभारत ईसा की चौथी सदी में आकर लगभग पूरे हो चुके थे। इस काल में बहुत-सी स्मृतियाँ भी लिखी गईं जिनमें सामाजिक और धार्मिक नियम, कानून पद्यबद्ध कर संकलित किए गए हैं। स्मृतियों पर टीकाएँ लिखने की अवस्था गुप्तकाल के बाद आई।

गुप्त काल में पाणिनि और पतंजलि के ग्रंथों के आधार पर संस्कृत व्याकरण का भी विकास हुआ। अमरकोश की रचना इसी काल में हुई।

## विज्ञान और प्रौद्योगिकी

गणित के क्षेत्र में इस काल का महत्वपूर्ण ग्रंथ है आर्यभटीय। इसके रचयिता आर्यभट्ट पाटलिपुत्र के रहने वाले थे। इलाहाबाद जिले में मिले 448 ई. के एक गुप्त अभिलेख से पता चलता है कि ईसा की पाँचवीं सदी के आरंभ में भारत में दाशमिक पद्धति ज्ञात थी। खगोलशास्त्र में रोमकसिद्धान्त नामक पुस्तक रची गई। इसके नाम से ही अनुमान किया जा सकता है कि इस पर यूनानी चिन्तनों का प्रभाव था।

गुप्तकालीन शिल्पकारों ने अपना चमत्कार अपनी लौह और कांस्य कृतियों में दिखाया है। बुद्ध की नाना तरह की अनेकों कांस्यमूर्तियों का निर्माण बड़े पैमाने पर शुरू हो गया था, क्योंकि तब तक धातु के बारे में तकनीकी जानकारी उन्नत अवस्था में पहुँच गई थी। लोहे की वस्तुओं के बारे में सबसे अच्छा उदाहरण वह लौह-स्तंभ है जो दिल्ली में मेहरौली में स्थित है।

## गुप्तकालीन धार्मिक स्थिति

यद्यपि गुप्त शासकों का अपना धर्म वैष्णव धर्म था परन्तु, वे अन्य धर्मों के प्रति भी सहिष्णु थे। दो गुप्त शासकों समुद्रगुप्त एवं कुमारगुप्त को अश्वमेघ यज्ञ करने का श्रेय प्राप्त है।

**वैष्णव धर्म :** गुप्त शासकों का राजकीय धर्म वैष्णव ही था। उन्होंने 'परमभागवत' की उपाधि धारण की तथा 'गरुड़' को अपना राजकीय चिह्न बनाया।

गुप्तकालीन सबसे विख्यात मंदिर देवगढ़ का दशावतार मंदिर था, जिसमें विष्णु के दशावतारों का चित्रण प्राप्त होता है। स्कन्दगुप्त के जूनागढ़ अभिलेख में विष्णु के वामनावतार का उल्लेख है। इसी प्रकार उदयगिरि गुहा-अभिलेख में विष्णु के वाराह अवतार का उल्लेख है। यह गुप्त काल का सर्वाधिक लोकप्रिय अवतार था। इस सत्य के ग्रंथ अमरकोश में विष्णु के 39 अवतारों का उल्लेख है। कुमारगुप्त के समय के गंगधर अभिलेख में विष्णु को मधुसूदन कहा गया है। चन्द्रगुप्त विक्रमादित्य ने विष्णुपद पर्वत पर गरुड़-ध्वज की स्थापना की। बुधगुप्त के समय के दामोदरपुर के उत्कीर्ण लेख में 'श्वेतवाराहस्वामिन' और 'कोकमुखस्वामिन्' देवताओं का उल्लेख है। ये दोनों वाराह अवतार के द्योतक हैं।

गुप्त काल में 'नववैष्णव-वाद' का विकास हुआ। इस नए पक्ष का सम्बन्ध पाञ्चरात्र मत से था।

**शैव धर्म :** गुप्त काल में शैव धर्म भी अत्यन्त महत्वपूर्ण धर्म था। दो गुप्त शासकों कुमारगुप्त और स्कन्दगुप्त के नाम कार्तिकेय (शिव के पुत्र) के नाम पर ही हैं। कुमारगुप्त ने मयूर की आकृति वाले सिक्के जबकि स्कन्दगुप्त ने बैल की आकृति वाले सिक्के चलवाए।

करमदण्डा (फैजाबाद) से एक चतुर्मुखी शिवलिंग तथा खोह (नागोद) से एक मुखी शिवलिंग के प्रमाण प्राप्त हुए हैं। खोह से प्राप्त एक मुखी मूर्तियों में कोसाम से प्राप्त शिव-पार्वती की मूर्ति महत्वपूर्ण है। गुप्तकाल में ही अर्धनारीश्वर के रूप में शिव की कल्पना की गई तथा शिव और पार्वती की संयुक्त मूर्तियाँ बनायी गई। यहाँ पार्वती शिव की शक्ति की प्रतीक हैं। गुप्तकाल में हरिहर के रूप में शिव व विष्णु को एक साथ दर्शाया गया है। इसी तरह त्रिमूर्ति के अन्तर्गत ब्रह्मा, विष्णु और शिव की पूजा प्रारम्भ हुई।

वामन पुराण में शैव धर्म के चार सम्प्रदायों का उल्लेख है—पाशुपत, शैव, कापालिक, कालामुख। इसमें पाशुपत सम्प्रदाय का गुप्तकाल में सर्वाधिक विकास हुआ। मथुरा में महेश्वर नामक शैव सम्प्रदाय का पता चलता है।

**सूर्य पूजा :** गुप्तकाल में सूर्य-पूजा का भी उल्लेख मिलता है। मन्दसौर शिलालेख के प्रारम्भिक श्लोकों में सूर्य की उपासना की गई है। इसी तरह स्कन्दगुप्त के काल का इन्दौर ताम्रलेख सूर्य पूजा से प्रारम्भ होता है। इसके अनुसार बुलन्दशहर जिले के माडास्यात नामक बस्ती में भगवान सूर्य का एक मंदिर था। इन्दौर ताम्रलेख में ही दो क्षत्रियों द्वारा अन्तर्वेदी (गंगा-यमुना दोआब का क्षेत्र) में एक सूर्य मंदिर के निर्माण और एक ब्राह्मण द्वारा मंदिर में नित्य दीप जलाने की व्यवस्था का भी उल्लेख है। मिहिरकुल के ग्वालियर लेख के अनुसार मातृचेट नामक नागरिक ने ग्वालियर में एक प्रस्तर सूर्य मंदिर का निर्माण किया था। अभिलेखों में सूर्य के विभिन्न नाम मिलते हैं जैसे—लोकार्क, भाष्कर, आदित्य, वरुणस्वामी, मार्तक इत्यादि।

इस प्रकार निम्नलिखित स्थानों पर सूर्य मंदिर का उल्लेख है :

1. मालवा
2. बुलन्दशहर
3. अन्तर्वेदी (गंगा-यमुना दोआब)
4. मूलस्थानपुर (ह्वेनसांग ने उल्लेख किया है)

**बौद्ध धर्म :** गुप्तकाल में बौद्ध धर्म भी विकसित अवस्था में था। फाह्यान के अनुसार इस समय कश्मीर, अफगानिस्तान और पंजाब बौद्ध धर्म के केन्द्र थे। बोधगया भी बौद्ध धर्म का प्रसिद्ध केन्द्र था, जहाँ लंका के बौद्ध यात्रियों के लिए विहार बनवाया गया था। पाटलिपुत्र, मथुरा, कौशाम्बी और सारनाथ भी बौद्ध धर्म के प्रसिद्ध केन्द्र थे। कुमारगुप्त ने नालन्दा में प्रसिद्ध बौद्ध विहार की स्थापना करवाई। फाह्यान के अनुसार पूर्वी भारत के प्रसिद्ध बौद्ध नगर वैशाली, श्रावस्ती और कपिलवस्तु गुप्त युग में समृद्ध नहीं थे।

साँची के एक लेख के अनुसार चन्द्रगुप्त विक्रमादित्य ने आम्रकाद्दव नामक एक बौद्ध को उच्च पद पर नियुक्त किया था। उसने काकनादबार के महाविहार को 25 दीनार दान में दिया था। गुप्तकाल में कई प्रसिद्ध बौद्ध आचार्यों का उल्लेख है जिसमें आर्यदेव, असंग, वसुबंधु और मैत्रेयनाथ प्रमुख थे। दिङ्नाग तर्कशास्त्र मत के प्रणेता थे। योगाचार दर्शन का गुप्तकाल में अत्यधिक विकास हुआ। आर्यदेव ने चतुश्शतक और असंग ने महायान संग्रह, योगाचार भूमिशास्त्र और महायानसूत्रालंकार नामक बौद्ध ग्रंथों की रचना की।

**जैन धर्म :** गुप्तकाल में जैन धर्म उन्नत अवस्था में था। इस समय जैन ग्रंथों पर भाष्य और टीकाएं लिखी गई। मुनि सर्वनन्दी ने लोक विभंग नामक ग्रंथ लिखा। आचार्य सिद्धसेन ने न्यायवार्ता की रचना की जिससे, जैन दर्शन और न्यायदर्शन के विकास में सहयोग मिला।

गुप्त युग में कदंब और गंग राजाओं ने जैन धर्म को आश्रय दिया। कुमारगुप्त प्रथम के उदयगिरि लेख से पता चलता है कि शंकर नामक व्यक्ति ने पार्श्वनाथ की मूर्ति स्थापित की थी। मथुरा और वल्लभी श्वेताम्बर जैन धर्म के केन्द्र थे, जबकि बंगाल में पुण्ड्रवर्धन दिगम्बर सम्प्रदाय का केन्द्र था। मथुरा के एक अभिलेख के अनुसार कुमारगुप्त प्रथम के शासनकाल में हरिस्वामिनी नामक एक महिला ने किसी जैन मंदिर को दान दिया था।

## वाकाटक

सातवाहनों के उपरांत वाकाटक दक्कन की महत्वपूर्ण शक्ति के रूप में उभरे। तीसरी शताब्दी ई. से छठी शताब्दी ई. तक दक्षिणापथ में शासन करने वाले समस्त राजवंशों में वाकाटक वंश सर्वाधिक सम्मानित एवं सुसंस्कृत था। मगध के चक्रवर्ती गुप्तवंश के समकालीन इस राजवंश ने मध्य भारत तथा दक्षिण भारत के ऊपरी भाग में शासन किया। इनका मूल निवास स्थान बरार (विदर्भ) में था। वाकाटक वंश का संस्थापक विंध्यशक्ति

था। इसको शिलालेखों में वाकाटक वंशकेतु कहा गया है। वह विष्णु वृद्धि गोत्र का ब्राह्मण था। विंध्यशक्ति की तुलना इन्द्र एवं विष्णु से की जाती थी। सम्भवतः वाकाटकों का दक्कन प्रदेश में तीसरी शताब्दी से लेकर पांचवीं शताब्दी तक शासन रहा।

विंध्यशक्ति का पुत्र एवं उत्तराधिकारी हरितिपुत्र प्रवरसेन ही एक मात्र वाकाटक वंश का राजा था, जिसे 'सम्राट' की पदवी मिली थी। उसके समय में वाकाटक राज्य का विस्तार बुन्देलखण्ड से प्रारम्भ होकर दक्षिण में हैदराबाद तक हुआ।

प्रवरसेन को 7 प्रकार के यज्ञ—अग्निष्टोम, अप्तोर्यम, वाजपेय, ज्योतिष्टोम, बृहस्पति, शड्यस्क और अश्वमेध करने का श्रेय प्राप्त है। प्रवरसेन ने चार अश्वमेध यज्ञ भी किये।

पुराणों में प्रवरसेन के चार पुत्रों का उल्लेख मिलता है, पर उसके दो पुत्रों द्वारा ही शासन करने का प्रमाण उपलब्ध है। प्रवरसेन का राज्य उसकी मृत्यु के बाद उसके पुत्रों—गौतमीपुत्र एवं सर्वसेन में बँट गया। गौतमी पुत्र के राज्य का केन्द्र नंदिवर्धन (नागपुर) एवं सर्वसेन का केन्द्र बरार में था। गुप्त सम्राट चन्द्रगुप्त द्वितीय ने अपनी पुत्री प्रभावती का विवाह वाकाटक नरेश रुद्रसेन द्वितीय से किया। रुद्रसेन द्वितीय पृथ्वीसेन प्रथम का पुत्र एवं उत्तराधिकारी था। कालान्तर में रुद्रसेन के मरने के बाद करीब 13 वर्ष तक प्रभावती गुप्त ने अल्पवयस्क पुत्र की संरक्षिका के रूप में अपने पिता के सहयोग से शासन किया। प्रभावती के पुत्र दामोदर सेन ने 'प्रवरसेन' की उपाधि धारण की। इसने 'प्रवरपुर' नगर की स्थापना की।

वाकाटक नरेश प्रवरसेन द्वितीय की रुचि साहित्य में भी थी। उन्होंने 'सेतुबंध' नामक ग्रंथ की रचना की। प्रवरसेन द्वितीय का पुत्र नरेन्द्रसेन उसका उत्तराधिकारी बना। नरेन्द्र के बाद पृथ्वीसेन द्वितीय गद्दी पर बैठा। उसे वंश के खोये हुए भाग्य को निर्मित करने वाला कहा गया। शायद पृथ्वीसेन ने 'पद्मपुर' को अपनी राजधानी बनाई (प्रो. मीराशी के अनुसार)। वाकाटकों की इस शाखा का अस्तित्व 480 ई. तक रहा।

वाकाटकों की वत्स-गुल्म या अमुख्य शाखा का संस्थापक प्रवरसेन प्रथम का पुत्र सर्वसेन था। उसने वत्सगुल्म को अपनी राजधानी बनाकर 'धर्ममहाराज' की उपाधि धारण की। उसे प्राकृत ग्रंथ 'हरिविजय' एवं 'गाथासप्तशती' के कुछ अंशों का लेखक माना जाता है।

सर्वसेन के उत्तराधिकारी विंध्यसेन द्वितीय ने 'विंध्यशक्ति द्वितीय' एवं धर्म महाराज की उपाधि धारण की। विध्यशक्ति द्वितीय का पुत्र प्रवरसेन द्वितीय एक उदार शासक था।

प्रवरसेन द्वितीय के बाद देवसेन एवं हरिषेण राजा हुआ। हरिषेण के समय वाकाटक राज्य की सीमायें मालवा से दक्षिण में कुन्तल तक एवं पूर्व में बंगाल की खाड़ी से पश्चिम में अरब सागर तक फैली थीं। वाकाटक साम्राज्य इस समय अपने चरमोत्कर्ष पर था। इसकी मृत्यु के बाद वाकाटक वंश का इतिहास अंधकार में है।

सम्भवतः कलचुरी वंश के द्वारा वाकाटक वंश का अन्त किया गया वाकाटक वंश के अधिकांश शासक शैव धर्म के अनुयायी थे, हालांकि रुद्रसेन द्वितीय विष्णु की पूजा करता था।

प्रवरसेन द्वितीय ने महाराष्ट्रीय लिपि में 'सेतुबन्ध' ग्रंथ, जिसे 'रावणवहो' भी कहा जाता था, की रचना की।

भवन निर्माण कला एवं मूर्ति कला की दृष्टि से विदर्भ का टिगोवा एवं नचना का मंदिर उल्लेखनीय है। टिगोवा मंदिर में गंगा, यमुना की मूर्तियाँ स्थापित हैं। अजन्ता की विहार गुफा संख्या 16, 17 एवं चैत्य गुफा संख्या 19 का निर्माण वाकाटकों के समय में हुआ। गुफा 16 का निर्माण हरिषेण के योग्य मंत्री वराहदेव ने करवाया। फर्गुसन महोदय ने गुफा संख्या 19 को भारत के बौद्ध कला का सर्वश्रेष्ठ उदाहरण बताया है।

## पुष्यभूति वंश

पुष्यभूति वंश का इतिहास हमें साहित्य, पुरातत्व तथा विदेशी विवरणों से ज्ञात होता है।

### साहित्य

**हर्षचरित :** यह हर्ष के दरबारी कवि बाणभट्ट की रचना है। ऐतिहासिक विषय पर गद्यकाव्य लिखने का यह प्रथम सफल प्रयास था। इसमें हर्ष के पूर्वज, प्रारम्भिक जीवन, राज्यारोहण, सैनिक अभियान के अलावा कवि बाणभट्ट ने अपनी आत्मकथा लिखी है।

**कादम्बरी :** यह भी बाणभट्ट की कृति है, इसे संस्कृत साहित्य का श्रेष्ठ उपन्यास माना जाता है। इसके अध्ययन से हमें हर्ष कालीन सामाजिक एवं धार्मिक दशा का ज्ञान प्राप्त होता है।

**आर्यमन्जुश्रीमुल्क :** यह एक प्रसिद्ध महायान बौद्ध ग्रन्थ है। इसमें एक हजार श्लोक हैं जिसके अन्तर्गत ई.पू. सातवीं शताब्दी से लेकर आठवीं शताब्दी ई. तक का प्राचीन भारत का इतिहास वर्णित है। इसमें हर्ष के लिए 'ह' शब्द प्रयोग किया गया है।

**हर्ष के ग्रन्थ :** हर्ष को स्वयं तीन नाटकों को लिखने का श्रेय प्राप्त है :

1. **प्रियदर्शिका :** यह चार अंकों का नाटक है जिसमें वत्सराज उदयन के अन्तःपुर की प्रणय कथा का वर्णन है।
2. **रत्नावली :** इसमें चार अंक हैं। यह नाटक की कथावस्तु सिंहल द्वीप की राजकुमारी रत्नावली और वत्सराज उदयन की प्रेमकथा है।
3. **नागानन्द :** यह बौद्ध धर्म से प्रभावित रचना है। इसमें आठ अंक हैं।

गुप्त साम्राज्य के पतन के बाद हरियाणा के अम्बाला जिले में स्थानेश्वर नामक स्थान पर पुष्यभूति वंश की स्थापना हुई। इस वंश में नरवर्धन, राज्यवर्धन, आदित्यवर्धन एवं प्रभाकरवर्धन शासक हुए। प्रभाकरवर्धन के दो पुत्र राज्यवर्धन एवं हर्षवर्धन तथा एक पुत्री राज्यश्री थी। राज्यश्री का विवाह कन्नौज के मौखरि वंश के शासक ग्रहवर्मा के साथ हुआ था। मालवा के शासक देवगुप्त ने बंगाल के शासक शशांक के साथ मिलकर कन्नौज के मौखरि शासक ग्रहवर्मा की हत्या कर दी और उसकी पत्नी

राज्यश्री को बन्दी बना लिया। इस घटना को सुनकर राज्यवर्धन देवगुप्त और शशांक से बदला लेने के लिए चल पड़ा। उसे देवगुप्त को पराजित करने में सफलता मिली परन्तु शशांक ने धोखे से उसकी हत्या कर दी। इन्हीं परिस्थितियों में हर्ष स्थानेश्वर की गद्दी पर बैठा।

**हर्षवर्धन** (606 ई.–647 ई.) : हर्षवर्धन 606 ई. में थानेश्वर का शासक बना। गद्दी पर बैठने के बाद उसका पहला कार्य अपने भाई के हत्यारे शशांक से बदला लेना तथा बहन राज्यश्री को उसके कैद से आजाद करवाना था। इसी बीच हर्ष के ममेरे भाई भण्डि ने सूचना दी कि राज्यश्री कैद से निकलकर विन्ध्य के पर्वतों में भाग गई है। हर्ष ने एक बौद्ध भिक्षु दिवाकर मित्र की सहायता से विन्ध्य के जंगलों में राज्यश्री को तब ढूँढ़ निकाला जब वह सती होने जा रही थी। राज्यश्री की रक्षा करके हर्षवर्धन कन्नौज लौटे और उन्होंने अपनी राजधानी स्थानेश्वर से कन्नौज स्थानान्तरित कर दी। हर्ष ने केवल शशांक से बदला ही नहीं लिया, अपितु अपनी शक्ति का प्रसार उत्तरी भारत के अन्य राज्यों में भी किया।

उत्तरी भारत में अपनी सत्ता स्थापित करने के बाद हर्ष दक्षिण की ओर उन्मुख हुआ। इस समय दक्षिण में वातापी के प्रसिद्ध शासक पुलकेशिन द्वितीय शासन कर रहा था। उसके ऐहोल अभिलेख से पता चलता है कि उसने हर्षवर्धन को पराजित किया।

हर्ष को उत्तर भारत का अन्तिम हिंदु सम्राट माना जाता है, लेकिन वह न तो कट्टर हिन्दू था और न सारे देश का शासक। उसका राज्य कश्मीर को छोड़कर समस्त उत्तर भारत में फैला हुआ था। हर्ष के दरबार में बाणभट्ट के अलावा मयूर नामक विद्वान भी था जिसने अपने कुष्ठ रोग को ठीक करने के लिए भगवान शिव की उपासना में 'मयूरशतक' अथवा 'सूर्यशतक' की रचना की। हर्ष के दरबार में ही हरिदत्त और जयसेन जैसे प्रसिद्ध विद्वान थे।

**ह्वेनसांग** (629 ई–645 ई.) : ह्वेनसांग चीनी यात्री था, जो बौद्ध ग्रन्थों का संकलन करने के लिए ईसा की सातवीं सदी में भारत आया और लगभग 15 वर्ष इस देश में रहा। उसने अपने यात्रा संस्मरण को एक पुस्तक के रूप में सी-यू की नाम से संकलित किया है। ह्वेनसांग के अन्य नाम हैं—'शाक्यमुनि' एवं 'यात्रियों के राजकुमार'।

**नालन्दा विश्वविद्यालय :** इस विश्वविद्यालय की स्थापना कुमारगुप्त प्रथम के समय में हुई। ह्वेनसांग के समय यहाँ के प्राचार्य शीलभद्र थे। यहाँ चिकित्सा शास्त्र की शिक्षा अनिवार्य थी। इसके अतिरिक्त महायान बौद्ध धर्म, गणित, दर्शन, ज्योतिष आदि की भी शिक्षा दी जाती थी।

हर्ष के समय में प्रयाग में प्रति पांचवें वर्ष एक समारोह का आयोजन किया जाता था जिसे 'महामोक्षपरिषद्' कहा जाता है। हर्ष निश्चित समय के बाद धार्मिक प्रचार के लिये बड़ी-बड़ी सभाओं का आयोजन कन्नौज में करवाता था। कन्नौज में एक सभा में ह्वेनसांग भी शामिल हुआ, उसने महायान पर प्रवचन दिया। इस सभा की अध्यक्षता को लेकर आरम्भ से ही विवाद था। जब इस सभा का संचालन चल रहा था, ब्राह्मणों ने इसमें उत्पात मचा दिया। बाद में 500 ब्राह्मणों को निर्वासित किया गया। हर्ष पर टिप्पणी करते हुए प्रसिद्ध इतिहासकार राधाकुमुद मुखर्जी ने लिखा है कि हर्ष में अशोक और समुद्रगुप्त दोनों का मिश्रण था।

# गुप्तकालीन क्षेत्रीय राज्य

## कदम्ब राजवंश

चतुर्थ शताब्दी ईस्वी के मध्य से कदम्बों का दक्षिणापथ के दक्षिण-पश्चिम में उत्कर्ष हुआ। इस समय समुद्रगुप्त के दक्षिणापथ-अभियान के परिणामस्वरूप कांची के पल्लवों की शक्ति अत्यन्त क्षीण हो चुकी थी। कदम्ब लोग मानव्यगोत्रीय ब्राह्मण थे जो अपने को हारीति-पुत्र कहते थे। उनका मुख्य कार्य वेदों का अध्ययन तथा वैदिक यज्ञों का अनुष्ठान करना था। पहले वे पल्लवों की अधीनता स्वीकार करते थे। इस वंश के मयूरशर्मन ने पल्लवों के विरुद्ध विद्रोह किया तथा अपनी स्वतंत्रता घोषित कर दी। वह कदम्ब वंश का संस्थापक था। मयूरशर्मन ने पल्लवों के सीमान्त अधिकारियों को परास्त कर श्रीपर्वत के आस-पास के घने वनों पर अधिकार कर लिया। कालान्तर में पल्लव राजाओं ने उससे मैत्री-सम्बन्ध स्थापित किया तथा उसे स्वतन्त्र शासक स्वीकार कर लिया तथा पश्चिमी समुद्र एवं प्रेहरा (संभवतः तुंगभद्रा अथवा मलप्रभा नदी के बीच के भूभाग पर) उसका प्रभुत्व मान लिया। बाद की कथाओं में मयूरशर्मन को अठारह अश्वमेध यज्ञों का अनुष्ठान करने वाला कहा गया है। बनवासी (वैजयन्ती) उसकी मुख्य राजधानी तथा पालासिका उप-राजधानी थी। मयूरशर्मन ने लगभग 345 ई. से 360 ई. तक शासन किया।

कदम्बवंशी शासकों की वंशावली हमें एकमात्र तालगुण्ड स्तम्भलेख से ज्ञात होती है। मयूरशर्मन के पश्चात् काकुत्सवर्मन इस कुल का सर्वाधिक शक्तिशाली राजा हुआ। उसके पूर्व तीन राजाओं के नाम हमें ज्ञात होते हैं—कंगवर्मन, भगीरथ तथा रघु। उन्होंने 425 ई. तक शासन किया। परन्तु उनके शासनकाल की प्रमुख घटनाओं के विषय में हमें बहुत कम ज्ञात है। कंगवर्मन के विषय में यह बताया गया है कि उसने बासीम शाखा के वाकाटक नरेश विंध्यसेन के कुन्तल राज्य पर आक्रमण का सफलतापूर्वक प्रतिरोध किया था। संभवतः भागीरथ (385-410 ई.) के काल में ही गुप्तशासक चन्द्रगुप्त द्वितीय विक्रमादित्य ने कालिदास के नेतृत्व में अपना एक दूत-मण्डल कुन्तल नरेश के दरबार में भेजा था। भागीरथ के बड़े पुत्र रघु को अनेक शत्रुओं का विजेता कहा गया है। उसके शासन के अन्त में उसका छोटा भाई काकुत्सवर्मन 425 ई. में राजा बना। तालगुण्ड प्रशस्ति में काकुत्सवर्मन की शक्ति की बड़ी प्रशंसा की गयी है। उसका शासन-काल अत्यन्त समृद्धिशाली था तथा उसने अपनी कन्याओं का विवाह वाकाटक तथा गुप्त राजवंशों में किया था। उसने तालगुण्ड में एक विशाल तालाब खुदवाया था। काकुत्सवर्मन ने 450 ई. तक शासन किया।

काकुत्सवर्मन का उत्तराधिकारी उसका पुत्र शान्तिवर्मन (450-475 ई.) हुआ। उसे अत्यन्त यशस्वी शासक बताया गया है जो तीन ताज (पट्टत्रय) धारण करता था। उसके पुत्र मृगेश के एक लेख से पता चलता है कि उसने अपने शत्रुओं की महिलाओं को उनके महलों से बलपूर्वक खींच निकाला था। शान्तिवर्मन के काल में कदम्ब राज्य को पल्लवों से खतरा बना हुआ था। अतः उसने अपने राज्य के दक्षिणी भाग को अपने छोटे भाई कृष्णवर्मन की अधीनता में कर दिया। यह स्पष्टतः राज्य का विभाजन था। कृष्णवर्मन ने अश्वमेध यज्ञ किया था। वह पल्लवों के साथ

युद्ध में मार डाला गया। उसका पुत्र विष्णुवर्मा पल्लवों द्वारा अभिषिक्त किया गया।

शान्तिवर्मन के बाद उसका पुत्र मृगेशवर्मन (470-488 ई.) शासक बना। उसका बनवासी तथा पलाशिका दोनों पर अधिकार था। गङ्ग तथा पल्लव शासकों के विरुद्ध उसे सफलता प्राप्त हुई। वह अपनी विद्वता तथा बुद्धिमत्ता के लिये प्रसिद्ध था। वह एक कुशल सैनिक भी था जिसे घोड़े तथा हाथियों की सवारी का बड़ा शौक था। उसने अपने पिता की स्मृति में पलाशिका में एक जैन-मन्दिर का निर्माण करवाया था तथा उसे उदारतापूर्वक दान दिया था। मृगेश के बाद रविवर्मा (500-538 ई.) एक महत्वपूर्ण शासक हुआ। हल्सी लेख से पता चलता है कि उसने विष्णुवर्धन तथा अन्य राजाओं को युद्ध में मार डाला एवं पलाशिका से पल्लवों को निकाल कर वहाँ अपना अधिकार जमा लिया। उसकी विजयों के फलस्वरूप समस्त प्राचीन कदम्ब राज्य पर उसका अधिकार पुनः स्थापित हो गया।

रविवर्मा का उत्तराधिकारी हरिवर्मा (538-550 ई.) बना। वह शान्त प्रकृति का शासक था। उसके राज्यकाल में 545 ई. के लगभग चालुक्य नरेश पुलकेशिन प्रथम ने कदम्ब राज्य के उत्तरी भाग को जीत लिया तथा बादामी में अपनी राजधानी बनाई। कदम्बों में पारिवारिक कलह के कारण एकता नहीं थी। उनकी छोटी शाखा (जिसकी स्थापना दक्षिण में कृष्णवर्मा प्रथम ने की थी) के कृष्णवर्मा द्वितीय (550-556 ई.) ने वैजयन्ती पर आक्रमण कर वहाँ अपना अधिकार कर लिया और इस प्रकार बड़ी शाखा के अन्तिम शासक हरिवर्मा का अन्त हुआ। कृष्णवर्मा द्वितीय अथवा उसके पुत्र अजवर्मा के समय में पुलकेशिन प्रथम के पुत्र कीर्तिवर्मा ने बनवासी को अन्तिम रूप से जीतकर अपने राज्य में मिला लिया। इस प्रकार कदम्ब-राज्य की स्वाधीनता का अन्त हुआ।

## ■। पल्लव राजवंश

भारत के सुदूर दक्षिण में पल्लव और चोल राजवंशों का उदय हुआ। सुदूर दक्षिण के इस प्रदेश को तमिलप्रदेश कहते हैं। दक्षिण भारत की परंपरागत शक्तियाँ—चेर, पांड्य और चोल मानी जाती हैं। पल्लवों की गणना इनमें नहीं होती अतः कुछ विद्वानों का मत है कि वे उत्तर पश्चिम भारत के पह्लवों (पल्लव) अथवा पार्थियनों (पार्थव) की शाखा है। उनका कहना है कि पुराणों के अनुसार पह्लव पतित क्षत्रिय थे जो फारस और सिंधु प्रदेश में बसते थे। सगर ने उन्हें पराजित किया था क्योंकि इनकी वैदिक धर्म में आस्था नहीं थी। किन्तु विश्वामित्र की मध्यस्थता के कारण सगर के द्वारा उनका समूल नाश नहीं किया गया। यही पहली सदी में भारत में घुस आए और रूद्रदामन और वासिष्ठिपुत्र पुलमावि के समय में पार्थियन कहलाने लगे। लेकिन यह विचार ठीक नहीं है। कुछ अन्य विद्वानों ने उन्हें चोल वंश से उत्पन्न बताया है। आधुनिक मान्यता के अनुसार वे भारत के मूल निवासी थे। उनका मूल स्थान टोण्डियार था। तमिल शब्द 'टोण्डियर' को 'संस्कृत में पल्लव कहा गया है। इसी के आधार पर यह वंश पल्लव वंश कहलाया।

इनके कुल के बारे में एक अन्य मत काशी प्रसाद जायसवाल का है जिन्होंने इन्हें न तो विदेशी माना है न ही द्रविड़ वरन् उत्तर के ऐसे ब्राह्मण जिन्होंने सैनिक वृत्ति अपना ली थी और जो वाकाटकों की एक शाखा थे।

### *प्रमुख शासक*

पल्लव वंश की स्थापना बप्पदेव ने तीसरी या चौथी सदी में की थी। उसका अधिकार क्षेत्र धान्यकटक और काँची था। उसके पुत्र शिवस्कंदवर्मन ने इसका विस्तार दक्षिण की ओर किया। उसने ''धर्म महाराज'' की उपाधि धारण की। इसे विजय स्कन्दवर्मन भी कहते थे। प्रयाग स्तंभ लेख में हमें एक और शासक विष्णु गोप (350 ई.–375 ई.) का नाम मिलता है। जब समुद्रगुप्त ने दक्षिण भारत पर आक्रमण किया था तो विष्णुगोप काँची का शासक था। पल्लवों का उत्कर्ष छठी सदी के अंतिम चरण में सिंह विष्णु के सिंहासन पर बैठने से शुरू होता है।

1. **सिंह विष्णु (575-600 ई.) :** सिंह विष्णु ने पल्लव साम्राज्य को कावेरी तक विस्तृत कर दिया। उसने ''सिंह विष्णुपोत्तारायण'' की उपाधि धारण की। वह कला और साहित्य का संरक्षक था। संस्कृत के महान कवि भारवि (किरातार्जुनीयम के रचयिता) उसके दरबार में थे। उसी के काल में महाबलीपुरम कला का केन्द्र बना। उसने वहाँ आदिवाराह मंदिर बनवाया। वह विष्णु का उपासक था।
2. **महेन्द्र वर्मन प्रथम (600-630 ई.) :** इसके समय पल्लवों और चालुक्यों के बीच वर्चस्व की लड़ाई हुई। पल्लवों ने कदम्बों के साथ मिलकर चालुक्य शासक पुलकेशिन द्वितीय की शक्ति विस्तार को रोकने का प्रयास किया किन्तु सफलता नहीं मिली। पुलकेशिन ने पल्लव साम्राज्य के काफी अन्दर तक प्रवेश किया और उत्तरी प्रांत वेगी छीन ली। यहीं पर उसने चालुक्यों की एक नई शाखा की स्थापना की और अपने भाई विष्णुवर्धन को वहाँ का शासक नियुक्त किया। महेन्द्रवर्मन किसी प्रकार काँची की रक्षा कर पाया।

   महेन्द्रवर्मन प्रथम साहित्य और कला प्रेमी था। वस्तुतः वह स्वयं एक अच्छा कवि और गायक था। उसने संस्कृत में ''मत्तविलास-प्रहसन'' की रचना की। संगीत-विद्या पर एक प्रसिद्ध पुस्तक ''कुदम्मिलयै'' की रचना संभवतः उसी ने की थी।

   उसने त्रिचनापल्ली, चिंगिलपुट और अर्काट में बहुत से मंदिरों का निर्माण करवाया जो पहाड़ों की चट्टानों को काटकर बनाये गये थे। महेन्द्र वर्मन प्रथम, को ही दक्षिण भारत में प्रथम दरी-मंदिर बनवाने का श्रेय प्राप्त है। इन मंदिरों की विशेषता उनके त्रिमुखी स्तंभ हैं।

   यह शुरू में जैन धर्म का अनुयायी था लेकिन संत अप्पार के प्रभाव में शैव बन गया। संत अप्पार के प्रचार से शैव धर्म का काफी प्रचार व प्रसार हुआ।
3. **नरसिंह वर्मन-प्रथम (630-668 ई.) :** महेन्द्र वर्मन-प्रथम का पुत्र नरसिंह वर्मन-प्रथम, पल्लव वंश का एक महान शासक था। उसके काल में भी चालुक्य-पल्लव संघर्ष हुआ किन्तु इस बार

परिणाम भिन्न था। जब पुलकेशिन-प्रथम ने नरसिंह वर्मन-प्रथम के साम्राज्य पर आक्रमण किया तो नरसिंह वर्मन ने चालुक्यों पर आक्रमण किया और उनकी राजधानी बादामी (वातापी) पर अधिकार कर लिया। इन्हीं युद्धों में पुलकेशिन मारा गया और पल्लव शासक ने अपने शक्ति का प्रयोग कर चालुक्यों के राज्य के दक्षिण भाग पर कब्जा किया और राज्य विस्तार मैसूर तक कर लिया। इसके बाद उसने ''वातापीकोंड'' की उपाधि धारण की। इसके पश्चात् उसने चोलों, चेरों और पाड्यों को भी पराजित किया। उसने श्रीलंका के राजकुमार मानवर्मा को श्रीलंका का राजा बनाया।

665 ई. में चालुक्य शासक विक्रमादित्य ने नरसिंह वर्मन-प्रथम को पराजित किया और चालुक्यों के प्रदेश पुनः प्राप्त कर लिया।

उसने महाबलीपुरम में अनेक मंदिरों का निर्माण कराये जो रथ मंदिरों के नाम से प्रसिद्ध है। ह्वेन सांग ने इसके शासनकाल में काँची की यात्रा की और यहाँ का सुन्दर वर्णन किया है। इसके उपरांत इसका पुत्र महेन्द्रवर्मन-द्वितीय (668-670 ई.) सिंहासन पर बैठा। वह दो वर्षों तक ही शासन कर सका।

4. **परमेश्वर वर्मन-द्वितीय (670-695 ई.)** : महेन्द्रवर्मन-द्वितीय के उपरांत उसका पुत्र परमेश्वर वर्मन-प्रथम शासक बना। उसके समय चालुक्य शासक विक्रमादित्य-प्रथम ने पल्लवों पर आक्रमण किया और काँची विजित कर लिया। किन्तु त्रिचनापल्ली के तरफ बढ़ने पर उसे परमेश्वर वर्मन-प्रथम के हाथों पराजित होना पड़ा और वह लौट गया। इस प्रकार उसने पल्लव साम्राज्य की रक्षा की। उसने ''श्रीभर'', ''लोकादित्य'' आदि उपाधि धारण किए। वह शिव उपासक था और उसने अनेक मंदिर बनवाया।

5. **नरसिंह वर्मन-द्वितीय (695-720 ई.)** : इसका काल शांति का काल रहा। इसने राज्य को समृद्ध बनाया। उसने चीनी सम्राट के दरबार में अपना राजदूत भेजा। उसने काँची के कैलाशनाथ मंदिर का निर्माण कराया। इसी ने काँची में ही ऐरावतेश्वर मंदिर और महाबलिपुरम का तथाकथत ''शोर मंदिर'' का निर्माण कराया। उसने ''वीणा-नारद'', 'विद्या-विद्याधर'' आदि उपाधियाँ धारण की थी।

   वह विद्वानों का संरक्षक था और प्रसिद्ध कवि दण्डिन उसी के दरबार में थे। उन्होंने ''दशकुमार चरित'' की रचना की।

6. **परमेश्वर वर्मन-द्वितीय (721-730 ई.)** : नरसिंह वर्मन-द्वितीय की मृत्यु के बाद उसका पुत्र परमेश्वरवर्मन-द्वितीय शासक बना। इसके काल के विषय में जानकारी का अभाव है। फिर भी स्रोतों से पता चलता है कि चालुक्य शासक विक्रमादित्य-द्वितीय ने जब काँची पर आक्रमण किया तो परमेश्वर वर्मन ने उसे धन देकर वापस किया।

7. **नंदिवर्मन-द्वितीय (730-795 ई.)** : यह चुनाव द्वारा शासक बनाया गया था। उसने पल्लवों की स्थिति सुधारने की कोशिश की। इसके काल में पल्लव-पांड्य संघर्ष काफी लंबे समय तक चला। प्रथम-पांड्य-शासक राजसिंह ने उसके राज्य पर हमला किया किन्तु नंदिवर्मन-द्वितीय ने उसको निष्फल कर दिया। इसके बाद भी यह संघर्ष जारी रहा और अंततः पांड्य शासक परांतक ने नंदिवर्मन से कोंगु छीनने में सफलता प्राप्त की। चालुक्य शासक विक्रमादित्य-द्वितीय ने भी एक बार फिर काँची पर हमला किया और उसे लूटा। विक्रमादित्य-द्वितीय के पुत्र कीर्तिवर्मन ने भी पल्लव राज्य पर आक्रमण किया और उसे लूटा।

   750 ई. में दंतिदुर्ग (राष्ट्रकूट) ने भी पल्लवों पर आक्रमण किया और नंदिवर्मन को परास्त किया। नंदिवर्मन-द्वितीय ने अपनी पुत्री का विवाह दंतिदुर्ग से कर दिया। अपने शासन के अंतिम दिनों में नंदिवर्मन को ध्रुव (राष्ट्रकूट) को भी धन देकर वापस लौटाना पड़ा। इस सारे आक्रमणों से पल्लवों की शक्ति काफी कम हो गई और वे दुर्बल गए। नंदिवर्मन ने काँची में मुक्तेश्वर मंदिर का निर्माण कराया।

   **पल्लवों का पतन** : नंदिवर्मन-द्वितीय के पश्चात् दंतिवर्मन (795-828 ई.) शासक बना। उसके समय राष्ट्रकूटों और पांड्यों ने पल्लवों पर आक्रमण किया और कई प्रदेश छीन लिये। पांड्यों ने पल्लवों से कावेरी क्षेत्र छीन लिया।

   दंतिवर्मन के उपरांत नंदिवर्मन-तृतीय (845-866 ई.) ने चोल, चेर और पांड्यों को पराजित किया। उसने अमोघवर्ष की पुत्री ''शंखा'' से विवाह किया।

   नंदिवर्मन-तृतीय के उपरांत नृपतुंगवर्मन (866-879 ई.) शासक बना। उसने पांड्यों से युद्ध किया परन्तु मारा गया। इसके उपरांत अपराजित (879-893 ई.) शासक बना। यह पल्लव वंश का अंतिम शासक था। इसने 880 ई. में पांड्यों को पराजित किया। 893 ई. में चोल सामंत आदित्य ने उसकी हत्या कर पल्लव-साम्राज्य पर अधिकार कर लिया।

## *पल्लवों का महत्व*

भारतीय इतिहास में पल्लव वंश प्रमुख स्थान रखता है। काँची को अपनी सत्ता का केन्द्र बनाकर इस वंश ने करीब 300 वर्षों तक दक्षिण भारत के विस्तृत क्षेत्र पर शासन किया। सुदूर दक्षिण में आर्य या हिन्दू सभ्यता को पहुँचाने और विकसित करने का श्रेय पल्लवों को है। दक्षिण पूर्वी एशिया में भारतीय सभ्यता के प्रसार का कार्य भी पल्लवों के समय में हुआ।

**शासन** : पल्लवों की शासन व्यवस्था में सम्राट राज्य का प्रधान था। सारी शक्तियाँ उसी में केन्द्रित थी किन्तु शासक निरंकुश नहीं होते थे और प्रजा के हितों का पूरा-पूरा ध्यान रखते थे। सम्राट प्रजा की भलाई करना अपना प्रमुख कर्त्तव्य समझते थे। सम्राट की सहायता के लिए मंत्री और अधिकारी होते थे। राजा का पद वंशानुगत होता था। प्रशासनिक सुविधा के लिए साम्राज्य ''राष्ट्रों'' में, राष्ट्र ''कोट्टम'' में बँटे थे। गाँव प्रशासन की सबसे छोटी इकाई थी।

साम्राज्य → राष्ट्र → कोट्टम → गाँव।

**धर्म :** पल्लव शासक हिन्दु धर्म के अनुयायी थे। उन्होंने दक्षिण भारत में आर्य संस्कृति का प्रसार किया। 8वीं सदी में धार्मिक आंदोलन का केन्द्र पल्लवों की राजधानी काँची ही थी। काँची नगर हिन्दुओं के सात तीर्थ-नगरों में एक है। हिन्दु धर्म के अनुयायी होते हुए भी पल्लव शासक सहिष्णु थे। जैन धर्म और बौद्ध धर्म सुरक्षित रहे। पल्लवों ने अनेक हिन्दु मंदिरों का निर्माण कराया।

**साहित्य :** पल्लव शासकों के समय साहित्य ने प्रगति की। संस्कृत साहित्य ने विशेषरूप से प्रगति की। इसमें काँची विश्वविद्यालय का योगदान महत्वपूर्ण है। पल्लव शासक महेन्द्रवर्मन स्वयं विद्वान और विद्वानों का संरक्षक था। उसने स्वयं ''मत्तविलास प्रहसन'' नामक नाटक लिखा जिसमें कापालिकों, पाशुपतों, बौद्धों और अन्य संप्रदायों के धार्मिक जीवन पर व्यंगय किया गया है। सिंह विष्णु के दरबार में भारवि और नरसिंहवर्मन-द्वितीय के दरबार में दण्डिन जैसे विद्वान थे। तमिल साहित्य का विकास भी इस काल में हुआ।

**कला :** कला के क्षेत्र में पल्लव काल में बड़े-बड़े मंदिर, भवन, गुफा, चित्रकला आदि का विकास हमें देखने को मिलता है। इस काल में मंदिर निर्माण में पाषाण वास्तुकला की दक्षिण में शुरुआत हुई। पल्लवों के काल में अनेक मंदिर पहाड़ों की चट्टानों को काटकर बनाए गए जिसमें शिव, विष्णु आदि देवी-देवताओं की मूर्तियाँ प्रतिष्ठित की गयी। पल्लव वास्तुकला के अन्तर्गत मंदिर निर्माण स्थापत्य कला में चार शैलियों का विकास हुआ—महेन्द्र शैली, मामल्ल शैली, राजसिंह शैली तथा अपराजित शैली। महाबलीपुरम का रथ मंदिर, पाँच पांडवों का मंदिर, वाराह मंदिर, काँची का कैलाशनाथ मंदिर इस काल की कला के श्रेष्ठ नमूने हैं।

## बादामी के चालुक्य वंश

चालुक्यों की उत्पत्ति के विषय में भी मतभेद है। वराह मिहिर की 'बृहत्संहिता' में इन्हें शुलिक जाति का बताया गया है। पृथ्वीराज रासो के अनुसार इनकी उत्पत्ति भी राजपूतों के समान ही आबू पर्वत के अग्निकुंड से हुई। विल्हण का विक्रमांकदेवचरित इनकी उत्पत्ति भगवान ब्रह्मा के चुत्रक (हथेली) से मानता है। इतिहासकार स्मिथ इन्हें विदेशी मानते हैं। आधुनिक मतानुसार इस राजवंश का नाम चल्क्य था। ये एक स्थानीय जाति थे। ये परवर्ती सातवाहनों की सेवा में थे जहाँ वे उन्नति करते गए और अंततः साम्राज्य की स्थापना कर ली।

चालुक्यों की 4 शाखाएं थी परन्तु मुख्य शाखा बादामी (वातापी) के चालुक्यों की थी। ये शाखाएँ हैं :

1. बादामी के चालुक्य
2. बेंगी के चालुक्य
3. कल्याणी के चालुक्य
4. अन्हिलवाड़ा के चालुक्य

बादामी के चालुक्यों ने छठी सदी के मध्य में एक विस्तृत साम्राज्य, जो विन्ध्याचल पर्वत और कृष्णा नदी के बीच स्थित था, की स्थापना की।

### *प्रमुख शासक*

1. **जयसिंह :** कैरा ताम्रपत्र अभिलेख से ज्ञात होता है कि जयसिंह चालुक्य वंश का संस्थापक था। इसके उपरांत इसका पुत्र रणराग शासक बना।

2. **रणराग (520-550 ई.) :** जयसिंह का पुत्र रणराग 520 ई. में सिंहासन पर बैठा। यह गदा युद्ध में निपुण था और इसी कारण 'रणराग सिंह' की उपाधि धारण की।

3. **पुलकेशिन-प्रथम (550-566 ई.) :** यह चालुक्यों का प्रथम शक्तिशाली शासक था। यह रणराग का पुत्र था। उसे ही चालुक्यों का वास्तविक संस्थापक माना जाता है। उसने बादामी पर अधिकार किया और वहाँ एक किले का निर्माण किया। उसी ने वातापी को अपनी राजधानी बनाया। चालुक्य वंशीय अभिलेखों से ज्ञात होता है कि उसने कई अश्वमेध यज्ञ किए। उसने 'टण विक्रम'', ''सत्याश्रय'', ''धर्म महाराज'' जैसी उपाधियाँ धारण की थी।

4. **कीर्तिवर्मन-प्रथम (567-597 ई.) :** यह पुलकेशिन-प्रथम का पुत्र था और बड़ा ही महत्वाकांक्षी शासक था। इसने बनवासी के कदम्बों, कर्णल और कोंकण के मौर्यों को पराजित किया। महाकूर स्तंभ से प्रमाणित होता है कि इसने बहुसुवर्ण एवं अग्निष्टोम यज्ञ संपन्न करवाया। इसने 'पुरुदण पराक्रम'', ''सत्याश्रय'' आदि उपाधियाँ धारण की। इसकी मृत्यु (597 ई.) के समय इसका पुत्र अल्पवयस्क था। अतः इसका भाई मंगलेश शासक बना।

5. **मंगलेश (598-609 ई.) :** इसने भी कदम्बों पर आक्रमण किया और उन्हें समूल नष्ट कर दिया। उसने कलचूरियों को भी परास्त किया। वल्लभी नरेश ने मंगलेश द्वारा आरंभ किये गये विजय अभियान को रोकने का प्रयत्न किया। इसने ''रविक्रांत'', ''उरु रविक्रांत'' जैसी उपाधियाँ धारण की। ऐहोल अभिलेख से ज्ञात होता है कि मंगलेश अपने पुत्र को अपना उत्तराधिकारी बनाना चाहता था किन्तु कीर्तिवर्मन-प्रथम के पुत्र पुलकेशिन द्वितीय ने उसकी हत्या कर दी और सिंहासन पर कब्जा कर लिया।

6. **पुलकेशिन-द्वितीय (609-642 ई.) :** यह कीर्तिवर्मन-प्रथम का पुत्र था और इसने अपने चाचा मंगलेश की हत्या कर सिंहासन हासिल किया था। यह एक शक्तिशाली शासक था और उसके काल में चालुक्यों की शक्ति में काफी वृद्धि हुई। उसने दक्षिण के मैसूर के गंग और आलूप शासकों को परास्त किया और अपनी अधीनता स्वीकार कराने को विवश किया। उसने कोंकण के मौर्यों को पराजित किया और उनकी राजधानी राजपुरी (ऐलिफेन्टा) पर अधिकार कर लिया। उत्तर में उसने मालवा और गुर्जर-प्रतिहार शासकों को भी अधीनता स्वीकार करने पर विवश किया। पूर्व में कलिंगों को परास्त किया और पिष्टपुर को जीत कर अपने भाई विष्णुवर्धन को वहाँ का राज्यपाल

नियुक्त किया। यहीं पर विष्णुवर्धन ने बेंगी के चालुक्य वंश की स्थापना की। इनकी राजधानी पिष्टूपुर थी।

पुलकेशिन का सबसे महत्वपूर्ण विजय हर्ष के विरूद्ध था। जब हर्ष ने दक्षिण की ओर राज्य विस्तार का प्रयास किया तो पुलेकेशिन-द्वितीय ने उसे नर्मदा तट पर परास्त किया। इसके उपरांत हर्ष ने दक्षिण का रूख नहीं किया।

पुलकेशिन-द्वितीय के समय में चालुक्यों और पल्लवों का संघर्ष शुरू हुआ। पुलकेशिन ने पल्लव शासक महेन्द्रवर्मन-प्रथम पर आक्रमण किया और परास्त किया। उसने अपनी सीमा से लगे पल्लव क्षेत्रों को अपने राज्य में मिला लिया। उसने चोलों, चेरों और पांड्यों से मित्रता की जिससे वे पल्लवों के विरूद्ध उसके सहायक बने रहे।

लेकिन अपने शासन के अंतिम समय में उसे महेन्द्रवर्मन-प्रथम के पुत्र नरसिंह वर्मन-प्रथम के हाथों पराजय का सामना उस समय करना पड़ा जब उसने पल्लवों पर आक्रमण कर दिया।

पल्लव शासक नरसिंहवर्मन-प्रथम ने प्रति आक्रमण करते हुए न सिर्फ पुलकेशिन-द्वितीय को पराजित किया बल्कि उसे अपनी राजधानी वातापी से भी हाथ धोना पड़ा। इन्हीं युद्धों में पुलकेशिन-द्वितीय मारा भी गया। इस विजय के उपरांत नरसिंह वर्मन ने 'वातापीकोंड' की उपाधि धारण की।

पुलकेशिन-द्वितीय, बादामी के चालुक्यों का सर्वाधिक पराक्रमी और महान शासक था। इसने ''दक्षिणापथेश्वर'' की उपाधि धारण की थी। इसके अतिरिक्त इसने ''पृथ्वीवल्लभ'', ''सत्याश्रय'', ''भट्टारक'' आदि उपाधियाँ भी धारण की।

पुलकेशिन-द्वितीय की मृत्यु के उपरांत चालुक्यों की शक्ति को धक्का लगा और लगभग 13 वर्षों तक यह काल अंधेरे में रहा। इसके उत्तराधिकारी विक्रमादित्य-प्रथम ने स्थिति को संभाला। प्रसिद्ध कवि रविकीर्ति पुलकेशिन का दरबारी कवि था। उसने बादामी को शिक्षा के केन्द्र के रूप में विकसित कर दिया। उसने फारस के शासक खुसरों के दरबार में राजदूत भेजा था।

7. **विक्रमादित्य-प्रथम (655-680 ई.)** : यह एक योग्य शासक था और इसने पुलकेशिन की पराजय से मिले आघात से साम्राज्य को उबारा। इसके सिंहासनारूढ़ होने के समय चोलों, पांड्यों ने स्वयं को स्वाधीन घोषित कर दिया था। विक्रमादित्य ने इन्हें अपने अधीन किया। इसने पल्लव शासक नरसिंह वर्मन को पराजित किया और अपने पिता के पराजय का बदला लिया। इसने 'श्रीपृथ्वीवल्लभ'', ''परमेश्वर'', 'भट्टारक'' आदि विरूद् धारण किए।

   अपने शासन के अंतिम दिनों में वह पल्लव शासक परमेश्वर वर्मन से पराजित हो गया। वैसे इस विजय के विषय में चालुक्यों और पल्लवों के अभिलेख परस्पर विरोधी जानकारी देते हैं किन्तु ऐसा प्रतीत होता है कि दो युद्ध लड़े गए एक में विक्रमादित्य-प्रथम काँची तक विजित करने में सफल रहा, किन्तु दूसरे में उसे पराजय का सामना करना पड़ा और चालुक्यों ने अपने प्रदेश विक्रमादित्य से छीन लिए।

8. **विनयादित्य (680-696 ई.)** : विक्रमादित्य-प्रथम के उपरांत उसका पुत्र विनयादित्य शासक बना। मालवा शासकों के विजय के उपरांत उसने ''सकलोत्तर पथनाथ'' की उपाधि धारण की। इसके अतिरिक्त उसने ''युद्धमल्ल'', ''भट्टारक'', ''महाराजाधिराज'', ''राजाश्रय'' आदि उपाधियाँ भी धारण की।

9. **विजयादित्य (696-733 ई.)** : विनयादित्य का पुत्र विजयादित्य शासक बना। उसने पल्लव शासक परमेश्वर वर्मन-द्वितीय को पराजित किया और उससे कर और हर्जाना वसूल किया। उसने पट्डकल में विजयेश्वर शिव मंदिर का निर्माण कराया।

10. **विक्रमादित्य-द्वितीय (733-744 ई.)** : यह विजयादित्य का पुत्र था। पट्डकल अभिलेख से ज्ञात होता है कि विक्रमादित्य-द्वितीय ने पल्लव शासक नंदिवर्मन को पराजित किया। इसने काँची को बिना नुकसान पहुँचाये वहाँ के राजसिंहेश्वर मंदिर को अधिक आकर्षक बनाने के लिए रत्नादि भेंट किया। इसने ''काँची कोंड'' की उपाधि धारण की। इसने काँची पर तीन बार आक्रमण किया और उसे विजित किया।

    विक्रमादित्य-द्वितीय के शासन काल में ही दक्कन में अरबों ने आक्रमण किया। इस आक्रमण का मुकाबला विक्रमादित्य के भतीजे पुलकेशी ने बड़ी कुशलता से किया। इस अभियान की सफलता पर विक्रमादित्य-द्वितीय ने पुलकेशी को ''अवनिजनाश्रय'' की उपाधि प्रदान की। विक्रमादित्य-द्वितीय ने पांड्यों, चेरों और चोलों को परास्त किया। इसकी दूसरी पत्नी त्रोलोक्य महादेवी ने 'त्रैलोकेश्वर मंदिर'' का निर्माण करवाया। प्रथम पत्नी लोक महादेवी ने पट्डकल में ''विरूपाक्ष'' महादेव मंदिर बनवाया।

11. **कीर्तिवर्मन (744-753 ई.)** : विक्रमादित्य-द्वितीय की मृत्यु के उपरांत उसका पुत्र कीर्तिवर्मन शासक बना। वह चालुक्यों (बादामी) का अंतिम शासक था। इसने ''लक्ष्मी'', ''पृथ्वी का प्रिय'' आदि उपाधियाँ धारण की थी। चूंकि पल्लव शासकों से संघर्ष ने चालुक्यों को दुर्बल बना दिया था। इसी कारण वे अपने उत्तर के राज्यपालों की ओर ध्यान न दे सके। इसी का लाभ उठाकर चालुक्यों के सामंत दंतिदुर्ग ने काफी शक्ति अर्जित कर ली और कीर्तिवर्मन को 753 ई. में परास्त कर दिया। दंतिदुर्ग ने राष्ट्रकूट वंश की नींव रखी। दंतिदुर्ग के इस विजय के विषय में जानकारी समनगढ़ अभिलेख से मिलती है। दंतिदुर्ग की मृत्यु के उपरांत कीर्तिवर्मन ने अपनी सत्ता पुनः प्राप्त करने की कोशिश की पर असफल रहा। दंतिदुर्ग के उत्तराधिकारी कृष्ण प्रथम ने चालुक्यों की शक्ति पूर्णतः खत्म कर दी।

    कीर्तिवर्मन के अंत के साथ ही चालुक्यों की मुख्य शाखा का अंत हो गया। चालुक्यों की छोटी शाखाओं ने इसके बाद भी शासन किया। बेंगी के चालुक्यों ने आठवीं सदी से दसवीं सदी तक तथा कल्याणी के चालुक्यों ने दसवीं सदी से बारहवीं सदी तक शासन किया।

**महत्व :** चालुक्य वंश ने दक्षिणापथ में एक विशाल साम्राज्य स्थापित किया और दक्कन को लगभग 200 वर्षों तक एकता के सूत्र में बाँध कर रखा। इस वंश ने पुलकेशिन-द्वितीय, विक्रमादित्य-प्रथम, विक्रमादित्य-द्वितीय जैसे योग्य शासक दिए। इन्होंने दक्षिण भारत पर अधिकार करने के अतिरिक्त उत्तर की शक्तियों का दक्षिण में घुसने से रोके रखा। इस प्रकार, दक्षिण भारत की राजनीति में उनका महत्वपूर्ण स्थान है। चालुक्य राज्य एक संपन्न राज्य था और उनके पास व्यापार के लिए अच्छे बन्दरगाह थे। इनसे वे व्यापार करते थे। इस काल में साहित्य और कला ने प्रगति की।

धार्मिक दृष्टि से भी चालुक्य शासक सहिष्णु थे। यद्यपि वे हिन्दु धर्म के अनुयायी थे तथापि उन्होंने जैन और बौद्ध धर्म के साथ सहिष्णुता पूर्वक व्यवहार किया। उन्होंने वैदिक धर्म के दक्षिण में प्रचार में मदद की। पुलकेशिन-द्वितीय ने अश्वमेघ यज्ञ किया था। इस काल में अनेक शिव और विष्णु के मंदिर बनाए गए। चालुक्यों ने जैन धर्म को भी सहायता दी। वस्तुतः दक्षिण में जैन धर्म काफी लोकप्रिय था इसलिए जनता की भावनाओं का आदर उन्होंने किया। विजयादित्य और विक्रमादित्य ने जैन विद्वानों को अनेक गाँव भेंट किए। इसके अतिरिक्त उन्होंने बंबई के थाना जिले में पारसियों को बसने की आज्ञा दी। यह चालुक्यों की उदारता को दर्शाता है। उनके समय बौद्ध धर्म अवनति पर था परन्तु लुप्त नहीं हुआ था।

ललित कलाओं में चित्रकला और वास्तुकला ने इसके संरक्षण में प्रगति की। अजंता के भित्ति चित्रों में से कुछ का निर्माण चालुक्य-शासकों के समय में हुआ। इनमें से एक चित्र पुलकेशिन-द्वितीय के दरबार में फारस के राजदूतों के स्वागत को दर्शाता है। वास्तुकला के क्षेत्र में चालुक्यों के समय की एक विशेषता पहाड़ों और चट्टानों को काटकर बड़े-बड़े मंदिरों का निर्माण था। उनके काल में विभिन्न हिन्दु गुहा मंदिरों और चैत्यों का निर्माण हुआ। मंगलेश ने वातापी में विष्णु का गुहा मंदिर बनवाया। ऐहोल का विष्णु मंदिर अपनी सुन्दरता के लिए प्रसिद्ध है। विजयादित्य द्वारा निर्मित विजयेश्वर शिव मंदिर चालुक्य कला का एक नमूना है। विक्रमादित्य-द्वितीय की दोनों पत्नियों ने त्रैलोकेश्वर मंदिर और विरूपाक्ष मंदिर का निर्माण कराया।

इस प्रकार चालुक्य-वंश ने दक्षिण भारत की राजनीति और सांस्कृतिक प्रगति में महत्वपूर्ण भूमिका निभाई।

## गुप्तोत्तर संस्कृति (500 ई. से 1200 ई.)

गुप्तोत्तरकालीन भारत के आर्थिक क्षेत्र में महत्वपूर्ण परिवर्तन सामन्तवादी व्यवस्था के प्रचलन को माना जाता है। प्रो. आर. एस. शर्मा के अनुसार गुप्तोत्तरकालीन समाज में हुए परिवर्तन के पीछे आर्थिक घटनाओं, जैसे भूमिदान एवं व्यापक स्तर पर भूराजस्व एवं भूमि का हस्तान्तरण, जो धार्मिक एवं धर्मनिरपेक्ष दोनों वर्ग के लोगों को किया गया का महत्वपूर्ण स्थान था। भूमि के असमान वितरण एवं सैनिक शक्ति ने अनेक सामंतीय ओहदों का सृजन किया। भट्टभुवनकृत अपराजिपृच्छा में महामंडलेश्वर, मांडलिक, महासामंत एवं लघुसामंत सहित सामंतों की 9 श्रेणियों के लिए भिन्न-भिन्न आकार प्रकार के घरों का उल्लेख है।

व्यापार एवं वाणिज्य के स्तर में गिरावट, किसान, कारीगर एवं व्यापारियों के आवागमन में व्यवधान, भूमि और शक्ति का असमान वितरण जैसे कारण तत्कालीन सामाजिक परिवर्तन हेतु जिम्मेदार थे। प्रो. शर्मा ने नई जातियों के उदभव एवं प्राचीन जातियों के लोप के पीछे भी आर्थिक कारण को ही जिम्मेदार ठहराया है।

### *सामाजिक स्थिति*

**वर्ण व्यवस्था :** परम्परा के अनुसार भारतीय समाज मुख्यतः चार वर्णों—ब्राह्मण, क्षत्रिय, वैश्य एवं शूद्र में विभाजित था। परम्परागत चार वर्णों के अतिरिक्त इस काल में जातियों एवं प्रजातियों की संख्या में बेतहाशा वृद्धि हुई। परम्परागत चार वर्ण भी अनेक जातियों में विभक्त हो गये तथा अनेक जातियां इनमें समाहित कर ली गयी। समाज में ब्राह्मणों का सर्वोच्च स्थान था। इसकी पुष्टि न केवल धार्मिक ग्रंथों से होती है बल्कि विदेशी यात्रियों ह्वेनसांग, अलमसूदी, अलबरूनी आदि के विवरण से भी यह बात प्रमाणित होती है। विशेषाधिकार प्राप्त ब्राह्मणों को किसी भी अपराध के लिए मृत्युदण्ड देना वर्जित था। दण्ड के रूप में उनका देश निकाला किया जाता था अथवा उन्हें विशेष प्रकार के चिन्हों से दागा जाता था। मेधातिथि ने अपराधी प्रवृत्ति के ब्राह्मण को जुर्माने तथा शारीरिक दण्ड से मुक्त किया है, परन्तु इसकी सीमा में केवल विद्वान एवं अच्छे चरित्र के ब्राह्मण ही आते थे। बुद्धचरित, मत्स्य पुराण एवं विश्वरूप में वर्णन के अनुसार दुष्ट प्रवृत्ति के ब्राह्मण एवं युद्धरत ब्राह्मण का वध करने से कोई भी पाप का भागीदार नहीं होता था।

गुप्तोत्तर काल में ब्राह्मणों का मुख्य कार्य अध्ययन-अध्यापन, यज्ञ करवाना, दान ग्रहण करना आदि होता था। इस समय उनको श्रोत्रिय, आचार्य एवं उपाध्याय कहा जाता था। मेधातिथि द्वारा दी गयी व्यवस्था के अनुसार ब्राह्मण आक्रमण से उत्पन्न खतरे एवं सामाजिक दुर्व्यवस्था के समय शस्त्र उठा सकता था।

स्मृतिकार पाराशर ने ब्राह्मण के लिए कृषि को सामान्य व्यवसाय बतलाया है बशर्ते कि वे स्वयं खेती न करें। संवर्त स्मृति में दी गई व्यवस्था के अनुसार ब्राह्मणों को हल एवं बैल दान में मिलने चाहिए। मध्यदेश, प्राच्य एवं कुछ और जगहों पर ब्राह्मण खुद अपने हाथ से खेती करता था। चीनी यात्री ह्वेनसांग के विवरण के अनुसार टक्क देश के ब्राह्मण अपनी खेती खुद ही करते थे। प्रतिहारों के समय के पेहोवा अभिलेख में घोड़ों के व्यापारी के रूप में ब्राह्मण का उल्लेख मिलता है। राजपूतों की उत्पत्ति गुप्तोत्तर काल की एक महत्वपूर्ण घटना के रूप में मानी जाती है। प्राचीन क्षत्रियों का स्थान इस वर्ग ने ग्रहण कर लिया था। इस काल में राजपुत्र एवं राजपूत शब्द युद्धप्रिय लड़ाकू जाति के लिए प्रयुक्त होता था। इस समय राजपूतों के अनेक राजवंशों का उदय हुआ। 700 से 1200 ई. के मध्य राजपूतों की लगभग 36 जातियाँ प्रकाश में आई जिनमें मुख्य थीं—प्रतिहार, चौहान, चालुक्य, परमार, गहड़वाल, चंदेल, कछवाहा, मेद आदि। इस काल में कुछ गैर क्षत्रिय शासकों का भी विवरण हमें मिलता है। ह्वेनसांग ने कामरूप में ब्राह्मण शासक, मणिपुर एवं सिंध में शूद्र शासक के होने की बात कहीं है। दक्षिण के नायक एवं रेड्डी शासक भी शूद्रों के

ही समकक्ष होते थे। मेधातिथि द्वारा दी गई व्यवस्था के अनुसार राजा शब्द गैर क्षत्रिय के लिए भी प्रयोग किया जा सकता था, बशर्ते की वह राज्य का स्वामी हो।

इब्न खुर्दादब ने सबूकफूरिया तथा कतरिया नाम के दो क्षत्रिय वर्गों का वर्णन किया है।

वैश्य वर्ण के लोगों का मुख्य पेशा व्यापार, कृषि, पशुपालन आदि होता था। पाराशर स्मृति ने 'कुसीद वृत्ति' (अर्थात् ब्याज पर रुपया उधार देना) को वैश्यों का कार्य बताया है। इस काल के वैश्य अधिकांशतः व्यापार करते थे जिसके कारण उनकी आर्थिक स्थिति काफी मजबूत थी। अलबरूनी ने अपने विवरण में बताया है कि इस समय वैश्य एवं शूद्र की स्थिति में कोई विशेष परिवर्तन नहीं था। इस काल के स्मृतियों में शूद्रों के लिए सेवावृत्ति के अतिरिक्त कुछ अन्य व्यवस्थाओं का उल्लेख मिलता है। अत्रि, देवल एवं पाराशर ने कृषि, पशुपालन, वाणिज्य एवं शिल्प जैसे व्यवसायों को शूद्रों के लिए उपयुक्त बताया है। गुप्तोत्तरकालीन स्मृतियों में सभी प्रकार के उद्योग एवं व्यवसाय को शूद्रों की आजीविका के साधन के रूप में बताया गया है।

गुप्तोत्तर काल में कृषि शूद्रों के व्यवसाय के अन्तर्गत पूर्ण रूप से आ गयी थी। ह्वेनसांग एवं इब्न खुर्दादब ने भी इस बात की पुष्टि की है। व्यास, पाराशर एवं वैजयंती में 'कुटुंबी' एवं 'कीनाश' जैसे कृषक वर्ग का उल्लेख मिलता है। इनमें कुटुंबी कृषक शुद्र वर्ग के तथा कीनाश कृषक वैश्य वर्ग के होते थे। पर आठवीं शताब्दी के नारद स्मृति के टीकाकार असहाय ने कीनाशों की गणना शूद्र कृषकों में की है। कुटुंबी किसान के पास अपनी निजी भूमि होती थी जिस पर वे राजा को कर दिया करते थे। बटाई पर खेती करने वाले कृषकों को इस काल में त्यधसीरिन या सीरिन कहा जाता था। असहाय ने आपातकाल में शूद्रों को क्षत्रियों के कर्म को अपनाने की व्यवस्था दी थी। इस काल में दासों की स्थिति बदल कर कृषिदास की हो गई थी। पाराशर स्मृति (600 से 900 ई.) में पहली बार फसल बटाई करने वाले आर्धीक जाति का उल्लेख मिलता है। इस समय शूद्र दो वर्ग—सत् एवं असत्, में विभक्त थे। सत् वर्ग के शूद्र पौराणिक विधि के अनुसार संस्कार एवं पंचमहायज्ञ का अनुष्ठान कर सकते थे, पर असत् को यह अधिकार नहीं था। शूद्र तांत्रिक पूजा कर सकता था। गुप्तोत्तर काल की महत्वपूर्ण सामाजिक विशेषता थी—हिन्दू समाज में रूढ़िवादिता की वृद्धि। इस काल के लेखकों ने इस स्थिति की तुलना 'कलियुग' से की है। समाज में शुद्धता बनाये रखने के लिए खान-पान, विवाह के नियम कड़े कर दिये गये थे। 'कलिवज्र्ये' का सिद्धान्त प्रस्तुत किया गया जिसके अन्तर्गत विदेश यात्रा करने तथा विदेशियों से सम्पर्क स्थापित करने पर रोक लगा दी गयी किन्तु ग्यारहवीं-बारहवीं शताब्दी के जैन आचार्यों, शाक्त तान्त्रिक सम्प्रदायों ने जाति-प्रथा तथा उसके प्रतिबन्धों का विरोध करते हुए कर्म की महत्ता का प्रतिपादन किया।

**कायस्थ :** गुप्तोत्तर काल में जाति के रूप में कायस्थों की उत्पत्ति एक महत्वपूर्ण सामाजिक घटना है। सर्वप्रथम कायस्थों का उल्लेख याज्ञवल्क्य स्मृति में मिलता है। जबकि जाति के रूप में कायस्थों का उल्लेख सर्वप्रथम ओशनमृस्मृति में मिलता है। सम्भवतः इनका मुख्य कार्य था—गणक एवं लेखक के रूप में भूमि व राजस्व से सम्बंधित दस्तावेजों को सुरक्षित रखना। न्यायालयों में न्याय के निर्णय को लिखने का कार्य करणिक लोग करते थे, जो जाति से कायस्थ ही होते थे। इन्हें कायस्थ, करणिक, पुस्तपाल, अक्षपाटलिक, लेखक आदि कहा जाता था। अन्तिम रूप से सब कायस्थ जाति में ही सिमट गये थे। कुछ ब्राह्मण ग्रंथों में कायस्थों को शूद्र भी कहा गया है।

**अस्पृश्यता :** समकालीन स्मृति ग्रन्थों में अस्पृश्यों के अन्तर्गत चाण्डालों के अतिरिक्त कुछ अन्य जातियों जैसे रजक (धोबी), चर्मकार, नट, वरुड़, कैवर्त्त, धीवर, भेद (आदिवासी जाति), भिल्ल आदि का उल्लेख मिलता है। व्यास स्मृति में अंत्यजों के अन्तर्गत कोली, पुष्कर एवं वराट जाति को रखा गया था। अस्पृश्य जातियों की संख्या में हुई वृद्धि से स्पष्ट हो जाता है कि गुप्तोत्तर काल में अस्पृश्यता की भावना अपने चरमोत्कर्ष पर थी।

**स्त्रियों की स्थिति :** इस काल में स्त्रियों की स्थिति उतनी अच्छी नहीं थी जितनी की पूर्व काल में थी। उच्च वर्ण में स्त्रियों को शिक्षा दी जाती थी। राजपूतकालीन समाज में उच्चकोटि के चरित्र वाली स्त्रियों का उल्लेख मिलता है। इस समय इंद्र लेखा, मोरिक, पद्मश्री, मदालसा एवं सुभद्रा जैसी संस्कृत की विदुषी कवियित्रियों का उल्लेख मिलता है। इस युग के समाज में व्याप्त सती एवं जौहर प्रथा, पुत्री बाल हत्या, बहुपति विवाह, देवदासी एवं वेश्यावृत्ति जैसी कुप्रथा ने निःसन्देह स्त्रियों की स्थिति को कमजोर किया। इस काल में अन्तर्जातीय विवाह पर कठोर प्रतिबन्ध था। स्मृतियों में स्त्री विवाह की उम्र 8 से 10 वर्ष बताई गई है। इससे बाल विवाह को प्रोत्साहन मिला। विधवा विवाह पर प्रतिबन्ध था। अग्नि पुराण, नारद तथा पाराशर स्मृति में पुनर्विवाह या विधवा विवाह की अनुमति उन स्थितियों में दी गयी जबकि पति लापता हो या मृत्यु हो गई हो या फिर संन्यासी हो गया हो। मेधातिथि ने पुनर्विवाह या विधवा विवाह की आज्ञा नहीं दी है।

गुप्तोत्तर काल में सती प्रथा के प्रचलन में 9वीं शताब्दी के बाद तेजी आई, क्योंकि इस समय ब्राह्मणों द्वारा दी गई व्यवस्था के तहत समाज में वैराग्य एवं कठोर संयम सम्बन्धी विचारधारा जोर पकड़ रही थी एवं इसके साथ ही पुनर्विवाह पर रोक एवं विधवाओं को प्राप्त होने वाली सम्पत्ति के विवाद को शीघ्र न सुलझाना आदि ऐसे कारण थे जिनकी वजह से विधवायें सती होकर इन कष्टों से मुक्ति पाना चाहती थीं।

**दास प्रथा :** पूर्व मध्यकालीन भारत में दासों की संख्या में वृद्धि हुई। विज्ञानेश्वर ने 'मिताक्षरा' में नारद द्वारा बताये गये 15 प्रकार के दासों का वर्णन किया है। लेख पद्धति में किये गये उल्लेख के आधार पर प्रतीत होता है कि पश्चिमी देशों से वस्तुओं के आयात के बदले समुद्र मार्ग से दासों का निर्यात किया जाता था। इस युग में दास-दासियों को दान में भी दिया जाता था। इस समय दास घरेलू कार्यों के अतिरिक्त कृषि कर्म में भी भाग लेता था।

**राजस्व के स्रोत :** राजस्व ही इस समय आय का प्रमुख स्रोत था, जिसे भाग भोग, राज भोग या फिर उपाधि कर के रूप में वसूल किया जाता था। इस समय कर को नकद या अनाज दोनों ही रूपों में वसूला जाता था। भूराजस्व उपज के 1/6 से 1/3 के बीच होता था। भूराजस्व

के अतिरिक्त आयात-निर्यात पर कर, सिंचाई कर एवं नमक कर जैसे अन्य राजस्व के स्रोत थे।

## आर्थिक स्थिति

गुप्तोत्तरकालीन भारत की अर्थव्यवस्था का मुख्य आधार कृषि ही थी। 'नीतिवाक्यामृत' में अनेक प्रकार के संग्रहों में धान्य संग्रह को सर्वश्रेष्ठ माना गया है। अभिधानरत्नमाला में अनेक प्रकार के अनाजों का उल्लेख मिलता है। इस समय मगध एवं कलिंग चावल के लिए मशहूर थे। कश्मीर फलों के अतिरिक्त अदरक, मसाले, ईख के लिए भी प्रसिद्ध था। उत्पादकता के आधार पर ही भूमि को वहीत–जो भूमि बोयी गयी हो, अकृष्ट–जिस भूमि में खेती न की गयी हो आदि भागों में बांटा गया था।

**बंजर (इरिण) :** इस काल में जिस भूमि में बीज उग न सके बंजर अथवा इरिण कहा जाता था। इस समय सिंचाई के मुख्य साधन के रूप में झील, नहर, तालाब व रहट का प्रयोग किया जाता था। संस्कृत के ग्रंथों में रहट को 'अरघट्ट' कहा गया है। चन्देल राजाओं द्वारा बनवाये गये जलाशय राहिल्य एवं कीरित का उल्लेख मिलता है। मुंज एवं भोज नामक जलाशय परमार राजाओं द्वारा निर्मित कराये गये। इस काल की स्मृतियों में कृषि से आजीविका प्राप्त करने की अनुमति सभी वर्णों को दी गयी है, किन्तु ह्वेनसांग, खुर्दादब, अलइदरीसी के कथनों से स्पष्ट है कि खेती करना शूद्रों का ही व्यवसाय था।

**व्यापार :** गुप्तोत्तर काल में व्यापार की स्थिति अच्छी नहीं थी क्योंकि गांव स्तर पर लोग आत्मनिर्भर हो गये थे और वे अपनी आवश्यकता की समस्त वस्तुओं का उत्पादन स्वयं करते थे। इसके अतिरिक्त उत्पादन में वे रूचि नहीं लेते थे क्योंकि अतिरिक्त उत्पादन को जमींदार हड़प जाता था। अतिरिक्त उत्पादन के अभाव में ही गुप्तोत्तर कालीन व्यापार में ह्रास आया। इस समय बंगाल मलमल, सन के लिए, कलिंग अच्छे धान की किस्म के लिए, मालवा गन्ना, अफीम एवं नील के लिए, द्वारका शंख तथा सीपी के लिए, गुजरात सूती कपड़े, नील एवं चमड़े द्वारा निर्मित वस्तुओं के लिए एवं दक्षिण भारत मोती, कीमती पत्थर, चंदन, लवंग, काली मिर्च, इलायची आदि के लिए प्रसिद्ध था। गुप्तोत्तरकालीन भारत के समुद्र तटों पर कई बन्दरगाह थे। पश्चिमी भारत के समुद्र तटों पर देवल, खम्भात, थाना, सोपारा एवं पूर्वी भारत के समुद्र तटों पर ताम्रलिप्ति, सप्तग्राम, पुरी, कलिंग, शिकाकोस आदि महत्वपूर्ण बन्दरगाह थे। मनुस्मृति के टीकाकार मेधातिथि, कुवलयमाला, कथासरित्सागर तथा समराइच्छकहा से ज्ञात होता है कि व्यापारी पण्य वस्तुओं को एक नगर से दूसरे नगर में ले जाकर बेचते थे और बिक्री से प्राप्त धन से अपने नगर के लिए आवश्यक चीजों का क्रय करते थे। 'कुवलयमाला' से पता चलता है कि उत्तरापथ से घोड़े खरीदे जाते थे। 'पेहोवा अभिलेख' में देश के विभिन्न भागों में आने वाले घोड़ों के क्रय-विक्रय करने वालों की गोष्ठी का उल्लेख है।

इस समय व्यापार अनेक मार्गों से होता था। अलबरूनी द्वारा बताये गये 15 मार्गों में प्रमुख थे–कन्नौज से प्रयाग के रास्ते ताम्रलिप्ति, ताम्रलिप्ति से कलिंग के रास्ते कांची तक। कन्नौज एक ऐसा व्यापारिक केन्द्र था जहाँ से अनेक दिशाओं के लिए रास्ते जैसे कन्नौज से पानीपत, कन्नौज से गजनी, कन्नौज से कामरूप, कन्नौज से राजौरी एवं राजौरी के रास्ते बयाना तक आदि जाते थे।

गुप्तोत्तरकालीन व्यापार में ह्रास के कारणों के विषय में विद्वानों का मानना है कि इस समय चूंकि चोरों एवं डाकुओं की अधिकता थी इसलिए व्यापार के लिए मार्ग सुरक्षित नहीं थे, केन्द्रीय शक्ति के अभाव में व्यापारियों के जीवन की सुरक्षा की जिम्मेदारी उठाने के लिए कोई तैयार नहीं था, तथा छोटे-छोटे क्षेत्रीय राजा शासन कर रहे थे इसलिए एक राज्य से दूसरे राज्य में माल ले जाने पर भारी चुंगी अदा करनी पड़ती थी, व्यापारिक ह्रास में इन सब कारणों ने महत्वपूर्ण भूमिका निभायी। इस समय नदी मार्ग से होने वाला व्यापार स्थल मार्ग की अपेक्षा अधिक सुरक्षित समझा जाता था। नदी मार्ग से व्यापार करने पर 'तरशुल्क' देना पड़ता था और इस शुल्क को वसूल करने वाले को 'तारिक' कहा जाता था।

**विदेशी व्यापार :** गुप्तोत्तर काल में व्यापार पश्चिमी तथा पूर्वी देशों में स्थल एवं जल दोनों मार्गों से होता था। स्थल मार्ग द्वारा तिब्बत के रास्ते भारत का चीन से व्यापारिक सम्बन्ध था। इसी समय अफगानिस्तान एक बड़े व्यापारिक केन्द्र के रूप में प्रसिद्ध था। इस समय अरबों के आक्रमण के कारण भारत का पश्चिमी एशिया के साथ होने वाला व्यापार प्रभावित हुआ। अब सागर से होने वाले व्यापार पर अरबों ने अपना एकाधिकार स्थापित कर लिया था। आठवीं शताब्दी से भारत का व्यापार उत्तरी पश्चिमी दर्रों से होकर मध्य एशिया तथा चीन के साथ क्रमशः कम हो रहा था। मार्ग की कठिनाइयों के अतिरिक्त सुरक्षा का अभाव था क्योंकि, अरब, तिब्बत और चीन में मध्य एशिया पर प्रभुत्व के लिए संघर्ष चल रहा था। 9वीं-10वीं शताब्दी तक चीनियों का प्रभुत्व भी समुद्री व्यापार में बढ़ रहा था। इनकी जहाजें बड़ी होती थीं। ग्यारहवीं शताब्दी में चीनियों द्वारा कुतुबनुमा की खोज कर लेने के बाद इन्हें समुद्री व्यापार में बड़ी सुविधा होने लगी। अल मसूदी ने पूर्वी समुद्री रास्ते से कान-फू (कैंस) के मध्य व्यापार होने की बात कही है। इस प्रकार पूर्व मध्यकाल के प्रथम चरण में पश्चिम एशिया से अवनति को प्राप्त भारत का व्यापार दसवीं शताब्दी के बाद पश्चिमी देशों से बढ़ा। भारत के व्यापारी बसरा, सिराज, अदन तक जाते थे। फारस की खाड़ी में स्थित किश एवं होर्मुज स्थान को भारतीय निर्यात की वस्तुओं का बड़ा केन्द्र माना जाता था। पूर्वी समुद्र तट पर स्थित ताम्रलिपि, जिसका स्थान कालान्तर में सप्तग्राम ने ले लिया, सबसे बड़ा बन्दरगाह था। दक्षिण भारत से निर्यात की गई वस्तुओं के बदले चीन से बड़ी मात्रा में सोना और चाँदी भारत आता था। चीन से सोने और चाँदी की बड़े पैमाने पर निकासी के कारण 1296 ई. में चीनी शासक को नियम बनाने पड़े। इस समय भारत विदेशों को चंदन की लकड़ी, कपूर, लौंग, नारियल, नील, अंगूर, कस्तूरी, देवदार की लकड़ी, भोजपत्र, हाथी दांत, जानवर की खाल, चंवर, रेशम, केशर, ऊनी कपड़े, इत्र आदि का निर्यात करता था। आयात की प्रमुख वस्तुएं थीं–अच्छी किस्म के घोड़े (मध्य एशिया एवं पश्चिमी देशों से), अच्छी शराब (बसरा से), चीन से रेशम (चीनाशुंक), दक्षिण-पूर्वी एशिया से कीमती रत्न, कम्बोडिया से अगरू की लकड़ी आदि।

इस समय के महत्वपूर्ण उद्योग थे सूत बुनाई, वस्त्र निर्माण, धातु निर्माण, हाथी दांत, मिट्टी एवं चमड़े के सामान के निर्माण आदि। इस समय

सबसे बेहतर स्थिति में सूती वस्त्र उद्योग था। ह्वेनसांग ने अनेक प्रकार के रेशमी एवं सूती वस्त्रों का उल्लेख किया है जो कौशेय तथा क्षौम से निर्मित कपड़े होते थे। पौधों के रेशे से निर्मित कपड़ा 'दुकूल' कहलाता था। बाण की कृति हर्ष चरित में लालातुंज, अंशुक एवं चीनाशुंक जैसे अनेक प्रकार के वस्त्रों का उल्लेख मिलता है। अल इदरीसी के अनुसार मुल्तान वस्त्र उद्योग का एक महत्वपूर्ण केन्द्र था। भड़ौच में निर्मित वस्त्र 'वरोज' के नाम से जाने जाते थे तथा खंबात के बने वस्त्र 'खंबायत' कहलाता था। 'बुकरम' नाम के वस्त्र विदेशों को भेजे जाते थे। ह्वेनसांग के अनुसार कश्मीर सफेद लिनन नाम के वस्त्र के लिए प्रसिद्ध था जबकि चुनरी मध्य देश में बनती थी।

**श्रेणी संगठन :** एक ही व्यवसाय करने वाले लोगों के संगठन को 'श्रेणी' तथा इसके मुखिया को 'महत्तक' या 'माहर' कहा जाता था। जातकों में श्रेणी के मुखिया को जेट्ठक या फिर प्रमुख कहा गया है। वणिक प्रवृत्ति के लोगों की श्रेणी के मुखिया को 'श्रेष्ठि' कहा जाता था। श्रेणियों द्वारा जमा की गयी स्थायी पूँजी को 'अक्षयनीवी' कहा जाता था। स्थायी पूँजी जमा करने की प्रथा की शुरुआत सातवाहन काल से हुई।

**मुद्रा :** गुप्तोत्तर काल में सिक्कों का प्रयोग कम हो गया था। कुषाण एवं गुप्त काल की तुलना में इस युग में प्रयुक्त सिक्के बहुत कम वजन के होते थे। सिक्कों के प्रचलन में कमी का महत्वपूर्ण कारण था—सामंतीय व्यवस्था के अन्तर्गत कर्मचारियों का वेतन भुगतान मुद्रा में न कर भूमि के रूप में करना। कुछ अरब यात्रियों के उल्लेख से प्रतीत होता है कि गुप्तोत्तर काल में आन्तरिक एवं बाह्य व्यापार वस्तु-विनियम के माध्यम से किये जाते थे। फाह्यान के विवरण से स्पष्ट होता है कि दैनिक लेन-देन एवं साधारण व्यापार में इस समय कौड़ियों का प्रयोग होता था। कौड़ियों को प्रतिहारों ने अपने अभिलेख में कापर्दक कहा है।

## *सांस्कृतिक विकास*

**धर्म :** गुप्तोत्तर काल में प्रचलित सभी धर्मों में थोड़ा बहुत बदलाव आया। इसी काल में नवीन तान्त्रिक एवं कापालिक जैसे रहस्यमयी सम्प्रदायों का अभ्युदय हुआ। इस समय उत्तरी एवं दक्षिणी भारत में हिन्दू धर्म के अन्तर्गत अवतारवाद एवं भक्ति मार्ग का व्यापक प्रचलन था। हिन्दू देवताओं में विष्णु एवं शिव सर्वाधिक महत्वपूर्ण थे और इनके साथ ही सूर्य, ब्रह्मा, इन्द्र, अग्नि, भगवती, दुर्गा, लक्ष्मी की भी उपासना की जाती थी। इस समय वैष्णव मत के समर्थक अलवरों एवं शैव मत के समर्थक नयनारों के वैष्णव एवं शैवमत के प्रचार में महत्वपूर्ण भूमिका निभायी। दक्षिण भारत में शंकराचार्य, कुमारिल भट्ट, रामानुजाचार्य एवं माधवाचार्य जैसे महान विद्वानों ने अपने दर्शन शास्त्र के ज्ञान से हिन्दू धर्म एवं दर्शन को एक नई दिशा प्रदान की। इस समय वैदिक यज्ञों, संस्कारों आदि का कोई खास महत्व नहीं रह गया था। वैष्णव मत के अन्तर्गत लगभग बारहवीं शताब्दी में अवतारों में वराह, कृष्ण एवं राम की लोकप्रियता अधिक थी। आदि वराह की मूर्तियां बादामी की गुहाओं, महाबलिपुरम, गुजरात, राजस्थान, बंगाल, उड़ीसा एवं उत्तर प्रदेश से मिली हैं। कुछ प्रतिहार नरेशों द्वारा आदि वराह की उपाधि धारण करने का भी उल्लेख मिलता है। इस समय एक श्री वैष्णव सम्प्रदाय का भी प्रचलन हुआ, जिसके प्रथम आचार्य नाथमुनि थे।

गुप्तोत्तरकालीन शासकों में प्रतिहार, परमार, चंदेल, चेदी, कलचुरी, सेन आदि शिव के उपासक थे। पाल, सेन एवं चन्देल शासकों के अभिलेखों की शुरुआत 'ओम नमः शिवाय' से की गई है।

बारहवीं शताब्दी में शैवधर्म का लिंगायत सम्प्रदाय प्रकाश में आया। बासव एवं उसके भतीजे चन्नाबासव जो लिंगायत सम्प्रदाय के थे, वीर शैवमत के प्रवर्तक थे। ये कलचुरी शासक के दरबार में रहते थे। इस संप्रदाय में गुरु, जंगम एवं लिंग को अधिक महत्व दिया गया। तांत्रिक सम्प्रदाय का सातवीं शताब्दी के लगभग व्यापक प्रचार-प्रसार हुआ। तत्कालीन भारत के कश्मीर, पंजाब, नेपाल, कामरूप, बंगाल, उड़ीसा, मध्य एवं दक्षिण भारत में यह सम्प्रदाय सर्वाधिक लोकप्रिय था। इस सम्प्रदाय के अन्तर्गत तंत्र (ज्ञान का विस्तार), मंत्र एवं यंत्र (रहस्यमय चक्रों पर ध्यान करना) का विशेष महत्व था। इस सम्प्रदाय के अन्तर्गत ध्यान-योग तथा चर्या की व्यवस्था थी। यह सम्प्रदाय जाति एवं वर्ण के बंधनों से पूर्णतः मुक्त था।

गुप्तोत्तर काल में बौद्ध धर्म का अत्यन्त बदला हुआ रूप सामने आया जिसने तांत्रिक प्रभाव, मंत्रयान, वज्रयान एवं सहजयान का रूप धारण कर लिया था। इस समय बौद्ध धर्म की वज्रयान शाखा के अन्तर्गत अवलोकितेश्वर एवं तारा की पूजा अर्चना की जाती थी। इस शाखा के लोग नैतिक दृष्टि से भ्रष्ट हो गये थे क्योंकि बौद्ध संघों में स्त्रियों के प्रवेश से भिक्षुओं का चारित्रिक पतन हुआ। शंकराचार्य जैसे दार्शनिकों ने अपने अद्वैतमत के प्रभाव से बौद्ध धर्म के लिए खतरा उत्पन्न कर दिया। तुर्क आक्रमणकारियों द्वारा बौद्ध मठों को नुकसान पहुँचाया गया जिसके ऐतिहासिक कारण बौद्ध धर्म के पतन हेतु जिम्मेदार थे। गुप्तोत्तर काल में एक मात्र बंगाल के पाल शासकों ने ही बौद्ध धर्म को संरक्षण एवं प्रोत्साहन दिया। बौद्ध धर्म के विपरीत जैन धर्म को गुप्तोत्तर काल में अधिक प्रोत्साहन मिला। सातवीं शताब्दी का एहोल में निर्मित जैन मंदिर प्रसिद्ध है। दक्षिण भारतीय शासकों में चालुक्य एवं राष्ट्रकूट वंश के अमोघवर्ष प्रथम, इन्द्र चतुर्थ, कृष्ण द्वितीय, इन्द्र तृतीय जैसे शासकों ने जैन धर्म को संरक्षण प्रदान किया। पश्चिमी भारत में शासन करने वाले गंग वंश के शासकों ने लगभग 931 ई. में श्रवणबेलगोला में गोमतेश्वर की आकर्षक मूर्ति की स्थापना करवायी। चालुक्य नरेश कुमार पाल जैन आचार्य हेमचन्द्र सूरि से काफी प्रभावित था। उसके समय में जैन धर्म की काफी उन्नति हुई। उत्तर भारत में संरक्षण के अभाव में जैन धर्म का उतना विकास नहीं हो सका जितना कि अन्य भागों में हुआ। राजपूताना में गुर्जर-प्रतिहार नरेश भोज ने एक जैन मंदिर निर्मित करवाया। खजुराहो में चंदेल शासकों ने तीर्थंकरों के 5 मंदिर निर्मित करवाये।

भारतीय दर्शन शास्त्र के प्राचीन षड्दर्शन—न्याय, वैशेषिक, सांख्य, योग, मीमांसा एवं वेदान्त जिनकी उत्पत्ति सम्भवतः गुप्त काल में हुई थी, ने एक निश्चित आकार गुप्तोत्तर काल में ही ग्रहण किया।

**शंकराचार्य :** शंकराचार्य का जन्म दक्षिण भारत के केरल स्थित कलादी ग्राम में 788 ई. में हुआ था। उन्होंने अपने जीवन का अधिकांश समय उत्तर भारत में व्यतीत किया। उनके द्वारा स्थापित 'अद्वैत वेदांत

सम्प्रदाय' नौवीं शताब्दी में काफी लोकप्रिय हुआ। उन्होंने प्राचीन भारतीय उपनिषदों के सिद्धान्तों को पुनर्जीवन प्रदान करने का प्रयत्न किया। उन्होंने ईश्वर को पूर्ण वास्तविकता के रूप में स्वीकार किया और साथ ही इस संसार को भ्रम या माया बताया। उनके अनुसार अज्ञानी लोग ही ईश्वर को वास्तविक न मानकर संसार को वास्तविक मानते हैं। ज्ञानी लोगों का मुख्य उद्देश्य अपने आप को भ्रम व माया से मुक्त करना एवं ईश्वर व ब्रह्म से तादात्म्य स्थापित करना होना चाहिए। शंकराचार्य ने वर्ण पर आधारित ब्राह्मण प्रधान सामाजिक व्यवस्था का समर्थन किया। शंकराचार्य ने संन्यासी समुदाय में सुधार के लिए उपमहाद्वीप में चारों दिशाओं में चार मठों की स्थापना की।

**शंकराचार्य द्वारा स्थापित मठ**

| मठ | प्रदेश |
|---|---|
| 1. ज्योतिषपीठ, बद्रीनाथ | उत्तर प्रदेश (हिमालय की उपत्यका में स्थित) |
| 2. गोवर्धनपीठ, पुरी | उड़ीसा |
| 3. शारदापीठ, द्वारिका | गुजरात |
| 4. शृंगेरीपीठ, मैसूर | कर्नाटक |

शंकराचार्य ने उपनिषदों, भगवद्गीता एवं ब्रह्मसूत्र पर भाष्य लिखे हैं। उपनिषद, ब्रह्मसूत्र एवं गीता पर लिखे गये शंकराचार्य के भाष्य को 'प्रस्थानत्रयी' के अन्तर्गत रखते हैं। शंकराचार्य ने हिन्दू धर्म के स्थायित्व, प्रचार-प्रसार एवं प्रगति में अपूर्व योगदान दिया। उनके व्यक्तित्व में गुरु, दार्शनिक, समाज एवं धर्म सुधारक, विभिन्न मतों तथा सम्प्रदायों के समन्वयकर्ता का रूप दिखाई पड़ता है। शंकराचार्य अपने समय के उत्कृष्ट विद्वान एवं दार्शनिक थे। इतिहास में उनका स्थान इनके अद्वैत सिद्धान्त के कारण अमर है।

## *भाषा तथा साहित्य*

गुप्तोत्तर काल में संस्कृत भाषा के अतिरिक्त कुछ अन्य क्षेत्रीय स्तर की भाषायें भी विकसित हुई। इस समय राजाओं के राज्याश्रय में रहकर रचना करने वाले कवियों व लेखकों के अतिरिक्त भोज, यशपाल, कुलशेखर, रविवर्मन, सोमेश्वर, विग्रहराज, बल्लालसेन एवं श्रीहर्ष जैसे राजा भी अपनी कुछ महत्वपूर्ण कृतियों के कारण प्रसिद्ध हुए।

दसवीं शताब्दी के लगभग ही 'चंपू' (गद्य-पद्य मिश्रित) नाम की नई शैली का प्रचलन हुआ। इस समय के कुछ महत्वपूर्ण चंपू शैली में रचित ग्रंथ त्रिविक्रम भट्ट का 'नलचंपू' व 'दमयंतीकथा' तथा 'मदालसा चंपू' आदि हैं। ललित काव्य के अन्तर्गत सर्वोत्कृष्ट कृति 'गीतगोविन्द' है। राधा-कृष्ण के प्रणय से सम्बन्धित इस ग्रंथ की रचना पूर्वांचल के राजा लक्ष्मण सेन के दरबारी कवि जयदेव ने की। उपदेशपरक रचनाओं में दामोदर गुप्त की कुट्टीनीमतम्, मम्मट की 'मम्मटशतक' एवं 'नीति-वाक्यामृतम्' महत्वपूर्ण हैं। इस समय लिखे गये कुछ महत्वपूर्ण शब्दकोश धन्वंतरि का आयुर्वेद पर 'निघंटु', हलायुध का 'अभिधान रत्नमाला', मैत्रेयरक्षित का ''धातुप्रदीप काव्यालंकार', शकटायन का 'शब्दानुशासन' आदि हैं।

काव्यशास्त्र के क्षेत्र में उद्भट्ट द्वारा रचित 'काव्यालंकार संग्रह', वामन का 'काव्यालंकारसूत्र', आनन्दवर्धन का 'ध्वन्यालोक', राजशेखर की 'काव्यमीमांसा', मम्मट का काव्य प्रकाश, भोज का 'सरस्वती-कंठाभरण', धनंजयकृत 'दशरूपक', सागर नंदिन का नाटक 'रत्नकोश', रामचन्द्र का 'नाट्यदर्पण आदि महत्वपूर्ण कृतियां हैं।

चिकित्साशास्त्र के क्षेत्र में लिखी गयी कुछ महत्वपूर्ण कृतियां माधवकर द्वारा रचित 'रोगविनिश्चय', धन्वतरि की 'निघंटु', नागार्जुन की 'रस रत्नाकर', चक्रपाणि दत्त का 'चिकित्साशास्त्र' एवं भोज की 'शालिहात्र', गणित और ज्योतिष पर लिखे गये कुछ महत्वपूर्ण ग्रन्थ—गणितसार, आर्यसिद्धान्त, कर्णतिलक, सिद्धान्तशिरोमणि आदि हैं। संगीत पर लिखे गये महत्वपूर्ण ग्रंथ थे—नारद द्वारा विरचित 'संगीत मकरानंद', जगदेक मल्ल का 'संगीत चूड़ामणि', सोमेश्वर का 'मानसोल्लास', सारंगदेव का 'संगीतरत्नाकर' आदि।

इसके अतिरिक्त कुछ महत्वपूर्ण कृतियां थीं—राजशेखर की 'कर्पूरमंजरी', भवभूति की 'मालतीमाधव', 'महावीरचरित्र' एवं 'उत्तररामचरितम्', कल्हण की 'राजतरंगिणी', विल्हण की 'विक्रमांकदेवचरित', जयनाक भट्ट की 'पृथ्वीराजविजय', चन्दबरदाई की 'पृथ्वीराजरासो', भट्टि की 'रावणवध', कोकापण्डित की 'कोकशास्त्र', हेमचन्द्र की 'कुमारपालचरित', विज्ञानेश्वर की 'मिताक्षरा', माधवकर की 'माधव निदान', देव भद्र की 'पार्श्वनाथचरित आदि।

## *स्थापत्य कला*

गुप्तोत्तरकालीन भारतीय स्थापत्य कला की मुख्य कृतियां मंदिर हैं। इस समय के मंदिर मुख्यतः तीन शैलियों में बनाये गये थे। ये तीन शैलियां हैं—

1. **नागर शैली :** यह शैली उत्तरी भारत में हिमालय से लेकर विंध्य तक फैली हुई थी।
2. **बेसर शैली :** नागर एवं द्रविड़ शैली के तत्वों से मिलकर बनी बेसर शैली विंध्य से कृष्णा नदी तक फैली थीं।
3. **द्रविड़ शैली :** कृष्णा नदी के दक्षिण में कन्याकुमारी अन्तरीप तक यह शैली विकसित थी।

भुवनेश्वर (उड़ीसा) में निर्मित मंदिर पूर्णतः नागर शैली में बने मंदिर हैं। इन मंदिरों में मुख्य रूप से दो भाग थे—गर्भगृह (टेबुल) जिसके ऊपर शिखर होता था तथा सामने की तरफ मण्डप एवं मण्डप के ऊपर पिरामिडनुमा नीची छत होती थी। भुवनेश्वर में इस काल में लगभग 100 मंदिरों का निर्माण हुआ, पर इसमें महत्वपूर्ण हैं—मुक्तेश्वर का मंदिर, राजारानी का मंदिर एवं लिंगराज का मंदिर। इन तीनों में सर्वोत्कृष्ट मंदिर लिंगराज का मंदिर है जिसमें उड़ीसा स्थापत्य कला के समस्त लक्षण दिखाई पड़ते हैं। इस मंदिर का सर्वाधिक आकर्षक भाग इसका 160 फुट ऊँचा शिखर है। पुरी का जगन्नाथ मंदिर भी लिंगराज मंदिर की शैली पर ही निर्मित है। कोणार्क का प्रसिद्ध किन्तु ध्वस्त सूर्य मंदिर भी अपनी अनोखी मूर्तियों एवं मण्डप की सुनियोजित पिरामिडाकर छत के लिए प्रसिद्ध है। चन्देलों की राजधानी खजुराहो में चन्देल शासकों द्वारा 950 से 1050 ई.

के मध्य बनवाये गये कुछ नागर शैली के मंदिर महत्वपूर्ण हैं, इनमें मुख्य हैं—शैव, वैष्णव, शाक्त एवं जैन मंदिर। इसके अतिरिक्त कुछ अति महत्वपूर्ण मंदिर जैसे—विश्वनाथ, कंदरिया महादेव, चतुर्भुज, लक्ष्मण तथा पार्श्वनाथ मंदिर आदि हैं। खजुराहो के नागर शैली में निर्मित मंदिर ऊँचे चबूतरे पर बनाये गये हैं। मंदिरों के अधिष्ठान के कोने में स्थित देवालय इस समय के मंदिरों को पंचायतन रूप प्रदान करते थे। मंदिर के गर्भगृह वाले भाग के चारों ओर प्रदक्षिणा-पथ होने के कारण इन्हें संधार प्रासाद भी कहा जाता था। दिलवाड़ा के आबू पर्वत पर निर्मित सुन्दर संगमरमर की छतों वाला जैन मंदिर चौकोर प्रांगण में स्थित है।

नागर शैली को विकसित करने में गुजरात के चालुक्य व सोलंकी शासकों की महत्वपूर्ण भूमिका रही है। यहां पर निर्मित प्रसिद्ध सोमनाथ का मंदिर इसी शैली में बना था। इस शैली को 'सोलंकी शैली' भी कहा गया है। सातवीं शताब्दी के लगभग ऐहोल (बीजापुर) में नागर एवं द्रविड़ शैली के मिश्रण से अनेक मंदिरों का निर्माण हुआ। इन मंदिरों के शिखर नागर शैली में एवं मंदिर का शेष भाग द्रविड़ शैली में निर्मित हुआ है। नागर एवं द्रविड़ शैली के मिश्रित रूप बेसर शैली के अन्तर्गत बने मुख्य मंदिर हैं—महाराष्ट्र के थाना जिले में स्थित 'अंबरनाथ का मंदिर' एवं खानदेश तथा नासिक में बने कुछ मंदिर। नागर शैली के मन्दिर वर्गाकार (चतुष्कोण) होते हैं। वर्गाकार तथा ऊपर की ओर वक्र होते हुए शिखर इन मंदिरों की विशेषताएं हैं। द्रविड़ शैली के मंदिर आयताकार तथा शिखर पिरामिड के आकार का होता है। बेसर शैली के मन्दिर गोलाकार होते हैं। होयसल राजाओं के मन्दिर बेसर शैली में निर्मित हैं।

लगभग आठवीं शताब्दी में राष्ट्रकूट राजाओं ने पत्थरों को काटकर ऐलोरा तथा एलिफैंटा में कुछ महत्वपूर्ण द्रविड़ शैली के अन्तर्गत मंदिर बनवाये। ऐलोरा में निर्मित रावण की खाई, रामेश्वर, दशावतार एवं कैलाश मंदिर प्रसिद्ध हैं। बौद्ध विहार का सबसे अधिक प्रभाव दशावतार मंदिर पर दिखाई पड़ता है। विश्व प्रसिद्ध कैलाश मंदिर का निर्माण राष्ट्रकूट नरेश कृष्ण प्रथम ने करवाया था। द्रविड़ शैली के अन्तर्गत बना यह मंदिर स्थापत्य कला का अनोखा उदाहरण प्रस्तुत करता है।

सातवीं से दसवीं शताब्दी के मध्य बने कुछ पल्लवकालीन मंदिरों में कांचीपुरम, महाबलीपुरम एवं तंजौर के मंदिर प्रसिद्ध हैं। पल्लव कलाकारों ने वास्तुकला को धीरे-धीरे काष्ठ कला और कंदराकला के प्रभाव से मुक्त करना प्रारंभ किया। पल्लवकालीन वास्तुकला की चार मुख्य शैलियाँ हैं जो प्रमुख पल्लव नरेशों के नाम पर हैं—महेन्द्र वर्मन शैली, मामल्ल शैली, राजसिंह शैली एवं नंदिवर्मन शैली। महेन्द्र वर्मन शैली के मंदिर को मंडप कहा गया है। मामल्ल शैली के रथ 'सप्त पैगोडा' नाम से विख्यात हैं। इनकी संख्या 8 है, जैसे द्रौपदी रथ, अर्जुन रथ, भीमरथ, धर्मराजरथ, सहदेव रथ इत्यादि। पल्लव नरेश नरसिंह वर्मन राजसिंह ने एक नवीन शैली 'राजसिंह शैली' का प्रचलन किया। इस शैली के मुख्य मंदिर थे—मामल्लपुरम् का तटवर्ती मंदिर, कांचीपुरम का कैलाशनाथ एवं बैकुंठ पेरूमल का मंदिर आदि। नंदिवर्मन शैली के मंदिर नंदिवर्मन एवं उसके उत्तराधिकारियों के राज्यकाल में बने। इस शैली के उल्लेखनीय मंदिर हैं—कांचीपुर का मुक्तेश्वर मंदिर, मातंगेश्वर मंदिर तथा गुडीमल्लम् का परशुरामेश्वर मंदिर।

द्वारसमुद्र में निर्मित होयसलेश्वर मंदिर 'होयसल शैली' में बना मंदिर है। द्रविड़ शैली का चरमोत्कर्ष चोलों के काल में हुआ। चोल सम्राटों ने अपनी शक्ति और ऐश्वर्य का प्रदर्शन भव्य तथा उत्तुंग शिखरों के निर्माण में किया। इस मंदिर निर्माण कला का सर्वोत्कृष्ट उदाहरण है—तंजौर का वृहदीश्वर मंदिर जिसे राजराज चोल ने 1000 ई. में बनवाया था। दूसरा मंदिर है राजेन्द्र चोल द्वारा बनवाया गया गंगैकोंड चोलपुरम् का मंदिर। पांड्यों के मंदिरों की मुख्य विशेषता गोपुरम् (प्रवेश द्वार) है। तिरूमलई मंदिर, चिदंबरम् मंदिर, कुंजकोणम् मंदिर आदि प्रसिद्ध कृतियां हैं।

### *मूर्तिकला*

गुप्तोत्तर काल में मूर्तियों का निर्माण पत्थर, काष्ठ एवं अनेक प्रकार की धातुओं से किया गया। इस काल की मूर्तियों में गुप्तकालीन मूर्तियों जैसी पवित्रता, कोमलता एवं सहजता का अभाव था। अंग-प्रत्यंग की सजीवता को इस काल में दिखाने का अधिक प्रयत्न किया गया था।

गुप्तोत्तरकालीन चित्रकला के अन्तर्गत इस काल में बने मंदिरों की दीवारों पर पशु-पक्षी, वृक्ष, लता, पुष्प आदि के चित्र उकेरे हुए मिलते हैं।

## पाल वंश

पाल वंश की स्थापना आठवीं शताब्दी में हुई। इनकी शक्ति का केंद्र बंगाल था। गौड़ वंश के शासक शशांक की मृत्यु के उपरांत बंगाल में अराजकता फैल गई। इसी का लाभ उठाकर गोपाल बंगाल का शासक बन गया और पाल वंश की स्थापना की। इस वंश ने 400 वर्षों तक शासन किया।

**स्रोत :** पाल वंश की जानकारी हमें अभिलेखों और साहित्यिक लेखों से प्राप्त होती है। इन अभिलेखों में धर्मपाल का खालिमपुर अभिलेख, नारायणपाल का भागलपुर अभिलेख, भोज का ग्वालियर अभिलेख, विजयसेन का देवपाड़ा अभिलेख, भोजन वर्मन का बेलाव अभिलेख प्रमुख है। खालिमपुर अभिलेख से हमें ज्ञात होता है कि गोपाल ने 750 ई. में पाल वंश की स्थापना की। इसी अभिलेख से हमें ज्ञात होता है कि गोपाल के पिता का नाम बप्यर तथा दादा का नाम दयति विष्णु था। भोज की ग्वालियर प्रशस्ति में धर्मपाल के अभियानों की जानकारी प्राप्त होती है। जोधपुर अभिलेख के अनुसार धर्मपाल और नागभट्ट की लड़ाई मुंगेर में हुई। धर्मपाल के अभियानों की जानकारी हमें खालिमपुर अभिलेख तथा नारायणपाल के भागलपुर अभिलेख से होती है।

इस काल के बारे में जानकारी हमें संध्याकर नंदी द्वारा रचित 'रामचरित' में भी मिलती है।

**प्रशासक :** मौर्य काल में बंगाल, मगध का हिस्सा था। नंदों के समय भी बंगाल उन्हीं के अधीन था किंतु गुप्त साम्राज्य के पतन के समय बंगाल गुप्त साम्राज्य से पृथक हो गया। शशांक नामक एक शक्तिशाली शासक का उदय बंगाल में हुआ। शशांक हर्षवर्धन का समकालीन था और उसी ने हर्षवर्धन के बहनोई गृहवर्मन को युद्ध में मार डाला था। किंतु बाद में हर्ष ने शशांक को पराजित कर दिया था। शशांक के काल में बंगाल

शक्तिशाली था। किंतु उसकी मृत्यु से बंगाल में अराजकता छा गई। आठवीं शताब्दी के प्रारंभ में शैल वंशीय शासक राजा पैण्डू ने उत्तरी बंगाल पर कब्जा कर लिया। कन्नौज शासक यशोवर्मन के बंगाल पर आक्रमण से जनता क्षुब्ध थी। अतः उन्होंने गोपाल नामक एक व्यक्ति को अपना राजा चुन लिया। इसके साथ ही बंगाल में पाल वंश की स्थापना हुई।

1. **गोपाल (750-770 ई.)** : यह पालवंश का संस्थापक था। उसने बंगाल में व्याप्त अराजकता को दूर किया और पुण्ड्र, बंग और मगध पर अपना आधिपत्य कायम किया। वह बौद्ध धर्म का अनुयायी था। उसने नालंदा के समीप उदंतपुर नामक स्थान में एक बौद्ध महाविहार की स्थापना की।

2. **धर्मपाल (770-815 ई.)** : गोपाल की मृत्यु के उपरांत उसका पुत्र धर्मपाल शासक बना। वह एक योग्य शासक था और उसने अपने साम्राज्य का विस्तार किया और पालवंश को सुदृढ़ बनाया। जिस समय वह सिंहासन पर बैठा, उस समय प्रतिहार शासक कन्नौज विजित करना चाहते थे। इसके अतिरिक्त दक्षिण भारत के राष्ट्रकूट भी कन्नौज पर अपना आधिपत्य जमाना चाहते थे। धर्मपाल भी अपना साम्राज्य विस्तार करना चाहता था। अतः जब उसने पश्चिम की ओर विस्तार का प्रयास किया तो उसका प्रतिहार और राष्ट्रकूट दोनों से संघर्ष हुआ। सर्वप्रथम धर्मपाल का मुकाबला, प्रतिहार शासक वत्सराज से हुआ। गंगा-यमुना दोआब के इस युद्ध में धर्मपाल पराजित हुआ। इस समय धर्मपाल के भाग्य ने उसका साथ दिया क्योंकि इस युद्ध के पश्चात राष्ट्रकूट शासक ध्रुव ने वत्सराज पर आक्रमण कर दिया और उसे परास्त कर दिया। कालान्तर में राष्ट्रकूट ध्रुव ने धर्मपाल को भी पराजित किया किंतु वह शीघ्र ही वापस लौट गया और इस कारण एक बार फिर धर्मपाल किसी बड़ी हानि से बच गया। वस्तुतः धर्मपाल को इस युद्ध से यह लाभ हुआ कि ध्रुव के हाथों वत्सराज बुरी तरह पराजित हो गया था और उसकी शक्ति काफी क्षीण हो गई थी।

   प्रतिहारों की दुर्बलता का फायदा उठाकर धर्मपाल ने अपनी शक्ति को सुदृढ़ किया और उत्तर भारत में एक बड़े साम्राज्य की स्थापना कर ली।

   इतिहासकार तारानाथ (तिब्बत) के अनुसार उसके राज्य का विस्तार पूर्व में बंगाल की खाड़ी से लेकर पश्चिम में जालंधर और उत्तर में हिमालय से लेकर दक्षिण में विंध्य पर्वत तक था। पाल लेखों में भी इस बात का उल्लेख है कि उसने इंद्रायुद्ध (कन्नौज के शासक वत्सराज के बाद) को हरा दिया और गद्दी से उतार दिया और उसके पुत्र चक्रायुद्ध को अपने प्रतिनिधि के रूप में कन्नौज में पदस्थापित किया। इस दरबार में भोज, मत्स्य, कुरू, अवंति, गांधार और कीर के शासक धर्मपाल की सत्ता स्वीकार करने के लिए उपस्थित हुए थे।

   किंतु नागभट्ट के नेतृत्व में प्रतिहारों ने अपनी शक्ति संगठित की और अपनी खोई प्रतिष्ठा पुनः प्राप्त की। नागभट्ट ने धर्मपाल के प्रतिनिधि चक्रायुद्ध को कन्नौज से खदेड़ दिया और कन्नौज पर अधिकार कर लिया। अतएव, धर्मपाल और नागभट्ट के मध्य संघर्ष अवश्यभावी हो गया। दोनों के बीच मुंगेर में युद्ध हुआ किंतु धर्मपाल पराजित हुआ। परंतु एक बार फिर भाग्य ने धर्मपाल का साथ दिया और एक बार फिर राष्ट्रकूटों का उत्तरी भारत पर आक्रमण उसके लिए लाभप्रद साबित हुआ। जब राष्ट्रकूट शासक गोविंद-III ने उत्तरी भारत पर आक्रमण कर दिया तो धर्मपाल ने बिना युद्ध किए उसके आधिपत्य को स्वीकार कर लिया। ऐसा प्रतीत होता है कि अपनी मुंगेर पराजय के बाद धर्मपाल ने ही गोविन्द तृतीय से नागभट्ट (प्रतिहार) के विरूद्ध सहायता मांगी। गोविन्द ने नागभट्ट को परास्त कर प्रतिहारों की बढ़ी हुई शक्ति को एक बार फिर कम कर दिया और प्रतिहार दुर्बल हो गए। उनकी इस कमजोरी का लाभ उठाते हुए धर्मपाल ने उत्तर भारत के अपने पूर्व के अधिकृत क्षेत्रों को पुनः जीत लिया। अपनी मृत्यु से पूर्व उसने उत्तरी भारत में एक विशाल साम्राज्य स्थापित कर लिया था।

   डॉ.आर.सी. मजुमदार ने धर्मपाल की बड़ी प्रशंसा की है। वे कहते हैं, 'धर्मपाल एक सौ युद्धों का नायक था। कठिनाइयों के सामने वह कभी विचलित नहीं हुआ और बड़े धैर्य से काम लिया। उसके अधीन बंगाल उत्तरी भारत का सर्वाधिक शक्तिशाली राज्य बन गया। इस प्रकार धर्मपाल ने शशांक का महान गौड़ साम्राज्य स्थापित करने का स्वप्न पूरा किया।

   धर्मपाल ने "परमेश्वर", "परम भट्टारक" और 'महाराजाधिराज" आदि उपाधियाँ धारण की। धर्मपाल बौद्ध धर्म का अनुयायी था और उसने बौद्ध धर्म को आश्रय प्रदान किया। धर्मपाल ने विक्रमशिला विश्वविद्यालय की स्थापना की। विक्रमशिला विश्वविद्यालय बाद के वर्षों में बौद्ध ज्ञान और संस्कृति का मुख्य केंद्र बन गया। उसने कला को भी संरक्षण प्रदान किया।

   अपनी वृद्धावस्था में धर्मपाल ने एक राष्ट्रकूट राजकुमारी से विवाह किया जिसका उद्देश्य निश्चय ही राजनीतिक रहा होगा। देवपाल का जन्म इसी विवाह का परिणाम था।

3. **देवपाल (810-850 ई.)** : धर्मपाल की मृत्यु के उपरांत उसका पुत्र देवपाल पाल वंश का शासक बना। वह एक योग्य पिता का योग्य पुत्र था। वह पालवंश का सबसे शक्तिशाली शासक था। उसने न सिर्फ अपने पिता से उत्तराधिकार में प्राप्त बड़े साम्राज्य को सुरक्षित रखा वरन् उसका विस्तार भी किया। बादल स्तंभ लेख के अनुसार उसने उड़ीसा को अपने राज्य में मिला लिया। हूणों, द्रविड़ तथा प्रतिहारों को परास्त किया। उसने आसाम को अपने भाई जयपाल के सेनापतित्व में जीतकर उसे भी अपने साम्राज्य में मिला लिया।

   देवपाल का मुख्य मुकाबला प्रतिहारों से था। प्रतिहार शासक एक बार फिर शक्तिशाली हो गये थे और नागभट्ट-II पूर्व में अपने राज्य का विस्तार करते हुए कन्नौज तक बढ़ आया था। देवपाल ने उसके बढ़ने को प्रभावी ढंग से रोका और उत्तरी भारत में अपना विजय अभियान प्रारंभ किया। उसने उत्तर

पश्चिम में कंबोज और पंजाब पर आक्रमण किया। मुंगेर दानपत्र के अनुसार उसने हिमालय और विन्ध्य पर्वत की सारी भूमि जीत ली और रामेश्वरम् तक अपना आधिपत्य स्थापित किया। दक्षिण की प्रमुख शक्ति राष्ट्रकूटों से भी युद्ध किया और संभवतः सफल भी रहा। प्रतिहार शासक मिहिर भोज से भी उसका युद्ध हुआ और देवपाल ने मिहिर भोज को पराजित किया। उसने मिहिर भोज की शक्ति पर अपने जीवन भर अंकुश लगाए रखा और देवपाल की मृत्यु के पश्चात ही मिहिरभोज कन्नौज तथा उत्तरी भारत में प्रतिहारों की शक्ति और प्रतिष्ठा स्थापित करने में सफल हो सका।

इस प्रकार देवपाल भी अपने पिता के समान ही अनेक युद्धों का नायक था। यद्यपि उसका प्रत्यक्ष नियंत्रण बंगाल, बिहार, उड़ीसा आदि कुछ समीपवर्ती इलाकों तक ही था किंतु उसका आधिपत्य उत्तर भारत के अनेक शासक स्वीकार करते थे। देवपाल ने न सिर्फ देश में प्रतिष्ठा प्राप्त की वरन् उसकी ख्याति विदेशों में भी थी। दक्षिण-पूर्वी एशिया के शैलेंद्र साम्राज्य के शासक ने उससे नालदा विश्वविद्यालय को पाँच गाँव दान देने का आग्रह किया था जिसे देवपाल ने स्वीकार कर लिया। उसके राजनैतिक संबंध वर्मा, सुमात्रा आदि पूर्वी देशों से थे। वह उत्तरी भारत का पहला शासक था जिसने सुदूर दक्षिण के पांड्य शासकों के विरूद्ध दक्षिण के अन्य शासकों को सैनिक सहायता प्रदान की थी।

वह भी बौद्ध धर्म का अनुयायी था और उसने बहुत से चैत्यों, महाविहारों का निर्माण कराया। उसने कला को भी प्रोत्साहन दिया। अरब यात्री सुलेमान ने उसे प्रतिहार और राष्ट्रकूट शासकों से अधिक शक्तिशाली बताया है। देवपाल के उपरांत विग्रहपाल-I शासक बना किंतु वह थोड़े दिनों तक शासन कर सका।

4. **नारायण पाल (855-908 ई.)** : देवपाल के पुत्र नारायणपाल, विग्रहपाल-I के उपरांत शासक बना। वह चेदिराज कोकल्ल प्रथम की पुत्री लज्जा का पुत्र था। उसके समय पालों की शक्ति को गहरा धक्का लगा। प्रतिहार राजा महेन्द्रपाल-I ने मगध और उत्तर बंगाल पर कब्जा कर लिया। इसी प्रकार चेदि नरेश ने पूर्वी बंगाल पर कब्जा कर लिया। प्रतिहारों और चेदियों के आक्रमण का मुख्य कारण नारायणपाल की शांतिप्रिय नीति थी। उसकी इसी नीति के कारण बंगाल की प्रतिष्ठा को और झटका लगा जिससे कामरूप और उड़ीसा भी बंगाल से स्वतंत्र हो गए। इस प्रकार, नारायणपाल के काल में पाल साम्राज्य काफी छोटा हो गया। पर ऐसा मालूम होता है कि अपने शासन के अंतिम दिनों में नारायणपाल ने प्रतिहारों से उत्तरी बंगाल और मगध छीनने में सफलता प्राप्त की।

नारायणपाल एक शैव था और इसने हजारों शिव-मंदिरों का निर्माण करवाया। नारायणपाल के पश्चात राज्यपाल, गोपाल-II, विग्रहपाल-II, शासक बने और इन्होंने करीब 80 वर्षों तक शासन किया। ये सभी दुर्बल शासक थे। उनके समय चंदेलों, कलचुरि और कंबोजों ने पाल राज्य पर आक्रमण किए और उनसे कई प्रदेश छीन लिए। पूर्वी और दक्षिणी बंगाल में चंद्रवंश का उदय हुआ।

5. **महीपाल-I (988-1038 ई.)** : विग्रहपाल द्वितीय का उत्तराधिकारी महीपाल प्रथम 988 ई. में शासक बना। उसने वंश की खोई प्रतिष्ठा प्राप्त करने की कोशिश की। उसने कम्बोजों से उत्तरी बंगाल जीत लिया और बिहार पर भी अपनी सत्ता स्थापित की। उसने अपने पश्चिमी सीमा बनारस तक विस्तृत कर ली। परंतु महीपाल-I की शक्ति को एक बड़ी क्षति 1012-1023 ई. में हुए चोल आक्रमण ने पहुँचाई। चोल शासक राजेंद्र-I की सेना ने बंगाल पर आक्रमण कर महीपाल को पराजित कर दिया। चोलों का बंगाल पर आधिपत्य स्थापित करने का कोई इरादा नहीं था और इस कारण वे यहाँ टिके नहीं किंतु इन आक्रमणों का कुपरिणाम महीपाल को भुगतना पड़ा। उसके सामंतों ने उसके विरूद्ध विद्रोह कर दिया। इसी अराजकता का लाभ उठाकर 1028 ई. में गांगेयदेव कलचुरी ने बंगाल पर आक्रमण कर दिया और महीपाल से कुछ प्रदेश छीन लिए। परंतु इन असफलताओं के बावजूद महीपाल बंगाल और बिहार के बड़े भू-भाग को अपने अधिकार में रखने में सफल रहा और पाल-वंश के सीमित हो रहे साम्राज्य को विस्तृत किया।

महीपाल भी बौद्ध था। उसने तिब्बत में धर्म प्रचारक भेजे। सारनाथ में उसने कई मंदिर बनवाये और स्तूप तथा धर्मचक्र का जीर्णोद्धार कराया। इसने कई नगरों और तालाबों का भी निर्माण किया तथा नालंदा और बनारस के अनेक बौद्ध विहारों को धन दिया।

6. **जयपाल (1038-1055 ई.)** : महीपाल के बाद उसका पुत्र जयपाल शासक बना। जयपाल के समय की मुख्य घटना कलचुरि-पाल युद्ध है। पालों और कलचुरियों के बीच हुए इस युद्ध की भीषणता से चिंतित होकर तत्कालीन बौद्ध विद्वान दीपांकर को हस्तक्षेप करना पड़ा और कलचुरि शासक कर्ण और जयपाल में युद्ध विराम की संधि हुई जिसके अनुसार दोनों ने एक-दूसरे के विजित प्रदेश वापस कर दिये।

7. **विग्रहपाल-III (1055-1070 ई.)** : जयपाल के उपरांत विग्रहपाल-III शासक बना। इसके समय में एक बार पुनः पाल-कलचुरि संघर्ष शुरू हो गया। कलचुरि शासक कर्ण ने जयपाल के साथ हुई संधि को ठुकरा दिया और बंगाल पर आक्रमण कर दिया किंतु विग्रहपाल-III ने उसे पराजित कर दिया। एक बार फिर पालों और कलचुरियों में संधि हुई और कर्ण ने अपनी पुत्री यौवनश्री का विवाह विग्रहपाल-III से कर दिया।

किंतु विग्रहपाल की समस्याएँ यहीं समाप्त नहीं हुई। चालुक्य शासक विक्रमादित्य-VI और उसके बाद कोशल नरेश ययाति ने

बंगाल पर आक्रमण किया। इन आक्रमणों ने विग्रहपाल की शक्ति और प्रतिष्ठा को गहरा ठेस पहुँचाया। पूर्वी बंगाल और कई अन्य भाग स्वतंत्र हो गए। विग्रहपाल बड़ी कठिनाई से गौड़ और मगध पर अपना नियंत्रण रख सका।

8. **महीपाल-II :** विग्रहपाल-II के उपरांत महीपाल-II शासक बना किंतु वह एक अयोग्य शासक था और अनेक विद्रोहों का दमन नहीं कर सका और मारा गया।

9. **रामपाल (1077-1120 ई.) :** महीपाल-II ने शासक बनते ही अपने दो भाइयों रामपाल और शूरपाल को बंदी बना लिया था। महीपाल की मृत्यु और तत्कालीन अव्यवस्था का लाभ उठाकर दोनों भाई कैद से भाग निकले और मगध में शूरपाल ने कुछ दिन तक शासन किया। शूरपाल की मृत्यु के पश्चात् रामपाल ने मगध पर शासन किया। वह पालवंश का अंतिम योग्य शासक था। उसने पालवंश की प्रतिष्ठा पुनः स्थापित की और बंगाल पर अधिकार कर लिया। रामपाल ने असम के शासक को परास्त कर उसे भी अपने अधिकार में ले लिया। उसने उड़ीसा के आंतरिक मामलों में हस्तक्षेप कर कलिंग के बढ़ते प्रभाव को रोकने में सफलता पाई। उसने कन्नौज के शासक गोविन्दचंद से वैवाहिक संबंध स्थापित किया और उसे पूर्व की ओर बढ़ने से रोका। उसने सेन वंश और उत्तरी बिहार के शासक के प्रभाव को बढ़ने से रोका। इस प्रकार रामपाल ने मगध को सत्ता का केन्द्र बनाया और आसपास की शक्तियों को अपनी ओर बढ़ने से रोका। 1120 ई. में रामपाल की मृत्यु हो गई और उसकी मृत्यु के उपरांत पाल वंश का पतन तेजी से हो गया।

रामपाल के उपरांत कुमारपाल, गोपाल-III और मदनपाल ने 30 वर्षों तक शासन किया। ये सभी दुर्बल राजा थे और ये पाल वंश के पतन को रोकने में असमर्थ थे। कुमारपाल के शासन काल में कामरूप स्वतंत्र हो गया और पूर्वी बंगाल भी पालों के हाथ से निकल गया। वहाँ के सामंत ने खुद को स्वतंत्र घोषित कर दिया। कलिंग के शासक अनंतवर्मा तथा कन्नौज के शासक गोविंदचंद ने अपनी-अपनी सीमाओं के समीपवर्ती पाल इलाके जीत लिए। मदनपाल के समय विजयसेन ने गौड़ भी पालों से छीन लिया। और बारहवीं सदी के मध्य तक पाल वंश, मदनपाल की मृत्यु के साथ ही समाप्त हो गया।

**पाल वंश का महत्व :** पाल वंश का भारतीय इतिहास में महत्वपूर्ण स्थान है। डॉ. आर. सी मजूमदार ने लिखा है ''बंगाल के इतिहास में सबसे यशस्वी अध्याय धर्मपाल और देवपाल का शासन काल है। उससे पहले और उसके पश्चात अंग्रेजों के आगमन तक बंगाल ने भारतीय राजनीति में इतना अधिक महत्वपूर्ण रूप से भाग नहीं लिया।'' 400 वर्षों के अपने शासक काल में पालों ने बंगाल को शक्ति-समृद्धि और वैभव प्रदान किया। इस वंश के शासक महान् विजेता, विद्वानों व कवियों के संरक्षक तथा कला प्रेमी थे। अतएवं, भारतीय सभ्यता और संस्कृति के विकास में उन्होंने महत्वपूर्ण योगदान दिया।

**कला :** पाल कला का भारतीय कलाओं में महत्वपूर्ण स्थान है। देवपाल के समय के दो महत्वपूर्ण कलाकार धीमन और वीठपाल थे। चित्रकला, मूर्तिकला और धातुओं को ढालने में अपनी निपुणता के कारण पाल कला ने ख्याति पाई। स्थापत्य और मूर्तिकला को भी पाल-शासकों ने प्रश्रय दिया और उन्होंने अनेक बौद्ध विहारों, चैत्यों और मूर्तियों का निर्माण करवाया। पाल काल में पत्थर की मूर्तियां काफी संख्या में निर्मित हुई। पाल कला ने बाद के अन्य कला शैलियों को प्रभावित किया ही साथ ही उनका प्रभाव दक्षिण-पूर्वी एशिया के कला पर भी पड़ा।

चित्रकला ने इस काल में काफी प्रगति की। पाल कालीन चित्रकला के अवशेष ब्रिटिश म्यूजियम और कैम्ब्रिज लाइब्रेरी में सुरक्षित हैं। यहीं से चित्रकला का प्रसार तिब्बत में हुआ।

**साहित्य :** पाल काल में साहित्य ने भी प्रगति की। संस्कृत साहित्य की "गौडीय रीति'' का विकास इसी काल में हुआ। संध्याकर नंदी ने रामचरित की रचना की। चक्रपाणि दत्त ने वैधक-ग्रन्थ की रचना की। भवदेवभट नामक एक विद्वान पाल दरबार की शोभा थे। हिंदू कानून पुस्तक दयाभाग के रचयिता जिमूतवाहन इसी काल के हैं।

बौद्ध विद्वानों में मकलशील, राहुलभद्र, कल्याण, रक्षित, प्रमुख हैं। इस समय के सर्वश्रेष्ठ विद्वानों में दीपंकर श्री ज्ञान अतीश थे। जिन्हें तिब्बत बुलाया गया था और जहाँ उन्होंने 70 ग्रंथों की रचना की। बौद्ध कवि वज्रदत्त ने ''लोकेश्वर शतक'' नामक काव्य की रचना की। विक्रमशिला विश्वविद्यालय के सभी आचार्य प्रकांड पंडित थे और वह बौद्ध-धर्म का केंद्र था। इसी युग में बंगला भाषा का भी विकास हुआ।

**धर्म :** पाल शासक मुख्य रूप से बौद्ध धर्म के अनुयायी थे। अतः उन्होंने बौद्ध धर्म को प्रश्रय दिया किंतु वे अन्य धर्मों के प्रति सहिष्णुता रखते थे। बौद्ध धर्म के तांत्रिक रूप का विकास और वज्रयान का विकास इसी युग में हुआ। उन्होंने ब्राह्मणों को मुक्त हस्तदान दिया और अनेक हिंदू मंदिरों का निर्माण किया। वे विष्णु और शिव भक्तों के प्रति उदार थे। पालवंश का सांस्कृतिक दृष्टि से भी महत्व है। ये अंतिम हिंदू सम्राट थे, जिनका आदेश-पत्र पाटलिपुत्र से जारी होता था।

**शिक्षा :** शिक्षा के विकास के लिए पालों ने सोमपुर, उदन्तपुरी तथा विक्रमशिला विश्वविद्यालयों की स्थापना की। भागलपुर के समीप स्थित विक्रमशिला विश्वविद्यालय विश्व ख्याति प्राप्त था। अनेक विदेशी-छात्र यहाँ पढ़ने आते थे। इनका महत्व नालंदा विश्वविद्यालय के जैसा था। विक्रमशिला विश्वविद्यालय के सुविख्यात शिक्षक श्री ज्ञान अतीश को तिब्बत और जावा से निमंत्रण प्राप्त हुआ था। देवपाल के समय, जावा से के शासक बलपुत्रदेव के आग्रह पर एक छात्रावास का निर्माण किया गया था। देवपाल ने नालंदा विश्वविद्यालय को 5 गाँव भी दान में दिये थे।

## ■। प्रतिहार वंश

**प्रतिहारों की उत्पत्ति :** प्रतिहारों की उत्पत्ति के संबंध में इतिहासकारों के बीच गहरा मतभेद है। इतिहासकार टॉड के अनुसार प्रतिहार विदेशी थे जो हूणों के साथ भारत आए और पंजाब, राजपूताना और गुजरात में फैल गए। किंतु आधुनिक इतिहासकारों का मत है कि प्रतिहार विदेशी न होकर

भारत के मूल निवासी हैं। उनका मत है कि सौराष्ट्र, कच्छ, काठियावाड़ तथा गुजरात के प्रदेश छठी शताब्दी में गुर्जर प्रदेश के नाम से विख्यात थे और यहीं के निवासी गुर्जर कहलाए। गुर्जर शब्द की उत्पत्ति गुरूजन शब्द से लगाया जाता है।

प्रतिहार शब्द का मतलब होता है द्वारपाल। कहा जाता है कि राम के भ्राता लक्ष्मण के वंशजों को प्रतिहार कहते हैं। ऐसा इसलिए कि राम के वनवास के समय लक्ष्मण द्वारपाल का कार्य करते थे। गुर्जर जाति के लोगों ने भी भारत की रक्षा की और अरबों को परास्त किया। इससे उनकी प्रतिष्ठा में वृद्धि हुई और वे 'रक्षक' हो गए। इसके पश्चात् उन्हें गुर्जर-प्रतिहार कहा जाने लगा।

प्रारंभ में गुर्जर-प्रतिहार मुख्यतः गुजरात और दक्षिण-पश्चिम राजस्थान तक ही सीमित थे। परंतु धीरे-धीरे उन्होंने अपनी शक्ति का विस्तार कर लिया और मालवा पर विजय प्राप्त की। इसके उपरांत वे एक शक्ति बन कर उभरे और कन्नौज के त्रिपक्षीय संघर्ष में भाग लिया और अंततः कन्नौज जीत लिया और उसे अपनी राजधानी बनाई।

## *प्रमुख शासक*

1. **नागभट्ट प्रथम (730-756 ई.)** : प्रतिहार वंश का वास्तविक संस्थापक नागभट्ट था। कहते हैं कि हरिचंद्र नामक एक व्यक्ति ने आधुनिक जोधपुर के निकट इस वंश की नींव डाली। उसके चार पुत्र थे। जिन्होंने अलग-अलग स्थानों पर शासन किया। इन्हीं में से एक ने उज्जैन पर शासन किया। नागभट्ट उज्जैन का शासक था। नागभट्ट ने अपने अन्य भाईयों को संगठित किया और प्रतिहारों की श्रेष्ठता स्थापित की। उसने अरबों द्वारा किए गए आक्रमण को सफलतापूर्वक विफल कर दिया और इससे उसकी प्रतिष्ठा में भारी वृद्धि हुई। उसने गुजरात से लेकर ग्वालियर तक एक बड़ा राज्य स्थापित किया। नागभट्ट प्रथम के बारे में हमें जानकारी ग्वालियर अभिलेख से मिलती है।

2. **वत्सराज (783-985 ई.)** : नागभट्ट के बाद उसके दो भतीजे कंक्कुक एवं देवराज गद्दी पर बैठे किंतु उनके विषय में कोई जानकारी उपलब्ध नहीं है। इनके बाद देवराज का पुत्र वत्सराज सिंहासन पर बैठा। उसने अपने वंश का यश बढ़ाया और उसकी शक्ति में वृद्धि की। उसका मुकाबला पाल-वंश के शक्तिशाली शासक धर्मपाल से हुआ जिसमें वत्सराज विजयी रहा। किंतु इस युद्ध के तुरंत बाद ही शक्तिशाली राष्ट्रकूट शासक ध्रुव ने प्रतिहारों पर आक्रमण किया। इस युद्ध में वत्सराज पराजित हुआ।

3. **नागभट्ट द्वितीय (795-833 ई.)** : वत्सराज की मृत्यु के बाद उसका पुत्र नागभट्ट द्वितीय शासक बना। वस्तुतः ध्रुव के हाथों पराजित होने से गुर्जर-प्रतिहारों की शक्ति को गहरा आघात लगा था। इसका लाभ पाल शासक धर्मपाल ने उठाया और उसने कन्नौज के शासक इंद्रायुद्ध को हटाकर उसके पुत्र चक्रायुद्ध को कन्नौज का शासक नियुक्त किया। नागभट्ट ने शासक बनते ही अपने वंश की गौरव और शक्ति को संगठित किया परन्तु राष्ट्रकूट से बदला लेने के लिए उन पर आक्रमण कर दिया। लेकिन उसे सफलता नहीं मिली और उसे शक्तिशाली राष्ट्रकूट शासक गोविंद-III ने परास्त कर दिया। इस प्रकार नागभट्ट दक्षिण की ओर अपने साम्राज्य का विस्तार नहीं कर सका। अब उसने कन्नौज के शासक चक्रायुद्ध को पराजित कर दिया। चक्रायुद्ध को कन्नौज से खदेड़ दिया। अतः धर्मपाल से उसका युद्ध अवश्यंभावी हो गया। नागभट्ट और धर्मपाल की सेनाओं में मुंगेर नामक स्थान पर युद्ध हुआ। इस युद्ध में नागभट्ट ने धर्मपाल को पराजित किया। इससे नागभट्ट की शक्ति बढ़ गई और इसका परिणाम यह हुआ कि आंध्र, सिंधु, विदर्भ तथा कलिंग के शासकों ने उससे मैत्री की। ग्वालियर अभिलेख से ये ज्ञात होता है कि उसने उत्तरी कठियावाड़, कम्बोज, पूर्वी राजपूताना आदि प्रदेशों को विजित किया।

   इस प्रकार नागभट्ट ने प्रतिहारों की शक्ति में प्रभावकारी वृद्धि कर दी और उन्हें उत्तर भारत की प्रमुख शक्ति बना दिया लेकिन इसका उत्तराधिकारी, इसका पुत्र रामभद्र एक अयोग्य शासक था। इसकें काल में प्रतिहारों की शक्ति का ह्रास होने लगा। सौभाग्यवश, रामभद्र ने कुछ ही वर्षों तक शासन किया। रामभद्र को पालों ने हराया था।

4. **मिहिर भोज (836-889 ई.)** : रामभद्र की मृत्यु के उपरांत उसका योग्य पुत्र मिहिर भोज शासक बना। उसने पिता के काल में दुर्बल हो चुके प्रतिहारों में जीवन का संचार किया। वह एक पराक्रमी और योग्य शासक था। उसने शासक बनने के बाद बुंदेलखंड पर अपनी सत्ता पुनः स्थापित की जो रामभद्र के काल में प्रतिहारों के हाथ से निकल गई थी। उस समय पूर्वी बंगाल पर पालवंश के शक्तिशाली शासक देवपाल का शासन था। उसने मिहिर भोज को अपने जीवन काल में पूर्व की ओर विस्तार करने से रोके रखा। देवपाल ने उसे पराजित किया। दक्षिण में राष्ट्रकूट शासक नर्मदा पार करके उत्तर की ओर बढ़ना चाहते थे। राष्ट्रकूट शासक ध्रुव से यद्यपि वह पराजित हुआ किंतु उसे कोई विशेष क्षति नहीं पहुँची। वास्तव में वह राष्ट्रकूटों के उत्तर भारत में साम्राज्य फैलाने की नीति में बाधक सिद्ध होता रहा।

   देवपाल की मृत्यु 850 ई. में हो गई। इसके उपरांत मिहिर भोज ने अपनी शक्ति का खूब विस्तार किया और पालों के साम्राज्य का एक बहुत बड़ा हिस्सा उनसे छीन लिया। मिहिर भोज का साम्राज्य काठियावाड़, पंजाब, मालवा तथा मध्य प्रदेश तक फैला था।

   उसके शासनकाल में 851 ई. में अरब यात्री सुलेमान भारत आया था। उसने मिहिर भोज के शासन प्रबंध की खूब सराहना की है। इसके अतिरिक्त उसने मिहिर भोज के सैन्य शक्ति, विशेषकर उसकी अश्वसेना की सराहना की है। उसने मिहिर

भोज को 'अरबों का शत्रु'' और ''इस्लाम का सबसे बड़ा शत्रु'' माना है। मिहिर भोज ने ''आदिवराह'' की उपाधि धारण की थी।

5. **महेंद्रपाल (890-910 ई.)** : मिहिर भोज के उपरांत उसका पुत्र महेंद्रपाल, जिसे निर्भयराज भी कहते हैं शासक बना। उसने अपने राज्य का विस्तार मगध और उत्तरी बंगाल तक किया। उनके अभिलेखों से ज्ञात होता है कि 893 ई. में उसका प्रभुत्व सौराष्ट्र तक मान्य था जहाँ उसके अधीनस्थ शासक राज्य किया करते थे। किंतु उत्तर पश्चिम में उसकी शक्ति क्षीण हुई थी। कश्मीर के शासक शंकरवर्मन ने उसे पराजित किया था और पंजाब का कुछ हिस्सा उससे छीन लिया था। इसकी जानकारी हमें ''राजतरंगिणी'' से मिलती है। लेकिन जैसा कि पेहोवा अभिलेख से ज्ञात होता है, करनाल जिला उसके पूर्ववर्ती शासकों की भांति उसके अधीन रहा। इस प्रकार, महेंद्रपाल ने मिहिर भोज से प्राप्त साम्राज्य को सुरक्षित ही नहीं रखा वरन् उसकी सीमा में वृद्धि भी की।

   महेंद्रपाल साहित्यकारों का संरक्षक था। उसके दरबार में राजशेखर थे जिन्होंने कर्पूरमंजरी, बाल रामायण, बाल भारत और काव्य मीमांसा के लिए प्रसिद्धि पाई।

6. **महीपाल (912-944 ई.)** : महेंद्रपाल के पश्चात् उसका पुत्र भोज द्वितीय सिंहासन पर बैठा। परंतु शीघ्र ही महीपाल ने हर्षवेद चंदेल की मदद से सिंहासन छीन लिया। महीपाल के समय, 915-917 ई., में एक बार फिर राष्ट्रकूट सम्राट इंद्र तृतीय ने उत्तरी भारत पर आक्रमण किया। इस युद्ध में भी राष्ट्रकूटों की ही विजय हुई। इंद्र तृतीय ने महीपाल को बुरी तरह पराजित किया। इंद्र ने कन्नौज को बुरी तरह लूटा और उसे पूरी तरह नष्ट कर दिया। लेकिन इस लूटपाट के बाद इंद्र वापस लौट गया। महीपाल ने पुनः अपनी स्थिति को सुदृढ़ किया और अपने साम्राज्य को संगठित करने का प्रयत्न किया। वह अपने साम्राज्य के अधिकांश हिस्सों पर अपना अधिकार फिर से जमाने में कामयाब हो गया। किंतु वह पूर्वी हिस्से हासिल न कर सका जिसे पालों ने उसकी दुर्बलता का लाभ उठाकर जीत लिया था। 940 ई. के आसपास राष्ट्रकूटों ने उत्तर भारत पर आक्रमण कर प्रतिहारों हमलों से प्रतिहार शक्ति कमजोर हो रही थी और उसके सम्मान को धक्का पहुँच रहा था। इन आक्रमणों ने प्रतिहारों के पतन में महत्वपूर्ण भूमिका निभाई। प्रतिहारों के अधीनस्थ कई सामंतों जैसे चंदेल, परमार, चौहान आदि क्षेत्रीय स्तर पर स्वतंत्र हो गए। इसी समय (915 ई.) में बगदाद का यात्री अलमसूदी गुजरात आया था।

7. **महीपाल के उत्तराधिकारी और प्रतिहारों का पतन (944-1036 ई.)** : महीपाल के पश्चात उसका पुत्र महेंद्रपाल-II सिंहासन पर बैठा जिसने 945-946 ई. तक शासन किया। इसके पश्चात देवपाल, विनायकपाल-II, महीपाल द्वितीय तथा विजयपाल नाम के चार शासकों ने कन्नौज पर शासन किया। किंतु ये सभी अयोग्य थे और पहले से ही लड़खड़ा रही प्रतिहारों की शक्ति को सहारा देने में असमर्थ थे। विजयपाल के समय यह साम्राज्य कई राज्यों में बँट गया :

   (क) अन्हिलवाड़ के चालुक्य
   (ख) जेजाक भुक्ति के चंदेल
   (ग) ग्वालियर के कच्छपधात
   (घ) कलचुरी-चेदि राजवंश
   (ङ) मालवा के परमार
   (च) दक्षिणी राजपूताना के गुहिल
   (छ) शाकम्भरी के चौहान

   इस प्रकार, दसवीं सदी में जब राज्यपाल कन्नौज का शासक बना तो उसका राज्य काफी छोटा था। इसी के काल में तुर्की का आक्रमण भारत पर हुआ जब सुबुक्तगीन ने 991 ई. में उत्तर पश्चिम के हिंदूशाही वंश पर आक्रमण कर भारत में प्रवेश करना चाहा, तो राज्यपाल ने हिंदूशाही वंश के तत्कालीन शासक जयपाल को सहायता प्रदान की। इसी प्रकार, 1008 ई. में जब महमूद गजनवी ने भारत पर आक्रमण किया तो राज्यपाल ने इसके विरूद्ध भी हिंदूशाही शासक आनंदपाल को सहायता प्रदान की। किंतु हिंदूशाही वंश महमूद के आक्रमण को नहीं रोक सका और महमूद भारत में प्रवेश कर गया। 1018 ई. में उसने कन्नौज पर आक्रमण किया किंतु तब राज्यपाल ने उसका मुकाबला करने का साहस नहीं दिखाया और भाग खड़ा हुआ। जब महमूद कन्नौज को लूट कर लौट गया तो चंदेल शासक विद्याधर ने राज्यपाल को इस कायरता की सजा देने के लिए कन्नौज पर आक्रमण किया और राज्यपाल की हत्या कर दी। तत्पश्चात् त्रिलोचनपाल प्रतिहार वंश का शासक बना। यशपाल गुर्जर प्रतिहार वंश का अंतिम शासक था।

## राष्ट्रकूट वंश

राष्ट्रकूटों के उत्पत्ति के विषय में विद्वानों में मतभेद है, यद्यपि ज्यादातर विद्वानों का मत है कि राष्ट्रकूट किसी कुल या कबीले का नाम न होकर, एक पद का नाम था। चालुक्यों के समय में राज्य राष्ट्रों में विभक्त था। राष्ट्र वर्तमान जिलों के समान थे। इन जिलों (राष्ट्रों) के अधिकारी राष्ट्रकूट कहलाए। ऐसा माना जाता है कि राष्ट्रकूट बादामी के चालुक्यों के अधिकारी थे, जिन्होंने शक्ति कमजोर होने पर स्वयं अपना साम्राज्य स्थापित कर लिया।

इस वंश के अभिलेखों से ज्ञात होता है कि उनके पूर्वज का नाम रट्ट था जिसके पुत्र ''राष्ट्रकूट'' ने इस कुल की स्थापना की। कुछ इतिहासकार राष्ट्रकूटों को राठौरों का वंशज मानते हैं किंतु यह सही प्रतीत नहीं होता। बरनेल के अनुसार राष्ट्रकूट आंध्र प्रदेश के रेड्डियों से संबंधित थे, इन सबमें सर्वाधिक उचित जान पड़ता है। मान्यखेट के राष्ट्रकूट रष्टिकों या रठिकों के वंशज थे जो तीसरी सदी के मध्य में काफी शक्तिशाली थे और जिनका वर्णन अशोक के अभिलेखों में भी है।

राष्ट्रकूटों के मूल स्थान के संबंध में भी मतभेद है। डॉ. अल्तेकर उनका मूल स्थान कर्नाटक बताते हैं क्योंकि वे कन्नड़ भाषा तथा लिपि का प्रयोग करते थे। अनेक अभिलेखों में उनको "लट्टलूर का स्वामी' लिखा हुआ है। कुछ विद्वान उन्हें महाराष्ट्र का मूल निवासी मानते हैं।

**प्रमुख शासक :** सातवीं सदी में राष्ट्रकूट, चालुक्यों के अधीन सामन्त थे। उनके वंश में से इन्द्र ने औरंगाबाद में एक दृढ़ राज्य की स्थापना की। उसने एक चालुक्य राजकुमारी से विवाह कर अपनी स्थिति सुदृढ़ कर ली।

1. **दंतिदुर्ग (733-758 ई.) :** यह चालुक्य राजकुमारी भवनागा और इंद्र राज का पुत्र था। जब 733 ई. में उसने सिंहासन ग्रहण किया और तब वह चालुक्य शासक को अपना अधिपति मानता था। वह एक कुशल कूटनीतिज्ञ और पराक्रमी व्यक्ति था। उसने चालुक्य शासक विक्रमादित्य द्वितीय की ओर से अनेक युद्धों में भाग लिया। इसने कांची के पल्लव शासक, कलिंग के शासक, दक्षिण गुजरात के शासक, मालवा के प्रतिहार शासक और कुर्नूल के अधिपति को युद्धों में पराजित किया। 744 ई. विक्रमादित्य की मृत्यु के बाद ही उसने कलिंग, मालवा आदि पर आक्रमण किया था और विजय प्राप्त की थी। इस प्रकार उसके राज्य का विस्तार होता देख चालुक्य शासक कीर्तिवर्मन को चिंता हुई और उसने उसकी शक्ति को कम करने के उद्देश्य से उसपर आक्रमण कर दिया। दंतिदुर्ग ने कीर्तिवर्मन II को बुरी तरह पराजित किया और इस प्रकार मध्य भारत, गुजरात और महराष्ट्र का शासक बन गया। इस प्रकार, 753 ई. में दंतिदुर्ग ने चालुक्यों (बादामी) को पराजित कर राष्ट्रकूट वंश की स्थापना की।

   वह एक धार्मिक स्वभाव का व्यक्ति था। यह त्योहारों और अन्य अवसरों पर ब्राह्मण को भारी दान देता था। उसने उज्जैन में हिरण्यगर्भा यज्ञ किया था। इसका कोई पुत्र न था। अतः इसकी मृत्यु के उपरांत उसका चाचा कृष्ण प्रथम गद्दी पर बैठा।

2. **कृष्ण प्रथम (758-773 ई.) :** इसके शासन काल में कीर्तिवर्मन-II ने अपनी खोई हुई शक्ति को संगठित कर अपनी खोई हुई सत्ता प्राप्त करने की कोशिश की परंतु कृष्ण प्रथम ने उसे सफल ना होने दिया। उसने कोंकण को जीतकर शीलाहार सामंतों को नियुक्त किया। 768 ई. में गंगराजा श्री पुरुष को जीतकर अपनी शक्ति को और विस्तृत किया। उसने वेंगी के पूर्वी चालुक्य शासक विष्णुवर्द्धन-IV को भी पराजित किया और उसके राज्य (हैदराबाद) पर कब्जा कर लिया।

   वह एक महान निर्माता था और उसी ने ऐलोरा का प्रसिद्ध कैलाश मंदिर बनवाया था। इस मंदिर के बारे में विंसेंट-स्मिथ ने कहा है कि ठोस चट्टान काटकर बनाया हुआ यह अद्‌भुत मंदिर 'भारत के वास्तु आश्चर्यों में सर्वाधिक विस्मयजनक है।"

3. **गोविंद द्वितीय (773-780 ई.) :** कृष्ण प्रथम की मृत्यु के बाद उसका पुत्र गोविंद द्वितीय शासक बना। यद्यपि युवराज की हैसियत से उसने वेंगी नरेश विष्णुवर्धन–को परास्त किया था, परंतु सिंहासनारूढ़ होने के बाद उसकी कोई खास उपलब्धि नहीं रही। वह भोग विलास में डूब गया और शासन का सारा उत्तरदायित्व अपने छोटे भाई ध्रुव को सौंप दिया। अवसर का लाभ उठाकर ध्रुव ने विद्रोह कर दिया और 780 में ध्रुव स्वयं सिंहासन पर बैठ गया।

4. **ध्रुव (780-793 ई.) :** ध्रुव एक महान सम्राट था। उसने पल्लव शासक दंतिवर्मा और वेंगी के चालुक्य शासक विष्णुवर्धन चतुर्थ को परास्त कर दक्षिण भारत में अपनी श्रेष्ठता को स्थापित किया। विष्णुवर्धन को उसने अपना कुछ क्षेत्र देने को विवश किया और उसकी पुत्री शीलमहादेवी से विवाह किया। उसने गंग राज्य (मैसूर) को अपने अधीन कर लिया और उसके युवराज को कैद कर लिया। उसी प्रकार उसने पल्लवों को भी पराजित किया। उसने पल्लव, गंग, पूर्वी चालुक्य और मालवा के राजाओं के एक संघ को परास्त किया। उसने अपने सभी विरोधियों से बदला लिया–पल्लवों से धन और हाथी हर्जाने के रूप में लिया, मालवा के राजा को उसने परास्त कर राजपूताना में शरण लेने को बाध्य कर दिया। ध्रुव ने मालवा के प्रतिहार शासक और पाल राजा दोनों को पराजित किया। कन्नौज के अधिकार के लिए राष्ट्रकूटों के प्रतिद्वंदी ये दोनों ही शासक थे। ध्रुव ने इन दोनों को पराजित तो कर दिया लेकिन अपनी उत्तर विजय को संगठित नहीं किया और वापस दक्षिण लौट आया। इसका लाभ धर्मपाल ने उठाया और उत्तर में साम्राज्य विस्तार कर लिया। इस प्रकार उसने उत्तर भारत की राजनीति में हस्तक्षेप किया और इसमें सक्रिय रूप से लाभ लिया। तत्कालीन भारतीय शासकों में कोई भी ध्रुव जितना शक्तिशाली नहीं था।

5. **गोविंद तृतीय (793-814 ई.) :** ध्रुव के बाद उसका पुत्र गोविंद तृतीय शासक बना। संभवतः उसका राज्याभिषेक ध्रुव ने ही कर दिया था। वह एक योग्य पिता का योग्य पुत्र था। वह एक महान सम्राट और यशस्वी शासक था। ध्रुव को मृत्यु से पूर्व ही यह आभास हो गया था कि उसकी मृत्यु के उपरांत उत्तराधिकार के लिए संघर्ष हो सकता है अतः उसने अपने शासन काल में ही गोविंद-III का राज्याभिषेक कर दिया था। किंतु इसको विशेष लाभ नहीं हुआ क्योंकि ध्रुव की मृत्यु के उपरांत उसके बड़े पुत्र स्तंभ ने गोविंद के विरूद्ध विद्रोह कर दिया। गोविंद ने इसे कुचल दिया और स्तंभ को गंग राज्य में अपना प्रतिनिधि नियुक्त किया। इस विद्रोह के दमन में गोविंद को अपने भाई इंद्र का सहयोग प्राप्त हुआ। इंद्र को गुजरात का प्रोतपति नियुक्त किया गया।

   गोविंद ने गंगराज शिवमार को मुक्त कर दिया किंतु जब इसने पुनः विद्रोह किया तो उसे पुनः कारावास में डाल दिया। इसके बाद गोविंद ने पल्लव शासक पर आक्रमण किया और उसे फिर परास्त किया। गोविंद-IV ने वेंगी के चालुक्य शासक विजयादित्य को हराया और उसे अपमानित भी किया।

अपने पिता के नीतियों का अनुसरण करते हुए उसने भी उत्तर भारत की राजनीति में हस्तक्षेप किया। गोविंद ने उत्तर भारत में राष्ट्रकूटों के सम्मान को पुनः स्थापित किया। ध्रुव के वापस दक्षिण लौट आने के बाद वत्सराज का पुत्र नागभट्ट-II एक योग्य शासक के रूप में प्रतिहारों की शक्ति को संगठित कर रहा था। उधर धर्मपाल ने कन्नौज के शासक इंद्रायुद्ध को सत्ता से हटाकर उसके पुत्र चक्रायुद्ध को अपने प्रतिनिधि के रूप में कन्नौज में स्थापित कर दिया था। इस प्रकार धर्मपाल और प्रतिहार शासक नागभट्ट ने स्वयं को उत्तर भारत की महत्वपूर्ण शक्ति बना लिया था और राष्ट्रकूटों का प्रभाव लगभग समाप्त हो गया था।

गोविंद ने उत्तर भारत पर आक्रमण किया और नागभट्ट को बुरी तरह पराजित किया। उसने चक्रायुद्ध को भी परास्त किया, धर्मपाल को अपनी अधीनता स्वीकार करने पर बाध्य किया। गोविंद भी उत्तर भारत में नहीं रूका और दक्षिण लौट आया। उसके वापस आने के बाद नागभट्ट-II ने अपनी शक्ति का विस्तार कर लिया और कन्नौज विजित किया। परंतु मालवा और गुजरात पर राष्ट्रकूटों का अधिकार रहा।

दक्षिण भारत में गोविंद ने वेंगी में अपने समर्थक भीम को विक्रमादित्य-II के विरूद्ध शासक बनाने में सफलता पाई। उसने पल्लव, पांड्य, चेर शासकों को परास्त किया और अपने राज्य का विस्तार कांची तक कर लिया। श्रीलंका के राजा ने आतंकित होकर उससे मित्रता कर ली।

इस प्रकार, गोविंद-III ने अपने वंश के यश और कीर्ति में वृद्धि करके इसे भारत का सबसे शक्तिशाली वंश बना दिया। गोविंद-III एक महान विजेता ही नहीं था वरन् एक कुशल प्रशासक भी था। कर्ण के बड़ौदा अभिलेख में उसकी तुलना पार्थ से की गई है।

6. **अमोघवर्ष (814-878 ई.) :** गोविंद-III के बाद अमोघवर्ष शासक बना। वह भी एक शक्तिशाली शासक था। उसने 62 वर्षों तक शासन किया। यद्यपि स्वयं अमोघवर्ष एक बहुत योग्य सेनापति नहीं था किंतु अपने कुशल सेनापतियों की मदद से उसने प्रतिहार शासक भोज को दक्षिण की ओर बढ़ने से रोका और वेंगी के चालुक्य शासक को भी परास्त किया। वह एक कुशल शासक था और उसने अपने राज्य में शांति व्यवस्था स्थापित की। 851 ई. में अरबी यात्री सुलेमान ने उसके राज्य का भ्रमण किया और उससे बहुत प्रभावित हुआ। सुलेमान ने उसे भारत का सबसे बड़ा शासक तथा संसार के चार महानतम् राजाओं में से एक बताया है। उसने मान्यखेत को बसाया और उसे राजधानी बनाया।

   अमोघवर्ष जैन धर्म का अनुयायी था। जिनसेन उसके गुरु थे। वह जैन संस्थाओं को मुक्त हस्त दान देता था। वह एक साहित्य प्रेमी था और धर्मों के प्रति सहिष्णु था। वह स्वयं एक विद्वान था। उसने ''कविराज मार्ग'' की रचना की।

7. **कृष्ण द्वितीय (875-914 ई.) :** इसके काल में चालुक्य राष्ट्रकूट संघर्ष होता रहा। उसने वेंगी के चालुक्य शासकों को तो हरा दिया किंतु प्रतिहार शासक भोज ने उसे पराजित किया और उससे मालवा और कठियावाड़ जीत लिया। उसे चोल शासक ने भी पराजित किया। उसकी मृत्यु 914 ई. में हुई।
8. **इंद्र तृतीय (914-927 ई.) :** इसने प्रतिहार शासक महिपाल को पराजित किया और कन्नौज को लूटा। पूर्वी चालुक्य शासक विक्रमादित्य-V भी उसके साथ युद्ध में मारा गया। इसके बाद गोविंद-IV (927-936 ई.) और अमोघवर्ष-III (936-939 ई.) शासक बने किंतु इनमें गृह युद्ध चलता रहा।
9. **कृष्ण तृतीय (939-965 ई.) :** यह राष्ट्रकूटों का आखिरी महान शासक था। उसने राष्ट्रकूटों की प्रतिष्ठा को स्थापित किया। उसने गंग राजा की सहायता से चोल राज्य पर आक्रमण किया और काँची और तंजौर को अपने अधिकार में ले लिया। उसने वेंगी को विजित किया और उत्तर भारत के परमार शासक सीयक को परास्त कर दिया। इस प्रकार इसने दक्षिण भारत में एक विस्तृत साम्राज्य की स्थापना की। इसकी मृत्यु 965 ई. में हुई। कृष्ण तृतीय का उत्तराधिकारी खोट्टिग बना। उसने 972 ई. तक शासन किया। खोट्टिग के शासन काल में परमार शासक सीयक ने राष्ट्रकूट की राजधानी मान्यखेत को खूब लूटा। खोट्टिग की मृत्यु के उपरांत कर्क--II (972-975 ई.) शासक बना किंतु यह एक अयोग्य शासक था। इसका लाभ उठाकर तैलप ने 973 ई. में राष्ट्रकूटों के साम्राज्य पर अधिकार कर लिया और कल्याणी के चालुक्य वंश की स्थापना की।

## राष्ट्रकूटों का महत्व

राष्ट्रकूटों को दक्षिण भारत के इतिहास में महत्वपूर्ण स्थान प्राप्त है। बादामी के चालुक्यों को नष्ट करके इन्होंने 223 वर्षों तक शासन किया और बड़े ही सशक्त तरीके से उत्तर भारत की राजनीति में हस्तक्षेप किया। ध्रुव, गोविंद तृतीय और अमोघवर्ष अपने काल के सर्वाधिक शक्तिशाली शासक थे। राष्ट्रकूटों ने अरबों के साथ सद्भाव बनाये रखा और उन्हें व्यापार संबंधी सुविधाएँ दी और धार्मिक अधिकार भी। गुर्जर-प्रतिहारों पर दबाव डालने के उद्देश्य से उन्होंने अरबों से मित्रता की थी।

**प्रशासन :** राजा शासन के शीर्ष पर होता था और राजा का पद अनुवांशिक होता था। राजा ''युवराज'' की घोषणा करता था और उसे शासन कार्यों से संबद्ध कर अनुभव प्रदान करते थे। राजा मंत्रियों के सहयोग से शासन चलाते थे। मंत्रिपरिषद में प्रधानमंत्री, विदेशमंत्री, राजस्वमंत्री, कोषाध्यक्ष, प्रधान न्यायाधीश, सेनापति और पुरोहित होते थे। मंत्रियों में सैन्य योग्यता होती थी। राज्य ''राष्ट्रों'' (कमिश्नरी) और राष्ट्र, ''विषयों'' (जिलों) में विभक्त थे। विषय भुक्तियों में बँटे थे। गाँव शासन की सबसे छोटी ईकाई थी।

**समाज :** समाज चार वर्णों में बँटा था। ब्राह्मणों को ऊँचा स्थान प्राप्त था। वैश्यों को शूद्रों के बराबर दर्जा प्राप्त था। स्त्रियों की स्थिति अच्छी

थी। सती प्रथा नहीं था। पर्दा प्रथा के संकेत नहीं मिलते। बाल विवाहों का प्रचलन था। विधवा विवाह का प्रचलन तो न था लेकिन विधवाओं की स्थिति दयनीय थी। संपत्ति में विधवा के अधिकार को मान्यता मिलने लगी थी।

**धर्म :** राष्ट्रकूट लोग ब्राह्मण धर्म मानते थे। बौद्ध धर्म को कोई संरक्षण न मिला और यह अवनति की ओर अग्रसर थी। राष्ट्रकूट शासकों ने जैन धर्म को संरक्षण दिया। अमोघवर्ष, इंद्र-II, कृष्ण-III और इन्द्र-III ने जैन धर्म को संरक्षण प्रधान किया। राष्ट्रकूट राज्य में शिव और विष्णु की पूजा लोकप्रिय थी। राष्ट्रकूट मुद्राओं पर विष्णु के वाहन गरूड़ तथा योग मुद्रा में बैठे शिव के चित्र अंकित हैं। दंतिदुर्ग ने उज्जैनी में 'हिरण्यगर्भा'' यज्ञ किया था। 'तुलादान'' का उल्लेख मिलता है।

**कला :** इस काल में विशेषकर स्थापत्यकला, चित्रकला, और मूर्तिकला का भारी विकास हुआ। ऐलोरा का कृष्ण प्रथम द्वारा निर्मित कैलाश मंदिर एक अद्वितीय कृति है। पहाड़ी चट्टानों को काट कर बनाया गया यह विशाल मंदिर वास्तुकला का श्रेष्ठ नमूना है। इस मंदिर के भित्ति-चित्रों में ''गंगावतरण'' और रावण द्वारा कैलाश पर्वत के उठाये जाने का चित्र अत्यंत आकर्षक है।

**शिक्षा और साहित्य :** राष्ट्रकूट शासक शिक्षा और साहित्य के संरक्षक थे और दोनों ने इस काल में प्रगति की। इस काल में कन्हेरी का बौद्ध विहार शिक्षा का प्रमुख केंद्र था। कन्नड़ साहित्य ने इस काल में काफी तरक्की की। कन्नड़ साहित्य के उपलब्ध ग्रंथों में सबसे पुराना अमोघवर्ष रचित ''कविराज मार्ग'' है। कन्नड़ भाषा का सर्वश्रेष्ठ कवि पम्पा इसी काल में हुआ। उसने ''आदि पुराण'' और ''विक्रमार्जुनविजय'' की रचना की थी। पोन्न और रन्न भी इसी काल के थे। कृष्ण तृतीय ने पोन्न को उभयकवि चक्रवर्ती की उपाधि दी थी। इनकी रचना ''शांति पुराण'' है। रन्न की प्रमुख रचनाएँ हैं—''अजितपुराण'' और 'गद्यपुराण''।

## सेन राजवंश

पाल राजवंश के पतनोपरांत बंगाल का शासन-सूत्र सेन राजवंश के हाथों में आया। सेनवंश के लेखों से पता चलता है कि वे चन्द्रवंशी क्षत्रिय थे तथा उनका आदि पुरुष वीरसेन था। इस वंश के लोग मूलतः कर्णाट (पश्चिमी आन्ध्र तथा कर्नाटक का उत्तरी भाग) के निवासी थे तथा बाद में बंगाल में आकर बस गये।

**विजयसेन :** सेनवंश का प्रथम महत्वपूर्ण शासक विजयसेन (1095-1158 ईस्वी) हुआ। देवपाड़ा, बैरकपुर तथा पैकोर नामक स्थानों से उसके तीन लेख प्राप्त होते हैं, जिनसे हम उसके शासन-काल की घटनाओं का ज्ञान करते हैं। पालवंशी नरेश रामपाल की मृत्यु के बाद साम्राज्य में फैली हुई अव्यवस्था का लाभ उठाते हुए उसने उत्तरी तथा पूर्वी बंगाल के विस्तृत क्षेत्र पर अपना अधिकार कर लिया। ज्ञात होता है कि उसने गौड़, कामरूप तथा कलिंग के शासकों को युद्ध में पराजित किया था। अपनी उपलब्धियों के अनुरूप उसने परमभट्टारक, महाराजाधिराज, परमेश्वर, अरिराजवृषभ शंकर जैसी उच्च सम्मानपरक उपाधियाँ ग्रहण की। विजयसेन शैवमतानुयायी था। देवपाड़ा में उसने शिव का एक मन्दिर बनवाया था। वह महान् दानी था तथा ब्राह्मणों और निर्धनों को उसने प्रभूत दान वितरित किये थे।

**बल्लालसेन :** विजयसेन की मृत्यु के पश्चात् उसका पुत्र बल्लालसेन 1159 ई. के लगभग सेनवंश का शासक बना। बंगाल से पालवंश की बची हुई सत्ता को समाप्त कर उसने सम्पूर्ण बंगाल तथा बिहार के ऊपर अपना अधिकार कर लिया और पाल शासकों द्वारा धारण की जाने वाली ''गौडेश्वर'' की उपाधि उसने स्वयं धारण कर लिया। उसकी अन्य उपाधियाँ परमभट्टारक, महाराजाधिराज, परमेश्वर, परममाहेश्वर, निःशंक शंकर आदि थीं। इस प्रकार बल्लालसेन ने न केवल अपने पैतृक साम्राज्य को सुरक्षित रखा, अपितु उसमें वृद्धि भी किया।

बल्लालसेन स्वयं विद्वान तथा विद्वानों का संरक्षक था। उसने 'दानसागर' नामक ग्रन्थ की रचना की थी, एक अन्य ग्रन्थ 'अद्भुत सागर' की रचना प्रारम्भ किया था किन्तु उसे पूर्ण नहीं कर पाया। उसका समकालीन आचार्य अनिरुद्ध अपने युग का प्रकाण्ड विद्वान था।

बल्लालसेन ने 1179 ईस्वी अर्थात् कुल बारह वर्षों तक शासन किया। अपने पिता के समान वह भी शैवमतानुयायी था तथा उसने कन्नौज से कई ब्राह्मण कुलों को बुलाकर बंगाल में बसाया था।

**लक्ष्मणसेन :** बल्लालसेन का पुत्र तथा उत्तराधिकारी लक्ष्मणसेन अपने पिता के बाद सेनवंश का राजा बना। वह इस वंश का सर्वाधिक शक्तिशाली राजा था। उसके शासन-काल के कुल आठ अभिलेख बंगाल के विभिन्न भागों से प्राप्त होते हैं जिनसे उसकी राजनैतिक तथा सांस्कृतिक उपलब्धियों का ज्ञान होता है।

लक्ष्मणसेन एक विजेता तथा साम्राज्यवादी शासक था। लेखों से पता चलता है कि उसने गौड़, कामरूप, काशी तथा कलिंग को जीता था। यह भी बताया गया है कि उसने पुरी, काशी तथा प्रयाग में विजयस्तम्भ स्थापित किये थे। ऐसा लगता है कि काशी तथा प्रयाग को उसने गहड़वाल राजाओं से जीता था। उसका समकालीन गहड़वाल शासक जयचन्द्र था। संभव है लक्ष्मणसेन ने उसी के समय में अथवा उसकी मृत्यु के बाद काशी के ऊपर अपना अधिकार कर लिया हो।

किन्तु लक्ष्मणसेन की उपलब्धियाँ क्षणिक रही हैं। इस समय भारत का मध्य-भाग तुर्कों द्वारा आक्रान्त किया जा रहा था। बंगाल का सेनराज्य भी इससे अछूता न रह सका। 1202 ईस्वी में तुर्क विजेता बख्तियार खिलजी ने उसकी राजधानी नदिया पर आक्रमण किया। यह आक्रमण इतना भीषण था कि लक्ष्मणसेन इससे आतंकित हो गया तथा अपना राज्य छोड़कर भाग गया। इसके कुछ समय बाद लक्ष्मणसेन की मृत्यु हो गयी। उसके साथ ही वस्तुतः सेन वंश की प्रतिष्ठा समाप्त हो गयी, यद्यपि इस वंश के कुछ छोटे-छोटे शासक तेरहवीं सदी के मध्य तक नाममात्र के लिये जीवित रहे।

लक्ष्मणसेन का शासन-काल सांस्कृतिक उपलब्धियों की दृष्टि से भी प्रसिद्ध रहा। वह स्वयं विद्वान् तथा विद्वानों का उदार-संरक्षक था। उसने अपने पिता द्वारा प्रारम्भ किये गये 'अद्भुत सागर' नामक ग्रन्थ की रचना को पूरा किया। उसके द्वारा विरचित कुछ कवितायें हमें 'सदुक्तिकर्णामृत' में प्राप्त होते हैं जिसकी रचना उसके दरबारी कवि श्रीधरदास ने किया था।

लक्ष्मणसेन की राजसभा में अनेक लब्धप्रतिष्ठ विद्वान तथा लेखक निवास करते थे। इनमें गीतगोविन्द के लेखक जयदेव, पवनदूत के लेखक धोयी, ब्राह्मणसर्वस्व के रचयिता हलायुध आदि विशेष रूप से उल्लेखनीय हैं। हलायुध उसका प्रधान न्यायाधीश तथा मुख्यमन्त्री था। मुसलमान लेखक मिनहाजुद्दीन लक्ष्मणसेन को बंगाल का बहुत बड़ा राजा बताता है। राजशेखर उसे प्रतापी तथा न्यायप्रिय शासक कहता है जिसके पास विपुल राज्य तथा अपार सेना थी।

लक्ष्मणसेन के लेखों में उसे 'परमभागवत' की उपाधि प्रदान की गयी है। इससे प्रकट होता है कि अपने पूर्वजों के शैवमत के विपरीत उसने वैष्णवमत ग्रहण कर लिया था। उसके लेखों का प्रारम्भ नारायण (विष्णु) की स्तुति से होता है।

## परमार राजवंश

अग्निकुण्ड से जिन राजपूत वंशों की उत्पत्ति वर्णित है उनमें धारा अथवा मालवा के परमार प्रमुख हैं। इस वंश के साहित्य तथा लेखों में स्पष्टतः अग्निकुण्ड की कथा का उल्लेख किया गया है। पद्मगुप्त, जो परमार काल के प्रसिद्ध कवि थे, के ग्रन्थ नवसाहसांकचरित में परमारवंश की उत्पत्ति आबू पर्वत से बताई गयी है। तदनुसार ऋषि वशिष्ठ ईक्ष्वाकुवंश के पुरोहित थे। उनकी कामधेनु नामक गाय को विश्वामित्र ने चुरा लिया। वशिष्ठ ने गाय प्राप्त करने के लिये आबू पर्वत पर यज्ञ किया। अग्नि में डाली गयी आहुति से एक धनुर्धर वीर उत्पन्न हुआ जिसने विश्वामित्र को परास्त कर गाय को पुनः वशिष्ठ को समर्पित कर दिया। प्रसन्न होकर ऋषि ने इस वीर का नाम 'परमार' रखा जिसका अर्थ है 'शत्रु का नाश करने वाला'। इसी द्वारा स्थापित वंश परमार कहा गया। उल्लेखनीय है कि इस वंश के प्रथम शासक उपेन्द्रराज को उदयपुर लेख में 'द्विजवर्ग्गरत्न' कहा गया है।

**राजनैतिक इतिहास :** परमारवंश की स्थापना दसवीं शताब्दी ईस्वी के प्रथम चरण में उपेन्द्र अथवा कृष्णराज नामक व्यक्ति ने की थी। धारा नामक नगरी परमारवंश की राजधानी थी। उदयपुर लेख से पता चलता है कि उसने स्वयं अपने पराक्रम से राजत्व का उच्च पद प्राप्त किया था। पद्मगुप्त, उपेन्द्र की प्रशंसा में लिखता है कि उसने प्रजा को अनेक करों में छूट कर दी तथा वैदिक यज्ञों का अनुष्ठान किया।

उपेन्द्र के बाद कई छोटे-छोटे शासक हुए। इनमें वैरिसिंह प्रथम, सीयक प्रथम, वाक्पति प्रथम तथा वैरिसिंह द्वितीय के नाम मिलते हैं जिन्होंने 790 ईस्वी के लगभग से 945 ईस्वी तक शासन किया। इनकी स्थिति अधीन अथवा सामन्त शासकों जैसी थी जिनकी किसी विशेष उपलब्धि के विषय में हमें ज्ञात नहीं है। ये सभी राष्ट्रकूटों तथा प्रतिहारों की अधीनता में राज्य करते थे।

**स्वतंत्र परमार साम्राज्य की स्थापना–हर्ष अथवा सीयक द्वितीय (945-972 ई) :** परमार वंश को स्वतंत्र स्थिति में लाने वाला पहला शासक हर्ष अथवा सीयक द्वितीय वैरिसिंह द्वितीय का पुत्र और उत्तराधिकारी था। उसके पिता के समय में प्रतिहारों ने मालवा पर अधिकार कर लिया था तथा परमारों को माण्डू तथा धारा से निर्वासित कर दिया था। ऐसा प्रतीत होता है कि इस समय परमारों ने भागकर राष्ट्रकूटों के यहाँ शरण ले ली थी। अस्तु प्रतिहार तथा राष्ट्रकूटों की सत्ता से अपने वंश को मुक्त कराना सीयक की प्राथमिकतायें थीं। प्रतिहार साम्राज्य इस समय पतनोन्मुख स्थिति में था। इसका लाभ उठाते हुए सीयक ने मालवा तथा गुजरात में अपनी स्थिति मजबूत कर ली। तत्पश्चात् उसने अन्य क्षेत्रों में अपना विजय अभियान प्रारम्भ किया। उसके हर्सोल लेख से पता चलता है कि योगराज नामक किसी शत्रु को उसने जीता था। इसकी पहचान संदिग्ध है। संभवतः वह गुजरात के चालुक्यवंश से संबंधित प्रतिहार नरेश महेन्द्रपाल प्रथम का कोई सामन्त था। नवसाहसांकचरित उसे हूणमण्डल की विजय का श्रेय प्रदान करता है। किन्तु उसकी बढ़ती हुई शक्ति पर जेजाकभुक्ति के चन्देलों ने अंकुश लगाया। खुजराहो लेख से पता चलता है कि चन्देल शासक यशोवर्मन् ने सीयक को पराजित किया था। उसे 'मालवों के लिये काल के समान' कहा गया है। ऐसा प्रतीत होता है कि यशोवर्मन्, ने परमार राज्य के किसी भाग पर अधिकार नहीं किया तथा उसका युद्ध केवल परमारों को आतंकित करने के लिये ही था।

सीयक को सबसे महत्वपूर्ण सफलता राष्ट्रकूटों के विरुद्ध मिली तथा उसने अपने वंश को राष्ट्रकूटों की अधीनता से मुक्त कराया। नर्मदा नदी के तट पर राष्ट्रकूट नरेश खोट्टिग की सेनाओं के साथ युद्ध हुआ जिसमें सीयक की विजय हुई। उसने राष्ट्रकूट नरेश का उसकी राजधानी मान्यखेत तक पीछा किया तथा वहाँ से बहुत अधिक सम्पत्ति लूट कर लाया। इस प्रकार सीयक एक शक्तिशाली सम्राट सिद्ध हुआ जिसकी विजयों ने परमार साम्राज्य की सुदृढ़ आधारशिला प्रस्तुत किया।

**वाक्पति मुञ्ज :** सीयक के दो पुत्र थे–मुञ्ज तथा सिन्धुराज। इनमें पहला उसका दत्तक पुत्र था लेकिन सीयक की मृत्यु के बाद वही गद्दी पर बैठा। इतिहास में वह वाक्पति मुञ्ज तथा उत्पलराज के नाम से भी प्रसिद्ध है। वाक्पति मुञ्ज एक शक्तिशाली शासक था। राज्यारोहण के पश्चात् वह अपने साम्राज्य को विस्तृत करने में जुट गया। इस उद्देश्य से उसने अनेक युद्ध किये। मुञ्ज ने कलचुरि शासक युवराज द्वितीय को हराकर उसकी राजधानी त्रिपुरी को लूटा। उदयपुर लेख में इसका विवरण सुरक्षित है। ऐसा प्रतीत होता है कि मुञ्ज त्रिपुरी पर अधिक समय तक अधिकार नहीं रख पाया तथा उसने कलचुरि राज्य से संधि कर उसकी राजधानी वापस कर दिया। हूण-मण्डल के हूणों ने उसकी अधीनता स्वीकार की। इसमें मालवा क्षेत्र सम्मिलित था। प्रबन्धचिन्तामणि से पता चलता है कि मुञ्ज ने छः बार तैलप की सेनाओं को पराजित किया और अन्त में अपने मंत्री रुद्रादित्य के परामर्श की उपेक्षा करते हुए उसने गोदावरी नदी पारकर स्वयं राष्ट्रकूट राज्य पर आक्रमण कर दिया। उसे राष्ट्रकूटों की शक्ति का सही अन्दाजा नहीं था। मुञ्ज राष्ट्रकूट सेनाओं द्वारा पराजित किया गया तथा बन्दी बना लिया गया। तैलप ने नर्मदा नदी तक परमार राज्य के दक्षिणी भाग पर अधिकार कर लिया। उसने कारागार में ही परमार नरेश मुञ्ज का वध करवा दिया। प्रबन्धचिन्तामणि के अतिरिक्त कैथोम तथा गडग जैसे चालुक्य लेखों से भी तैलप द्वारा मुञ्ज के वध की सूचना मिलती है। इस प्रकार उसका दुःखद अन्त हुआ।

मुञ्ज ने 992 ईस्वी से 998 ईस्वी तक राज्य किया। विजेता होने के साथ-साथ वह स्वयं एक उच्चकोटि का कवि एवं विद्या और कला का

उदार संरक्षक था। पद्मगुप्त, धनञ्जय, धनिक, हलायुध, अमितगति जैसे विद्वान् उसकी राजसभा को सुशोभित करते थे। पद्मगुप्त उसकी विद्वता एवं विद्या के प्रति अगाध प्रेम की चर्चा करते हुए लिखता है कि 'विक्रमादित्य के चले जाने तथा सातवाहन के अस्त हो जाने पर सरस्वती को कवियों के मित्र मुञ्ज के यहाँ ही आश्रय प्राप्त हुआ था। वह महान् निर्माता भी था जिसने अनेक मन्दिरों तथा सरोवरों का निर्माण करवाया था। अपनी राजधानी में उसने 'मुंजसागर' नामक एक तालाब बनवाया तथा गुजरात में मुंजपुर नामक नये नगर की स्थापना करवायी थी। उज्जैन, धर्मपुरी, माहेश्वर आदि में उसने कई मन्दिरों का निर्माण भी करवाया। इस प्रकार उसकी प्रतिभा बहुमुखी थी। श्रीवल्लभ, पृथ्वीवल्लभ, अमोघवर्ष आदि उसकी प्रसिद्ध उपाधियाँ थीं।

**सिन्धुराज :** मुञ्ज के कोई पुत्र नहीं था, अतः उसकी मृत्यु के बाद उसका छोटा भाई सिन्धुराज शासक बना। उसने कुमारनारायण तथा साहसाङ्क जैसी उपाधियाँ धारण कीं। वह भी महान् विजेता और साम्राज्य निर्माता था। राजा बनने के पश्चात् वह अपने साम्राज्य की प्रतिष्ठा को पुर्नस्थापित करने के कार्य में जुट गया। उसका सबसे पहला कार्य कल्याणी के चालुक्यों से अपने उन क्षेत्रों को जीतना था जिन पर मुञ्ज को हराकर तैलप ने अधिकार कर लिया था। उसका समकालीन चालुक्य नरेश सत्याश्रय था। ऐसा प्रतीत होता है कि सिन्धुराज ने हूणों का पूर्णरूपेण दमन कर दिया तथा बाद में विद्रोह खड़ा करने की हिम्मत उनमें नहीं रही। किन्तु गुजरात के चालुक्य शासक मूलराज प्रथम के पुत्र चामुण्डराज के हाथों सिन्धुराज को पराजित होना पड़ा। जयसिंह सूरि की कुमारभूपालचरित तथा वाडनगर लेख से इसकी सूचना मिलती है। ऐसा प्रतीत होता है कि सिन्धुराज को पराजित हो जाने के बाद उसे युद्धभूमि से भागकर अपनी जान बचानी पड़ी। किन्तु इस असफलता के बावजूद वह एक योग्य शासक था जिसने अपने भाई मुञ्ज के काल में लुप्त हुई परमारवंश की प्रतिष्ठा को पुनः स्थापित किया। उसकी मृत्यु 1000 ईस्वी के लगभग हुई।

सिन्धुराज के पश्चात् उसका पुत्र भोज परमारवंश का शासक हुआ। वह इस वंश का सर्वाधिक महत्वपूर्ण शासक था जिसके समय में राजनीतिक और सांस्कृतिक दोनों ही दृष्टियों से परमार राज्य की अभूतपूर्व उन्नति हुई। उदयपुर प्रशस्ति से हम उनकी राजनैतिक उपलब्धियों का ज्ञान प्राप्त करते हैं। इसके अनुसार उसने 'चेदिश्वर, इन्द्ररथ, तोग्गल, राजा भीम, कर्नाट, लाट और गुर्जर, के राजाओं तथा तुर्को को पराजित किया था।

**युद्ध तथा विजयें :** उसका सर्वप्रथम संघर्ष कल्याणी के चालुक्यों के साथ हुआ। प्रारम्भ में उसे कुछ सफलता मिली तथा गोदावरी के आस-पास का क्षेत्र उसने जीत लिया। ऐसा प्रतीत होता है कि उसे कर्णाट से होकर ही कोंकण को जीता था जिसमें चालुक्य साम्राज्य के उत्तर का गोदावरी का समीपवर्ती कुछ भाग उसके अधिकार में आ गया था। उसके लेखों से इनकी सूचना मिलती है। बेलगाँव लेख में बताया गया है कि वह 'भोजरूप कमल के लिये चन्द्र के समान' था। मीराज लेख से पता चलता है कि उसने कोंकण नरेश की समस्त सम्पत्ति छीन ली थी तथा कोल्हापुर में सैनिक शिविर लगाकर उत्तर भारत की विजय के निमित्त योजनायें तैयार किया था। परन्तु चालुक्य नरेश जयंसिह द्वितीय ने उसे हरा दिया। भोज ने लाट के शासक कीर्तिराज के ऊपर आक्रमण किया। वह पराजित हुआ तथा आत्मसमर्पण करने को विवश हुआ। भोज ने उड़ीसा भी विजय की जहाँ का शासक इन्द्ररथ था। उसकी राजधानी आदिनगर में थी।

जिस समय भोज मालवा में अपने साम्राज्य का विस्तार कर रहा था, उसके समय बुन्देलखण्ड में चन्देल भी अपनी सत्ता सुदृढ़ करने में लगे हुए थे। भोज का समकालीन चन्देल सम्राट विद्याधर उससे बढ़कर महत्वाकांक्षी एवं पराक्रमी था। ऐसा प्रतीत होता है कि भोज विद्याधर की बढ़ती हुई शक्ति के आगे मजबूर हो गया तथा उसके सामन्तों से उसे पराजित भी होना पड़ा था। चन्देल वंश के एक लेख में कहा गया है कि "कलचुरि चन्द्र तथा भोज विद्याधर की गुरु के समान पूजा करते थे।" यह ज्ञात नहीं है कि भोज तथा विद्याधर के बीच सीधा संघर्ष हुआ अथवा उसने बिना युद्ध के ही चन्देल नरेश की प्रभुता मान ली।

**भोज की पराजय तथा परमार सत्ता का अन्त :** भोज की अतिशय महत्वाकांक्षा एवं युद्ध प्रियता ही अन्ततोगत्वा उसके पतन का कारण सिद्ध हुई। ऐसा ज्ञात होता है कि अपने जीवन के अन्तिम दिनों में भोज अपने साम्राज्य की रक्षा नहीं कर सका तथा उसे भारी असफलताओं का सामना करना पड़ा। सर्वप्रथम चालुक्य नरेश सोमेश्वर द्वितीय ने भी उसकी राजधानी धारा पर आक्रमण किया। भोज पराजित हुआ तथा भाग खड़ा हुआ। चालुक्यों ने उनकी राजधानी धारा को खूब लूटा। आक्रमणकारियों ने धारा नगरी को जला दिया। विल्हण कृत विक्रमांकदेवचरित से भी इसकी पुष्टि होती है जिसमें कहा गया है कि भोज ने भाग कर अपनी जीवन-रक्षा की। आक्रमणकारियों के लौट जाने के बाद ही वह अपनी राजधानी पर अधिकार कर सका। भोज के शासन-काल के अन्त में चालुक्यों तथा चेदियों ने उसके विरुद्ध एक संघ बनाया। इस संघ ने भोज की राजधानी पर आक्रमण किया। इस आक्रमण का नेता कलचुरि नरेश लक्ष्मीकर्ण था। भोज चिंता में बीमार पड़ा था तथा अन्ततः उसकी मृत्यु हो गयी। उसके मरते ही कर्ण धारा पर टूट पड़ा तथा लूट-पाट कर प्रचुर सम्पत्ति अपने साथ लेता गया। चालुक्य भीम ने भी दूसरी ओर से धारा नगरी पर आक्रमण कर उसे ध्वस्त किया। इस प्रकार परमार साम्राज्य का अन्त हो गया। भोज का अन्त यद्यपि दुखद रहा तथापि इस बात से इन्कार नहीं किया जा सकता कि वह अपने युग का एक पराक्रमी नरेश था। उसके उत्कर्ष काल में उत्तर तथा दक्षिण की सभी शक्तियों ने उसका लोहा माना था। उसने परमार सत्ता को चरमोत्कर्ष पर पहुँचा दिया। उदयपुर लेख में उसकी प्रशंसा करते हुये कहा गया है—"पृथु की तुलना करने वाले भोज ने कैलाश से मलय पर्वत तक तथा उदयाचल से अस्ताचल तक की समस्त पृथ्वी पर शासन किया। उसने अपने धनुष-बाण से पृथ्वी के समस्त राजाओं को उखाड़ कर उन्हें विभिन्न दिशाओं में बिखेर दिया तथा पृथ्वी का परम प्रीतिदाता बन गया।" हमें पता चला है कि भोज ने पूर्व में उड़ीसा, पश्चिम में गुजरात और लाट तथा दक्षिण में कोंकण को जीता था। कन्नौज के उत्तर में उसकी सेनायें हिमगिरि तक गयी थीं। अतः प्रशस्ति का उपर्युक्त विवरण अतिशयोक्तिपूर्ण नहीं कहा जा सकता।

**सांस्कृतिक उपलब्धियाँ :** भारतीय इतिहास में भोज की ख्याति उसकी विद्वता तथा विद्या एवं कला के उदार संरक्षक के रूप में अधिक है। उदयपुर लेख में कहा गया है कि उसने सब कुछ साधा, सम्पन्न किया, जो अन्य किसी के द्वारा संभव नहीं था। इससे अधिक कविराज भोज की

प्रशंसा क्या हो सकती है। उसने अपनी राजधानी धारा नगरी को स्थापित किया तथा उसे विविध प्रकार से अलंकृत करवाया। यह विद्या तथा कला का सुप्रसिद्ध केन्द्र बन गया। यहाँ अनेक महल एवं मन्दिर बनवाये गये जिनमें सरस्वती मन्दिर सर्वप्रमुख था। वह स्वयं विद्वान् था तथा उसकी उपाधि कविराज की थी। उसने ज्योतिष, काव्य शास्त्र, वास्तु आदि विषयों पर महत्वपूर्ण ग्रन्थों की रचना की तथा धारा के सरस्वती मन्दिर में एक प्रसिद्ध संस्कृत विद्यालय की स्थापना करवायी। उसकी राजसभा पंडितों एवं विद्वानों से अलंकृत थी। उसकी राजधानी धारा विद्या तथा विद्वानों का प्रमुख केन्द्र थी। आइने-अकबरी के अनुसार उसकी राजसभा में पाँच सौ विद्वान् निवास करते थे। भोज की रचनाओं में शृंगारप्रकाश, प्राकृत व्याकरण, कूर्मशतक, शृंगारमंजरी, भोजचम्पू, युक्तिकल्पतरु, समरांगणसूत्रधार, तत्वप्रकाश, शब्दानुशासन, राजमृगांक आदि विशेष रूप से उल्लेखनीय हैं। ये विविध विषयों से संबंधित हैं। युक्तिकल्पतरु एवं समरांगणसूत्रधार वास्तुशास्त्र के ग्रन्थ हैं। इनसे पता चलता है कि भोज की काव्यात्मक प्रतिभा उच्चकोटि की थी। बताया गया है कि वह अच्छी कविताओं पर विद्वानों को पुरस्कार देता था। वह इतना बड़ा दानी था कि उसके नाम से यह अनुश्रुति चल पड़ी कि वह 'हर कवि को हर श्लोक पर एक लाख मुद्रायें प्रदान करता था।' इससे उसकी दानशीलता सूचित होती है। उसके दरबारी कवियों एवं विद्वानों में भास्करभट्ट, दामोदरमिश्र, धनपाल आदि प्रमुख थे। वह विद्वानों को उनकी विद्वता पर प्रसन्न होकर उपाधियाँ भी देता था। उसकी मृत्यु पर पण्डितों को महान् दुःख हुआ था, तभी तो एक प्रसिद्ध लोकोक्ति के अनुसार उसकी मृत्यु से विद्या और विद्वान् दोनों ही निराश्रित हो गये। भोज एक महान् निर्माता भी था। भोपाल के दक्षिण-पूर्व में उसने 250 वर्ग मील लम्बी एक झील का निर्माण करवाया था जो आज भी 'भोजसर' नाम से प्रसिद्ध है। यह परमारकालीन अभियांत्रिक कुशलता एवं कारीगरी का अद्भुत नमूना प्रस्तुत करता है। धारा में सरस्वती मन्दिर के समीप उसने एक विजय-स्तम्भ स्थापित किया तथा भोजपुर नामक नगर की स्थापना करवाई। चित्तौड़ में उसने त्रिभुवन नारायण का मन्दिर बनवाया तथा मेवाड़ के नागोद क्षेत्र में भूमि दान में दिया। इसके अतिरिक्त उसने अन्य अनेक मन्दिरों का भी निर्माण करवाया था। इस प्रकार भोज की प्रतिभा बहुमुखी थी। वह अपने वंश का सर्वाधिक यशस्वी शासक था। उसका शासन-काल राजनैतिक तथा सांस्कृतिक दोनों ही दृष्टियों से परमार वंश के चरमोत्कर्ष को व्यक्त करता है।

# उत्तर भारत का राजनैतिक इतिहास (750 ई. से 1200 ई.)

## हर्षोत्तर उत्तरी भारत की राजनीतिक स्थिति

गुप्तों के पश्चात् भारत अनेक क्षेत्रीय शक्तियों में विभाजित हो गया और इन शक्तियों के मध्य संघर्ष प्रारम्भ हो गया। ऐसे समय में थानेश्वर में एक नये राजवंश का उत्कर्ष हुआ जिसने भारतीय सभ्यता और संस्कृति को नष्ट करने वाले हूणों से देश की रक्षा कर भारत को पुनः राजनैतिक एकता के सूत्र में बाँधने में सफलता प्राप्त की। यह वंश थानेश्वर वंश के नाम से प्रसिद्ध हुआ, जिसका सबसे प्रतापी सम्राट हर्षवर्धन था। हर्षवर्द्धन (606 ई.-647 ई.) के मृत्यु के पश्चात् उत्तर भारत में राजनीतिक विकेन्द्रीकरण एवं विभाजन की शक्तियाँ एक बार पुनः सक्रिय हो गई। सामान्यतः यह काल पारस्परिक संघर्ष एवं प्रतिद्विन्दिता का काल था। हर्ष के पश्चात उत्तर भारत की राजनीतिक गतिविधियों का केन्द्र-बिन्दु कन्नौज बन गया जिस पर अधिकार करने के लिए त्रिपक्षीय शक्तियों के मध्य संघर्ष के पश्चात् भारत अनेक छोटे-छोटे क्षेत्रीय राज्यों में बंट कर रह गया।

कन्नौज शासक हर्ष की मृत्यु के बाद लगभग 75 वर्षों तक का कन्नौज का इतिहास अंधकारमय है। यशोवर्मन ने सम्भवतः 700 ई. से 740 ई. तक शासन किया। सोन घाटी से विंध्य पर्वत होते हुए मगध शासक पर चढ़ाई कर उसे मार गिराया। तत्पश्चात् बंग लोगों ने उसकी अधीनता स्वीकार कर ली। इसके उपरांत यशोवर्मन ने दक्षिण के राजा को परास्त कर मलयगिरी को पार किया। यहाँ पारसीकों पर चढ़ाई करके उन्हें युद्ध में पराजित किया। तत्पश्चात् हिमालय क्षेत्र की विजय की। यशोवर्मन शैवमतानुयायी था। उसका उत्थान और पतन उल्का की भाँति रहा। उसके पश्चात् कन्नौज में आयुध नामधारी राजाओं का शासन रहा। इनमें वज्रायुध, इन्द्रायुध तथा चक्रायुध के नाम मिलते हैं। ये सभी अत्यन्त निर्बल शासक थे।

## कन्नौज के लिए त्रिपक्षीय संघर्ष

हर्ष के पश्चात् कन्नौज विभिन्न शक्तियों के आकर्षण का केन्द्र बन गया। इसे वही स्थान प्राप्त हुआ जो गुप्तयुग तक मगध का था। उत्तर भारत का चक्रवर्ती शासक बनने के लिये कन्नौज पर अधिकार करना आवश्यक समझा जाने लगा। राजनैतिक महत्व होने के साथ-साथ कन्नौज नगर का आर्थिक महत्व भी काफी बढ़ गया तथा यह भी इसके प्रति आकर्षण का महत्त्वपूर्ण कारण सिद्ध हुआ था। व्यापार-वाणिज्य की दृष्टि से भी यह नगर काफी महत्वपूर्ण था क्योंकि यहाँ से विभिन्न दिशाओं को व्यापारिक मार्ग जाते थे। जिस प्रकार पूर्वकाल में मगध उत्तरापथ के व्यापारिक मार्ग को नियंत्रित करता था उसी प्रकार की स्थिति कन्नौज ने भी प्राप्त कर ली। अतः इस पर अधिकार करने के लिए आठवीं शताब्दी की तीन बड़ी शक्तियों—पाल, गुर्जर-प्रतिहार तथा राष्ट्रकूट के बीच त्रिपक्षीय संघर्ष प्रारम्भ हो गया जो आठवीं-नवीं शताब्दी के उत्तर भारत के इतिहास की सर्वाधिक महत्वपूर्ण घटना है।

आठवीं शताब्दी के अन्त में गुर्जर-प्रतिहार नरेश वत्सराज (780-805 ई.) राजपूताना और मध्य भारत के विशाल भू-भाग पर शासन करता था। बंगाल के पालों का एक शक्तिशाली साम्राज्य स्थापित हुआ। वत्सराज का पाल प्रतिद्विन्दी धर्मपाल (770-810 ई.) था। वत्सराज और धर्मपाल का समकालीन राष्ट्रकूट नरेश ध्रुव (780-793 ई.) था। वह भी दक्षिण भारत में अपना राज्य सुदृढ़ कर लेने के पश्चात् राजधानी कन्नौज पर अधिकार करना चाहता था। अतः कन्नौज पर आधिपत्य के लिए प्रथम संघर्ष वत्सराज, धर्मपाल तथा ध्रुव के बीच हुआ।

सर्वप्रथम कन्नौज पर वत्सराज तथा धर्मपाल के बीच अधिकार करने की चेष्टा के परिणामस्वरूप गंगा-यमुना के दोआब में युद्ध हुआ। युद्ध में धर्मपाल की पराजय हुई। इसका उल्लेख राष्ट्रकूट शासक गोविन्द तृतीय के राधनपुर लेख (808 ई.) में हुआ है जिसके अनुसार 'मदान्ध वत्सराज ने गौड़राज की राजलक्ष्मी को आसानी से हस्तगत कर उसके दो राजछत्रों को छीन लिया। इस प्रकार वत्सराज ने कन्नौज पर अधिकार कर लिया तथा वहाँ का शासक इन्द्रायुध उसकी अधीनता स्वीकार करने लगा। इसी समय राष्ट्रकूट नरेश ध्रुव ने विन्ध्यपर्वत पार कर वत्सराज पर आक्रमण किया। वत्सराज बुरी तरह परास्त हुआ तथा वह राजपूताना के रेगिस्तान की ओर भाग खड़ा हुआ। राधनपुर लेख में कहा गया है कि उसने वत्सराज के यश के साथ ही उन दोनों राजछत्रों को भी छीन लिया जिन्हें उसने गौड़नरेश से लिया था। ध्रुव ने पूर्व की ओर बढ़कर धर्मपाल को भी पराजित कर दिया। संजन लेख के अनुसार उसने 'गंगा-यमुना' के बीच भागते हुए गौड़राज की लक्ष्मी के लीलारविन्दों और श्वेतछत्रों को छीन लिया। परन्तु इन विजयों के पश्चात् ध्रुव दक्षिण भारत लौट गया जहाँ 793 ई. में उसकी मृत्यु हो गयी।

ध्रुव के उत्तर भारत के राजनीतिक दृश्य से ओझल होने के बाद पालों तथा गुर्जर-प्रतिहारों में पुनः संघर्ष प्रारम्भ हो गया। इस समय पालों का पलड़ा भारी था। खलीमपुर अभिलेख में वर्णन मिलता है कि धर्मपाल ने कान्यकुब्ज के राजा का अभिषेक किया। इसे भोज, मत्स्य, मद्र, कुरू, यदु, यवन, अवन्ति, गन्धार तथा कौर के राजाओं ने अपना मस्तक झुकाकर धन्यवाद देते हुये स्वीकार किया था। इस विवरण से स्पष्ट है कि कन्नौज के राजदरबार में उपस्थित उक्त सभी शासक धर्मपाल की अधीनता स्वीकार करते थे। परन्तु उसकी विजयें स्थायी नहीं हुई। गुर्जर-प्रतिहार वंश की सत्ता को जीता तथा कन्नौज पर आक्रमण कर चक्रायुध को वहाँ से निकाल दिया। नागभट्ट कन्नौज को जीतने मात्र से संतुष्ट नहीं हुआ, अपितु उसने धर्मपाल के विरूद्ध भी प्रस्थान कर दिया। मुंगेर में काव्यात्मक विवरण इस प्रकार प्रस्तुत करता है–'बंगनरेश अपने गजों, अश्वों एवं रथों के साथ घने बादलों के अन्धकार की भाँति आगे बढ़कर उपस्थित हुआ किन्तु त्रिलोकों को प्रसन्न करने वाले नागभट्ट ने उदयमान सूर्य की भांति उस अन्धकार को काट डाला। इस विवरण से स्पष्ट है कि युद्ध में धर्मपाल की पराजय हुई। भयभीत पालनरेश ने राष्ट्रकूट शासक गोविन्द तृतीय (793-814 ई.) से सहायता माँग नागभट्ट पर आक्रमण किया। संजन ताम्रपत्र से पता चलता है कि उसने नागभट्ट द्वितीय को पराजित किया तथा मालवा पर अधिकार कर लिया। धर्मपाल तथा चक्रायुध ने स्वतः उसकी अधीनता स्वीकार कर ली। गोविन्द आगे बढ़ता हुआ हिमालय तक जा पहुँचा परन्तु वह उत्तर में अधिक दिनों तक नहीं ठहर सका। उसकी अनुपस्थिति का लाभ उठाकर दक्षिण के राजाओं ने उसके विरूद्ध एक संघ बनाया जिसके फलस्वरूप उसे शीघ्र ही अपने गृह-राज्य वापस आना पड़ा।

भोज प्रथम के बाद उसका पुत्र महेन्द्रपाल प्रथम शासक हुआ जिसने 910 ई. तक शासन किया। बिहार तथा उत्तरी बंगाल के कई स्थानों से उसके लेख मिलते हैं जिनमें उसे 'परमभट्टारकपरमेश्वरमहाराजाधिराजमहेन्द्रपाल' कहा गया है। इनसे स्पष्ट है कि मगध तथा उत्तरी बंगाल के प्रदेश भी पालों से गुर्जर-प्रतिहारों ने जीत लिया। इन प्रदेशों के मिल जाने से प्रतिहार-साम्राज्य अपने उत्कर्ष की पराकाष्ठा पर पहुँच गया।

इस प्रकार साम्राज्य के लिए नवीं शताब्दी की तीन प्रमुख शक्तियाँ-गुर्जर-प्रतिहार, पाल तथा राष्ट्रकूट-में जो त्रिपक्षीय संघर्ष प्रारम्भ हुआ था, उसकी समाप्ति हुई। देवपाल की मृत्यु के बाद पाल उत्तरी भारत की राजनीति से ओझल हो गये तथा प्रबल शक्ति के रूप में उनकी गणना न रही। अंततोगत्वा प्रतिहारों की सफलता के साथ युद्ध समाप्त हुआ। ऐसा ज्ञात होता है कि प्रतिहार शासक महिपाल प्रथम (912-943 ई.) के समय में राष्ट्रकूट राजाओं इन्द्र तृतीय तथा कृष्ण तृतीय ने कन्नौज नगर पर आक्रमण किया तथा थोड़े समय के लिए प्रतिहारों के अधिकार को चलायमान कर दिया। किन्तु राष्ट्रकूटों की सफलता क्षणिक रही और उनके हटने के बाद वहां प्रतिहारों का अधिकार पुनः सुदृढ़ हो गया। अब प्रतिहारों की गणना उत्तर भारत की सर्वाधिक महत्वपूर्ण शक्ति के रूप में होने लगी।

## उत्तर भारत में क्षेत्रीय राज्यों का उदय

दसवीं शताब्दी के मध्य एक प्रतिहार वंश की शक्ति लगभग पूर्ण रूप से क्षीण हो चुकी थी। पश्चिमी भारत एवं मध्य देश के इस शक्तिशाली साम्राज्य के अवशेषों पर एक नहीं अपितु अनेक शक्तियों का उदय हुआ। जो प्रतिहारों की सामन्त रह चुकी थी। परमार चौहान (चाहमान), चंदेल, चालुक्य एवं गहड़वाल ऐसी ही शक्तियां थी जब महमूद गजनवी एवं मुहम्मद गोरी के आक्रमण हो रहे थे और भारत में तुर्की राज्य की स्थापना की प्रक्रिया आरम्भ हो चुकी थी। तब उत्तरी भारत में इन्हीं राजनीतिक शक्तियों का बोलबाला था।

### चहमान वंश

अग्निकुल से उत्पन्न राजपूतों के चहमान या चौहान वंश उल्लेखनीय हैं। इस वंश के प्रारम्भिक राजा गुर्जर-प्रतिहारों के सामंत थे। चौहान वंश की अनेक शाखाओं में शाकंभरी चौहान (सांभर-अजमेर के आस-पास का क्षेत्र) राज्य की स्थापना लगभग 7वीं शताब्दी में वासुदेव ने की। वासुदेव के बाद पूर्णतल्ल, जयराज, विग्रहराज प्रथम, चन्द्रराज, गोपराज जेसे अनेक सामंतों ने शासन किया। शासक अजयपाल ने 'अजमेर' नगर की स्थापना की और साथ ही यहाँ पर सुन्दर महल एवं मंदिरों का निर्माण करवाया।

**अर्णोराज (लगभग 1133-53 ई.):** अजयराज का उत्तराधिकारी अर्णोराज लगभग 1133 ई. में गद्दी पर बैठा। सम्भवतः उसने सुल्तान महमूद की सेना को अजमेर के निकट परास्त किया था परन्तु चालुक्य नरेश कुमार पाल से वह हार गया था। उसके पुत्र जगदेव ने उसकी हत्या कर दी। कालान्तर में जगदेव को अपदस्थ कर विग्रहराज चतुर्थ वीसलदेव गद्दी पर बैठा।

**विग्रहराज चतुर्थ वीसलदेव (लगभग 1153-63 ई.):** विग्रहराज ने चालुक्य नरेश कुमार पाल को परास्त किया। दिल्ली पर अधिकार कर उसने हांसी को जीता। उसके राज्य की सीमा पंजाब, राजपूताना तथा पश्चिमी उत्तर प्रदेश तक फैली थी। इसने अपने पराक्रम से शाकंभरी

चौहानों को उत्तर भारत की एक महत्वपूर्ण शक्ति बनाया। विग्रहराज चतुर्थ वीसलदेव महान कवि एवं लेखक भी था। उसने हरिकेल जैसे नाटकों की रचना की। महाकवि सोमदेव ने वीसलदेव के चरित्र की प्रशंसा में ललित विग्रहराज नामक ग्रंथ लिखा है। विग्रहराज के बाद कुछ समय तक अपर गांगेय, पृथ्वीराज द्वितीय एवं सोमेश्वर ने शासन किया।

**पृथ्वीराज तृतीय** (1178-92 ई.): लगभग 1178 ई. में सोमेश्वर का पुत्र एवं उत्तराधिकारी पृथ्वीराज तृतीय दिल्ली की गद्दी पर बैठा। पृथ्वीराज तृतीय को राय पिथौरा भी कहा जाता था। उसने 1182 ई. में चंदेल शासक परमादिदेव को अपने अधीन कर लिया। 1182 ई. में ही पृथ्वीराज का मुकाबला गुजरात के भीम द्वितीय से हुआ, युद्ध की समाप्ति शांति समझौते के द्वारा हुई। पृथ्वीराज के समय में तुर्क मुहम्मद गोरी ने भारत पर कई आक्रमण किये थे। ऐसे ही एक आक्रमण में 1178 ई. में मुहम्मद गोरी को गुजरात के चालुक्य वंशीय नरेश मूलराज ने परास्त किया था। 1191 ई. के तराईन के प्रथम युद्ध में पृथ्वीराज तृतीय ने मुहम्मद गोरी को बुरी तरह परास्त किया परन्तु 1192 ई. के तराईन के द्वितीय युद्ध में मुहम्मद गोरी ने पृथ्वीराज तृतीय को परास्त कर उसकी हत्या कर दी। इस प्रकार अजमेर एवं दिल्ली पर शासन करने वाले स्वतन्त्र शाकंभरी चौहानों के शासन का अंत हो गया।

पृथ्वीराज तृतीय के मरने के बाद मुहम्मद गोरी ने पृथ्वीराज के लड़के गोविन्द को अपनी अधीनता में अजमेर का शासक बनाया।

## चंदेल वंश

जेजाकभुक्ति के चंदेल मध्य भारत के एक भारतीय राजवंश थे। इस राजवंश ने 9वीं और 13वीं शतावदी के बीच बुंदेलखण्ड क्षेत्र के अधिकांश भाग पर शासन किया।

जेजाकभुक्ति के प्रारम्भिक शासक प्रतिहार शासकों के सामंत थे। इन्होंने खजुराहो को अपनी राजधानी बनाया। नन्नुक इस वंश का पहला राजा था। उसके अतिरिक्त अन्य सामंत थे—वाक्पति, जयशक्ति (सम्भवतः इसके नाम पर ही बुन्देलखण्ड का नाम जेजाक भुक्ति पड़ा) विजय शक्ति, राहिल एवं हर्ष।

**यशोवर्मन (925-50 ई.):** हर्ष का पुत्र एवं उत्तराधिकारी यशोवर्मन चन्देल वंश का पराक्रमी शासक था। उसके काल में चन्देल शक्ति अपने चरमोत्कर्ष पर थी। कालिंजर को जीतने के बाद यशोवर्मन के राज्य की सीमा गंगा एवं यमुना तक विस्तृत हो गई थी। खजुराहो में प्राप्त एक लेख के वर्णन के आधार पर यशोवर्मन को गौड़, खस, कोशल, कश्मीर, मालव, चेदि, कुरु, गुर्जर आदि का विजेता माना जाता है। विजेता होने के साथ ही निर्माता के रूप में यशोवर्मन ने खजुराहो में एक विशाल विष्णु मंदिर का निर्माण करवाया, जिसे चतुर्भुज मंदिर भी माना जाता है।

**धंगदेव (950-1002 ई.):** यशोवर्मन का पुत्र एवं उत्तराधिकारी धंगदेव अपने पिता के समान ही प्रराक्रमी एवं महत्वाकांक्षी शासक था। उसे चन्देलों की वास्तविक स्वाधीनता का जन्मदाता माना जाता है। उसने 'महाराजाधिराज' की उपाधि धारण की। उसका साम्राज्य पश्चिम में ग्वालियर, पूर्व में वाराणसी, उत्तर में यमुना एवं दक्षिण में चेदि एवं मालवा तक फैला था। धंग प्रसिद्ध विजेता होने के साथ ही उच्चकोटि का निर्माता भी था। उसके शासन काल में निर्मित खजुराहो का विश्व विख्यात मंदिर स्थापत्य कला का एक अनोखा उदाहरण है।

**गंडदेव (1002-19 ई.):** धंग के बाद उसका पुत्र गंड चंदेल वंश का शासक हुआ। उसके 1008 में महमूद गजनवी के विरुद्ध जयपाल के पुत्र आनन्दपाल द्वारा बनाये गये संघ में भाग लिया। त्रिपुरी के कलचुरी-चेदि तथा ग्वालियर के कच्छघात शासक गंडदेव के अधीन थे।

**विद्याधर (1019-29 ई.):** गंड के बाद उसका पुत्र विद्याधर गद्दी पर बैठा। उसने प्रतिहार शासक राज्यपाल की हत्या मात्र इसलिए कर दी क्योंकि उसने महमूद गजनवी के कन्नौज पर आक्रमण के समय बिना युद्ध किये ही गजनवी के सामने समर्पण कर दिया था।

मुस्लिम स्रोतों से पता चलता है कि 1019-20 ई. में चन्देलों पर महमूद के प्रथम आक्रमण के समय विद्याधर ने परिस्थितियों को अपने पक्ष में न देखकर सेना को युद्ध क्षेत्र से वापस हटा लिया था। 1022 ई. में महमूद के दूसरे आक्रमण के समय विद्याधर ने उससे शांति का समझौता कर लिया। विद्याधर के बाद अन्य चन्देल शासक निम्नलिखित थे—

विजयपाल (1030 से 1050 ई.), देववर्मन (1050 से 1060 ई.), कीर्तिवर्मन (1060 से 1100 ई.) सल्लक्षण वर्मन (1100 से 1115 ई.), जयवर्मन, पृथ्वी वर्मन आदि। कीर्तिवर्मा इस वंश का प्रख्यात शासक हुआ। उसने चेदि वंश के कर्ण को परास्त किया। 'प्रबोध चन्द्रोदय' नामक नाटक की रचना कृष्ण मिश्र ने उसी के दरबार में की थी। उसने महोवा के निकट 'कीरत सागर' झील का निर्माण करवाया था। मदन वर्मन (1129 से 1163 ई.) चंदेल वंश का अन्य पराक्रमी राजा हुआ। इस वंश का अन्तिम महान शासक परमार्दिदेव (परमाल—1165 से 1203 ई.) था। परमार्दिदेव पर 1182 ई. में पृथ्वीराज चौहान ने आक्रमण कर उसे परास्त कर दिया। परमार्दिदेव ने 1173 ई. में चालुक्यों से भिलसा को छीन लिया। 1203 ई. में कुतुबुद्दीन ऐबक ने परमार्दिदेव को पराजित कर कालिंजर पर अधिकार कर लिया और अंततः 1305 ई. में चन्देल राज्य दिल्ली में मिल गया।

## गहड़वाल वंश

गहड़वाल राजवंश उत्तर भारतीय राजपूत शक्ति थी। इस राजवंश ने उत्तर प्रदेश और बिहार के कुछ हिस्सों पर शासन किया। गुर्जर-प्रतिहारों के बाद चन्द्रदेव ने कन्नौज में गहड़वाल वंश की स्थापना कर 1080 से 1100 ई. तक शासन किया। चन्द्रदेव ने महाराजाधिराज की उपाधि भी धारण की। गहड़वाल शासकों को 'काशी नरेश' के रूप में भी जाना जाता था, क्योंकि बनारस इसके राज्य की पूर्वी सीमा के नजदीक था। चन्द्रदेव के पुत्र एवं उत्तराधिकारी मदन चन्द्र के विषय में विस्तृत जानकारी का अभाव है।

**गोविन्द चन्द्र (1114-54 ई.):** मदन चन्द्र का पुत्र एवं उत्तराधिकारी गोविन्द चन्द्र गहड़वाल शासक बना। उसने अपने राज्य की सीमा को उत्तर प्रदेश से आगे मगध तक विस्तृत किया और मालवा को भी जीत लिया। युवराज के रूप में उसने गजनी के राजा मसूद III को पराजित किया था।

कश्मीर, गुजरात एवं चोल वंश के शासकों से उसके मैत्रीपूर्ण सम्बन्ध थे। गहड़वाल के इस प्रतापी शासक ने 1114 से 1154 ई. तक शासन किया। गोविन्द चन्द्र के उत्तराधिकारी विजय चन्द्र (1156 से 1170 ई.) ने गहड़वाल राज्य की सीमाओं को सुरक्षित रखा। 'पृथ्वीराजरासो' से ज्ञात होता है कि उसने अमीर खुसरो को लाहौर से खदेड़ दिया था। गोविन्द चन्द्र के समय में उसके मंत्री लक्ष्मीधर ने 'कल्पद्रुम' नामक विधि ग्रंथ की रचना की।

**जयचन्द्र (1170-93 ई.):** गोविन्द चन्द्र के बाद 1170 ई. में जयचंद्र गहड़वाल शासक बना। गहड़वाल वंश के अंतिम शासक जयचंद्र को सेन नरेश लक्ष्मण सेन ने एक युद्ध में परास्त कर दिया। दिल्ली पर अधिकार को लेकर हुए संघर्ष में उसे चौहानों से पराजित होना पड़ा। 1193 ई. में हुए प्रसिद्ध चंदावर के युद्ध में मुहम्मद गोरी की सेनाओं ने जयचन्द्र को पराजित कर उसकी हत्या कर दी। जयचन्द्र के दरबार में संस्कृत का प्रसिद्ध कवि श्रीहर्ष रहता था जिसने 'नैषध चरित' की रचना की। उसके पुत्र हरिश्चन्द्र ने मुहम्मद गोरी के अधीन शासन किया।

## राजपूतों की उत्पत्ति

'राजपूत' पद (term) कब और कैसे क्षत्रिय पद का पर्याय बन गया यह ध्यान देने की बात है, इसका सटीकता से पता लगाना मुश्किल है। हालांकि यह कहा जा सकता है कि बारहवीं शताब्दी तक राजपूत पद एक खास वंश या बहुत सारे वंशों को इंगित करने के लिए, एक सामूहिक पहचान के पद के रूप में चलन में आ गया था। इतिहासकारों ने इस पद के प्रयोग में आने और इसके अर्थ के आधार पर भी राजपूत उत्पत्ति को समझने का प्रयास किया है।

राजपूत पद के अर्थ को लेकर भी इतिहासकार एक मत नहीं है, राजपूत को देशी मूल का मानने वाले इतिहासकार जयनारायण असोपा का मानना है कि राजपूत पद कालांतर में वैदिक राजपुत्र, राजन्य या क्षत्रिय वर्ग के लिए ही उपयोग में आने लगा था। उनका मानना है कि राजपुत्र और राजन्य समानार्थक रूप में ही प्रयुक्त हुए हैं।

वहीं गौरीशंकर ओझा ने विभिन्न स्रोतों में राजपूत पद के प्रयोग का अर्थ निकालते हुए कहा है कि यह शब्द विभिन्न अर्थों के रूप में प्रयोग हुआ है, कहीं राजा के पुत्रों के लिए तो कहीं सामंतों के पुत्रों के लिए, तो कहीं भू-स्वामियों के लिए भी इसका प्रयोग हुआ है। कुछ इतिहासकारों ने राजपूतों के कुछ वंशों को ब्राह्मण कुल से उत्पन्न माना है, जैसे परमार वंश को ब्रह्म-क्षत्रिय माना गया है, उनके अनुसार परमार मूलतः ब्राह्मण थे।

राजपूतों की उत्पत्ति के विषय को लेकर इतिहासकारों के मध्य विवाद है, इसलिए राजपूतों का उदय कैसे हुआ इस पर अनेकों विचार सामने रखे गए हैं।

- राजपूत देशी मूल के थे, वह वैदिक आर्य-क्षत्रिय थे। राजपूत सूर्य एवं चन्द्र वंशी थे। उनकी उत्पत्ति अग्निकुल/अग्निकुंड से हुई थी।
- राजपूत विदेशी थे।
- राजपूतों का उदय एक सामाजिक एवं राजनीतिक प्रक्रिया का परिणाम है।

### *देशी उत्पत्ति का मत*

राजपूतों की उत्पत्ति को देशी मूल का मानने वाले लोगों के विचार का मुख्य आधार यह है कि, राजपूत अपने समय की सामाजिक व्यवस्था में क्षत्रिय वर्ण के ही थे तथा वह मूल रूप से भारत के ही निवासी थे। वह राजपूतों को प्राचीन आर्यों की संतान मानते हैं। वहीं कुछ लोग राजपूतों की उत्पत्ति को मिथकीय कथाओं से समझाने का प्रयास करते हैं। उपरोक्त मत वाले सभी लोग राजपूतों को कमोबेश देशी मूल का ही मानते हैं, इसलिए इनके विचारों को हमने देशी उत्पत्ति के मत के अंतर्गत ही समझने का प्रयास किया है।

### *सूर्य एवं चंद्रवंशी होने का मत*

बहुत सारे इतिहासकारों का मत है कि अपने आपको दिव्य, श्रेष्ठ और कुलीन दर्शाने के लिए राजपूतों ने अपनी प्रभावशाली वंशावली बनवाई तथा अपनी उत्पत्ति के संदर्भ में वह खुद को सूर्य और चन्द्र वंशी मानते हैं। वहीं डॉ. ओझा ने ऐतिहासिक स्रोतों (अभिलेखों तथा ग्रंथों) के संदर्भ से राजपूतों को सूर्य और चन्द्र वंश का माना है, उदाहरण के लिए गुहिल एवं राठौर राजपूतों को सूर्यवंश से उत्पन्न तो भाटी और चौहान राजपूतों को चंद्रवंशी माना है। इन प्रमाणों के आधार पर वह राजपूतों को प्राचीन क्षत्रिय के वंशज ही मानते हैं। कुमारपालचरित, वर्णरत्नाकार और राजतरंगिणी जैसे स्रोतों में राजपूतों की जो सूचियाँ मिली है उनके आधार पर राजपूतों की 36 जातियां थी। इन सूचियों के आधार पर ही कुछ इतिहासकार इन्हें प्राचीन क्षत्रिय और सूर्य एवं चन्द्र वंश का मानते हैं, हालांकि इन अलग-अलग स्रोतों में दी गई यह सूचियाँ आपस में पूर्णतः मेल नहीं खाती हैं।

पंडित गौरी शंकर ओझा का मत है कि राजपूत पारंपरिक क्षत्रियों के ही वंशज हैं, राजपूत पद असल में संस्कृत शब्द राजपुत्र का ही अपभ्रंश है। इस शब्द का अर्थ है राजघराने का व्यक्ति, इसलिए राजपूत पुरानी क्षत्रिय वर्ण की जातियों के ही थे। वह कर्नल जेम्स टॉड की बातों का खंडन करते हुए कहते हैं कि विदेशी जातियों और राजपूतों की वेशभूषा और रीति-रिवाजों में कोई समानता नहीं थी। राजपूत विदेशियों से इतने भिन्न थे कि उनको विदेशी साबित करना गलत होगा। सी.वी. वैद्य के अनुसार राजपूत वस्तुतः वैदिक आर्यों के ही वंशज थे, वैदिक आर्यों के अलावा कोई और इतने शौर्य से हिन्दू (वैदिक) परंपराओं की रक्षा हेतु नहीं लड़ सकता था, राजपूतों ने अरब और तुर्कों का सामना और विरोध इसलिए ही किया था।

दशरथ शर्मा का मानना है कि राजपूत जातियों ने विदेशी शक्तियों का प्रतिकार करने की प्रक्रिया के दौरान ही समाज में महत्वपूर्ण स्थान प्राप्त किया, वह महत्व में तभी आए जब उन्होंने विदेशियों के खिलाफ संघर्ष शुरू किया, उनका मत है कि कुछ ब्राह्मण जातियों ने भी निज जन, समाज, संस्कृति और अपनी भूमि की रक्षा के लिए शस्त्र उठा लिए थे तथा क्षत्रिय धर्म का पालन किया। आर.सी. मजुमदार ने भी राजपूतों के संदर्भ में प्राचीन क्षत्रिय के मत को महत्व दिया है।

वहीं इस मत से विभेद रखते हुए कुछ इतिहासकारों का मानना है कि, इस प्रकार के प्राचीन क्षत्रिय वंशों से अपनी वंशावली को जोड़कर राजपूतों ने खुद को क्षत्रिय साबित किया क्योंकि क्षत्रियों को राज करने का अधिकार था, तथा उन्होंने पौराणिक मान्यताओं के आधार पर अपनी शासन करने की राजनीतिक, धार्मिक एवं सामाजिक वैधता को स्थापित एवं प्रसारित करने का प्रयास किया। उनके लिए यह आवश्यक था क्योंकि संभवतः वह शक्तिशाली राज्यों के निर्माण करने से पहले सामाजिक पहचान के धारक थे। खुद को सूर्य एवं चन्द्र वंशीय क्षत्रिय कुल से जोड़ कर उन्होंने अपनी राजनीतिक और सामाजिक पहचान बनाई।

बी.डी. चट्टोपाध्याय का मानना है कि 36 राजपूत जातियों की जो सूचियाँ हमें मिलती हैं, वह सभी स्रोतों में एक समान नहीं हैं और हम यह मान सकते हैं कि वंशावली और इस प्रकार की सूचियों के निर्माण और संकलन में छेड़छाड़ की गई है। उनका मानना है कि अपने गौरवशाली इतिहास की रचना करते हुए यह सामान्य प्रवृत्ति देखी जा सकती है कि राजपूत राज-वंशावलियों के निर्माण के समय बहुत सारे ऐसे शासकों को, जिनकी उत्पत्ति का काल और पीढ़ियों की कोई सूचना भी नहीं है, उन्हें भी उन्होंने अपनी वंशावलियों में स्थान दिया है। अर्थात् समय के साथ राजपूत शासकों ने अपने कुल को इन सूचियों से जोड़ लिया, उन्होंने अपनी वंशावलियों का निर्माण कर अपनी उत्पत्ति को प्रमुख वंश से जोड़ कर खुद के कुल को विशेष, प्रभावशाली, सिद्ध और ऐतिहासिक प्रमाणित करने का प्रयास किया। इसलिए अलग-अलग राजपूत जातियों की सूचियाँ अलग-अलग स्रोतों में कुछ हेरफेर के साथ वंश-क्रम की सूचना प्रस्तुत करती प्रतीत होती हैं।

## *अग्निकुल/अग्निकुंड से उत्पत्ति का मत*

एक मिथक के अनुसार राजपूतों की उत्पत्ति उस अग्निकुंड अथवा यज्ञ से हुई जिसे गुरु वशिष्ठ ने अपनी कामधेनु गाय को पुनः प्राप्त करने के लिए किया था, क्योंकि विश्वामित्र ने कामधेनु गाय को हर लिया था। अतः गुरु वशिष्ठ ने एक यज्ञ किया जिससे चार प्रमुख राजपूत जातियों (प्रतिहार, चाहमान, चालुक्य और परमार) की उत्पत्ति मानी गयी है। धीरे-धीरे यह कथा गौण हो गयी लेकिन कुछ बदलावों के साथ यह मिथकीय विचार जन स्मृतियों में जीवंत रहा है। यह सामान्यतया माना गया कि अग्निकुल के राजपूतों का जन्म विशेष प्रयोजन के लिए हुआ, जब ब्राह्मण धर्म खतरे में था और क्षत्रियों का अकाल था तब एक यज्ञ के द्वारा उसकी अग्नि से राजपूतों का जन्म विशेष प्रयोजन के लिए हुआ था। कलियुग में मलेच्छों का नाश करने के लिए इनका जन्म हुआ। चंदबरदाई द्वारा रचित पृथ्वीराज रासो में इस मिथक का वर्णन है। पृथ्वीराजरासो को ऐतिहासिक ग्रन्थ के रूप में स्वीकर करने वालों में बहुत सारे लोग इस मिथक को भी ऐतिहासिक घटना मानते हैं। यह माना जाता है कि राजस्थान के आबू पर्वत में हुए यज्ञ से चार प्रमुख राजपूत जातियों की उत्पत्ति हुई। क्योंकि इनकी उत्पत्ति अग्निकुंड अर्थात् यज्ञ की अग्नि से हुई तभी इनको अग्निकुल का माना जाता है। यह पहले ब्राह्मण थे और बाद में इन्होंने क्षत्रिय धर्म अपना लिया था।

इस मत को भी इतिहासकारों ने नकारा है क्योंकि यह मत भी पौराणिक कथाओं पर आधारित है और वास्तविकता में यह संभव प्रतीत नहीं होता है। इसके विपरीत इतिहासकारों का तर्क है कि अग्नि अथवा यज्ञ द्वारा पवित्रीकरण/शुद्धि का अनुष्ठान संभव है, क्योंकि बहुत सारी राजपूत जातियाँ या तो विदेशी मूल की मानी गई हैं, या वह निम्न सामाजिक पृष्ठभूमि से उभर कर सामने आई हैं। हम जानते हैं कि निम्न वर्ण और विदेशियों को वर्ण व्यवस्था में पवित्र नहीं माना गया है बल्कि उनको मलेच्छ इंगित किया गया है। इसलिए यह संभव है कि इस तरह के अग्निकुंड अथवा यज्ञ द्वारा शक्तिशाली लेकिन निम्न सामाजिक दर्जे वालों को अथवा विदेशियों को राजपूत जाति के रूप में पवित्र किया गया हो।

## *विदेशी मूल*

अंग्रेज अधिकारी जेम्स टॉड, विलियम क्रूक और वी.ए. स्मिथ के अनुसार राजपूत सीथियन, शक, कुषाण और हूण इत्यादि बाहरी जनजातियों के ही वंशज हैं। इतिहासकार आर.जी. भंडारकर ने भी गुर्जर को विदेशी मूल का माना है और प्रतिहारों को वह गुर्जरों से उत्पन्न मानते हैं। हूणों की तरह गुर्जर भी विदेशी नस्ल के थे वे उत्तर-पश्चिम से भारत से आए और धीरे-धीरे वह भारत के आंतरिक भागों में विस्तार करते रहे जहाँ सदी के अंतराल में उन्होंने हिंदू धर्म और संस्कृति को अपना लिया। सर जेम्स कैम्पबेल (Sir James Campbell) की तरह भंडारकर ने भी गुर्जरों को खजर (Khazar) जाति का माना है। खजर यूरोप और एशिया के सीमांत क्षेत्रों में रहते थे।

लेकिन इस मत का विरोध करने वाले सी.वी. वैद्य का मानना है कि गुर्जर आर्य थे और वह भारत के थे। खजर और गुर्जर शब्द की ध्वनि समानता के चलते लोगों ने गलत दिशा में अनुमान लगाया है। जबकि खज़र मूलतः व्यापार करते थे वहीं गुर्जर घुमक्कड़ पशुपालन करने वाले थे। विदेशी उत्पत्ति की विचारधारा को मानने वाले कर्नल जेम्स टॉड का मत था कि राजपूत और इन विदेशी जन-जातियों के रीति रिवाजों में समानता है। वह इस समानता के प्रतिबिंब के आधार पर उनका संबंध राजपूतों से जोड़ते हैं, जैसे यह विदेशी भी सूर्य के उपासक थे, उनके अनुसार सती प्रथा, अश्वमेध यज्ञ, शास्त्रों और घोड़ों की पूजा करने की रीत तथा दोनों की पौराणिक कथाओं में भी समानताएं हैं।

स्मिथ का विचार है कि शक, कुषाण गुर्जर व हूण जन जातियों का भारत में धार्मिक परिवर्तन हुआ है, इन्होंने भारत में अपने राज्य बना लिए थे, आगे चलकर इन्हीं से राजपूतों की उत्पत्ति हुई। अपनी राजनीतिक और सामाजिक प्रतिष्ठा का संवर्धन करने के लिए अपनी वंशावलियों को सूर्य एवं चन्द्र वंश से जोड़ लिया। विलियम क्रूक की बात से सहमत होकर स्मिथ का भी मानना है कि पृथ्वीराज रासो में जिस अग्नि द्वारा राजपूतों की उत्पत्ति बताई गयी है वह वास्तविकता में इन विदेशी जनजातियों का पवित्रीकरण कर समाज में विलय था।

इन जनजातियों को धीरे-धीरे मुख्यधारा में संकलित कर लिया गया और क्षत्रिय वर्ण का माना गया। इन विदेशी मूल की जातियों ने भी ब्राह्मण

धर्म को अपना लिया, अपनी सामाजिक पहचान को सुदृढ़ करने के लिए उन्होंने वंशावलियों का निर्माण कर खुद को सूर्य और चन्द्र वंश से जोड़ लिया। हालांकि विदेशी उत्पत्ति का मत रखने वाले इतिहासकार इस संभावना को निरस्त नहीं कर सकते कि कुछ राजपूत जातियां पूर्णतः भारतीय मूल की ही थी।

वहीं राजपूतों के मिश्रित उत्पत्ति के विचार के अनुरूप यह अवधारणा भी रही है कि राजपूतों की उत्पत्ति दोनों विदेशी एवं देशी मूल के वंशजों से संभव है, विभिन्न विदेशी भारत आए और भारत में उनका सामाजिक-सांस्कृतिक विलय सुगमता से हो गया, साथ ही साथ इस काल में ब्राह्मण धर्म का भी विस्तार हुआ और बहुत सारी जनजातियों को मुख्य धारा में शामिल किया गया था, कई सारी देशी-विदेशी शक्तिशाली जनजातियों को राजपूत के रूप में मुख्यधारा के सामाजिक व्यवस्था में क्षत्रिय का स्थान प्राप्त हुआ, हालांकि बहुत सी अन्य जन-जातियों को निम्न वर्ग में ही समाहित किया गया था।

## *राजपूत उत्पत्ति एक सामाजिक–राजनीतिक प्रक्रिया*

हाल के समय में राजपूतों की उत्पत्ति को लेकर नवीन विचार प्रस्तुत किए गए हैं, इतिहासकारों ने राजपूतों को योद्धा के रूप में सम्मान, उदय और उनकी उपलब्धियों को राजनीतिक प्रक्रिया समझा है। वह राजपूतों की उत्पत्ति को एक लम्बी प्रक्रिया के विकास के रूप में समझते हैं, जहाँ एक से अधिक कारणों के साथ उस समय की व्यवस्थाओं में राजपूत जैसी जातियों का उदय संभव था।

आर.एस. शर्मा के अनुसार राजपूत सामंत थे, जिनका उदय गुप्तोत्तर काल के बाद और सल्तनत के उदय से पहले सामंतवादी काल में हुआ, जब राज्यों की शक्ति और सत्ता का राजनीतिक विकेंद्रीकरण हो रहा था। इस समय अंतराल में राजनीति, अर्थव्यवस्था और समाज का सामंतीकरण हुआ। सामंतवादी उत्पादन के चलन एवं व्यवस्था का प्रभाव उस समय की सभी व्यवस्थाओं पर भी पड़ा।

इरफान हबीब के अनुसार सातवीं और बारहवीं सदी का काल गोत्र/बिरादरी आधारित राजतंत्र (clanmonarchies) और आद्य-राजपूत राज्य का था। इरफान हबीब इस बात की ओर संकेत करते हैं कि फारसी स्रोतों में राजपूत शब्द 16वीं सदी से ही मिलता है, इससे पहले सल्तनत काल में राजस्थान और उत्तर भारत के बड़े-बड़े भू-स्वामियों के लिए यह शब्द प्रयोग नहीं किया गया है।

एक बार जब तुर्क और मंगोलों की केंद्रीय सत्ता और संप्रभुता का निर्माण हो गया, उसके बाद नए और पहले से ही प्रतिष्ठित राजपूतों ने इनकी अधीनता स्वीकार कर ली। उन्होंने ऐसी सामाजिक-राजनीतिक व्यवस्था में, जहाँ तुर्क और मुगल संप्रभुता को स्वीकार कर लिया गया था, खुद को राजा का पुत्र माना।

नई नैतिक व्यवस्था में अपने स्वामी के प्रति पूर्ण सेवा एवं निष्ठा रखने के बदले उससे भू-क्षेत्र, राज दरबार में स्थान एवं सम्मानित पद मिलता था। सेवा एवं निष्ठा का यह नैतिक मूल्य राजपूत राजनीतिक-संस्कृति का प्रमुख मूल्य बन गया। जब कभी यह केन्द्रीय राज्य राजपूतों के क्षेत्र को अपने अधिकार में ले आते थे और इनकी वरीयता कम करते थे, तभी इन राजपूतों और मुस्लिम शासकों के बीच टकराव होता था। उनका मानना है कि राजपूतों का तुर्क और मुगलों के साथ टकराव और सहयोग के व्यवहार को राजपूतों के विश्वास, मिथक और नैतिक मूल्यों द्वारा समझा जा सकता है।

डी.एच.ए. कोल्फ (D.H.A. KOLF) के अनुसार मध्यकाल में राजस्थान और उत्तर भारत के अन्य क्षेत्रों में भी बहुत सारे चरवाहा पृष्ठभूमि वाले घुमक्कड़ समूह जिनमें सैनिक या लड़ाकों वाले गुण विद्यमान थे, वह समाज में महत्वपूर्ण स्थान प्राप्त कर पाए। राजपूत पद एक व्यापक नाम के रूप में इस तरह की सैनिक और भू-स्वामी वर्ग के लिए उपयोग होने लगा था।

इनका मानना है कि वस्तुतः राजपूत कोई जाति न होकर किसी प्रकार का सैनिक कार्य करने वालों की पहचान सूचक पद था। जिस प्रकार 'सिंह' पद का उपयोग हुआ है उसी प्रकार राजपूत पद भी सैनिक, योद्धा या सैन्य कार्य करने वालों के लिए उपयोग में आया, मध्यकाल की भारतीय सेनाओं में आम लोग ही सैनिक के रूप में श्रम देते थे, कोई विशेष सैनिक भर्तियाँ प्रशिक्षण नहीं होता था, किसान भी बेहतर आय और खाली समय में अपने स्थान से बहुत दूर-दूर जाकर भी सैनिक की भूमिका निभाते थे।

16वीं सदी तक राजस्थान के राजपूत परिवारों ने खुद को श्रेष्ठ साबित करने का प्रयास किया और अपनी वंशावलियों का निर्माण किया। उनके बीच महान राजपूत परंपरा का भाव था। इस तरह उन्होंने अपने गौरव, शक्ति और प्रतिष्ठा को पुष्ट किया। लेकिन राजस्थान के बाहर उत्तर भारत में भी इस प्रकार के निम्न सामाजिक हैसियत वाले घुमक्कड़ लड़ाकू समूह और सैनिक लगातार राजपूत के नाम के खुले सामाजिक वर्ग में आधुनिक समय की शुरुआत तक आते रहे। अर्थात् यह केवल उन लोगों का वर्ग नहीं था, जो क्षत्रिय परिवार में पैदा हुए थे, बल्कि यह उन लोगों का भी सामाजिक समूह था जिन्हें लड़ना आता था और जो इस प्रकार की सेवाएं दे रहे थे।

हिन्दुस्तान में सैनिक श्रम की अत्यधिक मांग थी, स्थानीय मुखिया अथवा सरदार लोगों को एकत्रित कर बड़े-बड़े राज्यों और मुगल साम्राज्य को सैनिक सेवा प्रदान करते थे। इस तरह की सैन्य बाजारों में न तो केवल हिन्दू, न केवल क्षत्रिय ही सैनिक कार्य करने हेतु प्रस्तुत थे, बल्कि विभिन्न सामाजिक और जाति के लोग प्रस्तुत थे, आगे चलकर इन सब लोगों की एक ही सामाजिक और आर्थिक पहचान बनी की वह किसके सेवक हैं। कोल्फ का मानना है कि अपने निम्न सामाजिक पहचान को छिपाने के लिए इन आम लोगों ने खुद को राजपूत कहना शुरू किया क्योंकि वह सैनिक कार्य करते थे। कोल्फ के अनुसार राजपूत और सिपाही के रूप में इन लोगों की पहचान इनकी जाति के परे स्थापित हो गयी। कोल्फ इस तरह मध्यकाल में 'राजपूतीकरण' की प्रक्रिया की ओर इशारा करते हैं।

बी.डी. चट्टोपाध्याय ने आर.एस. शर्मा की तरह 8वीं से 13वीं सदी के काल को साम्राज्यों या राज्यों के राजनीतिक विकेंद्रीकरण और आर्थिक पतन का काल नहीं माना है। वह इस समय-काल को सामंतवादी व्यवस्थाओं

का काल नहीं मानते हैं, बल्कि वह इस समय-काल को 'पूर्व-मध्य काल' की संज्ञा देने के ही पक्षधर हैं। वह हमारा ध्यान इस समय हो रही ऐतिहासिक क्रियाओं पर केंद्रित करना चाहते हैं। कृषि विस्तार, वह इस समय जन-जातीय क्षेत्रों में कृषक बस्तियों की स्थापना और फैलाव की बात करते हैं, जिसके चलते समाज में निरंतर बदलाव हुए, विभिन्न सामाजिक वर्गों के बीच सत्ता और जमीन को लेकर संघर्ष हुआ। आगे चलकर शक्तिशाली सरदारों के अधीन कुछ क्लैन (clan)/बिरादरियाँ अपने आपको संघटित कर राज्य बनाने में सफल रही, इनमें से बहुत सारे निम्न सामाजिक स्तर से उठ कर यह कर पाए थे। इस समय जन-जातीय चरवाहों का कृषि अर्थव्यवस्था और कृषक समाज में विलय हो गया, नई जातियों का निर्माण हुआ और कबीलों का राजतन्त्र के रूप में उद्भव हुआ। इन नए उभरते राज्यों ने क्षत्रिय पहचान पाने के लिए ब्राह्मण विचारधारा के ढांचे में खुद को रखकर शक्ति और सत्ता को अपना अधिकार साबित करने का प्रयास किया। इसी तरह वह इस बात पर बल देते हैं कि, राजपूतों की उत्पत्ति उनके समय काल की सामाजिक-राजनीतिक और आर्थिक प्रक्रियाओं के प्रभाव के अध्ययन के बिना नहीं समझी जा सकती है। राजपूत पहचान अपनाने वाली अथवा कहलाई जाने वाली जातियाँ, वह कुल/गोत्र थे जिनका विकास उस समय की कृषि-अर्थव्यवस्था के विस्तार, भूमि वितरण के नए चलन खासकर शासक वर्ग की अपनी बिरादरी के अन्दर ही भूमि वितरण होना, राजनीतिक और वैवाहिक संधियों के द्वारा बिरादरी में अंतर-सहभागिता बनाना और अभूतपूर्व पैमाने पर गढ़ों का निर्माण करने के साथ ढलती या निर्मित होती रही।

राजपूत पहचान एक प्रक्रिया के रूप में उभर के सामने आई जिसे वह 'राजपूतीकरण' के रूप में समझते हैं। वह मानते हैं कि वह प्रक्रिया अलग-अलग क्षेत्रों में अलग-अलग समय में होती रही, इस तरह विभिन्न भारतीय राजपूत कई चरणों में राजपूतीकरण की जटिल प्रक्रिया से गुजरते हुए राजपूत कहलाए गए, तथा इनमें बहुत से पहले निम्न सामाजिक स्तर के थे।

उनके मत के अनुसार देशी और विदेशी मूल के राजपूत उत्पत्ति के सिद्धांत उस समय काल की जटिल सामाजिक, राजनीतिक और आर्थिक स्थिति को विशेष महत्व नहीं देते, जबकि राजपूतों की उत्पत्ति को राजस्थान में और उसके बाहर भी एक पूर्ण प्रक्रिया रूप में ही समझा जा सकता है।

## ■। भारतीय सामंतवाद

सामंतवाद की चर्चा करने वाले विद्वानों ने इस शब्द के अर्थ का व्यापक रूप में प्रयोग किया है तथा सामंतवाद की मूल परिभाषा को लेकर भी उनमें मतभेद हैं। प्रोफेसर हरबंस मुखिया का मानना है कि वस्तुतः 'सामंत'' (feudal) शब्द का प्रयोग मध्यकालीन यूरोप में कानूनी अर्थ में किसी के संपत्तिगत अधिकार को इंगित करने के लिए होता था। वहीं 'सामंतवाद' (feudalism) शब्द का प्रयोग काफी बाद लगभग अठारहवीं सदी में आरंभ हुआ। जिसके उद्देश्य छोटे-छोटे राजकुमारों और अधिपतियों के बीच संप्रभुता की साझेदारी को परिभाषित करना था। फ्रांसीसी क्रांति के दौरान इस शब्द का उपयोग पुरानी राजतंत्रीय व्यवस्था (Ancient regime) की आलोचना करने के लिए किया गया, इसके बाद 'सामंतवाद' शब्द का प्रयोग और भी व्यापक होता गया। अधिकांश इतिहासकारों ने पश्चिमी और मध्य यूरोप में 10वीं से 12वीं सदी की राजनीतिक और सामाजिक ढांचे के रूप में सामंतवाद को इस काल की एक महत्वपूर्ण व्यवस्था माना है।

यूरोपीय लेखकों ने (Orientalism) पूर्व के प्रति अपने पूर्वाग्रह से ग्रसित विचारधारा के चलते एशियाई सभ्यताओं का पूर्वाग्राही चित्रण विश्व के सामने प्रस्तुत किया, भारत का भी उन्होंने एक धूमिल चित्रण ही प्रस्तुत किया। औपनिवेशिक अधिकारियों अथवा विद्वानों ने भी अपने साम्राज्यवादी शासन को सही प्रमाणित करने के लिए भारत के इतिहास को अंधकारमय युग के रूप में प्रस्तुत किया जहाँ यूरोपीय आधुनिक ज्ञान और व्यवस्थाओं से पहले केवल अव्यवस्था, पिछड़ापन और अपरिवर्तनशील समाज था। भारत के संदर्भ में कर्नल जेम्स टॉड ने राजस्थान के इतिहास का संकलन किया और उसमें माना कि राजस्थान में भी यूरोपीय सामंतवादी व्यवस्थाएं और संबंध दृष्टिगोचर होते हैं।

### भारतीय सामंतवाद की अवधारणा

1956 में अपनी पुस्तक 'एन इंट्रोडक्शन टु द स्टडी ऑफ इंडियन हिस्ट्री' में डी.डी. कोसाम्बी ने भारत में सामंतवाद के उदय को द्विमार्गी प्रक्रिया के रूप में प्रस्तुत किया–'ऊर्ध्वगामी' और 'अधोगामी सामंतवाद'। सामंतवाद के उदय में राजा द्वारा अधिकारियों की सेवा और सैन्य शक्ति हेतु उन्हें वेतन की जगह भूमि-अनुदान के साथ-साथ उस भू-क्षेत्र पर विभिन्न अधिकार प्रदान करने से राजा द्वारा स्वयं शक्ति और अधिकारों का विकेंद्रीकरण, क्षेत्रीय अभिजात वर्ग का शक्तिशाली होना तथा ग्रामीण अर्थ व्यवस्था के विकास को प्रमुख कारक माना गया।

राजा अपने अधीनस्थ सामंतों से नजराना लेते थे जिसके चलते उन्हें अपने अधिकार क्षेत्रों में राज्य करने की स्वतंत्रता थी। इसे कोसाम्बी 'ऊर्ध्वगामी' सामंतवाद' की प्रक्रिया मानते हैं, यह राजनीतिक निर्णयों का परिणाम था। वहीं आगे चलकर राजा और किसान के मध्य ग्रामीण समाज में बिचौलियों की श्रृंखला उभरी, जो राज्य के लिए किसानों पर बल प्रयोग का जरिया भी थे, सामंतवाद की इस सामाजिक और आर्थिक प्रक्रिया को 'अधोगामी सामंतवाद' की प्रक्रिया मानते हैं।

1964 में अपनी पुस्तक 'इण्डियन फ्यूडलिज्म' में आर.एस. शर्मा ने सामंतवाद का विस्तारपूर्वक विश्लेषण करने का प्रयास किया। शर्मा ने हेनरी पिरेंन (Henri Pirenne) की यूरोपीय सामंतवाद की अवधारणा को अपनाया और उसी के आधार पर भारत के सामंतवाद को समझने का प्रयास किया। उनका मानना था कि भारत में गुप्त साम्राज्य के पतन के साथ-साथ लंबी दूरी का व्यापार और शहरीकरण अवरुद्ध हो गया, साथ ही मुद्रा विनिमय भी ठप होता गया था, परिणामस्वरूप सामंतवादी व्यवस्था में आत्मनिर्भर ग्रामीण अर्थव्यवस्था विकसित होती गई।

राज्य ब्राह्मणों के साथ-साथ अब बड़े अधिकारियों को भी उनकी (सैन्य एवं प्रशासनिक) सेवाओं के भुगतान के लिए भूमि देने लगे थे। इस

भूमि पर प्राप्तकर्ता को पूर्ण अधिकार होता था, अपने क्षेत्र एवं निवासियों के ऊपर न्याय एवं प्रशासनिक अधिकार के साथ-साथ प्राप्तकर्ता का क्षेत्रीय स्तर पर सामाजिक एवं आर्थिक दबदबा कायम हो गया था। कृषि प्रधान ग्रामीण व्यवस्था में कृषक भू-सामंतों के अत्यधिक अधीन होते गए और इस बदलते अंतर संबंधों के फलस्वरूप कृषक, कृषक-दास (serfdom) में बदलते गए। आर.एस. शर्मा का मानना है कि सामंतों के अधीन अत्यधिक शोषण हो रहा था, सामंतों द्वारा लोगों से बलपूर्वक श्रमदान भी लिया जाता था। अतः शर्मा के अनुसार सामंतवाद के अन्तर-संबंधित मुख्य कारक एवं लक्षण थे—भूमि एवं अधिकारों का वितरण, सत्ता का विकेंद्रीकरण, उप-सामंतीकरण, कृषक दास एवं बलपूर्वक श्रम (विष्टि) और नगरों का पतन तथा मुद्रा का ह्रास। वह मानते हैं कि सामंतवाद का पतन 11वीं सदी में व्यापार और नगरों के पुनरुत्थान के साथ ही संभव हो गया।

### भारतीय सामंतवाद के विपक्ष अवधारणा

1971 में हरबंस मुखिया ने अपने लेख द्वारा भारतीय मार्क्सवादियों की भारतीय सामंतवाद के विचार पर गंभीर प्रश्न खड़े किए। खासकर भारतीय सामंतवाद पर आर.एस. शर्मा के विचारों की उन्होंने कड़ी आलोचना की। उन्होंने पूछा क्या भारत के इतिहास में वास्तविक रूप में कभी सामंतवाद था?

मुखिया सामंतवाद को पूंजीवाद की भांति एक सार्वभौमिक व्यवस्था ना मानते हुए केवल एक क्षेत्रीय व्यवस्था के रूप में देखते हैं, जहाँ उत्पादन अत्यधिक लाभ पर नियंत्रण के लिए नहीं बल्कि उपभोग की प्रवृत्ति से प्रेरित था। इसमें उत्पादन वृद्धि एवं बाजार विस्तार द्वारा सार्वभौमिक व्यवस्था के रूप में उभरना संभव नहीं है। मुखिया का मानना है कि अगर सामंतवाद अलग-अलग स्थानों में अलग प्रकार का था तो व्यवस्था के रूप में भी उसकी एक सटीक परिभाषा देना मुश्किल है।

मुखिया के अनुसार भारत में यूरोप की तुलना में खेती साल के अधिक महीनों तक की जाती थी, साथ ही खेती के लिए उर्वरक भूमि तथा कृषि श्रम के लिए जनसंख्या भी यूरोप की तुलना में बहुत अधिक थी। भारत में कूबड़ वाले बैल का उपयोग होता था जिससे अधिक संतुलन के साथ हल का उपयोग होने के कारण खेत जोतने की क्षमता यूरोप की तुलना में अधिक थी। भूमि उत्पादकता की दर भी भारत में अधिक थी, भारत में अधिकांश जगह साल में दो बार खेती की जाती थी।

जैसा दबाव यूरोपीय कृषक समाज पर था वैसा दबाव भारतीय कृषक समाज पर नहीं था। इसलिए कृषक-दास और कृषि में बलपूर्वक श्रम प्रथा का भारत में उभारना संभव नहीं था। इसके अतिरिक्त भारत में बंधुवा श्रम गैर-उत्पादक कार्यों के लिए अधिक प्रयोग होता था। मुखिया का मानना है कि भारतीय किसानों का श्रम उनके अपने नियंत्रण में था।

हरबंस मुखिया के इस लेख के बाद आर.एस. शर्मा ने 'भारतीय सामंतवाद कितना सामंती था' के रूप में अपने विचारों को पुनः नवीन दृष्टिकोण एवं शोध अध्ययन के साथ प्रस्तुत किया तथा भारतीय सामंतवाद को उन्होंने सामाजिक एवं आर्थिक संकटों के कारण उत्पन्न हुई एक आर्थिक प्रक्रिया के रूप में देखने पर अधिक बल दिया। अपने पुराने तर्कों को संशोधित करते हुए, हाल ही में उन्होंने सामंती समाज के विचारात्मक एवं सांस्कृतिक पहलुओं की ओर अपना ध्यान मोड़ा था। उनके अनुसार सामंती मानसिकता, कला एवं वास्तुशिल्प में पदानुक्रम के तत्व विद्यमान थे तथा सामंती समाज के वैचारिक आधार में स्वामी के प्रति कृतज्ञता एवं निष्ठा दृष्टिगोचर होती है। भारतीय सामंतवाद के पक्षधर कई विद्वानों ने सांस्कृतिक पहलुओं के माध्यम से भी सामंतवाद का अध्ययन करने का प्रयास आरम्भ किया है। उनके द्वारा भक्ति काल में स्वामी के प्रति अधीनता एवं निष्ठा संबंधित विचारधारा को ब्राह्मणवादी प्रभुत्व के आधार स्तंभ के रूप में देखा गया, उनके अनुसार ईश्वर के प्रति समर्पण और निष्ठा को सामंतों के प्रति मोड़ना कठिन नहीं था।

बर्टन स्टीन (Burton Stein) ने अपने दक्षिण भारत के शोधकार्य में भारत के संदर्भ में 'खंडित राज्य' निर्माण की अवधारणा प्रस्तुत की। उनके अनुसार भारत में औपनिवेशिक काल से पहले तक राजन केवल नाम मात्र को स्वामी होता था, वास्तविक रूप में उसकी राजनीतिक संप्रभुता केवल उसके राज्य के मुख्य केंद्रीय क्षेत्र तक सीमित थी, लेकिन राज्य के अधिकांश भू-भाग पर उसकी धार्मिक संप्रभुता कायम थी। राज्य में इसलिए स्थानीय स्वतंत्रता इकाई थी जिन्हें अपने प्रशासनिक एवं आर्थिक अधिकार हासिल थे। इस धार्मिक संप्रभुता का निर्माण राजा धार्मिक क्रियाकलाप के माध्यम से करता था।

भारतीय सामंतवाद की अवधारणा को चुनौती देते हुए हरमन कुलके और बी.डी. चट्टोपाध्याय ने इस काल को सामंतवादी काल की जगह पूर्व-मध्यकाल कहना अधिक उचित माना है। उनके अनुसार इस समय नए राज्यों का निर्माण की प्रक्रिया भी चल रही थी, जिसे उन्होंने अपने "समग्र राज्य" के अवधारणा द्वारा प्रस्तुत किया है। उनके अनुसार इस समय काल में जन-जातियों का मुख्यधारा में आना, कृषि का विस्तार, जातियों का प्रादुर्भाव, राजनीतिक वंशों की उत्पत्ति, धार्मिक (भक्ति) क्षेत्रीय एवं केन्द्रीय संस्कृतियों इत्यादि अनेक प्रक्रियाओं से राजनीतिक, सामाजिक, आर्थिक एवं सांस्कृतिक विकास हो रहा था।

समग्र राज्य की अपनी अवधारणा के अधीन इनका मानना था कि राजा भू-अनुदान द्वारा राज्य का विकेंद्रीकरण नहीं अपितु विस्तार और निर्माण कर रहे थे। भू-अनुदान द्वारा राज्य का भौगोलिक विस्तार हुआ, जनजातियों को मुख्य संस्कृति से जोड़ा गया, कृषि क्षेत्र बड़ा तथा मंदिरों और ब्राह्मणों के माध्यम से राजन अपनी संप्रभुता का निर्माण करता था तथा साथ ही पारस्परिक संस्कृति का निर्माण हुआ।

## चोल राजवंश (9वीं से 12वीं शताब्दी तक)

दक्षिण भारत के इतिहास में चोल एक प्रमुख शक्ति थे। चोलों का प्रारम्भिक इतिहास संगम युग से प्रारम्भ होता है। संगमयुगीन साहित्य से तत्कालीन चोल शासक करिकाल के बारे में व्यापक जानकारी मिलती है। करिकाल ने 'उरैयुर' को अपनी राजधानी बनाया था। करिकाल के बाद लगभग 9वीं शताब्दी तक चोलों का इतिहास अंधकारपूर्ण रहा है। लगभग 850 ई. में पल्लवों के अवशेषों पर चोल सत्ता का पुनरुत्थान हुआ।

1. **विजयालय (850-75 ई.)** : 9वीं शताब्दी में चोल शक्ति का पुनरुत्थान विजयालय ने किया। विजयालय को चोल साम्राज्य का द्वितीय संस्थापक भी माना जाता है। आरम्भ में चोल पल्लवों के सामन्त थे। विजयालय ने पाण्ड्य शासकों से तंजौर (तंजाबार) को छीन कर उरैयुर के स्थान पर इसे अपने राज्य की राजधानी बनाया। तंजौर को जीतने के उपलक्ष्य में विजयालय ने 'नरकेसरी' की उपाधि धारण की।

2. **आदित्य प्रथम (875-907 ई.)** : विजयालय का पुत्र एवं उत्तराधिकारी आदित्य प्रथम लगभग 875 ई. में चोल राजसिंहासन पर बैठा। उसने पल्लव नरेश अपराजित को पाण्ड्य नरेश के खिलाफ संघर्ष में सैनिक सहायता दी जिसके बल पर इस संघर्ष में पल्लव नरेश अपराजित विजयी हुआ। पर कालान्तर में आदित्य प्रथम ने अपनी साम्राज्य विस्तारवादी महत्वाकांक्षा के वशीभूत होकर अपराजित को एक युद्ध में पराजित कर उसकी हत्या कर दी और इस तरह पल्लव राज्य पर चोलों का अधिकार हो गया। पल्लवों के अतिरिक्त उसने पाण्ड्यों एवं कलिंग देश के गंगों को भी पराजित किया। पल्लवों पर विजय पाने के उपरान्त आदित्य प्रथम ने 'कोदण्डराम' की उपाधि धारण की।

3. **परान्तक प्रथम (907-35 ई.)** : आदित्य प्रथम की मृत्यु के बाद उसका पुत्र परान्तक प्रथम चोल राजगद्दी पर बैठा। उसने पाण्ड्य नरेश राजसिंह द्वितीय पर आक्रमण कर पाण्ड्यों की राजधानी मदुरा पर अधिकार कर लिया। इसी हार का बदला लेने के लिए पाण्ड्य नरेश ने श्रीलंका के शासक से सैनिक सहायता प्राप्त कर परान्तक के खिलाफ युद्ध किया। परान्तक ने राजसिंह की संयुक्त सेना को पराजित कर 'मदुरैकोण्ड' की उपाधि धारण की। कालान्तर में उसे राष्ट्रकूट नरेश कृष्ण तृतीय ने पश्चिमी गंगों की सहायता से तक्कोलम के युद्ध में बुरी तरह परास्त किया। राष्ट्रकूटों की इस विजय से चोल साम्राज्य को गहरा आघात लगा। परान्तक प्रथम ने भूमि का सर्वेक्षण कराया। अनेक यज्ञ करने एवं मंदिर बनवाने का भी श्रेय परान्तक को है। उसके 'उत्तर मेरुर लेख' से चोलों के स्थानीय स्वशासन की जानकारी मिलती है। परान्तक प्रथम के मरने के बाद लगभग तीन दशक तक चोल राज्य दुर्बलता एवं अव्यवस्था का शिकार रहा। परान्तक प्रथम के बाद क्रमशः गुंडरादित्य (953 से 965 ई.), परान्तक द्वितीय (956 से 973 ई.) एवं उत्तम चोल, चोल वंश के शासक हुए। इनमें सबसे योग्य परान्तक द्वितीय था।

4. **परान्तक द्वितीय (956-73 ई.)** : चोल शासक परान्तक द्वितीय को सुन्दरचोल के नाम से भी जाना जाता था। उसने तत्कालीन पाण्ड्य शासक 'वीर पाण्ड्य' को चेबर के मैदान में पराजित किया।

5. **राजाराज प्रथम (985-1014 ई.)** : परान्तक द्वितीय का पुत्र एवं उत्तराधिकारी अरिमोलिवर्मन अथवा राजाराज प्रथम परान्तक द्वितीय के बाद चोल राज्य सिंहासन पर बैठा। उसके शासन के 30 वर्ष चोल साम्राज्य के सर्वाधिक गौरवशाली वर्ष थे। उसने अपने पितामह परान्तक प्रथम की 'लौह एवं रक्त' की नीति का पालन करते हुए 'राजाराज' की उपाधि ग्रहण की। राजाराज ने अपने शासन के 9वें वर्ष में सामरिक अभियान प्रारम्भ किया। इस अभियान के अन्तर्गत सर्वप्रथम उसने चोल विरोधी गठबंधन में शामिल पाण्ड्य, चेर एवं श्रीलंका के ऊपर आक्रमण किया। इस संयुक्त मोर्चे को नष्ट करने के लिए उसने सर्वप्रथम चेर नरेश भास्कर वर्मन को पराजित किया। चेरों के बाद राजाराज ने पाण्ड्य शासक अमर भुजंग को पराजित कर राजधानी 'मदुरा' को अपने कब्जे में कर लिया।

पाण्ड्य राज्य पर अधिकार के बाद राजाराज प्रथम ने श्रीलंका के शासक महेन्द्र पंचम पर आक्रमण कर उसकी राजधानी 'अनुराधापुरम' को बुरी तरह नष्ट कर दिया। इस अभियान में राजाराज ने अपने द्वारा जीते गए प्रदेश का नाम 'मामुण्डी चोलमण्डलम' रखा एवं 'पोलोन्नरुवा' को उसकी राजधानी बनाया। सम्भवतः इस विजय के बाद राजाराज प्रथम ने 'जगन्नाथ' का विरुद धारण कर पोलोन्नरुवा का नया नाम 'जननाथमंगलम्' रखा। इन विजयों के बाद राजाराज ने पश्चिमी गंगों के कुछ प्रदेश को जीतकर पश्चिमी चालुक्य नरेश सत्याश्रम पर आक्रमण किया। सत्याश्रम ने चोलों को तुंगभद्रा नदी के दक्षिणी किनारे से आगे नहीं बढ़ने दिया। अपने शासन के अन्तिम दिनों में राजराज प्रथम ने मालद्वीप को भी अपने अधिकार में कर लिया। राजाराज प्रथम ने शैव मतानुयायी होने के कारण शिवपादशेखर की उपाधि धारण की। इसके अतिरिक्त उसने रविकुल माणिक्य, मुम्माडि चोलदेव, चोल मार्त्तण्ड, जयनगोण्ड आदि अनेक उपाधियाँ धारण की। उसने तंजौर में द्रविड़ वास्तुकला शैली के अन्तर्गत विश्व प्रसिद्ध मंदिर राजराजेश्वर के वृहदीश्वर मंदिर का निर्माण करवाया। राजाराज प्रथम ने अपने शासन के दौरान चोल अभिलेखों का प्रारम्भ 'ऐतिहासिक प्रशस्ति' के साथ करवाने की प्रथा की शुरुआत की। उसने शैलेन्द्र शासक श्रीमार विजयोत्तुंग वर्मन को नागपट्टम में 'चूड़ामणि' नामक बौद्ध विहार बनाने की अनुमति दी और साथ ही इसके निर्माण में आर्थिक सहायता भी दी। राजाराज ने अपने धर्मसहिष्णु होने का परिचय राजराजेश्वर मंदिर की दीवारों पर बौद्ध प्रतिमाओं का निर्माण करवा कर दिया। राजाराज प्रथम ने पूर्वी चालुक्य नरेश विमलादित्य के साथ अपनी पुत्री का विवाह किया था।

6. **राजेन्द्र प्रथम (1014-44 ई.)** : राजाराज प्रथम का पुत्र एवं उत्तराधिकारी राजेन्द्र प्रथम 1014 ई. में चोल राजसिंहासन पर बैठा। राजेन्द्र अपने पिता के समान ही साम्राज्यवादी प्रवृत्ति का था। उसकी उपलब्धियों के बारे में सही जानकारी तिरुवालंगाडु एवं करंदाई अभिलेखों से मिलती है। अपने विजय अभियान के प्रारम्भ में उसने पश्चिमी चालुक्यों, पाण्ड्यों एवं केरलों को पराजित किया। इसके बाद लगभग 1017 ई. में सिंहल (लंका) राज्य के विरुद्ध अभियान में उसने वहां के शासक महेन्द्र पंचम को परास्त कर सम्पूर्ण सिंहल राज्य को अपने अधिकार में कर लिया। सिंहली नरेश महेन्द्र पंचम को चोल राज्य में बंदी के रूप में रखा गया। यहीं पर 1029 ई. में उसकी मृत्यु हो गई। सिंहल

विजय के बाद राजेन्द्र चोल ने उत्तर-पूर्वी भारतीय प्रदेशों को जीतने के लिए विशाल हस्ति प्रधान सेना का इस्तेमाल किया। राजेन्द्र प्रथम के सामरिक अभियानों का महत्वपूर्ण कारनामा था—उसकी सेनाओं का गंगा नदी पार कर कलिंग एवं बंगाल तक पहुंच जाना। कलिंग में चोल सेनाओं ने पूर्वी गंग शासक मधुकामार्नव को पराजित किया। पूर्वी भारत में राजेन्द्र ने बंगाल के पाल शासक महीपाल को पराजित किया। सम्भवतः इस अभियान का नेतृत्व 1022 ई. में विक्रम चोल द्वारा किया गया। गंगा घाटी के अभियान की सफलता पर राजेन्द्र प्रथम ने 'गंगैकोण्डचोल' की उपाधि धारण की तथा इस विजय की स्मृति में कावेरी तट के निकट 'गंगैकोण्डचोलपुरम्' नामक नई राजधानी का निर्माण करवाया। उसने सिंचाई हेतु चोलगंगम नामक एक बड़े तालाब का भी निर्माण करवाया।

राजेन्द्र प्रथम ने श्री विजय (शैलेन्द्र) शासक विजयोत्तुंग मार वर्मन को पराजित कर जावा, सुमात्रा एवं मलाया प्रायद्वीप पर अधिकार कर लिया। उसने गंगैकोण्ड, वीरराजेन्द्र, मुडिगोंडचोल आदि उपाधियाँ धारण की। महान विद्याप्रेमी होने के कारण ही उसने पंडित चोल की उपाधि ग्रहण की।

7. **राजाधिराज प्रथम (1044-52 ई.)** : राजेन्द्र प्रथम के बाद उसका पुत्र राजाधिराज प्रथम 1044 ई. में राजगद्दी पर बैठा। उसका सर्वप्रथम संघर्ष कल्याणी के पश्चिमी चालुक्यों से हुआ। तत्कालीन चालुक्य नरेश सोमेश्वर को पराजित कर चालुक्य राजधानी कल्याणी पर अधिकार कर लिया। इस विजय के उपलक्ष्य में राजाधिराज ने अपना 'वीराभिषेक' करवाकर 'विजय राजेन्द्र' की उपाधि ग्रहण किया। राजधानी कल्याणी की विजय-स्मृति के रूप में वहां से एक 'द्वार पालक की मूर्ति' लाकर राजाधिराज ने उसे तंजौर नगर के 'दारासुरम' नामक स्थान पर स्थापित करवाया। कालान्तर में लगभग 1050 ई. में सोमेश्वर ने चोल सेनाओं को अपने प्रदेश से बाहर खदेड़ दिया और साथ ही बेंगी के शासक राजाराम को अपने अधीन कर लिया। कोप्पम के युद्ध (1052-54 ई.) में चालुक्य नरेश सोमेश्वर बुरी तरह पराजित हुआ, पर इस युद्ध में लड़ते समय बुरी तरह घायल होने के कारण राजाधिराज की मृत्यु युद्ध क्षेत्र में हो गई। तत्पश्चात् राजाधिराज के छोटे भाई राजेन्द्र द्वितीय ने युद्ध क्षेत्र में ही अपना राज्याभिषेक सम्पन्न करवाया।

8. **राजेन्द्र द्वितीय (1052-64 ई.)** : राजाधिराज की मृत्यु के बाद राजेन्द्र द्वितीय राज सिंहासन पर बैठा। उसके समय में भी चोल चालुक्य संघर्ष जारी रहा। राजेन्द्र द्वितीय ने कुंडलसंगमम् में चालुक्य सेना को पराजित किया। उसने अपनी लड़की मधुरांतिका का विवाह पूर्वी चालुक्य नरेश राजेन्द्र के साथ किया।

9. **वीर राजेन्द्र (1064-70 ई.)** : राजेन्द्र द्वितीय की मृत्यु के बाद उसका छोटा भाई वीर राजेन्द्र गद्दी पर बैठा। लगभग 1060 ई. में अपने परम्परागत शत्रु पश्चिमी चालुक्यों को 'कुंडलसंगमम्' के मैदान में पराजित कर वीर राजेन्द्र ने तुंगभद्रा नदी के किनारे एक विजय स्तम्भ की स्थापना की। पश्चिमी चालुक्यों के खिलाफ एक अन्य अभियान में कम्पिलनगर को जीतने के उपलक्ष्य में उसने करडिग ग्राम में एक और विजयस्तम्भ स्थापित करवाया। वीर राजेन्द्र ने सोमेश्वर के छोटे भाई विक्रमादित्य षष्ठ, जो कि सोमेश्वर के विरुद्ध था, के साथ अपनी पुत्री का विवाह कर पश्चिमी चालुक्यों के साथ सम्बन्धों के नये अध्याय की शुरुआत की। उसने सिंहल नरेश विजयबाहु प्रथम के विरुद्ध सैनिक अभियान कर उसे पराजित कर वातगिरि में शरण लेने के लिए बाध्य किया। उसने कडारम् को जीतने का भी प्रयास किया।

10. **अधिराजेन्द्र (1070 ई.)** : वीर राजेन्द्र की मृत्यु के बाद अधिराजेन्द्र राजगद्दी पर बैठा, पर कुछ महीने के शासन के बाद ही राज्य में हुए जन विद्रोह में ही भीड़ ने अधिराजेन्द्र की हत्या कर दी। उसकी मृत्यु के साथ ही विजयालय द्वारा स्थापित चोल वंश समाप्त हो गया।

इस अशांतिमय परिस्थिति का फायदा उठाकर राजेन्द्र द्वितीय कुलोत्तुंग प्रथम के नाम से चोल राजसिंहासन पर बैठा। इसके बाद का चोल इतिहास चोल-चालुक्य वंशीय इतिहास के नाम से जाना जाता है।

11. **कुलोत्तुंग प्रथम (1070-1120 ई.)** : पूर्वी चालुक्य वंश का राजेन्द्र द्वितीय कुलोत्तुंग नाम से चोल-चालुक्य वंशीय राजसिंहासन पर बैठा। उसने दक्षिणी चालुक्य नरेश विक्रमादित्य षष्ठ को पराजित किया। इसका उल्लेख विल्हण के विक्रमांकदेवचरित में मिलता है। उसने 1075-76 ई. में कुलोत्तुंग ने कलचुरी शासक यशः कर्णदेव को तथा 1100 ई. में कलिंग नरेश अनन्त वर्मन को पराजित किया। कुलोत्तुंग के शासन काल में सिंहली नरेश विजयबाहु ने अपने को स्वतंत्र घोषित कर लिया था। कुलोत्तुंग ने उसकी स्वतंत्रता में हस्तक्षेप न कर उससे मैत्रीपूर्ण सम्बन्ध बनाकर सिंहली राजकुमार वीरप्पेरुमाल के साथ अपनी पुत्री का विवाह कर दिया। इस घटना की जानकारी बौद्ध ग्रंथ 'महावंश' से मिलती है। कुछ युद्धों को छोड़कर कुलोत्तुंग प्रथम का शासन काल शान्ति एवं सुव्यवस्था का काल था। उसने विस्तारवादी नीति की निरर्थकता का अनुभव करते हुए इस महात्वाकांक्षा को तिलांजलि दे दी।

कुलोत्तुंग प्रथम के शासन काल के अन्तिम दिनों में वेंगी व मैसूर स्वतन्त्र हो गये। इस समय कुलोत्तुंग का शासन केवल तमिल प्रदेश एवं कुछ तेलुगू क्षेत्रों तक सीमित रह गया। कुलोत्तुंग ने 72 व्यापारियों के एक दूतमण्डल को 1077 ई. में चीन भेजा। चोल लेखों में कुलोत्तुंग को 'शुंगमूवतविर्त्त' (करों को हटाने वाला) कहा गया है।

12. **विक्रम चोल (1120-33 ई.)** : कुलोत्तुंग का पुत्र विक्रम चोल तथा उसके बाद चोल चालुक्य राजसिंहासन पर बैठा। विक्रमादित्य षष्ठ के मरने के बाद उसने पुनः वेंगी पर अधिकार कर लिया।

1133 ई. के लगभग उसने पश्चिमी चालुक्य नरेश सोमेश्वर तृतीय को पराजित किया। वह अपने पिता की नीतियों एवं आदर्शों के प्रतिकूल था। वह धार्मिक दृष्टि से असहिष्णु था। तथा चिदंबरम् के नटराज मंदिर को अपार दान दिया। उसने 'अकलैक' एवं 'त्याग समुद्र' की उपाधियाँ धारण की।

13. **कुलोत्तुंग द्वितीय (1133-50 ई.) :** विक्रम चोल के पुत्र कुलोत्तुंग द्वितीय ने चिदम्बरम् मंदिर के विस्तार एवं प्रदक्षिणापथ को स्वर्णमंडित कराने के कार्य को जारी रखा। कुलोत्तुंग ने इस मंदिर में स्थित गोविन्दराज की मूर्ति को समुद्र में फिकवा दिया था। इस शासक की कोई राजनैतिक उपलब्धि नहीं थी। कुलोत्तुंग II और उसके सामन्तों ने औट्टाकुट्टन, सोम्किलर और केबन को संरक्षण दिया।

कुलोत्तुंग द्वितीय के बाद कुछ अन्य चोल-चालुक्य वंशीय शासक इस प्रकार थे—राजाराज द्वितीय (1150 से 73 ई.), राजाधिराज द्वितीय (1173 से 82 ई.), कुलोत्तुंग तृतीय (1182 से 1216 ई.), राजाराज तृतीय (1216 से 1250 ई.) एवं राजेन्द्र तृतीय (1250 से 1279 ई.)। 1279 ई. में पाण्ड्यों ने इस राज्य पर अधिकार कर लिया।

## चोल प्रशासन

चोल प्रशासन में सर्वाधिक महत्वपूर्ण पद राजा का होता था। चोलकालीन शासन व्यवस्था राजतंत्रात्मक थी। राजा का पद 'वंशानुगत' व्यवस्था पर आधारित था। राजा के लिए एक 'मंत्रिपरिषद' की व्यवस्था थी। राजकीय आदेशों का क्रियान्वयन 'औले' नाम के अतिविशिष्ट अधिकारी किया करते थे। राजा के प्रधान सचिव को 'औलनायकम' कहा जाता था। चोल प्रशासन में भाग लेने वाले उच्च पदाधिकारियों को 'पेरुन्दरम्' एवं निम्न श्रेणी के पदाधिकारियों को 'शेरुन्दरन' कहा जाता था। इस समय अधिकारियों के वेतन का भुगतान नकद रूप में न करके भूमि के रूप में किया जाता था। 'विडैयाधिकारिन' नाम का अधिकारी कार्य प्रेषक किरानी के रूप में कार्य करता था।

**प्रशासकीय इकाइयां :** प्रशासन की सुविधा हेतु सम्पूर्ण चोल साम्राज्य 6 प्रान्तों में विभक्त था। प्रान्तों को 'मण्डलम्' कहा जाता था। प्रायः राजकुमारों को यहां का प्रशासन देखना पड़ता था। मण्डलम् को कोट्टम (कमिश्नरी में), कोट्टम को नाडु (जिले) में एवं प्रत्येक नाडु को कई कुर्रमों (ग्राम समूह) में विभक्त किया गया था। मण्डलम् से लेकर ग्राम स्तर तक के प्रशासन हेतु स्थानीय सभाओं का सहयोग लिया जाता था। 'नाडु' की स्थानीय सभा को 'नाटूर' एवं नगर की स्थानीय सभा को 'नगरतार' कहा जाता था।

स्थानीय स्वशासन चोल शासन प्रणाली की महत्वपूर्ण विशेषता थी। स्थानीय स्वशासन 'उर' तथा 'सभा' व महासभा के सदस्य वयस्क होते थे। उर सर्वसाधारण लोगों की समिति थी जिसका कार्य होता था सार्वजनिक कल्याण के लिए तालाबों व बगीचों के निर्माण हेतु गांव की भूमि का अधिग्रहण करना।

**सभा या ग्राम सभा :** यह मूलतः अग्रहारों व ब्राह्मण बस्तियों की संस्था थी। इसके सदस्यों को 'पेरुमक्कल' कहा जाता था। यह सभा 'वरियम' नाम की समितियों के द्वारा अपने कार्य को संचालित करती थी। वरियम की सदस्यता (कार्यकारिणी समिति) हेतु 35 से 70 वर्ष के बीच के व्यक्तियों को अवसर दिया जाता था, इसके अतिरिक्त उसे कम-से-कम डेढ़ एकड़ भूमि का मालिक एवं वैदिक मंत्रों का ज्ञाता होना होता था। इन अर्हताओं को पूरा करके चुने गये 30 सदस्यों में से 12 ज्ञानी व्यक्तियों को वार्षिक समिति 'सम्वत्सर वारियम्' के लिए चुना जाता था और शेष बचे 18 सदस्यों में से 12 को उद्यान समिति के लिए एवं 6 को तड़ाग समिति के लिए चुना जाता था।

सभा की बैठक गांव में मन्दिर के वृक्ष के नीचे एवं तालाब के किनारे होती थी। महासभा को 'पेरुगुरी', इसके सदस्यों को 'पेरु मक्कल' एवं समिति के सदस्यों को 'वारियप्पेरुमक्कल' कहा जाता था। व्यापारियों की सभा को नगरम् कहा जाता था। नगरों में व्यापारियों के विभिन्न संगठन थे जैसे मणिग्राम, बलंजीयर आदि। चोल काल के 'उर' का रूप लघुगणतंत्र जैसा था इस समय सार्वजनिक भूमि महासभा के अधिकार क्षेत्र में होती थी। महासभा ग्रामवासियों पर कर लगाने, उसे वसूलने एवं बेगार लेने का भी अधिकार अपने पास रखती थी। सभा या महासभा वर्ष में एक बार केन्द्रीय सरकार को कर देती थी। महासभा की आय और व्यय का निरीक्षण केन्द्र सरकार के अधिकारी किया करते थे। केन्द्र सरकार असामान्य स्थितियों में ही ग्रामसभा के स्वायत्त शासन में हस्तक्षेप करती थी।

## राजस्व स्रोत

राज्य की आय का मुख्य साधन भूराजस्व था। भूराजस्व निर्धारित करने से पूर्व भूमि का सर्वेक्षण, वर्गीकरण एवं नाप-जोख कराई जाती थी। तत्कालीन अभिलेखों से ज्ञात होता है कि राजाराज प्रथम एवं कुलोत्तुंग के पैर की माप ही भूमि की लम्बाई मापने की इकाई बनी। भूमिकर भूमि की उर्वरता एवं वार्षिक फसल चक्र देखने के बाद निर्धारित किया जाता था। सम्भवतः चोल काल में भूमि कर उपज का एक तिहाई हिस्सा (1/3 भाग) हुआ करता था, जिसे अन्न व नकद दोनों रूपों में लिया जाता था। चोल अभिलेखों में भूमि कर के अतिरिक्त अन्य करों का उल्लेख मिलता है, जो इस प्रकार है :

| | |
|---|---|
| आयम | राजस्व कर |
| मरमज्जाडि | वृक्ष कर |
| कडमै | सुपारी पर कर |
| मनैइरै | गृह कर |
| कढ़ैइरै | व्यापारिक प्रतिष्ठानों पर लगने वाला कर |
| पेविर | तेलघानी कर |
| किडाक्कुकाशु | नर पशुधन कर |
| कडिमै | लगान |
| पाडिकावल | गाँव सुरक्षा कर |
| वाशल्पिरमम | द्वार कर |
| मगन्मै | व्यवसाय कर |
| आजीवक्काशु | आजीविका पर लगने वाला कर |

राजस्व विभाग का उच्च अधिकारी वरित्पोत्तगकक् कहा जाता था। इन करों के अतिरिक्त चोल राजा निकटवर्ती क्षेत्रों की लूट मार से भी अपनी आय बढ़ाते थे। विवाह समारोह पर भी कर लगता था। अभिलेखों में करों व वसूलियों के लिए 'हरै' या 'वरि', 'मरुन्पाडु' और 'दंडम्' शब्द का प्रयोग किया गया है।

## सैन्य संगठन

चोलों की स्थायी सेना में पैदल, गजारोही, अश्वारोही आदि सैनिक शामिल होते थे। इनके पास एक बड़ी नौसेना थी जो राजाराज प्रथम एवं राजेन्द्र प्रथम के समय में चरमोत्कर्ष पर थी। बंगाल की खाड़ी चोलों की नौसेना के कारण ही 'चोलों की झील' बन गई। 'बड़पेर कैकलोलम' राजा की व्यक्तिगत सुरक्षा में तैनात पैदल दल को कहते थे जबकि 'कुंजिर-मल्लर' गजारोही दल को, 'कुदिरैच्चैवगर' अश्वारोही दल को, 'बिल्लिगढ़' धनुर्धारी दल को, कैककोलस पैदल सेना में सर्वाधिक शक्तिशाली को, 'सैगुन्दर' भाला से प्रहार करने में निपुण सैनिकों को एवं 'वेलैक्कार' राजा के अतिविश्वसनीय अंगरक्षक को कहते थे। सेना गुल्मों व छावनियों (कडगम) में रहती थी। चोल काल में सेना की टुकड़ी का नेतृत्व करने वाले को नायक तथा सेनाध्यक्ष को महादण्डनायक कहा जाता था।

**न्याय व्यवस्था :** राजा सर्वोच्च न्यायाधीश होता था। चोल अभिलेखों में राजा के धर्मासन का अंतिम न्याय प्राप्त करने के स्थान के रूप में उल्लेख है जहां पर राजा धर्मासनभट्ट (स्मृतिशास्त्र, ज्ञाता, ब्राह्मण एवं विद्वान) की सहायता से न्याय करता था। छोटे विवादों पर स्थानीय निगम निर्णय देते थे। चोलों की दण्ड व्यवस्था में आर्थिक दण्ड एवं सामाजिक अपमान का दण्ड दिया जाता था। प्रायः आर्थिक दण्ड काशु (मुद्रा) में देना पड़ता था। सम्भवतः काशु सोने के सिक्के को कहते थे।

## *चोलकालीन समाज*

चोलों के समय जाति व्यवस्था के अन्तर्गत ब्राह्मण एवं 'वल्लाल' (शूद्र वर्ग के बड़े भूस्वामी' का स्थान सर्वोच्च था। ब्राह्मणों को दी गयी कर मुक्त भूमि को 'चतुर्वेदि मंगलम्' कहते थे। इसके अतिरिक्त कुछ विशेष अधिकार प्राप्त वर्गों में 'वलगै' (दक्षिण भुजा) तथा 'इड़गै' (वाम भुजा) शामिल थे। वलगै एवं इड़गै वर्ग में वलगै के पास विशेष अधिकार होते थे। चोल काल में क्षत्रिय एवं वैश्य वर्ग का अस्तित्व नहीं था।

चोल काल में स्त्रियों की स्थिति पूर्वकाल की तुलना में बेहतर थी। उच्च कुल की स्त्रियाँ प्रशासन से संबद्ध थीं, किन्तु सती प्रथा एवं देवदासी प्रथा जैसी कुरीतियाँ भी विद्यमान थीं। दास प्रथा का भी प्रचलन था।

## *धार्मिक स्थिति*

चोलों के समय में वैष्णव एवं शैव मतों का व्यापक प्रचार हुआ। दक्षिण में इनके मतों के प्रचार में शैव-नायनारों एवं वैष्णव-आलवारों ने महत्वपूर्ण भूमिका निभाई। अधिकतर चोल शासक कट्टर शैव थे। उन्होंने शैव धर्म के प्रचार-प्रसार में गहरी रुचि ली। चोल नरेश आदित्य प्रथम ने शिवपूजा के लिए कावेरी के किनारे शिवमंदिर का निर्माण और इसके पुत्र परान्तक ने इन्हीं की आराधना में 'दभ्रसभा' का निर्माण करवाया। चोल सम्राट राजाराज प्रथम के काल में तो शैव धर्म अपने चरमोत्कर्ष पर पहुँच गया। राजाराज ने तंजौर में 'राजाराजेश्वर' अथवा 'बृहदीश्वर' मंदिर का निर्माण करवाया, साथ ही 'शिवपादशेखर' की उपाधि भी धारण की। राजाराज के समय शैव सन्त 'नाम्बि आण्डारनम्बि' ने शैव मन्त्रों को धर्मग्रंथ में संग्रहीत किया। चोल काल में वैष्णव मत के प्रसिद्ध आचार्य 'रामानुजाचार्य' थे। उन्होंने विशिष्टाद्वैत मत का प्रतिपादन किया। उन्होंने कुलोत्तुंग द्वितीय द्वारा चिदंम्बरम् मंदिर से गोविन्दराज विष्णु की मूर्ति को समुद्र में फेंक देने के बाद उसे वहां से उठा कर तिरुपति के विशाल वैष्णव मंदिर में स्थापित करवाया।

## *साहित्य*

चोल राजाओं के समय में तमिल भाषा एवं साहित्य का विकास हुआ। तमिल कवियों में प्रसिद्ध 'जयन्गोन्दार' कुलोत्तुंग प्रथम का राजकवि था। उसने 'कलिगंत्तुपर्णि' नाम के ग्रंथ की रचना की। कुलोत्तुंग तृतीय के दरबार में रहने वाले कवि कंबन का काल तमिल साहित्य का स्वर्ण काल माना जाता है। उसकी कृति 'कंबन रामायण' को तमिल साहित्य का गौरव ग्रंथ माना जाता है। इस काल की अन्य रचनायें शेक्किल्लार द्वारा विरचित 'पेरिय पुराणम्', पुलगेन्दि की नलवेम्ब तथा तिरक्कदेवर की 'जीवक चिन्तामणि' हैं। प्रियपूर्णम या शेखर की 'तिरूटोण्डपूर्णम्' को पांचवां वेद कहा जाता है। इस काल के अन्य धार्मिक ग्रन्थों में नन्दी, का 'तिरुविलाईयादल पूर्णम्', नन्दी अन्दारनम्बी का 'तिरुसुराई-कांडपूर्णम्' तथा अनुदनार का 'रामानुज नुरंदादि' है।

## *कला एवं स्थापत्य*

महान चोल शासकों ने अपने शासन काल में द्रविड़ स्थापत्य कला शैली को विकास के चरमोत्कर्ष पर पहुँचाया। इस काल में द्रविड़ शैली के अन्तर्गत बने मंदिर प्रसिद्ध हैं। चोलकालीन प्रारम्भिक मंदिरों में तिरुकट्टलाई का सुन्दरेश्वर मंदिर तथा नरतमलाई का विजयालय चोलेश्वर मंदिर प्रसिद्ध है। इसमें चोलेश्वर मंदिर सर्वाधिक उत्कृष्ट है। तंजौर में स्थित राजाराज प्रथम द्वारा निर्मित चोल स्थापत्य कला का चरमोत्कर्ष राजराजेश्वर अथवा बृहदीश्वर मंदिर को माना जाता है। इस मंदिर के निर्माण में द्रविड़ कला शैली का पूर्ण विकास हुआ है। इस मंदिर का निर्माण लगभग 1003 ई. में प्रारम्भ में हुआ जिसके निर्माण में लगभग 8 वर्ष लगे। तंजौर के बृहदीश्वर मंदिर विमान को 'भारतीय वास्तुकला का निकष' माना जाता है।

गंगैकोण्डचोलपुरम के बृहदीश्वर मंदिर का निर्माण राजराज के योग्य पुत्र राजेन्द्र प्रथम ने करवाया था। इस मंदिर का आधार 105 मीटर लम्बा एवं 50 मीटर चौड़ा है। इसका आठ मंजिला विमान लगभग 50 मीटर ऊँचा है। इस मंदिर को द्रविड़ चोल मंदिर कला की परिणति कहा जा सकता हैं। पर्सी ब्राउन ने मंदिर के शिखर पर उत्कीर्ण लम्बवत रेखाओं के कारण ही 'गंगैकोण्ड चोलपुरम के मंदिर को गीतों की तरह संवेदना उत्पन्न करने वाला महान कलात्मक निर्माण कहा।' इस काल के कुछ अन्य मंदिरों में तंजौर स्थित दारा सुरम् का 'ऐरावतेश्वर मंदिर' एवं त्रिभुवनम् का 'कंपहरेश्वर मंदिर' उल्लेखनीय हैं। स्थापत्य के साथ-साथ तक्षण कला के क्षेत्र में भी चोल कलाकारों ने सफलता प्राप्त की। इस काल की धातु मूर्तियों में 'नटराज शिव' की कांस्य मूर्ति विशेष उल्लेखनीय है। शिव मूर्ति के अलावा पार्वती, स्कन्द, कार्तिकेय एवं गणेश आदि शैव देवताओं की मूर्तियां कांस्य द्वारा बनीं। भित्तिचित्र कला के अन्तर्गत बृहदेश्वर मंदिर की दीवारों पर अजंता की चित्रकला से प्रभावित धार्मिक चित्रकारी की गयी है।

## बहुविकल्पीय प्रश्नोत्तर

**1.** चन्द्रगुप्त का उल्लेख सबसे पहले किस अभिलेख में मिलता है?
A. अशोक का बराबर पहाड़ी गुहा अभिलेख
B. नागार्जुनी पहाड़ी में दशरथ का गुहा अभिलेख
C. अशोक का जूनागढ़ शिला अभिलेख
D. रूद्रदामन प्रथम का जूनागढ़ शिलालेख

**2.** निम्नलिखित में कौन सुमेलित नहीं है?
A. कलिंग - जौगढ़ B. दक्षिणापथ - सुवर्णगिरि
C. अवन्तिराठ - उज्जैन D. उत्तरापथ - तक्षशिला

**3.** मौर्यकालीन रथों की पताकाओं का रंग क्या था?
A. सफेद B. नीला
C. लाल D. हरा

**4.** अशोक के शिलालेखों तथा उनकी ब्राह्मीलिपि के बारे में सर्वप्रथम किसने रहस्योद्घाटन किया?
A. एलेक्जेन्डर कनिंघम B. मैक्समूलर
C. जेम्स प्रिन्सेप D. मार्टिमर व्हीलर

**5.** अशोक का नवीनतम प्राप्त शिलालेख है?
A. कन्धार द्विभाषी शिलालेख B. सन्नताई शिलालेख
C. मास्की शिलालेख D. भाब्रू शिलालेख

**6.** दशरथ का नागार्जुनी पहाड़ी गुहा अभिलेख किस जगह पर स्थित है?
A. जूनागढ़ B. नागार्जुनकोंडा
C. बराबर D. राजगीर

**7.** निम्नलिखित में से किस शिलालेख को अशोक द्वारा प्रसारित नहीं किया गया?
A. जूनागढ़ शिलालेख B. भाब्रू शिलालेख
C. कलिंग शिलालेख D. दिल्ली-टोपरा स्तम्भ लेख

**8.** कन्धार शिलालेख किस लिपि में लिखे गए थे?
A. खरोष्ठी B. ग्रीक
C. आरमाइक D. उपर्युक्त (A) और (B) दोनों

**9.** निम्नांकित में से किस स्थान पर सभी वृहत्त और लघुस्तम्भ लेखों की प्रतिलिपियाँ पायी गयी हैं?
A. साँची B. इलाहाबाद
C. सारनाथ D. रूम्मिनदेई

**10.** मानशेरा तथा शाहबाजगढ़ी स्थित अशोक के शिलालेखों में प्रयुक्त लिपि क्या है?
A. आरमाइक B. ग्रीक
C. खरोष्ठी D. ब्राह्मी

**11.** निम्नांकित किस बौद्ध साहित्यिक स्रोत से मौर्यों के बारे में जानकारी नहीं मिलती:
A. महापरिनिब्बान सुत्त B. दीपवंश
C. महावंश D. अशोकावदान

**12.** मौर्यकालीन साहित्यिक स्रोतों में सर्वाधिक महत्त्वपूर्ण स्रोत कौन है?
A. पुराण B. विशाखदत्त का मुद्राराक्षस
C. कौटिल्य का अर्थशास्त्र D. मेगास्थनीज की इण्डिका

**13.** मौर्यों का कालक्रम किस घटना से सम्बद्ध है?
A. सिकन्दर का आक्रमण B. महावीर की मृत्यु
C. बुद्ध की मृत्यु D. अशोक का राज्याभिषेक वर्ष

**14.** नन्द नरेश के साथ चन्द्रगुप्त मौर्य के युद्ध का वर्णन किसमें मिलता है?
A. मुद्राराक्षस B. परिशिष्ठ पर्वण
C. महावंश D. उपर्युक्त सभी

**15.** सौराष्ट्र में चन्द्रगुप्त मौर्य की विजय का प्रमाण मिलता है:
A. रुद्रदामन के जूनागढ़ शिलालेख से
B. अशोक के गिरनार शिलालेख से
C. अशोक के सोपारा शिलालेख से
D. कलिंग शिलालेख से।

**16.** निम्नलिखित में से किस बौद्ध ग्रंथ में अशोक की **"धम्म यात्राओं"** की चर्चा है?
A. दिव्यावदान B. महावंश
C. वंशथपकाशिनि D. चूलवंश

**17.** दीदारगंज (पटना) जाना जाता है:
A. यक्षी की प्रस्तर प्रतिमा के लिए
B. यक्ष की प्रस्तर प्रतिमा के लिए
C. चौरी उठाने वाले की प्रस्तर प्रतिमा के लिए
D. पत्थर का हाथी के लिए

**18.** किस तरह के पदाधिकारी मौर्यकाल में सर्वाधिक संख्या में थे?
A. न्यायिक B. सैनिक
C. लोककल्याण से संबंधित D. राजस्व से संबंधित

**19.** पश्चिमी प्रान्त के प्रशासक के रूप में अशोक ने किस फारसवासी की नियुक्ति की?
A. तुसस्प B. जस्टिन
C. प्लूटार्क D. सुनासेपाह

**20.** मौर्य प्रशासन में **"रूपदर्शक"** था:
A. रंगमंच का प्रबंधक
B. सोना-चाँदी का परीक्षक

C. पंचमार्क सिक्कों का परीक्षक
D. गणिकाओं का अधीक्षक

**21.** "भारत का नेपोलियन" किसे कहा गया?
A. चन्द्रगुप्त विक्रमादित्य B. समुद्रगुप्त
C. स्कन्दगुप्त D. रामगुप्त

**22.** समुद्रगुप्त के किस अभिलेख में "भारतीय नेपोलियन" की विजयों का विस्तृत विवरण मिलता है?
A. एरण अभिलेख B. प्रयाग प्रशस्ति
C. गढ़वा अभिलेख D. इनमें से कोई नहीं

**23.** अजन्ता की गुफाओं में से किन गुफाओं का निर्माण गुप्त काल में हुआ?
A. गुफा संख्या 14, 15 एवं 16
B. गुफा संख्या 2, 4 एवं 6
C. गुफा संख्या 16, 17 एवं 19
D. सभी गुफाओं का

**24.** चीनी यात्री "ईत्सिंग" द्वारा वर्णित "चीन का मन्दिर" किस गुप्त सम्राट द्वारा बनवाया गया था?
A. समुद्रगुप्त B. स्कन्दगुप्त
C. श्रीगुप्त D. चन्द्रगुप्त द्वितीय

**25.** गुप्त स्थापत्य कला का सर्वोत्कृष्ट मंदिर निम्नांकित में से कौन है?
A. भीतरगाँव का मंदिर B. देवगढ़ का दशावतार मंदिर
C. भूमरा का शिव मंदिर D. तिगवा का विष्णु मंदिर

**26.** चन्द्रगुप्त द्वितीय ने विक्रमादित्य की "उपाधि" कब धारण की?
A. शकों का उन्मूलन कर
B. गुप्त सिंहासन पर बैठने के बाद
C. चाँदी के सिक्के जारी करने पर
D. उपर्युक्त सभी

**27.** किस गुप्त शासक के काल में फाहियान भारत आया था?
A. समुद्रगुप्त B. स्कन्दगुप्त
C. चन्द्रगुप्त प्रथम D. चन्द्रगुप्त द्वितीय

**28.** सती प्रथा का प्रथम उल्लेख कहाँ से मिलता है?
A. भीतरगाँव लेख से B. भितरी स्तंभ लेख से
C. विलसड़ स्तंभ लेख से D. एरण अभिलेख से

**29.** यूरोपीय भाषा में अनुवादित प्रथम भारतीय ग्रंथ कौन-सा है?
A. कुमार संभव B. कामसूत्र
C. भगवद्गीता D. अभिज्ञानशाकुन्तलम्

**30.** गुप्त वंश के किस शासक ने हूणों को परास्त किया?
A. रामगुप्त B. स्कन्दगुप्त
C. समुद्रगुप्त D. चन्द्रगुप्त द्वितीय

**31.** गुप्त कालीन सिक्कों का सबसे बड़ा ढ़ेर कहाँ से प्राप्त हुआ है?
A. बयाना (भरतपुर) B. तिगवाँ (मध्य प्रदेश)
C. देवगढ़ (झाँसी) D. भूमरा (मध्य प्रदेश)

**32.** निम्नलिखित गुप्त शासकों को कालक्रमानुसार कीजिए–
1. समुद्रगुप्त 2. चन्द्रगुप्त प्रथम
3. घटोत्कच गुप्त 4. श्रीगुप्त
5. स्कन्द गुप्त 6. चन्द्रगुप्त विक्रमादित्य
A. 1, 2, 3, 4, 5, 6 B. 4, 3, 2, 6, 1, 5
C. 4, 3, 2, 1, 6, 5 D. 4, 3, 5, 1, 6, 2

**33.** किस देश के व्यापारियों का रेशम व्यापार पर एकाधिकार था?
A. अरबी B. चीनी
C. ईरानी D. सिंहली

**34.** "यवनप्रिया" नाम से किस भारतीय उत्पाद का उल्लेख संस्कृत साहित्य में मिलता है?
A. मलमल
B. काली मिर्च
C. अगरू एवं चन्दन की लकड़ी
D. दालचीनी के वृक्ष के पत्ते

**35.** गुप्त काल में ब्याज की दरें कम होने के संबंध में निम्नांकित कौन-सा कारण सत्य नहीं है:
A. सामुद्रिक व्यापार के प्रति सम्वर्द्धित विश्वास।
B. वित्त की प्रभूत आपूर्त्ति।
C. उत्पादित माल की अधिक उपलब्धता।
D. साहूकारी से अर्जित धन "कलंकित" या "काला धन" कहा जाता था।

**36.** मेगस्थनीज द्वारा वर्णित महान राजमार्ग कहाँ से कहाँ तक जाता था?
A. सिन्धु से पाटलिपुत्र B. प्रयाग से उज्जयिनी
C. पाटलिपुत्र से तक्षशिला D. पाटलिपुत्र से प्रयाग

**37.** कौटिल्य के अर्थशास्त्र का "कंटक शोधन" संबंधी अध्याय मुख्यतः किसका वर्णन करता है?
A. राज्य द्वारा व्यापारियों एवं हस्तशिल्पियों के हितों की सुरक्षा के उपाय।
B. शासन द्वारा व्यापारियों एवं दस्तकारों पर कठोर नियंत्रण।
C. वस्तुओं में मिलावट के विरूद्ध अधिनियम।
D. लाभांश, मजदूरी और कीमतों के विनियमन।

**38.** गुप्तकाल में कपड़े की किस किस्म का उत्पादन मथुरा में होता था?
A. क्षौम B. सटक
C. चीनांसुक D. दुकूल

**39.** "श्रेणि" के सदस्यों के आचरण को किसके द्वारा नियंत्रित किया जाता था?
A. ज्येष्ठक B. श्रेणि न्यायालय
C. श्रेणि आचरण समिति D. श्रेणि व्यवस्था परिषद्

**40.** सर्वाधिक संख्या में रोमन सिक्के कहाँ से पाए गए हैं?
A. केरल B. तमिलनाडु
C. पश्चिम बंगाल D. बिहार

**41.** वाकाटक राजवंश की स्थापना किसने की?
A. विन्ध्यशक्ति B. प्रवरसेन प्रथम
C. रूद्रसेन D. पृथ्वीसेन

**42.** किस वाकाटक नरेश ने चार बार अश्वमेध यज्ञ किया?
A. सर्वसेन B. रूद्रसेन द्वितीय
C. प्रवरसेन प्रथम D. प्रवरसेन द्वितीय

**43.** हर्ष को और किस नाम से जाना जाता है?
A. धर्मादित्य B. शिलादित्य
C. आदित्य D. उपरोक्त सभी

**44.** हर्ष को पराजित करने वाला शासक कौन था?
A. पुलकेशिन द्वितीय B. सिंध नरेश
C. ध्रुवसेन द्वितीय D. इनमें से कोई नहीं

**45.** निम्नलिखित में किसकी रचना हर्षवर्धन ने नहीं की?
A. नागानंद B. हर्षचरित
C. प्रियदर्शिका D. रत्नावली

**46.** गुप्तोत्तर काल में कुछ लोग करारोपण से पूर्णतः मुक्त थे। निम्नलिखित में से कौन इस विशेषाधिकार से वंचित था?
A. दास B. ब्राह्मण
C. महिलाएँ D. विद्यार्थी

**47.** भूमि-अनुदान प्राप्त करने वाले व्यक्तियों/संस्थाओं का सर्वाधिक महत्वपूर्ण विशेषाधिकार था:
A. कर भुगतान से छूट
B. करारोपण का अधिकार
C. अनुदान में प्राप्त भूमि प्रशासन की व्यवस्था
D. उपरोक्त सभी

**48.** संतानहीन व्यक्ति की मृत्यु के बाद उसकी सम्पत्ति को राजकोष में अधिग्रहीत कर लेने की प्रथा को किस शासक ने समाप्त किया?
A. गुजरात के कुमारपाल B. मालवा के भोज परमार
C. कन्नौज के मिहिर भोज D. बंगाल के वल्लाल सेन

**49.** कृषि उत्पादन में राजा का अंश सामान्यतः क्या कहलाता था?
A. कर B. भोग
C. हिरण्य D. भाग

**50.** गुप्तोत्तर काल में भूमि का वर्गीकरण किस आधार पर किया गया था?
A. कृषि-योग्य और बंजरभूमि B. सिंचित और असिंचित
C. भूमि पर उत्पादित फसलों D. उपरोक्त सभी

**51.** बादामी के चालुक्य वंश की स्थापना किसने की?
A. रणराग B. जयसिंह
C. पुलकेशिन प्रथम D. पुलकेशिन द्वितीय

**52.** बादामी के किस चालुक्य नरेश ने "सत्याश्रय" की उपाधि धारण की?
A. विक्रमादित्य प्रथम B. मंगलेश
C. पुलकेशिन प्रथम D. पुलकेशिन द्वितीय

**53.** हिन्दू विधि की पुस्तक "मिताक्षरा" की रचना किसके द्वारा की गयी?
A. विज्ञानेश्वर B. अपरार्क
C. जिमूतवाहन D. इनमें से कोई नहीं

**54.** पुलकेशिन द्वितीय ने किसे परास्त कर सत्ता प्राप्त किया था?
A. मंगलेश B. पुलकेशिन प्रथम
C. कीर्तिवर्मा D. विक्रमादित्य प्रथम

**55.** नरसिंह वर्मन प्रथम के दरबार में संस्कृत का महान विद्वान रहता था:
A. दण्डी B. भारवि
C. उपरोक्त दोनों D. इनमे से कोई नहीं

**56.** राष्ट्रकूट वंश का संस्थापक किसे माना जाता है?
A. ध्रुव B. अमोघवर्ष
C. दंतिदुर्ग D. इनमें से कोई नहीं

**57.** राष्ट्रकूट ने अपनी राजधानी कहाँ स्थापित की?
A. काँची B. कल्याणी
C. बादामी D. मान्यखेट

**58.** "अकालवर्ष" की उपाधि ग्रहण करने वाला राष्ट्रकूट नरेश था:
A. इन्द्र तृतीय B. कृष्ण तृतीय
C. कृष्ण द्वितीय D. अमोघवर्ष द्वितीय

**59.** सम्पूर्ण "दक्षिण पथ का स्वामी" होने का गौरव किस राष्ट्रकूट शासक को प्राप्त था?
A. ध्रुव B. इन्द्र तृतीय
C. कृष्ण तृतीय D. अमोघवर्ष

**60.** चोल किसके सामन्त थे?
A. कांची के पल्लव B. बादामी के चालुक्य
C. राष्ट्रकूट D. इनमें से कोई नहीं

**61.** लगभग 850 ई. में किसके द्वारा चोल सत्ता का पुनरुत्थान किया गया?
A. करिकाल B. आदित्य प्रथम
C. परान्तक प्रथम D. विजयालय

**62.** किस चोल शासक ने पाण्ड्यों की राजधानी मदुरा पर अधिकार करके "मदुरैकोण्ड" की उपाधि धारण की?
A. सुन्दरचोल B. परान्तक प्रथम
C. अरमोलिवर्मन D. आदित्य प्रथम

**63.** राजाराज प्रथम ने निम्नलिखित द्वीपों में किसको जीता?
A. मालद्वीप B. लक्षद्वीप
C. उपरोक्त दोनों D. जावाद्वीप

**64.** "सुन्दरचोल" के नाम से जाना गयाः

A. परान्तक प्रथम B. परान्तक द्वितीय

C. आदित्य द्वितीय D. इनमें से कोई नहीं

**65.** राजेन्द्र प्रथम द्वारा गंगा घाटी, मुख्यतः बंगाल, के विरूद्ध किए गए सैन्य अभियान का मुख्य उद्देश्य क्या था?

A. साम्राज्य विस्तार

B. गंगा घाटी पर अधिकार

C. चोलों की शक्ति का प्रदर्शन

D. गंगा के पवित्र जल को प्राप्त करना

**66.** चोल साम्राज्य में एकल इकाई के रूप में शामिल ग्रामों को क्या कहा जाता था?

A. नाडु B. कुर्रम

C. कोट्टम D. तनियुर

**67.** चोलों की राजधानी थीः

A. वातापी B. मदुराई

C. तंजौर D. प्रतिष्ठान

**68.** "गंगै कोंड चोल" की उपाधि धारण करने वाला शासक थाः

A. राजाधिराज B. राजाराज प्रथम

C. राजेन्द्र प्रथम D. करिकाल चोल

**69.** किस चोल शासक ने चीन के लिए दो बार व्यापारिक दूत मंडल को भेजा?

A. राजेन्द्र प्रथम B. कुलोत्तुंग प्रथम

C. राजेन्द्र द्वितीय D. राजाराज प्रथम

**70.** निम्नलिखित में से कौन सी समिति चोल प्रशासन के अन्तर्गत व्यापारियों के हितों की रक्षा करती थी?

A. महासभा B. पेरूनगुरी

C. कुरी D. नगरम्

**71.** निम्नलिखित में से किस एक की अन्य तीन से भिन्न गुणार्थकता है?

A. सभा B. नगरम्

C. मुक्ति D. उर

**72.** निम्नलिखित मंदिरों में से किसका संबंध चोलों से है?

A. ऐलोरा का कैलाश मंदिर

B. भुवनेश्वर का लिंगराज मंदिर

C. तंजौर का वृहदेश्वर मंदिर

D. खजुराहो का कन्दरिया महादेव मंदिर

**73.** चोल शासन का स्वरूप क्या था?

A. गणतंत्रात्मक

B. राजतंत्रात्मक वंशानुगत

C. निरंकुश राजतंत्र

D. सैन्य शक्ति पर आधारित केन्द्रीयकृत

**74.** तमिल कवि कंबन ने किस चोल शासक के समय में तमिल साहित्य के महाकाव्य तमिल रामायण की रचना की?

A. कुलोत्तुंग प्रथम B. कुलोत्तुंग तृतीय

C. राजेन्द्र तृतीय D. विक्रम चोल

**75.** तंजौर स्थित "वृहदेश्वर मंदिर" का निर्माण किस चोल शासक ने करवाया?

A. राजाराज प्रथम B. राजाराज द्वितीय

C. राजेन्द्र प्रथम D. इनमें से कोई नहीं

**76.** चोल कालीन समाज में गैर ब्राह्मणों में सर्वश्रेष्ठ जाति थीः

A. क्षत्रिय B. वैश्य

C. शूद्र D. अत्यन्त पिछड़ी जाति

**77.** चोल काल में "काशु" का संबंध थाः

A. माप-जोख की इकाई से B. विनियम की इकाई से

C. मुद्रा से D. इनमें से कोई नहीं

**78.** संगम काल का सर्वाधिक महत्त्वपूर्ण नगर कौन था?

A. अरिकामेडु B. कावेरीपट्टनम्

C. पुहार D. मदुरा

**79.** संगम साहित्य में तीन राज्यों का उल्लेख मिलता है। निम्नांकित में से कौन उसमें शामिल नहीं हैं?

A. पल्लव B. चेर

C. चोल D. पाण्ड्य

**80.** सूची-I (संगम) को सूची-II (अध्यक्ष) से सुमेलित करें।

| सूची-I | सूची-II |
|---|---|
| (*a*) प्रथम संगम | 1. अगस्त्य एवं तोल्काप्पियर |
| (*b*) द्वितीय संगम | 2. नक्कीरर |
| (*c*) तृतीय संगम | 3. अगस्त्य ऋषि |

| | (*a*) | (*b*) | (*c*) |
|---|---|---|---|
| A. | 1 | 2 | 3 |
| B. | 3 | 1 | 2 |
| C. | 2 | 3 | 1 |
| D. | 1 | 3 | 2 |

**81.** "तोल्काप्पियम्" निम्नांकित में से किससे संबंधित है?

A. तमिल महाकाव्य B. तमिल व्याकरण ग्रंथ

C. पांड्य प्रशस्ति D. इनमें से कोई नहीं

**82.** सूची-I को सूची-II से सुमेलित करें।

| सूची-I | सूची-II |
|---|---|
| (*a*) शिलप्पदिकारम् | 1. तिरूक्तक्क देवर |
| (*b*) तोल्काप्पियम् | 2. सीतलैशत्तनार |
| (*c*) जीवक चिन्तामणि | 3. इलंगोअदिगल |
| (*d*) मणिमेकलै | 4. तोल्काप्पियर |

| | (*a*) | (*b*) | (*c*) | (*d*) |
|---|---|---|---|---|
| A. | 2 | 1 | 3 | 4 |
| B. | 3 | 4 | 1 | 2 |
| C. | 3 | 4 | 2 | 1 |
| D. | 1 | 2 | 3 | 4 |

**83.** किस संगमयुगीन चेर शासक ने "कण्णगी पूजा" की प्रथा को प्रारंभ करवाया?

A. कुट्टुवन B. उदियन जेरल
C. शेनगुट्टुवन D. नेदुन जेरल आदन

**84.** संगमयुगीन किस शासक को लाल चेर के नाम से जाना जाता था?

A. नेदुन जेरल आदन B. नडुमान अंजी
C. शेनगुट्टुवन D. इनमें से कोई नहीं

**85.** सूची-I में दिए गए राज चिन्हों को सूची-II में दिए गए उनके वंशों से सुमेलित करें।

| सूची-I | सूची-II |
|---|---|
| (*a*) धनुष | 1. पांड्य |
| (*b*) सिंह | 2. चेर |
| (*c*) मछली | 3. चोल |

| | (*a*) | (*b*) | (*c*) |
|---|---|---|---|
| A. | 2 | 1 | 3 |
| B. | 2 | 3 | 1 |
| C. | 1 | 2 | 3 |
| D. | 3 | 2 | 1 |

**86.** निम्नलिखित में से कौन सी प्रथा संगम युग में प्रचलित नहीं थी?

A. वेश्यावृति B. वैवाहिक कर्मकाण्ड
C. सती प्रथा D. दास प्रथा

**87.** हर्यंक वंश के किस शासक को 'कुणिक' कहा जाता था?

A. बिम्बिसार
B. उदायिन
C. अजातशत्रु
D. उपर्युक्त में से कोई नहीं

**88.** किस शासक ने गंगा एवं सोन नदियों के संगम पर 'पाटलिपुत्र' नामक नगर की स्थापना की?

A. अजातशत्रु B. उदायिन
C. अशोक D. घननंद

**89.** शिशुनाग वंश का वह कौन-सा शासक था, जिसके समय में वैशाली में द्वितीय बौद्ध संगीति का आयोजन किया गया, उसे 'काकवर्ण' के नाम से भी जाना जाता था?

A. शिशुनाग B. नंदिवर्धन
C. कालाशोक D. उपर्युक्त में से कोई नहीं

**90.** प्राचीन भारत पर पहला विदेशी आक्रमण किनके द्वारा किया गया?

A. यूनानियों द्वारा B. ईरानियों द्वारा
C. शकों द्वारा D. कुषाणों द्वारा

**91.** सूची-I को सूची-II से सुमेलित करें।

| सूची-I | सूची-II |
|---|---|
| (*a*) बिम्बिसार | 1. नंद वंश |
| (*b*) बिन्दुसार | 2. मौर्य वंश |
| (*c*) कालाशोक | 3. हर्यंक वंश |
| (*d*) महापद्म नंद | 4. शिशुनाग वंश |

| | (*a*) | (*b*) | (*c*) | (*d*) |
|---|---|---|---|---|
| A. | 1 | 3 | 4 | 2 |
| B. | 3 | 2 | 4 | 1 |
| C. | 3 | 2 | 1 | 4 |
| D. | 3 | 1 | 4 | 2 |

**92.** बौद्ध साहित्य में सोलह महाजनपदों में चार को सर्वशक्तिमान माना गया है, ये चार जनपद कौन से हैं?

1. मगध 2. कोशल
3. अवंति 4. वत्स
5. कौशाम्बी

A. 1, 2, 3, 4 B. 1, 5, 3, 4
C. 1, 2, 3, 5 D. 2, 3, 4, 5

**93.** सूची-I में दिये गये महाजनपदों को सूची-II में दिये गये आधुनिक क्षेत्रों से सुमेलित कीजिए।

| सूची-I | सूची-II |
|---|---|
| (*a*) मत्स्य जनपद | 1. आधुनिक मालवा व मध्य प्रदेश के भाग |
| (*b*) अवंति जनपद | 2. आधुनिक राजोरी एवं हजारा जिले |
| (*c*) काम्बोज जनपद | 3. आधुनिक जयपुर के आस-पास |
| (*d*) वत्स जनपद | 4. आधुनिक बुंदेलखण्ड का क्षेत्र |
| (*e*) चेदि जनपद | 5. आधुनिक इलाहाबाद |

| | (*a*) | (*b*) | (*c*) | (*d*) | (*e*) |
|---|---|---|---|---|---|
| A. | 1 | 2 | 3 | 4 | 5 |
| B. | 3 | 1 | 2 | 5 | 4 |
| C. | 3 | 1 | 4 | 5 | 2 |
| D. | 2 | 3 | 4 | 5 | 1 |

**94.** हर्यंकवंशी शासक अजातशत्रु के शासनकाल के आठवें वर्ष कौन सी महत्वपूर्ण घटना घटी?

A. सिकन्दर का भारत पर आक्रमण
B. महात्मा बुद्ध को निर्वाण प्राप्त हुआ
C. सप्तपर्णी गुफा में प्रथम बौद्ध संगीति का आयोजन
D. राजगृह में बौद्ध स्तूप का निर्माण

**95.** सूची-I में दिये गये शासकों को सूची-II में दी गयी उनके शासन काल की अनुमानित तिथि से सुमेलित कीजिए।

| सूची-I | सूची-II |
|---|---|
| (*a*) बिम्बिसार | 1. 493 से 461 ई.पू. तक |
| (*b*) अजातशत्रु | 2. 545 से 493 ई.पू. तक |
| (*c*) कालाशोक | 3. 394 से 366 ई.पू. तक |
| (*d*) उदायिन | 4. 461 से 445 ई.पू. तक |

| | (*a*) | (*b*) | (*c*) | (*d*) |
|---|---|---|---|---|
| A. | 1 | 3 | 2 | 4 |
| B. | 2 | 1 | 4 | 3 |
| C. | 2 | 1 | 3 | 4 |
| D. | 1 | 2 | 3 | 4 |

**96.** वज्जिसंघ के विरुद्ध मगध राज्य के किस शासक ने प्रथम बार 'रथमूसल' तथा 'महाशिलाकण्टक' नामक गुप्त हथियारों का प्रयोग किया?

A. अजातशत्रु B. चन्द्रगुप्त मौर्य
C. कालाशोक D. उदायिन

**97.** सूची-I को सूची-II से सुमेलित कीजिए।

| सूची-I | सूची-II |
|---|---|
| (*a*) अशोक की कलिंग विजय | 1. 20वें वर्ष |
| (*b*) अशोक की लुम्बिनी यात्रा | 2. 8वें वर्ष |
| (*c*) अशोक की धम्म यात्रा | 3. 10वें वर्ष |
| (*d*) धम्म महामात्र की नियुक्ति | 4. 18वें वर्ष |

| | (*a*) | (*b*) | (*c*) | (*d*) |
|---|---|---|---|---|
| A. | 2 | 1 | 3 | 4 |
| B. | 2 | 1 | 4 | 3 |
| C. | 1 | 2 | 3 | 4 |
| D. | 4 | 3 | 2 | 1 |

**98.** अशोक ने अपने शासन काल में तक्षशिला में हुए विद्रोह को दबाने के लिए किसे भेजा?

A. कुणाल B. दशरथ
C. राधागुप्त D. उपर्युक्त में से कोई नहीं

**99.** सूची-I को सूची-II से सुमेलित कीजिए।

| सूची-I | सूची-II |
|---|---|
| (*a*) तीर्थ | 1. राजस्व विभाग का प्रधान अधिकारी |
| (*b*) समाहर्ता | 2. कोषाध्यक्ष |
| (*c*) सन्निधाता | 3. उच्चस्तर का अधिकारी |
| (*d*) महामात्यापसर्प | 4. गुप्तचर विभाग का अधिकारी |

| | (*a*) | (*b*) | (*c*) | (*d*) |
|---|---|---|---|---|
| A. | 1 | 2 | 3 | 4 |
| B. | 3 | 1 | 2 | 4 |
| C. | 4 | 3 | 1 | 2 |
| D. | 3 | 2 | 1 | 4 |

**100.** अशोक ने कलिंग पर कब आक्रमण किया?

A. 260 ई.पू. में B. 261 ई.पू. में
C. 261 ई. में D. 273 ई.पू. में

## उत्तरमाला

| 1 | 2 | 3 | 4 | 5 | 6 | 7 | 8 | 9 | 10 |
|---|---|---|---|---|---|---|---|---|---|
| D | A | A | C | B | C | A | D | B | C |
| **11** | **12** | **13** | **14** | **15** | **16** | **17** | **18** | **19** | **20** |
| C | C | C | D | A | A | A | D | A | C |
| **21** | **22** | **23** | **24** | **25** | **26** | **27** | **28** | **29** | **30** |
| B | B | C | C | B | A | D | D | D | B |
| **31** | **32** | **33** | **34** | **35** | **36** | **37** | **38** | **39** | **40** |
| A | C | C | B | B | A | B | B | B | B |
| **41** | **42** | **43** | **44** | **45** | **46** | **47** | **48** | **49** | **50** |
| A | C | B | A | B | A | B | A | D | D |
| **51** | **52** | **53** | **54** | **55** | **56** | **57** | **58** | **59** | **60** |
| C | D | A | A | A | C | D | B | C | A |
| **61** | **62** | **63** | **64** | **65** | **66** | **67** | **68** | **69** | **70** |
| D | B | C | B | C | D | C | C | B | D |
| **71** | **72** | **73** | **74** | **75** | **76** | **77** | **78** | **79** | **80** |
| C | C | B | B | A | C | C | C | A | B |
| **81** | **82** | **83** | **84** | **85** | **86** | **87** | **88** | **89** | **90** |
| B | B | C | C | B | D | C | B | C | B |
| **91** | **92** | **93** | **94** | **95** | **96** | **97** | **98** | **99** | **100** |
| B | A | B | B | C | A | A | A | B | B |

❑❑❑

## अध्याय–3

# प्राचीन भारतीय सामाजिक और आर्थिक जीवन
# (Ancient Indian Social and Economic Life)

## वैदिक काल

प्राचीन भारत में सिंधु घाटी सभ्यता के पश्चात वैदिक सभ्यता का उदय हुआ। इस काल की सामाजिक और आर्थिक जीवन के जानकारी का स्रोत वेद और समकालीन ब्राह्मण साहित्य है। सुविधा के लिहाज से वैदिक काल को ऋग्वैदिक और उत्तरवैदिक काल में विभाजित किया गया है। उत्तरवैदिक व्यवस्था ऋग्वैदिक व्यवस्था का उत्तरोत्तर विकास है।

### ■। ऋग्वैदिक सामाजिक जीवन

**पंच जन**–वैदिक युग के भारतीय आर्य अनेक जनों (कबीलों) में विभक्त थे। ऋग्वेद में अनेक स्थलों पर 'पंचजनाः' और 'पंचकृष्टयः' का उल्लेख आता है, जो निःसन्देह उस युग के आर्यों की पाँच प्रमुख जातियों (कबीलों) को सूचित करते हैं। ये पंचजन अनु, द्रुह्यु, यदु, तुर्वशु और पुरु थे। पर इनके अतिरिक्त भरत, त्रित्सु, शृंजय आदि अन्य अनेक जनों का भी उल्लेख वेदों में आया है। आर्य जाति के प्रत्येक जन में सब व्यक्तियों की सामाजिक स्थिति एक समान होती थी और सबको एक ही 'विशः' (जनता) का अंग माना जाता था।

**आर्य और दासः** आर्यों के भारत में प्रवेश से पूर्व यहाँ जिन लोगों का निवास था, वेदों में उन्हें 'दास' या 'दस्यु' कहा गया है। इनकी अनेक समृद्ध बस्तियाँ भारत में विद्यमान थीं। आर्यों ने इन्हें जीतकर अपने अधीन किया और ये अनार्य लोग आर्य-जनपदों में आर्य-राजाओं की अधीनता में रहने लगे। यह स्वाभाविक था कि इन दासों व दस्युओं की सामाजिक स्थिति आर्यों की अपेक्षा हीन रहे। आर्य लोग इनसे घृणा करते थे, इन्हें अपने से हीन समझते थे और इन्हें अपने समान स्थिति देने को उद्यत नहीं थे। इस दशा का यह परिणाम हुआ कि आर्य-जनपदों में निवास करने वाली जनता दो भागों में विभक्त हो गई–(1) आर्य, और (2) दास। दास-जाति की हीन स्थिति के कारण इस शब्द का अभिप्राय ही संस्कृत भाषा में गुलाम हो गया। दास जाति के ये लोग शिल्प में अत्यन्त चतुर थे। ये अच्छे व विशाल घरों का निर्माण करते थे, शहरों में रहते थे और अनेक प्रकार के व्यवसायों में दक्ष थे। आर्यों द्वारा विजित हो जाने के बाद भी शिल्प और व्यवसाय में इनकी निपुणता नष्ट नहीं हो गई। विजेता आर्य योद्धा थे। वे याज्ञिक अनुष्ठानों को गौरव की बात समझते थे और भूमि के स्वामी बनकर खेती, पशुपालन आदि द्वारा जीवन का निर्वाह करते थे। विविध प्रकार के शिल्प दास जाति के लोगों के हाथ में ही रहे। इसका परिणाम यह हुआ कि भारत में प्राचीन काल से ही शिल्पियों को कुछ हीन समझने की प्रवृत्ति रही। ऐसा नहीं था कि आर्यों और दासों में परस्पर सामाजिक सम्बन्ध का सर्वथा अभाव हो, प्राच्य भारत में जहाँ आर्यों की अपेक्षा अनार्य जातियों के लोग अधिक संख्या में थे, उनमें परस्पर विवाह सम्बन्ध होता रहता था। उन प्रदेशों में ऐसे लोगों की संख्या निरन्तर बढ़ती गई, जो शुद्ध आर्य या दास न होकर वर्णसंकर थे। ऐसे वर्णसंकर लोगों को ही सम्भवतः व्रात्य कहा जाता था। अथर्ववेद में व्रात्य जातियों का अनेक स्थानों पर उल्लेख हुआ है। बाद में 'व्रात्य-स्तोम-यज्ञ' का विधान कर इन व्रात्यों को आर्य जाति में सम्मिलित करने की भी व्यवस्था की गई। पर इसमें सन्देह नहीं कि वैदिक युग में आर्यों और दासों का भेद बहुत स्पष्ट था और उस काल के आर्य-जनपदों में ये दो वर्ण ही स्पष्ट रूप से विद्यमान थे।

**वर्ण-व्यवस्थाः** आर्य-विशः के सब व्यक्तियों की सामाजिक स्थिति एक समान थी। पर धीरे-धीरे उनमें भी भेद प्रादुर्भूत होने लगा। दास-जातियों के साथ निरन्तर युद्ध में व्याप्त रहने के कारण सर्वसाधारण आर्य जनता में कतिपय ऐसे वीर सैनिकों (रथी, महारथी आदि) की सत्ता आवश्यक हो गई, जो युद्ध-कला में विशेष निपुणता रखते हों। इनका कार्य ही यह समझा जाता था कि ये शत्रुओं से जनता की रक्षा करें। क्षत (हानि) से त्राण करने वाले होने के कारण इन्हें 'क्षत्रिय' कहा जाता था। यद्यपि ये क्षत्रिय आर्य विशः के ही अंग थे, पर तो भी इन्हें विशः के सर्वसाधारण लोगों (वैश्यों)

से अधिक सम्मानित व ऊँचा समझा जाता था। क्षत्रिय सैनिकों के विशिष्ट कुल 'राजन्य' कहलाते थे। जिस प्रकार क्षत्रियों की सर्वसाधारण आर्य विशः में एक विशिष्ट स्थिति थी, वैसे ही उन चतुर व्यक्तियों की भी थी, जो याज्ञिक कर्मकाण्ड में विशेष रूप से दक्ष थे। जब आर्य लोग भारत में स्थिर रूप से बस गये, तो उनके विधि-विधानों व अनुष्ठानों में भी बहुत वृद्धि हुई। प्राचीन समय का सरल धर्म निरन्तर अधिक जटिल होता गया। इस दशा में यह स्वाभाविक था कि कुछ लोग जटिल याज्ञिक कर्मकाण्ड में विशेष निपुणता प्राप्त करें और याज्ञिकों की इस श्रेणी को सर्वसाधारण आर्य-विशः द्वारा क्षत्रियों के समान ही विशेष आदर की दृष्टि से देखा जाए। इस प्रकार वैदिक युग में उस चातुर्वर्ण्य का विकास प्रारम्भ हो गया था, जो आगे चलकर भारत में बहुत अधिक विकसित हुआ और बाद के हिन्दू व भारतीय समाज की महत्वपूर्ण विशेषता बन गया। पर वैदिक युग में यह भावना होने पर भी कि ब्राह्मण और क्षत्रिय सर्वसाधारण विशः (वैश्य जनता) से उत्कृष्ट व भिन्न हैं, जातिभेद या श्रेणीभेद का अभाव था। कोई व्यक्ति ब्राह्मण या क्षत्रिय है, इसका आधार योग्यता या अपने कार्य में निपुणता ही थीं। कोई भी व्यक्ति अपनी निपुणता, तप व विद्वत्ता के कारण ब्राह्मण पद को प्राप्त कर सकता था। इसी प्रकार आर्य जन का कोई भी मनुष्य अपनी वीरता के कारण क्षत्रिय व राजन्य बन सकता था। वैदिक ऋषियों ने समाज की कल्पना एक मानव-शरीर के समान की थी, जिसके शीर्ष-स्थानीय ब्राह्मण थे, बाहुरूप क्षत्रिय थे, पेट व जंघाओं की स्थिति वैश्यों की थी और शूद्र पैरों के समान थे। अनार्य दास लोग ही शूद्र वर्ण के अन्तर्गत माने जाते थे।

**परिवारः** वैदिक युग के सामाजिक जीवन का आधार परिवार था। वेदों के अनुशीलन से यह स्पष्ट प्रतीत होता है कि विवाह-संस्था उस समय भली-भाँति विकसित हो चुकी थी और वैदिक युग के आर्य वैवाहिक बंधन में बंधकर गृहस्थ-जीवन व्यतीत करते थे। साधारणतया, एकपत्नीव्रत का अनुसरण किया जाता था, यद्यपि बहुपत्नीत्व की प्रथा भी कहीं-कहीं प्रचलित थी। संभवतः, ये प्रथाएँ अनार्य जातियों में थीं, आर्यों में नहीं। भाई-बहन में विवाह निषिद्ध था। विवाह बाल्यावस्था में नहीं होते थे। लड़कियाँ भी लड़कों के समान ब्रह्मचर्य-व्रत का पालन करती थीं और युवावस्था में विवाह करती थीं। स्त्रियों को अशिक्षित नहीं रखा जाता था। अनेक स्त्रियाँ इतनी विदुषी थीं कि उनके बनाये हुए मंत्रों को वैदिक संहिताओं में भी संकलित किया गया है। लोपामुद्रा, अपाला, मैत्रेयी आदि अनेक स्त्रियाँ वैदिक सूक्तों की व्याख्याकार थी। घोषा, विश्वतारा, अदिति आदि ब्रह्मवादिनी महिलाओं (ऋषियों) का उल्लेख प्राचीन साहित्य में आया है। गार्गी, मैत्रेयी आदि तत्वचिन्तक स्त्रियों का उपनिषदों में भी जिक्र किया गया है। ब्रह्मचर्यपूर्वक विद्याध्ययन कर जो स्त्रियाँ गृहस्थाश्रम में प्रवेश करती थीं, वे परदे में नहीं रह सकती थीं। उन्हें पारिवारिक जीवन में पति की सहधर्मिणी माना जाता था। स्त्रियाँ स्वयं अपने पति का वरण करती थीं।

## धर्म

वैदिक वाङ्मय धर्मपरक है, अतः इस युग के धार्मिक विश्वासों के सम्बन्ध में हमें बहुत विशद रूप से परिचय मिलता है। वैदिक युग के आर्य विविध देवताओं की पूजा करते थे। इन्द्र, मित्र, वरुण, अग्नि, यम आदि उनके अनेक देवता थे, जिन्हें तृप्त व सन्तुष्ट करने के लिए वे अनेक विधि-विधानों का अनुसरण करते थे। संसार का स्रष्टा, पालक व संहर्ता एक ईश्वर है, यह विचार वैदिक आर्यों में भली-भाँति विद्यमान था। उनका कथन था कि इन्द्र, मित्र, वरुण, अग्नि, सुपर्ण, गरुत्मान्, मातरिश्वन, यम आदि सब एक ही सत्ता के विविध नाम हैं और उस एक सत्ता को ही विद्वान लोग इन्द्र, मित्र आदि विविध नामों से पुकारते हैं। सम्भवतः, एक ईश्वर की यह कल्पना बाद में विकसित हुई, प्रारम्भ में आर्य लोग प्रकृति की विविध शक्तियों को देवता के रूप में मानकर उन्हीं की उपासना किया करते थे। प्रकृति में हम अनेक शक्तियों को देखते हैं। वर्षा, धूप, सरदी, गरमी सब एक नियम से होती हैं। इन प्राकृतिक शक्तियों के कोई अधिष्ठातृ-देवता भी होने चाहिए और इन देवताओं की पूजा द्वारा मनुष्य अपनी सुख-समृद्धि में वृद्धि कर सकता है, यह विचार प्राचीन आर्यों में विद्यमान था। प्राकृतिक दशा को सम्मुख रखकर वैदिक देवताओं को तीन भागों में बाँटा जा सकता है—(1) द्युलोक के देवता यथा सूर्य, सविता, मित्र, पूषा, विष्णु, वरुण और मित्र। (2) अन्तरिक्ष स्थानीय देवता, यथा इन्द्र, वायु, मरुत् और पर्जन्य। (3) पृथ्वी के देवता, यथा अग्नि, सोम और पृथिवी। यद्यपि बहुसंख्यक वैदिक देवी-देवता प्राकृतिक शक्तियों व सत्ताओं के मूर्त्तरूप हैं, पर कतिपय देवता ऐसे भी हैं, जिन्हें भाव-रूप समझा जा सकता है। मनुष्यों में श्रद्धा, मन्यु (क्रोध) आदि की जो विविध भावनाएँ हैं, उन्हें भी वेदों में दैवी रूप प्रदान किया गया है।

इन विविध देवताओं की पूजा के लिए वैदिक आर्य अनेक विविध यज्ञों का अनुष्ठान करते थे। यज्ञकुण्ड में अग्नि का आह्वान कर दूध, घी, अन्न, सोम आदि विविध सामग्री की आहुतियाँ दी जाती थीं। यह समझा जाता था कि अग्नि में दी हुई आहुति देवताओं तक पहुँच जाती हैं और अग्नि इस आहुति के लिए वाहन का कार्य करती है। वैदिक युग में यज्ञों में माँस की आहुति दी जाती थी या नहीं, इस सम्बन्ध में मतभेद है। महाभारत में संकलित एक प्राचीन अनुश्रुति के अनुसार पहले यज्ञों में पशुबलि दी जाती थी। इस बात में तो सन्देह की कोई गुञ्जाइश नहीं है कि बौद्ध-युग से पूर्व भारत में एक ऐसा समय अवश्य था, जब यज्ञों में पशुहिंसा का रिवाज था। पर वेदों के समय में भी यह प्रथा विद्यमान थी, यह बात संदिग्ध है। वेदों में स्थान-स्थान पर धृत, अन्न व सोम द्वारा यज्ञों में आहुति देने का उल्लेख है, पर अश्व, अजा आदि पशुओं की बलि का स्पष्ट वर्णन प्रायः वैदिक संहिताओं में नहीं मिलता।

वैदिक युग के आर्य लिंग के रूप में प्रकृति की प्रजनन-शक्ति के उपासकों से घृणा करते थे। पर बाद में आर्य-जाति ने पूजा की इस विधि को भी अपना लिया और शिवलिंग के रूप में लिंग की पूजा आर्यों में भी प्रचलित हो गयी। इसी प्रकार अथर्ववेद में अनेक जादू-टोने पाये जाते हैं, जो अनार्य जातियों से ग्रहण किये गए थे। साँप का विष उतारने के मन्त्रों में तैमात, आलिगी, विलिगी, उरुगुला आदि अनेक शब्द आये हैं। अनेक विद्वानों के मत में ये शब्द वैदिक भाषा के न होकर कैल्डियन भाषा के है। कैल्डियन लोग ईराक के क्षेत्र में निवास करते थे और भारतीय आर्यों से भिन्न थे। सिन्धु-सभ्यता के लोगों का पश्चिमी एशिया के विविध प्रदेशों से व्यापारिक सम्बन्ध था। कोई आश्चर्य नहीं कि तैमात आदि ये

शब्द पश्चिमी एशिया से सिन्धु सभ्यता में आये हों और बाद में आर्यों ने इन्हें सिन्धु-सभ्यता के दास व दस्यु लोगों से ग्रहण किया हो।

प्राचीन आर्य प्रकृति की विविध शक्तियों की पूजा करते थे। यह विचार उनमें भली-भाँति विद्यमान था कि ये सब देवता एक ही सत्ता की विविध अभिव्यक्तियाँ हैं। वैदिक आर्य केवल देवताओं की पूजा और याज्ञिक अनुष्ठान में ही तत्पर नहीं थे, अपितु वे उस तत्व-चिन्तन में भी लगे थे, जिसने आगे चलकर उपनिषदों और दर्शन-शास्त्रों को जन्म दिया। यह सृष्टि कैसे उत्पन्न हुई, सृष्टि से पहले क्या दशा थी, जब सृष्टि नहीं रहेगी तो क्या अवस्था होगी—इस प्रकार के प्रश्नों पर भी वैदिक युग में विचार किया जाता था। वैदिक संहिताओं में ऐसे अनेक सूक्त आते हैं, जिनमें इस प्रकार के प्रश्नों पर बहुत सुन्दर व गम्भीर विचार किया गया है।

चूंकि वैदिक युग के देवता प्राकृतिक शक्तियों के रूप थे, अतः उनकी मूर्ति बनाने और इन मूर्तियों की पूजा करने की पद्धति सम्भवतः वैदिक युग में विद्यमान नहीं थी। वैदिक आर्य देवताओं की पूजा के लिए ऐसे मन्दिरों का निर्माण नहीं करते थे, जिनमें मूर्तियाँ प्रतिष्ठित हों। वैदिक युग में देवताओं की पूजा का ढंग प्रधानतया याज्ञिक अनुष्ठान ही था।

## ऋग्वैदिक आर्थिक जीवन

वैदिक युग के आर्थिक जीवन के मुख्य आधार कृषि और पशुपालन थे। पशुओं में गाय, बैल, घोड़ा, भेड़, बकरी, कुत्ते और गधे विशेष रूप से पाले जाते थे। आर्यों के आर्थिक जीवन में गाय का इतना अधिक महत्व था कि उसे अघ्न्या (न मारने योग्य) समझा जाता था। आर्य लोग इन पशुओं को बड़ी संख्या में पालते थे और इनसे उनकी आर्थिक समृद्धि में बहुत सहायता मिलती थी। इस युग में आर्य लोग कतिपय निश्चित प्रदेशों पर बस गये थे और कृषि के क्षेत्र में उन्होंने अच्छी उन्नति कर ली थी। जमीन को जोतने के लिए बैलों का प्रयोग किया जाता था। खेतों की उपज बढ़ाने के लिए खाद भी प्रयुक्त होता था। सिंचाई के लिए झील, जलाशय, नदी और कुएँ का जल काम में लाया जाता था। खेतों में पानी देने के लिए छोटी-छोटी नहरें व नालियां बनाई जाती थीं। खेतों में उत्पन्न होने वाले अनाजों में जौ, गेहूँ, धान व तिल प्रमुख थे। यद्यपि वैदिक आर्यों की आजीविका का मुख्य साधन कृषि था, पर धीरे-धीरे अनेक प्रकार के शिल्पों और व्यवसायों का भी विकास हो रहा था। तक्षण (बढ़ई), हिरण्यकार (सुनार), कर्मार (धातु-शिल्पी), चर्मकार (मोची), वाय (तन्तुवाय या जुलाहा) आदि अनेक व्यवसायियों का उल्लेख वेदों में आया है। उस युग में आर्य लोग रथों का बहुत उपयोग करते थे। ये रथ न केवल सवारी और माल ढोने के काम में आते थे, अपितु युद्ध के लिए भी इनका बहुत उपयोग था। दास लोग तो विविध शिल्पों का अनुसरण करते ही थे, परंतु आर्य लोगों ने भी कारु (शिल्पी), भिषक् (चिकित्सक) आदि अनेक प्रकार के व्यवसायों का संचालन प्रारम्भ कर दिया था। दास-शिल्पियों को अपनी नौकरी में या गुलाम रूप में रखकर आर्य गृहपति अनेक प्रकार के व्यवसायों का भी संचालन करने लग गये थे।

वैदिक युग के आर्य अनेक धातुओं का प्रयोग जानते थे। सभ्यता के क्षेत्र में वे प्रस्तर युग से बहुत आगे बढ़ चुके थे। सुवर्ण और रजत का प्रयोग वे आभूषणों और पात्रों के लिए करते थे, पर 'अयस्' नामक एक धातु को वे अपने औजार बनाने के लिए काम में लाते थे। संस्कृत भाषा में 'अयस्' का अर्थ लोहा है, पर अनेक विद्वानों का यह विचार है कि वेदों में जिस अयस् का उल्लेख है, वह लोहा न होकर ताँबा है। अयस् का अभिप्राय चाहे लोहे से हो और चाहे ताँबे से, इसमें सन्देह नहीं कि वैदिक युग के आर्य इस उपयोगी धातु के प्रयोग को भली-भाँति जानते थे और कर्मार लोग अनेक प्रकार के उपकरणों के निर्माण के लिए इसका उपयोग करते थे।

आर्य लोग अपने निवास के लिए सुन्दर शालाओं निर्माण करते थे। वेद में एक शलासूक्त है, जिसमें शाला (मकान या घर) का बड़ा उत्तम वर्णन किया गया है। सम्भवतः, इन शालाओं के निर्माण के लिये लकड़ी का प्रयोग मुख्य रूप से किया जाता था।

वस्त्र-निर्माण का शिल्प भी इस युग में अच्छा उन्नत था। ऊन और रेशम कपड़े बनाने के लिए विशेष रूप से प्रयुक्त होते थे। यह सहज में अनुमान किया जा सकता है कि रुई से भी आर्य लोग भली-भाँति परिचित थे। आर्य लोगों के लिए यह बहुत सुगम था कि वे अपने से पूर्ववर्ती सिन्धु-सभ्यता के लोगों से रुई की खेती और उपयोग को भली-भाँति सीख सकें। सूत कातने और उससे अनेक प्रकार के वस्त्र बनाने के व्यवसाय में आर्य लोग अच्छे कुशल थे। वे सिर पर उष्णीय (पगड़ी) धारण करते थे, नीचे एक अधोवस्त्र (धोती या साड़ी) पहनते थे और ऊपर के लिए उत्तरीय (चादर) का प्रयोग करते थे। स्त्री और पुरुष दोनों आभूषण पहनने का शौक रखते थे। कुण्डल, केयूर, निष्कग्रीव आदि अनेक प्रकार के आभूषण इस युग के लोग प्रयोग में लाते थे। व्यापार के लिए इस युग में वस्तुविनिमय का प्रयोग होता था। धातु द्वारा निर्मित किसी सिक्के का चलन इस युग में था या नहीं, यह बात संदिग्ध है। निष्क नामक एक सुवर्ण मुद्रा का उल्लेख वैदिक साहित्य में आया है। पर सम्भवतः, उसका उपयोग मुद्रा की अपेक्षा आभूषण के रूप में अधिक था। वैदिक संहिताओं में नौकाओं का भी अनेक स्थलों पर वर्णन आया है। इनमें से कतिपय नौकाएँ बहुत विशाल भी हैं। सम्भवतः, वैदिक युग के लोग स्थल और जल मार्गों द्वारा दूर-दूर तक व्यापार के लिए आते-जाते थे। सिन्धु-सभ्यता के काल में ही सामुद्रिक व्यापार का प्रारम्भ हो चुका था। इस युग में यह और भी अधिक विकसित हुआ।

वैदिक साहित्य में अनेक स्थानों पर 'पणि' नामक व्यापारियों का उल्लेख आया है, जिन्हें असुर कहा गया है। सम्भवतः, ये पणि फिनीशियन लोग थे, जिन्हें लैटिन भाषा में 'पूनि' कहा जाता था। फिनीशियन लोगों की बस्ती पैलेस्टाइन के समुद्रतट पर थी, जहाँ से वे सुदूर देशों में व्यापार के लिए आया-जाया करते थे। भारत के आर्यों का इनसे परिचय था। सम्भवतः, वैदिक युग में भारत का पैलेस्टाइन के फिनीशियन (पूनि या पणि) लोगों के साथ भी व्यापारिक सम्बन्ध स्थापित था।

## उत्तरवैदिक सामाजिक जीवन

पूर्ववैदिक काल के लोगों के खानाबदोश की जिन्दगी एक तरह से सरल, साधारण एवं सीधी थी। उत्तरवैदिक काल में स्थायी जीवन व्यतीत करने के फलस्वरूप इनका जीवन काफी व्यवस्थित हो गया था। इसके

परिणामस्वरूप आर्यों के बीच सामाज़िक विभाजन बड़ा मजबूत हो गया। सामाजिक विभाजन वर्ण पर आधारित था।

**वर्ण-व्यवस्थाः** अलग-अलग विद्वानों ने वर्ण शब्द का अर्थ भिन्न-भिन्न ढंग से बताया है। वर्ण का शाब्दिक अर्थ रंग होता है। इसका दूसरा अर्थ प्रतिष्ठा एवं स्थिति भी होता है। इस तरह हम कह सकते हैं कि रंग एवं व्यवस्था के संयोग से वर्णव्यवस्था बनी। उत्तरवैदिक काल में चार वर्णों की चर्चा हम पाते हैं जिनकी उत्पत्ति देवता के अलग-अलग अंग से हुई। कहते हैं, मुख से ब्राह्मण, भुजा से क्षत्रिय, जंघा से वैश्य एवं पैर से शूद्रों की उत्पत्ति हुई। जिस देवता के मुख, भुजा, जंघा एवं पैर से अलग-अलग वर्णों की उत्पत्ति हुई वह कल्पना पर आधारित है। इस सम्बन्ध में किसी तरह का ऐतिहासिक प्रमाण नहीं मिलता है। अतः अध्ययन की सुविधा के लिए उस देवता को प्रथम मानव या ब्राह्मण या देवता या कुछ और भी कह सकते हैं। इस तरह उत्तरवैदिक काल के सम्पूर्ण समाज को एक शरीर मानकर इसे चार भाग में बाँट दिया गया है। इस विभाजन का आधार धार्मिक है। तर्क की कहीं कोई गुंजाइश नहीं।

इस सम्बन्ध में रौसन महोदय ने भी अपना विचार दिया है। वर्ण व्यवस्था का आधार वे रंग-भेद को मानते हैं। आर्यों का रंग गोरा और शरीर सुडौल एवं सुगठित था। भारत में आने पर उनका सम्पर्क अनार्यों से बढ़ा। अनार्य देखने में सांवले तथा कद के छोटे थे। इनकी नाक भी चपटी थी। कहा जा सकता है कि अनार्य देखने में बदसूरत थे। अतः आर्य उनके साथ घुलना-मिलना नहीं चाहते थे। धीरे-धीरे आर्यों एवं अनार्यों का स्वतंत्र पृथक् अस्तित्व रहने के कारण दोनों रंग या वर्ण के आधार पर दो वर्गों में विभाजित हो गये। यहाँ के मूल निवासी अनार्य की तुलना में बाहर से आकर अपने को आर्य कहने वाले लोग अपने को श्रेष्ठ मानने लगे। इस तरह प्रारंभिक दौर में रंग के आधार पर समाज में दो ही वर्ग था। कोई महत्वपूर्ण रास्ता नहीं दिखलाई पड़ने के कारण सांवले लोगों के बीच कोई महत्वपूर्ण विभाजन नहीं हो सकता। सुन्दर दिखाई देने वाले लोग अपने को आर्य कहने के साथ-साथ द्विज भी कहने लगे। बाद में चलकर ये द्विज तीन श्रेणी में बंट गये, जिन्हें क्रमशः ब्राह्मण, क्षत्रिय एवं वैश्य कहा जाने लगा। इस तरह शूद्र मिलकर चार वर्ण हो गये।

**वर्ण-व्यवस्था का विकासः** ब्राह्मणों के प्रयास से उत्तरवैदिक काल का समाज बहुत ही ठोस ढंग से चार भागों में बंट गया था। नीचे का दो भाग अर्थात वैश्य एवं शूद्र तो जबर्दस्त ढंग से उत्पादन के कार्य में लगे हुए थे लेकिन उत्पादन के लिए बिना किसी तरह का परिश्रम किये हुए ब्राह्मण वर्ग सुविधा प्राप्त वर्ग में थे। ब्राह्मण एवं क्षत्रियों का ही उत्पादित वस्तुओं पर नियंत्रण था। वैश्यों एवं शूद्रों द्वारा उत्पादित सामानों का एक ठोस हिस्सा बिना विशेष परिश्रम के ये लोग पूजा-पाठ एवं सुरक्षा के नाम पर ले लेते थे। ब्राह्मण एवं क्षत्रिय विशेष सुविधा प्राप्त वर्ग में थे तो जरूर लेकिन दोनों वर्ग आपसी तनाव भी रखते थे। उत्तर वैदिक ग्रन्थ में एक ऐसे दृश्य का वर्णन है जिसमें ब्रह्म तथा क्षत्र के बीच लड़ाई दिखाया गया है। इसी तरह मित्र एवं वरुण के बीच भी लड़ाई की बात बतायी गई है। इन उल्लेखों के आधार पर विद्वानों का कहना है कि ब्राह्मण एवं क्षत्रियों के बीच स्वार्थवश आपसी तनाव रहता ही था। आपसी तनाव का कारण तो अपना-अपना स्वार्थ था ही, वैश्यों एवं शूद्रों का शोषण करने के लिए ये दोनों वर्ग आपस में मिलकर एक भी हो जाते थे। दोनों उच्च वर्ग में आपसी संघर्ष का दूसरा कारण समाज में प्रथम स्थान पाना भी था। लेकिन इनके द्वन्द्व का मुख्य कारण वैश्यों एवं शूद्रों द्वारा किये गये उत्पादन में से अधिक-से-अधिक हिस्सा प्राप्त करना था।

ऐतरेय ब्राह्मण के अनुसार ब्राह्मण, वैश्य एवं शूद्र तीनों को क्षत्रियों से सम्पर्क रखना आवश्यक था। इस तरह क्षत्रियों की श्रेष्ठता सबने स्वीकारी। इतना ही नहीं, क्षत्रियों की प्रमुखता ब्राह्मणों की तुलना में इस बात से भी प्रमाणित होती है कि राज्याभिषेक के अवसर पर ब्राह्मण स्वयं क्षत्रिय राजा को परमश्रेष्ठ ब्राह्मण की पदवी से विभूषित करता है। बाद में चलकर तो हमें इस बात का भी उल्लेख मिलता है कि ब्राह्मण धर्मों को क्षत्रियों द्वारा कई बार चुनौती दी गई। क्षत्रिय राजा अपने उद्देश्य की सफलता के लिए समाज के सभी वर्गों को आतंकित भी करता था।

बाद के वैदिक समाज में वैश्य वर्ग का स्थान तीसरा था। बनजारा एवं पशुचारण की अवस्था को पार करने के पश्चात आर्यों ने व्यवस्थित ढंग से कृषि के काम को अपना लिया। आर्य समाज की यह एक नई विशेषता हो गई। इस व्यवस्था में खेती, पशुपालन एवं व्यापार करने की जिम्मेदारी मुख्य रूप से वैश्य वर्ग के कंधे पर आयी। वैश्यों ने अनेक बस्तियों के बीच आर्थिक संबंध कायम किये। धीरे-धीरे वैश्यों का एक वर्ग किसानों का हो गया। इनका मुख्य काम खेती करना हो गया। दूसरा वर्ग व्यापारियों का हो गया। ये व्यापारी वर्ग शुरू-शुरू में अधिक सम्पन्न किसानों के बीच से आये क्योंकि वे ही व्यापार में हुए आर्थिक नुकसान को बर्दाश्त करने की स्थिति में थे।

उत्तर वैदिक ग्रन्थों के अध्ययन से पता चलता है कि काफी धनवान होने के बावजूद समाज में वैश्यों का स्थान ब्राह्मण एवं क्षत्रियों की तुलना में निम्न था। वैश्य वर्ग का मुख्य काम ब्राह्मण एवं क्षत्रियों के खर्च को चलाना था। इनके द्वारा बलि, शुल्क, भाग आदि राजा को दिये जाते थे। राजा अपनी सुविधा के लिए वैश्यों का इतना शोषण करता था कि ऐतरेय ब्राह्मण के अनुसार राजा को उत्पादक वर्ग अर्थात वैश्यों एवं शूद्रों का भक्षक कहा गया है। किसानों को भी अपनी इच्छा के अनुसार चलने के लिए क्षत्रिय राजा हमेशा दबाव डाले रहता था। राजा की इस प्रवृत्ति का धार्मिक ग्रंथों ने विरोध नहीं बल्कि समर्थन किया है। राजा के आदेश नहीं मानने वाले वैश्य को बहुत ही बुरा आदमी कहा गया है।

संकट की स्थिति में राजा सफलता के लिए राज्य के सभी लोगों के साथ बैठकर खाना खाता था लेकिन इसका यह अर्थ नहीं लगाना चाहिए कि राजा और प्रजा में अच्छा संबंध था। युद्ध के काल में वैश्यों से सैनिक सेवाएँ भी राजा के द्वारा ली जाती थीं। इस काल में पुनर्जन्म पर बड़ा जोर दिया गया। 'अच्छा कर्म करने से अगले जन्म में लाभ होगा' ब्राह्मणों के द्वारा इस कथन से ऐसा लगता है कि वैश्यों का शोषण करने के लिए ही प्रचार किया गया ताकि वैश्य राजा से विद्रोह न कर सकें। वैदिक ग्रन्थों में इस बात का उल्लेख भी हमें मिलता है कि राजा द्वारा लगाए गये भारी कर को नहीं ढो सकने के कारण दक्षिण पंचाल के लोग उत्तर में चले गये।

वैश्यों के बीच अनेक भेदों की चर्चा भी मिलती है। ये टुकड़ों में बंटने लगे थे। इनके बीच कृषि और व्यापार को लेकर आपसी तनाव भी बढ़ता

जा रहा था। कुछ वैश्य तो कृषि का काम करने लगे थे, कुछ वैश्य अलग-अलग काम करने के कारण सोनार, लोहार, बढ़ई, रथकार, कुम्हार आदि कहलाने लगे।

शूद्रों की हालत और बुरी थी। इनका वर्ग चौथा था। तीनों ऊँचे वर्गों की सेवा करना ही उनका कर्त्तव्य था। शूद्रों की श्रेणी में वैसे मूल कबीले के लोग थे जिन्हें आर्यों ने युद्ध में हरा दिया था। आर्यों एवं अनार्यों के आपसी मेल से जो बच्चा हुआ उसे भी शूद्र की श्रेणी में रख दिया गया। वैदिक ग्रन्थों के अनुसार वैसे आर्य भी शूद्र की श्रेणी में रख दिये गए जो आर्यों के द्वारा ही समतल भूमि पर अधिकार करने के दौरान परास्त कर दिये गये थे। मुख्यतः तीन रास्तों से शूद्रों का आगमन हुआ। वैदिक ग्रन्थों में शूद्रों को हरेक प्रकार की सेवा करने वाला सेवक माना गया है। इनका वध भी कर दिया जाये तो वह अपराध नहीं कहा जाता था।

**जाति-प्रथाः** समाज के उपर्युक्त विभाजन के आधार पर सबसे ज्यादा लाभ ब्राह्मणों को था। समय बीतने के साथ-साथ ब्राह्मण भी इस बात को समझ चुके थे। इस विभाजन में किसी तरह का परिवर्तन नहीं हो इसके लिए धर्म का सहारा लेना आवश्यक था। अतः उन्होंने देवताओं के मुँह से लेकर पैर तक में बीच के चारों वर्णों को उत्पन्न करा दिया।

इस वर्ण व्यवस्था को शाश्वत रूप देने के लिए वर्ण को कर्म या पेशा के अनुसार नहीं बल्कि वंश या जन्म के अनुसार मान लिया गया। अब चारों वर्णों के एक साथ खाने पर रोक लगा दी गयी। इसी समय विवाह के नियम भी एक निश्चित दायरे में बना दिये गये। एक ही वर्ण में या एक वर्ग के व्यक्ति की शादी दूसरे वर्ण में करने के संबंध में भी नियम बना दिये गये। यह ध्यान देने की बात है कि वर्णों से सम्बन्धित जो उपर्युक्त नियम बने उनसे केवल चार वर्णों के लोग ही प्रभावित नहीं थे बल्कि अलग-अलग वर्गों में भी जो अनेक उपवर्ण या अनेक पेशे के लोग, जैसे—किसान, शिल्पकार, कर्मकार, सैनिक, राजा आदि बने वे भी प्रभावित हुए। अलग-अलग व्यवसाय के आधार पर जातियाँ बन गयीं। जाति शब्द जन्म से बना है। जाति वाली स्थिति में वर्ण का अब विशेष महत्व नहीं रह गया था।

**ब्राह्मणः** वर्णव्यवस्था के अनुसार ब्राह्मणों की स्थिति बड़ी अच्छी थी। ये मुख्य रूप से धार्मिक कार्यों से संबंधित थे। ये लोग अनेक विषयों का अध्ययन करके ज्ञान प्राप्त करते थे। अपने यहाँ शिष्यों को अनेक विषय पढ़ाते भी थे। मुख्य रूप से वेद पढ़ना तथा शिष्यों को पढ़ाना इनका काम था। इसके अलावा, अनेक प्रकार की कठिन प्रक्रियाओं से प्रभावित यज्ञ में पुरोहित का काम करते थे। इनके धार्मिक अनुष्ठान इतने जटिल बन गये कि उन्हें याद रखना साधारण बात नहीं थी। इन्हें याद करने में वर्षों लग जाते थे। यह तो वास्तव में बहुत महत्वपूर्ण लगता है कि कुछ ब्राह्मणों ने इन कठिन चीजों को याद कर लिया। मंत्रों को भी कण्ठस्थ याद कर लिये। यज्ञ संबंधी सारे नियम भी उन्हें कण्ठस्थ याद रहते थे। इस तरह समाज में सम्मानपूर्वक स्थान इन्होंने बना लिया। इनका सम्मान उस स्थिति में और बढ़ गया जब राजा भी उनको पुरोहित बनाकर न केवल धार्मिक कार्यों के लिए अपने दरबार में रखने लगा बल्कि राजकाज के कामों में इनसे राय लेने लगा।

इस तरह ब्राह्मण ने अपना एक विशेष स्थान बना लिया। अपने कठिन परिश्रम के बल पर इस वर्ग ने अपने बीच से अनेक ऋषि, मुनि, विद्वानों को पैदा किया। इन्होंने जीवन एवं मृत्यु से संबंधित अनेक समस्याओं को तर्क की कसौटी पर खरा उतारने का प्रयास किया। मृत्यु के बाद आत्मा के अस्तित्व, तंत्र-मंत्र, जादू-टोना आदि रहस्यमय विषयों पर भी ब्राह्मणों ने समाज के लोगों को बताना शुरू किया। इनके प्रतिक्रिया स्वरूप 6ठी शताब्दी ईसा पूर्व में नास्तिक सम्प्रदाय का उदय हुआ।

**क्षत्रियः** आर्यों के समाज में एक कबीले का दूसरे कबीले के साथ युद्ध होता रहता था। फिर एक राज्य का दूसरे राज्य से भी युद्ध होता रहता था। इस अवसर पर पूरी जाति के बलिष्ठ एवं योग्य युवक युद्ध करने जाते थे। युद्ध के बाद फिर वे अपने कार्यों में व्यस्त हो जाते थे। धीरे-धीरे युद्ध प्रतिदिन की चीज हो गई और हमेशा के लिए नौजवानों का एक बड़ा जत्था युद्ध में व्यस्त रहने लगा। इस तरह राज्य को हमेशा के लिए सेना रखने की आवश्यकता महसूस हुई। यही सेना क्षत्रिय के नाम से जानी जाने लगी, जिसका मुख्य काम राज्य की सुरक्षा एवं सीमा का विस्तार करना था। अब क्षत्रिय एक अलग वर्ग ही बन गया।

**वैश्यः** कृषि एवं व्यापार करने वाला तीसरा वर्ग वैश्य कहलाता था, जो ब्राह्मण एवं क्षत्रिय के बाद वाली श्रेणी में था। इसका मुख्य कर्त्तव्य समाज की आर्थिक आवश्यकताओं की पूर्ति करना था। समाज का खर्च चलाने का भार एक तरह से इसी के कंधे पर था। ये लोग ब्राह्मणों को दान देते थे, यज्ञ कराते थे तथा धार्मिक कृत्यों में आर्थिक सहायता देते थे।

**शूद्रः** सबसे निचला वर्ण शूद्र कहलाता था। यह नाम लगता है किसी कबीले से आया था। शूद्र वैसे दास थे, जो पशुओं की भांति सम्पूर्ण कबीले की सम्पत्ति होते थे। प्राचीन यूनान और रोम के जैसा शूद्रों की खरीद-बिक्री भारत में वैदिक काल में नहीं होती थी। इसका कारण यह नहीं था कि भारतीय दयालु थे। वास्तव में वस्तु उत्पादन और व्यक्तिगत सम्पत्ति का अभी काफी विकास नहीं हुआ था।

बाद में चलकर उपर्युक्त वर्ण अनेक उपवर्णों में बंट गये। उपवर्गों में बंटने का प्रमुख कारण नया-नया पेशा था। नये-नये पेशे में लगे व्यक्ति समय बीतने के साथ-साथ खानपान या शादी-ब्याह अपने ही पेशे-वालों के बीच करने लगे। धीरे-धीरे एक जाति अपने को दूसरी जाति से भिन्न समझने लगी।

**आश्रम-व्यवस्थाः** उत्तरवैदिक काल के ऋषियों ने व्यक्ति के जीवन को चार भागों में बाँटा—ब्रह्मचर्य, गृहस्थ, वानप्रस्थ और संन्यास।

ब्रह्मचर्य की अवधि में व्यक्ति जीवन के प्रथम पच्चीस वर्ष में किसी गुरुकुल में रहकर ज्ञानार्जन करता था। इस काल में व्यक्ति को गुरु के कठोर अनुशासन में रहना पड़ता था। यह काल कठिन साधना का होता था। प्रथम पच्चीस वर्ष किसी ब्रह्मचर्याश्रम में बिताने के बाद दूसरा आश्रम गृहस्थ हो जाता था। जीवन के इस द्वितीय चरण में व्यक्ति धन कमाता था तथा उससे अपने सामाजिक एवं धार्मिक कर्त्तव्यों को पूरा करता था। गृहस्थ जीवन में भी पच्चीस वर्ष तक ही व्यक्ति रहता था। गृहस्थ आश्रम को सामाजिक जिम्मेदारी के कारण बहुत ही आदर की दृष्टि से देखा जाता

था। तीसरा चरण वानप्रस्थ आश्रम था। इस समय पचास वर्ष की अवस्था में व्यक्ति परिवार का भार अपने बेटों को सौंपकर सांसारिक जीवन को त्याग देता था तथा तीसरे चरण में जीवन के मोह त्यागकर, त्याग और तपस्या का जीवन बाहर में व्यतीत करता था। इस तीसरे आश्रम के समय वानप्रस्थ लोग गांव या नगर से बाहर आश्रम बनाकर रहते थे। चौथा चरण परिव्राजक या संन्यास का था। जीवन के इस स्तर पर पहुँचा हुआ व्यक्ति अब एक स्थान पर बहुत दिनों तक नहीं रुकता था। वह दूर-दूर के क्षेत्रों में भ्रमण किया करता था। हमेशा भ्रमण करते रहने के कारण उसे परिव्राजक या संन्यासी कहा जाता था। इस आश्रम में मनुष्य संसार के सभी बंधनों से मुक्त हो जाता था। फिर ब्रह्म चिन्तन में मस्त होकर मुक्ति के लिए प्रयास करता था। इस तरह वैदिक काल के ब्राह्मणों ने जीवन के चार पुरुषार्थों—धर्म, अर्थ, काम और मोक्ष की प्राप्ति के लिए आश्रम व्यवस्था को अपनाया।

**परिवारः** परिवार समाज की इकाई थी। इस काल में परिवार पितृसत्तात्मक था, अर्थात परिवार में पिता का ही महत्व सबसे ज्यादा था। अनेक परिवारों के संयोग से एक घराना या ग्राम बनता था। प्रारंभिक बस्तियों में परिवार एक-दूसरे से सम्बन्धित हुआ करते थे। वैदिक ग्रंथों में इस बात की भी चर्चा मिलती है कि भूमि या पशु के लिए आपस में तनाव और यहाँ तक कि मार-पीट भी हो जाया करती थी। अतः वैदिक ग्रन्थों में बहुत-सी ऋचाएँ हैं, जिनमें पारिवारिक एकता की शांति को बनाये रखने के लिए प्रार्थना की गई है। समाज में बहुपत्नी प्रथा प्रचलित थी। पुत्र की प्राप्ति से परिवार में खुशी की लहर फैल जाती थी, दूसरी तरफ पुत्री का जन्म दुःख का बहुत बड़ा कारण होता था।

**स्त्रियाँः** उत्तरवैदिक काल में स्थायी रूप से बसने के साथ-साथ स्त्रियों पर प्रतिबंध लगने शुरू हो गये। पत्नियों को पति की आज्ञाकारिणी होना भी आवश्यक हो गया था। पतिव्रता स्त्री को ही समाज में सम्मान मिलता था। अपनी पतिव्रतता को प्रमाणित करने के लिए पति के मरने पर पत्नी को भी उसी के साथ प्रतीकात्मक आत्मबलिदान करना पड़ता था। वैदिक ग्रन्थ इस बात को स्पष्ट नहीं कर पाता है कि विधवा को पति के साथ प्रतीकात्मक रूप से आत्मदाह करने की बात केवल अमीर परिवारों में ही थी या गरीब परिवार में भी। वैदिक ग्रन्थ में लड़कियों को बेचना अच्छा नहीं माना गया है। इससे पता चलता है कि लड़कियाँ बिकती थीं। स्त्रियों की तुलना शराब एवं पाशा से की गयी है जो स्त्रियों के स्थान में गिरावट का लक्षण है। पति के मर जाने के पश्चात विधवा अपने पति के छोटे भाई के साथ विवाह कर लेती थी। इस तरह औरतों की स्थिति उत्तरवैदिक काल में ठीक नहीं थी।

**विवाहः** विवाह प्रायः युवावस्था में होता था। पिता की सातवीं पीढ़ी तथा माता की पांचवीं पीढ़ी तक के बीच विवाह नहीं होता था। इसे सपिण्ड कहा जाता था। एक ही पेट या कोख से उत्पन्न लड़का और लड़की के बीच विवाह नहीं होता था। शतपथ ब्राह्मण तो माता और पिता की तीन-चार पीढ़ियों तक ही समाज में विवाह करने पर रोक लगाता है। उसके बाद आपस में शादी की अनुमति दे देता है। वैदिक ग्रन्थ चार प्रकार की पत्नियों के बारे में बताता है। पालागही अर्थात बड़े-बड़े अधिकारियों की पुत्री जिससे राजा राजनीतिक उद्देश्य से शादी करता था। वावात अर्थात प्रियतमा। विहिवृक्ति अर्थात वैसी पत्नी जो पुत्र पैदा करने के लायक नहीं हो और चौथी तरह की पत्नी पटरानी या महिषि कहलाती थी। इस काल में विवाह के बाद पत्नी को अपने पति की आज्ञाकारिणी एवं विश्वासिनी होना पड़ता था।

**वेशभूषाः** पूर्व वैदिक काल की तुलना में उत्तर वैदिक काल के लोगों की वेशभूषा में कोई खास अन्तर देखने को नहीं मिलता है। इस काल में आच्छादन चोल, चोर एवं चीवर आदि वस्त्रों का प्रयोग होने लगा था। अब आर्य न केवल धोती पहनने लगे थे बल्कि ठंड से बचने के लिए कंबल भी ओढ़ने लगे थे। सिर को ढंकने के लिए पगड़ी का प्रयोग होने लगा था। पगड़ी बांधने की परम्परा राजस्थान एवं पंजाब के क्षेत्रों में अभी भी पायी जाती है। स्त्रियाँ साड़ी भी पहनने लगी थीं। साड़ियाँ प्रायः किनारेदार होती थीं। फैशनपरस्त युवा, युवतियाँ एवं धनी लोग बालों में तेल लगाया करते थे। आँखों की सुन्दरता के लिए काजल का प्रयोग होता था। पूर्व वैदिक काल की तुलना में उत्तरवैदिक काल में अधिक सुन्दर आभूषण पहने जाने लगे थे।

**भोजनः** खानपान में भी हम परिवर्तन पाते हैं। ब्रीहि अर्थात चावल का प्रयोग उत्तरवैदिक काल में होने लगा था। ऋग्वैदिक काल में जौ ही मुख्य आहार था। इस काल में पशुओं का मांस खाना समाज में बहुत प्रिय नहीं माना जाता था। शराब पीना भी समाज में अच्छा नहीं माना जाता था। गाय का आर्थिक महत्व उत्तर वैदिक काल के लोग समझते जा रहे थे। अतः गाय का मांस खाना समाज में ठीक नहीं माना जाता था। वेदों में गाय को 'अघ्न्या' अर्थात न मारे जाने योग्य कहा गया है। भोजन में दूध एवं घी का प्रयोग बढ़ता जा रहा था।

## उत्तरवैदिक आर्थिक जीवन

उत्तरवैदिक काल में एक स्थान पर बसने के परिणामस्वरूप ऋग्वैदिक काल की तुलना में कई क्षेत्रों में काफी विकास हुआ। लोहे के उपयोग ने कृषि उत्पादन के अधिशेष को प्रेरित किया जिसे विक्रय करने के लिये बाजार की आवश्यकता हुई। अब ऋग्वैदिक काल की ग्रामीण व्यवस्था समाप्त होने लगी थी और लोग नगरीय व्यवस्था की ओर अग्रसर हो रहे थे।

**लोहाः** तकनीकी विकास को ध्यान में रखकर अगर देखा जाये तो हम पायेंगे कि उत्तरवैदिक काल ही वह काल है जब भारत में लोहा युग का आरम्भ हुआ। लोहा के पहले कांसा ही तकनीकी विकास के लिए मुख्य धातु था। यह ताम्बा और टीन को मिलाकर बनाया जाता है। कांसा के बाद धीरे-धीरे लौह-युग की शुरूआत उत्तर वैदिक काल से हो गई। उत्तर वैदिक ग्रन्थों में लोहा के लिए श्याम अयस् या कृष्ण अयस् शब्द मिलता है। भारत में लोहे का सर्वप्रथम प्रयोग ईसा पूर्व 1000 में शुरू हो गया। इस काल में आधुनिक पाकिस्तान में स्थित गांधार प्रदेश में खुदाई से कई औजार मिले हैं। लोहे के इन्हीं हथियारों से लगता है कि आर्यों ने अपने बचे हुए दुश्मनों को हराया होगा। अनुमान किया जाता है कि उत्तरी गंगा की घाटियों में जो जंगल थे वे लोहे की कुल्हाड़ी से ही साफ किये गये होंगे। बहुत ज्यादा वर्षा नहीं होने के कारण यहाँ के जंगल तो बहुत घने नहीं होंगे लेकिन फिर भी लकड़ी की उपयोगिता को ध्यान में रखते हुए

इन्हें जलाने से अधिक उपयोगी काटना रहा होगा। लोहे के अलावा किसी दूसरी धातु से मोटी-मोटी लकड़ियों को काटना आसान नहीं था। लोहे के इस तकनीकी विकास ने उत्तरवैदिक काल के बाद के कालों को भी काफी प्रभावित किया।

**कृषिः** उत्तरवैदिक काल में कृषि संबंधी लोहे के औजार बहुत कम मिले हैं फिर भी अब लोगों की जीविका का मुख्य साधन कृषि हो गया था। उत्तर प्रदेश का पश्चिमी भाग तथा आस-पास के अनेक क्षेत्रों में खुदाई से लोहा मिला है। लोहे के साथ-साथ चित्रित धूसर मृद्भांड के भी कई टुकड़े पाये गये हैं। इससे अनुमान किया जा सकता है कि उत्तर वैदिक आर्य इस तरह के बर्तनों का प्रयोग करते थे। इसका अर्थ हुआ कि आर्य लोगों ने खानाबदोश की जिन्दगी छोड़कर एक जगह बसना शुरू कर दिया था। ऋग्वैदिक काल की तरह इस समय भी लोग झोपड़ी में अपने पशुओं के साथ किसी तरह रहते थे। लेकिन खेती इन लोगों ने ऋग्वैदिक काल की तुलना में अधिक पैमाने पर शुरू कर दिया था। खेती में पैदावार बढ़ाने के लिए पहले की अपेक्षा अब अच्छे प्रकार के हल बनने लगे थे। खाद का प्रयोग भी होने लगा था। इसके परिणामस्वरूप खेत अधिक उपजाऊ हो गये और अन्न की पैदावार बढ़ गयी। साल में लगभग तीन फसलें होती थीं। खेत में पानी डालने के लिए सिंचाई का भी प्रबंध इस काल में होने लगा। अब चावल, दलहन, गेहूँ, तिल आदि की पैदावार होने लगी। खेत में फसलों की ठीक से रक्षा करना किसानों के लिए इस समय एक विकट समस्या थी। अनेक प्रकार के जहरीले कीटाणु, चूहों, टिड्डी, ओले आदि से फसल को बहुत नुकसान हो जाता था।

सिंचाई के लिए पानी नालियों के द्वारा खेतों तक पहुँचाया जाता था। इन नालियों में पानी नदियों से लाया जाता था। खेती के काम के लिए भैंसा पालतू पशु था। हल से खेत जोतने के सम्बन्ध में छह, आठ, बारह और चौबीस बैलों का प्रयोग उत्तर वैदिक आर्यो द्वारा किया जाता था। खेती का महत्व जैसे-जैसे बढ़ता गया, पशुओं को पालने की प्रवृत्ति लोगों के बीच से समाप्त होने लगी। परिणाम यह हुआ कि आर्य अब पशुओं को पालना और खानाबदोश की जिन्दगी को छोड़ते चले गये। इसका एक महत्वपूर्ण कारण यह था कि आबादी दिन पर दिन बढ़ती जा रही थी और मात्र पशुओं को पालकर जीवन भर गुजर-बसर करना अब मुश्किल होता जा रहा था।

**पशुपालनः** पशुपालन युग की अर्थव्यवस्था छिन्न-भिन्न हो रही थी क्योंकि आबादी बढ़ने के साथ-साथ लोहे की मदद से आर्य लोगों ने एक जगह बसकर खेती करना प्रारंभ कर दिया था। बहुत से लोग खेती के साथ-साथ पशुपालन का धंधा भी अपनाये हुए थे। अभी भी किसानों के पास बकरी, भेड़, बैल, गाय आदि पशु काफी मात्रा में थे। धनी व्यक्तियों एवं राजाओं के पास भी पशु काफी मात्रा में अभी भी थे। उत्तर वैदिक समाज में भी गायों की पूजा होती थी। गाय का अभी भी दूध के कारण आर्थिक महत्व था। पशुओं को चरने के लिए गाँव से सटे हुए अलग मैदान की व्यवस्था थी जिसमें पशुओं को चरने के लिए घास आदि रहती थी। दूध-दही का प्रयोग स्वास्थ्य को मजबूत करने के लिए किया जाता था। गाय दान में भी दी जाती थी।

**धातुकर्मः** ऋग्वैदिक काल में कुछ ही धंधों की चर्चा हम पाते हैं, लेकिन उत्तरवैदिक काल के साहित्य में कई नये धंधों की चर्चा मिलती है। इस काल में सोना काफी प्रमुख धातु हो गया। उत्तर वैदिक साहित्य में इनका उल्लेख कई बार हुआ है। सोने की पवित्रता पर बहुत जोर डाला गया है। अनेक प्रकार के स्वर्णाभूषणों की चर्चा उत्तर वैदिक ग्रन्थों में मिलती है। चांदी के गहनों का भी प्रयोग यहाँ के लोग करते थे। इस काल में धातु गलाने का धंधा चल पड़ा था। यह तो बताना बड़ा मुश्किल लगता है कि लोहे का इस्तेमाल कितना किया जाता था। लेकिन ताम्बा के बारे में हम कह सकते हैं कि इस धातु से अनेक तरह के सामान बनाये जाते थे। लोहे की तुलना में ताम्बा का प्रयोग अभी भी अधिक मात्रा में किया जाता है। टीन और सीसे का प्रयोग भी बाद के वैदिककाल में मिलता है।

**अन्य धन्धाः** बाद के वैदिक साहित्य में और भी नये धंधों का उल्लेख मिलता है। बढ़ई, बुनकर, चर्मकार, जौहरी, रंगसाज, कुम्हार आदि का धंधा काफी जोरों से चल पड़ा था। मछुआरा भी मछली मारकर अब अपनी जीविका चलाने लगा था। सारथि की बहाली रथों को चलाने के लिए होती थी। गड़ेरिये भेड़ चराकर अपना काम चला लेते थे। जंगल से फंसाकर लाये हुए पशु-पक्षी को बेचकर बहेलिया अपना जीवन-यापन कर लेता था। जुलाहा, नाई, धनुष बनाने वाले तथा चटाई और रस्सी बनाने वाले ने भी अपना-अपना धंधा स्वतंत्रतापूर्वक करना शुरू कर दिया था।

बाद के ग्रन्थों के अनुसार वस्त्रों को बनाने का काम भी प्रमुख उद्योग की श्रेणी में आ गया था। इस काल में ऊनी वस्त्रों का निर्माण काफी मात्रा में होता था। सन से बोरा एवं चटाईयाँ बनायी जाती थीं। धनी वर्ग के लोग क्षौम नामक वस्त्र पहनते थे, जानवरों की खाल का उपयोग ब्रह्मचारी एवं तपस्वी करते थे। अनुमान किया जाता है कि कपड़ा बुनने के लिए करघा जैसी कोई चीज होती थी। बुनाई का काम अधिकतर स्त्रियाँ ही करती थीं। कपड़ा रंगने वाला रंगसाज भी होता था। चाक के सहारे कुम्हार मिट्टी के बर्तन भी बनाया करते थे। मिट्टी के बर्तनों में घड़ा, प्याला, कटोरा, तस्तरी आदि अधिक प्रचलित थे। चिकित्सा के दृष्टिकोण से तन्त्र-मंत्र का बड़ा महत्व था।

**व्यापारिक संघः** बाद के वैदिककाल में आर्थिक उन्नति व्यापार बढ़ने के कारण हुई। नये-नये व्यापारियों ने सुरक्षा एवं सुविधा के दृष्टिकोण से संगठित होकर रहना पसंद किया। इन लोगों का संगठन लगता है श्रेष्ठी नाम से जाना जाता था। श्रेष्ठ अर्थात प्रधान या मुख्य शब्द से श्रेष्ठी बना है। बाद के वैदिक ग्रन्थ ऐतरेय ब्राह्मण में श्रेष्ठी शब्द की चर्चा है। यह शब्द शायद किसी व्यापारियों के संघ के प्रधान या श्रेष्ठ के लिए किया गया है। उत्तर वैदिककाल के कुछ दूसरे ग्रंथ में गण एवं गणपति शब्द भी मिले हैं। ये शब्द भी लगता है किसी व्यावसायिक संगठन के लिए ही प्रयोग किये गये हैं।

**वाणिज्यः** उत्तरवैदिक काल के कई ग्रन्थों में हमें वाणिज्य शब्द मिलता है, जिससे पता चलता है कि इस काल में व्यापार बड़े पैमाने पर होने लगा था। व्यापारी व्यापार के सिलसिले में एक स्थान से दूसरे स्थान में जाया करते थे। ये व्यापारी मुख्य रूप से वैश्य ही होते थे।

सूदखोर को 'कुसुदिन' कहा गया है। विनिमय का माध्यम मुद्रा की चर्चा तो प्रत्यक्ष रूप से हमें नहीं मिलती है लेकिन ग्रन्थ में 'निष्क' शब्द की चर्चा मिलती है। विद्वानों ने अनुमान किया है कि निष्क सिक्के का द्योतक है। लेकिन विद्वान अभी किसी निश्चित निष्कर्ष पर नहीं पहुँच पाते हैं।

खरीद-बिक्री में अभी सामान के बदले सामान वाली बात प्रचलित थी। गाय को सिक्का के रूप में इस्तेमाल करके भी कोई चीज खरीदी जा सकती थी। कुछ ग्रन्थ में शतमान्य (शतमान) नामक शब्द मिला है। माना जाता है कि यह भी एक प्रकार का सिक्का था। इस बात का समर्थन डॉ. आर. भण्डारकर ने भी किया है। कुछ अन्य विद्वान इसे मुद्रा नहीं मानते हैं। शतमान्य के बारे में उनका कहना है कि यह मात्र क्रय-विक्रय का साधन था। डॉ. भण्डारकर ने बाद के ग्रन्थ में पाये गये कृष्ण एवं पाद नामक शब्द को भी मुद्रा माना है। ये यहाँ तक कहते हैं कि पूर्ववैदिक काल से ही मुद्रा का प्रयोग पाया जाता है। वैसे निश्चित तौर पर तो मुद्रा ईसा पूर्व सातवीं सदी के पहले नहीं मिलती है।

# मौर्य काल

कौटिल्य के अर्थशास्त्र, अशोक के अभिलेख और स्मारकों तथा यूनानी राजदूत मेगस्थनीज के विवरण से मौर्यकालीन समाज, संस्कृति तथा आर्थिक जीवन पर प्रकाश पड़ता है। इन्हीं साधनों के आधार पर मौर्यकालीन जीवन का संक्षिप्त चित्र खींचा जा सकता है।

## सामाजिक जीवन

**वर्ण व्यवस्थाः** अशोक के पाँचवें शिलालेख के अनुसार मौर्यकालीन भारत के समाज में अनेक वर्ण थे। वर्ण की व्यवस्था थी और ब्राह्मण, क्षत्रिय, वैश्य तथा शूद्र समाज में बँटा हुआ था लेकिन इस समय तक वर्ण व्यवस्था में पर्याप्त जटिलता आ गयी थी। इसका आधार कर्म न होकर जन्म हो गया था। कोई व्यक्ति अपना वर्ण परिवर्तन नहीं कर सकता था और वर्ण व्यवस्था की रक्षा करना राज्य का एक मुख्य कर्त्तव्य था। इस समय भी वर्णाश्रम पर बल दिया जाता था और प्रत्येक व्यक्ति से यह उम्मीद की जाती थी कि वह ब्रह्मचर्य, गृहस्थ, वानप्रस्थ और संन्यास आश्रम में जीवन व्यतीत करेगा। इस प्रकार समाज का आधार वर्ण व्यवस्था और वर्णाश्रम थे।

चार वर्णों के अतिरिक्त मौर्यकालीन भारत में कुछ अन्य व्यावसायिक वर्ग अथवा समूह भी पैदा हो गये थे, किन्तु उनकी गणना अन्य चार वर्णों में ही कर ली जाती थी। मेगस्थनीज ने सात जातियों का उल्लेख किया है। उसके अनुसार भारत में निम्नलिखित सात जातियाँ थीं—(1) दार्शनिक, (2) किसान, (3) ग्वाला, (4) कारीगर, (5) सैनिक, (6) निरीक्षक तथा (7) अमात्य। सम्भव है कि मेगस्थनीज ने भारत की सामाजिक व्यवस्था को ठीक तरह से नहीं समझा हो और यूनानी समाज को ध्यान में रखकर वर्णों, कुछ व्यवसायों और सरकारी वर्गों को एक में मिला दिया हो। यूनानी लेखकों से हमें ज्ञात होता है कि कोई व्यक्ति अपनी जाति से बाहर विवाह नहीं कर सकता था अथवा अपनी जीविका को छोड़कर किसी अन्य जीविका को नहीं अपना सकता था। बाहरी दुनिया के सम्पर्क से कुछ अंशों में जाति बन्धन अवश्य ढीले पड़े होंगे और अन्तर्जातीय विवाह की प्रथा भी चली होगी। स्वयं सम्राट चन्द्रगुप्त ने सेल्यूकस की पुत्री से विवाह किया था। इस युग में वैश्य और शूद्र का भेद भी बहुत कुछ मिटता जा रहा था।

मेगस्थनीज के अनुसार मौर्यकाल में भारतीय सामाजिक जीवन सरल, सादा और सुव्यवस्थित था और जीवन स्तर काफी ऊँचा था। जातियाँ एक-दूसरे से प्रेमभाव रखती थीं और उनका एक-दूसरे पर अटूट विश्वास था। वे सामाजिक नियम का पालन अपना कर्त्तव्य मानती थीं। उनके बीच आपसी झगड़े बहुत कम होते थे। किसानों का जीवन सादा होता था।

मेगस्थनीज के विवरणों से जाति व्यवस्था के सम्बन्ध में कुछ गलतफहमियाँ अवश्य पैदा हो जाती हैं, लेकिन उसके लेखों से तत्कालीन सामाजिक व्यवस्था पर पर्याप्त प्रकाश पड़ता है। दार्शनिक के विषय में उसके लेख बड़े ही मनोरंजक और महत्वपूर्ण प्रतीत होते हैं। दार्शनिक वर्ग को उसने दो भागों में विभाजित किया है—ब्राह्मण और श्रमण। ब्राह्मण दार्शनिकों से अभिप्राय सामान्यतः ब्राह्मणों से है और श्रमण वर्ग के अन्तर्गत बौद्ध संन्यासी आते हैं जो किसी भी जाति के हो सकते थे। अन्य धार्मिक सम्प्रदायों से सम्बधित संन्यासी भी श्रमण कहे जाते थे।

**समाज में स्त्रियों का स्थानः** स्त्रियों की दशा स्मृति काल की तुलना में बेहतर था। समाज में स्त्रियों के साथ अच्छा व्यवहार किया जाता था। अपनी पत्नियों के साथ दुर्व्यवहार करने पर राज्य की ओर से दण्ड मिलता था। यदि किसी स्त्री को सन्तान न होती हो तो पति दूसरा विवाह कर सकता था। विधवाओं को पुनर्विवाह का अधिकार प्राप्त था। किन्तु समाज में स्त्रियों को अब उतनी स्वतन्त्रता नहीं रह गयी थी जितना ऋग्वैदिक काल में थी। उन्हें प्रायः घर के भीतर ही काम करना पड़ता था और स्वच्छन्द रूप से घूमने-फिरने की स्वतंत्रता नहीं थी। किन्तु भिक्षुणियाँ हो जाने पर उन्हें घूमने-फिरने की स्वतंत्रता हो जाती थी। समस्त देश में स्त्रियों की दशा अथवा विवाह के नियम एक न थे। इस युग में आठ प्रकार के विवाहों का उल्लेख आता है। तक्षशिला में लड़कियों के लिए पति चुनने के लिए कुश्तियों का आयोजन किया जाता था और जीतनेवाले के साथ विवाह कर दिया जाता था। अपनी इच्छा से स्त्रियाँ सती भी हो सकती थीं, लेकिन यह प्रथा केवल क्षत्रियों तक ही सीमित थी। स्त्रियों में प्रचलित पर्दा प्रथा का भी संकेत मिलता है। नारियों को कलाओं की शिक्षा प्राप्त करने की भी सुविधाएँ उपलब्ध थीं। कुछ स्त्रियाँ संगीत, नृत्य तथा चित्रलेखन आदि ललित कलाओं में भी निपुणता प्राप्त करती थीं। इतना ही नहीं, सैनिक व्यवसाय अपनाने का मार्ग भी स्त्रियों के लिए सर्वथा अवरुद्ध नहीं था। मेगस्थनीज ने चन्द्रगुप्त की महिला अंगरक्षिकाओं का उल्लेख किया है। वह कहता है कि "कुछ स्त्रियाँ रथों पर, अश्वों पर एवं कुछ हाथियों पर आरुढ़ होती हैं और वे प्रत्येक प्रकार के शस्त्रास्त्र से सुसज्जित रहती हैं। ऐसा मालूम पड़ता है जैसे वे किसी आक्रमण के लिए जा रही हों।" देश में वेश्यावृत्ति भी थी जिसे सरकार द्वारा नियन्त्रित किया जाता था। स्वतंत्र रूप से वेश्यावृत्ति करने वाली महिला को 'रूपाजीवा' कहा जाता था। कौटिल्य के ग्रन्थ में गणिकाध्यक्ष और अशोक के अभिलेखों में स्त्री महामात्र का उल्लेख मिलता है।

**विवाह प्रथाः** इस काल की विवाह संस्था शास्त्रीय नियमों और प्रथाओं से मर्यादित थी यद्यपि इनके अपवाद में भी कुछ विवाह होते थे। आठ प्रकार के विवाह प्रचलित थे—(1) ब्राह्म (कन्या को अलंकृत और सुसज्जित कर वर को पिता द्वारा सौंपना), (2) प्रजापत्य (सन्तान के लिए विवाह जिसके अनुसार धर्म, अर्थ और काम में कन्या और वर का अधिकार समान होता था।), (3) आर्ष (इसमें वर पक्ष से बैलों का एक जोड़ा लेकर कन्या का पिता दान में वर को देता था।), (4) दैव (दैवकार्य में लगे योग्य और सुशील ऋत्विज् को कन्या देना), (5) आसुर (द्रव्य लेकर लड़की को ब्याहना), (6) गान्धर्व (कामवश बिना माता-पिता की आज्ञा से वर और कन्या का संयुक्त होना), (7) राक्षस (कन्या को उसके परिवार वालों से बलात् छीन लेना), (8) पैशाच (छल अथवा बल से सोई या मादक वस्तु से मत्त कन्या का उपभोग करना)। इनमें पहले चार प्रकार के विवाह प्रशस्त और पिछले चार अप्रशस्त माने जाते थे। परन्तु पिछलों को भी उस समय का कानून स्वीकार करता था। विवाह प्रायः अपने वर्ण और जाति में होते थे, किन्तु असवर्ण और अन्तरजातीय विवाह भी सम्भव थे। कुछ जातियों—शाक्य, मौर्य आदि—में सगोत्र विवाह भी होते थे। दहेज की प्रथा भी प्रचलित थी। पुरुष एक साथ कई स्त्रियों से विवाह कर सकता था। मेगस्थनीज ने भी लिखा है कि कुछ स्त्रियाँ आनन्द और कुछ स्त्री सन्तान के लिए ब्याही जाती थीं। पुरुष और स्त्री दोनों को पुनर्विवाह का अधिकार था। पुरुषों के पुनर्विवाह के लिए इस प्रकार का नियम प्रचलित था कि यदि स्त्री को आठ वर्षों तक कोई सन्तान न पैदा हो, या जिससे केवल लड़कियाँ ही पैदा हों, लड़का उत्पन्न न होता हो, या जो बन्ध्या हो उसका पति पुनर्विवाह से पूर्व आठ वर्षों तक अपनी पत्नी की प्रतीक्षा करे।

पुरुषों की ही तरह स्त्रियों को भी पुनर्विवाह के पहले कुछ नियमों का विचार करना पड़ता था। पति के निधन पर वह अपने इस अधिकार का प्रयोग कर सकती थीं, किन्तु उसे अपने श्वसुर तथा प्रतिपक्षीय सम्बन्धियों से प्राप्त धन उन्हें वापस करना पड़ता था, किन्तु श्वसुर तथा अन्य सम्बन्धियों की राय से होने पर उनसे मिले धन को अपने पास रख सकती थी। इसके अतिरिक्त कुछ अन्य परिस्थितियाँ भी थीं जिनमें स्त्री को पुनर्विवाह का अधिकार प्राप्त था। यदि विदेश में गये हुए पति को किसी भी स्त्री से कोई सन्तान न हो तो स्त्री को एक वर्ष तक प्रतीक्षा करनी पड़ती थी। यदि उसे कोई सन्तान न हो तो वह अधिक समय तक प्रतीक्षा करती थी। यदि विदेश जाने से पूर्व पति अपनी स्त्री के लिए भरण-पोषण की व्यवस्था कर गया हो तो उस अवधि के दुगुने समय तक प्रतीक्षा की जाती थी। विद्याध्ययन के लिए गये हुए पति की सन्तान रहित स्त्री को दस वर्ष तक और सन्तानसहित स्त्री को बारह वर्ष तक प्रतीक्षा करनी चाहिए ऐसा विधान था।

**दास प्रथाः** दास प्रथा अति प्राचीन काल से ही भारतीय सामाजिक जीवन की एक मान्य व्यवस्था रही है। मौर्य काल में भी यह प्रचलित थी, यद्यपि यूनानी लेखकों के प्रमाण इसके विरूद्ध हैं। एरियन लिखता है कि सभी भारतीय स्वतन्त्र हैं और उनमें से एक भी दास नहीं हैं। मेगस्थनीज ने भी इसी प्रकार की बात कही है और स्ट्रैबो ने उसके मत को विस्तृत करते हुए लिखा है कि कोई भी भारतीय दास नहीं रखता। परन्तु, अन्य साक्ष्यों से दास प्रथा के अस्तित्व के प्रमाण इतनी प्रचुरता से प्राप्त होते हैं कि यूनानी लेखकों का कथन भ्रमपूर्ण प्रतीत होता है। अर्थशास्त्र तथा स्मृतियों में दास प्रथा का उल्लेख किया गया है। अशोक ने अपने अभिलेखों में दासों तथा भाड़े के मजदूरों में विभेद किया है और सब के साथ दया का व्यवहार करने का आदेश दिया है। यह सम्भव है कि मेगस्थनीज को भारत के किसी विशेष भू-भाग में दास प्रथा बिल्कुल न दिखाई पड़ी हो जिससे उसने समझ लिया कि भारतवर्ष में दास प्रथा है ही नहीं। इसके अतिरिक्त मेगस्थनीज के यह लिखने का कि भारत में दास प्रथा है ही नहीं, एक महत्वपूर्ण कारण यह भी हो सकता है कि यहाँ पर यूनान के ठीक विपरीत, दासों के साथ अच्छा व्यवहार किया जाता था।

**रहन-सहनः** मेगस्थनीज ने लिखा है कि मौर्यकालीन भारतीय मितव्ययिता से रहते थे और अच्छे नियमों का पालन करते थे। उच्च कोटि की सरलता भारतीय चरित्र की विशेषता थी तथा किसी भी भारतीय पर कभी झूठ बोलने का आरोप नहीं लगाया गया। उस समय चोरी का अभाव था। पारस्परिक समझौते में गवाहों की आवश्यकता नहीं होती थी। लोग अपने घरों में ताला नहीं लगाते थे। मुकद्मेबाजी बहुत कम होती थी। संक्षेप में, लोगों का जीवन सरल तथा सीधा-सादा था।

**भोजनः** लोगों का मुख्य भोजन अन्न, फल और माँस थे। देश की अधिकांश जनता माँस खाती थी। ज्ञातव्य है कि राजमहल में प्रतिदिन भोजन के लिए हजारों पशु काटे जाते थे। बाद में अशोक ने उसे बन्द करवा दिया। जौ की शराब तथा ताड़ी लोगों के मुख्य पेय थे। धनी लोग विदेशी शराबों का भी प्रयोग करते थे। शराब बेचने और पीने के स्थान सरकार द्वारा निश्चित किये जाते थे। मेगस्थनीज लिखता है, "भारतीय लोग जब भोजन करने बैठते हैं तो प्रत्येक व्यक्ति के सामने तिपाई की शक्ल की एक मेज रखी जाती है। इसके ऊपर एक सोने का प्याला रखा जाता है जिसमें सबसे पहले चावल डाले जाते हैं। वे इस प्रकार उबले हुए होते हैं जैसे कि उबले हुए जौ। इसके बाद अन्य बहुत से पके हुए भोजन परोसे जाते हैं जिन्हें विधिपूर्वक तैयार किया जाता है।"

**वस्त्रः** अधिकतर लोग सूती वस्त्र पहनते थे। तड़क-भड़क तथा हीरे-जवाहरात का लोगों को शौक था। धूप से बचने के लिए लोग छाते का प्रयोग करते थे। भारतीय बारीकी और सुन्दरता के प्रेमी होते थे। उनके वस्त्रों पर सोने का काम किया रहता था और वस्त्र मूल्यवान रत्नों से जड़े जाते थे। लोग मलमल के भी बने वस्त्र धारण करते थे।

**आमोद-प्रमोदः** लोगों को आमोद-प्रमोद का भी शौक था। रथों और घोड़ों की दौड़ तथा सांड़ों और हाथियों की कुश्तियाँ, लोगों के मनोविनोद के मुख्य साधन थे। शिकार खेलने का भी बहुत रिवाज था। मेगस्थनीज ने भी शिकार का उल्लेख किया है। विहार यात्राएँ की जाती थीं। बहुत से लोग जुआ भी खेलते थे। किन्तु जुआ खेलने के अड्डों पर राज्य का नियन्त्रण रहता था। अशोक ने धार्मिक समारोहों की प्रथा चलाई थी। उसी समय मनुष्यों तथा पशुओं में मल्ल युद्ध होते थे। हिंसात्मक होने के कारण अशोक ने इन्हें बन्द कर दिया था। कौटिल्य से ज्ञात होता है कि साधारण जनता में प्रेक्षाएँ बड़ी लोकप्रिय होती थीं और इनमें नट, नर्तक, गायक, वादक, मदारी, रस्सी पर नाचने वाले, तरह-तरह की बोली बोलने वाले

आदि अपनी कला का प्रदर्शन कर दर्शकों का मनोरंजन करते थे। पतंजलि ने नाटकीय प्रदर्शनों का उल्लेख किया है। इस युग में शतरंज का खेल तथा द्यूत क्रीड़ा का भी प्रचलन हो गया था। स्त्रियों में गेंद का खेल बड़ा प्रिय था। राजा महाराजा और जागीरदार लोग आखेट में बहुत दिलचस्पी रखते थे।

**नैतिक स्तरः** अशोक के धर्म के प्रचार से नैतिक पक्ष पर बड़ा बल दिया गया है। इसमें बाह्याडम्बर की अपेक्षा अन्तःशुद्धि पर अधिक जोर दिया गया। माता-पिता की आज्ञा मानना, गुरुजनों की सेवा करना, सम्बन्धियों, मित्रों और पड़ोसियों से उदार व्यवहार करना, सत्य, कोमलता, अहिंसा, दान, क्षमा, सहनशीलता आदि सदगुणों का विकास करने वाली शिक्षाओं पर अधिक बल दिया गया। परन्तु इसका यह अभिप्राय कदापि न समझना चाहिए कि इससे पूर्व लोगों का नैतिक जीवन स्तर निम्न था। मेगस्थनीज ने भारतीय चरित्र की प्रशंसा की है। उसने कहा है–भारतीय आचरण में सरल तथा मितव्ययी होने से काफी सुख से रहते हैं। यज्ञ के अवसरों के अतिरिक्त शराब का प्रयोग नहीं करते। चोरी प्रायः बहुत ही कम होती है। भारतीय अपनी चीजों को प्रायः अरक्षित ही छोड़ जाते हैं, उनके कानून और समझौते सरल हैं इसलिए वे न्यायालय में बहुत कम आते हैं। मेगस्थनीज आगे लिखता है–भारतीय सत्य और सद्गुणों का सम्मान करते हैं।

## आर्थिक जीवन

**कृषिः** मौर्य राजाओं के समय भारत की आर्थिक दशा बड़ी उन्नत थी। कृषि, शिल्प और व्यापार तीनों का ही अद्‌भुत रूप से विकास हुआ था। कृषि और कृषक दोनों ही की अवस्था अच्छी थी। कृषक अपना सारा समय खेती में लगाते थे। कृषक समाज पवित्र माना जाता था। युद्ध के समय भी कृषक निर्विघ्न रूप से अपना काम करते थे। ये लोग जनता की भलाई करने वाले समझे जाते थे। मेगस्थनीज ने लिखा है–"भारतवर्ष में अकाल कभी नहीं पड़ा है और साधारणतया खाद्य पदार्थों की महँगाई कभी नहीं हुई है।" खेती हल बैल से होती थी। अर्थशास्त्र में सिंचाई के अनेक साधनों का उल्लेख है। भूमि को उपजाऊ बनाने के लिए खाद का प्रयोग होता था। ग्रामीण क्षेत्रों में बाढ़, अग्निकांड और टिड्डयों के आगमन का डर बना रहता था। अतिवृष्टि और अनावृष्टि से उत्पन्न परिस्थितियों का सामना करने के लिए बड़े-बड़े अन्नागार बनाये जाते थे। संकटकाल में राज्य की ओर से बीज तथा भोजन की सहायता दी जाती थी। जंगली जानवरों से भी खेत की रक्षा की जाती थी।

कृषि की उन्नति के लिए राज्य की ओर से हितकर कानूनों का निर्माण किया गया था। किसानों की सुविधाओं का ध्यान रखा जाता था और उन पर किसी प्रकार का अत्याचार नहीं होने पाता था। सिंचाई की उत्तम व्यवस्था थी। मेगस्थनीज सिंचाई व्यवस्था का वर्णन करते हुए अधिकारियों का उल्लेख करता है जिनका कर्त्तव्य "भूमि को नापना और उन छोटी नालियों का निरीक्षण करना था जिनसे होकर पानी सिंचाई की नहरों में जाता था जिससे प्रत्येक व्यक्ति को अपना सही भाग मिल सके।" एक स्थान पर यूनानी राजदूत ने लिखा है कि "भूमि का अधिकतर भाग सिंचाई के अन्तर्गत है जिससे वर्ष में दो-दो फसलें तैयार हो जाती हैं।" अर्थशास्त्र में भी सिंचाई व्यवस्था का उल्लेख प्राप्त होता है।

**उद्योग धन्धेः** उद्योग धन्धों के कारण व्यापार की अद्‌भुत उन्नति हो गई थी। साम्राज्य के स्थल तथा जल मार्ग पूर्णतः सुरक्षित थे। नदियाँ व्यापारिक माल ले जाने की प्रमुख साधन बनी हुई थीं। बनारस तक बड़े-बड़े जलयान गंगा नदी के मार्ग से पहुँचते थे। एक सड़क पाटलिपुत्र को बनारस से जोड़ती हुई उत्तरापथ तक चली गई थी। दूसरा व्यापारिक मार्ग पाटलिपुत्र से बनारस, उज्जैन होता हुआ पश्चिमी तट के बन्दरगाहों तक बना हुआ था। इन दो प्रधान थल मार्गों के अलावा और भी बहुत से व्यापारिक मार्ग थे जिनपर व्यापारियों के काफिले आते-जाते रहते थे। सड़कों के दोनों ओर छायादार तथा फल वाले वृक्ष लगे हुए थे। एक मील के अन्दर में शीतल जल के कुएँ तथा यात्रियों के ठहरने के लिए स्थान बने हुए थे। व्यापारिक उन्नति के कारण उस समय साम्राज्य भर में अनेक व्यापारिक केन्द्र और समृद्धिशाली नगरों की स्थापना हो गई थी। तक्षशिला, उज्जैन, कौशाम्बी, पाटलिपुत्र, तोशली आदि नगर व्यापार के प्रमुख केंद्र थे। भारत के समुद्रतट पर अनेक बन्दरगाह थे, जहाँ से लंका, सुमात्रा, जावा, मिस्र, सीरिया, यूनान, रोम, फारस आदि के व्यापारिक जहाज आते-जाते रहते थे। पाटलिपुत्र की गणना संसार के प्रमुख नगरों में की जाने लगी थी।

**व्यापार तथा शिल्पः** मेगस्थनीज के विवरण से ज्ञात होता है कि उस समय भारत का व्यापार तथा शिल्प भी उन्नति के उच्च शिखर पर आसीन था। भारत के वस्त्र व्यवसाय का तो संसार का कोई भी देश समता नहीं कर सकता था। सूती, रेशमी और ऊनी तीनों प्रकार के अति आकर्षक डिजाइनदार वस्त्र इतनी मात्रा में तैयार किये जाते थे कि देश की आवश्यकता पूर्ति के पश्चात विदेशों को भारी संख्या में निर्यात किये जाते थे। उत्तरी तथा दक्षिणी भारत में सहस्रों कपड़े की मंडियाँ थीं, जो यहाँ के उच्च कोटि का कपड़ा जैसे मलमल, छींट, रेशमी कपड़ा आदि प्रतिवर्ष करोड़ों रुपये का विदेशों को निर्यात करती रहती थीं। प्रसिद्ध इतिहासकार स्ट्रोबो ने तो यहाँ तक लिखा है कि भारतीय वस्त्रों पर सोने के तारों से बेल-बूटे निकाले जाते तथा उन्हें बहुमूल्य रत्नाभूषणों से सजाया जाता था। जुलाहों, ठठेरों, लुहारों, स्वर्णकारों, तेलियों, बढ़इयों तथा अन्य शिल्पियों ने अपने अलग-अलग संघ बना रखे थे। ये संघ अपने-अपने शिल्पियों के लिए बैंकों का कार्य भी करते थे। संघ के प्रधान का राजदरबार में भारी मान रहता था। डॉ. मजुमदार का मत है कि "उस समय के व्यवसायी तथा शिल्पी अलग-अलग श्रेणियों अथवा संघों में विभक्त थे। सभी श्रेणियों के कायदे-कानून अलग-अलग थे, उन्हें राज्य से मान्यता प्राप्त थी।"

पत्थर को काटकर सुन्दर वस्तुएँ बनाने की कला में इस युग के कारीगर बहुत बढ़े-चढ़े थे। अशोक के समय के आश्चर्यजनक पाषाण स्तम्भ उस युग की तक्षणकला का सुन्दर उदाहरण प्रस्तुत करते हैं। बराबर की गुफाओं को, जो पालिश किए हुए चिकने शीशे की भांति चमकती हैं, देखने से इस युग के उत्कृष्ट कला को ठीक से समझा जा सकता है। सुगन्धित पदार्थों के निर्माण में भी मौर्य युग में काफी उन्नति हुई। कौटिल्य ने पाँच प्रकार के सुगन्धित पदार्थों का उल्लेख किया है। ये पदार्थ

हैं—चन्दन, अगुरु, तैल पर्णिक, भद्रश्री और कालेयक। ये पदार्थ अपने उचित स्थान, रंग और सुगन्ध की तीव्रता के कारण एक-दूसरे से काफी भिन्न समझे जाते थे।

**सिक्का और विनिमय के साधनः** कौटिल्य के 'अर्थशास्त्र' में सुवर्ण, कार्षापण, माषक और काकणी जैसे सिक्कों का उल्लेख मिलता है। मुद्रा निर्माण एकमात्र सरकारी टकसाल में होता था; किन्तु कोई भी व्यक्ति अपनी धातु देकर सरकारी टकसाल में भी रुपया बनवा सकता था। टकसाल के अधिकारियों में कौटिल्य ने सौवर्णिक और लक्षणाध्यक्ष का वर्णन किया है। सिक्के के अतिरिक्त विनिमय के अन्य साधन भी थे। वस्तुओं का आदान-प्रदान भी होता था।

**कर्ज और सूदः** मौर्य शासकों ने किसानों, मजदूरों तथा कारीगरों को धनी साहूकारों के शोषण से बचाने के लिए भी विशेष प्रबन्ध किया था। ब्याज की दर निश्चित कर दी गयी थी। अर्थशास्त्र के अनुसार पन्द्रह प्रतिशत वार्षिक ब्याज उचित था। दरिद्रों, नाबालिगों, अध्ययन तथा यज्ञ आदि में लगे हुए लोगों से ब्याज नहीं लिया जाता था।

**पशुपालनः** पशुओं की वृद्धि और रक्षा की ओर भी राज्य की ओर से विशेष ध्यान दिया जाता था। इस कार्य के लिए एक अलग विभाग था जो पशुओं का लेखा-जोखा करता था; जो चरागाहों की रक्षा करता था, दूध आदि के सम्बन्ध में नियम बनाता था, बीमार पशुओं की चिकित्सा का प्रबन्ध करता था और पशुओं के प्रति होने वाले अत्याचारों को शान्त करता था। घोड़ों तथा हाथियों की ओर भी विशेष ध्यान दिया जाता था।

वनों तथा जंगली पशुओं की रक्षा का भी राज्य की ओर से विशेष प्रबन्ध था। वनों में आग लगाने वालों को कठोर दण्ड मिलता था। वनों की बहुतायत से उस युग में वर्षा भी पर्याप्त होती थी।

## गुप्तकाल

कुषाणों के पतन के बाद उत्तर भारत में अनेक छोटे-छोटे राज्यों का उदय हुआ परन्तु ये मात्र सीमित क्षेत्रों के राजा थे। इन राज्यों के खण्डहर पर चक्रवर्ती गुप्त साम्राज्य का उदय हुआ जो 150 वर्षों से अधिक समय तक कायम रहा। इसके अभ्युदय के साथ ही सामाजिक व्यवस्था में जटिलता तो ध्वंस हुए नगरों के साक्ष्य के आधार पर कमजोर अर्थव्यवस्था वाला राज्य माना जाता है।

### ■। सामाजिक जीवन

**वर्ण-व्यवस्थाः** गुप्तकाल का समाज परम्परागत चार वर्णों में विभक्त था—ब्राह्मण, क्षत्रिय, वैश्य एवं शूद्र। समाज में ब्राह्मण का स्थान सर्वोच्च था। शैक्षणिक, राजनीतिक, सामाजिक, धार्मिक और आर्थिक विशेषाधिकार उसे प्राप्त थे। प्रधानतः उसके छह कर्म थे—वेद पढ़ना, वेद पढ़ाना, यज्ञ करना, यज्ञ कराना, दान देना और दान लेना। ये कर्म उसके स्वधर्म के अन्तर्गत आते थे। वह समाज के विकास में अनवरत् सचेष्ट रहता था। अपनी तपश्चर्या और साधना से वह समाज के लोगों का सन्मार्ग और सद्भाव का मार्गदर्शन करता था। गुप्तकालीन साहित्यिक कृतियों से विदित होता है कि उस समय ब्राह्मण को प्राणदंड नहीं दिया जाता था। शूद्रक के मृच्छकटिक के नौवें अंक में ब्राह्मण चारुदत्त को हत्यारा सिद्ध किये जाने पर भी उसे प्राणदंड नहीं दिया गया था। मनु ने ब्रह्महत्या को महापाप माना है। दशकुमारचरित में ब्राह्मण मंत्री राजद्रोह का दोषी होने पर केवल अंधा बना दिया गया था। गुप्तकाल में ब्राह्मण राजवंशों के प्रमाण मिलते हैं जिनमें वाकाटक और कदम्ब प्रमुख थे। गुप्तों का सामन्त शासक मातृविष्णु ब्राह्मण था। मनु का कथन है कि क्षत्रियकर्म से जीवन-निर्वाह न कर सकने के कारण ब्राह्मण वैश्य के कर्म—कृषि, गो-पालन और व्यापार ग्रहण कर सकता था। संकट के समय वह व्यापार कर सकता था। मनु का कथन है कि ब्राह्मण को धनवर्द्धक वस्तुएँ बेचनी चाहिए।

समाज में क्षत्रियों की स्थिति ब्राह्मणों के बाद थी। गुप्तकालीन सभी स्मृतिकारों और पुराणकारों ने क्षत्रियों को द्वितीय स्थान प्रदान किया है। उन पर ही देश और समाज का रक्षा-प्रबन्ध था। युद्ध में जीती हुई सारी वस्तुएँ क्षत्रिय की होती थीं। मनु के अनुसार रथ, घोड़ा, हाथी, छत्र, धन, धान्य (सब प्रकार के अन्न), पशु, स्त्रियाँ (दासी आदि), सब तरह के द्रव्य (गुड़, नमक आदि) और कुप्य (सोना-चाँदी के अतिरिक्त ताँबा-पीतल आदि धातु) जो योद्धा जीतकर लाता था, उसी का होता था। जीती हुई वस्तुओं पर उसका पूर्ण स्वामित्व होता था। यही नहीं, विजित राजाओं और अधीनस्थ राजाओं से मिलने वाले उपहार राजा की विशेष सुविधाएँ थीं। सम्राट समुद्रगुप्त को ऐसे ही अनेक राजाओं से उपहार में बहुमूल्य धन-सम्पत्ति और राज-कन्याएँ प्राप्त हुई थीं। मनु ने क्षत्रियों को वैश्य कर्म अपनाने की सलाह दी है, पर कृषिकर्म उनके लिए वर्जित कहा है। पारिवारिक संकट-काल में वे वाणिज्य-व्यापार भी कर सकते थे।

समाज में वैश्यों का स्थान क्रमानुसार तीसरा था। व्यापारिक व्यवस्था और कृषि का समस्त भार उनके ऊपर था। गुप्तयुग में उन्हें श्रेष्ठि, वणिक्, सार्थवाह आदि नामों से संबोधित किया जाता था। राज्य को अधिकाधिक कर प्रदान करने वाला वर्ग वैश्य ही था, जो अपने वस्तुओं के विक्रय की आय में राजा को कर देता था। ब्राह्मण और क्षत्रिय की तरह वैश्य भी आपत्तिकाल में दूसरे कर्म करते थे। गौ, ब्राह्मण और वर्ण की रक्षा के लिए वैश्य भी शस्त्र ग्रहण कर सकता था।

समाज में शूद्र का स्थान अत्यन्त निम्न था। हेमचन्द्र ने शूद्रों के लिए नाम निर्दिष्ट किए हैं—शूद्र, अन्त्यवर्ण, वृषल और जघन्य। वह पतित और हेय माना जाता था। उसमें उत्साह, प्रयास और व्यवहार का अभाव था। उसके सामाजिक, धार्मिक, राजनीतिक और नैतिक जीवन से सम्बन्धित जितने भी नियम थे, सभी उसकी नीचता प्रदर्शित करते थे। मनु ने उन्हें कुछ सुविधाएँ दी थीं। काष्ठशिल्प, धातुशिल्प, भांडशिल्प, चित्रकला आदि कर्म करने की उन्हें अनुमति दी गई। उन्हें विद्या-ग्रहण करने की भी अनुमति दी गई। पुराणों में भी उनके प्रति उदार भावना व्यक्त की गई है तथा इन्द्रिय-निग्रह के साथ मोक्ष-प्राप्ति का भी उल्लेख किया गया है। फिर भी शूद्र पूर्णरूपेण द्विजों की दया पर निर्भर थे।

गुप्तकालीन स्मृतियों में कुछ मिश्रित जातियों—मूर्द्धाविषिक्त, अम्बष्ठ, पराशव, उग्र तथा करण के उल्लेख मिलते हैं। इस काल के प्राप्त शिलालेखों से यह स्पष्ट होता है कि बाद की अपेक्षा इस काल में

उपजातियों में गतिशीलता अधिक थी। फाहियान के यात्रा-वृतान्त से उस समय तक एक अस्पृश्य (अछूत) जाति का उल्लेख मिलता है। वे निम्न वृत्ति का पालन करते थे। जंगली जानवरों का शिकार करना, मछली मारना, श्मशान-घाट की रखवाली करना आदि उनके कार्य थे। उन्हें बस्ती के बाहर रहना पड़ता था। ग्राम या नगर में प्रवेश करते समय वे ढोल बजाते थे, ताकि उन्हें स्पर्श करने से बच जाएँ। उन्हें स्मृतियों में अंत्यज अथवा चाण्डाल तथा प्रतिलोम विवाह से उत्पन्न कहा गया है।

**विवाह प्रथाः** तत्कालीन लेखों और सहित्य से उस समय की वैवाहिक प्रथा का भी पता चलता है। राजवंशों में अन्तर्जातीय विवाह होते थे। क्षत्रिय गुप्तों का विवाह सम्बन्ध ब्राह्मण, वाकाटक और नाग राजाओं के साथ था। विधवा विवाह और सती प्रथा का भी प्रचलन था। बहु-विवाह की प्रथा भी थी। अनमेल विवाह भी होता था। ऊँची जाति का पुरुष नीची जाति की स्त्री से विवाह कर सकता था। ऐसे विवाहों को अनुलोम कहा गया था। ऊँची जाति की स्त्रियाँ और नीची जाति के पुरुष में भी सम्बन्ध हो सकता था। ऐसे विवाह को प्रतिलोम कहा जाता था। ऐसे विवाहों के भी उदाहरण इस युग में मिलते हैं। कदम्ब राजा ब्राह्मण थे किन्तु उनकी कन्याएँ गुप्त परिवार में ब्याही गयी थीं।

**दास-प्रथाः** संसार के अन्य देशों की भाँति भारत में भी घरेलू प्रकार की दास प्रथा अत्यन्त प्राचीनकाल से चली आ रही थी। महाजनपदों के काल में इसका उल्लेख किया जा चुका था। आश्चर्य की बात यह है कि विदेशी यात्रियों ने इसका जिक्र नहीं किया है। युद्धबन्दियों, कर्जदारों और हारे हुए जुआरियों को बहुधा दासता स्वीकार करनी पड़ती थी। कभी-कभी अकाल के समय गरीब लोग अपनी इच्छा से धनी लोगों की दासता स्वीकार कर लेते थे, जिससे उन्हें जीवन-निर्वाह के लिए भोजन आदि मिल जाता था। किन्तु भारतवर्ष में दास-प्रथा यूरोपीय देशों की भाँति नहीं रही। दास स्वतंत्र भी हो सकते थे। उनके साथ अच्छा व्यवहार किया जाता था। अधिकतर उन्हें घरेलू काम-धन्धे ही करने पड़ते थे। पुराने यूनान अथवा रोम की भाँति हम हजारों की संख्या में दासों को खेतों पर काम करते हुए नहीं पाते।

**रहन-सहनः** अधिकांश जनता का भोजन साधारण तथा सात्विक था। लोग ज्यादातर शाकाहारी थे; माँस-मदिरा आदि का प्रयोग चाण्डाल किया करते थे। इससे यह स्पष्ट होता है कि गुप्तकाल में भी लोगों पर जैनधर्म और बौद्धधर्म का विशेष प्रभाव बना रहा।

जनता साधारण वस्त्रों का प्रयोग करती थी। साधारण श्रेणी के लोग सूती वस्त्र और उच्च श्रेणी के लोग रेशमी वस्त्र का प्रयोग करते थे। स्त्री और पुरुष दोनों को आभूषणों का बड़ा चाव था। तरह-तरह के सुन्दर आभूषण प्रयोग में लाये जाते थे। स्त्रियाँ कानों में जड़ाऊ और बालियाँ, गले में मोतियों की मालाएँ और हार, हाथों में रत्नजड़ित चूड़ियाँ, कंगन और कड़े, उँगलियों में अँगूठियाँ और कमर में करधनी पहनती थीं। पैरों में पायजेब भी पहने जाते थे। उस काल में केश-विन्यास के नमूने अजन्ता की चित्रकारी में दिखाये गये हैं। पुरुष भी गले में मालाएँ, कानों में कुंडल, हाथ में कड़े और उँगलियों में अँगूठियाँ पहनते थे। मुख और होंठों की सुन्दरता के लिए रंगों और सुगन्धित पाउडरों का प्रयोग किया जाता था। विलासिता की वस्तुएँ उस समय के समाज में अधिकता से प्रयोग की जाती थीं।

**मनोरंजनः** उस समय के समाज में खेल-कूद मनोरंजन के साधनों का यथेष्ट प्रचार था। स्त्री-पुरुष दोनों ही चौपड़ तथा शतरंज खेलते थे। भेड़ों और मुर्गों की लड़ाई देखने का जनता को बड़ा चाव था। समारोहों और उत्सवों के अवसर पर स्त्रियाँ गाती, बजाती, नाचती और कई प्रकार के खेल खेलती थीं। नाटक तथा खेल-तमाशे मनोरंजन के साधन समझे जाते थे। उस युग के समाज में धार्मिक उत्सवों का विशेष प्रचार था। जनता उत्सवों में बड़ी रुचि रखती थी। उनमें सम्मिलित होकर वह आनन्द प्राप्त करती थी। रथों की दौड़ और रथ-यात्रा का अधिक प्रचार था। स्त्रियाँ भी रथ-यात्रा में सम्मिलित होती थीं। उस समय की गणिकाएँ नाच-गाकर समाज का मनोरंजन करती थीं। गणिकाओं को समाज में सम्मानपूर्ण दृष्टि से देखा जाता था। गुप्त-सम्राटों को शिकार खेलने का बड़ा शौक था।

**कौटुम्बिक व्यवस्थाः** इस युग में सम्मिलित कुटुम्ब की प्रथा थी। पिता कुटुम्ब की सम्पत्ति का स्वामी समझा जाता था। लेकिन भाइयों तथा पुत्रों का भी हिस्सा होता था। इस युग में मिताक्षर नियम प्रचलित था जिसके अनुसार पुत्र का अपने पूर्वजों की सम्पत्ति में जन्मसिद्ध अधिकार माना जाता था। विधवाओं को केवल जीवन-वृत्ति मिलती थी। कन्याओं को पिता की सम्पत्ति में हिस्सा नहीं मिलता था।

**स्त्रियों की स्थितिः** समाज में स्त्रियों की स्थिति संतोषजनक नहीं थी। बाल विवाह का प्रचलन था। कुछ स्मृति ग्रंथों में पिताओं के लिए यह अनिवार्य ठहराया गया है कि वे अपनी कन्याओं का विवाह उनके रजस्वला होने के पूर्व ही कर दें। जो ऐसा नहीं करते थे, वे नरक के भागी होते हैं। गुप्तकालीन स्मृति ग्रंथ स्त्रियों को शिक्षा देने की अनुमति नहीं प्रदान करते। फिर भी ऐसा प्रतीत होता है कि उच्च कुलों में नारियों को शिक्षा दी जाती थी। आश्रमवासिनी कन्यायें इतिहास और पुराण का अध्ययन करती थीं। वे स्वयं भी पद्य-रचना करती थीं। अभिज्ञान-शाकुन्तलम् में अनसूया शकुन्तला के छन्दोबद्ध प्रणय-संदेश को समझ लेती है। महाकवि कालिदास ने आदर्श पत्नी के अन्य गुणों के साथ उसकी ललित कला निपुणता का भी उल्लेख किया है। शकुन्तला की सखी अनसूया चित्रकला में और यक्ष की पत्नी वीणावादन में कुशल थीं। अमरकोश में नारी शिक्षिकाओं (उपाध्याया और उपाध्यायी) तथा वैदिक मंत्रों की शिक्षा देने वाली नारियों का उल्लेख है। 'ललित विस्तार' से विदित होता है कि गोपा नामक राजकन्या अनेक शास्त्रों में प्रवीण थी। मनु ने लिखा है कि सभ्य नागरिक पत्नी को दैनिक, मासिक तथा वार्षिक आय-व्यय का विवरण रखने के लिए ज्ञान होना आवश्यक है। स्त्रियों का संपत्ति पर भी अधिकार था। याज्ञवल्क्य ने निर्देश दिया है कि पुत्र और विधवा के अभाव में पुत्री ही उत्तराधिकारिणी है। बृहस्पति ने भी उसके उत्तराधिकार को स्वीकार किया है। भाष्यकार विज्ञानेश्वर ने भी स्त्री-धन को कम से कम छः प्रकार का बताया है—पिता, माता, भ्राता और पति द्वारा दिया हुआ धन, विवाह के समय कन्यादान के साथ प्राप्त धन तथा अधिवंदन के निमित्त मिला हुआ धन। स्त्री-धन के अन्तर्गत परिवार की भूमि के अतिरिक्त उसके मूल्यवान वस्त्राभूषण भी होते थे जिनका वह स्वयं उपयोग करती थी। गुप्तकालीन समाज में कुछ सीमा तक पर्दा-प्रथा का भी प्रचलन था।

कुलीन स्त्रियाँ घरों से निकलने पर घूँघट अथवा पर्दे का प्रयोग करती थीं। विधवाओं की स्थिति दयनीय होती जा रही थी। उन्हें न केवल पूर्ण ब्रह्मचर्य का जीवन व्यतीत करना पड़ता था बल्कि उनके लिए 'सती' हो जाना श्रेयष्कर माना जाता था। उत्तर भारत की कुछ सैन्य जातियों में बड़े पैमाने पर विधवाओं के जल-मर जाने की प्रथा थी।

**वेश्यावृत्तिः** मृच्छकटिक के द्वारा गणिकाओं के जीवन पर प्रकाश पड़ता है। इस ग्रन्थ में वेश्या के घर को युवकों का निवास-स्थान कहा गया है। वेश्यागामी को समाज निम्न दृष्टि से देखता था। वृद्ध वेश्याओं को 'कुट्टनी' कहा जाता था। दयनीय दशा में पड़ी युवतियों को गणिका-वृत्ति सिखा देना और युवकों को पथभ्रष्ट करना उनका काम था। कुट्टनियों के हथकंडों एवं उनकी गर्हित जीवन-वृत्ति पर दो प्राचीन ग्रंथ 'कुट्टीनीमतम्' और 'दूतीकर्म-प्रकाश' उल्लेखनीय हैं।

## आर्थिक जीवन

गुप्तकालीन भारत में आर्थिक क्षेत्र में बड़ी प्रगति हुई। गुप्तों के विशाल साम्राज्य में शान्ति व्यवस्था व्याप्त थी। अतः कृषि, उद्योग-धन्धे एवं व्यापार व्यवसाय का प्रभूत विकास हुआ। देश धन्य-धान्य से परिपूर्ण था और लोग सुखी-सम्पन्न थे। आर्थिक जीवन के विभिन्न पहलू निम्नलिखित थे—

**कृषिः** गुप्तकाल और उसके परवर्ती काल तक आकर कृषि अपने चरम उत्कर्ष पर पहुँच गई थी। उसका विस्तार बढ़ गया था। वराहमिहिर ने तीन फसलों का उल्लेख किया है—गर्मी (रबी), पतझड़ (खरीफ) और साधारण समय में होने वाली फसलें। अमरकोश में भी ऐसी फसलों का उल्लेख हुआ है। गेहूँ, धान, ज्वार, ईख, बाजरा, मटर, दाल, तिल, सरसों, अलसी, अदरख, सब्जी, काली मिर्च आदि विभिन्न अनाज उपजाए जाते थे। चावल की एक फसल साठ दिन में तैयार कर ली जाती थी।

मगध में उत्पन्न होने वाले चावल की सुगन्ध बहुत सुन्दर होती थी। इसका व्यवहार उच्च वर्ग के लोग करते थे। सेब, अंगूर, अनार आदि भी उपजाए जाते थे। केला, आम, द्राक्षा, कटहल आदि भी भारत के विभिन्न प्रदेशों में पाए जाते थे। केसर की खेती दाटेल (अफगानिस्तान) और कश्मीर में होती थी। गरम मसालों में काली मिर्च, इलायची, लौंग आदि भी उगाए जाते थे। पांड्य देश (आधुनिक केरल) के तटीय भागों में इनकी खेती अधिकता से होती थी।

सिंचाई के लिए लोग वर्षा पर निर्भर करते थे। वर्षा के अभाव में कृत्रिम सिंचाई की व्यवस्था की जाती थी। झील, कूप, तड़ाग, कुल्पा आदि का उपयोग सिंचाई के लिए किया जाता था। वराहमिहिर ने ज्योतिष के आधार पर नक्षत्रों का अध्ययन करके वर्षा के विषय में विस्तृत विवरण दिया है। सिंचाई के लिए बड़ी-बड़ी कृत्रिम झीलें बनायी जाती थीं। स्कन्दगुप्त के जूनागढ़-अभिलेख से विदित होता है कि सौराष्ट्र के गिरिनार नगर की सुदर्शन झील का पुनरुद्धार किया गया।

उपलब्ध प्रमाणों से पता चलता है कि भूमि पर व्यक्ति का स्वामित्व था। जो भूमि बेकार पड़ी रहती थी, वह राज्य की सम्पत्ति समझी जाती थी। बहुत से गाँवों में कृषि योग्य कुछ ऐसी भूमि होती थी जो राज्य की भूमि समझी जाती थी। राजा ऐसी भूमि को दान में देता था, दान पाने वाले व्यक्ति इस भूमि के मालिक हो जाते थे। जो भूमिपति स्वयं खेती नहीं कर सकते थे, वे अपनी भूमि किसानों को दिया करते थे। ऐसी दशा में किसान को उपज का 33 से 50 प्रतिशत तक मिलता था। भूमि का मूल्य उसकी उर्वरा शक्ति पर निर्धारित होता था। जंगलों से सागौन, सन्दल तथा आबनूस की लकड़ी मिलती थी।

**उद्योग धन्धेः** कृषि एवं पशुपालन के अतिरिक्त विविध प्रकार के उद्योग-धन्धे भी होते थे। देश के विभिन्न भागों में सूत की कताई एवं कपड़े की बुनाई के काम होते थे। बढ़ई, लोहार, कुम्हार आदि व्यवसायी अपने-अपने कार्यों में सदा व्यस्त रहते थे। मोती, सोना, चाँदी के आभूषण बनते थे। ताम्बे एवं काँसे की मूर्तियाँ एवं बर्तन बनते थे। लौह-व्यवसाय बड़ा ही उन्नत था। लौहकार बड़े ही निपुण होते थे। दिल्ली के पास का लौह-स्तम्भ उस समय की उत्कृष्ट लौह-कला का सर्वोत्तम नमूना है। यह सदियों की धूप एवं वर्षा की चपेट को सहते हुए भी जंग से मुक्त है। नाव-जहाज भी बनते थे। हाथी दाँत से अनेक प्रकार की सुन्दर वस्तुएँ बनायी जाती थीं।

व्यापारियों के निगम तथा शिल्पियों की श्रेणियाँ इस युग में भी पूर्ववत कार्य करती रहीं। उनका महत्त्व कम नहीं हुआ था, बल्कि बढ़ गया था। ये संस्थाएँ बैंकों का भी काम करती थीं। लोग उनके पास अपना धन जमा करते थे और नियमित रूप से ब्याज पाते थे। इन संस्थाओं का प्रबन्ध छोटी-छोटी समितियों के हाथ में रहता था, जिनमें चार-पाँच सदस्य और एक सभापति होता था। राज्य उनके कार्यों में हस्तक्षेप नहीं करता था। वे स्वयं अपने नियम तथा उपनियम बनाती थीं। सदस्यों के पारस्परिक झगड़े उन्हीं की कार्यपालिकाएँ तय कर देती थीं। राज्य के न्यायालयों में उन्हें नहीं जाना पड़ता था।

**नगरः** गुप्तकाल में नगर व्यापार-व्यवसाय और संस्कृति के केन्द्र थे। इनमें पाटलिपुत्र, वैशाली, उज्जयिनी, दशपुर, भृगुकच्छ, ताम्रलिप्ति आदि प्रमुख थे। फाहियान ने पाटलिपुत्र के राजप्रासाद का बड़ा रोचक वर्णन किया है। वैशाली तीर भुक्ति (तिरहुत) की राजधानी थी। फाहियान इस नगर में आया था। वह लिखता है कि इसके भीतर एक विहार था जिसे आम्रपाली नामक सुप्रसिद्ध वेश्या ने गौतम बुद्ध के प्रति श्रद्धा के कारण उनके निवास के निमित्त बनवाया था। पश्चिम भारत में उज्जयिनी का नगर सबसे प्रसिद्ध था। मृच्छकटिक के वर्णन से लगता है कि गुप्तकाल में यह नगर अत्यन्त समृद्धशाली था। यहाँ अनेक विहार, देवालय, सरोवर, कूप तथा यज्ञयूप विद्यमान थे जिनके कारण इसकी शोभा अवर्णनीय थी। नगर-वेश्या वसन्तसेना का भव्य प्रासाद बड़ा मनमोहक था। रघुवंश में उज्जयिनी के राजप्रासाद, महाकाल-मन्दिर, शिप्रा नदी एवं उपवनों का बड़ा सुन्दर वर्णन हुआ है। दशपुर भी पश्चिम भारत का एक प्रसिद्ध नगर था। मन्दसोर-लेख में इसका बड़ा मनोरम और सजीव वर्णन है। मेघदूत में भी दशपुर का वर्णन मिलता है। भृगुकच्छ (भड़ौंच) पश्चिम समुद्रतट का सबसे प्रसिद्ध बन्दरगाह था। पेरिप्लस के वर्णन के अनुसार यह नगर भारतीय आयात-निर्यात का सुप्रसिद्ध केन्द्र था। ताम्रलिप्ति पूर्वी समुद्रतट का सबसे बड़ा बन्दरगाह था। पैठन, विदिशा, प्रयाग, बनारस, गया, कौशाम्बी, मथुरा, पेशावर आदि भी इस काल के प्रमुख नगर थे।

**व्यापारः** गुप्त पूर्व काल में व्यापार की काफी उन्नति हुई थी, अतः नगर बढ़े और समृद्ध हुए। गुप्तकाल के आरम्भिक दौर में यह समृद्धि जारी रही। न केवल भारत के भीतर और पश्चिमी एशिया के साथ, बल्कि दक्षिणी-पूर्व एशिया के साथ भी व्यापार होता था। बहुत-से व्यापारी माल लेकर विदेशों में जाने लगे और उसे भारी मुनाफा पर बेचने लगे। व्यापार में वृद्धि के साथ-साथ समुद्री-यात्रा और जहाज-निर्माण के ज्ञान में भी वृद्धि हुई। गंगा के डेल्टा में स्थित ताम्रलिप्ति (तामलुक) बंदरगाह से दक्षिण-पूर्व एशिया के सुवर्णभूमि (बर्मा), यवद्वीप (जावा) और कम्बोज (कंपूचिया) जैसे देशों के साथ सबसे ज्यादा व्यापार होता था। भड़ौंच, सोपारा और कल्याण पश्चिमी तट पर मुख्य बंदरगाह थे और वहाँ से भी दक्षिण-पूर्व को जहाज भेजे जाते थे। व्यापार के साथ-साथ भारतीय धर्म और संस्कृति-बौद्ध धर्म, हिन्दू धर्म, संस्कृत भाषा, कला तथा भारतीय संस्कृति के अन्य रूप दक्षिण-पूर्व एशिया में पहुँचे। दक्षिण-पूर्व एशिया के लोगों ने भारतीय संस्कृति के कुछ पहलुओं को पसंद किया और उन्हें अपना लिया। आज भी भारत और दक्षिण-पूर्व एशिया की संस्कृति के बीच अनेक बातें समान हैं।

मालाबार तट के कालीकट और कोचीन जैसे बंदरगाहों से भारतीय माल अफ्रीका, अरब, ईरान तथा भूमध्यसागरीय देशों को ले जाए जाते थे। व्यापारियों के काफिले और धर्म-प्रचारकों के दल भी स्थल-मार्ग से मध्य एशिया और चीन जाया करते थे।

आन्तरिक व्यापार की वस्तुएँ कपड़े, खाद्य-पदार्थ, मसाले, नमक तथा बहुमूल्य धातुएँ थी। भड़ौंच, उज्जयिनी, पैठन, विदिशा, ताम्रलिप्ति, प्रयाग, बनारस, गया, पाटलिपुत्र, वैशाली, कौशाम्बी, मथुरा, पेशावर आदि नगर एक-दूसरे से जुड़े हुए थे। वे व्यापार के केन्द्र थे। वस्तुएँ सड़कों तथा नदियों दोनों के द्वारा भेजी जाती थीं। सामान बैलगाड़ियों और जानवरों की पीठ पर ढोया जाता था। बड़ी-बड़ी नावों का निर्माण किया जाता था। गुप्तकाल में जलमार्ग का अधिक प्रचलन था। आन्तरिक व्यापार में नदियों का उपयोग किया जाता था, जिनमें छोटी-बड़ी सभी प्रकार की नावें चला करती थीं। सिन्धु, रावी, चेनाब, गंगा, यमुना, सरयू आदि नदियों में नावें चलती थीं। बड़े-बड़े जलपोत सागरों और महासागरों में चलते थे। बालि, सुमात्रा, जावा, सुवर्णभूमि जैसे देशों में भारतीय व्यापारी समुद्री मार्ग से जा सकते थे। ताम्रलिप्ति बंगाल का सबसे बड़ा बन्दरगाह था। यहाँ से चीन, लंका, जावा तथा सुमात्रा से व्यापार होता था। दक्षिण में गोदावरी और कृष्णा नदियों के मुहाने पर बहुत अच्छे-अच्छे बन्दरगाह थे, जिनके द्वारा पूर्वी द्वीपसमूह तथा चीन से व्यापार होता था। कल्याण, चोल, भड़ौंच तथा काम्बे-दक्षिण व गुजरात के प्रसिद्ध बन्दरगाह थे। बहुमूल्य पत्थर, कपड़े, सुगंधित वस्तुएँ, मसाले, नील, औषधियाँ, नारियल, हाथी दाँत आदि वस्तुओं का निर्यात किया जाता था। सोना, चाँदी, तांबा, टिन, शीशा, रेशम, कपूर, मूँगा, खजूर, घोड़े आदि का आयात किया जाता था। भृगुकच्छ (भड़ौंच) बन्दरगाह से निर्यात की जाने वाली भारतीय विलास-सामग्रियों की रोम में बड़ी माँग थी। वहाँ के बाजारों में भारतीय मलमल, जवाहरात, मोती तथा सिल्क भरे रहते थे। प्लिनी ने अत्यंत दुख प्रकट किया है कि उसके देशवासी अपनी विलासिता के कारण देश की अतुल धनराशि भारत भेज देते थे। उसके अनुसार प्रतिवर्ष रोम की लगभग पाँच करोड़ मुद्राएँ भारत आती थीं। परन्तु गुप्तकाल के अन्तिम दौर में उत्तर भारत में व्यापार का पतन हुआ। गंगा के मैदान के नगरों में इस पतन के लक्षण प्रकट होते हैं। इसका एक कारण हूणों का आक्रमण माना जाता है। अन्य कारण में बाढ़ों से और नदी मार्गों में हुए परिवर्तन से गंगा की द्रोणी के वातावरण में आया परिवर्तन।

लेन-देन में प्रायः वस्तु विनिमय-प्रथा प्रचलित थी। प्रतिदिन की वस्तुओं को खरीदने में कौड़ी का प्रयोग किया जाता था। गुप्त सम्राटों ने विभिन्न तरह की स्वर्ण, रजत, ताम्र आदि मुद्रायें प्रचलित कीं। इससे उनके ऐश्वर्य एवं सम्पन्नता का पता चलता है।

# गुप्तोत्तर काल

## सामाजिक जीवन

गुप्तोत्तर काल सामाजिक दृष्टि से परिवर्तन का काल था। इस समय का सबसे महत्वपूर्ण सामाजिक परिवर्तन, जिसने समाज के अन्य सभी पक्षों को भी प्रभावित किया, वह हैः सामंतवाद। भूमिदान के फलस्वरूप एक नयी जाति कायस्थ का उदय हुआ। कृषकों के रूप में शूद्रों का रूपान्तरण और वैश्यों के स्तर में शूद्र स्तर तक गिरावट से वर्ण-व्यवस्था में महत्वपूर्ण परिवर्तन हुए। इस युग की सबसे महत्वपूर्ण विशेषता जातियों का प्रगुणन थी, जिसने चारों वर्णों को प्रभावित किया।

### सामंतवाद

गुप्तोत्तर काल में समाज में एक विशिष्ट वर्ग का उदय हुआ जिसे सामंत कहा जाता है। भारत में सामंतवाद के बीज शक-कुषाण काल में ही दिखाई पड़ने लगते हैं, परन्तु इसका पूर्ण विकास गुप्तोत्तर काल अथवा पूर्व-मध्यकाल में ही हुआ। इस काल की राजनैतिक, आर्थिक तथा सामाजिक परिस्थितियों ने सामंतवाद के उदय और विकास में सहायता प्रदान की।

सामंतवाद के विकास में तत्कालीन शासकों द्वारा प्रदत्त भूमि तथा ग्राम अनुदानों का भी प्रमुख योगदान रहा है। भूमि अनुदान का पहला अभिलेखीय प्रमाण प्रथम शताब्दी ई.पू. में सातवाहन अभिलेख में प्राप्त होता है। भूमि अनुदान की प्रवृत्ति पाँचवीं सदी में बढ़ने लगी। 6ठीं सदी तक आते-आते यह पूर्णता को प्राप्त हो गई। अब भूमि अनुदान प्राप्त व्यक्ति बिना सम्राट की आज्ञा के अन्य व्यक्तियों को भी भूमि दान करने लगा। रामशरण शर्मा का मानना है कि भारत में सामंतवाद का उदय राजाओं द्वारा ब्राह्मणों तथा प्रशासनिक और सैनिक अधिकारियों को भूमि तथा ग्राम दान में दिए जाने के कारण हुआ। पहले ये अनुदान केवल ब्राह्मणों को ही धार्मिक कार्य के लिए दिए जाते थे किन्तु गुप्तोत्तर काल तक आते-आते यह भूमि अनुदान प्रशासनिक तथा सैनिक अधिकारियों को उनकी सेवाओं के बदले में दिया जाने लगा। इस प्रकार इन अनुदानों ने सामंतवाद के उदय में महत्वपूर्ण भूमिका अदा की। तत्कालीन पुस्तकों में भी सामंतों का उल्लेख मिलता है। 12वीं सदी की पुस्तक भट्टभुवनदेव कृत 'अपराजितपृच्छा' में महामण्डलेश्वर, माण्डलिक, महासामंत एवं लघु सामंत सहित सामंतों की 9 श्रेणियों के लिए भिन्न-भिन्न आकार-प्रकार के घरों का उल्लेख मिलता है।

सामंत शब्द का सर्वप्रथम उल्लेख भारतीय परिप्रेक्ष्य में आर.एस. शर्मा महोदय ने अपनी पुस्तक 'भारतीय सामंतवाद' में किया है। डी.डी. कौशाम्बी ने इसकी प्रकृति की चर्चा करते हुए ऊपर से सामंतवाद तथा नीचे से सामंतवाद की अवधारणा प्रस्तुत की है। ऊपर से सामंतवाद से तात्पर्य है कि राजाओं द्वारा भूमि अनुदान के फलस्वरूप उत्पन्न सामंती व्यवस्था जबकि नीचे से सामंतवाद का अर्थ है कि सामंतों द्वारा बिना राजा की अनुमति के अनुदान में दी गई भूमि के फलस्वरूप उत्पन्न उपसामंती व्यवस्था।

## वर्ण–व्यवस्था

गुप्तोत्तर काल में परम्परागत वर्ण-व्यवस्था प्रचलित थी। ह्वेनसांग, अलमसूदी और अलबरूनी के वर्णनों से स्पष्ट है कि समाज में ब्राह्मणों का सर्वश्रेष्ठ स्थान था। जो ब्राह्मण अध्ययन, अध्यापन, यज्ञ आदि में पारंगत होते थे, उन्हें श्रोत्रिय, आचार्य अथवा उपाध्याय कहा जाता था।

बाह्य आक्रमणों से उत्पन्न राजनीतिक उथल-पुथल तथा आर्थिक विषमताओं ने ब्राह्मणों को अन्य व्यवसाय अपनाने पर मजबूर किया। इसका समाधान स्मृतिकारों ने 'आपदधर्म' के रूप में किया है। इसका आशय है कि आपत्ति के समय में अपने धर्म के इतर भी कार्य करना। मेधातिथि के अनुसार यदि विदेशी आक्रमण का खतरा हो, तो ब्राह्मण शस्त्र भी ग्रहण कर सकता है। पाराशर ने ब्राह्मण के लिए कृषि एक सामान्य व्यवसाय बतलाता है।

गुप्तोत्तर युग की एक महत्वपूर्ण घटना राजपूतों का अभ्युदय है। 'राजपूत' शब्द का सर्वप्रथम प्रयोग कर्नल टाड ने अपनी पुस्तक 'एनल्स एण्ड हिस्ट्री ऑफ राजस्थान' (Annals and History of Rajasthan) में किया है। 12वीं शताब्दी तक राजपूतों की 36 जातियाँ प्रसिद्ध हो गई थीं जैसे– चालुक्य, परमार, चौहान, प्रतिहार, गुहिल, चन्देल, कछवाहा, भेद इत्यादि।

'इब्नखुर्दाद्ब' ने क्षत्रियों के दो वर्गों का उल्लेख किया है–सवूकफुरिया तथा कतरिया। 'अल्तेकर' के अनुसार सवूकफुरिया सत् क्षत्रिय थे। इसके अन्तर्गत राजवंश, सामंत वर्ग और योद्धा क्षत्रिय वर्ग को सम्मिलित किया गया है। कतरिया साधारण क्षत्रिय थे जो कृषि, व्यापार इत्यादि व्यवसायों से भी आजीविका चलाते थे। अहार अभिलेख में क्षत्रिय व्यापारी 'साहाक' का उल्लेख है।

तीसरा वर्ग वैश्य का था। पाराशर ने 'कुसीदवृत्ति' (सूद पर रूपया उधार देना) वैश्यों का व्यवसाय बताया है। गुप्तोत्तर काल में व्यापार में गिरावट आई। इससे वैश्यों की सामाजिक स्थिति भी पहले से निम्न हो गई तथा उनका स्थान शूद्रों के समान हो गया। वैश्य वर्ग अधिकांशः वैष्णव तथा जैन धर्म का अनुयायी था।

गुप्तोत्तर कालीन सामाजिक परिवर्तन में सबसे महत्वपूर्ण परिवर्तन था– शूद्रों की सामाजिक स्थिति में सुधार। देवल तथा पाराशर स्मृतियों में शूद्र के लिए सेवा के अतिरिक्त कृषि, पशुपालन, वाणिज्य तथा शिल्प उपयुक्त व्यवसाय बतलाए गए हैं। ह्वेनसांग ने भी शूद्रों को कृषक कहा। 'मेधातिथि' के अनुसार शूद्र के लिए आवश्यक नहीं कि वह द्विजातियों की सेवा से आजीविका चलाए। व्यास स्मृति और पाराशर स्मृति में कुटुम्बी नामक कृषक वर्ग का उल्लेख है जिसे शूद्रों के अन्तर्गत रखा गया है। एक और वर्ग कीनाश का उल्लेख है। प्राचीन ग्रंथों में कीनाश वैश्य है, किन्तु 8वीं शताब्दी के नारद स्मृति के टीकाकार असहाय ने कीनाशों को शूद्र बतलाया है। इन किसानों को दो वर्गों में बाँटा जा सकता हैः

1. स्वतंत्र किसान जो भूमि के स्वामी थे और राज्य को अनेक प्रकार के कर देते थे। कुटुम्बी इसी श्रेणी के थे।
2. वे किसान जो बटाई पर खेती करते थे इन्हें त्र्यथसीरिन या सीरिन कहा गया है।

इतना सब होने के बावजूद शूद्रों की सामाजिक स्थिति बहुत अच्छी नहीं थी। मेधातिथि ने उन्हें चौथे आश्रम के फल अर्थात् मोक्ष के अधिकार से वंचित किया है। 12वीं शताब्दी तक आते-आते शूद्रों को दो वर्गों में विभक्त किया गया– सत् और असत्। सत् शूद्रों को पौराणिक विधि से संस्कार, पंचमहायज्ञ इत्यादि धार्मिक कृत्य करने का अधिकार दे दिया गया। 'मूर्तधर्म' अर्थात् समाज हित के कार्यों जैसे तालाब खुदवाना, वृक्ष लगवाना, दान देना, इत्यादि कृत्यों से वे पुण्य प्राप्त कर सकते थे। वेदाध्ययन तथा वैदिक यज्ञ के सम्बन्ध में शूद्रों पर जो प्रतिबंध पहले से थे, वे अब भी बने रहे किन्तु विष्णु और शिव का नाम स्मरण, तीर्थ यात्रा, दान जैसे कर्म शूद्रों के लिए स्वर्ग की प्राप्ति एवं मोक्ष के दुर्लभ साधन बताए गए हैं। वेदश्रवण के स्थान पर पुराणश्रवण को शूद्रों के ज्ञान का साधन बताया गया।

## कायस्थ

कायस्थों का सर्वप्रथम उल्लेख याज्ञवल्क्य स्मृति में है। गुप्तोत्तर काल में ओशनस स्मृति में ये एक जाति के रूप मैं दिखाई पडते हैं। न्यायाधिकरण में न्याय-निर्णय लिखने का काम 'कराठीक' करते थे। ये लेखक, गणक या दस्तावेज रखने वाले अनेक नामों से पुकारे जाते थे जैसे– कायस्थ, कराठीक, पुस्तपाल, अक्षपटलिक, दीविर, लेखक इत्यादि। किन्तु, कालान्तर में ये सभी कायस्थ वर्ग में समाविष्ट हो गए।

कायस्थों की उत्पत्ति विवादास्पद है, कुछ ने इनकी उत्पत्ति द्विज जाति से बतलायी, किन्तु अनेक ब्राह्मण ग्रंथों में उन्हें शूद्र कहा गया है। क्षेमेन्द्र के अनुसार कायस्थों के उदय से ब्राह्मणों के एकाधिकार को आघात पहुँचा। राम शरण शर्मा के अनुसार इससे ब्राह्मणों का एकाधिकार समाप्त हो गया।

**अन्तर्जातीय विवाहः** गुप्तोत्तर काल में अन्तर्जातीय विवाहों को हतोत्साहित करने के लिए ओशनस तथा व्यास स्मृतियों में बताया गया है कि अनुलोम अन्तर्जातीय विवाह से उत्पन्न सन्तान की जाति माता पर आधारित होगी, पिता पर नहीं। अलबरूनी ने भी लिखा है कि बच्चे की जाति माता की होती है, पिता की नहीं।

## अस्पृश्यता

गुप्तोत्तर काल में अस्पृश्य जातियों की संख्या में वृद्धि हुई। इस काल में चाण्डालों के अतिरिक्त 7 अन्य जातियों को भी अस्पृश्य माना गया है–

रजक (धोबी), चर्मकार (चमार), नट, वरूण (चटाई, टोकरी आदि बनाने वाले), कैवर्त्त (मछुआरे), धीवर, भेद (आदिवासी), तथा भिल्ल। वृहधर्म और स्कन्दपुराण में अठारह अन्त्यज जातियों का उल्लेख है। अत्रि के अनुसार यदि चर्मकार, नट, व्याध इत्यादि जातियाँ द्विज के किसी अंग को स्पर्श करें तो वह अंग धो डालना चाहिए। ब्रह्मपुराण के अनुसार बौद्ध, जैन, लोकायत और कापालिकों को स्पर्श करने से व्यक्ति को सवस्त्र स्नान करके शुद्ध होना पड़ता था।

### स्त्रियों की स्थिति

गुप्तोत्तर काल में स्त्रियों की स्थिति में पहले की तुलना में गिरावट आ गई। इस काल में लड़की का आदर्श विवाह आठ वर्ष का माना जाता था। आठ वर्ष की लड़की को गौरी तथा दस वर्ष की लड़की को कन्या कहा जाता था। नारद स्मृति के टीकाकार असहाय ने लिखा है कि स्त्रियों की अभिभावकता इसलिए आवश्यक है कि शास्त्राध्ययन के अभाव में उनकी बुद्धि विकसित नहीं होती।

यद्यपि गुप्तकाल से सती प्रथा का अभिलेखीय साक्ष्य मिलने लगता है, किन्तु नवीं शताब्दी से सती-प्रथा अत्यधिक प्रचलित हो गई। अंगिरा, हारीत आदि गुप्तोत्तर कालीन स्मृतियों तथा अपरार्क, विज्ञानेश्वर आदि निबन्धकारों ने सती प्रथा की प्रशंसा की है। इसके विपरीत 'मेधातिथि' ने इस प्रथा का प्रबल विरोध किया तथा इसे आत्महत्या एवं स्त्रियों के लिए पूर्णतः निषिद्ध बताया।

### दास प्रथा

गुप्तोत्तर काल में दास प्रथा में वृद्धि हुई। इस काल में राजा, सामंत और गृहस्थों के अतिरिक्त बौद्ध मठों, वैष्णव, शैव और शाक्त मन्दिरों में भी दास रहते थे। गुप्त युग में नारद द्वारा कथित 15 प्रकार के दासों का उल्लेख विज्ञानेश्वर ने अपनी पुस्तक 'मिताक्षरा' में भी किया है। जैन ग्रंथ 'समराइच्छकहा' तथा 'प्रबन्धचिन्तामणि' में दास व्यापार की अनेक कथाएं हैं, जिनसे पता चलता है कि दास व्यापार नियमित रूप से चल रहा था। इनसे पता चलता है कि दासों का निर्यात भी होता था। वीरधवल के मंत्री तेजपाल ने नाविकों द्वारा मनुष्यों के अपहरण पर रोक लगा दी थी। लेख पद्धति के अनुसार वस्तुओं के विनिमय, दासों का निर्यात समुद्री मार्ग से पश्चिमी देशों को होता था। लेख पद्धति से ही राजस्थान और गुजरात में प्रचलित दास प्रथा की जानकारी प्राप्त होती है।

धर्मशास्त्रों के अनुसार ऊँचे वर्ण के लोग नीचे वर्ण के लोगों द्वारा दास नहीं बनाए जा सकते थे किन्तु यहाँ इस नियम का व्यतिक्रम है। 'त्रिषष्टिशलाका-चरित' में कहा गया है कि सामान्यतः दासों को खच्चर की तरह पीटना चाहिए। लेखपद्धति से पता चलता है कि दासियों को खरीदते समय उनसे यह स्वीकारोक्ति ली जाती थी कि भागने, चोरी करने, मालिक की निन्दा करने पर स्वामी को उसे पीटने तथा बाँधने का पूरा अधिकार था। इन लेखों में दास-दासियों को मुक्त करने का कोई उल्लेख नहीं है। लेखपद्धति में कहा गया है कि दासी के भाई और पिता धन देकर उसे वापस नहीं ले सकते।

## आर्थिक जीवन

गुप्तोत्तर काल में भी कृषि ही भारतीय अर्थव्यवस्था का मुख्य आधार थी। नीति वाक्यामृत में अनेक प्रकार के संग्रहों में 'धान्य संग्रह' सर्वश्रेष्ठ माना गया है। इस काल में उत्पादकता के हिसाब से भूमि का वर्गीकरण किया जाता था, जैसे– बोई गई भूमि को 'वाहीत', खेती न की गई भूमि को 'अकृष्ट', बीज न उगने वाली भूमि को 'ऊसर' कहा गया है।

गुप्तोत्तर काल में सिंचाई के साधनों में वृद्धि हुई। तालाब खुदवाना पुण्य कार्य समझा जाता था। आदित्यसेन की स्त्री कोण्देवी ने सिंचाई के लिए तालाब खुदवाया था। राजतरंगिणी में खूया नामक कर्मचारी (इंजीनियर) का उल्लेख है जिसने झेलम नदी के तट पर बाँध बनवाया और नहर निकलवाई। चन्देल राजाओं ने कई जलाशय बनवाये जिसमें राहिल्यसागर और कीरतसागर प्रसिद्ध हैं। परमार शासक भोज ने भोज सागर का निर्माण करवाया। अग्निपुराण के अनुसार कृषि की वृद्धि के लिए सिंचाई के साधन जुटाना राज्य का प्रमुख कर्तव्य है। सिंचाई में अरघट्ट (रहट) का प्रयोग होता था। 'अरघट्ट' खींचने वालों को अरघट्टीयनर कहा जाता था।

### व्यापार

सामंतवादी व्यवस्था के उद्‌भव एवं गाँवों के आत्मनिर्भर होने के कारण गुप्तोत्तर काल में व्यापार में ह्रास हुआ। दैनिक उपभोग की वस्तुएं जैसे नमक, मसाले, धान, लोहा, कपड़े आदि एक स्थान से दूसरे स्थान पर ले जाई जाती थी। बंगाल मलमल, पान, सुपारी तथा सन के लिए विख्यात था। कलिंग में धान की कुछ अच्छी किस्में होती थी। मालवा गन्ने और नील के लिए प्रसिद्ध था। द्वारिका शंख तथा सीपी के लिए और गुजरात सूती कपड़े, नील तथा चमड़े की बनी हुई वस्तुओं के लिए प्रसिद्ध था। दक्षिण से मोती, मूल्यवान पत्थर, चन्दन, मसाले इत्यादि आते थे। पूर्वी तट पर ताम्रलिप्ति, सप्तग्राम, पुरी, कलिंग, शिकाकोस और पश्चिमी तट पर देवल, थाना, खम्भात, भड़ौच तथा सोमनाथ प्रसिद्ध बन्दगाह थे।

गुप्तोत्तर काल की आयातित वस्तुओं में सोना, ताँबा, टिन, मसाले, मूँगा तथा घोड़े प्रसिद्ध थे। कुवलयमाला से पता चलता है कि उत्तरापथ से घोड़े खरीदे जाते थे। इसी पुस्तक में उत्तर और दक्षिण भारत के व्यापारियों के आपस में एक स्थान पर मिलने का उल्लेख है। पेहोवा अभिलेख में देश के विभिन्न भागों से आने वाले घोड़ों के क्रय-विक्रय करने वालों की गोष्ठी का उल्लेख है। अहार (उदयपुर, राजस्थान) के दसवीं शताब्दी के अभिलेखों में कर्नाटक, मध्यदेश, गुजरात, पंजाब (ठक्क) के व्यापारियों के सम्मेलन का उल्लेख है।

गुप्तोत्तर काल में अनेक मार्गों का भी उल्लेख है। अलबरूनी ने 15 मार्गों का उल्लेख किया है जो कि कन्नौज, मथुरा, वाड़ी, बयाना, धार तथा अनहिलपाटन (गुजरात) से देश के विभिन्न मार्गों को जाते थे। इनमें से मुख्य मार्ग थे– कन्नौज से प्रयाग होते हुए ताम्रलिप्ति, फिर वहाँ से दक्षिण की ओर कलिंग होते हुए काँची तक। दूसरा मार्ग कन्नौज से एक पानीपत, कटक एवं काबुल होते हुए गजनी तक जाता था। कन्नौज से एक मार्ग

कामरूप, नेपाल तथा तिब्बत जाता था। यहीं से एक मार्ग राजौरी होते हुए बयाना जाता था। बयाना से एक मार्ग जैसलमेर होते हुए कराची तक जाता था।

गुप्तोत्तर काल में 8वीं शताब्दी से भारत का व्यापार उत्तर-पश्चिमी दर्रों से होकर मध्य एशिया तथा चीन के साथ क्रमशः कम हो रहा था। मध्य एशिया के राज्यों पर चीन के नियंत्रण के अभाव में व्यापारियों ने अन्य मार्गों को अपनाया। असम, वर्मा, सिक्किम और चुंबी घाटी से होकर दक्षिणी चीन तक अनेक मार्ग थे। एक मार्ग पुण्ड्रवर्धन से कामरूप और दक्षिणी चीन जाता था। कामरूप और तिब्बत के बीच 35 घाटियों से होकर व्यापार होता था। भारत, तिब्बत, आसाम और चीन के बीच स्थल मार्ग से व्यापार होता था।

समुद्री व्यापार में अरब व्यापारियों का बोलबाला अधिक था। ग्यारहवीं शताब्दी में कुतुबनुमा के आविष्कार के कारण समुद्री यात्रा में बहुत सुविधा हुई। गुप्तोत्तरकाल के प्रथम चरण में पश्चिमी एशिया के साथ भारत का व्यापार अपेक्षाकृत कम हो गया था किन्तु, 10वीं शताब्दी के बाद पश्चिमी देशों से व्यापार में वृद्धि हुई। भारत के व्यापारी बसरा, सिराज और अदन तक जाते थे। फारस की खाड़ी पर स्थित किश तथा हरमुज में भारतीय व्यापारियों के कारिन्दे रहते थे। यहाँ से फारस के साथ नियमित व्यापार होता था। पश्चिमी तट के मुख्य बन्दरगाह देवल, थाना, खम्भात, भड़ौच, सोमनाथ आदि थे।

भारत के पूर्वी तथा दक्षिण मालाबार और कोरोमण्डल तट पर स्थित बन्दरगाहों से चीन, दक्षिण-पूर्व एशिया आदि से व्यापार होता था। बंगाल में ताम्रलिप्ति सबसे बड़ा बन्दरगाह था। बाद में ताम्रलिप्ति का स्थान सप्तग्राम ने ले लिया था। गुजरात के बन्दरगाह से मलय, एशिया और पूर्वी देशों के साथ व्यापार होता था। दक्षिण-पूर्व एशिया से आयातित वस्तुओं में लवंग, अगरू, सुपारी, तमाल, मदार, नीला थोथा आदि थे।

चीन के साथ भारत का व्यापार, अरबों और हिन्द एशिया के व्यापारियों की प्रतिद्वन्द्विता के कारण कम हो रहा था। 10वीं शताब्दी में शुंग कालीन ऐतिहासिक लेख संग्रहों तथा 'लियांग-शू' से ज्ञात होता है कि उत्तरी भारत, चीन के साथ व्यापार करने वाले देशों में सम्मिलित नहीं था, किन्तु चोल सम्राट राजेन्द्र चोल की दक्षिण-पूर्व एशिया की विजय के फलस्वरूप चीन के साथ व्यापार मार्ग खुल गया। चीन से बढ़ती हुई मात्रा में सोने और चाँदी के निर्यात को रोकने के लिए 1296 ई. में चीन राज्य को नियम बनाने पड़े। चीन से आयातित वस्तुओं में गैंडे की सींग, हाथी, चीते की खाल, मलमल, सन तथा चामर प्रमुख थे। बदले में रेशमी वस्त्र (चीनांशुक) तथा प्रचुर मात्रा में सोना और चाँदी भारत आता था। अरब लेखकों के अनुसार बंगाल से निर्यातित गैंडे की सींगों से बहुमूल्य कमरबन्द या करधनी बनायी जाती थी जो 200 से 400 दीनार में बिकती थी। इस व्यापार में सर्वाधिक लाभ दक्षिण, गुजरात और बंगाल को होता था।

## उद्योग

गुप्तोत्तर कालीन स्मृतियों में शिल्प और उद्योग शूद्र के लिए आवश्यक व्यवसाय माने गए हैं। वृहस्पति, वृद्ध, हारीत, देवल स्मृतियों में सूत बुनने तथा वस्त्र निर्माण से लेकर धातु, हाथी दाँत, लकड़ी तथा चमड़े आदि शिल्पों का उल्लेख है।

गुप्तोत्तर काल में वस्त्र उद्योग अत्यन्त उन्नत अवस्था में था। ह्वेनसांग ने अनेक प्रकार के रेशमी तथा सूती वस्त्रों का उल्लेख किया है जैसे—कौशेय तथा क्षौम। क्षौम सन के रेशों से बना हुआ कपड़ा होता था। पौधों के रेशों से बना हुआ कपड़ा दुकूल कहलाता था। बाण ने हर्षचरित में रेशम के बने हुए अनेक वस्त्रों जैसे लालांतुज, अंशुक तथा चीनांशुक का उल्लेख किया है। अलइद्रिसी ने मुल्तान को वस्त्र उद्योग का केन्द्र बताया है। इसके अतिरिक्त काशी, वत्स, मगध, बंगाल, कामरूप, कलिंग गुजरात, अपरान्तक, मदुरा पहले से ही वस्त्र उद्योग के केन्द्र थे। 'मानसोल्लास' के अनुसार 12वीं सदी में मूलस्थान (मुल्तान), अन्हिलवाड़ (गुजरात), कलिंग वस्त्र उद्योग के केन्द्र थे। भड़ौच के बने हुए वस्त्र इतने प्रसिद्ध थे कि वे 'वरोज' नाम से विख्यात थे। खम्भात में बने हुए वस्त्र 'खम्भायात' के नाम से जाने जाते थे। मध्य देश चुनरी के लिए प्रसिद्ध था। कश्मीर में वस्त्र उद्योग विशेषकर सफेद लिनन का उल्लेख ह्वेनसांग ने किया है।

मुस्लिम लेखकों के अनुसार गुप्तोत्तर काल में ताँबे, काँसे और पीतल के उद्योगों के लिए ताँबा, थाना तथा देवल में फारस से आता था, परन्तु खेतड़ी, छोटानागपुर तथा ढाका में ताँबें की खानें थीं। हर्षचरित में हाथीदाँत की बनी हुई 'शालभंजिकाओं' का उल्लेख है। केशवसेन के भटेरा अभिलेख में हाथीदाँत का काम करने वालों का उल्लेख है। हाथीदाँत का आयात जंजीबार से होता था। बंगाल से भी हाथीदाँत प्राप्त होता था। चीनी स्रोतों से पता चलता है कि बंगाल से चीन जाने वाली वस्तुओं में हाथीदाँत भी था।

## श्रेणी–संगठन

गुप्तोत्तर काल में शिल्प और उद्योग श्रेणियों में संगठित थे। गहड़वाल अभिलेखों में पान उगाने वाले गाँवों का उल्लेख है। इस काल के अभिलेखों में श्रेणियों के मुखिया को महन्तक या माहर कहा गया है। प्रतिहारों के ग्वालियर अभिलेख में तेलियों तथा मालियों के मुखिया को श्रेष्ठी कहते थे। इनकी कार्य समिति को 'कार्यचिन्तक' कहा गया है। सियादोनी अभिलेख से पता चलता है कि नमक का व्यापार करने वाले वणिकों ने कुम्हार, तेलिक और ताम्बूल श्रेणियों के पास निश्चित पूँजी जमा की। इस पूँजी के सूद के बदले में वे विष्णु के मन्दिर के लिए आवश्यक वस्तुएं पहुँचाने की व्यवस्था करते थे।

## मुद्रा

गुप्तोत्तर काल में व्यापार की गिरावट का प्रभाव मुद्राओं पर भी पड़ा। जहाँ कुषाण और गुप्त काल में सिक्के 7.78 से लेकर 9.33 ग्राम तक के हैं, वहीं इस काल के सिक्के 4.2 ग्राम से अधिक नहीं हैं। इस काल के सिक्के बहुत कम प्राप्त हुए हैं। पाल और सेन राजाओं में केवल देवपाल के 6 सोने के सिक्के मिले हैं, और गुजरात के चालुक्यों में केवल जयसिंह-सिद्धराज का 1 सोने का सिक्का मिला है।

साधारण लेन-देन और व्यापार कौड़ियों के माध्यम से होता था जिन्हें प्रतिहार अभिलेखों में कपर्दक कहा गया है। साधारण व्यापार में कौड़ियों का ही प्रचलन था।

## बहुविकल्पीय प्रश्नोत्तर

**1.** जब एक क्षत्रिय राजा ययाति ने एक पुजारी की पुत्री देवयानी से विवाह किया तो यह हुआः
A. प्रतिलोम विवाह B. अनुलोम विवाह
C. सवर्ण विवाह D. नियोग विवाह

**2.** ऋग्वेद हिमवंत अथवा हिमालय पर्वत की एक शिखर मुजवंत का उल्लेख करता है जो स्रोत थाः
A. सोम पेय का B. सुरा पेय का
C. कपूर का D. मधु का

**3.** ऋग्वैदिक शब्द "कुल्य" का अर्थ थाः
A. दाँवने की मशीन
B. विशेष प्रकार का एक पोशाक
C. लोहे की एक तलवार
D. सिंचाई के लिए एक नहर

**4.** ऋग्वेद के "हिरण्यपिंड" और "मानस" थेः
A. मृतात्माओं को दिए गए उपहार।
B. निश्चित मूल्य वाले स्वर्ण टुकड़े या आभूषण।
C. याज्ञिक समारोहों के प्रभारी अधिकारी।
D. पापों के शमन के लिए धार्मिक नैवेद्य।

**5.** ऋग्वेद का पुरुषसूक्त चतुर्वर्ण व्यवस्था की उत्पत्ति का पहली बार उल्लेख करता है किन्तु एक अन्य वैदिक पुस्तक भी उसी कहानी को दुहराती है। उस पुस्तक का नाम हैः
A. अथर्ववेद B. सतपथ ब्राह्मण
C. वृहदारण्यक उपनिषद् D. छांदोग्य उपनिषद्

**6.** उत्तर वैदिक काल के ब्रह्मोदय क्या थे?
A. अपने हितों की रक्षा के लिए ब्राह्मणों के आन्दोलन।
B. विभिन्न पुरोहित वर्गों के बीच वैवाहिक गठबन्धन।
C. आध्यात्मिक शक्तियाँ प्राप्त करने के लिए की गयी तपस्याएँ।
D. राजा जनक जैसे शासकों द्वारा आयोजित वाद-विवाद।

**7.** सूची-I को सूची-II से सुमेलित कीजिए।

| सूची -I | सूची - II |
|---|---|
| (a) मूजवंत | 1. ताँबे एवं कांसे के लिए |
| (b) गोहन | 2. न मारने योग्य |
| (c) अघन्या | 3. अतिथि को भोजन में गाय का माँस खिलाना |
| (d) अयस | 4. हिमालय की चोटी |

| | (a) | (b) | (c) | (d) |
|---|---|---|---|---|
| A. | 4 | 3 | 1 | 2 |
| B. | 1 | 2 | 3 | 4 |
| C. | 3 | 4 | 2 | 1 |
| D. | 4 | 3 | 2 | 1 |

**8.** ऋग्वैदिक काल में समाज का स्वरूप किस प्रकार का था?
A. पितृसत्तात्मक B. मातृसत्तात्मक
C. (A) एवं (B) दोनों D. इनमें से कोई नहीं

**9.** उत्तर वैदिक कालीन ग्रंथों में किस आश्रम का उल्लेख नहीं मिलता है?
A. संन्यास B. ब्रह्मचर्य
C. गृहस्थ D. वानप्रस्थ

**10.** "गोत्र" व्यवस्था प्रचलन में कब आयी?
A. ऋग्वैदिक काल में B. उत्तर वैदिक काल में
C. सैंधव काल में D. सूत्रकाल में

**11.** संगम निम्नांकित में से किससे संबंधित है?
A. व्यापारियों से B. कलाकारों से
C. विद्वानों से D. प्रशासकों से

**12.** संगमयुगीन अन्त्येष्टि संबंधी कथन में कौन-सा असत्य है?
A. ताबूत में दफन करना
B. दाह संस्कार
C. सीधा दफन करना
D. पक्षियों एवं जानवरों के लिए खुला छोड़ देना।

**13.** किस संगमयुगीन शासक ने दक्षिण में गन्ने की खेती प्रारंभ करवायी थी?
A. शेनगुट्टुवन B. आदि गइमान
C. पेरूनजेरल इरंपोरई D. इनमें से कोई नहीं

**14.** निम्नलिखित में से कौन संगम युग का एक सुपरिचित कृषि उत्पाद प्रचलित नहीं था?
A. गन्ना B. चावल
C. हल्दी D. गेहूँ

**15.** संगम-युगीन नरेशों पर निम्नलिखित में से कौन-सा परंपरागत नियंत्रण स्थापित नहीं था?
A. रीति-रिवाज B. पुरोहितों के आदेश
C. बुद्धिमानों के नीतिवचन D. मंत्रियों द्वारा प्रायः मध्यस्थता

**16.** निम्नलिखित में से किस भारतीय पशु-पक्षी का व्यापक रूप से रोम में निर्यात किया जाता था?
A. व्याघ्र B. हिरण
C. बन्दर D. मयूर

**17.** भारतीय रोमन व्यापार का प्रमुख केन्द्र कौन था?
A. मुजिरिस B. एलेक्जेंड्रिया
C. अरिकमेडु D. मदुराई

**18.** निम्नलिखित में से कौन-सा स्थान एक कृत्रिम बन्दरगाह होने के साथ-साथ एक महत्त्वपूर्ण सीमा शुल्क केन्द्र भी था?

A. तोण्डी  B. मुजिरिस
C. पुहार  D. उरैयूर

**19.** निम्नांकित कौन-सी अन्त्येष्टि संस्कार प्रथा संगम युग में प्रचलित नहीं थी:

A. सामान्य शवाधान  B. दाह संस्कार
C. अस्थि कलश का शवाधान  D. मृतक की जल समाधि।

**20.** सर्वाधिक समृद्ध और शक्तिशाली भूस्वामी वर्ग के लोग किस समूह से संबंधित थे?

A. ब्राह्मण  B. नायक
C. उलावर  D. वेल्लाल

**21.** मौर्य राज्य का **"अक्षपटलाध्यक्ष"** था:

A. खदानों का अधीक्षक
B. राजपरिवारों से संबंधित मामलों का निरीक्षक
C. महालेखापाल
D. शाही अंगरक्षकों का प्रधान

**22.** मौर्य काल में विभिन्न वस्तुओं के बाजारों को क्या कहा जाता था?

A. खार्वटिक  B. वहिकपथ
C. प्रदेश  D. पण्यपट्टन

**23.** मेगास्थनीय द्वारा उल्लिखित प्रथम वर्ग (दार्शनिक) किसका प्रतिनिधित्व करते हुए प्रतीत होते हैं?

A. ब्राह्मण  B. क्षत्रिय
C. वैश्य  D. इनमें से कोई नहीं

**24.** मौर्य काल में ब्राह्मणों का सर्वाधिक महत्त्वपूर्ण विशेषाधिकार था:

A. प्राणदण्ड से विमुक्ति
B. कराधान से विमुक्ति
C. राज्य के सभी विनियमों से विमुक्ति
D. भूस्वामित्व की अनुमति

**25.** मौर्यकाल में "विष्टि" शब्द किसका घोतक था?

A. प्रान्त  B. जिला
C. बलात् श्रम  D. ऋतुकालिक स्थितियाँ

**26.** मौर्य काल में किस वस्तु/वस्तुओं पर राज्य का एकाधिकार नहीं था?

A. खानें और वन  B. सीप से मोती निकालने
C. तरणी एवं सेतु  D. पशुवध गृहों एवं द्यूत गृहों

**27.** मौर्य कालीन प्रधान सिक्का जिसे **"रूप्य रूप"** भी कहते हैं, था:

A. ताम्ररूप  B. त्रपु
C. पण  D. सुवर्ण

**28.** किस साहित्यिक कृति में मगध के 12 वर्ष लम्बे अकाल का जिक्र है?

A. वंशथपकाशिनी  B. परिशिष्ट पर्वन
C. दिव्यावदान  D. कल्पसूत्र

**29.** मौर्य काल में "एग्रनोमोई" किसे कहा जाता था?

A. भवन निर्माण अधिकारी  B. सड़क निर्माण अधिकारी
C. कृषि विभाग का अधिकारी  D. माप-तौल का अधिकारी

**30.** गुप्त काल को प्राचीन भारत का "क्लासिकल युग" क्यों कहा जाता है?

A. व्यापार में अभूतपूर्व प्रगति के कारण।
B. प्रचुर मात्रा में स्वर्ण-सिक्के चलाये जाने के कारण।
C. कला एवं साहित्य के चरमोत्कर्ष पर पहुँचने के कारण।
D. उपर्युक्त सभी के कारण।

**31.** भारत से रोमन साम्राज्य को निर्यात की जाने वाली मुख्य वस्तुएँ क्या थीं?

A. कृषि से संबंधित उत्पाद  B. उद्योगों के लिए कच्चा माल
C. विलासिता पूर्ण वस्तुएँ  D. पूँजीगत माल

**32.** "दुकूल" नाम से प्रसिद्ध उत्तम कोटि के वस्त्र किससे बनाए जाते थे?

A. रेशम  B. कपास
C. कृत्रिम रेशम  D. किसी पौधे के रेशे से

**33.** गुप्त काल में "पूग" शब्द का तात्पर्य क्या था?

A. हस्तशिल्पियों की श्रेणी
B. एक ही नगर के निवासियों का समूह
C. व्यापारियों का समूह
D. श्रेणियों का संघ

**34.** निम्नांकित में से कौन बैंकरों या साहूकारों के रूप में कार्य करते थे?

A. नागरक  B. श्रेष्ठिन
C. नगर-श्रेष्ठिन  D. सार्थवाह

**35.** गुप्त काल में निम्नलिखित में से किस महत्वपूर्ण व्यापारिक माल का निर्यात नहीं किया जाता था?

A. मोती एवं बहुमूल्य रत्न
B. चावल
C. चन्दन की लकड़ी और नील
D. काली मिर्च, मसाले और जड़ी-बूटियाँ

**36.** निम्नलिखित किस बन्दरगाह पर एक विस्तृत रोमन बस्ती एवं रोमन व्यापारिक केन्द्र के अवशेष प्राप्त हुए हैं?

A. अरिकमेडु  B. ताम्रलिप्ति
C. कावेरीपत्तनम्  D. मुजिरिस

**37.** निम्नलिखित किस वर्ग के हस्तशिल्पियों की स्थिति निम्न मानी जाती थी?

A. जो दैनिक मजदूरी पर अछूतों को नियुक्त करते थे।

B. जो कच्चे माल के रूप में क्षयशील पदार्थों का उपयोग करते थे।
C. जो निर्धन लोगों के उपयोग के लिए वस्तुओं का उत्पादन करते थे।
D. जिनका हस्तशिल्प हिंसा पर आधारित था।

**38.** निम्नलिखित में से कौन-सी हस्तशिल्प श्रेणी महत्वपूर्ण नहीं थी?
A. कुम्भकार B. धातुकर्मी
C. प्रस्तर शिल्पकार D. काष्ठकर्मी

**39.** गुप्तकाल में हाथी-दाँत कहाँ से आयात किए जाते थे?
A. चीन B. अरब देश
C. दक्षिण-पूर्वी एशिया D. इथोपिया

**40.** गुप्त काल में आन्तरिक व्यापार के विकास का मुख्य कारण क्या था?
A. गुप्तकाल में शान्ति एवं व्यवस्था
B. लोगों की सुसम्पन्नता
C. श्रेणियों का उत्तम संगठन
D. उत्पादन के तरीकों में प्रगति

**41.** गुप्त एवं गुप्तोत्तर काल की महत्वपूर्ण आर्थिक घटना थीः
A. भू-व्यवस्था के सामंतीकरण की प्रक्रिया
B. विदेशी व्यापार एवं मुद्रा अर्थव्यवस्था
C. कृषि का वाणिज्यीकरण
D. उपरोक्त सभी

**42.** गुप्तोत्तर काल में धर्मनिरपेक्ष भूमि अनुदान प्रदान किया जाता थाः
A. अधिकारियों को नकद वेतन के बदले
B. उत्सवों के अवसर पर उपहार के रूप में
C. सैनिकों एवं अन्य लोगों को पारितोषिक के रूप में
D. उपरोक्त सभी

**43.** प्रकट में भूमिदान अथवा जागीर धार्मिक आधार पर ही दी जाती थी, पर इसमें अन्तर्निहित उद्देश्य कुछ और ही थाः
A. ब्राह्मणों को खुश कर ईश्वर की कृपा प्राप्त करना।
B. ब्राह्मणों को अपने अनुकूल करना।
C. राजकोष पर व्यय भार कम करना।
D. दान पाने वाले को कृषि द्वारा उपज अधिक बढ़ाने हेतु प्रेरित करना।

**44.** गुप्तोत्तर काल में दैवदेय भूमि अनुदान में दी जाती थीः
A. ब्राह्मणों को
B. सरकारी कर्मचारियों को
C. मंदिरों एवं बौद्ध मठों को
D. राजपरिवार के लोगों को

**45.** निम्नलिखित किस ग्रंथ में भूमि अनुदान का अधिकार केवल राजा को दिया गया है?
A. मनुस्मृति B. मिताक्षरा
C. दायभाग D. उपर्युक्त सभी

**46.** जिस भूमि अनुदान के अन्तर्गत ब्राह्मणों को सम्पूर्ण ग्राम अनुदान के रूप में दिया जाता था, उसे क्या कहते थे?
A. अग्रहार B. ब्रह्मग्राम
C. ब्रह्मदेय D. उपरोक्त सभी

**47.** गुप्तोत्तर काल में किसका उत्पादन सर्वाधिक होता था?
A. गेहूँ B. चावल
C. ईख D. दालें

**48.** गुप्तोत्तर काल में राज्य की ओर से कर की वसूली कौन करता था?
A. गौल्मिक B. शौल्किक
C. पंचकुल समिति D. पुस्तपाल

**49.** गुप्तोत्तर काल में वैश्यों द्वारा कृषि कार्य क्यों स्वीकारा गया?
A. अर्थव्यवस्था के स्थानीयकरण के कारण
B. मुद्रा अर्थव्यवस्था के पतन के कारण
C. व्यापार एवं वाणिज्य के पतन के कारण
D. उपरोक्त सभी

**50.** गुप्तोत्तर काल में खालिक चक्र किसे कहा गया?
A. सिंचाई यंत्र को
B. तेल पेरने वाले कोल्हू को
C. भूमि मापने की इकाई को
D. इनमें से कोई नहीं

**51.** कृषि उपज में राजा सामान्यतः कितना हिस्सा भूराजस्व के रूप में वसूल करता था?
A. छठे से दसवें भाग के बीच
B. आठवें से दसवें भाग के बीच
C. एक तिहाई से चौथाई के बीच
D. इनमें से कोई नहीं

**52.** निम्नलिखित युग्मों में कौन-सा असत्य है?
A. भाग – कृषि उत्पादन में राजा का हिस्सा।
B. कर – अतिरिक्त कर।
C. हिरण्य – नकद भूमिकर।
D. भोग – राजा को यह कर सब्जी, लकड़ी और पुष्प आदि के रूप में दिया जाता था।

**53.** गुप्तोत्तर काल में कृषि अर्थव्यवस्था पर दबाव बढ़ा, क्योंकिः
A. कृषि अधिशेष का अधिकतर हिस्सा भूमिकर एवं अन्य करों को अदा करने में समाप्त हो जाता था।
B. व्यापार एवं वाणिज्य के विनाश के कारण नगरों में रहने वाले शिल्पी एवं दस्तकार गाँवों की ओर पलायन कर गए।
C. राज्य एवं भूमि मध्यस्थों का भार कृषक वर्गों पर आ गया।
D. उपरोक्त सभी

**54.** "विष्टि" शब्द का अर्थ है:
A. भूमिहीन श्रमिक।
B. मुफ्त श्रम के रूप में कर का आंशिक भुगतान।
C. बंधुआ मजदूरी।
D. उपरोक्त (B) एवं (C) दोनों।

**55.** *मल्लकर* एवं *तुरुष्कदण्ड* क्या थे?
A. भारत में अनधिकृत रूप से रहने वाले विदेशियों पर आरोपित कर।
B. लूटमार करने वाली जनजातियों से सुरक्षा के लिए केन्द्रीय शासन द्वारा आरोपित पथकर।
C. कर अपवंचन करने वाले करदाताओं पर आरोपित अर्थदण्ड।
D. आक्रमणकारी तुर्कों के विरूद्ध युद्ध की तैयारियों के लिए वसूल किया जाने वाला सामूहिक कर।

**56.** चोलकालीन ग्राम सभाओं द्वारा निम्नलिखित कौन-सा कार्य नहीं किया जाता था?
A. कर लगाना
B. भू-राजस्व की वसूली
C. भूमि सर्वेक्षण
D. मंदिरों का निर्माण एवं उनका जीर्णोद्धार

**57.** चोल काल में करों की वसूली की जाती थी:
A. सरलता से  B. मानवीय आधार पर
C. कठोरता से  D. उपरोक्त सभी

**58.** चोल काल में "वरित्पोत्तगक्क" था:
A. राजस्व विभाग का प्रमुख अधिकारी
B. भू-राजस्व विभाग
C. प्रमुख सैन्य अधिकारी
D. सिंचाई कर

**59.** निम्नलिखित देशों में किससे चोलों के व्यापारिक संबंध नहीं थे?
A. रोम  B. चीन
C. श्रीलंका  D. अरब

**60.** चोल कालीन महत्वपूर्ण निर्यातक वस्तुओं में कौन असत्य है?
A. खाद्यान्न  B. घोड़ा
C. चन्दन की लकड़ी  D. सुगंधित वस्तुएँ

**61.** चोल काल में ग्रामीण क्षेत्रों में विनियम की महत्वपूर्ण इकाई के रूप में प्रयोग किया जाता था:
A. गाय का  B. धान का
C. स्वर्ण मुद्राओं का  D. ताम्र मुद्राओं का

**62.** चोल काल में कर-मुक्त भूमि की श्रेणियों में निम्नलिखित कौन-सी श्रेणी शामिल नहीं थी?
A. आवासीय भूखण्ड  B. दान में प्रदत्त भूमि
C. मंदिर तथा श्मशान भूमि  D. तड़ाग और सिंचाई नहरें

**63.** पूर्व मध्य काल में किस वर्ग/जाति का उल्लेख सर्वप्रथम हुआ?
A. कायस्थ  B. राजपूत
C. मागध  D. मोदक

**64.** पूर्व मध्यकाल में सर्वाधिक महत्वपूर्ण वर्ण संकर जाति कौन थी?
A. वैध  B. कायस्थ
C. गुर्जर  D. उपर्युक्त कोई नहीं

**65.** पूर्व मध्यकाल में 'कृषक शूद्रों' के लिए किस विद्वान ने 'कुतुम्बिन' शब्द का प्रयोग किया?
A. अलबरुनी  B. जीमूतवाहन
C. हेमचन्द्र  D. विज्ञानेश्वर

**66.** खुदाई में पाए गए बच्चों के खिलौने और खेलने की वस्तुओं में निम्नलिखित में से कौन-से खिलौने नहीं पाए गए हैं?
A. गाड़ियाँ और रथ।
B. चलने या सर हिलाने वाले पशुओं के खिलौने।
C. कंचे या गोलियाँ।
D. शतरंज की बिसात।

**67.** आधुनिक हिन्दू धर्म की किन विशेषताओं को हड़प्पाकालीन धर्म से अंगीकार नहीं किया गया?
A. शक्ति-पूजा।
B. पशुपति के रूप में शिव-पूजा।
C. शंक्वाकार और बेलनाकार पत्थरों के रूप में शिव-लिंग की पूजा।
D. देवता विशेष के लिए देवालयों का निर्माण।

**68.** निम्नलिखित में से कौन-सी विशेषता सिन्धु सभ्यता कालीन धार्मिक जीवन का अंग नहीं थी ?
A. पीपल और बबूल के वृक्षों को दिव्य वृक्ष माना जाता था।
B. मुहरों पर कल्पवृक्ष का प्रायः चित्रांकन किया जाता था।
C. वैदिक देवताओं की भाँति हड़प्पाकालीन देवता भी पुरुष-प्रधान थे।
D. लोग ताबीजों और रक्षा कवचों में विश्वास करते थे, जिससे लगता है कि वे प्रेतात्माओं से डरते थे।

**69.** निम्नलिखित में से कौन-सी फसल हड़प्पाकालीन लोगों द्वारा उत्पादित नहीं की जाती थी ?
A. जौ  B. दालें
C. चावल  D. गेहूँ

**70.** हड़प्पाकालीन मुहरों पर किस पशु की आकृति को सबसे अधिक उत्कीर्ण किया गया था?
A. कूबड़ रहित साँड़ अथवा एक शृंगी बैल
B. हाथी
C. जंगली साँड़
D. बाघ

**71.** सूची-I को सूची-II से सुमेलित कीजिए और सूचियों के नीचे दिए गए कूटों की सहायता से सही उत्तर का चयन कीजिए :

| सूची-I (हड़प्पा संस्कृति के स्थानों से प्राप्त वस्तुएँ) | सूची-II (संभव स्रोत) |
|---|---|
| (*a*) ताँबा | 1. दक्कन |
| (*b*) शंख | 2. राजस्थान |
| (*c*) लाजवर्द मणि | 3. कच्छ |
| (*d*) स्वर्ण | 4. अफगानिस्तान |

| | (*a*) | (*b*) | (*c*) | (*d*) |
|---|---|---|---|---|
| A. | 3 | 4 | 1 | 2 |
| B. | 1 | 3 | 2 | 4 |
| C. | 2 | 3 | 1 | 4 |
| D. | 2 | 3 | 4 | 1 |

**72.** हड़प्पाकालीन जीवन का एक पक्ष जो समकालीन व्यवस्था का आधार था, किन्तु उसके बारे में हम बहुत कम अथवा कुछ भी नहीं जानते, वह है :

A. ग्रामीण जीवन
B. पशुपालन
C. परिवहन और संचार
D. जनांकिकीय या जनसंख्या का स्वरूप

**73.** सिंधु घाटी की सभ्यता के बारे में एक सही कथन बतायें:

A. यहाँ शहरी जीवन था
B. विदेशी व्यापार उन्नति पर था
C. मातृ-देवी की पूजा प्रचलित थी
D. सभी कथन सही हैं

**74.** प्रारंभिक वैदिक समाज था:

1. एक जनजातीय समाज
2. जाति के आधर पर विभाजित समाज
3. मातृसत्तात्मक समाज
4. एक विवाह प्रथा वाला समाज

**कूटः**

A. 1 एवं 4 B. 1, 2 एवं 4
C. 2, 3 एवं 4 D. 1, 2, 3 एवं 4

**75.** वैदिक समाज द्वारा उच्च आचार एवं नैतिक व्यवस्था का अनुसरण किए जाने की इस तथ्य से पुष्टि होती है, किः

A. अपराध बहुत कम होते थे।
B. अपराधों पर कठोर नियंत्रण रखा जाता है।
C. सत्य बोलना एक धार्मिक कर्तव्य था।
D. उपरोक्त सभी।

**76.** ऋग्वेद का प्रसिद्ध 'मंडूक सूक्त' किस वैदिक व्यवस्था पर प्रकाश डालता है?

A. यज्ञ संबंधी B. पारिस्थितिक
C. शिक्षा D. कृषि संबंधी

**77.** ऋग्वैदिक सभ्यता में:

A. कृषि संबंधी अर्थव्यवस्था थी।
B. शहरी जीवन का पतन हुआ।
C. पत्थर की मूर्तियों की पूजा होती थी।
D. सती-प्रथा का प्रचलन।

**78.** अर्थशास्त्र में पुर-विन्यास से स्पष्टतया निर्दिष्ट होता है कि औद्योगिक और व्यापारिक वर्गों को:

A. बिल्कुल ध्यान में नहीं रखा गया था।
B. नगर में विशिष्ट आवास दिया गया था।
C. नगर के बाहर स्थान दिया गया था।
D. नगर के अन्दर और बाहर स्थान दिया गया था।

**79.** मौर्य शासन-व्यवस्था में रूपदर्शक अधिकारी था:

A. चाँदी तथा अन्य धातुओं का परीक्षक
B. गणिकाओं का अध्यक्ष
C. रंगमंच का प्रबन्धक
D. सिक्कों का परीक्षक

**80.** संगम युग में 'वरियम' शब्द किसका सूचक था?

A. ब्राह्मणों को अनुदान में दिए गए राजस्व मुक्त ग्राम।
B. राजस्व प्रदान करने वाली क्षेत्रीय इकाई।
C. भू-राजस्व वसूल करने वाला प्रभारी अधिकारी।
D. ग्रामसभाओं की प्रबंधक समिति।

**81.** संगम काल में विनिमय के लिए किस वस्तु का सर्वाधिक प्रयोग होता था?

A. गाय B. बैल
C. धान D. बकरी

**82.** संगम युग में 'वेत्वी' का अर्थ था :

A. पशुओं की चोरी B. पशुओं के लिए युद्ध
C. गाय का हरण D. गाय के लिए युद्ध

**83.** गुप्त काल में रेशम बुनकरों की श्रेणी 437-38 ई. में एक भव्य सूर्य मंदिर का निर्माण कराया। इसका उल्लेख किस अभिलेख में मिलता है?

A. मंदसौर अभिलेख B. जूनागढ़ अभिलेख
C. कन्नौज अभिलेख D. प्रयाग प्रशस्ति

**84.** गुप्तकालीन श्रेणियाँ सामान्यतया बैंकों का भी कार्य करती थी। इन्हें कहा जाता था:

A. गिल्ड B. अक्षयनीवी
C. खाजिन D. सार्थ

**85.** निम्नलिखित में से कौन-सा कथन गुप्तोत्तरकालीन भूमि, व्यवस्था पर लागू नहीं होता:

A. आपस्तम्ब ने भूगर्भ से निकली सम्पत्ति पर राजा का अधिकार माना है।
B. राजा समय-समय पर भूमि कर का निर्धारण करता था।

C. राजा ब्राह्मणों, शिक्षा संस्थानों एवं धार्मिक न्यासों को दान देता था।
D. कुछ क्षेत्रों में भू-स्वत्व राजा के अधिकार में नहीं था।

**86.** गुप्तोत्तरकालीन भूमि व्यवस्था के बारे में कौन-सा कथन सत्य है?
A. अर्थव्यवस्था कृषि मूलक थी।
B. राज सत्ता भू-सम्पत्ति से घनिष्ठ रूप से संबद्ध हो गयी।
C. अभिलेखों में सामूहिक स्वामित्व के साक्ष्य प्राप्त होते हैं।
D. उपर्युक्त तीनों सत्य हैं।

**87.** गुप्त काल में स्त्रियों की स्थिति के विषय में निम्न में से कौन-सा कथन असत्य है?
A. इस काल में नियोग प्रथा वर्ज्य घोषित कर दी गई।
B. इस काल में स्त्रियों को सम्पत्ति के अधिकार से लगभग वंचित कर दिया गया।
C. इस काल में देवदासियों के प्रमाण बड़े पैमाने पर मिले हैं।
D. इस काल में स्त्रियों के विवाह की आयु बढ़ा दी गई।

**88.** गुप्तोत्तरकालीन भूमि-व्यवस्था एवं भूमि उपयोग से संबंधित सबसे रोचक विवरण किस स्रोत से प्राप्त होता है?
A. भूमि-अनुदान अधिकार पत्रों या प्रलेखों
B. कल्हण की राजतरंगिणी
C. मनुस्मृति पर मेघातिथि की टीका
D. गुर्जर-प्रतिहारों के शिलालेख

**89.** गुप्तोत्तरकालीन भूमि व्यवस्था के संबंध में निम्नलिखित में कौन-सा साहित्यिक स्रोत उपयोगी नहीं है?
A. कल्हण की राजतरंगिणी
B. जीमूतवाहन का दाय भाग
C. मनुस्मृति पर मेघातिथि की टीका
D. वाण का हर्षचरित

**90.** गुप्तोत्तरकालीन सिक्कों में खोटेपन एवं स्वर्ण के सिक्कों का शनैः-शनैः विलुप्त हो जाना किस तथ्य का द्योतक है?
A. व्यापार का पतन B. स्वर्ण का अभाव
C. मुद्रा अर्थव्यवस्था का पतन D. वस्तुओं की कीमतों में गिरावट

**91.** पूग शब्द से तात्पर्य था:
A. हस्तशिल्पियों की श्रेणी
B. व्यापारियों का समूह
C. एक ही नगर के निवासियों का समूह
D. श्रेणियों का संघ

**92.** निम्नलिखित में से किससे सिक्कों की एक श्रेणी का बोध होता है:
A. गजशतक B. गधिय
C. हिरण्यदाम D. कटिसम

**93.** कुछ स्रोतों में उल्लिखित चोर रज्जु शब्द का तात्पर्य है:
A. भूमि माप की इकाई
B. पुलिस अधिकारियों का एक वर्ग
C. एक प्रकार का कर
D. चोरों की रस्सी

**94.** चोल प्रशासकीय व्यवस्था में सभाः
A. ग्राम अदालत थी।
B. अग्रहारों में वयस्क लोगों का समुदाय थी।
C. मंदिर की वयवस्था के लिए सभी जातियों के लोगों की एक समिति थी।
D. नाट्टारों की एक समिति थी।

**95.** दीनार के विषय में निम्नलिखित कथनों में से कौन सही है?
1. इसका आशय केवल एक विदेशी सिक्के से था।
2. इसका आशय एक स्वर्ण सिक्के से था।
3. इसका आशय गुप्तकाल में प्रचलित एक सिक्के से था।
4. इसका प्रयोग केवल भूमि के क्रय-विक्रय के लिए होता था।
A. 1, 2 एवं 3 B. 1, 2 एवं 4
C. 2, 3 एवं 4 D. कोई नहीं

**96.** पुरालेखीय स्रोतों में प्राप्त कुटुम्बिन शब्द का अभिप्राय निम्नलिखित में से क्या थाः
1. भू-स्वामी
2. शिल्पी
3. ग्राम के अधिकारियों के संबंधी
4. व्यक्तियों का एक वर्ग जिसे कभी-कभी भूमि के साथ हस्तांतरित कर दिया जाता था।
A. 1 एवं 3 B. 1 एवं 4
C. 1, 2 एवं 4 D. 2, 3 एवं 4

**97.** चोलो की सामाजिक स्थिति के संदर्भ में निम्न- लिखित में से कौन-सा कथन सत्य है ?
A. प्रायः स्वजातीय विवाह करने की परम्परा थी।
B. समाज में स्त्रियों का स्थान ऊँचा था वे सम्पत्ति की अधिकारिणी थी।
C. सती प्रथा आंशिक रूप से प्रचलित थी।
D. उपर्युक्त तीनों कथन सत्य हैं।

**98.** चोल साम्राज्य में वस्तु-विनिमय का क्या मुख्य आधार था ?
A. गाय B. काशु
C. धान D. स्वर्ण

**99.** गुप्त काल में भारत का सर्वाधिक व्यापार सम्पर्क थाः
A. रोमन साम्राज्य के साथ B. मध्य एशिया के साथ
C. दक्षिण-पूर्व एशिया के साथ D. चीन के साथ

**100.** पूर्व मध्यकालीन ब्राह्मणों की जाति-व्यवस्था के संदर्भ में निम्नलिखित में से कौन-सा कथन सत्य है?
A. परवर्ती मध्यकाल तक राढ़ीय ब्राह्मणों की 56 उपजातियाँ बन गयी थीं।
B. सभा शृंगार में 34 प्रकार के ब्राह्मणों का उल्लेख मिलता है।
C. अलबरूनी ने मग अथवा शाकद्वीपी का उल्लेख किया है।
D. उपर्युक्त तीनों कथन सत्य हैं।

# उत्तरमाला

| 1 | 2 | 3 | 4 | 5 | 6 | 7 | 8 | 9 | 10 |
|---|---|---|---|---|---|---|---|---|---|
| A | A | D | B | C | D | D | A | A | B |
| 11 | 12 | 13 | 14 | 15 | 16 | 17 | 18 | 19 | 20 |
| C | D | B | D | B | D | B | C | D | D |
| 21 | 22 | 23 | 24 | 25 | 26 | 27 | 28 | 29 | 30 |
| C | D | A | B | C | D | C | B | B | C |
| 31 | 32 | 33 | 34 | 35 | 36 | 37 | 38 | 39 | 40 |
| C | C | C | C | B | A | D | C | D | A |
| 41 | 42 | 43 | 44 | 45 | 46 | 47 | 48 | 49 | 50 |
| A | D | A | C | B | C | B | A | C | B |
| 51 | 52 | 53 | 54 | 55 | 56 | 57 | 58 | 59 | 60 |
| A | B | D | D | B | D | C | A | A | B |
| 61 | 62 | 63 | 64 | 65 | 66 | 67 | 68 | 69 | 70 |
| B | B | B | C | C | D | D | C | B | A |
| 71 | 72 | 73 | 74 | 75 | 76 | 77 | 78 | 79 | 80 |
| D | A | D | A | D | C | A | B | D | B |
| 81 | 82 | 83 | 84 | 85 | 86 | 87 | 88 | 89 | 90 |
| C | C | A | B | D | D | D | A | D | A |
| 91 | 92 | 93 | 94 | 95 | 96 | 97 | 98 | 99 | 100 |
| B | B | B | B | C | B | D | C | C | D |

❑❑❑

अध्याय–4

# प्राचीन भारत में धर्म एवं दर्शन

# (Religion and Philosophy in Ancient India)

## सैंधव धार्मिक जीवन

सिंधु घाटी के लोगों के धार्मिक जीवन को जानने का एकमात्र स्रोत पुरातात्विक साक्ष्य है। सैन्धव सभ्यता के विभिन्न पुरास्थलों से प्राप्त होने वाली मिट्टी की मूर्तियाँ, पत्थर की छोटी मूर्तियों, पत्थर निर्मित लिंगों, योनियों, मुहरों, मुद्रांकों तथा मृदभाण्डों पर अंकित आकृतियों और कतिपय विशिष्ट प्रकार के भवनों एवं स्मारकों के अध्ययनों के आधार पर अनुमान लगाया जाता है। प्रत्येक धर्म के दो पक्ष होते हैं– क्रिया पक्ष और सिद्धान्त पक्ष। धर्म के क्रिया पक्ष में धार्मिक कर्मकाण्ड, धार्मिक अनुष्ठान तथा धार्मिक विश्वास आते हैं। सिद्धान्त पक्ष में उस धर्म की दार्शनिक मान्यताओं का समावेश होता है। पुरातात्विक साक्ष्य धर्म के केवल क्रिया पक्ष पर ही प्रकाश डालते हैं, उनसे सैद्धान्तिक पक्ष पर कोई प्रकाश नहीं पड़ता।

### ■। मातृदेवी की पूजा

सैन्धव सभ्यता में मातृशक्ति की पूजा सर्वप्रधान थी। सबसे अधिक नारी की मृण्मूर्तियाँ प्राप्त हुई हैं। हड़प्पा से प्राप्त एक आयताकार मुहर में स्त्री के गर्भ से निकलता पौधा दिखाया गया है। यह सम्भवतः पृथ्वी देवी की प्रतिमा है और इसका निकट सम्बन्ध पौधों के जन्म और वृद्धि से रहा होगा। इसलिए मालूम होता है कि हड़प्पाई लोग धरती को उर्वरता की देवी समझते थे और इसकी पूजा करते थे।

मुहर के दूसरी तरफ एक पुरुष हाथ में हँसिया लिए हुए खड़ा है और पास में ही एक स्त्री हाथ उठाए हुए बैठी है। मार्शल ने इसे पृथ्वी देवी को बलि दिए जाने का उदाहरण कहा है। केदार नाथ शास्त्री ने इसे मातृदेवी की उपासना का चित्र नहीं माना है बल्कि कहा है कि यह नरक का चित्रण है। अभी इस सम्बन्ध में निश्चित रूप से कुछ नहीं कहा जा सकता।

सैन्धव सभ्यता में मातृ देवी की पूजा के सम्बन्ध में यह तथ्य उल्लेखनीय है कि मातृ देवी की उपासना सम्भवतः सिन्ध और पंजाब के क्षेत्रों तक ही सीमित थी क्योंकि राजस्थान और गुजरात के क्षेत्रों से नारी मृण्मूर्तियाँ अभी तक प्राप्त नहीं हुई हैं।

### ■। पशुपति पूजा

सैन्धव सभ्यता में पशुपति पूजा भी प्रचलित थी। मैके को मोहनजोदड़ो से एक मुहर प्राप्त हुई है जिसमें सींग वाले त्रिमुखी पुरुष को एक सिंहासन पर योग मुद्रा में बैठे हुए दिखाया गया है। उसके दाहिने तरफ एक हाथी एवं एक बाघ और बायीं तरफ एक गैंडा तथा एक भैंसा खड़े हुए दिखलाये गए हैं, जिसमें से एक खण्डित अवस्था में है। जॉन मार्शल ने इसे शिव का आदिरूप कहा है। परन्तु एच.सी. रायचौधरी इससे सहमत नहीं हैं।

हड़प्पा से प्राप्त मुद्रा में एक तरफ एक पेड़ के मचान पर एक पुरुष बैठा हुआ है और नीचे बाघ का चित्र अंकित है दूसरी तरफ एक त्रिशूल का चित्र और उसके सामने एक बैल का चित्र अंकित है। इस आकृति को भी शिव का रूप माना गया है।

### ■। लिंग एवं योनि पूजा

हड़प्पा, मोहनजोदड़ो तथा लोथल आदि सैन्धव पुरास्थलों से चमकीले पत्थरों पर निर्मित कतिपय ऐसे पुरावशेष प्राप्त हुए हैं जिनका समीकरण लिंग से किया गया है। कालीबंगा से एक ऐसी मिट्टी की पट्टिका मिली है जिसमें एक साथ लिंग एवं योनि के प्रतीक बने हैं। मोहनजोदड़ो तथा हड़प्पा से पत्थर, काँचली मिट्टी, शंख आदि से बने हुए चक्र भी बड़ी संख्या में मिले हैं। प्रत्येक चक्र के मध्य भाग में एक छेद हैं, कुछ चक्रों पर पेड़ों एवं पशुओं के साथ-साथ नग्न नारी आकृतियों का अंकन भी मिलता है। कुछ विद्वानों का अनुमान है कि सैन्धव लोग प्रकृति की प्रजनन शक्ति

के रूप में लिंग एवं योनि की पूजा करते थे, परन्तु प्रसिद्ध पुराविद एच.डी. साँकलिया इस निष्कर्ष से सहमत नहीं हैं। उनके अनुसार तथा-कथित लिंग गलियां एवं नालियों में पड़े हुए मिले हैं। यदि इनका धार्मिक प्रयोजन होता तो इनको कमरों में स्थापित मिलना चाहिए। जार्ज एफ. डेल्स का भी ऐसा ही मत है।

## पशु–पूजा

सिन्धु क्षेत्र से बहुत सी मुद्रायें मिली हैं जिनके अध्ययन से अनेक पशुओं की उपासना की जानकारी होती है। इसके अतिरिक्त मिट्टी पत्थर तथा धातु की बनी हुई पशुओं की कतिपय मूर्तियाँ मिली हैं। इन पशुओं को पौराणिक (काल्पनिक) एवं सामान्य (वास्तविक) दो श्रेणियों में बाँटा जा सकता है। पौराणिक पशुओं में एक ही धड़ में कई पशुओं के सिर लगे हुए मिले हैं।

मोहनजोदड़ो से प्राप्त एक मुहर में जो संश्लिष्ट पशु आकृति है उसके तीन सिर हैं, जिनमें से ऊपर के दो सिर बकरे के हैं और नीचे का तीसरा सिर भैंसे का है। मोहनजोदड़ो से प्राप्त एक ताम्रपट्ट में एक पशु का शरीर बना है जिसका सूँड हाथी का है किन्तु सिर सींग युक्त बैल का है। वास्तविक पशुओं में कूबड़ वाला बैल, भैंसा, हाथी, गैंडा, बाघ, हिरण, भेंड़ा, घड़ियाल आदि का अंकन प्राप्त होता है। उत्तरवर्ती काल में इन जानवरों ने भिन्न-भिन्न हिन्दू देवताओं के वाहन का रूप ले लिया; जैसे–शिव का वाहन नन्दी (बैल), दुर्गा का वाहन सिंह, यम का वाहन भैंसा तथा इन्द्र का वाहन हाथी। अनेक पशुओं के आगे प्रायः एक पात्र अथवा नाँद बना हुआ मिलता है। मार्शल के अनुसार पशुओं की पूजा शक्ति के रूप में होती रही होगी। कुछ ऐसी भी मुद्राएं मिली हैं जिनपर बतख का चित्र है। यह पानी को साफ रखने में मददगार होने के कारण सिन्धु निवासियों का उपाष्य था।

## नाग पूजा

पुरातात्विक साक्ष्यों से सिन्धु सभ्यता के धार्मिक जीवन में नाग पूजा के प्रचलन का भी संकेत मिलता है। मोहनजोदड़ो से प्राप्त एक मुद्रा पर एक देवता के दोनों ओर एक-एक नाग बिठाए गये हैं। सैन्धव सभ्यता के मृदभाण्डों के कतिपय ठीकरों पर भी साँप का अंकन है। लोथल से प्राप्त तीन ठीकरों पर दो-दो साँपों के चित्र बने हुए मिले हैं। मोहनजोदड़ो से प्राप्त एक ताबीज पर एक नाग को एक चबूतरे पर लेटा हुआ दिखलाया गया है। अर्नेस्ट मैके का अनुमान है कि चबूतरों पर नागों को दूध पिलाया जाता रहा होगा।

## वृक्ष–पूजा

सैन्धव सभ्यता के मुहरों एवं मृदभाण्डों पर पीपल, बबूल, नींबू, नीम, खजूर, ताड़, केले के पौधों आदि का चित्रण मिलता है। मार्शल के अनुसार सैन्धववासी वृक्षों की पूजा दो रूपों में करते थे– जीवन्त रूप में तथा प्रकृति रूप में। मोहनजोदड़ो की एक मुद्रा में एक पीपल के पेड़ की दो टहनियों के बीच से एक पुरुष आकृति निकलते हुए दिखाया गया है। इसकी पूजा जीवन्त रूप में की जाती थी। इसी प्रकार मोहनजोदड़ो से ही प्राप्त एक अन्य मुद्रा में एक आदमी झुका हुआ है तथा एक वृक्ष को जल चढ़ा रहा है, इसे प्रकृति रूप में पूजा किए जाने का साक्ष्य माना जाता है।

## जल–पूजा

मोहनजोदड़ो से एक विशाल स्नानागार प्राप्त हुआ है। इसका तल पक्की ईटों से बना था। पास के कमरे में बड़ा सा कुआँ है। मार्शल ने अनुमान लगाया है कि यह विशाल स्नानागार सार्वजनिक धार्मिक स्नान के लिए रहा होगा।

## योग

योग की परम्परा अत्यन्त पुरानी है। इसकी जड़ें सैंधव सभ्यता तक जाती है। इन लोगों में योग की परम्परा का धार्मिक महत्व था। मोहनजोदड़ो से प्राप्त एक मुहर पर एक पुरुष की आकृति पद्मासन योग की मुद्रा में है। योग की एक दूसरी मुद्रा का अंकन मोहनजोदड़ो से उपलब्ध पत्थर की एक मूर्ति में मिलता है। जिसमें आधी खुली आँखें नासिका के अग्रभाग पर केन्द्रित है। इस मुद्रा को शाम्भवी मुद्रा से सम्बन्धित किया जा सकता है।

## मूर्ति पूजा

सिन्धु सभ्यता के किसी भी पुरास्थल के उत्खनन से मन्दिर के साक्ष्य नहीं मिले हैं। मोहनजोदड़ो के दो-तीन भवनों को व्हीलर मन्दिर मानते हैं। राजस्थान में स्थित कालीबंगा और गुजरात में विद्यमान लोथल के उत्खनन से अग्निकुण्ड और अग्नि-वेदिकाएं प्राप्त हुई हैं। कालीबंगा के दुर्ग टीले पर जो अग्नि कुण्ड मिला है, उनमें पशुओं की हड्डियाँ, सींग, एवं राख मिली है। ऐसा प्रतीत होता है कि राजस्थान और गुजरात के क्षेत्रों में अग्नि पूजा तथा यज्ञ का प्रचलन था।

सैन्धव सभ्यता में मूर्ति पूजा प्रचलित थी। इसके उदाहरण मोहनजोदड़ो से प्राप्त एक मुहर पर अंकित देवता की आकृति एवं देव प्रतिमाओं के साथ ही साथ अनेक सैन्धव पुरास्थलों से उपलब्ध मातृदेवी की मृण्मूर्तियाँ हैं। मैके के अनुसार कुछ मृण्मूर्तियों पर धुएँ के निशान हैं, यह सम्भावना है कि इन मूर्तियों के सामने पूजा के लिए कोई वस्तु जलायी गई होगी जिसके फलस्वरूप ये निशान पड़ गए हैं।

## सूर्य पूजा

मोहनजोदड़ो से प्राप्त मुहरों, चित्रकारियों तथा मद्भाण्डों पर स्वास्तिक के प्रमाण प्राप्त हुये हैं। यह हिन्दुओं, जैनों और बौद्धों में समान रूप से पवित्र प्रतीक माना जाता है जोकि सूर्य पूजा से सम्बन्धित है।

## अग्नि पूजा

गुजरात, राजस्थान और हरियाणा के पुरास्थलों से बहुत-सी अग्निवेदियाँ अथवा अग्निकुण्ड पाये गये हैं। कालीबंगा, लोथल और बनवाली में अनेक

ऐसी अग्निवेदिकाएं पायी गयी हैं जिनका सम्भवतः यज्ञ-वेदिकाओं के रूप में प्रयोग किया जाता था।

## भूत–प्रेत में विश्वास

सैन्धव सभ्यता से बड़ी संख्या में ताबीज मिले हैं। इससे अनुमान लगाया जाता है कि वे भूत-प्रेत, जादू-टोना आदि में विश्वास करते थे।

## अन्त्येष्टि संस्कार

इससे उनके पारलौकिक जीवन में विश्वास की पुष्टि होती है। अन्त्येष्टि संस्कार की तीन विधियाँ प्रचलित थीं–पूर्ण समाधीकरण, आंशिक समाधीकरण एवं दाह संस्कार। कब्रिस्तान (समाधि क्षेत्र) नगरों में बस्ती से बाहर होते थे।

### पूर्ण समाधीकरण

यह समाधीकरण सबसे अधिक प्रचलित था। इस समाधीकरण में पूरे मृत शरीर को दफनाया जाता था। शव को सामान्यतः उत्तर-दक्षिण में लिटाकर हाथ पीछे ऊपर की ओर मोड़ दिए जाते थे और पैर के घुटने मोड़ दिए जाते थे। शव के साथ उनके उपयोग की अन्य वस्तुएं यथा बर्तन, आभूषण, दीप, कंघी, शीशा, आदि भी रख दी जाती थी। इससे उनके पारलौकिक जीवन में विश्वास की पुष्टि होती है।

हालाँकि उत्तर-दक्षिण दिशा में शव दफनाने की प्रथा प्रचलित थी, किन्तु उसके अपवाद भी मिलते हैं। कालीबंगा से एक शव दक्षिण-उत्तर दिशा में, लोथल से पूर्व-पश्चिम दिशा में और रोपड़ से पश्चिम-पूर्व दिशा में प्राप्त हुई है।

रोपड़ की एक कब्र में मालिक के साथ कुत्ते को भी दफनाया गया था। लोथल से तीन युग्म समाधियों और कालीबंगा से एक युग्म समाधि के साक्ष्य मिले हैं।

### आंशिक समाधीकरण

इस समाधीकरण में मृत शरीर को जंगली जानवरों और पक्षियों के लिए कुछ दिन के लिए खुला छोड़ दिया जाता था और बची हुई हड्डियों तथा कपाल आदि को दफना दिया जाता था। ऐसी आंशिक समाधिकरण के उदाहरण बहावलपुर के स्थल से मिलते हैं। वर्तमान में पारसी समुदाय में भी इसी प्रकार के अन्त्येष्टि क्रिया के प्रमाण मिलते हैं।

हड़प्पा के उत्खनन से एक ऐसी समाधि मिली है जिसमें शव को लकड़ी के ताबूत में रखकर दफनाया गया था यह किसी विदेशी व्यक्ति की कब्र मालूम पड़ती है।

### दाह–संस्कार

संस्कार की यह क्रिया भी हड़प्पा संस्कृति में प्रचलित थी। मोहनजोदड़ो एवं सुरकोटडा से कतिपय कलश शवाधान के प्रमाण भी मिले हैं। इस प्रकार के शवाधान में शव को जलाने के बाद बचे-खुचे अवशेषों तथा राख को मृद्भाण्डों में भरकर दफना दिया जाता था। इन कलशों के अन्दर मृत व्यक्ति के अवशेषों के अतिरिक्त मिट्टी के बर्तन, मनके, हाथी दाँत के टुकड़े, चूड़ियाँ, पशुओं की अस्थियाँ, चिड़ियों-मछलियों की प्रतिमाएं पाई गई हैं। इन कलशों में सामान्यतः मानव अस्थियां नहीं पायी गई हैं। इन कलशों को मार्शल तथा मैके ने प्रतीकात्मक समाधियाँ माना है, लेकिन व्हीलर तथा पिग्गट जैसे विद्वानों ने, मानव अस्थियाँ न मिलने के कारण इन्हें शोक-पिट कहा है।

# वैदिक धार्मिक जीवन एवं दर्शन

वैदिक धर्म कर्म पर आधारित था। इस धर्म में पुरुष भाव की प्रधानता है। अधिकांश देवताओं की अराधना मानव रूप की जाती है, किंतु कुछ देवताओं की अराधना पशु रूप में की जाती थी। इस काल के लोगों ने प्राकृतिक शक्तियों का 'मानवीकरण' किया है। वैदिक उपासना में बहुदेववाद का प्रचलन था। इस काल के दर्शन और धर्म की जानकारी के स्रोत समकालीन साहित्य हैं।

## वैदिक साहित्य

वैदिक साहित्य से हमारा तात्पर्य चारों वेद, विभिन्न ब्राह्मण ग्रन्थ, आरण्यक एवं उपनिषदों से है। उपवेद अत्यन्त परवर्ती होने के कारण वैदिक साहित्य के अंग नहीं माने जाते। इन्हें वैदिकोत्तर साहित्य के अन्तर्गत रखा जाता है। वैदिक साहित्य श्रुति नाम से विख्यात है। श्रुति का अर्थ है सुनकर लिखा हुआ साहित्य। यह वह साहित्य है जो मनुष्यों द्वारा लिखा नहीं गया अपितु जिन्हें ईश्वर ने ऋषियों को आत्म ज्ञान देकर उनकी सृष्टि की है तथा ऋषियों द्वारा यह कई पीढ़ियों तक अन्य ऋषियों को मिलता रहा। इसे 'वाचिक परम्परा' कहा गया है। ईश्वर द्वारा दिए गए आत्मज्ञान के कारण वैदिक साहित्य को अपौरुषेय और नित्य कहा जाता है, पहले के तीन वेदों ऋग्वेद, सामवेद एवं यजुर्वेद को वैदत्रयी कहा जाता है। अथर्ववेद इसमें सम्मिलित नहीं है क्योंकि इसमें यज्ञ से भिन्न लौकिक विषयों यथा तंत्र-मंत्र, जादू-टोने का वर्णन है।

### ऋग्वेद

यह आर्यों का सबसे प्राचीन ग्रन्थ है। ऋक् का अर्थ होता है छन्दोबद्ध रचना या श्लोक। ऋग्वेद के सूक्त विविध देवताओं की स्तुति करने वाले भाव भरे गीत हैं, इनमें भक्ति-भाव की प्रधानता है। यद्यपि ऋग्वेद में अन्य प्रकार के सूक्त भी हैं, परन्तु देवताओं की स्तुति करने वाले स्तोत्रों की प्रधानता है। ऋग्वेद की रचना सम्भवतः सप्तसैंधव प्रदेश में हुई है। इसमें कुल 10 मण्डल, 1028 सूक्त या (1017 सूक्त) एवं 10580 मंत्र हैं। मंत्रों को ऋचा भी कहा जाता है। सूक्त का अर्थ है 'अच्छी उक्ति'। प्रत्येक सूक्त में तीन से सौ तक मंत्र या ऋचाएं हों सकती हैं। वेदों का संकलन महर्षि कृष्ण द्वैपायन 'वेदव्यास' ने किया।

ऋग्वेद के ज्यादातर मन्त्र देव आह्वान से सम्बन्धित हैं। ऋग्वेद के मन्त्रों का उच्चारण करके जो पुरोहित यज्ञ सम्पन्न कराता था उसे 'होता' कहा जाता था।

ऋग्वेद के 2 से 7 तक के मण्डल सबसे पुराने माने जाते हैं। पहला, आठवाँ, नौवाँ और दसवाँ मण्डल परवर्ती काल का है। दसवाँ मण्डल, जिसमें पुरुष सूक्त भी है, सबसे बाद का है। प्रत्येक मण्डल और उससे सम्बन्धित ऋषि निम्नलिखित हैं:

| मण्डल | सम्बन्धित ऋषि |
|---|---|
| प्रथम | दीर्घतमा और अंगिरा |
| द्वितीय | गृत्समद |
| तृतीय | विश्वामित्र (गायत्री मंत्र का उल्लेख है) |
| चौथा | वामदेव (कृषि सम्बन्धित प्रक्रिया) |
| पांचवाँ | अत्रि |
| छठाँ | भारद्वाज |
| सातवाँ | वशिष्ठ |
| आठवाँ | कण्व ऋषि |
| नौवाँ | पवमान अंगिरा (सोम का वर्णन) |
| दसवाँ | क्षुद्रसूक्तीय, महासूक्तीय |

ऋग्वेद के रचना काल के सम्बन्ध में विद्वानों में मतभेद है। बाल गंगाधर तिलक ज्योतिष गणना के आधार पर ईसा पूर्व 6000 से इस सभ्यता का प्रारम्भ मानते हैं। याकोबी ने यह समय ई.पू. 4500 से ई.पू. 2500 निश्चित किया है। मैक्स मूलर ने ऋक संहिताओं का काल ई.पू. 1200 से ई.पू. 1000 निश्चित किया है। आधुनिकतम विवेचक डा. विन्टरनिट्स का कथन है कि वैदिक काल का प्रारम्भ ईसा पूर्व 3000 तक माना जा सकता है, उनकी मान्यता है कि भारत का ऋग्वेद और ईरान की अवेस्ता लगभग एक ही काल की रचना है। जिस समय वेदों का सृजन हुआ उस समय कोई लेखन प्रणाली प्रचलित नहीं थी, अपने गुरुओं से मन्त्रों का श्रवण कर कंठस्थ किया हुआ यह साहित्य लगभग पिछले तीन हजार वर्षों से यथावत विद्यमान है। इसे लिपिबद्ध बहुत बाद में किया गया है।

**ब्राह्मण ग्रंथः** ये वेदों के गद्य भाग हैं जिनके द्वारा वेदों को समझने में सहायता मिलती है। ऋग्वेद के दो ब्राह्मण हैं – ऐतरेय तथा कौषीतकी।

ऐतरेय ब्राह्मण के संकलनकर्त्ता महिदास थे। उनकी माँ का नाम 'इतरा' था। इतरा का पुत्र होने के कारण वे महिदास ऐतरेय कहलाए और उनके द्वारा रचित ब्राह्मण ऐतरेय-ब्राह्मण के नाम से प्रसिद्ध हुआ। इसमें राज्याभिषेक के विभिन्न यज्ञ विधानों का विवेचन मिलता है। इसमें सोमयज्ञ का विस्तृत वर्णन तथा शुनः शेप आख्यान है। ऐतरेय ब्राह्मण में अथाह, अनन्त जलधि और पृथ्वी को घेरने वाले समुद्र का उल्लेख है।

कौषीतकी ब्राह्मण के संकलनकर्ता कुषितक ऋषि थे। कौषीतकी अथवा शंखायन ब्राह्मण में विभिन्न यज्ञों का वर्णन मिलता है।

**आरण्यकः** आरण्यक शब्द का अर्थ वन में लिखा जाने वाला है। यह मुख्यतः जंगलों में रहने वाले संन्यासियों और छात्रों के लिए लिखी गई थी। ये ब्राह्मणों के उपसंहारात्मक अंश अथवा उनके परिशिष्ट हैं। इनमें दार्शनिक सिद्धान्तों और रहस्यवाद का वर्णन है। आरण्यक कर्मयोग (जो ब्राह्मणों का मुख्य प्रतिपाद्य) तथा ज्ञानमार्ग (जिसका उपनिषदों में प्रतिपादन किया गया है) के बीच सेतु का कार्य करते हैं।

**उपनिषद्ः** उपनिषद शब्द 'उप' और 'निष' धातु से बना है। उप का अर्थ है समीप और निष का अर्थ है बैठना। अर्थात् इसमें छात्र, गुरु के पास बैठकर ज्ञान सीखता था। ये वेदों के अन्तिम भाग हैं। अतः इन्हें वेदान्त भी कहा जाता है। कुल उपनिषदों की संख्या 108 है परन्तु दस उपनिषद ही विशेष महत्व के हैं और इन्हीं पर आदिगुरु शंकराचार्य ने भाष्य लिखा है। ये दस उपनिषद–ईश, केन, कठ, प्रश्न, मुण्डक, माण्डूक्य, छांदोग्य, वृहदारण्यक, ऐतरेय एवं तैत्तिरीय हैं। इनमें मुख्यतया आत्मा और ब्रह्म का वर्णन है।

ऋग्वेद के दो ब्राह्मण और दो उपनिषद ऐतरेय और कौषीतकी नाम से है।

## सामवेद

यह वेद पद्यात्मक है। 'साम' का अर्थ है गायन। इसमें कुल मंत्रों की मौलिक संख्या 1549 है। इन मंत्रों में इसके मात्र 75 मंत्र ही हैं, शेष ऋग्वेद से लिए गए हैं। अतः इसे ऋग्वेद से अभिन्न माना जाता है।

सामवेद के मंत्रों का गायन करने वाला उद्गाता कहलाता है। सप्तस्वरों का उल्लेख सामवेद में मिलता है 'सा.......रे.......गा.........मा। सामवेद की मुख्यतः तीन शाखाएं हैं– कौथुम, राणायनीय एवं जैमिनीय।

**ब्राह्मण ग्रन्थः** सामवेद के मूलतः दो ब्राह्मण हैं– ताण्ड्य और जैमिनीय। ताण्ड्य ब्राह्मण बहुत बड़ा है। इसीलिए इसे महाब्राह्मण भी कहते हैं, यह 25 अध्यायों में विभक्त हैं, इसीलिए इसे पंचविश भी कहा जाता है। पंचविश ब्राह्मण, ताण्ड्य ब्राह्मण के परिशिष्ट के रूप में है, इसे 'अदभुत' ब्राह्मण भी कहते हैं।

जैमिनीय ब्राह्मण में याज्ञिक कर्मकाण्ड का वर्णन है।

**आरण्यकः** इसके दो आरण्यक हैं– जैमिनीय आरण्यक व छांदोग्यारण्यक।

**उपनिषद्ः** सामवेद के दो उपनिषद् हैं– छांदोग्य उपनिषद् एवं जैमिनीय उपनिषद। छांदोग्य उपनिषद सबसे प्राचीन उपनिषद् माना जाता है। देवकी पुत्र कृष्ण का सर्वप्रथम उल्लेख इसी में है। इसमें प्रथम तीन आश्रमों तथा ब्रह्म एवं आत्मा की अभिन्नता के विषय में उद्दालक आरुणि एवं उनके पुत्र 'श्वेतकेतु' के बीच विख्यात संवाद का वर्णन है।

## यजुर्वेद

यह एक कर्मकाण्डीय वेद है। इसमें विभिन्न यज्ञों से सम्बन्धित अनुष्ठान विधियों का उल्लेख है। यह वेद गद्य एवं पद्य दोनों में रचित है। यह 40 अध्यायों में विभाजित है। इसमें कुल 1990 मंत्र संकलित हैं। यजुर्वेद के कर्मकाण्डों को सम्पन्न कराने वाले पुरोहित को 'अध्वर्यु' कहा जाता है। यजुर्वेद की दो शाखाएं हैं– शुक्ल यजुर्वेद और कृष्ण यजुर्वेद।

शुक्ल यजुर्वेद को वाजसनेयी संहिता भी कहते हैं। अधिकांश विद्वान शुक्ल यजुर्वेद को ही वास्तविक वेद मानते हैं।

कृष्ण यजुर्वेद की चार शाखाएं हैं – काठक संहिता, कपिष्ठल संहिता, मैत्रेयी संहिता और तैत्तिरीय संहिता। कृष्ण यजुर्वेद में मंत्रों की व्याख्या गद्य रूप में मिलती है।

**ब्राह्मण ग्रन्थः** शुक्ल यजुर्वेद का केवल एक ब्राह्मण ग्रंथ, शतपथ ब्राह्मण है। यह सबसे प्राचीन तथा सबसे बड़ा ब्राह्मण माना जाता है। इसके लेखक महर्षि याज्ञवल्क्य हैं। शतपथ ब्राह्मण में जल-प्लावन कथा, पुनर्जन्म का सिद्धान्त, पुरुरवा-उर्वशी आख्यान, रामकथा तथा आश्विन कुमार द्वारा च्यवन ऋषि को यौवन दान का वर्णन है।

कृष्ण यजुर्वेद के ब्राह्मण का नाम तैत्तिरीय ब्राह्मण है।

**आरण्यकः** यजुर्वेद के आरण्यक वृहदारण्यक, तैत्तिरीय और शतपथ हैं।

**उपनिषद्ः** यजुर्वेद के उपनिषद् वृहदारण्यक उपनिषद, कठोपनिषद, ईशोपनिषद, श्वेताश्वतर उपनिषद, मैत्रायण उपनिषद् एवं महानारायण उपनिषद् हैं।

वृहदारण्यक उपनिषद में याज्ञवल्क्य-गार्गी का प्रसिद्ध संवाद, तैत्तिरीय उपनिषद् में 'अधिक अन्न उपजाओ' एवं कठोपनिषद् में 'यम और नचिकेता के बीच प्रसिद्ध संवाद का वर्णन है। इस उपनिषद् में आत्मा को पुरुष कहा गया है।

### अथर्ववेद

यह 'वेदत्रयी' से इतर ग्रन्थ है। इसकी रचना सबसे अंत में हुई थी। अथर्वा ऋषि के नाम पर इस वेद का नाम अथर्ववेद पड़ा। अंगिरस ऋषि के नाम पर इसका एक नाम 'अथर्वांगिरस' भी पड़ गया। अथर्व शब्द 'अथर' एवं वाणि शब्दों के संयोजन से बना है। इसका तात्पर्य है जादू टोना। कुछ विद्वान अथर्वन का वास्तविक अभिप्राय अग्नि उद्बोधन करने वाला पुरोहित मानते हैं। किसी यज्ञ में कोई बाधा आने पर उसका निराकरण अथर्ववेद ही करता था। अतः इसे ब्रह्मवेद या श्रेष्ठवेद कहा गया। अथर्ववेद के मंत्रों का उच्चारण करने वाले पुरोहित को ब्रह्मा कहा जाता था। चारों वेदों में यही वेद सर्वाधिक लोकप्रिय था। अथर्ववेद में भी पद्य के साथ-साथ गद्य के अंश भी प्राप्त होते हैं।

अथर्ववेद में 20 अध्याय, 731 सूक्त और 6000 मंत्र हैं। इस वेद में वशीकरण, जादू-टोना, मरण, भूत-प्रेतों आदि के मंत्र तथा नाना प्रकार की औषधियों का वर्णन है। इसमें जन साधारण के लोकप्रिय विश्वासों और अन्धविश्वासों का वर्णन है। इसकी अधिकांश ऋचाएं दुरात्माओं या प्रेतात्माओं से मुक्ति का मार्ग बताती हैं।

अथर्ववेद में मगध और अंग का उल्लेख सुदूरवर्ती प्रदेशों के रूप में किया गया है। इसी में सभा और समिति को प्रजापत्य की दो पुत्रियाँ कहा गया है। इसमें 'परीक्षित' का उल्लेख मिलता है।

अथर्ववेद की दो शाखाएं शौनक और पिप्पलाद हैं।

इसका एकमात्र ब्राह्मण गोपथ ब्राह्मण है, जिसे गोपण ऋषि ने संकलित किया है। अथर्ववेद का कोई आरण्यक नहीं है।

**उपनिषद्ः** मुण्डकोपनिषद्, माण्डूक्योपनिषद, प्रश्नोपनिषद्।

मुण्डकोपनिषद् में सत्यमेव जयते एवं यज्ञों को टूटी-फूटी नौकाओं के समान कहा गया है, जिसके द्वारा जीवन रूपी भवसागर को पार नहीं किया जा सकता, आदि का उल्लेख मिलता है। माण्डूक्योपनिषद सभी उपनिषदों में छोटा है।

## वैदिकोत्तर साहित्य

### वेदांग

वेदों को सही ढंग से समझने के लिए वेदांगों की रचना हुई। इनकी संख्या कुल छः हैं। ये सभी गद्य में लिखे गये हैं।

**शिक्षाः** वैदिक स्वरों के शुद्ध उच्चारण के लिए शिक्षा शास्त्र की रचना की गई। इसे स्वनविज्ञान भी कहा जाता है। शिक्षा शास्त्र के ग्रंथ का नाम गाएलम है। इसके प्रवर्तक वामज्य हैं।

**कल्पः** कल्प का अर्थ है– कर्मकाण्ड अर्थात् विधिनियम। ऐसे विधि नियम जो सूत्र में लिखे गए कल्पसूत्र कहलाते हैं। कल्पसूत्र के तीन भाग हैं:

**1. श्रौत सूत्र (600 ई.पू. से 300 ई.पू.):** श्रौत सूत्र में यज्ञ से सम्बन्धित जानकारी है। श्रौत सूत्र का एक भाग शुल्व सूत्र है, जिसमें यज्ञ वेदियों के नापने आदि का उल्लेख है। इसी से रेखागणित का प्रारम्भ माना जाता है।

**2. गृह्य सूत्र (600 ई.पू. से 300 ई.पू.):** इसमें गृह कर्मकाण्डों एवं यज्ञों का विवरण है। इसके रचयिता आश्वलायन माने जाते हैं।

**3. धर्म सूत्रः** धर्मसूत्रों का संकलन 500 ई.पू. से 200 ई.पू. के मध्य हुआ। इसमें राजनीतिक, सामाजिक एवं धार्मिक कर्तव्यों का उल्लेख है। धर्मसूत्र से सामाजिक व्यवस्था जैसे वर्णाश्रम, पुरुषार्थ आदि की भी जानकारी मिलती है। धर्मसूत्र के प्रणेता आपस्तम्ब माने जाते हैं।

प्रमुख सूत्रकार गौतम, आपस्तम्ब, बौधायन, वशिष्ठ, सांख्यायन, आश्वलायन आदि हैं। इसमें गौतम सबसे प्राचीन हैं। वशिष्ठ सूत्र में नारी की परतंत्रता के बारे में प्रसिद्ध उक्ति वर्णित हैः

*प्रिता रक्षति कौमारे, भर्ता रक्षति यौवने।*
*पुत्रस्तुस्थविरेभावे, स्त्री न त्वातंत्रयमर्हति।।*

**व्याकरणः** व्याकरण का कार्य भाषा को वैज्ञानिक शैली प्रदान करना है। व्याकरण का प्राचीनतम ग्रंथ पाणिनि द्वारा रचित अष्टाध्यायी (ई.पू. चतुर्थ सदी) है। पतंजलि ने महाभाष्य (ई.पू. दूसरी सदी) और कात्यायन ने वार्तिक लिखा है। पाणिनि, पतंजलि और कात्यायन को मुनित्रय कहा जाता है।

**निरुक्तः** निरुक्त का अर्थ है– व्युत्पत्ति शास्त्र। अर्थात् इसमें वैदिक शब्दों की व्युत्पत्ति बतायी गई है। निरुक्त के प्रथम आचार्य कश्यप ऋषि हैं। इनकी रचना 'निघंटु' का उल्लेख मिलता है, जो उपलब्ध नहीं है। निरुक्तों में सबसे महत्वपूर्ण ग्रंथ यास्क द्वारा रचित निरुक्त (ई.पू. पांचवीं सदी) है।

**छन्दः** पद्यों को चरणों में सूत्रबद्ध करने के लिए छन्द की रचना की गई है। इसे चतुष्पदी वृत्त भी कहा जाता है। पिंगल द्वारा रचित ग्रंथ छन्द शास्त्र इसका प्राचीनतम ग्रंथ है।

**ज्योतिषः** ब्रह्माण्ड एवं नक्षत्रों के विषय में भविष्यवाणी ज्योतिष का विषय है। ज्योतिष का प्रथम ग्रंथ लगधमुनि द्वारा रचित वेदांग ज्योतिष है। ज्योतिष के अन्य ग्रंथ हैं– गार्गी संहिता, वृहद् संहिता एवं नारद संहिता।

पाणिनि के अनुसार वेदरूपी शरीर केः

| | | |
|---|---|---|
| मुख | - | व्याकरण |
| श्रौत (कान) | - | निरुक्त |
| नेत्र | - | ज्योतिष |
| नासिका | - | शिक्षा |
| हाथ | - | कल्प |
| और पैर | - | छन्द हैं। |

## उपवेद

उपवेद वेदों से सम्बन्धित माने जाते हैं। ये चार हैं– आयुर्वेद, गन्धर्व वेद, धनुर्वेद और शिल्पवेद। आयुर्वेद ऋग्वेद का उपवेद माना जाता है। इसमें चिकित्सा सम्बन्धी ज्ञान आता है। उपनिषदों में श्वेतकेतु नामक आयुर्वेद के आचार्य का उल्लेख है। परवर्ती युग में जीवक, चरक, सुश्रुत एवं धनवन्तरि आयुर्वेद के प्रमुख आचार्य हुए हैं।

गन्धर्ववेद सामवेद का उपवेद है। यह संगीत कला से सम्बन्धित है। धनुर्वेद, यजुर्वेद का उपवेद है। यह युद्ध कला से सम्बन्धित है। शिल्पवेद अथर्ववेद का उपवेद है। इससे शिल्प सम्बन्धी कला का ज्ञान होता है।

## भारतीय संस्कृति के अन्य आधारभूत ग्रंथ

### स्मृति ग्रंथ

स्मृतियाँ हिन्दू धर्म के कानूनी ग्रंथ हैं। ये पद्य में लिखी गयी हैं। परन्तु विष्णु स्मृति गद्य में लिखी गयी है। इनका संकलन विभिन्न कालों में हुआ। प्रमुख स्मृतियाँ निम्नलिखित हैं–

| | |
|---|---|
| मनुस्मृति | (200 ई.पू. से 200 ई.) |
| याज्ञवल्क्य स्मृति | (100 ई.पू. से 300 ई.) |
| नारद स्मृति | (300 ई.पू. से 400 ई.) |
| पाराशर स्मृति | (300 ई.पू. से 500 ई.) |
| वृहस्पति स्मृति | (300 ई.पू. से 500 ई.) |
| कात्यायन स्मृति | (400 ई.पू. से 600 ई.) |
| देवल स्मृति | (पूर्व मध्यकालीन) |

**मनुस्मृतिः** स्मृति ग्रन्थों में 'मनुस्मृति' सर्वप्राचीन है। मनु का धर्मशास्त्र हिन्दू धर्म के सम्बन्ध में प्रमुख और सबसे अधिक प्रामाणिक ग्रन्थ है और हिन्दू समाज और सभ्यता के लोकमान्य स्वरूप को प्रकट करता है। मनु का नाम अत्यन्त प्राचीन काल से कई रूप में मिलता है। ये मानव जाति के आदिपुरुष, राजसंस्था के प्रथम कर्ता, तथा धर्म के प्रथम व्यवस्थापक हैं। इस स्मृति की मूल रचना मौर्योत्तर युग में शुंग काल में हुई।

मनुस्मृति में आर्य संस्कृति के चार क्षेत्रों ब्रह्मवर्त, ब्रह्मर्षि, मध्यदेश और आर्यावर्त का उल्लेख मिलता है। मनुस्मृति में चारों वर्णों एवं जातियों का उल्लेख मिलता है। शूद्रों के बारे में कहा गया है कि सेवा करना ही उनके जीवन का कर्म था तथा ब्राह्मणों को उनके द्वारा दिये गये अन्न को न ग्रहण करने की बात कही गई। यद्यपि मनु शूद्र अध्यापकों एवं शिष्यों का उल्लेख करते हैं। मनु ने दासों के सात प्रकारों का विवेचन किया है। मनुस्मृति में स्त्रियों को वेदाध्ययन का अधिकार नहीं दिया गया। कानून की दृष्टि से स्त्रीधन के अतिरिक्त वे सम्पत्ति की स्वामिनी नहीं बन सकती थीं। स्त्री धन पर माता के बाद पुत्रियों और उसके बाद बहुओं का अधिकार था। विधवाओं के लिये इसमें मुंडन की बात कही गई है। इस स्मृति में अध्यापकों के दो प्रकार बताये गये हैं:

1. **उपाध्यायः** जो जीविका के लिये अध्यापक का कार्य करते थे।
2. **आचार्यः** जो निःशुल्क अध्यापन कार्य करते थे।

मनुस्मृति में निम्नलिखित मुद्राओं का उल्लेख है–

1. **स्वर्ण मुद्राः** इनके अनुसार सोने का सिक्का सुवर्ण था जिसकी तौल 80 कृष्णल (= 150 ग्रेन) चाँदी के सिक्के के बराबर थी।
2. **चाँदी की मुद्राः** चाँदी के सिक्के निम्नलिखित हैं–

| | |
|---|---|
| 2 कृष्णल या रत्ती | = 1 रौप्य माषक |
| 16 माषक | = 1 धरण |
| 10 धरण | = 1 शतमान |

3. **ताँबे की मुद्राः** ताँबे की मुद्रा कार्षापण थी जो 80 कृष्णल या रत्ती (= 150 ग्रेन) थी। प्रायः इसे केवल पण कहते थे। सबसे छोटी मुद्रा अष्टभागपण (पण का आठवाँ भाग) थी। पण का आधा चौथाई और आठवाँ भाग क्रमशः अर्थपण, पण और अष्टभागपण कहलाता था।

**याज्ञवल्क्य स्मृतिः** याज्ञवल्क्य का धर्मशास्त्र मनु की अपेक्षा अधिक सुव्यवस्थित एवं संक्षिप्त है। मनु से इनका तुलनात्मक अध्ययन निन्नलिखित प्रकार है–

1. मनु ने ब्राह्मण को शूद्र कन्या के साथ विवाह की अनुमति दी है किन्तु याज्ञवल्क्य ने इसका विरोध किया।
2. मनु ने नियोग प्रथा की निन्दा की परन्तु याज्ञवल्क्य ने नहीं।
3. मनु ने विधवा के उत्तराधिकार के विषय में कुछ नहीं कहा किन्तु याज्ञवल्क्य ने विधवा को समस्त उत्तराधिकारियों में प्रथम स्थान दिया है। इसी स्मृति ने स्त्रियों को सर्वप्रथम सम्पत्ति का अधिकार प्रदान किया।
4. मनु द्यूत के विरोधी हैं परन्तु याज्ञवल्क्य ने उसे राज्य के नियंत्रण में रखकर उसे राज्य के आय का साधन बताया है।

**नारद स्मृतिः** यह विशुद्ध रूप से न्याय-सम्बन्धी ग्रन्थ है जो व्यवहार विधि और मूल विधि पर केन्द्रित है। गुप्त कालीन यह एक प्रमुख स्मृति है इसमें नियोग प्रथा और स्त्रियों के पुनर्विवाह की अनुमति दी गई है। दासों की मुक्ति का विधान सर्व प्रथम इसी पुस्तक में मिलता है। इसमें भी राजकीय नियंत्रण में दूत की अनुमति दी गई है। नारद ने विधवाओं की सम्पत्ति राज्य द्वारा लेकर उनके भरण पोषण को राजा का कर्तव्य बताया है। इसे उन्होंने सनातन धर्म कहा है। नारद स्मृति में स्वर्ण मुद्राओं के लिए 'दीनार' शब्द का प्रयोग किया गया है। यह मुद्रा सर्वप्रथम रोम में प्रारम्भ हुई थी और भारत में इसे सर्वप्रथम कुषाण शासकों ने प्रारम्भ किया।

**विष्णु स्मृतिः** यह स्मृति गद्य में लिखी गई है तथा गुप्तकालीन मानी जाती है। इस स्मृति में मुद्राओं का विवेचन मनु की अपेक्षा अधिक विकसित रूप में किया गया है। इसका वर्णन निम्नलिखित है–

| | |
|---|---|
| 3 यव | = 1 कृष्णल |
| 5 कृष्णल | = 1 माष |
| 12 माष | = 1 आक्षार्थ |
| 1 अक्षार्थ + 4 माष (= 16 माष) | = 1 सुवर्ण |
| 4 सुवर्ण | = 1 निष्क |
| तोल में 2 कृष्णल | = 1 रौप्यमाषक |
| 16 कृष्णल | = 1 धरण |

**देवल स्मृतिः** यह पूर्व मध्यकालीन स्मृति है। इसे मूलतः विधि विषयक नहीं माना जाता क्योंकि इसमें उन हिन्दुओं को पुनः हिन्दू धर्म में शामिल करने का विधान मिलता था जिन्होंने मुस्लिम धर्म अपना लिया था।

प्राचीनतम दो स्मृतियों–मनुस्मृति और याज्ञवल्क्य स्मृति, पर विद्वानों ने परवर्ती काल में कई भाष्य लिखे।

**मनुस्मृति के भाष्यकारः** मेधातिथि, कुल्लूक भट्ट, गोविन्द राज और भारूचि।

**याज्ञवल्क्य स्मृति के भाष्यकारः** विज्ञानेश्वर, विश्वरूप एवं अपरार्क या आदित्य प्रथम (कोंकण के शिलाहार वंशी शासक थे)। इन्होंने 12वीं सदी के प्रारम्भ में भाष्य लिखा।

**मिताक्षरा (12वीं सदी):** यह ग्रन्थ 'जन्मना उत्तराधिकार' (Inheritance by birth) के सिद्धांत के लिए प्रसिद्ध है। इस ग्रन्थ के लेखक विज्ञानेश्वर हैं जो कल्याणी के चालुक्य शासक विक्रमादित्य षष्ठ के दरबार में रहते थे। इस ग्रंथ से पता चलता है कि पिता के जीवन काल में भी पुत्रों को सम्पत्ति का भाग मिल सकता हैं, जो आज बंगाल, असम तथा पूर्वी भारत के राज्यों को छोड़कर समस्त भारत में प्रचलित है।

**दायभाग (12वीं सदी):** इसके लेखक जीमूत वाहन हैं। इससे पता चलता है कि पिता के जीवन काल में उसके पुत्र को सम्पत्ति का भाग नहीं मिल सकता, केवल मृत्यु के बाद ही मिल सकता है। बंगाल, असम तथा कुछ पूर्वी राज्यों में यह आज भी प्रचलित है।

## पुराण

पुराण, हिन्दुओं के धर्म-सम्बन्धी आख्यान हैं, जिनमें संसार-ऋषियों, राजाओं के वृतांत आदि हैं। वे वैदिक काल के बहुत समय बाद के ग्रन्थ हैं। पुराण का शाब्दिक अर्थ है प्राचीन आख्यान। इसके संकलनकर्ता महर्षि लोमहर्ष अथवा उनके पुत्र उग्रश्रवा माने जाते हैं। एक अन्य मत के अनुसार पुराणों की रचना 'वेद व्यास' ने की है। पुराणों की संख्या अट्ठारह मानी जाती है। इनमें वायु पुराण, मत्स्य पुराण, विष्णु पुराण, भागवत् पुराण, मार्कण्डेय पुराण आदि प्रमुख हैं। इसमें मत्स्य पुराण (अथवा वायु पुराण) सबसे प्राचीन है।

पुराणों में प्राचीन राजवंशों का वर्णन है। महाभारत युद्ध के पश्चात् छठी शताब्दी ईस्वी तक राज्य करने वाले शासकों की जानकारी के प्रमुख स्रोत पुराण ही माने जाते हैं। पुराण अपने वर्तमान रूप में सम्भवतः ईसा की तीसरी और चौथी शताब्दी में लिखे गए।

**धर्मशास्त्रः** यह धर्मसूत्र, स्मृतियों और टीकाओं का सामूहिक नाम है।

## नास्तिक सम्प्रदायों का उद्‌भव तथा विकास

ईसा पूर्व छठीं शताब्दी का काल धार्मिक दृष्टि से क्रांति अथवा महान् परिवर्तन का काल माना जाता है। इस समय परम्परागत वैदिक धर्म एवं समाज में व्याप्त कुरीतियों, पाखण्डों, कुप्रथाओं, छुआ-छूत, ऊँच-नीच आदि के विरुद्ध आन्दोलन उठ खड़ा हुआ। यह आन्दोलन कोई आकस्मिक घटना नहीं था वरन् यह चिरकाल से संचित हो रहे असन्तोषों की ही चरम परिणति थी। वैदिक धर्म के कर्मकाण्डों तथा यज्ञीय विधि-विधानों के विरुद्ध प्रतिक्रिया वस्तुतः उत्तर-वैदिक काल में ही प्रारम्भ हो चुकी थी। वैदिक धर्म की व्याख्या एक नये सिरे से की गयी तथा यज्ञ एवं कर्मकाण्डों की निन्दा करते हुये धर्म के नैतिक पक्ष पर बल दिया गया। संसार को मिथ्या बताकर आत्मा की अमरता के सिद्धान्त का प्रतिपादन हुआ तथा शरीर को आत्मा के लिए बन्धन बताया गया। इस विचारधारा का पूर्ण परिपाक् हमें उपनिषदों में देखने को मिलता है। उपनिषद् यज्ञों तथा उनमें की जाने वाली पशुबलि की कड़ी आलोचना करते हैं। मुण्डक उपनिषद् में यज्ञों को टूटी नौकाओं के समान तथा उनके कर्मकांडों को अल्पफल वाला कहा गया। इसमें बताया गया कि जो मूर्ख इनकी प्रशंसा करता है वह बारम्बार जरा-मृत्यु को प्राप्त होता है।

ईसा पूर्व छठीं शताब्दी की बौद्धिक क्रान्ति के लिये तत्कालीन सामाजिक एवं आर्थिक कारण भी कम उत्तरदायी न थे। वर्ण व्यवस्था की निस्सारता स्पष्ट हो चुकी थी तथा वर्ण कठोर होकर जाति का रूप ले चुके थे। ब्राह्मण व्यवस्थाकारों ने सामाजिक व्यवस्था के अन्तर्गत ब्राह्मण वर्ण को सर्वोच्च स्थान प्रदान किया था तथा अन्य वर्णों को उसके अधीन घोषित किया। शूद्रों की दशा अत्यन्त दयनीय थी तथा उनके कोई भी अधिकार नहीं थे। समाज में दास वर्ग के सदस्यों की संख्या बहुत अधिक थी। इस समय उन्हें कड़े सामाजिक नियमों में बांध दिया गया था जिससे इस वर्ग में अत्यधिक असंतोष था। स्त्रियों के भी वैदिककालीन सामाजिक एवं शैक्षणिक अधिकार समाप्त हो गये थे तथा उन्हें पूर्णतया पुरुष वर्ग के

अधीन बना दिया गया था। इस बात से उनमें भी बड़ा असंतोष था। आर्थिक दृष्टि से गंगाघाटी के लिए यह काल नगरीय क्रान्ति (Urban-Revolution) का काल था। इस समय प्रभूत उत्पादन हो रहा था। नगरों का तेजी से विकास हुआ तथा लोगों का तकनीकी ज्ञान काफी बढ़ गया। लोहे के नये-नये उपकरणों का आविष्कार होने लगा। सिक्कों के प्रचलन के कारण व्यापार-वाणिज्य की प्रगति हुई जिससे समाज में व्यापारी वर्ग सबल हो गया तथा अपनी सम्पत्ति के बल पर वह ब्राह्मणों से सामाजिक श्रेष्ठता का दावा करने लगा। राजनैतिक शक्ति के विस्तार से क्षत्रिय वर्ग भी अपने को ब्राह्मण वर्ण से श्रेष्ठ समझने लगा। राजनैतिक शक्ति एवं सम्पत्ति ने मिलकर समाज में पुरानी मान्यताओं के स्थान पर नयी मान्यताओं की प्रतिष्ठा की। उधार, सम्पत्ति, सूदखोरी (Usury) आदि अब समृद्धि के वास्तविक साधन मान लिये गये। चूंकि ब्राह्मण ग्रन्थों में इनकी निन्दा की गयी है, अतः इन्हें समर्थन प्रदान करने के लिये नवीन मतों की आवश्यकता प्रतीत हुई। इन बदलती हुई नवीन सामाजिक-आर्थिक परिस्थितियों ने नयी-नयी विचारधाओं के उद्भव एवं विकास में सहायता प्रदान किया।

ईसा पूर्व छठी शताब्दी तक आते-आते वैदिक यज्ञों तथा कर्मकाण्डों के ऊपर की जाने वाली अपव्ययता भी आलोचना का विषय बन गयी। कृषि-कार्यों के लिए पशुओं की उपयोगिता बढ़ जाने से सामान्य जन उनके यज्ञों में मारे जाने के विरुद्ध हो गये। राजाओं द्वारा चक्रवर्ती आदर्श की प्राप्ति हेतु सैनिक विजय करना तथा अश्वमेध आदि विस्तृत एवं व्ययपूर्ण यज्ञ करना, जिनकी प्राचीन ब्राह्मण ग्रन्थों में प्रशंसा की गयी है, नवीन सामाजिक-आर्थिक परिवेश में व्यर्थ समझे गये। इससे देश की शान्ति भंग होती थी जो व्यापार-व्यवसाय की प्रगति के लिए आवश्यक थी। इस शताब्दी के विचारकों ने इनका भी खण्डन किया। ब्राह्मण व्यवस्थाकारों द्वारा वेदों की अपौरुषेयता के सिद्धान्त का प्रतिपादन वैचारिक, स्वतन्त्रता के मार्ग में बाधक समझा गया, अतः प्रबुद्ध वर्ग ने इस सिद्धान्त के विरुद्ध भी आवाज उठायी। इस प्रकार ईसा पूर्व छठी शताब्दी की धार्मिक क्रान्ति के लिए सामाजिक-आर्थिक आधार भी विद्यमान थे। सब प्रकार से परिस्थितियाँ क्रान्ति के अनुकूल थी।

इस प्रसंग में उल्लेखनीय है कि इस समय भारत के बाहर भी अनेक देशों में धार्मिक उथल-पुथल मची हुई थी तथा बहुसंख्यक स्वतन्त्र विचारक नये-नये सिद्धान्तों का प्रतिपादन कर रहे थे। जिस समय भारत में महावीर तथा बुद्ध का उदय हुआ उसी समय चीन में कनफ्यूशियस तथा लाओत्से, ईरान में जरथुस्ट, जूडिया में जेरेमिआ तथा यूनान, में पाइथागोरस का आविर्भाव हुआ। इन्होंने भी अपने-अपने देशों के परम्परागत धर्मों में व्याप्त कुरीतियों एवं पाखण्डों तथा सामाजिक कुप्रथाओं का खण्डन करते हुये जनता के समक्ष एक सरल तथा आडम्बररहित धर्म का विधान प्रस्तुत किया था। कुछ विद्वानों का विचार है कि ईसा पूर्व छठी शताब्दी की इस विश्व-क्रान्ति के पीछे कोई सामान्य कारण उत्तरदायी रहा होगा। किन्तु इस प्रकार की मान्यता के लिए हमारे पास कोई पुष्ट प्रमाण नहीं है।

बौद्ध साहित्य से ज्ञात होता है कि महात्मा बुद्ध के उदय के पूर्व समाज में छः बौद्धेतर आचार्य सर्वाधिक महत्वपूर्ण थे–

1. **निगंठनातपुत्तः** यह जैन आन्दोलन के प्रवर्त्तक महावीर का ही नाम था।
2. **पूरन कस्सपः** ये अक्रियावाद अथवा अकर्म के प्रचारक थे जिन्होंने यह मत रखा कि मनुष्य के अच्छे या बुरे कर्मों का कोई फल नहीं होता है।
3. **मक्खलि गोशालः** पहले ये महावीर के शिष्य थे किन्तु बाद में मतभेद हो जाने पर इन्होंने महावीर का साथ छोड़कर "आजीवक" नामक स्वतन्त्र सम्प्रदाय स्थापित किया। "आजीवक" सम्प्रदाय लगभंग 1002 ईस्वी तक बना रहा। इनका मत नियतिवाद (भाग्यवाद) कहा जाता है जिसके अनुसार संसार की प्रत्येक वस्तु भाग्य द्वारा पूर्व नियन्त्रित एवं संचालित होती है। मनुष्य के जीवन पर उसके कर्मों का कोई भी प्रभाव नहीं पड़ता। महावीर के समान गोशाल भी ईश्वर की सत्ता में विश्वास नहीं करते थे तथा जीव और पदार्थ (Matter) को अलग-अलग तत्व मानते थे।
4. **अजितकेसकम्बलिनूः** ये उच्छेदवादी (Nihilist) थे। इनका मत था कि मृत्यु के बाद सब कुछ नष्ट हो जाता है।
5. **पंकुधकच्चायनः** इन्हें नित्यवादी कहा जाता है। इन्होंने सात तत्वों को नित्य बताया–पृथ्वी, जल, अग्नि, वायु, सुख, दुख और आत्मा।
6. **संजय वेलट्ठपुत्तः** ये सन्देहवादी थे। इन्होंने न तो किसी मत को स्वीकार किया और न किसी का खण्डन ही किया।

उपर्युक्त छः आचार्यों के अतिरिक्त अनेक अन्य सम्प्रदाय भी थे। स्वयं बुद्ध के चचेरे भाई ने ही एक सम्प्रदाय की स्थापना की थी जो गुप्तकाल तक चलता रहा। महोबोधि जातक में पाँच प्रमुख दार्शनिक सम्प्रदायों का उल्लेख मिलता है–

1. **अहेतुवादः** यह मत सांसारिक वस्तुओं की उत्पत्ति का कोई भी कारण (हेतु) स्वीकार नहीं करता है।
2. **पुब्बेकतवादः** इसके अनुसार मनुष्य के वर्तमान जीवन के सुख-दुःख उसके पूर्व जन्म के कर्मों के परिणाम होते हैं।
3. **उच्छेदवादः** इस मत में किसी भी वस्तु की सत्ता को स्थायी नहीं माना गया तथा बताया गया कि मृत्यु के बाद सब कुछ विनष्ट हो जाता है।
4. **इस्सरकर्णवादः** यह मत ईश्वर के अस्तित्व में विश्वास करता है तथा उसे ही सृष्टि का कर्त्ता, धर्त्ता एवं संहर्त्ता मानता है।
5. **खत्तविज्जवादः** इस मत में मनुष्य को जीवन में घोर स्वार्थी बनने का उपदेश दिया गया।

पाली ग्रन्थों में अनेक अन्य ब्राह्मण तथा ब्राह्मणेतर आचार्यों के नाम मिलते हैं जो विभिन्न स्थानों में अपने बहुसंख्यक शिष्यों के साथ निवास करते थे और इनमें से कुछ को बुद्ध ने अपने मत में दीक्षित कर लिया था। इनमें वावरी, सेल, निग्रोध, वच्छगोत्त, मागन्दिय, सन्दक, वेखनस, सुसीम, संजय, सारिपुत्र, मौदग्यालन आदि के नाम उल्लेखनीय हैं।

इन अनेक मतों एवं सम्प्रदायों में महावीर और गौतम के सम्प्रदाय ही चिरस्थायी सिद्ध हुए। अन्य या तो इन्हीं में मिल गये या महत्वहीन हो गये। महावीर तथा गौतम इस शताब्दी की क्रान्ति के अग्रदूत सिद्ध हुए। जैन तथा बौद्ध मत मात्र दार्शनिक अथवा धार्मिक सम्प्रदाय ही नहीं थे, अपितु वे जीवन की पद्धतियाँ भी थे जिन्होंने अपने समय की सामाजिक एवं धार्मिक कुरीतियों का खण्डन करते हुए लोक-कल्याण का मार्ग प्रशस्त किया।

## जैन धर्म

'जैन' शब्द 'जिन' से बना है जिसका अर्थ है—विजेता अर्थात् जिसने इंद्रियों को जीत लिया है। कर्म और अहिंसा के समर्थक होने के कारण जैन धर्म को प्रारंभ में बौद्ध धर्म की एक शाखा मात्र माना जाता था।

जैन धर्म में कुल 24 तीर्थंकरों के होने की बात कही जाती है, जो इस प्रकार हैं—1. ऋषभदेव, 2. अजितनाथ, 3. सम्भवनाथ, 4. अभिनन्दन, 5. सुमतिनाथ, 6. पद्मप्रभु, 7. सुपार्श्वनाथ, 8. चन्द्रप्रभु, 9. पुष्पदत्त, 10. शीतलनाथ, 11. श्रयांशनाथ, 12. बासुपूज्य, 13. विमलनाथ, 14. अनन्तनाथ, 15. धर्मनाथ, 16. शांति, 17. कुथुनाथ, 18. अरनाथ, 19. मल्लिनाथ, 20. मुनिसुब्रतनाथ, 21. नामि, 22. नेमिनाथ, 23. पार्श्वनाथ एवं 24. महावीर।

जैन धर्म में तीर्थंकर का अर्थ संसार सागर से पार कराने के लिए औरों को मार्ग बताने वाला होता है।

**ऋषभदेवः** ऋषभदेव को जैन धर्म के संस्थापक, प्रवर्तक एवं पहले तीर्थंकर के रूप में जाना जाता है। इसकी मृत्यु अट्ठावय (कैलास पर्वत) पर हुई थी।

**पार्श्वनाथ :** जैन धर्म के 23वें एवं प्रथम ऐतिहासिक तीर्थंकर पार्श्वनाथ काशी नरेश अश्वसेन के पुत्र थे। इन्होंने जैन धर्म को सुनियोजित और सुव्यवस्थित कर उसके ज्ञान एवं दर्शन के तत्व के वास्तविक प्रवर्तन का श्रेय प्राप्त किया। 30 वर्ष की अवस्था में पार्श्वनाथ ने घर का त्याग कर सम्मेदपर्वत पर कठोर तपस्या कर 84वें दिन कैवल्य की प्राप्ति की। इन्होंने करीब 70 वर्ष तक साकेत, राजगृह, हस्तिनापुर, कौशाम्बी, श्रावस्ती में धर्म का प्रचार किया। पार्श्वनाथ को महावीर से करीब 250 वर्ष पूर्व निर्वाण प्राप्त हुआ। इनके अनुयायियों की संख्या करीब सोलह हजार श्रमणों एवं अड़तीस हजार श्रमणियों की थी। इनके अनुयायियों को निर्ग्रंथ कहा गया। पार्श्वनाथ की प्रथम अनुयायी उनकी माता वामा तथा पत्नी प्रभावती थी।

पार्श्वनाथ ने 4 महाव्रतों का प्रतिपादन किया था, जो इस प्रकार थे—अहिंसा, सत्य, अपरिग्रह एवं अस्तेय। इनमें सर्वाधिक महत्व इन्होंने अहिंसा पर दिया। पार्श्वनाथ ने कायाक्लेश एवं तपश्चर्या से ही मोक्ष-प्राप्ति की बात कही। इन्होंने भिक्षुओं को श्वेत वस्त्र पहनने का आदेश दिया। केशि, पार्श्वनाथ के प्रमुख समर्थकों में से था। पार्श्वनाथ का प्रतीक चिह्न शंख था।

**महावीर स्वामी :** जैनियों के 24वें तीर्थंकर एवं जैन धर्म के वास्तविक संस्थापक के रूप में महावीर स्वामी जाने जाते हैं। इनका जन्म 540 ई.पू. में वैशाली के निकट कुण्डग्राम में हुआ। इनका बचपन का नाम वर्धमान महावीर था। वे वर्ण के क्षत्रिय एवं जाति के ज्ञातृक थे। इनके पिता सिद्धार्थ वज्जि संघ के प्रमुख थे। इनकी माता त्रिशाला अथवा विदेहदत्ता वैशाली के लिच्छवि कुल के प्रमुख चेटक की बहन थी। महावीर का विवाह कौण्डिन्य गोत्र की कन्या यशोदा से हुआ। कालान्तर में एक पुत्री के पिता बने, जिसकी शादी जामालि नामक एक क्षत्रिय से हुई। महावीर ने 30 वर्ष की अवस्था में अपने बड़े भाई नन्दिवर्धन की आज्ञा लेकर घर को त्याग दिया। घर त्यागने के बाद स्वामी जी संन्यासी (यती) हो गये। वे 23वें तीर्थंकर पार्श्वनाथ के शिष्य थे। 13 महीने के उपरान्त महावीर पूर्णतया वस्त्र त्यागकर नंगे रहने लगे। इस प्रकार 12 वर्ष तक लगातार कठोर तपस्या एवं साधना के बाद 42 वर्ष की अवस्था में महावीर को जुम्भिक ग्राम के समीप ऋजुपालिका नदी के किनारे एक साल के वृक्ष के नीचे कैवल्य (ज्ञान) प्राप्त हुआ। कैवल्य प्राप्त हो जाने के बाद महावीर स्वामी को 'केवलिन', 'जिन' (विजेता) 'अर्ह' (योग्य) एवं 'निर्ग्रन्थ' (बन्धन रहित) जैसी उपाधियां मिलीं।

ज्ञान प्राप्ति के उपरान्त महावीर स्वामी ने चम्पा, वैशाली, मिथिला राजगृह, श्रावस्ती, अंग, कोसल, विदर्भ, मगध आदि स्थानों का भ्रमण कर जैन मत का प्रचार-प्रसार किया। महावीर के जामाता जामालि ने उनके कैवल्य प्राप्ति के 14वें वर्ष में एक विद्रोह का नेतृत्व किया था। इसके दो वर्ष बाद तीस गुप्त ने उनका विरोध किया था किन्तु शीघ्र ही वे दोनों शान्त कर दिये गये। 30 वर्ष तक लगातार जैन मत का प्रचार करने के बाद 72 वर्ष की आयु में 468 ई.पू. में राजगृह के समीप स्थित पावा नामक स्थान पर निर्वाण प्राप्त किये। मल्लराजा सस्तिपाल के राजप्रासाद में महावीर स्वामी को निर्वाण प्राप्त हुआ था। अपने पूर्वगामी तीर्थंकर पार्श्वनाथ द्वारा दिये गये 4 महाव्रतों में महावीर ने पांचवाँ व्रत ब्रह्मचर्य जोड़ा।

**पाँच महाव्रत :** जैन धर्म के 5 महाव्रतों का संक्षिप्त विवरण निम्नवत् है :

1. **अहिंसा :** सभी प्रकार की मानसिक, वाचिक एवं कायिक हिंसा से बचने की बात कही गयी है। यह जैन धर्म का सर्वाधिक महत्वपूर्ण व्रत है।
2. **सत्य व अमृषा :** इसमें सदा सत्य एवं मधुर बोलने की बात कही गयी है।
3. **अपरिग्रह :** इसमें सब प्रकार के सम्पत्ति अर्जन से भिक्षुओं के बचने की बात कही गयी है।
4. **अस्तेय :** इसमें अनुमति के बिना किसी दूसरे की सम्पत्ति ग्रहण करने से बचने की बात कही गयी है।
5. **ब्रह्मचर्य :** इसमें भिक्षुओं को पूर्ण ब्रह्मचर्य व्रत का पालन करने की बात कही गयी है। गृहस्थ जीवन व्यतीत करने वाले जैनियों के लिए उपर्युक्त व्रतों की कठोरता में कमी करके उसे 'अणुव्रत' नाम दिया गया।

**अष्ट विवाह**

**ब्रह्म विवाह :** समान वर्ण में विवाह (कन्या का मूल्य देकर)

**देव विवाह :** यज्ञ कर्म करने वाले के साथ कन्या का विवाह (दक्षिणा सहित)।

**आर्ष विवाह :** कन्या के पिता को वर एक जोड़ी बैल प्रदान करता है।

**प्रजापत्य विवाह :** बिना लेन-देन के योग्य वर से विवाह।

**असुर विवाह :** कन्या को उसके माता-पिता से खरीद लिया जाता है। यह निकृष्ट माना जाता है।

**गांधर्व विवाह :** प्रेम सम्बन्धों के आधार पर विवाह।

**राक्षस विवाह :** पराजित राजा की पुत्री, बहन या पत्नी से उसकी इच्छा के विरुद्ध विवाह।

**पैशाच विवाह :** यह विवाह प्रायः विश्वासघात द्वारा किया जाता था। स्मृतियों में ब्रह्म विवाह, दैव विवाह, आर्ष विवाह, प्रजापत्य विवाह को मान्यता प्राप्त हैं।

**त्रिरत्न :** जैन धर्म में पूर्व जन्म के कर्मफल को समाप्त करने एवं इस जन्म के कर्म फल से बचने के लिए 'त्रिरत्नों' के पालन की बात की गयी है। ये 'त्रिरत्न' हैं–

1. **सम्यक् श्रद्धा :** सत् में विश्वास।
2. **सम्यक् ज्ञान :** शुद्रूप का शंका विहीन तथा वास्तविक ज्ञान।
3. **सम्यक् आचरण :** ब्राह्य जगत के विषयों के प्रति सम दुःख-सुख भाव से उदासीनता ही सम्यक् आचरण है।

इन 'त्रिरत्नों' का पालन करने से कर्मो का जीव की ओर बहाव रूक जाता है, इसे 'संवर' कहते हैं। जब जीव में पहले से किये गये कर्म का प्रभाव समाप्त होने लगता है तो उसे 'निर्जरा' कहते हैं। जैन धर्म में मोक्ष एवं निर्वाण प्राप्ति के लिए कठिन तपस्या एवं कायाक्लेश की बात की गयी है। कायाक्लेश के अन्तर्गत उपवास के द्वारा शरीर को समाप्त (आत्म-हत्या) करने का विधान है।

मोक्ष या निर्वाण के उपरान्त जीव जीवन-मरण के चक्र से मुक्त होकर अनन्त ज्ञान, अनन्त दर्शन, अन्नत वीर्य तथा अनन्त सुख को प्राप्त हो जाता है। इसे ही जैन धर्म में 'अनंत चतुष्ट्य' कहा गया है।

पार्श्वनाथ वस्त्र धारण के समर्थक थे जबकि महावीर वस्त्र त्याग कर पूर्णतः नग्न रहने की बात करते थे। महावीर स्वामी का प्रतीक चिह्न 'सिंह' है।

**जैन धर्म में ज्ञान :** जैन धर्म में 5 प्रकार के ज्ञान का उल्लेख मिलता है :

1. **मति :** इन्द्रियों द्वारा प्राप्त होने वाला ज्ञान।
2. **श्रुति :** श्रवण द्वारा प्राप्त होने वाला ज्ञान।
3. **अवधि :** दिव्य ज्ञान।
4. **मनः पर्याय :** अन्य व्यक्तियों के मन-मस्तिष्क को जान लेने वाला ज्ञान।
5. **कैवल्य :** निर्ग्रन्थों एवं जितेन्द्रियों को प्राप्त होने वाला पूर्ण ज्ञान।

जैन धर्म संसार की वास्तविकता को स्वीकार करता है, पर सृष्टिकर्ता के रूप में ईश्वर को नहीं स्वीकारता। जैन धर्म मानता है कि अनादि काल से संसार का अस्तित्व शाश्वत है।

जैन धर्म के अनुसार सृष्टि का निर्माता ईश्वर नहीं है अपितु यह संसार 6 द्रव्यों–जीव, पुदगल (भौतिक तत्व), धर्म, अधर्म, आकाश एवं काल से निर्मित है। ये द्रव्य विनाश की संभावना से परे एवं शाश्वत हैं। पुदगल से आशय है–जिसका प्रयोग और विभाजन किया जा सके।

इस सृष्टि के कण-कण में आत्मा का वास है अर्थात् आत्मा के अतिरिक्त कुछ भी असीम नहीं है। महावीर पुनर्जन्म एवं कर्मवाद में विश्वास करते थे।

**स्याद्वाद :** स्याद्वाद, जिसे सप्तभंगनीय भी कहा जाता है, यह मूल रूप से ज्ञान की सापेक्षता का सिद्धान्त है। इसमें सांसारिक वस्तुओं के विषय में हमारे सभी निर्णय न तो पूर्णतः स्वीकार किये जा सकते हैं और न ही पूर्णतः अस्वीकार ही। ये संख्या में 7 होते हैं–1. है, 2. नहीं है, 3 है और नहीं है, 4. कहा नहीं जा सकता, 5. है किन्तु कहा नहीं जा सकता, 6. नहीं है और कहा जा सकता है एवं 7. है, नहीं है और कहा जा सकता है। स्याद्वाद को 'अनेकान्तवाद' भी कहते हैं। महावीर स्वामी ने यज्ञ और वेद की प्रामाणिकता को स्वीकार नहीं किया। महावीर स्वामी की मृत्यु के करीब दो सौ साल बाद जैन धर्म दो भागों में विभाजित हो गया।

चौथी शताब्दी ई.पू. में मगध में 12 वर्षों तक भयंकर अकाल पड़ा रहा, जिससे भद्रबाहु, अपने शिष्यों के साथ कर्नाटक चले गये, पर स्थूल बाहु अपने शिष्यों के साथ मगध में ही रहे। अकाल के खत्म होने पर जब भद्रबाहु मगध लौटे तो उसे श्वेताम्बर अर्थात् सफेद वस्त्र धारण करने वाला कहा गया। स्थूलबाहु एवं उसके अनुयायियों को 'दिगम्बर' कहा जाने लगा। जैन धर्म के समर्थक राजाओं में उदयन, बिम्बिसार, अजातशत्रु, चन्दगुप्त मौर्य, बिन्दुसार एवं खारवेल का जिक्र मिलता है। इस धर्म के प्रधान केन्द्र के रूप में मथुरा एवं उज्जैन का उल्लेख मिलता है। जैनी मान्यतानुसार नारी को भी आध्यात्मिक क्षमता के विकास द्वारा निर्वाण प्राप्त करने का अधिकार है। महावीर स्वामी स्त्री के संघ में प्रवेश के समर्थक थे।

आरम्भ में जैन धर्म में मूर्ति पूजा का प्रचलन नहीं था, लेकिन कालान्तर में श्वेताम्बर सम्प्रदाय के लोगों ने महावीर एवं अन्य तीर्थंकरों की पूजा आरम्भ कर दी। महावीर स्वामी ने पावा में अपने ग्यारह प्रमुख अनुयायियों के साथ एक संघ की स्थापना की और प्रत्येक गण (समूह) का गणधर (प्रधान) इन्हीं ग्यारह गणों में से एक-एक को बनाया गया। जैन संघ के सदस्य 4 वर्गों में बंटे थे। भिक्षु, भिक्षुणी, श्रावक, श्राविका। भिक्षु-भिक्षुणी पूर्णरूप से संन्यासी का जीवन व्यतीत करते थे। श्रावक एवं श्राविका गृहस्थ जीवन में ही रहकर जैन धर्म का पालन करते थे।

जैन मतानुयायी कृषि एवं युद्ध के विरोधी थे क्योंकि इससे जीवों की हिंसा होती थी। वाणिज्य एवं व्यापार को इसलिए महत्व दिया जाता था क्योंकि इसमें जीव हिंसा की संभावना नहीं रहती थी। जैन मतावलम्बियों ने आम बोल-चाल की भाषा प्राकृत को अपनाया। इस धर्म के धार्मिक

ग्रंथ अर्धमागधी भाषा में लिखे गये हैं। बाद में इसी भाषा से अपभ्रंश का विकास हुआ। जैन धर्म का महत्वपूर्ण ग्रंथ 'कल्पसूत्र' संस्कृत में लिखा गया। 5वीं सदी में कर्नाटक में बने जैन मठों को 'बसदिस' कहा गया। स्थापत्य कला में जैनियों के महत्वपूर्ण योगदान के रूप में हाथीगुम्फा मंदिर (उड़ीसा), दिलवाड़ा मंदिर, माउंट आबू (राजस्थान), गोमतेश्वर प्रतिमा (कर्नाटक) तथा खजुराहो में निर्मित पार्श्वनाथ, आदिनाथ का मंदिर उल्लेखनीय है।

जैन साहित्य को 'आगम' कहा जाता है, जिसमें 12 अंग, 12 उपांग, 10 प्रकीर्ण, 6 छेदसूत्र, 4 मूलसूत्र, अनुयोग सूत्र व नन्दिसूत्र की गणना की जाती है।

छेदसूत्र में जैन भिक्षुओं के लिए उपयोगी विधि-नियमों का संकलन है। इनका महत्व बौद्धों के विनयपिटक जैसा है। निशीथ, महानिशीथ, व्यवहार, आचार दशा, कल्प, पंचकल्प, छेदसूत्र हैं।

मूलसूत्र के अन्तर्गत जैनधर्म के उपदेश, भिक्षुओं के कर्त्तव्य, विहार, जीवन पथ, नियम आदि का वर्णन है। इनकी संख्या चार है—उत्तराध्ययन, षडावशयक, दशवैकालिक, पिण्डनिर्युक्ति एवं पाक्षिक सूत्र।

नान्दीसूत्र एवं अनुयोग द्वार जैनियों के स्वतंत्र ग्रंथ तथा विश्वकोश हैं। इनमें भिक्षुओं द्वारा व्यवहार की जाने वाली प्रायः सभी बातें लिखी गयी हैं।

उपर्युक्त सभी बातें श्वेताम्बर सम्प्रदाय के जैनियों के लिए हैं। दिगम्बर सम्प्रदाय के अनुयायी इन्हें प्रामाणिक नहीं मानते।

**जैन संगीतियाँ**

**प्रथम जैन संगीति**

| | |
|---|---|
| समय | 322 से 298 ई. पू. |
| स्थल | पाटलिपुत्र |
| अध्यक्ष | स्थूलभद्र |
| शासक | चन्द्रगुप्त मौर्य |
| कार्य | जैन धर्म के महत्वपूर्ण 12 अंगों का प्रणयन किया गया। जैन धर्म का दो भागों—श्वेताम्बर एवं दिगम्बर में विभाजन। |

**द्वितीय जैन संगीति**

| | |
|---|---|
| समय | 512 ई. |
| स्थल | बल्लभी |
| अध्यक्ष | देवर्धि क्षमा श्रमण |
| कार्य | धर्म ग्रंथों को अन्तिम रूप से संकलित कर लिपिबद्ध किया गया |

## बौद्ध धर्म

बौद्ध धर्म के प्रवर्तक महात्मा बुद्ध या सिद्धार्थ का जन्म कपिलवस्तु के लुंबिनी नामक ग्राम में शाक्य क्षत्रिय कुल में 563 ई.पू. में हुआ था। इनके पिता शुद्धोदन शाक्य गण के मुखिया थे, माता महामाया कोलियवंशीय थीं। बुद्ध के जन्म के कुछ दिन बाद ही इनकी माता महामाया का देहान्त हो गया, इनका पालन-पोषण विमाता प्रजापति गौतमी ने किया। 16 वर्ष की अवस्था में सिद्धार्थ का विवाह शाक्य कुल की कन्या यशोधरा से हुआ, जिसके अन्य नाम बिम्बा, गोपा, भद्कच्छना भी हैं। सिद्धार्थ से यशोधरा को एक पुत्र उत्पन्न हुआ जिसका नाम 'राहुल' था।

सांसारिक समस्याओं से व्यथित होकर सिद्धार्थ ने 29 वर्ष की अवस्था में गृह त्याग दिया। इस त्याग को बौद्ध ग्रन्थों में 'महाभिनिष्क्रमण' कहा गया। गृह त्याग के उपरान्त सर्वप्रथम वे वैशाली के नजदीक अलारकलाम आश्रम में गए और वहाँ से उरुवेला (बोधगया) के लिए प्रस्थान किये। अलारकलाम सांख्य दर्शन का आचार्य था तथा अपनी साधना शक्ति के लिए विख्यात था। यहां सिद्धार्थ को कौण्डिन्य आदि 5 साधक मिले। बिना अन्न-जल ग्रहण किये हुए 6 वर्ष की कठिन तपस्या के बाद 35 वर्ष की आयु में वैशाख पूर्णिमा की रात एक पीपल के वृक्ष के नीचे सिद्धार्थ को ज्ञान प्राप्त हुआ। ज्ञान प्राप्ति के बाद इन्हें 'बुद्ध' के रूप में जाना जाने लगा। बुद्ध का एक अन्य नाम 'तथागत' भी मिलता है जिसका अर्थ है—सत्य है ज्ञान जिसका। महात्मा बुद्ध को शाक्य मुनि के रूप में भी वर्णन किया गया है।

उरुवेला से बुद्ध सारनाथ (ऋषिपत्नम् या मृगदाव) आये, यहां पर उन्होंने 5 ब्राह्मण संन्यासियों को अपना प्रथम उपदेश दिया, जिसे बौद्ध ग्रंथों में 'धर्म चक्र प्रवर्तन' के नाम से जाना जाता है। सारनाथ में ही बुद्ध ने 5 संन्यासियों के साथ संघ की स्थापना की। इनके नजदीकी शिष्यों में आनन्द, उपालि, सारिपुत्र, मौद्गल्यायन, देवदत्त आदि थे, जिनमें सर्वाधिक नजदीक आनन्द थे।

**बौद्ध धर्म के पूर्ववर्ती धार्मिक सम्प्रदाय**

| सम्प्रदाय | संस्थापक |
|---|---|
| आजीवक सम्प्रदाय (भाग्यवादी) | मक्खलि गोशाल |
| घोर अक्रियावादी | पूरन कस्यप |
| उच्छेदवादी (भौतिकवादी) | अजित केस-कम्वलि |
| नित्यवादी | पकुधकच्चायन |
| सन्देहवादी | संजय बेलट्ठपुत्र |

महात्मा बुद्ध ने अपने उपदेश मगध, कोशल, वैशाली, कौशाम्बी एवं अन्य अनेक राज्यों में दिये, बुद्ध ने अपने जीवन के सर्वाधिक उपदेश कोशल देश की राजधानी 'श्रावस्ती' में दिये। इनके प्रमुख अनुयायी शासकों में बिम्बसार, प्रसेनजित तथा उदयन थे। महात्मा बुद्ध अपने जीवन के अन्तिम पड़ाव में कुशीनारा पहुँचे, जहां पर 483 ई. पू. में 80 वर्ष की अवस्था में इनकी मृत्यु हुई, जिसे बौद्ध ग्रंथ में 'महापरिनिर्वाण' की संज्ञा दी गयी। मृत्यु के बाद बुद्ध के शरीर के अवशेष को आठ भागों में बांटकर उस पर आठ स्तूपों का निर्माण कराया गया।

बुद्ध ने सांसारिक दुखों के संबंध में चार आर्य सत्यों का उपदेश दिया। ये आर्य सत्य हैं—*(i)* दुख, *(ii)* दुख समुदाय, *(iii)* दुख निरोध, और *(iv)* दुख निरोधगामिनी प्रतिपद्या।

इन सांसारिक दुःखों से मुक्ति हेतु बुद्ध ने अष्टांगिक मार्ग की बात कही। ये साधन हैं—1. सम्यक् दृष्टि, 2. सम्यक् संकल्प, 3. सम्यक् वाणी, 4. सम्यक् कर्मान्त, 5. सम्यक् आजीव, 6. सम्यक् व्यायाम, 7. सम्यक् स्मृति एवं 8. सम्यक् समाधि।

बुद्ध के अनुसार इन अष्टांगिक मार्गों के पालन करने के उपरान्त मनुष्य की भव तृष्णा नष्ट हो जाती है और उसे निर्वाण प्राप्त हो जाता है।

'प्रतीत्यसमुत्पाद' ही बुद्ध के उपदेशों का सार एवं उनकी सम्पूर्ण शिक्षाओं का आधार-स्तम्भ है। प्रतीत्य समुत्पाद का अर्थ है कि संसार की सभी वस्तुएं कार्य और कारण पर निर्भर करती हैं। प्रतीत्य (किसी वस्तु के होने पर) समुत्पाद (किसी अन्य वस्तु की उत्पत्ति), प्रतीत्य समुत्पाद का यही दर्शन है।

संसार में व्याप्त हर-प्रकार के दुःख का सामूहिक नाम है 'जरामरण'। जरामरण के चक्र में बारह क्रम हैं—1. जरा-मरण, 2. जाति, 3. भव, 4. उपादान, 5. तृष्णा, 6. वेदना, 7. स्पर्श, 8. षडायतन, 9. नामरूप, 10. विज्ञान, 11. संस्कार, और 12. अविद्या।

महात्मा बुद्ध ने 'मध्यम मार्ग' (मध्यम-प्रतिपदा) का उपदेश देते हुए कहा कि मनुष्य को सभी प्रकार के आकर्षण एवं कायाक्लेश से बचना चाहिए, अर्थात् इन दोनों अतियों के बीच के मार्ग में दुःख निरोध हेतु प्रयास करना चाहिये।

'निर्वाण' बौद्ध धर्म का परम लक्ष्य है, जिसका अर्थ है 'दीपक का बुझ जाना' अर्थात् जीवन-मरण चक्र से मुक्त हो जाना। महात्मा बुद्ध के मतानुसार मनुष्य निर्वाण इसी जीवन में प्राप्त करता है। महात्मा बुद्ध भी निर्वाण प्राप्ति के बाद काफी दिन तक जीवित थे। इनके अनुसार महापरिनिर्वाण मृत्यु के बाद ही संभव है। महात्मा बुद्ध ने निर्वाण प्राप्ति को सरल बनाने हेतु 10 शीलों पर विशेष बल दिया। ये शील हैं—1. अहिंसा, 2. सत्य, 3. अस्तेय, 4. व्यभिचार से बचना, 5. शराब के सेवन से बचना, 6. समय से भोजन ग्रहण करना, 7. कोमल शैय्या पर सोने से बचना, 8. धन संचय से बचना, 9. स्त्रियों से दूर रहना, 10. नृत्यगान आदि से दूर रहना। सामान्य मनुष्यों के लिए बुद्ध ने जिस धर्म का उपदेश दिया उसे उपासक धर्म कहा गया। वह भिक्षु धर्म से भिन्न था। 'दीर्घ निकाय' के 'सिगालोवादसुत्त' में इस धर्म का विवरण प्राप्त होता है। बुद्ध घोष ने इसे 'गाहिविनय' अर्थात् 'गृहस्थों के लिए आचरण की संज्ञा दी। इस धर्म के प्रमुख लक्षण हैं अहिंसा, प्राणियों पर दया, सत्याभाषण, माता-पिता की सेवा, गुरुजनों का सम्मान, ब्राह्मणों तथा श्रमणों को दान, मित्रों, परिचितों, सम्बन्धियों आदि के साथ अच्छा बर्ताव करना इत्यादि बताये गये हैं। ये सभी बातें सभी धर्मों में समान रूप से श्रद्धेय मानी जाती हैं।

महात्मा बुद्ध अनीश्वरवादी एवं अनात्मवादी थे, पर वे पुनर्जन्म में विश्वास करते थे। यज्ञीय कर्मकाण्ड एवं पशुबलि का बुद्ध ने विरोध किया।

बौद्ध धर्म के त्रिरत्न हैं—बुद्ध, संघ और धम्म। बुद्ध, द्वारा स्थापित संघ की सभा में प्रस्ताव पाठ को 'अनुसावन' कहते थे। संघ में प्रवेश पाने को 'उपसम्पदा' कहा जाता था।

बौद्ध संघ का संगठन गणतंत्र प्रणाली पर आधारित था। संघ में अल्पायु, चोर, हत्यारों, ऋणी व्यक्तियों, राजा के सेवक, दास तथा रोगी व्यक्ति का प्रवेश वर्जित था। गौतम बुद्ध ने अपने प्रिय शिष्य आनन्द के अनुरोध पर संघ में महिलाओं को प्रवेश दिया। प्रथम महिला इनकी सौतेली माँ प्रजापति गौतमी थीं।

प्रथम बौद्ध संगीति में जहाँ बुद्ध के उपदेशों का संकलन सुत्त एवं संघ सम्बन्धी आचार-नियमों को विनय पिटक में किया गया। वहीं द्वितीय बौद्ध संगीति में जिसका आयोजन वैशाली में बुद्ध के महापरिनिर्वाण के 100 वर्षों पश्चात् हुआ था, पूर्वी एवं पश्चिमी गुट के भिक्षुओं के मतभेद के कारण बौद्ध धर्म स्थविर एवं महासंघिक दो गुटों में विभाजित हो गया। कालान्तर में ये 18 संप्रदायों में विभाजित हुए। स्थविर या थेरवाद का सबसे महत्वपूर्ण संप्रदाय सर्वास्तिवादियों का था जिसकी स्थापना राहुलभद्र ने की थी। महासंघिक संप्रदाय का संस्थापक महाकस्सप था। थेरवादियों के सिद्धान्त ग्रन्थ संस्कृत में हैं, किन्तु महासंघिकों के ग्रंथ प्राकृत में हैं। मोग्गलिपुत्त तिस्स की अध्यक्षता में तीसरी बौद्ध परिषद ने गैरथेरवादी संप्रदायों के विचारों का खण्डन 'कथावत्थु' नामक ग्रंथ में किया। कनिष्क के समय आयोजित चौथी बौद्ध परिषद का उल्लेख ह्वेनसांग, तारानाथ ने किया है।

**बौद्ध संगीतियाँ**

| संगीति | वर्ष | आयोजन स्थान | शासन काल | अध्यक्ष | कार्य |
|---|---|---|---|---|---|
| **प्रथम** | 483 ई.पू. | राजगृह (सप्तपर्णिगुफा में) | अजातशत्रु | महाकस्सप | बुद्ध के उपदेशों को दो पिटकों-सुत्त पिटक और विनय पिटक में बांट कर संकलित किया गया। |
| **द्वितीय** | 383 ई.पू. | वैशाली | कालाशोक | सावकमीर | मतभेद की उपस्थिति में बौद्ध धर्म दो भागों स्थविर एवं महासंघिक में बँट गया। |
| **तृतीय** | 251 ई.पू. | पाटलिपुत्र | अशोक | मोग्गलिपुत्र तिस्स | अभिधम्म पिटक को संकलित किया गया तथा संघभेद रोकने के लिए कुछ कठोर नियमों का निर्माण। |
| **चतुर्थ** | प्रथम शताब्दी ई. | कश्मीर (कुण्डलवन) | कनिष्क | वसुमित्र (अश्वघोष उपाध्यक्ष) | 'विभाषशास्त्र' नामक टीका का संकलन तथा बौद्ध धर्म का दो सम्प्रदायों-हीनयान एवं महायान में विभाजन। |

कनिष्क के शासनकाल में बौद्ध धर्म दो वर्गों में विभाजित हो गया–1. हीनयान और 2. महायान। हीनयान व निम्नमार्गी लोग रूढ़िवादी प्रवृत्ति के थे, इन लोगों ने बिना किसी परिवर्तन के बुद्ध के मूल उपदेशों को ग्रहण किया। महायान अथवा उत्कृष्टमार्गी लोग सुधारवादी प्रवृत्ति के थे। इसमें बुद्ध की मूर्ति की पूजा का प्रचलन एवं बुद्ध के अवतार के रूप में मान कर पूजा का प्रावधान है। इस समय इस सम्प्रदाय के लोग तिब्बत, चीन, कोरिया, मंगोलिया एवं जापान में हैं। हीनयान सम्प्रदाय के लोग श्रीलंका, वर्मा, जावा आदि देशों में फैले हैं। कालान्तर में हीनयान सम्प्रदाय दो भागों–वैभाषिक एवं सौत्रान्तिक में बंट गया। वैभाषिक मत मुख्यतः कश्मीर में प्रचलित था। इस मत के मुख्य आचार्य वसुमित्र, बुद्धदेव, धर्मघात एवं घोषक थे। महायान सम्प्रदाय भी दो भागों में बंटा–शून्यवाद (माध्यमिक) एवं विज्ञानवाद (योगाचार)। शून्यवाद (माध्यमिक) के प्रवर्तक नागार्जुन थे। विज्ञानवाद (योगाचार) की स्थापना ईसा की तीसरी शताब्दी में मैत्रेयनाथ ने की। असग तथा वसुबन्ध द्वारा इसका प्रसार किया गया।

पौराणिक अर्थात् देवकथा संबंधी संकल्पनाओं की वृद्धि होने पर महायान का देवकुल बना, जिसमें पाँच ध्यानी बुद्ध थे–बैरोचन, अक्षोभ्य, रत्नसंभव, अभिताभ और अमोघसिद्धि। महायान में बोधिसत्व की संकल्पना भी है। कोई भी व्यक्ति जो बोधिचित्त का विकास कर रहा है बोधिसत्व होता है। सबसे प्रतिष्ठित बोधिसत्व जिन्हें लगभग देवता ही माना जाता है वे हैं–अवलोकितेश्वर, मंजुश्री, वज्रपाणि, सामंतभद्र, आकाशगर्भ, महास्थान-प्राप्त, भैषज्यराज और मैत्रेय। इन बोधिसत्वों में अवलोकितेश्वर जो काम का अवतार था बहुत लोकप्रिय था। देवी तारा जो प्रज्ञा की अवतार हैं; कुछ प्रतिमाओं में बोधिसत्वों के साथ दिखाई गयी हैं। इस तारा को 'प्रसापारमिता' भी कहा जाता है।

**वज्रयान :** 7वीं शताब्दी के करीब बौद्ध धर्म में तन्त्र-मंत्र का प्रभाव बढ़ने लगा, जिसके परिणामस्वरूप वज्रयान सम्प्रदाय का उदय हुआ। इस सम्प्रदाय के सिद्धान्त मंजुश्रीमूलकल्प एवं गुहा समाज नामक ग्रंथ में मिलते हैं। इसके अंतर्गत तंत्र-मंत्र, जादू-टोना आदि पर बल दिया गया। पंचमकारों मद्य, मांस, मैथुन, मत्स्य, मुद्रा आदि के सेवन का समर्थन किया गया। इस सम्प्रदाय के कारण ही भारत में बौद्ध धर्म पतन की ओर अग्रसर हुआ। ईसा की 10वीं शताब्दी या उसके आस-पास वज्रयान की परिधि के अन्दर ही एक अन्य संप्रदाय 'कालचक्रयान' उठ खड़ा हुआ। इस संप्रदाय में सर्वोच्च देवता भगवान श्री कालचक्र को माना जाता है। बंगाल में ग्यारहवीं शताब्दी के लगभग एक अन्य संप्रदाय 'सहजयान' का उदय हुआ। यह समस्त रूढ़िवादिता, संस्कारवाद, मंत्रपाठ आदि के विरुद्ध था। इस प्रकार ग्यारहवीं और बारहवीं शताब्दी बौद्ध धर्म के पतन का काल था। पालों के बाद किसी शासक का राजकीय संरक्षण इस धर्म को नहीं प्राप्त हो सका। बख्तियार खिलजी ने बौद्ध मठों को नष्ट कर दिया।

दक्षिण में बौद्धधर्म की लोकप्रियता का सूत्र सातवाहनों के काल तक खोजा जा सकता है। आंध्रप्रदेश में जग्गयपेट, अमरावती और भट्टिप्रोलु के स्तूपों पर लेख मिले हैं, जिससे बौद्ध भिक्षुओं के संरक्षण का प्रमाण मिलता है। बौद्धों के कई सम्प्रदाय खूब उन्नति पर थे, जैसे नासिक और कन्हेरी में भदयानीय, कारला में महासांघिक, सोपारा और जुन्नर में धर्मत्तरीय, अमरावती में चेतकीय। अजंता, एलोरा बौद्ध धर्म के प्रमुख केन्द्र थे। कृष्णानदी के तट पर नागार्जुनकोंडा महायान संप्रदाय का एक महत्वपूर्ण केन्द्र था, जिसका संबंध नागार्जुन से था। वैष्णव आचार्यों एवं शैव नयनारों के उदय से दक्षिण में बौद्ध धर्म का मार्ग 7वीं सदी से अवरुद्ध हुआ।

**बेलुवन, जेतवन :** बुद्ध के वर्षा काल के निवास स्थान। वेलुवन का निर्माण राजा बिम्बसार ने तथा जेतवन का निर्माण जेतराजकुमार ने करवाया था।

**जैन एवं बौद्ध धर्म में समानता :** दोनों धर्मों में यज्ञीय कर्मकाण्डों, जाति-पाँत एवं छुआ-छूत का विरोध किया गया है। दोनों ही ईश्वर की सत्ता को स्वीकार नहीं करते। दोनों धर्मों ने उपदेश के लिए जन साधारण की भाषा प्राकृत एवं पालि का प्रयोग किया है। दोनों धर्मों के प्रवर्तक क्षत्रिय कुल के थे।

**असमानता :** अहिंसा में दोनों धर्म विश्वास करते थे, पर जैन धर्म इस पर अधिक बल देता था। जैन धर्म में मोक्ष या निर्वाण प्राप्त करना शरीर त्यागने के बाद ही संभव था, पर बौद्ध धर्म में निर्वाण प्राप्ति के लिए शरीर त्यागने की आवश्यकता नहीं थी। जैन धर्म के उपासक 'कायाक्लेश' के मार्ग को अपनाकर कठोर व्रत का पालन करते थे जबकि बौद्ध धर्म में मध्यम मार्ग को अपनाने की बात कही गयी है। जैन धर्म भारत के बाहर नहीं फैल सका पर बौद्ध धर्म विश्व के कई देशों में प्रसार पा सका। दोनों धर्मों में मूर्तिपूजा का प्रचलन था पर जैन मतावलम्बी महावीर की नग्न मूर्ति की पूजा करते थे।

**बुद्ध के जीवन से सम्बन्धित 5 महाचिह्न अथवा प्रतीक**

| घटना | चिह्न/प्रतीक |
|---|---|
| जन्म | कमल व सांड़ |
| गृहत्याग | घोड़ा |
| ज्ञान | पीपल (बोधिवृक्ष) |
| निर्वाण | पद चिह्न |
| मृत्यु | स्तूप |

## भागवत् धर्म ( वैष्णव धर्म )

भागवत धर्म के उत्पत्ति के अंकुर वैदिक काल से दिखाई देते हैं। यद्यपि इसका परमोत्कर्ष गुप्त काल में द्रष्टव्य है। इस के प्रवर्तक वृष्णिवंशी या सात्वत्वंशी कृष्ण थे। कृष्ण के अनुयायी उन्हें भगवत् (पूज्य) कहते थे। इसलिए इस धर्म का नाम भागवत् धर्म पड़ गया। इसे सात्वत् धर्म भी कहा गया है, क्योंकि कृष्ण का सम्बन्ध सात्वत् वंश से लगाया जाता है।

कृष्ण का उल्लेख दो रूपों-देवकी पुत्र एवं गोपीकृष्ण के रूप में मिलता है। छान्दोग्य उपनिषद् में सर्वप्रथम कृष्ण को देवकी पुत्र कहा गया तथा उन्हें घोर अंगिरस का शिष्य बताया गया। गोपी कृष्ण का उल्लेख प्रारम्भिक तमिल कविताओं में प्राप्त होता है। जैन परम्परा के अनुसार बासुदेव कृष्या 22वें तीर्थंकर अरिष्टनेमि के समकालीन थे।

विष्णु का सर्वप्रथम उल्लेख ऋग्वेद में प्राप्त होता है। तदनुसार इन्होंने तीन पगों से समस्त लोकों को नाप लिया। विष्णु को महत्ता उत्तरवैदिक काल में प्राप्त हुई, जब इनको प्रजापति और रूद्र के साथ तीन प्रमुख देवताओं में स्थान मिला। शतपथ ब्राह्मण में उल्लेख मिलता है कि आकाश, वायु तथा पृथ्वी तीनों में इनका वास है। महाभारत काल में वासुदेव कृष्ण का तादात्म्य विष्णु से स्थापित किया गया। 300 ई.पू. के लगभग कृष्ण-विष्णु का तादात्म्य नारायण से स्थापित किया गया, तब वैष्णवधर्म की एक संज्ञा पाञ्चरात्र धर्म हो गई क्योंकि नारायण के उपासक पाञ्चरात्र कहे जाते थे। यह सम्भवतः पाँच दिन और पाँच रात तक चलने वाला एक यज्ञ था।

**भागवत् धर्म का विकासः** भागवत धर्म मुख्यरूप से पाणिनि के काल में अत्यधिक प्रचलित हुआ। इस समय उल्लेख मिलता है कि वासुदेव की पूजा करने वाले वासुदेवक कहलाते थे। पाणिनि काल में जो गृहपत्नी और गृहपति भागवत धर्म का अनुसरण करते थे, उन्हें क्रमशः भागवती और भागवतम् कहा जाता था। मौर्यकाल में भी भागवत धर्म प्रचलित था। मेगस्थनीज ने इण्डिका में लिखा है कि शूरसेन (मथुरा) के लोग हेराक्लीज (कृष्ण) के उपासक थे। हेराक्लीज कृष्ण का यूनानी रूपान्तरण है।

मौर्योत्तर काल में दूसरी शताब्दी ई.पू. के विदिशा (बेसनगर) से प्राप्त एक अभिलेख से ज्ञात होता है कि यवनदूत तक्षशिला निवासी हेलियोडोरस ने वासुदेव के सम्मान में विदिशा में गरूणध्वज की स्थापना की और स्वयं को भागवत् घोषित किया। हेलियोडोरस यूनान के शासक एन्टियोलकीड्स का राजदूत था, जो शुंग शासक भागभद्र के दरबार में आया था।

सातवाहन काल में भागवत धर्म की जानकारी प्रथम शताब्दी ई.पू. के नानाघाट के अभिलेख से मिलती है। यह अभिलेख सातवाहन शासक सातकर्णी प्रथम की पत्नी नागनिका का है। इस अभिलेख में वासुदेव और संकर्षण (बलराम) की पूजा करने का उल्लेख है। पहली शताब्दी ई. में मथुरा के समीप मोरा से प्राप्त एक लेख में उल्लिखित है कि तोषा नामक महिला ने पाँच वृष्णि वीरों की पूजा की। ये पाँच वृष्णिवीर थे– वासुदेव, संकर्षण, प्रद्युम्न, अनिरूद्ध तथा साम्ब।

कुषाणकाल में हुविष्क तथा वासुदेव द्वारा विष्णु पूजा का पता चलता है यद्यपि कुषाणवंशीय अन्य राजा शैव धर्म में अपनी आस्था रखते थे।

गुप्तकाल में वैष्णव धर्म चरमोत्कर्ष पर था। गुप्त शासक परमभागवत की उपाधि धारण करते थे। विष्णु का वाहन गरुड़ गुप्तों का राजचिह्न था। कालिदास के रघुवंश महाकाव्य में भगवान विष्णु का वर्णन है कि समुद्र तल में भगवान विष्णु शेषशय्या पर लेटे हुये हैं, उनका पैर लक्ष्मी की गोद में है। उनकी चार भुजाएं हैं जिनमें क्रमशः गदा, चक्र, शंख, और पद्म धारण किए हैं, एवं उनके वक्ष में कौस्तुक नामक मणि शोभायमान है गुप्तकाल में ही अमरसिंह ने अपने ग्रंथ अमरकोश में विष्णु के 39 नामों का वर्णन किया है। इसी काल में वाराहमिहिर ने वृहत्संहिता में भागवत् धर्म का उल्लेख किया है। स्कन्दगुप्त के भितरी अभिलेख में शारंगिन (कृष्ण) की पूजा के लिए कुछ गाँवों को दान में दिये जाने का उल्लेख है। स्कन्दगुप्त का जूनागढ़ अभिलेख भगवान विष्णु की स्तुति से ही प्रारम्भ होता है। इसमें उल्लेख है कि जूनागढ़ के प्रशासक चक्रपालित ने विष्णु मंदिर का निर्माण कराया। जूनागढ़ अभिलेख में ही विष्णु को वामन रूप धारण करके छल से लक्ष्मी के हरण का उल्लेख मिलता है। दिल्ली में मेहरौली लौह स्तम्भ में उल्लेख मिलता है कि चन्द्रगुप्त विक्रमादित्य ने विष्णु ध्वज की स्थापना की। इसी तरह बुधगुप्त के एरण अभिलेख में उल्लेख है कि यहाँ पर एक गरूड़ ध्वज की स्थापना की गई। गुप्त काल में भगवान विष्णु के विभिन्न अवतारों की भी पूजा की जाने लगी। गुप्तकालीन एक विशालकाय, पृथ्वी की रक्षा करते हुए वाराह की मूर्ति का अंकन उदयगिरि पर्वत पर मिलता है। गुप्त काल में ही देवगढ़ (झाँसी) या प्रसिद्ध दशावतार मंदिर बनवाया गया। गुप्तकाल का विष्णु का सबसे लोकप्रिय अवतार वाराह अवतार था।

वेंगी के पूर्वी चालुक्य भी वैष्णव धर्मानुयायी थे। उनका राजचिन्ह गरूड़ था। राजपूत काल में वैष्णव धर्म का प्रचार-प्रसार हुआ। खलीमपुर दानपात्र में उल्लेख मिलता है कि इस समय भगवान विष्णु की पूजा 'ओम नमो भगवते वासुदेवाय' शब्दों से की जाती थी। प्रतिहार मिहिरभोज अपने ग्वालियर अभिलेख में स्वयं को वाराह अवतार घोषित करता है। बंगाल के सेनवंशी अपने आप का परम वैष्णव कहते थे। चन्देलशासक कीर्तिवर्मन तथा कश्मीर की शासिका दिद्दा की मुद्राओं ने लक्ष्मी की मूर्ति मिलती है। 11वीं शताब्दी में क्षेमेन्द्र द्वारा रचित दशावतार चरित में दस अवतारों का वर्णन है। 12वीं शताब्दी में जयदेव ने गीतगोविन्द की रचना की। राष्ट्रकूट शासक दन्तिदुर्ग ने एलोरा में दशावतार का मंदिर बनवाया था।

## दक्षिण भारत में वैष्णव धर्म

दक्षिण भारत में वैष्णव धर्म के सन्त अलवार कहलाए। इनकी संख्या 12 बतलायी गई है। ये निम्नलिखित थे–

(1) पोइगई, (2) पूडम, (3) पेय, (4) पेरियालवार, (5) तिरूमलराई, (6) तिरूमंगई, (7) तिरूप्पाण, (8) तौंडार, (9) कुलशेखर, (10) नम्मालवार, (11) मधुरकवि, (12) आडाल पा कोदई- एकमात्र महिला अलवार।

## वैष्णव धर्म के सिद्धांत

वैष्णव धर्म के सिद्धांतों में अवतारवाद, पाञ्चरात्र सिद्धांत एवं वीर पूजा प्रमुख है।

### *अवतारवाद*

वैष्णव धर्म की एक प्रमुख विशेषता इसकी अवतारवाद की संकल्पना है। पारिभाषिक रूप में अवतार शब्द भगवान विष्णु अथवा देवताओं के अवतरण के लिए प्रयुक्त होता है। अमरकोश एवं गीतगोविन्द में विष्णु के 39 अवतारों का उल्लेख मिलता है, परन्तु वास्तविक रूप में दस अवतार सर्वाधिक प्रचलित हैं। ये निम्नलिखित हैं–

1. **मत्स्यावतारः** शतपथ ब्राह्मण में इस अवतार का वर्णन है। जल प्लावन के समय में विष्णु ने मत्स्य का रूप धारण कर मनु को बचाया।
2. **कूर्मावतारः** समुद्र मंथन के समय विष्णु ने कूर्म के रूप में मन्दराचल पर्वत को धारण कर लिया था। काँचीपुरम् में भगवान विष्णु मंदिर के कूर्मावतार का भी पूजन होता है।

3. **वाराह अवतारः** हिरण्याक्ष ने जब पृथ्वी को समुद्र में फेंक दिया तो विष्णु ने वाराह का रूप धारण कर पृथ्वी को समुद्र तल से उठा लिया। चन्द्रगुप्त द्वितीय के उदयगिरि गुहालेख में वाराह अवतार का उल्लेख है। गुप्तकाल में यह सर्वाधिक प्रचलित अवतार था।
4. **नृसिंह अवतारः** इस अवतार के द्वारा ही विष्णु ने हिरण्यकशिपु का वध किया।
5. **वामनावतारः** इस अवतार में दैत्यराज बली का दर्प मर्दन किया। स्कन्दगुप्त के जूनागढ़ अभिलेख में इस अवतार का उल्लेख है।
6. **परशुराम अवतारः** परशुराम ब्राह्मण ऋषि जमदग्नि के पुत्र थे। इनको भी भगवान विष्णु का एक अवतार माना गया है।
7. रामावतार
8. कृष्णावतार अथवा बलराम अवतार
9. **बुद्ध अवतारः** इन्हें भगवान विष्णु के दस अवतारों में 9वाँ तथा 24वाँ अवतारों में 23वाँ माना गया है।
10. **कल्किः** यह अवतार अभी होना है। ऐसी मान्यता है कि कलियुग में भगवान सफेद घोड़े पर सवार होकर आएंगे।

## पाञ्चरात्र सिद्धान्त

पाञ्चरात्र मत का उदय तीसरी शताब्दी ई.पू. में हुआ। पाञ्चरात्र शब्द का प्रयोग नारायण के उपासकों के लिए महाभारत के नारायणीय प्रसंग में सर्वप्रथम हुआ है। यहाँ नारायण को भी पाञ्चरात्रिक कहा गया है। यह सम्भवतः पाँच दिन और पाँच रात चलने वाला यज्ञ था। नारद के अनुसार रात्र का अर्थ ज्ञान है। अतः पाञ्चरात्र, ज्ञान के पाँच भेदों का विवेचन करने वाला सिद्धान्त है? ईश्वर संहिता के अनुसार भगवान ने पाँच ऋषियों (शाण्डिल्य, औपगायन, कौशिक, भारद्वाज तथा भौजायन) को पाँच दिन और पाँच रात्रि तक जिस धर्म की शिक्षा दी, वह पाञ्चरात्र धर्म है। एक अन्य मत के अनुसार पाँच वृष्णिवीरों (वासुदेव, संकर्षण, प्रद्युम्न, अनिरूद्ध और साम्ब) की पूजा करने के कारण इसे पाञ्चरात्र कहा जाता है।

विभिन्न मतों के आधार पर डा. सुवीरा जायसवाल ने निम्नलिखित निष्कर्ष निकाला है जो अत्यन्त समीचीन प्रतीत होता है। तदनुसार शतपथ ब्राह्मण में उल्लेख है कि नारायण का 'पञ्चरात्र सत्र' पुरुषमेध या नरबलि था और वह पाँच दिनों तक चलता था। इसमें बलि की अवधि की गणना रात्रि से होती थी, जिसके लिए 'रात्र' शब्द प्रयुक्त हुआ है। अतः पाञ्चरात्र का तात्पर्य उस नरबलि के अनुष्ठान से था जिसके साथ नारायण का सम्बन्ध था। बाद में नरबलि की प्रथा का परित्याग कर दिया गया।

## वीर पूजा– (पंचवीर)

कालान्तर में वैष्णव धर्म में वासुदेव (कृष्ण) के अतिरिक्त वृष्णिवंश के चार अन्य देवताओं की पूजा की जाने लगी। इसे वीरपूजा कहा गया है, तथा इन पाँचों देवताओं को पंचवीर कहा गया है। ये पंचवीर हैं–

1. वासुदेव
2. संकर्षण (यह वासुदेव के रोहिणी से उत्पन्न पुत्र थे)
3. प्रद्युम्न (यह कृष्ण के रूक्मिणी से उत्पन्न पुत्र थे)
4. अनिरूद्ध (प्रद्युम्न के पुत्र)
5. साम्ब (ये कृष्ण के जाम्बवती से उत्पन्न पुत्र थे)

## चतुर्व्यूह

पाञ्चरात्र धर्म में पाँच वीरों की पूजा का विधान था (वासुदेव, संकर्षण, प्रद्युम्न, अनिरूद्ध तथा साम्ब)। पाँचवें वीर देवतर साम्ब को ईरानी सूर्य सम्प्रदाय से सम्बद्ध हो जाने के कारण पृथक् कर दिया गया। अन्य चारों वीरों का विष्णु के मूल व्यूह (अर्थात रूपान्तर सीमा) के रूप में स्वीकार किया गया और इस व्यूहवाद को वैष्णव धर्म में चतुर्व्यूह के सिद्धान्त के रूप में प्रस्तुत किया गया। ये चारों व्यूह निम्न थे–

1. **वासुदेवः** इनके छः गुण हैं– बल, विद्या, ऐश्वर्य, वीर्य, शक्ति और तेज। सकल सृष्टि का बीज पौरुषी रात्रि (प्रलय) के रूप में भगवान वासुदेव में समाहित है।
2. **संकर्षणः** यह वासुदेव के रोहिणी से उत्पन्न पुत्र थे। इनके गुण हैं बल और विद्या। इनका कार्य हैं जगत की सृष्टि करना और पाञ्चरात्र का उपदेश देना।
3. **प्रद्युम्नः** यह कृष्ण के रूक्मिणी से उत्पन्न पुत्र थे। इनका गुण है– ऐश्वर्य और वीर्य। इनका कार्य सत्य मार्ग पर चलने का निर्देश देना है।
4. **अनिरुद्धः** ये प्रद्युम्न के पुत्र थे। इनका गुण शक्ति और तेज है। इनका कार्य मोक्ष प्रदान करना (क्रिया फल) है।

इन चारों व्यूहों से कालान्तर में सोलह उपव्यूह बने तथा चार विद्येश्वर निकले। इस प्रकार भगवान विष्णु 24 रूपों में प्रकट हुए जिन्हें विभव और अवतार भी कहा गया।

## *नवधा भक्ति*

वैष्णव धर्म में नवधा भक्ति का विशेष महत्व है। यह मंदिर, मूर्ति, निवेदन, दासत्वस्नान, धूप-दीप, नैवेद्य, पुष्प, संगीत आदि अनेक क्रियाओं से उपास्य (विष्णु) को प्रसन्न करने का आयोजन था। भक्ति का सर्वप्रथम उल्लेख श्वेताश्वतर उपनिषद् में मिलता है। जबकि सर्वप्रथम विस्तृत उल्लेख भगवद्गीता में मिलता है।

# शैव धर्म

भगवान शिव की पूजा करने वाले को शैव तथा शिव से संबंधित धर्म को शैव धर्म कहा जाता है। यह भारत का प्राचीनतम धर्म है। इसकी प्राचीनता आद्य इतिहास (सिन्धु सभ्यता) तक जाती है, क्योंकि मार्शल ने मोहनजोदड़ो से प्राप्त एक मुद्रा पर अंकित मूर्ति को शिव का प्रारम्भिक रूप सिद्ध किया है। ऋग्वेद में शिव का नाम रुद्र मिलता है। वहाँ वे अन्तरिक्ष के देवता थे। ऋग्वेद के तीन सूक्तों में रूद्र का वर्णन मिलता है। उत्तर वैदिक काल में (तैत्तिरीय संहिता) इनका नाम शिव प्राप्त होता है। अथर्ववेद एवं श्वेताश्वतर उपनिषद् में शिव का एक नाम महादेव मिलता है।

रुद्र की पत्नी के रूप में पार्वती का नाम तैत्तिरीय आरण्यक में मिलता है। तैत्तिरीय आरण्यक में ही अम्बिका का रुद्र की भगिनी के रूप में उल्लेख है। केन उपनिषद् में हिमालय की पुत्री उमा हेमवंती का उल्लेख है।

शिव का लिंग रूप में भी पूजा का प्रमाण मिलता है। इसकी प्राचीनता सिन्धु सभ्यता तक जाती है। लिंग पूजा का प्रथम उल्लेख मत्स्य पुराण में है। महाभारत के अनुशासन पर्व में भी लिंग पूजा का उल्लेख है। शिव की प्राचीनतम मूर्ति पहली शताब्दी ई. में मद्रास के निकट रेनी गुंटा में सिद्ध गुडिमल्लम लिंग के रूप में प्राप्त हुई है।

## शैव धर्म का विकास

ऋग्वेद में शिव के लिए रुद्र शब्द प्रयोग हुआ है। वैदिक रूद्र की कल्पना दो रूपों में की गई थी। उनका पहला स्वरूप संहारक है जबकि दूसरा सौम्य। उत्तर वैदिक काल में रूद्र की विशिष्टता में वृद्धि हुई एवं उनके दो रूपों की कल्पना की गई– शिव एवं रुद्र। अपने शान्त मंगलमय रूप में वे शिव की संज्ञा से अभिहित किये जाते थे एवं विनाशक और उग्र रूप में रुद्र कहलाते थे। अथर्ववेद में रुद्र के विनाशकारी रूप को ही अधिक महत्व दिया गया। अथर्ववेद में 'भव' और 'शर्व' नामक स्वतंत्र किन्तु छोटे-छोटे देवों को कुछ मंत्रों में 'रुद्र' में ही विलीन कर दिया गया है। यह रुद्र के निरन्तर बढ़ते प्रभाव का सूचक है। रुद्र चतुर्दिक व्याप्त थे। वह भव के रूप में पूर्वी प्रदेश के अन्तर्वर्ती स्थान, 'शर्व' के रूप में दक्षिण में, पशुपति के रूप में पश्चिम में, 'उग्र' के रूप में उत्तर में, 'रुद्र' के रूप में भूतल में, महादेव के रूप में ऊसर में और ईशान के रूप में अन्तरिक्ष में व्याप्त थे। शतपथ ब्राह्मण से पता चलता है कि प्रजापति द्वारा रखे गए उनके आठ नामों में से रुद्र, शर्व, उग्र और भीम चार नाम विध्वंसकारी तथा भव, पशुपति, महादेव और ईशान ये चार नाम कल्याणकारी थे। यजुर्वेद में रुद्र के भयंकर रूप पर और अधिक बल दिया गया। अब उन्हें किवि (विध्वंसक) तथा दीर्वात्य (उच्छृंखल आचरण) की संज्ञा भी दी गई। शतरूद्रीय स्तोत्र में शिव, शंकर, शिवतर आदि नामों का उल्लेख है। पर्वत पर शयन करने के करण उन्हें गिरीश, गिरित्र, गिरिचर, गिरिशिय आदि भी कहा गया। चर्म धारण करने के कारण उन्हें कृत्तिवासन की संज्ञा दी गई।

सूत्र ग्रंथों में रुद्र की स्तुति में 12 नाम मिलते हैं। अब उनके साथ इन्द्राणी, रुद्राणी, शर्वाणी और भवानी नामक चार नामों की कल्पना की गई।

रामायण में शिव से सम्बद्ध अनेक कथाएं जैसे–विषपान, गंगावतरण, मदनदहन, शिव-पार्वती विवाह, स्कन्द जन्म आदि प्राप्त होती हैं। रामायण में शिव को 'ह' और 'वृषध्व' उपाधियों से विभूषित किया गया। शिव के परिचर नन्दी का भी उल्लेख सर्वप्रथम इसी ग्रन्थ में हुआ है। महाभारत में शिव की उपासना मानवाकार और लिंगाकार दोनों रूपों में होती थी। इनका कापालिक रूप भी महाभारत में वर्णित है। स्कन्द जन्म, त्रिपुरदाह, सागर- मंथन, दक्ष यज्ञ आदि कथाओं का उल्लेख भी यह ग्रंथ करता है।

पाणिनि की अष्टाध्यायी के बारे में कहा जाता है कि पाणिनि के 14 सूत्र महादेव के डमरू से उत्पन्न हुए हैं। पौराणिक युग में शिव की महत्ता परमब्रह्म के रूप में स्थापित हुई। स्कन्द पुराण में भगवान शिव कहते हैं कि सृष्टिकर्ता ब्रह्मा के पहले मैं ही अकेला ईश्वर था, वर्तमान में मैं ही ईश्वर हूँ और भविष्य में मैं ही रहूँगा। ऐतिहासिक युग में सर्व प्रथम मौर्य काल में मेगस्थनीज उल्लेख करता है कि शूरसेन (मथुरा के निवासी) डायनोसिस (शिव का यूनानी रूपान्तर) की पूजा करते थे। कौटिल्य ने भी शिव पूजा का उल्लेख किया है। कल्हण, राजतरंगिणी में उल्लेख करता है कि अशोक का पौत्र जालौक शैव धर्म का अनुयायी था। पतंजलि के महाभाष्य से पता चलता है कि परवर्ती मौर्य सम्राट शिव एवं स्कन्द की मूर्तियाँ बनाकर बेचते थे।

मौर्योत्तर काल में कुषाण शासक विम कडफिसस की मुद्राओं पर त्रिशूलधारी शिव और नन्दी के चित्र का अंकन मिलता है तथा पृष्ठ भाग पर महेश्वर अंकित है। यह शैव धर्म से सम्बन्धित प्रथम अभिलेखीय साक्ष्य है। कुषाण शासक हुविष्क की मुद्राओं में शिवलिंग का चित्रण मिलता है।

गुप्त युग में शैव धर्म अत्यन्त उन्नत अवस्था में था। संस्कृत के महान कवि कालिदास शैव उपासक थे । उन्होंने अपने प्रसिद्ध महाकाव्य 'रघुवंश' का प्रारम्भ पार्वती परमेश्वरी की वन्दना के साथ किया है। 'कुमारसंम्भव' महाकाव्य में कुमार या स्कन्द (शिवपुत्र) के जन्म का वर्णन है। इसी महाकाव्य में शिव और शक्ति के सम्मिलित स्वरूप अर्धनारीश्वर की कल्पना की गई है। इसी ग्रन्थ में कालिदास ने तीन ज्योतिर्लिंगों का वर्णन किया है– खीरी लखीमपुर के गोलागोकर्णनाथ, उज्जैन के महाकाल और काशी के विश्वनाथ। चद्रगुप्त द्वितीय का मंत्री वीरसेन शैव धर्म का अनुयायी था। इसने उदयगिरि पर्वत पर शैव अनुयायियों के रहने के लिए एक गुफा का निर्माण करवाया। कुमारगुप्त के मंत्री पृथ्वीसेन के बारे में उल्लेख है कि उसने शैव धर्म के विकास के लिए काफी धन दान में दिया। कुमारगुप्त के सिक्कों पर मयूर पर बैठे कार्तिकेय को दर्शाया गया है। नचना कुठार में पार्वती मन्दिर तथा भूमरा से शिव के मन्दिर प्राप्त हुए हैं। समुद्रगुप्त के समय का प्रयाग प्रशस्ति में शिव की जटा से गंगा के निकलने का उल्लेख मिलता है। गुप्तकाल में शिव के नाम पर जुलूसों का भी आयोजन होता था, जिसे देवद्रोणी कहा जाता था। गुप्तकाल में हरिहर की अनेक मूर्तियाँ प्राप्त होती है। इसमें हरि का तात्पर्य विष्णु और हर का तात्पर्य शिव से है। मूर्तियों के दाहिने भाग में जटा, त्रिशूल, परशु लिए शिव तथा बाएं भाग में शंख, चक्र धारण किए मुकुटधारी विष्णु है। गुप्त काल में ही त्रिमूर्ति के रूप में ब्रह्मा, विष्णु और शिव की उपासना प्रारम्भ हुई। एलीफैन्टा की त्रिमूर्ति इस प्रकार की प्रसिद्ध मूर्ति है।

गुप्तोत्तर काल में महाकवि भारवि की रचना किरातार्जुनीयम् में किरात वेशधारी शिव और अर्जुन के बीच युद्ध का वर्णन है। हर्षवर्धन के बाँसखेड़ा और मधुबनी अभिलेखों में उल्लेख मिलता है कि 619 ई. से पहले हर्षवर्धन शैवधर्म का अनुयायी था। हर्षवर्धन के समय में ह्वेनसाँग भारत आया जिसके अनुसार काशी शैव धर्म का प्रमुख केन्द्र था जहाँ पर सौ से अधिक शैव मन्दिर थे। हर्षवर्धन के समकालीन शासकों गौड़ नरेश शशांक और कामरूप के भास्करवर्मा ने भी शैव धर्म को अपनाया।

राजपूत काल में उज्जैन, काशी के बाद दूसरा प्रमुख शैव केन्द्र बना। परमारवंश का राजा भोज शैव धर्म का अनुयायी था जिसके द्वारा रचित पुस्तक तत्वपरीक्षा शैव धर्म से सम्बन्धित है। पाल, चन्देल एवं सेन वंश के ज्यादातर अभिलेख 'ओम नमः शिवाय' से प्रारम्भ होते हैं। चन्देलों के समय में ही धंग ने कंदरिया महादेव मन्दिर का निर्माण करवाया। गुजरात में खम्भात की खाड़ी क्षेत्र में शिव का प्रसिद्ध सोमनाथ मन्दिर था। महमूद गजनवी द्वारा इसे नष्ट करने के बाद परमार शासक भोज एवं अन्हिलवाड़ के चालुक्य शासक कुमारपाल ने इसका पुनर्निर्माण करवाया। चालुक्य शासक जयसिंह सिद्धराज ने सोमनाथ जाने वाले यात्रियों से तीर्थ यात्रा कर लेना बन्द कर दिया।

## दक्षिण भारत में शैव धर्म

दक्षिण भारत में शैव धर्म का प्रचार-प्रसार करने वाले सन्तों को नयनार कहा गया। इनकी कुल संख्या 63 थी। इनका प्रारम्भिक उल्लेख पल्लवों के समय में मिलता है। प्रमुख नयनार निम्नलिखित है–

1. **सम्बन्दरः** यह सबसे महान नयनार था। इसने जैनियों को मदुरा में वाद-विवाद में हराकर राजा समेत समस्त प्रजा को शैव धर्म में दीक्षित किया तथा 8000 जैनियों को शूली पर चढ़वा दिया।
2. **अप्पर या तिरूनावुक्करशुः** इसने पल्लव शासक महेन्द्रवर्मन को शैव धर्म में दीक्षित किया जो प्रारम्भ में जैन था। अप्पर भी नयनार बनने से पहले जैन धर्म का उपासक था।
3. **नम्बि-आण्डार-नम्बिः** यह चोल शासक राजराज प्रथम के समय का था। इसने नयनारों की रचनाओं का तमिल भाषा में संग्रह किया। ये संग्रह तिरूमुडै कहे जाते हैं। इनकी संख्या 11 हैं।
4. **सुन्दरमूर्तिः** इसे तम्बिरानतोलन (ईश्वर मित्र) की उपाधि दी गई।
5. **मणिक्कवाचकरः** इस नयनार ने चिदम्बरम में लंका के बौद्धों को वाद-विवाद में पराजित किया।
6. **आदनूर या अक्कादेवीः** यहं महिला नयनार थीं।
7. **मुनिराय**
8. **मयंकदारः** इसने शैव सिद्धान्त का निरूपण किया था।
9. **नंदन**
10. **सिड्रूत्तोण्डर**

**शैव सिद्धान्तः** शैव धर्म के अनुसार सृष्टि अथवा जगत के तीन रत्न हैं–

1. शिव (यह कर्ता है)
2. शक्ति (यह कारण है)
3. बिन्दु (यह उपादान है)

इस मत के चार पद हैं–

1. **विद्याः** इसके द्वारा पति, पशु तथा पाश के सही स्वरूप का बोध होता है।
2. **क्रियाः** इसमें उपासना, मंत्र-सिद्धि, यज्ञ आदि कर्म आते हैं। इन क्रियाओं के द्वारा शिव की उपासना की जाती है।
3. **योगः** इसमें ध्यान और साधना पर बल दिया जाता है।
4. **चर्याः** इसमें यह प्रतिपादित किया जाता है कि क्या विहित है (करना है) और क्या अविहित है।

शिव स्वयंभू है, अतः इनका अवतार नहीं होता है, लेकिन वायुपुराण में उल्लेख है कि शिव ने लकुलीश नामक एक ब्रह्मचारी के रूप में अवतार लिया था। सृजन का अध्यक्ष होने के नाते वह 'अर्धनारीश्वर' है। वह महादेव अर्थात् महान देवता है। वह हर अर्थात् पकड़ने वाला, भैरव अर्थात् भयंकर, भवेश अर्थात् संसार का स्वामी तथा पशुपति अर्थात् पशुओं का स्वामी है।

## शैव धर्म के प्रमुख सम्प्रदाय

वामन पुराण में शैव मत के 4 सम्प्रदायों का उल्लेख है– पाशुपत, शैव, कापालिक और कालामुख।

**पाशुपत सम्प्रदायः** यह शैवों का सबसे प्राचीन सम्प्रदाय है, जिसकी उत्पत्ति ईसा पूर्व दूसरी शताब्दी में हुई। वायु पुराण और लिंग पुराण से पता चलता है कि इस सम्प्रदाय के संस्थापक लकुलीश थे। इनका जन्म स्थान कायावरोहण (गुजरात) था। इस सम्प्रदाय के लोग हाथ में एक लगुड़ या दण्ड धारण करते थे। लकुलीश की अनेक मूर्तियाँ प्राप्त हुई है, जिनमें एक ग्वालियर के तेली-मन्दिर में है। किन्तु, यह इस समय उपलब्ध नहीं है। माधवाचार्य ने अपनी प्रसिद्ध पुस्तक सदर्शन संग्रह में इस पुस्तक के कुछ अंश दिए हैं।

इस सम्प्रदाय का प्राचीनतम अंकन कुषाण शासक हुविष्क की एक मुद्रा पर मिलता है। चन्द्रगुप्त द्वितीय कालीन मथुरा लेख में उदिताचार्य नामक एक पाशुपत मतानुयायी का उल्लेख है जिसने दो लिंगों की स्थापना करवाई थी। बाणभट्ट ने कादम्बरी में इस सम्प्रदाय का उल्लेख किया है तथा लिखा है कि इसके अनुयायी अपने मस्तक पर भस्म पोतते थे तथा हाथ में रूद्राक्ष की माला धारण करते थे। ह्वेनसांग ने सिन्ध तथा अहिच्छत्र के लोगों को पाशुपत मतानुयायी कहा है। महेश्वर कृत 'पाशुपत सूत्र' तथा 'वायुपुराण' से इस सम्प्रदाय के सिद्धान्तों का ज्ञान होता है। इसके अन्तर्गत पाँच पदार्थों की सत्ता स्वीकार की गई है–

1. **कार्यः** इसके अन्तर्गत जड़ तथा चेतन आते हैं।
2. **कारणः** शिव ही सभी वस्तुओं की सृष्टि तथा संहार का कारण है।
3. **योगः** इसके द्वारा चित्त के माध्यम से जीव तथा परमेश्वर में सम्बन्ध स्थापित होता है।
4. **विधिः** वह साधन जिससे जीव को महेश्वर की प्राप्ति होती है।
5. **दुःखान्तः** शिव के अनुग्रह से जब जीव को मुक्ति मिलती है, तो उसे दुःखान्त कहा जाता है।

नेपाल के काठमाण्डू का पशुपतिनाथ मंदिर इस मत का प्रमुख केन्द्र है।

**कापालिक सम्प्रदायः** कापालिक एक तांत्रिक शैव-धर्म था जो अपुराणीय है। इन्होंने 'भैरव तंत्र' तथा 'कौल तंत्र' की रचना की। यह शैव धर्म का

दूसरा प्रमुख सम्प्रदाय है। इसके उपासक भैरव को शिव का अवतार मानकर उनकी उपासना करते हैं। इस मत के अनुयायी सुरा-सुन्दरी का सेवन करते हैं, माँस खाते हैं तथा नरमुण्ड धारण करते हैं। इनका विश्वास है कि ऐसा करने से इनकी ज्ञान शक्ति तीक्ष्ण होती है।

भवभूति के मालतीमाधव नाटक से पता चलता है कि श्री शैल नामक स्थान कापालिकों का प्रमुख केंद्र था।

**कालामुख सम्प्रदायः** इस सम्प्रदाय के अनुयायी कापालिकों के ही वर्ग के थे किन्तु उनसे भी अतिवादी एवं भयंकर प्रकृति के थे। ये असुर प्रवृत्ति के थे। अतिमार्गी होने के कारण ही शिवपुराण में उन्हें महाव्रतधर कहा गया है।

## वीरशैव अथवा लिंगायत सम्प्रदाय

दक्षिण भारत में शैव धर्म का प्रचार-प्रसार वीर शैव अथवा लिंगायत के रूप में हुआ। इस सम्प्रदाय के उपासक शिवलिंग की आराधना करते थे एवं उसे चाँदी के सम्पुट (डिबिया) में रखकर अपने गले में धारण करते थे।

इस सम्प्रदाय के प्रवर्तक कल्याणी के शासक कल्चुरि विज्जल के प्रधानमंत्री वासवराज एवं उनके भतीजे चिन्नावासव को माना जाता है। वसव पुराण में लिंगायत सम्प्रदाय के प्रवर्तक अल्लभप्रभु तथा उनके शिष्य 'वसव' को बताया गया है। कुछ लोग 'एकान्तरमैया' को इस सम्प्रदाय का संस्थापक मानते हैं। इस सम्प्रदाय में गुरू, जंगम और लिंग का बहुत महत्व है। जंगम उसे कहा गया है जिसने पारशिव से ऐक्य स्थापित कर लिया हो। इस सम्प्रदाय के सन्तों ने कन्नड़ भाषा में उपदेश दिया। इनके भक्ति गीतों को 'वचनशास्त्र' कहा जाता था।

इस मत के अनुयायी निष्काम कर्म में विश्वास करते हैं। इसीलिए इस मार्ग को वीरमार्ग कहा गया। ये पुनर्जन्म को नहीं मानते। वेदों तथा जाति-पाति का खण्डन करते हैं। इनका दर्शन विशिष्टाद्वैत के नाम से जाना जाता है अर्थात शिव और जीवात्मा में भेद नहीं है। कालान्तर में इनकी चार श्रेणियाँ हो गईं-

1. जंगम श्रेणी
2. शीलवन श्रेणी
3. वणिक श्रेणी
4. पंचमशाली श्रेणी

वीर शैवों का मत है कि भिन्न-भिन्न समयों में पाँच महापुरुषों ने इस धर्म का उपदेश दिया। उनके नाम हैं— रेणुकाचार्य, दारुकाचार्य, एकोरायाचार्य, पंडिताराध्य और विश्वाराध्य।

लिंगायतों ने रम्भापुरी (मैसूर में), उज्जैन, ऊखीमठ (केदारनाथ), श्री शैल और काशी में अपने विशिष्ट सिंहासनों की स्थापना की।

**कश्मीरी शैव सम्प्रदायः** कश्मीरी शैव सम्प्रदाय का गठन 'वसुगुप्त' ने 9वीं शताब्दी के उत्तरार्ध में किया था। यह शुद्ध रूप से दार्शनिक अथवा ज्ञान मार्गी है। इसमें ज्ञान और ध्यान को परमब्रह्म की प्राप्ति का प्रधान आधार माना गया है। इसे 'त्रिक दर्शन' के नाम से जाना गया अर्थात् इसकी तीन शाखाएं हैः

1. **स्पन्दन शास्त्रः** इस शाखा के पहले दार्शनिक और कश्मीरी शैव सिद्धान्त के प्रवर्तक वसुगुप्त थे। इस सम्प्रदाय के दो प्रधान ग्रंथ 'शिव सूत्रम्' और 'स्पन्दनकारिका' माने जाते हैं।
2. **आगम शास्त्रः** इसके अन्तर्गत तीन तत्वों की कल्पना की गई है जो क्रमशः पशु, पति और पाश हैं।
3. **प्रत्यभिज्ञा शास्त्रः** इसके प्रवर्तक सोमानन्द थे। इनकी रचना का नाम 'शिव दृष्टि' है। ये सब कुछ शिव को मानते थे।

## नाथपन्थ सम्प्रदाय अथवा यौगिनी कौल मार्ग

इस सम्प्रदाय की स्थापना दसवीं शताब्दी में मत्स्येन्द्रनाथ अथवा मच्छन्दरनाथ ने की। इस सम्प्रदाय में शिव को आदिनाथ मानते हुए नौ नाथों को दिव्य पुरूष के रूप में मान्यता प्रदान की गई है। मत्स्येन्द्रनाथ के ग्रंथों 'कौलज्ञान निर्णय' और 'अकुलवीरतंत्र' में इस सिद्धान्त की विस्तृत चर्चा की गई है।

इस सिद्धान्त के अनुसार शिव का नाम 'अकु' है तथा उसकी शक्ति का नाम 'कुल' है। इन दोनों के संयोग से सृष्टि होती है। ऐसी स्थिति में इस साधना का समस्त कार्य स्त्री को साथ रखकर सम्पन्न किया जाता है। मत्स्येंद्रनाथ की यह साधना वज्रयानी बौद्धों की साधना से साम्य रखती है। इसीलिए मत्स्येन्द्रनाथ को अवलोकितेश्वर के अवतार के रूप में माना गया है और तिब्बत में इन्हें 'सिद्धलुईपाद' के रूप में जाना जाता है।

**गोरखनाथः** 11वीं शताब्दी में नाथपन्थ सम्प्रदाय के प्रचार-प्रसार का कार्य बाबा गोरखनाथ ने किया। उन्होंने साधना में स्त्रियों के प्रवेश का विरोध किया और कहा कि इनके संयोग और संसर्ग से साधना सम्भव नहीं है। इन्होंने सच्चरित्रता और जीवन की पवित्रता पर बल दिया। इनके अनुसार शिव ही परमतत्व है। जब उसकी सृष्टि की इच्छा होती है तब यह शक्ति के रूप में परिवर्तित हो जाता है। इनके हठयोग और सहजयान योग का तत्कालीन समाज में तीव्रता से प्रसार हुआ। 'योग मार्ग' और 'गोरक्षा सिद्धान्त संग्रह' नामक ग्रंथ में इनके सिद्धान्तों का वर्णन मिलता है।

# शाक्त सम्प्रदाय

'शाक्त सम्प्रदाय' हिंदू धर्म के तीन प्रमुख सम्प्रदायों में से एक से एक है। आदि शक्ति अर्थात देवी की उपासना करने वाला सम्प्रदाय 'शाक्त सम्प्रदाय' कहलाता है। शक्ति का प्रारम्भिक रूप सिन्धुकाल में मातृदेवी की पूजा में दिखाई पड़ता है। शाक्त उपासना गुप्त काल में अपने चरमोत्कर्ष पर थी। पूर्व मध्यकाल में देवी की उपासना अत्यन्त लोकप्रिय थी। अधिकांश मंदिर इसी युग के बने हैं। मध्य प्रदेश के जबलपुर में भेंड़ाघाट के पास चौसठ योगिनी का मन्दिर अत्यन्त प्रसिद्ध है। प्रतिहार महेन्द्रपाल के लेखों में दुर्गा की महिषासुर मर्दिनी, काँचन देवी, अम्बा आदि नामों की स्तुति मिलती है। राष्ट्रकूट अमोघवर्ष ने एक बार अपने बाएं हाथ की अँगुली काटकर देवी को चढ़ा दिया था। कल्हण की राजतरंगिणी से पता चलता है कि शारदा देवी का दर्शन करने के निमित्त गौड़ नरेश के अनुयायी कश्मीर आए थे। अबुल फजल भी शारदा देवी के मन्दिर का विवरण देता है।

सम्प्रति शाक्त उपासना के तीन प्रमुख केन्द्र हैं– कश्मीर, काँची तथा असम स्थित कामाख्या। इसमें कामाख्या कौल मत का प्रसिद्ध केंद्र है।

ऐतिहासिक काल में शिव की पत्नी उमा अथवा पार्वती को जगत-जननी कहा गया है। शक्ति के रूप में विकसित होकर पार्वती 'कपिलावर्णा', 'काली' और 'सिंहवासिनी' देवी के प्रचंड रूप की पूजा कापालिक और कालामुख जैसे घोरपंथी सम्प्रदाय के लोग करते हैं।

शाक्तों के दो वर्ग हैं– कौलमार्गी और समयाचारी।

1. **कौलमार्गीः** कौलमार्गी पंचमकार की उपासना करते हैं, जिनमें मद्य, माँस, मत्स्य, मुद्रा एवं मैथुन शामिल है। इनके नाम 'म' से प्रारम्भ होते हैं।

   तामस, साधक भौतिक आधार पर इनका अनुगमन करते हैं और क्षणिक सिद्धि प्राप्त करते हैं।

2. **समयाचारीः** ये सामान्य रूप से देवी की पूजा करते हैं। शाक्त सम्प्रदाय में देवी के नौ योनियों का वृत्त बनाकर उसके मध्य में एक योनि का चित्र खींचकर चक्र बनाया जाता है। इसे 'श्री चक्र' कहते हैं।

   शाक्त धर्म के सिद्धान्त 'त्रिपुरा रहस्य', 'मलिनी विजय', 'महानिर्वाण', 'डाकार्णव', 'कुलार्णव', आदि तंत्र ग्रंथों में उल्लिखित मिलते हैं।

# भारतीय षड्दर्शन

## न्याय दर्शन

षड्दर्शनों में से एक न्याय दर्शन है जिसके प्रवर्तक महर्षि गौतम थे। दर्शन की यह शाखा तर्कशास्त्र की रीढ़ है। यह प्राचीन न्याय दर्शन है जिसके अन्तर्गत मुख्यतः शुद्ध विचारों के नियमों और तत्वज्ञान प्राप्ति के उपायों का विश्लेषण किया गया है। 'न्याय' शब्द को कई प्रकार से परिभाषित किया गया है। व्युत्पत्ति के आधार पर इसका अर्थ है 'उचित', जिसके द्वारा वस्तु का ज्ञान किया जाये उसे 'न्याय' कहते हैं। दर्शन शास्त्र में 'न्याय' शब्द का अर्थ है–जिसके द्वारा किसी प्रतिपाद्य विषय की सिद्धि की जा सके, उसे 'न्याय' कहते हैं। वात्स्यायन के अनुसार प्रमाणों के द्वारा किसी विषय की परीक्षा करना ही 'न्याय' है। न्याय दर्शन का मूल ग्रन्थ महर्षि गौतम का न्याय-सूत्र है। अन्य ग्रन्थों में वात्स्यायन का न्याय-भाष्य, उद्योतकर का न्याय वार्तिक आदि उल्लेखनीय हैं।

आधुनिक काल के न्याय को 'नव्यन्याय' कहा जाता है। इसके प्रणेता गंगेश हैं, जिन्होंने 'तत्व-चिन्तामणि' नामक ग्रंथ की रचना की है। इस नव्य-न्याय के उत्थान तथा प्रचार प्रसार के बाद न्याय और वैशेषिक दर्शन एक साथ हो गए। इसलिए इसे न्याय-वैशेषिक दर्शन भी कहा जाता है।

### प्रमा तथा अप्रमा

यथार्थ ज्ञान को प्रमा कहते हैं। प्रमा ज्ञान चार प्रकार का होता है–प्रत्यक्ष, अनुमान, उपमान और शब्द। प्रमा ज्ञान के लिए चार प्रकार की सामग्री की अपेक्षा होती है–प्रमाता, प्रमेय, प्रमिति और प्रमाण। ज्ञान प्राप्त करने वाले को प्रमाता और जिसे जाना जाए उसे प्रमेय कहते हैं। प्रमिति ज्ञान को कहा जाता है और ज्ञान प्राप्ति के साधन को प्रमाण माना गया है।

अयथार्थ ज्ञान को अप्रमा अर्थात् इन्हें क्रमशः विद्या और अविद्या भी कहा गया है। अप्रमा के चार भेद होते हैं–स्मृति, संशय, भ्रम (विपर्यय) और तर्क।

1. किसी बीती हुई घटना को याद करना 'स्मृति' कहलाती है। यह यथार्थ ज्ञान नहीं है, क्योंकि बीती हुई घटना की स्मृति पूर्णतः आलोकित अथवा स्पष्ट नहीं होती।
2. संशय किसी वस्तु के विषय में अनिश्चय की प्रवृत्ति है। अतः संशय भी यथार्थ ज्ञान नहीं हो सकता। इसमें असंदिग्ध ज्ञान नहीं हो पाता, क्योंकि हम यह निश्चय नहीं कर पाते कि अमुक वस्तु (अंधेरे में) खम्बा है या आदमी।
3. किसी वस्तु को उसके मूल रूप में न देख पाना भ्रम (विपर्यय) है। जैसे अन्धकार में रस्सी को देखकर सांप समझ लेना। यद्यपि भ्रम में कोई संशय नहीं होता और यह प्रत्यक्ष भी होता है, पर वह वस्तु का यथार्थ स्वरूप प्रकट नहीं करता।
4. तर्क एक प्रकार की युक्ति है, जो पूर्णतः निश्चित ज्ञान नहीं दे पाती है।

### प्रमाण–मीमांसा

पूर्वोक्त ढंग से न्यायमत में ज्ञान दो प्रकार का होता है–स्मरण और अनुभव। संस्कारमात्र से समुत्पन्न ज्ञान को 'स्मरणज्ञान' तथा स्मृति से भिन्न ज्ञान को 'अनुभव' कहा जाता है। यह ज्ञान भी दो प्रकार का होता है–यथार्थ और अयथार्थ। इस यथार्थ ज्ञान को प्रमा कहा जाता है। जो वस्तु जिस रूप में है, उसे उसी रूप में समझना यथार्थ या प्रमाज्ञान कहलाता है। जैसे–घट, पटादि वस्तु को देखकर 'यह घड़ा है', 'यह वस्त्रादि है'–ऐसा समझना 'प्रमा' या यथार्थ ज्ञान है। अयथार्थ ज्ञान को ही 'अप्रमा' कहा जाता है। अप्रमा एक भ्रमात्मक ज्ञान है। जैसे सितुई को चाँदी एवं ऐंठी रस्सी को सांप समझना 'अप्रमा' या भ्रमात्मक ज्ञान है।

ज्ञान की दो विधियाँ वैशेषिक दर्शन को मान्य हैं–विद्या और अविद्या। विद्या को ही 'प्रमा' या यथार्थ ज्ञान कहते हैं। अविद्या को 'अप्रमा' या अयथार्थ ज्ञान कहते हैं। फिर इन्होंने अप्रमा या अविद्या को चार खण्डों में विभक्त कर दिया है। वे हैं–संशय, विपर्यय, अनध्यवसाय और स्वप्न। एक ही वस्तु में परस्पर विरूद्ध धर्मों का जहाँ एक ही साथ ज्ञान हो, वही 'संशय' कहलाता है; यथा–स्थाणुर्वा पुरुषो वा! स्थणु अर्थात् मानवीय वस्त्र धारण किए खेत में गड़े पेड़ का ठूँठ है अथवा कोई मनुष्य है। यह एक संशयात्मक बुद्धि है। इसी तरह मिथ्याज्ञानं विपर्ययः–किसी वस्तु से यथार्थ ज्ञान से भिन्न मिथ्या ज्ञान को विपर्यय कहते हैं। जैसे- अंधेरे में राह में पड़ी रस्सी को देखकर सांप समझ लेना विपर्यय (भ्रम) है। अनिश्चयात्मकं ज्ञानमनध्यवसायः; अनिश्चयात्मक ज्ञान को अनध्यवसाय कहते हैं। निद्रावस्था में चित्त के अनवस्थित होने पर जो मिथ्या ज्ञान होता है, उसे स्वप्न कहते हैं। शिवादित्य-प्रभृति आचार्यों ने संशय और विपर्यय–दो

प्रकार का ही अयथार्थ ज्ञान माना है। प्रमा अर्थात् विद्या चार प्रकार की होती है–प्रत्यक्ष, अनुमान, स्मृति और आर्ष। न्यायदर्शन में स्मृति को प्रमा अर्थात् यथार्थ ज्ञान नहीं माना गया है। आर्ष को भी वे प्रमा नहीं मानते हैं।

'प्रमा' या सम्यक् ज्ञान सदा 'यथा अर्थ' अर्थात् पदार्थ के अनुरूप यथार्थ होता है एवं अविरूद्ध अर्थात् सम्पादि होता है। उसमें सफल प्रवृत्तिसामर्थ्य होता है। न्याय परतः-प्रामाण्य को मानता है। ज्ञान का प्रामाण्य और अप्रामाण्य ज्ञान की उत्पत्ति के बाद उत्पन्न होते हैं। उत्पन्न होने के बाद उसका ज्ञान होता है (उत्पतौ ज्ञप्तौ च परतः प्रामाण्यम्)। यथार्थ तथा सम्पादि होना सम्यक् ज्ञान या प्रमा का स्वभाव है। इस प्रमा (ज्ञान) के लिए चार प्रकार की सामग्रियाँ अपेक्षित मानी गई हैं–प्रमाता, प्रमेय, प्रमिति और प्रमाण। यहाँ प्रमाण से तात्पर्य है–जानने वाला और प्रमेय का अर्थ है–जिसे जाना जाय अर्थात् 'ज्ञेय'। प्रमिति को ज्ञान कहते हैं और ज्ञानप्राप्ति के साधन को 'प्रमाण' कहते हैं। वात्स्यायन के अनुसार–जिसके द्वारा प्रमाता प्रमेय पदार्थ का ज्ञान प्राप्त करता है, उसे प्रमाण कहते हैं–प्रमाता येनार्थं प्रमिणोति तत् (प्रमाणम्)। जयन्त के अनुसार जो असन्दिग्ध एवं निश्चित ज्ञान की प्राप्ति कराता है, वह प्रमाण कहलाता है। केशव मिश्र प्रमा के करण को प्रमाण कहते हैं–प्रमाकरणं प्रमाणम् (तर्कभाषा)। न्यायदर्शन के अनुसार प्रमाण चार प्रकार का होता है–प्रत्यक्ष, अनुमान, उपमान और शब्द–प्रत्युक्षानुमानोपमानशब्दाः प्रमाणानि। वैशेषिक दर्शन केवल दो प्रमाणों को स्वीकार करता है–प्रत्यक्ष और अनुमान। इनकी दृष्टि में प्रमा से तीन भेद बनते हैं–प्रत्यक्ष, अनुमिति और स्मृति। किन्तु स्मृतिज्ञान को वह प्रमा का साधन नहीं मानता। उनका कहना है कि स्मृति तो अतीतज्ञान है, वर्त्तमान में उसका अस्तित्व किसी भी स्थिति में मान्य नहीं है। अतः उसे प्रमाण नहीं माना जा सकता है।

## प्रमाण : प्रत्यक्ष

न्याय दर्शन यथार्थ ज्ञान की प्राप्ति के लिए चार प्रमाण प्रत्यक्ष, अनुमान, उपमान और शब्द मानता है। न्याय दर्शन के अनुसार प्रत्यक्ष उस असंदिग्ध अनुमान को कहते हैं जो इन्द्रिय संयोग से उत्पन्न होता है और यथार्थ भी होता है। प्रत्यक्ष को सर्वप्रथम दो प्रकारों-लौकिक एवं अलौकिक में विभक्त किया गया है। लौकिक प्रत्यक्ष के तीन भेद होते हैं– निर्विकल्पक, सविकल्पक एवं प्रत्यभिज्ञा।

*(i)* **निर्विकल्पकः** किसी वस्तु का प्रथम क्षणों में इन्द्रिय-विशेष द्वारा भान कि वह कुछ है, निर्विकल्पक प्रत्यक्ष कहलाता है। अमुक वस्तु क्या है, रंग-रूप कैसा है? इत्यादि कोई भी विकल्प मन में नहीं आता। वस्तु की मात्र प्रतीति को ही निर्विकल्पक प्रत्यक्ष कहा गया है।

*(ii)* **सविकल्पकः** प्रथम क्षणों की प्रतीति के पश्चात् जब हम यह पहचान लेते हैं कि अमुक वस्तु गुलाब का फूल है, लाल तथा खुशबूयुक्त है तब यह प्रत्यक्ष का विकसित रूप होता है। वस्तु के सभी लक्षण स्पष्ट हो जाते हैं। इसी को सविकल्प प्रत्यक्ष कहते हैं, क्योंकि इस अवस्था में विकल्पों का उद्गम होता है।

*(iii)* **प्रत्यभिज्ञाः** किसी व्यक्ति को हमने पहले देखा था और जैसे ही वह हमारे समक्ष आए और हमें यह साक्षात् भान हो कि ''यही वह व्यक्ति है'', तब ऐसे ज्ञान को 'प्रत्यभिज्ञा' कहते हैं।

न्याय दर्शन में दूसरे प्रकार का अलौकिक प्रत्यक्ष है। इसके भी तीन भेद हैं–

*(i)* **सामान्य-लक्षणः** प्रत्येक वस्तु में वे लक्षण पाए जाते हैं जो उस वर्ग की अन्य वस्तुओं में होते हैं। यह सामान्य-लक्षण हैं। जैसे एक मनुष्य के देखने पर जो 'मनुष्यत्व' उसमें है वही मनुष्यत्व अन्य मनुष्यों में भी विद्यमान होते हैं। एक वस्तु के जातिगत सामान्य धर्म के ज्ञान के द्वारा हम उस जाति (वर्ग) के समस्त वस्तुओं को जानने में समर्थ होते हैं। एक मनुष्य की मरणशीलता से हमें सभी मनुष्यों की मरणशीलता का प्रत्यक्षज्ञान हो जाता है, हालांकि सभी मनुष्यों की मरणशीलता का इन्द्रिय के द्वारा ज्ञान प्राप्त होना असम्भव है। लेकिन फिर भी हम मनुष्य-जाति के बारे में यह कह सकते हैं कि ''सभी मनुष्य मरणशील हैं।'' यह ज्ञान अलौकिक-प्रत्यक्ष के द्वारा 'सामान्य-लक्षण' के आधार पर प्राप्त होता है।

*(ii)* **ज्ञान-लक्षणः** एक इन्द्रिय के विषय को अन्य इन्द्रिय के द्वारा ग्रहण करना 'ज्ञान-लक्षण' प्रत्यक्ष कहा जाता है। एक बार जब स्पर्श द्वारा यह ज्ञात हो जाए कि 'बर्फ ठंडी है', 'पत्थर ठोस है' और 'आग तापयुक्त है' तब हम उन्हें बिना स्पर्श किए चक्षु द्वारा देखने पर ही कह सकते हैं कि बर्फ ठंडी दीख पड़ती है, आदि।

*(iii)* **योगजः** यह योगज सन्निकर्ष का एक परिणाम है। योग के द्वारा किसी व्यक्ति को अलौकिक शक्ति प्राप्त हो जाती है। योगाभ्यास के द्वारा जब योगी को व्यवहत, गूढ़, सूक्ष्म, निकटस्थ, दूरस्थ, अतीत तथा अनागत वस्तुओं का जो प्रत्यक्ष होता, उसे ही 'योगज प्रत्यक्ष' कहा जाता है।

## अनुमान

अनुमान परोक्ष ज्ञान है। अनु का अर्थ है 'पश्चात्' और मान का अर्थ है 'ज्ञान'। अतः एक ज्ञान के पश्चात् होने वाला ज्ञान 'अनुमान' कहलाता है। वात्स्यायन के अनुसार – ''प्रत्यक्ष से ज्ञात लिंग के द्वारा पदार्थ के पीछे से उत्पन्न होने वाले ज्ञान को 'अनुमान' कहते हैं।'' उदाहरणतः राम, श्याम, घनश्याम आदि मनुष्यों को मरते हुए देखते हैं। ये सभी मनुष्य हैं। अतः सभी मनुष्य मरणशील हैं। इसी को अनुमान कहते हैं।

**अन्वय-व्यतिरेकः** यह वह अनुमान है जिसमें अन्वय और व्यतिरेकी दोनों के दृष्टान्त मिलते हैं अर्थात् इसमें साधन और साध्य का सम्बन्ध अन्वय तथा व्यतिरेकी दोनों विधियों द्वारा स्थापित किया जाता है। जैसे–

**(क)** सभी धूमवान् पदार्थ अग्नियुक्त है;

पर्वत धूमवान् है;

अतः पर्वत अग्नियुक्त है। (अन्वय-विधि)

(ख) सभी अग्निहीन पदार्थ धूमहीन है;

पर्वत धूमवान् है;

अतः पर्वत अग्नियुक्त है। (व्यतिरेक-विधि)

इस अनुमानों में 'धूमत्व' हेतु अन्वय तथा व्यतिरेक दोनों के उदाहरण मिलते हैं। ऐसा व्याप्ति ज्ञान अन्वय और व्यतिरेकी की सम्मिलित-विधि पर आश्रित होता है। अतः इसे 'अन्वय-व्यतिरेकी' अनुमान कहते हैं।

**लिंग परामर्शः** अनुमान वहीं होता है जहां केवल लिंग का प्रत्यक्ष होता है लिंगी का नहीं। यदि दूरस्थ पर्वत पर हम धुआं उठता देखते हैं तो वह हमारे अनुमान का विषय बनता है। वहाँ हमें धुआं प्रत्यक्ष दिखाई देता है, आग नहीं। हम धुएं को देखकर आग का अनुमान करते हैं पर कैसे? इसकी भी एक प्रक्रिया है। धुआं को देखते ही हमें यह व्याप्ति याद आई कि जहां धुआं होता है वहां आग होती है। यह पहाड़ पर धुआं उठता दिखाई दे रहा है अतः यहाँ भी आग है। यह अनुमान है। यही लिंगपरामर्श है।

**व्याप्तिः** बिना व्याप्ति के अनुमान कतई सम्भव नहीं है। अनुमान का आधार ही व्याप्ति है। व्याप्ति का अर्थ है 'व्यापकता' जिसमें दो वस्तुओं के पारस्परिक सम्बन्ध का बोध होता है। एक वस्तु व्याप्य और दूसरी वस्तु व्यापक होती है। यह तभी सम्भव है जब दोनों बराबर साथ-साथ रहें। इस प्रकार 'साहचर्यनियम' को व्याप्ति कहते हैं जैसे 'जहाँ-जहाँ धुआँ रहता है वहाँ-वहाँ अग्नि रहती है।' यहाँ धुआँ के साथ बराबर अग्नि पाई जाती है। इस साहचर्य या नित्य-सम्बन्ध को व्याप्ति कहा जाता है।

**हेत्वाभासः** 'हेत्वाभास' उसे कहते हैं जो वस्तुतः हेतु न हो, किन्तु हेतु के समान प्रतीत होते हों अर्थात् जिस हेतु में साध्य को सिद्ध करने की शक्ति न हो वह 'हेत्वाभास' है। हेत्वाभास पांच प्रकार के सव्यभिचार, विरूद्ध, सत्प्रतिपक्ष, असिद्ध और बाधित होते हैं जिनका विवरण यहाँ प्रस्तुत है—

**सव्यभिचारः** इसका दृष्टांत इस प्रकार है—

सभी द्विपद बुद्धिमान हैं;

हंस द्विपद है,

अतः हंस बुद्धिमान है।

इस अनुमान का निगमन दोषपूर्ण है, क्योंकि 'द्विपद' तथा साध्य 'बुद्धिमान' के बीच अव्यभिचारी व्याप्ति नहीं है। कुछ द्विपद ऐसे भी हैं जो बुद्धिमान नहीं हैं। ऐसे हेतु को सव्यभिचार कहते हैं। सव्यभिचार हेतु से दो विरोधी निगमन निकल सकते हैं जैसे—

सभी द्विपद बुद्धिमान हैं;

हंस द्विपद है;

अतः हंस बुद्धिमान है।

सव्यभिचार को अनैकान्तिक भी कहा गया है जो तीन प्रकार का होता है—साधारण, असाधारण तथा अनुपसंहारी। जो हेतु साध्य के अभाव में भी पाया जाता है उसे 'साधारण अनैकान्तिक' कहते हैं। जो हेतु न सपक्ष में हो और न विपक्ष में हो, केवल पक्षमात्र में विद्यमान हो, 'असाधारण अनैकान्तिक' कहते हैं। जिस हेतु में न तो अन्वय हो और न व्यतिरेक दृष्टांत हो, उसे 'अनुपसंहारी अनैकान्तिक' हेत्वाभास कहते हैं।

**विरूद्धः** यह अनुमान का दूसरा दोष है। जो साध्य हेतु में न रहकर उसके विपरीत वस्तु में विद्यमान हो, उसे 'विरूद्ध' हेत्वाभास कहते हैं। जैसे—

शब्द नित्य है,

क्योंकि वह कार्य है।

यहाँ 'कार्यत्व' हेतु साध्य (नित्य) में व्याप्त नहीं है, क्योंकि जो कार्य होता है वह अनित्य है। इस दृष्टांत में 'कार्यत्व' हेतु नित्य के विपरीत साध्य 'अनित्य' को सिद्ध करता है। अतः उसे 'विरुद्ध हेत्वाभास' कहा जाता है।

**सत्प्रतिपक्षः** यह अनुमान का तीसरा दोष है। इसे प्रकरणसम भी कहा जाता है। जिस हेतु में साध्य के विपरीत को सिद्ध करने वाला कोई दूसरा हेतु विद्यमान हो, उसे 'सत्प्रतिपक्ष' हेत्वाभास कहते हैं, जैसे—

शब्द नित्य है, क्योंकि वह सुनने योग्य (श्रव्य) है जैसे, शब्दत्व।

यहाँ साध्य (नित्य) के विपरीत दूसरा हेतु भी प्रस्तुत किया जा सकता है—

शब्द अनित्य, क्योंकि यह कार्य है। जैसे, घट।

यहाँ प्रथम दृष्टान्त में साध्य 'नित्यत्व' और हेतु 'श्रव्यत्व' है और द्वितीय में साध्य 'अनित्यत्व' और हेतु 'कार्यत्व' है। दोनों ही हेतु तुल्यबल वाले हैं। अतः परस्पर प्रतिपक्षी हेतु के विद्यमान होने के कारण इसे 'सत्प्रतिपक्ष' हेत्वाभास कहा जाता है।

**असिद्धः** इस चौथे हेत्वाभास को 'साध्यसम' भी कहते हैं। साध्यसम हेतु वह है जो स्वयंसाध्य की भांति असिद्ध रहता है। जिस भांति साध्य का अस्तित्व अभी तक सिद्ध नहीं है उसी भांति हेतु का अस्तित्व भी सिद्ध नहीं रहता। अतः इसे 'साध्यसम' हेत्वाभास कहते हैं। उदाहरणतः ''आकाश कमल सुगन्धित है, क्योंकि वह कमल है तालाब के समान।'' इसमें हेतु 'कमल' का अस्तित्व ही आकाश में नहीं है। अतः यहाँ हेतु स्वयं असिद्ध है।

**बाधितः** यह पांचवां हेत्वाभास है। इसे 'कालात्ययादिष्ट' भी कहा जाता है। जहाँ पर पक्ष में साध्य का अभाव प्रमाणान्तरों से निश्चित हो गया हो उसे 'बाधित-विषय' कहते हैं। उदाहरणतः 'अग्नि शीतल है, क्योंकि वह द्रव्य है जैसे जल। यहाँ 'अनुष्णत्व' (ठण्डापन) साध्य है और 'द्रव्यत्व' हेतु है। यहाँ पर साध्य (अनुष्णत्व) प्रत्यक्ष प्रमाण से बाधित है। चूंकि अग्नि का उष्ण होना प्रत्यक्ष प्रमाण से ही सिद्ध है, अतः इसका 'ठण्डा होना' सिद्ध करना 'बाधित-विषय' है। इस प्रकार किसी अनुमान का हेतु यदि अन्य किसी प्रमाण से बाधित हो जाए, तो वह अनुमान दोषयुक्त होता है। इसी दोष को 'बाधित' हेत्वाभास कहते हैं।

## उपमान

न्याय दर्शन में 'उपमान' तीसरा प्रमाण है। 'उपमान' वह प्रमाण है जिसके द्वारा किसी प्रसिद्ध वस्तु के सादृश्य (साधर्म्य) से किसी नई वस्तु का ज्ञान

प्राप्त किया जाता है। जैसे–किसी व्यक्ति ने नील-गाय नहीं देखी है, किन्तु कोई विश्वास योग्य पुरुष उसे बतलाए कि नील-गाय गाय के समान होती है। तत्पश्चात् वह व्यक्ति कहीं जंगल में जाता है और गाय के समान किसी पशु को देखकर उसे उस विश्वास-योग्य पुरुष का कथन स्मरण हो आता है कि नील-गाय गाय के समान है। तत्काल उसे यह ज्ञान होता है कि यही पशु 'नील-गाय' है। इसे ही 'उपमान' कहा जाता है। इस प्रकार नाम और नामी के सम्बन्ध के ज्ञान को ही 'उपमान' कहते हैं।

**उपमान के भेदः** उपमान के तीन भेद हैं–

*(i)* **साधर्म्योपमानः** जब किसी पूर्व ज्ञान वस्तु की समानता के आधार पर किसी वस्तु के वस्तुवाचकता का ज्ञान प्राप्त होता है तो उसे साधर्म्योपमान कहते हैं, जैसे – गाय की समानता के आधार पर नीलगाय शब्द की वस्तुवाचकता का ज्ञान प्राप्त करना।

*(ii)* **वैधर्म्योपमानः** जब पूर्व ज्ञात वस्तु की असमानता के आधार पर किसी वस्तु की वस्तुवाचकता का ज्ञान होता है तो उसे वैधर्म्योपमान कहा जाता है, जैसे–बंदर एवं लंगूर की असमानता के आधार पर लंगूर का ज्ञान प्राप्त करना।

*(iii)* **धर्ममात्रोपमानः** जब किसी वस्तु की वस्तुवाचकता का ज्ञान केवल उस वस्तु की विशेषताओं या विचित्रताओं के आधार पर होता है तो इसे धर्मामात्रोपमान कहते हैं, जैसे–ऊंट से अपरिचित व्यक्ति को इसकी विशिष्टताओं या विचित्रताओं के बारे में बताया जाता है और तब वह ऊंट के बारे में ज्ञान प्राप्त करता है।

न्याय मत उपमान को ज्ञान का स्वतंत्र प्रमाण मानता है, जबकि अन्य दर्शन ऐसा नहीं मानते।

## शब्द

न्याय दर्शन में 'शब्द' चौथा प्रमाण है जिसे स्वतंत्र प्रमाण माना गया है। कहा गया है कि 'आप्तोपदेशः' अर्थात् आप्त-पुरुष (विश्वास योग्य) के वचन को शब्द, प्रमाण कहते हैं। दूसरे के शब्दों एवं वाक्यों से जो वस्तुओं का ज्ञान प्राप्त होता है उसे शब्द कहते हैं। इनका कहने वाला 'आप्त' होना चाहिए। यथार्थवक्ता को 'आप्त' कहा जाता है। अतः आप्त-वचनों को ही शब्द प्रमाण माना गया है।

शब्द प्रमाण के दो भेद होते हैं–दृष्टार्थ और अदृष्टार्थ। इस लोक में दृश्य वस्तुओं के सम्बन्ध में आप्त पुरुष और शास्त्रों के वचन 'दृष्टार्थ' शब्द प्रमाण में आते हैं। यह सांसारिक वस्तुओं के बारे में ज्ञान है, किन्तु अदृश्य विषयों के सम्बन्ध में, जैसे–ईश्वर, जीव, धर्म, अधर्म, स्वर्ग, नरक, आत्मा आदि ऋषियों-मुनियों, वेद-शास्त्रों के जो वचन हैं वे 'अदृष्टार्थ' शब्द प्रमाण के अन्तर्गत आते हैं।

एक अन्य प्रकार के शब्द के दो भेद और किए जाते हैं–लौकिक एवं वैदिक। लौकिक शब्द केवल वे हैं जो सर्वसाधारण द्वारा बोले जाते हैं और तभी सत्य होते हैं जब विश्वासयोग्य पुरुषों द्वारा कहे जाते हैं। लौकिक शब्द दोषपूर्ण भी हो सकते हैं, क्योंकि इन्हें मनुष्यों द्वारा बोला जाता है। लेकिन वैदिक शब्द स्वयं ईश्वर के शब्द माने जाते हैं। अतः ये शब्द सदैव सत्य होते हैं। संक्षेप में, शब्द की उत्पत्ति किसी व्यक्ति द्वारा होती है। वह व्यक्ति भले ही मानव हो अथवा स्वयं ईश्वर।

शब्द-प्रमाण वाक्यों के द्वारा अभिव्यक्त होता है। पदों के समूह को वाक्य कहते हैं और वाक्य से जो अर्थ अवतरित होता है, उसे वाक्यार्थज्ञान कहा जाता है। वाक्यार्थज्ञान के चार कारण हैं–आकांक्षा, योग्यता, सन्निधि तथा तात्पर्य। इनका विवेचन यहाँ प्रस्तुत है–

1. **आकांक्षा**– वाक्य में प्रयुक्त विभिन्न पदों में एक दूसरे की अपेक्षा रहती है अर्थात् जहाँ एक पद से अर्थज्ञान न हो सके, वहाँ दूसरे पदों की अपेक्षा रहती है ताकि अर्थज्ञान पूरा हो सके। इसी को 'आकांक्षा' कहते हैं। यदि कोई व्यक्ति कहे कि 'लाओ', तो शीघ्र ही प्रश्न उठता है कि 'क्या?' 'लाओ' पद को किसी वस्तु-बोधक पद की आकांक्षा अर्थात् अपेक्षा रहती है जैसे 'घट'। 'घड़ा लाओ' कहने से आकांक्षा पूर्ण हो जाती है और इस प्रकार एक सार्थक वाक्य का निर्माण हो जाता है।

2. **योग्यता**– एक पद का दूसरे पद के साथ संगति (सामंजस्य) रखना 'योग्यता' है। जैसे यदि कोई कहे कि 'आग से सींचो' तो इसमें 'आग' और 'सेंचन' पदों में कोई सामंजस्य नहीं है। सींचने का कार्य आग से नहीं, अपितु 'जल' से सम्पन्न होता है। अतः आग और सींचने में योग्यता का अभाव है।

3. **सन्निधि**– वाक्य के पदों का एक दूसरे के साथ सामीप्य 'सन्निधि' या 'आसत्ति' कहलाता है। कोई वाक्य तभी सार्थक होगा जब उसमें प्रयुक्त पदों का उच्चारण बिना विलम्ब के किया जाए। यह कहा जाए कि 'एक गाय लाओ' तो पदों के बीच काफी अन्तराल होगा जो निरर्थक रहेगा। इस वाक्य में आकांक्षा और योग्यता रहते हुए भी 'सन्निधि' का अभाव है।

4. **तात्पर्य**– यहाँ 'तात्पर्य' से अर्थ है 'वक्ता का अभिप्राय'। प्रसंग की दृष्टि से ही वक्ता के अभिप्राय का निश्चय किया जाता है। जैसे 'सैन्धव' पद के दो अर्थ हैं–घोड़ा और नमक। यदि कोई वक्ता 'सैन्धव' की मांग करे, तो यह जानना कठिन होगा कि वह क्या चाहता है घोड़ा या नमक? किन्तु प्रसंग या परिस्थिति के अनुसार, वक्ता के अभिप्राय को समझना आसान होगा। इस प्रकार वक्ता के अभिप्रेत अर्थबोध के लिए 'तात्पर्यज्ञान' आवश्यक है।

## ईश्वर की अवधारणा

न्याय दर्शन में चैतन्य युक्त आत्मा को ही ईश्वर कहा गया है। आत्मा दो प्रकार की है–जीवात्मा एवं परमात्मा। परमात्मा को ही ईश्वर कहते हैं जो जीवात्मा से भिन्न है। ईश्वर का ज्ञान नित्य है, परन्तु जीवात्मा का ज्ञान अनित्य, आंशिक एवं सीमित है। ईश्वर में सभी प्रकार की पूर्णता निहित होती है जबकि जीवात्मा अपूर्ण है। ईश्वर न तो बद्ध है न मुक्त, परन्तु जीवात्मा पहले बंधन में रहती है बाद में उसे मोक्ष की प्राप्ति होती है।

ईश्वर इस विश्व का आदि स्रष्टा, पालक एवं संहारक है। ईश्वर विश्व की सृष्टि शून्य से नहीं करता है, बल्कि नित्य परमाणुओं, दिक्, काल, आकाश, मन एवं आत्माओं से इसकी सृष्टि करता है। ईश्वर के साथ रहने वाली नित्य सत्ताओं का विश्व में अभिव्यक्त होना ही सृष्टि कहलाता है। इस विश्व में आत्मा (जीवात्मा) अपने पाप एवं पुण्य के अनुरूप दुःख एवं सुख भोगते हैं। ईश्वर विश्व का आदि निर्माता है, वह उपादान कारण नहीं है। ईश्वर विश्व का पालनकर्त्ता है, क्योंकि यह विश्व ईश्वर की इच्छा के अनुसार ही कायम रहता है। ईश्वर विश्व का संहारक भी है। आवश्यकता पड़ने पर अपनी विध्वंसक शक्तियों से वह विश्व का संहार भी करता है।

ईश्वर जगत् का निमित्त कारण है, किन्तु जीवात्माओं के कार्यो का वह प्रायोजक-कारण है। सभी मनुष्य या जीव अपने-अपने कार्यो में पूर्णतः स्वतंत्र नहीं है। प्राणि-मात्र केवल ईश्वर या परमात्मा की प्रेरणा से ही कार्य करता है। ईश्वर ही मनुष्य को उसके पाप-पुण्य कर्मानुसार फल देता है। मनुष्य के संस्कारों का 'अदृष्ट' के रूप में संचय केवल ईश्वर की व्यवस्था पर निर्भर करता है। इस प्रकार ईश्वर का अस्तित्व निर्विवाद है।

## ईश्वर की अस्तित्व सिद्धि के लिए युक्तियाँ

1. **जगत् का जो कर्ता है वही ईश्वर है:** संसार में अनेक सावयव वस्तुएं है जो कार्यरूप हैं। उन सभी के कोई न कोई कारण हैं जैसे घट-पटादि के। सांसारिक वस्तुओं के कार्य होने के दो प्रमाण हैं—वे सावयव हैं और मध्यम-परिमाण के हैं। समुद्र, सूर्य, चन्द्रमा, पहाड़, नदी, तारे आदि सावयव हैं, क्योंकि वे कार्य हैं और उनके कारण भी हैं। ये सभी उपादान-कारणों के संयोग से निर्मित हैं। अतः इनका कोई न कोई बुद्धिमान कर्ता अवश्य होगा और साथ ही जो निरवयव एवं नित्य हैं, जैसे; आत्मा, दिक्, काल, आकाश, उनका भी कोई व्यवस्थापक होना चाहिए। यही ईश्वर है। ऐसे ईश्वर को परमाणुओं का भी सूक्ष्म ज्ञान होना चाहिए। अतः वह सर्वज्ञ है। उसे ही परमाणु जैसी सूक्ष्म सत्ताओं का अपरोक्ष ज्ञान हो सकता है।

2. **अदृष्ट का अधिष्ठाता ईश्वर है:** इस जगत् में कर्म-भेद होता है। वर्तमान जीवन में जो मनुष्य सुख-दुख पा रहे हैं उनका कारण विगत 'कर्म' ही है, क्योंकि जो जैसा करता है वह वैसा ही भरता है। शुभ कर्मो से सुख एवं अशुभ कर्मो से दुःख प्राप्त होता है। जगत् में एक प्रकार की नैतिक व्यवस्था है जिसका नियामक 'कर्म' ही है। इस व्यवस्था के पीछे कारण-कार्य का नियम विद्यमान है अर्थात् जैसे शारीरिक क्रियाएं शारीरिक कार्य उत्पन्न करती हैं; मानसिक क्रियाएं मानसिक कार्य उत्पन्न करती हैं, उसी प्रकार मानव-कर्म भी अपने प्रभाव उत्पन्न करते हैं। इस प्रकार भले-बुरे कर्मो द्वारा सुख-दुःख की उत्पत्ति होती है। चूंकि ईश्वर सर्वशक्तिमान तथा सर्वज्ञ है, वह जानता है कि किन-किन प्राणियों द्वारा भले-बुरे कर्म सम्पन्न होते हैं। अतः हम लोग अपने शुभाशुभ कर्मों के लिए ईश्वर के प्रति उत्तरदायी हैं। अच्छे या बुरे कर्मों से उत्पन्न पुण्यों या पुण्यों का संचय (भण्डार) होता है। यही 'अदृष्ट' कहलाता है। यह 'अदृष्ट' ही हमारे भाग्य-भेद का कारण है। हमारे वर्तमान सुख-दुःखों को उत्पन्न करने वाला यह 'अदृष्ट' है। लेकिन यह 'अदृष्ट' अचेतन है। इसका कोई संचालक या अधिष्ठाता तो होना ही चाहिए। 'अदृष्ट' का संचालक सर्वशक्तिमान, सर्वज्ञ, नित्य परमात्मा ही हो सकता है। वह ईश्वर ही है। इस प्रकार न्याय मत 'अदृष्ट' के अचेतन होने के कारण ईश्वर को स्वीकार करना आवश्यक मानता है। अतः ईश्वर 'अदृष्ट' का अधिष्ठाता है।

3. **धर्म-ग्रन्थों की प्रामाणिकता का कारण ईश्वर**– न्याय मतानुसार, वेदों का आधार ईश्वर है। वेदों में असीम ज्ञान का भंडार है। उन्हें विज्ञानों का विज्ञान कहा गया है। किसी विज्ञान की प्रामाणिकता उसके प्रवर्तक पर निर्भर होती है। वेदों की प्रामाणिकता भी उनके रचयिता पर निर्भर है। वेदों की रचना साधारण पुरुष नहीं कर सकता, क्योंकि वह वेदों में निहित अलौकिक एवं अतीन्द्रिय विषयों को नहीं जान सकता। वेदों का कर्ता केवल ईश्वर ही हो सकता है जो सर्वज्ञ है।

4. **आप्त वचन द्वारा भी वस्तु प्रमाणित होता है**– न्याय दर्शन की मान्यता है कि 'श्रुति भी ईश्वर को प्रमाणित करती है।' वेद, उपनिषद्, गीता आदि में ईश्वर के अस्तित्व के अनेक उद्धरण पाए जाते हैं जिनमें ईश्वर को विश्व का शासक, सबों का रक्षक, परमात्मा, दाता, स्वामी, कर्त्ता, प्रभु, साक्षी आदि रूपों में वर्णित किया गया है। इस प्रकार अनेक ग्रन्थों में वर्णित आप्त वचन ईश्वर के अस्तित्व को असंदिग्ध रूप में प्रमाणित करते हैं।

उपर्युक्त चार प्रमाण ईश्वर के अस्तित्व के लिए यद्यपि दिए गए हैं, किन्तु इनके प्रति कुछ आक्षेप भी हैं। प्रथम, अन्योन्याश्रय दोष का आक्षेप है। अर्थात् एक ओर ईश्वर ने ही वेदों की रचना की है और दूसरी ओर वेदों को ईश्वर के अस्तित्व का प्रमाण माना गया है। ऐसा क्यों? द्वितीय आक्षेप है कि यदि ईश्वर कर्ता है तो वह अवश्य शरीरी होगा, क्योंकि बिना शरीर के कोई कर्म नहीं किया जा सकता। तीसरा आक्षेप है कि ईश्वर ने किसी प्रयोजन से सृष्टि की, किन्तु प्रयोजन व्यक्ति का होता है; ईश्वर का कोई अपना प्रयोजन नहीं हो सकता। संक्षेप में, वैसे न्याय-दर्शन इन आक्षेपों का निराकरण अपने ही ढंग से करता है, पर आक्षेपों का समाधान आसान नहीं है।

## कार्य–कारण का सिद्धान्त

कारण की उपस्थिति का अर्थ कार्य की उपस्थिति और कारण के अभाव का अर्थ कार्य का अभाव हो; क्योंकि कार्य-कारण का सम्बन्ध परस्पर प्रतिलोमी होता है। इसका निश्चय इसके पूर्वापर क्रम को देखकर इन्द्रियानुभव से होता है। इसकी अनुभूति एक समान तथा अपवादरहित होती है। आचार्य उदयन का इस सन्दर्भ में स्पष्ट कथन है कि किसी भी तथ्य का निरीक्षण हमें सावधानी के साथ करना चाहिए। प्रकृति हमारे सामने अन्तर्निहित सामग्री को जटिल रूप में प्रस्तुत करती है। हमें अपनी

विवेक-बुद्धि से पूर्वापर क्रम का विवेचन का सप्रयास उहापोह के माध्यम से अपनी अनुसन्धित्सु बुद्धि से अनेकों परिमितताओं, पृथक्करणों का निर्णय करना होगा। इसलिए यहाँ हमें यह मानकर चलना होगा कि कार्य-कारण सम्बन्ध को न तो हम हेतुमुख से पा सकते हैं और न ही फलमुख से। इसे पाने के लिए इन्द्रियज्ञानगम्य विशिष्टों से ऊपर उठकर पूर्वापर क्रम के नियम का अनुसन्धान करना पड़ेगा। कार्य और कारण का नियम केवल घटनाओं का क्रम न होकर तत्त्वों का पारस्परिक सम्बन्ध है। तत्त्व कहीं भी प्रस्तुत किया जा सकता है; पर इसी तरह सम्बन्ध प्रस्तुत नहीं किया जा सकता है।

बौद्धों का मानना है कि उत्पत्ति के पूर्व कारण में कार्य का न तो अस्तित्व ही रहता है और न अभाव ही। इसके विपरीत नैयायिक उत्पत्ति के पूर्व कारण में कार्य का प्राग्भाव मानते हैं। भले ही कार्योत्पत्ति के बाद वह स्वतः नष्ट हो जाता है। इस पर सांख्य और वेदान्त का मानना है कि कार्य कारण में पहले से विद्यमान रहता है। ये किसी भी कार्य को उनके कारणों का परिणाम मानते हैं। इनका तर्क है कि यदि कारण में कार्य का अस्तित्व नहीं है तो कारण से उस कार्य की उत्पत्ति नहीं हो सकती है। यदि कारणों के अनेकत्व में किसी वैज्ञानिक सत्यता को मानते हैं तो अनुमान प्रमाण में ज्ञान-प्राप्ति का प्रामाणिक साधन असुरक्षित हो जायेगा। अतः इनके विरुद्ध न्याय-वैशेषिक का कथन है कि यदि कार्य पहले से कारण में विद्यमान है तो दिखलाई क्यों नहीं देता? अतः कारण को पूर्ववर्ती, नियत और अन्यथासिद्ध से रहित होना चाहिए। अन्यथासिद्ध, जो किसी कार्य का साक्षात् कारण न हो। अन्यथासिद्ध हम उसे कहते हैं जो कार्य का नियत पूर्ववर्त्ती तो अवश्य हो, किन्तु कार्य की उत्पत्ति में सहायक न हो अर्थात् अन्यथासिद्धों का कार्य के साथ साक्षात् सम्बन्ध नहीं होता है; क्योंकि इसके बिना भी कार्य की उत्पत्ति हो जाती है। ये कारण के महत्वपूर्ण लक्षण माने गये हैं। इस सन्दर्भ में विश्वनाथ पंचानन ने पाँच प्रकार का अन्यथा-सिद्ध बतलाया है–

1. कारण के गुण कार्य के कारण नहीं होते हैं; अतः वह अन्यथासिद्ध हैं। घटनिर्माण में चक्र-संचालन हेतु दण्ड एक उपयोगी सहायक है; किन्तु दण्ड में दण्डत्व एक जाति है। उससे घटनिर्माण में कोई सहायता नहीं मिलती हैं। अतः घटनिर्माण के प्रति दण्डत्व अन्यथासिद्ध है।
2. कारण का कारण कार्य का कारण नहीं हो सकता है; वह अन्यथासिद्ध है। घटनिर्माण का कारण कुम्भकार हो सकता है; पर कुम्भकार के जनक घटनिर्माण के कारण नहीं हो सकते। वे घटनिर्माण के कारण अवश्य हैं; अतः इन्हें द्वितीय तरह का अन्यथासिद्ध कहा जाता है।
3. घटनिर्माण के समय नाचते चाक से एक हल्की ध्वनि निकलती है। वह ध्वनि घट के नियतपूर्ववर्त्ती है, किन्तु वह घटनिर्माण का कारण न होकर अन्यथासिद्ध कहा जाता है।
4. चौथा अन्यथासिद्ध घटनिर्माण के प्रति आकाश है। यह घट का नियत पूर्ववर्त्ती तो है; किन्तु विभु होने के कारण सर्वत्र व्याप्त है। इसका कार्य केवल शब्द है।
5. घटनिर्माण के प्रति एक गदहा अन्यथासिद्ध है; क्योंकि गदहे पर घटनिर्माण के लिए मिट्टी तो लाई जा सकती है; पर घटकार्य के प्रति उसकी कारणता नहीं है; क्योंकि गदहे के बिना भी मिट्टी लाई जा सकती है। अतः यह पंचम अन्यथासिद्ध है।

   इन पाँच प्रकार के अन्यथासिद्ध में पंचम अन्यथासिद्ध बड़ा ही महत्वपूर्ण है; क्योंकि दण्डरूपादि चारों अन्यथासिद्ध का अन्तर्भाव इस पाँचवें अन्यथासिद्ध में हो जाता है।

न्याय-वैशेषिक दर्शन के अनुसार कारण तीन प्रकार का माना गया है–(1) समवाय अर्थात् उपादान या भौतिक, (2) असमवाय अथवा अभौतिक और (3) निमित्त कारण।

1. **समवायि कारणः** जिसमें समवाय सम्बन्ध से कार्य उत्पन्न होता है, उसे समवायि कारण कहते हैं। जैसे पट का तन्तु के साथ समवाय सम्बन्ध है। अतः तन्तु पट का समवायिकारण है। इस सन्दर्भ में अन्नम्भट्ट का कहना है–समवायि कारण को ही 'उपादान कारण' या 'भौतिक कारण' भी कहते हैं। यह वह भौतिक कारण है, जिससे किसी कार्य का निष्पादन होता है। उदाहरण के लिए हम कह सकते हैं कि धागा कपड़े के लिए और मिट्टी घड़े के लिए उपादान कारण है। नैयायिकों की दृष्टि में उपादान कारण के विनष्ट होते ही कार्य का विनाश भी हो जाता है। फलतः दो अयुतसिद्ध पदार्थों का सम्बन्ध ही समवायि कारण होता है। जहाँ दो पदार्थों में दोनों का अस्तित्व एक-दूसरे पर आश्रित हो, उन्हें ही हम अयुतसिद्ध कहते हैं। अवयव-अवयवी, गुण-गुणी, जाति-व्यक्ति, क्रिया क्रियावान और विशेष एवं नित्य द्रव्य–ये पाँचों अयुतसिद्ध कहलाते हैं और इनका सम्बन्ध समवाय कहलाता है। जैसे एक धागा अवयव है और उससे तैयार कपड़े अवयवी हैं। ये दोनों ही अयुतसिद्ध हैं। अतः इनका सम्बन्ध समवाय है। समवायि कारण भी एक द्रव्य है।
2. **असमवायि कारण**–जो कार्य के साथ या कारण के साथ एक ही विषय में समवेत हो, उसे असमवायि कारण कहते हैं। कहने का तात्पर्य यह है कि असमवायि अथवा अभौतिक कारण वह है, जो भौतिक कारण में है और जिसकी क्षमता अज्ञात न हो। धागों का परस्पर संयोग कपड़े का अभौतिक कारण है। धागे को यदि जोड़ा न जाय तो कपड़े भी कभी तैयार नहीं हो सकेंगे, धागे तो एक बण्डलमात्र रह जायेंगे; कपड़े नहीं बन पायेंगे। धागों का रंग भी अभौतिक कारण ही है; क्योंकि उसकी क्षमता कपड़े में रंग लाने की सर्वविदित है। समवायि कारण द्रव्य है और असमवायि कारण गुण अथवा क्रिया है। न्यायशास्त्र द्वारा प्रतिपादित परमाणुवाद के सिद्धान्त के अनुसार भौतिक जगत् में समस्त परिवर्त्तन अंशों के परस्पर जुड़ने या अलग होने के कारण होता है। मूल घटक वही परमाणु हैं। यद्यपि उनका योजनाक्रम प्रत्येक क्षण परिवर्त्तित होता रहता है। फलतः हम कह सकते हैं कि जो कार्य के साथ एक ही विषय में समवेत रहता है, उसे असमवायि कारण कहते हैं। जैसे धागे का संयोग

कपड़ारूपी कार्य के साथ एक ही विषय–धागे में समवाय सम्बन्ध से उपस्थित होने के कारण धागे का संयोग कपड़े का असमवायि कारण है। इसी तरह जो कारण के साथ एक ही विषय में समवेत रहता है, उसे समवायि कारण कहते हैं। श्री अन्नभट्ट के अनुसार जो कार्य के साथ या कारण (समवायिकारण) के साथ एक ही विषय में समवेत हो, वह असमवायि कारण है। समवायि कारण और असमवायि कारण का अन्तर स्पष्ट है–समवायि कारण कार्य को अपने में ही समवेत रखता है, किन्तु असमवायि कारण में ऐसी कोई प्रतिबद्धता नहीं है। असमवायि कारण समवायि कारण का समवेत है। समवायि कारण द्रव्य ही होता है, किन्तु असमवायि कारण गुण-कर्म भी होते हैं।

3. **निमित्त कारण**–निमित्त कारण पूर्वोक्त दोनों कारणों से भिन्न है। जैसे कुम्हार, डंडे, चक्के आदि घड़े के लिए निमित्त कारण हैं। निमित्त कारण के अभाव में भी कार्य की सत्ता बनी रहती है। यहाँ कुम्हार घड़े का निमित्त कारण है, जबकि कुम्हार का डंडा और चाक प्रभृत्ति सहकारी कारण हैं। तर्कसंग्रह के अनुसार निमित्त कारणों में भी दो भेद किये गये हैं–सामान्य और विशिष्ट। निम्नलिखित आठ सामान्य कारण हैं–ईश्वर, उसका ज्ञान, इच्छा और कर्म, पूर्ववर्ती अभाव, देश, काल, पुण्य और पाप शब्दान्तर में धर्म और अधर्म। इसमें कभी-कभी बाधक प्रभावों के कारण अभाव को भी जोड़ दिया जाता है।

ये पूर्वोक्त तीनों कारण पाश्चात्य विपश्चित ख्यातिलब्ध यवन दार्शनिक अरस्तू द्वारा प्रतिपादित भौतिक, औपचारिक तथा निमित्त कारणों से अनुकूलता रखते हैं।

## वैशेषिक दर्शन

भारत के वस्तुवादी दर्शनों में वैशेषिक दर्शन का विशिष्ट महत्व है। इस दर्शन के प्रवर्त्तक महर्षि उलूक कणाद हैं। सम्भवतः 'विशेष' नामक पदार्थ की सत्ता को मानने से इस दर्शन का नाम "वैशेषिक" दर्शन पड़ा। इस दर्शन का मूल ग्रन्थ महर्षि कणाद द्वारा रचित 'वैशेषिक सूत्र' है। यह दर्शन समस्त विश्व की व्याख्या देने के साथ-साथ इसने अणुओं परमाणुओं से सृष्टि रचना का सिद्धान्त प्रतिपादित किया। वैशेषिक दर्शन केवल दो प्रत्यक्ष एवं अनुमान को ही स्वतंत्र प्रमाण मानता है। साथ ही, केवल सात पदार्थों द्रव्य, गुण, कर्म, सामान्य, विशेष, समवाय और अभाव को ही स्वीकार करता है।

### पदार्थ की अवधारणा

1. **द्रव्य**– वैशेषिक-सूत्र में कहा गया है–'क्रिया-गुणवत् समवायिकारणम् द्रव्यम्' अर्थात् जिसमें क्रिया एवं गुण हों और समवायिकरण हो, उसे 'द्रव्य' कहते हैं। द्रव्य वह पदार्थ है जो स्वतः गुण-कर्म से भिन्न होते हुए भी उनका आश्रय-स्वरूप है।

ये द्रव्य नौ प्रकार के होते हैं–पृथ्वी, जल, तेज, वायु, आकाश, काल, दिक्, आत्मा और मन। इनके स्वरूप का विवेचन यहाँ प्रस्तुत है–

(*i*) **पृथ्वीः** जिसमें रूप, रस, गंध तथा स्पर्श – ये चार गुण हों, उसे 'पृथ्वी' कहते हैं।

(*ii*) **जलः** जिसमें रूप, रस, स्पर्श, द्रवत्व तथा स्निग्धत्व हों, वह 'जल' है।

(*iii*) **तेजः** जिसमें रूप और स्पर्श – ये दो गुण विद्यमान हों, उसे 'तेज' (अग्नि) कहते हैं।

(*iv*) **वायुः** जिसमें केवल स्पर्श गुण विद्यमान हो, 'वायु' द्रव्य कहते हैं। रूपविहीन होने से वायु का प्रत्यक्ष नहीं हो सकता, केवल स्पर्श के द्वारा ही वायु को जाना जाता है।

(*v*) **आकाशः** यह शब्द का आधार है अर्थात् आकाश का विशेष गुण शब्द है। शब्द प्रत्यक्ष होता है, लेकिन आकाश नहीं। आकाश एक विभु और नित्य है। इसमें रूप, रस, गंध तथा स्पर्श गुण नहीं होते। शब्द आकाश में समवाय सम्बन्ध में रहता है और आकाश शब्द का समवायिकारण है। आकाश चूंकि एक है, इसलिए सर्वव्यापी, नित्य एवं निरवयव है। यह परमाणु नहीं है।

उपर्युक्त पांच द्रव्यों – पृथ्वी, जल, तेज, वायु तथा आकाश को पंच-महाभूत कहते हैं, क्योंकि प्रत्येक में कोई न कोई गुण पाया जाता है। जिसका बाह्येन्द्रिय द्वारा प्रत्यक्ष होता है।

(*vi*) **दिक्ः** पूर्व, पश्चिम, उत्तर, दक्षिण आदि के व्यवहार का हेतु द्रव्य 'दिक्' है। 'यहाँ' और 'वहाँ', 'निकट' और 'दूर'– इन प्रत्ययों का कारण दिक् ही है। यह अगोचर है। अतएव इसका ज्ञान अनुमान से होता है।

(*vii*) **कालः** भूत, भविष्य, वर्तमान के व्यवहार का हेतु (कारण द्रव्य) काल है। वह एक, नित्य एवं सर्वव्यापी है। काल समस्त जगत् में व्याप्त है। काल भी वस्तुतः एक और नित्य है, परन्तु उपाधि-भेद से वह तीन प्रकार का–भूत, वर्तमान एवं भविष्य माना जाता है।

(*viii*) **आत्माः** ज्ञान के अधिकरण को 'आत्मा' कहते हैं। आत्मा का विशेष गुण 'चैतन्य' है। आत्मा नित्य है। प्राण, अपान, निमेष, उन्मेष, जीवन, मनोगति, इन्द्रिय-विकार, सुख, दुःख, इच्छा, राग, द्वेष, प्रयत्न, चैतन्य (आत्मा) के सूचक चिन्ह हैं।

(*ix*) **मनः** 'मन' अणु तथा नित्य है। सुख, दुःख आदि के ज्ञान के साधक इन्द्रिय को 'मन' कहा जाता है। जीवात्मा तथा उसके गुणों को प्रत्यक्ष करने वाला आभ्यंतरिक साधन या अन्तरिन्द्रिय मन है। मन परमाणु रूप है। इसलिए दृष्टि गोचर नहीं हो सकता। मन स्पर्श शून्य तथा क्रियाधिकरण है। मन एक है, और अणु के रूप में प्रत्येक शरीर में विद्यमान रहता है। यह मन विभु नहीं है, बल्कि अणु परिमाण है। मन

नित्य है जिसकी न उत्पत्ति है और न विनाश। मन अचेतन है। उसका कोई विशेष गुण नहीं है।

2. **गुणः** गुण वह पदार्थ है जो द्रव्याश्रित है और जो स्वयं निर्गुण एवं निष्क्रिय है अर्थात् 'गुण वह पदार्थ है जो द्रव्य में ही रहता है, पर जिसमें कोई गुण या कर्म नहीं रह सकता।' अतएव गुण परनिर्भर एवं परतंत्र है। गुण द्रव्य में समवाय सम्बन्ध में रहता है। ये गुण चौबीस प्रकार के होते हैं। इनका विवरण यहाँ प्रस्तुत है–

(*i*) **रूपः** नेत्रेन्द्रिय से प्रत्यक्ष होने वाला, यह एक विशेष गुण है जो पृथ्वी, जल तथा तेज में रहता है। रूप (रंग) के सात भेद हैं–शुक्ल, नील, पीत, रक्त, हरित, कपिश तथा चित्र।

(*ii*) **रसः** रसनेन्द्रिय द्वारा प्रत्यक्ष होने वाला, यह विशेष गुण, पृथ्वी एवं जल में रहता है। रस छह प्रकार का होता है–मधुर, अम्ल, लवण, कटु, कषाय तथा तिक्त।

(*iii*) **गन्धः** घ्राणेन्द्रिय के द्वारा प्रत्यक्ष होने वाला, एक विशेष गुण, केवल पृथ्वी में पाया जाता है। इसके दो भेद हैं–सुगन्ध और दुर्गन्ध।

(*iv*) **स्पर्शः** त्वचेन्द्रिय के द्वारा होने वाला एक विशेष गुण, पृथ्वी, जल, तेज तथा वायु में पाया जाता है। यह तीन प्रकार का होता है–शीत, उष्ण और अनुष्णाशीत।

(*v*) **संख्याः** यह पदार्थों का वह गुण है जिसके कारण एक, दो, तीन, इत्यादि व्यवहार का भेद होता है। एक से ऊपर की ओर जाने वाली संख्याएं अनन्त हैं।

(*vi*) **परिमाणः** यह वह गुण है जिससे नापने का व्यवहार होता है जैसे छोटा तथा बड़ा। परिमाण के चार भेद हैं–अणुत्व, महत्व, दीर्घत्व एवं ह्रस्वत्व।

(*vii*) **पृथक्त्वः** यह वह गुण है जिसके द्वारा वस्तुओं की भिन्नता का ज्ञान होता है। यह सब द्रव्यों में रहता है।

(*viii*) **संयोगः** यह वह गुण है जो भिन्न-भिन्न रहने वाली वस्तुओं को परस्पर जोड़ता तथा मिलाता है।

(*ix*) **विभागः** यह वह गुण है जो परस्पर मिले हुए दो द्रव्यों को पृथक्-पृथक् करता है। विभाग भी सभी द्रव्यों में रहता है।

(*x-xi*) **परत्व और अपरत्वः** ये दो प्रकार के होते हैं– कालिक एवं दैशिक। कालिक परत्व का अर्थ है प्राचीनत्व, कालिक अपरत्व का अर्थ है नवीनत्व। इसी भांति दैशिक परत्व का अर्थ है दूरत्व; दैशिक अपरत्व का अर्थ निकटत्व।

(*xii*) **गुरुत्वः** यह वह गुण है जिसके कारण वस्तुओं का स्वाभाविक पतन होता है। गुरुत्व पृथ्वी तथा जल में रहता है।

(*xiii*) **द्रव्यत्वः** यह वह गुण है जिसके कारण जल, दूध आदि तरल पदार्थ प्रवाहित होते हैं।

(*xiv*) **स्नेहः** यह वह गुण है जो पार्थिव कणों को आपस में मिलाकर पिंडीभूत करता है। यह गुण जल में होता है जो गोधूम कणों को एक पिंड बना देता है।

(*xv*) **शब्दः** आकाश का विशेष गुण है।

(*xvi*) **प्रयत्नः** कार्य के प्रारम्भिक गुण को प्रयत्न कहते हैं। यह दो प्रकार का होता है– जीवनपूर्वक और इच्छा-द्वेष पूर्वक।

(*xvii*) **बुद्धिः** यह शब्दमात्र के व्यवहार का मूल-कारण है। इसके दो भेद होते हैं–स्मरण एवं अनुभव।

(*xviii*) **इच्छा-द्वेषः** किसी वस्तु के प्रति कामना करना इच्छा है और जिसके द्वारा जीवात्मा ज्वलन का अनुभव करे उसे 'द्वेष' कहा जाता है।

(*xix*) **संस्कारः** कर्म का प्रभाव संस्कार होता है। इसके तीन भेद होते हैं–वेग, भावना एवं स्थिति स्थापक।

(*xx*) **धर्म-अधर्मः** जिसके द्वारा कर्ता को सुख, मोक्षादि की प्राप्ति हो, वह 'धर्म' होता है; और जिसके द्वारा कर्ता को दुःख की प्राप्ति हो, वह 'अधर्म' कहा जाता है। ये दोनों आत्मा के गुण हैं।

(*xxi*) **सुख-दुःखः** जो सबको अच्छा (अनुकूल) लगे, वह सुख है और जो बुरा (प्रतिकूल) लगे, वह दुःख होता है।

3. **कर्मः** पदार्थों की गति (क्रिया) का नाम 'कर्म' है। कर्म द्रव्य में समवेत रहता है। यह गुण से भिन्न है। गुण द्रव्य का निष्क्रिय स्वरूप है, जबकि कर्म उसका सक्रिय स्वरूप है। अतएव गुण से भिन्न, जो संयोग-विभाग का साक्षात् कारण होता है, उसे कर्म कहते हैं। गुण और कर्म दोनों ही अपने आधारभूत द्रव्य पर आश्रित रहते हैं। लेकिन कर्म द्रव्य में सर्वदा अनित्य रहता है और गुण नित्य होते हैं। इस प्रकार कर्म एक स्वतंत्र पदार्थ है। यह पांच प्रकार का होता है–

(*i*) उत्क्षेपण अर्थात् ऊपर फेंकना जैसे; गेंद का उछलना।

(*ii*) अवक्षेपण अर्थात् नीचे फेंकना जैसे; पेड़ से फल का गिरना।

(*iii*) आकुंचन अर्थात् सिकुड़ना जैसे; हाथ-पैर मोड़ना।

(*iv*) प्रसारण अर्थात् विस्तार जैसे; लता का विस्तार।

(*v*) गमन अर्थात् चलना, दौड़ना आदि जैसे; भ्रमण, रेचन, स्पन्दन आदि गमन के अवान्तर भेद हैं।

सभी कर्मों का प्रत्यक्ष नहीं हो सकता। पृथ्वी, जल, तेज, आदि दृष्टिगोचर द्रव्यों की गति का ज्ञान दर्शन व स्पर्शन द्वारा हो सकता है, पर मन अगोचर पदार्थ है। अतएव उसकी गति का प्रत्यक्ष ज्ञान नहीं हो सकता।

4. **सामान्यः** एक वर्ग (जाति) की सभी वस्तुओं में समान धर्म (साधर्म्य) पाया जाता है। जिसके कारण उसे एक नाम से सम्बोधित किया जाता है। सभी भिन्न-भिन्न गायों में 'गौत्व' समान धर्म है और इसी भांति सभी मनुष्यों में 'मनुष्यत्व' साधर्म्य है। इसलिए उन्हें क्रमशः 'गाय' तथा 'मनुष्य' के नामों से पुकारा जाता है। यह सामान्य नित्य होता है और व्यक्तियों में रहता है। व्यक्तियों का नाश हो जाता है, किन्तु 'सामान्य' नित्य बना रहता है।

5. **विशेषः** यह सामान्य का उलटा है। 'विशेष' का अर्थ है 'व्यावर्त्तक' अर्थात् विशेष वे हैं जो नित्य द्रव्यों–दिक्, काल, आकाश, आत्मा, मन और परमाणुओं में रहते हैं। अर्थात् जो द्रव्य निरवयव होने के कारण नित्य हैं, उनके विशिष्ट व्यक्तित्व को ही 'विशेष' कहते हैं। इन द्रव्यों के अपने-अपने व्यक्तिगत स्वरूप ही, जिनके कारण वे एक-दूसरों से पहचाने जाते हैं–विशेष कहलाते हैं। विशेष वह नित्य पदार्थ है जिसके कारण एक व्यक्ति जगत् के सभी व्यक्तियों से अपने को व्यावृत्त (पृथक्) करता है।

6. **समवायः** नित्य सम्बन्ध को समवाय कहा गया है अर्थात् जो सम्बन्ध आधार और आधेय रूप अयुतसिद्ध वस्तुओं में होता है उसे 'समवाय' कहते हैं। न्याय-वैशेषिक मत दो प्रकार के सम्बन्ध मानता है–संयोग तथा समवाय। दो वस्तुओं का कुछ काल के लिए मिलना संयोग कहलाता है जैसे; हाथ और कलम का मिलन। यह सम्बन्ध क्षणिक या अनित्य होता है। संयोग युतसिद्ध सम्बन्ध है अर्थात् दो वस्तुओं के युक्त होने से यह सम्बन्ध स्थापित होता है। यह एक बाह्य सम्बन्ध है जो अनित्य है जैसे हाथ और कलम बार-बार अलग हो जाते हैं। संयोग सम्बन्ध अनित्य है, किन्तु संयोग के विपरीत, समवाय नित्य सम्बन्ध है। यह दो द्रव्यों का नित्य सम्बन्ध है अर्थात् वे एक दूसरे में समवेत रहते हैं जैसे; अवयवी अपने अंशों में, गुण-कर्म द्रव्यों में, सामान्य व्यक्तियों में, कपड़े में धागा, गुलाब के फूल में लाल रंग, मनुष्यों में मनुष्यत्व, आदि।

7. **अभावः** भाव का निषेध ही अभाव है। अतः अभाव को भाव का प्रतियोगी माना गया है। दिन में चन्द्रमा और रात में सूर्य का अभाव स्पष्ट मालूम पड़ता है। जिस पदार्थ का ज्ञान उसके प्रतियोगी के ज्ञान के बिना न हो उसे 'अभाव' कहते हैं। बिना भाव पदार्थ के ज्ञान के अभाव का ज्ञान सम्भव नहीं है। पटज्ञान के बाद ही पटाभाव का ज्ञान होता है। अभाव के दो भेद होते हैं–संसर्गाभाव और अन्योन्याभाव। संसर्गाभाव तीन प्रकार का होता है–प्रागभाव, ध्वंसाभाव तथा अत्यंताभाव। इस प्रकार कुल मिलाकर अभाव चार प्रकार का होता है।

   *(i)* **प्रागभावः** किसी कार्य-द्रव्य की उत्पत्ति के पूर्व जो अभाव रहता है, वह 'प्रागभाव' कहलाता है जैसे घट-पटादि का उनके उत्पन्न होने से पहले का अभाव। यह अभाव अनादिकाल से वर्तमान था, किन्तु जैसे ही घट बन गया, उसके अभाव का अंत हो गया।

   *(ii)* **ध्वंसाभावः** किसी कार्य-द्रव्य के नष्ट होने पर जो अभाव होता है, वह 'ध्वंसाभाव' हैं, क्योंकि घट-पटादि का नाश होने पर उनका अभाव निश्चित है।

   *(iii)* **अत्यंताभावः** जहाँ दो वस्तुओं में भूत, भविष्य, वर्तमान त्रैकालिक सम्बन्ध का अभाव हो, उसे 'अत्यंताभाव' कहा जाता है जैसे वायु में रूप का अभाव त्रैकालिक है। अत्यन्ताभाव भी अनादि, अनन्त एवं नित्य है, क्योंकि इसकी न कभी उत्पत्ति होती है और न विनाश।

## कारणता : असत्कार्यवाद

कारणता के सम्बन्ध में न्याय-वैशेषिक मत समान विचार वाला है। इनकी दृष्टि में कार्य तथा कारण का अलग-अलग अस्तित्व होता है। कारण कार्य का उत्पादक होता है। जैसे, तन्तु से वस्त्र उत्पन्न होता है। यहाँ तन्तु कारण है और वस्त्र कार्य। अतः न्याय-वैशेषिक दर्शन में दोनों अलग-अलग हैं अर्थात् एक कारण और दूसरा कार्य है। उत्पत्ति के पूर्व ज्ञान कारण में पहले से विद्यमान नहीं रहता अर्थात् कार्य कारण में असत् रहता है। अतः यह मत 'असत्कार्यवाद' कहलाता है। न्याय-वैशेषिक के अनुसार कार्य एकदम नया होता है। कार्य का नवीन आरम्भ है, क्योंकि उसका प्रागभाव था। इसलिए असत्कार्यवाद को 'आरम्भवाद' भी कहते हैं।

न्याय-वैशेषिक सत्कार्यवाद को नहीं मानते और कहते हैं कि–

*(i)* यदि कार्य कारण में पहले से विद्यमान था तो दिखाई क्यों नहीं देता?

*(ii)* यदि कारण-कार्य एक ही है तो घड़े का काम मिट्टी से क्यों नहीं किया जाता?

*(iii)* फिर घड़े के निर्माण में कुम्हार की क्या आवश्यकता है? इन प्रश्नों का सही उत्तर नहीं मिल पाने पर न्याय-वैशेषिक कारण तथा कार्य को दो भिन्न रूप मानते हैं। कार्य का नवीन आरम्भ होता है।

**कारण के भेदः** न्याय-वैशेषिक मत में तीन कारण माने गए हैं जो इस प्रकार हैं–

1. **समवायिकारणः** यह दो वस्तुओं का नित्य कारण-कार्य सम्बन्ध है अर्थात् जिसमें समवाय-सम्बन्ध से कार्य उत्पन्न होता है उसे 'समवायिकारण' कहा जाता है। जैसे तन्तु पट का, मृत्तिका घट का समवायिकारण है। यह समवायिकारण ही 'उपादानकारण' कहा जाता है। जैसे वस्त्र का उपादान तन्तु और घड़े का मिट्टी है। यहाँ तन्तु एवं पट का समवाय-सम्बन्ध है। संक्षेप में, दो अयुतसिद्ध पदार्थों का सम्बन्ध समवाय होता है।

2. **असमवायिकारणः** जो कार्य के साथ या कारण के साथ एक ही विषय में समवेत हो उसे 'असमवायिकारण' कहते हैं, जो समवायी में रहता हुआ गौण रूप से कार्य के होने में सहायक होता है। तन्तुओं का संयोग, वस्त्र के असमवायिकारण हैं।

3. **निमित्तकारणः** उपर्युक्त दो प्रकार के कारणों से भिन्न कारण को 'निमित्तकारण' कहते हैं। उदाहरणतः वस्त्र के लिए जुलाहा, तुरी, वेमा आदि निमित्तकारण हैं। इसी भांति कुम्हार, दण्ड, चक्र आदि घट के लिए निमित्तकारण हैं। निमित्तकारण द्रव्य, गुण या कर्म होता है। निमित्तकारण के न रहने पर भी कार्य की सत्ता रहती है।

## परमाणुवाद

वैशेषिक दर्शन के अनुसार, भौतिक द्रव्य के सभी कार्य-द्रव्य चार प्रकार के परमाणुओं–पृथ्वी, जल, तेज और वायु से बनते हैं। ये चार महाभूत

सावयव होते हैं। इन्हें छोटे-छोटे टुकड़ों में विभक्त किया जा सकता है। किन्तु इनका विभाजन करते-करते एक ऐसी अवस्था आ जाती है जहाँ इनका विभक्तीकरण असंभव हो जाता है। अतः पृथ्वी, जल, तेज तथा वायु के अविभाज्य अंशों को 'परमाणु' कहते हैं। इसी कारण वैशेषिक मत को 'परमाणुवाद' भी कहा जाता है।

महर्षि गौतम ने कहा है कि 'परं वा त्रुटे' अर्थात् परमाणु वह सूक्ष्मतम परिणाम है जिसका और विभाजन नहीं किया जा सकता। इनका विभाजन नहीं हो सकता। परमाणुओं की न उत्पत्ति होती है और न विनाश। अतः परमाणु अविभाज्य, निरवयव एवं नित्य होते हैं। ये भौतिक वस्तुओं के आधार हैं। भौतिक वस्तुएं अनित्य हैं। परमाणु स्वभावतः निष्क्रिय होते हैं। उनको सक्रिय करने वाला या गतिदाता कोई अन्य कारण है।

वैशेषिक परमाणुवाद पाश्चात्य दृष्टिकोण से भिन्न है। पाश्चात्य परमाणुवाद भौतिकवाद से अभिप्रेरित है, जबकि वैशेषिक परमाणुवाद आध्यात्मिक सिद्धान्त पर अवलम्बित है। यह मानता है कि परमाणुओं की गति देने वाला ईश्वर है अर्थात् जीवात्माओं के 'अदृष्ट' के अनुसार कर्मफलों का भोग कराने के लिए ईश्वर परमाणुओं की क्रियाओं को प्रवर्त्तित करता है।

केवल चार महाभूतों—पृथ्वी, जल, तेज और वायु के ही परमाणु होते हैं। इन अणुओं के संयोग से कार्य-द्रव्यों की उत्पत्ति और उनके विच्छेद से कार्य-द्रव्यों का विनाश होता है। इन्हीं अनित्य एवं परिवर्तनशील द्रव्यों की सृष्टि तथा लय के क्रम का विवेचन करना वैशेषिक परमाणुवाद का लक्ष्य है।

वैशेषिक मानता है कि परमाणुओं से जगत की उत्पत्ति हुई है। समस्त भौतिक जगत् एवं उसके कार्य-द्रव्य चार प्रकार पृथ्वी, जल, तेज तथा वायु के परमाणुओं से निर्मित हैं। यह जगत परमाणुओं के द्व्यणुकों, त्र्यणुकों तथा उनके बृहतर संयोगों के परिणाम हैं। परमाणुओं में गति, क्रम या व्यवस्था 'अदृष्ट' के आधार पर ईश्वर द्वारा होती है।

## ■। सांख्य दर्शन

सांख्य दर्शन बहुत ही प्राचीन दर्शन है। इस दर्शन के प्रवर्तक महर्षि कपिल हैं। इसका सम्बन्ध तत्वों की संख्या से है अर्थात् इसके अन्तर्गत तत्वों की संख्या सुनिश्चित है। अतएव इसे सांख्य दर्शन कहा गया। सांख्य दर्शन का मूल ग्रन्थ महर्षि कपिल का तत्व समास है। फिर उन्होंने सांख्यमत को विस्तार पूर्वक समझाने की दृष्टि से सांख्य सूत्र नामक विशद् ग्रंथ की रचना की। इसके अन्य प्रामाणिक ग्रंथ हैं—ईश्वर कृष्ण की सांख्य कारिका, विज्ञानभिक्षु का सांख्य प्रवचन, वाचस्पति मिश्र का सांख्य तत्व कौमुदी आदि।

### सत्कार्यवाद

सांख्य दर्शन में सबसे प्रमुख सिद्धान्त 'सत्कार्यवाद' है जो यह मानता है कि 'कार्य उत्पन्न होने के पूर्व अपने कारण में पहले से ही विद्यमान होता है।' कार्य कारण में अव्यक्त रूप में विद्यमान रहता है। अतः कारण कार्य को अभिव्यक्त करता है, उत्पन्न नहीं। सत्कार्यवाद का उलटा 'असत्कार्यवाद' है जिसे बौद्ध, न्याय-वैशैषिक और वेदान्त मानते हैं। इनके अनुसार कार्य उत्पन्न होने के पूर्व कारण में विद्यमान नहीं रहता। अतः कार्य असत् है। सांख्य ने इन सबका खण्डन किया है।

सांख्य मत असत्कार्यवाद का खण्डन करते हुए सत्कार्यवाद की स्थापना के लिए निम्नलिखित युक्तियाँ प्रस्तुत करता है—

1. **असद् करणात्ः** यह निश्चित करता है कि कार्य कारण में विद्यमान रहता है। यदि कार्य वस्तुतः कारण में अविद्यमान रहता है तो किसी भी प्रयत्न से उसका आविर्भाव नहीं होता अर्थात् कार्य अपने कारण में असत् रहेगा तो असत् वस्तु सत् कैसे हो सकती है। जैसे, यदि तिल में तेल नहीं होता तो उसे लाखों प्रयत्न करने पर भी नहीं निकाला जा सकता। मिट्टी में घट अव्यक्त रूप में न होता तो उसे बनना असम्भव होता। अतः यह सिद्ध है कि कार्य कारण के पूर्व विद्यमान रहता है।

2. **उपादानग्रहणात्ः** यह भी निश्चित है कि खास कार्य का आविर्भाव खास कारण से ही होता है अर्थात् जो कार्य जिस कारण में पहले से मौजूद रहता है उस कार्य के लिए उसी कारण को ग्रहण किया जाता है। जैसे, जुलाहा वस्त्र बनाने के लिए उसके उपादान कारण तन्तुओं को ग्रहण करता है न कि मृत्तिका को। कुम्हार घट के उपादान-कारण मृत्तिका को ग्रहण करता है न कि तन्तुओं को। इसी प्रकार दही के लिए दूध, तेल के लिए तिल ग्रहण करना आवश्यक है। यदि कारण से असम्बद्ध कार्य की उत्पत्ति होने लगे तो जगत् में उपादान नियम का अस्तित्त्व ही समाप्त हो जाएगा। अतः सिद्ध होता है कि कार्य सत् है जो अपने उपादान-कारण में पहले से विद्यमान रहता है।

3. **सर्वसम्भवाभावात्ः** केवल सम्बन्धित कारण से ही अभीष्ट कार्य की प्राप्ति हो सकती है अर्थात् यदि कारण से असम्बद्ध कार्य की उत्पत्ति मान ली जाए तो असम्बद्धता के सर्वत्र होने के कारण सभी कारणों से सभी कार्यों की उत्पत्ति होने लगेगी। जैसे, मिट्टी से तेल, तन्तु से घट, दूध से वस्त्र, पानी से दही बनने लगेगा। लेकिन सभी कारणों से सभी कार्य सम्भव नहीं होते। अतः सिद्ध है कि कार्य जिस कारण से सम्बद्ध होगा वह कार्य उसी कारण से उत्पन्न होगा अन्य से नहीं।

4. **शक्तस्य शक्यकरणात्ः** प्रत्येक कारण अपने में समर्थ होता है। जो कारण जिस कार्य को उत्पन्न करने में समर्थ होता है उस शक्त कारण से उसी शक्य कार्य की उत्पत्ति होती है। जैसे, यदि चने को भून लिया जाए तो उससे अंकुर निकलने की शक्ति का नाश हो जाएगा और वह अंकुरित नहीं हो पाएगा। इस प्रकार कार्य-कारण में शक्य-शक्तरूप सम्बन्ध विद्यमान होता है।

5. **कारणभावाच्चः** वस्तुतः कार्य कारण में भिन्नता नहीं है। ये अभिन्न हैं। कार्य कारण रूप होता है। दोनों में तादात्म्य पाया जाता है, अर्थात् जो कारण है, वही कार्य है। दोनों में केवल अवस्थाओं का अन्तर है। एक ही वस्तु की अव्यक्त स्थिति को कारण और व्यक्तस्थिति को कार्य कहते हैं। जैसे, घट मृत्तिका

से भिन्न नहीं है। मृत्तिका का व्यक्त रूप ही घट है। इसी भाँति पट तन्तु से भिन्न नहीं है, किन्तु तद्रुप ही है। सभी दृष्टियों से देखने पर यह मिलता है कि वस्त्र तन्तुओं से भिन्न नहीं है। कार्य कारण में सत् होता है। अतः सत्कार्यवाद की सिद्धि होती है।

## प्रकृति और उसके परिणाम

सांख्य दर्शन के विभिन्न तत्त्वों में 'प्रकृति' सबसे महत्वपूर्ण तत्त्व है, क्योंकि समस्त जगत् का मूल-कारण प्रकृति है इसे 'मूल-प्रकृति' कहा गया है। संसार की सभी वस्तुएँ कार्य द्रव्य हैं अर्थात् शरीर, मन इन्द्रिय, अहंकार, बुद्धि और जगत् की अनेक वस्तुएँ किसी उपादान के अभिव्यक्त रूप हैं। यह जगत् कार्य-कारणों के एक शृंखला की अभिव्यक्ति है। इसका कोई मूल-कारण अवश्य होगा और सांख्य मत में वह 'प्रकृति' है जो जड़ होने के साथ-साथ सूक्ष्मातिसूक्ष्म है। वह अनादि, अनन्त और व्यापक रूप से संसार के समस्त पदार्थों का कारण है। यह दृष्टिकोण, सांख्य के परिणामवाद पर आधारित है अर्थात् मूल-कारण प्रकृति ही इस नानारूप जगत् में वास्तविक रूप से रूपान्तरित हो जाती है।

सांख्य-कारिका के अनुसार, प्रकृति त्रिगुणात्मक है अर्थात् सत्त्व, रज और तम की साम्यावस्था का नाम 'प्रकृति' है। अपने सूक्ष्म रूप में यह अव्यक्त तथा एक है। सूक्ष्म रूप प्रकृति अव्यक्त, अप्रत्यक्ष और विभु है तथा एक है। लेकिन व्यक्त होने पर वह अनेक रूप हो जाती है। इसलिए प्रकृति परिणामी है। सभी तत्वों में प्रधान होने के कारण उसे प्रधान भी कहते हैं। प्रकृति स्वयं अव्यक्त किन्तु उसके परिणाम व्यक्त हैं। वह जड़, अचेतन है, किन्तु सक्रिय है। इस प्रकार प्रकृति, अविवेकी, अव्यक्त, जड़ परिणामी, अप्रत्यक्ष विषम, सामान्य (सर्व साधारण के लिए) है।

## प्रकृति की अस्तित्वसिद्धि के लिए युक्तियाँ

सांख्य दर्शन में प्रकृति की सिद्धि के लिए निम्न युक्तियाँ प्रस्तुत की गई हैं–

1. **भेदानां परिमाणात्:** जगत् के समस्त विषय, बुद्धि से लेकर पृथ्वी पर्यन्त, देश-काल से सीमित (परिच्छिन्न) और कारणापेक्ष (पूर्ववर्त्ती कारण पर आश्रित) होते हैं। नानारूप जगत् के परिमित कार्यों का कोई व्यापक हेतु होना आवश्यक है जो निरपेक्ष, अपरिमित और अपरिच्छिन्न हो, वह प्रकृति है।

2. **समन्वयात्:** भिन्न-भिन्न पदार्थों में व्याप्त समानरूपता को समन्वय कहते हैं। संसार के समस्त विषयों का यह सामान्य धर्म है कि वे सुख दुख, मोहादि उत्पन्न करते हैं। अतः इनका कारण भी सुख-दुख मोहात्मक धर्म वाला होना चाहिए। वह त्रिगुणात्मक प्रकृति ही है।

3. **शक्तितः प्रवृत्तेश्चः** कारणों में ऐसी शक्ति होती है जो कार्यों को उत्पन्न करती है अर्थात् जिस कारण में जो कार्य उत्पन्न करने की शक्ति होती है, उससे वही कार्य उत्पन्न होता है। दूध से दही अथवा तिल से तेल ही निकल सकता है। अतः जिससे महादादि कार्यों का प्रादुर्भाव होगा, वह अव्यक्त प्रकृति है।

4. **कारणकार्यविभागात्:** कार्य कारण से उत्पन्न होता है और नष्ट होने पर पुनः उसमें विलीन हो जाता है। जैसे समुद्र की लहरें समुद्र से ही उठती हैं और उसी में विलीन हो जाती हैं। इसी प्रकार कार्य का प्रादुर्भाव कारण से होता है और पुनः तिरोभाव भी कारण में हो जाता है। मृत्तिका से उत्पन्न घट, नष्ट होने पर पुनः मृत्तिका में ही लीन हो जाता है।

5. **अविभागाद्वैश्वरूपस्यः** समस्त कार्य नष्ट होकर अपने मूल-कारणों में लीन हो जाते हैं। घट-पटादि से लेकर महाभूत पर्यन्त समस्त कार्य प्रलयावस्था में जिस कारण में अवयक्त (तिरोभूत) होकर अव्यक्त रूप से विद्यमान रहते हैं, वह मूल कारण प्रकृति है।

## पुरुष का स्वरूप

प्रकृति जड़-तत्त्व है। वह चेतन-तत्त्व के बिना अधूरी है। उसे चेतन पुरुष की आवश्यकता है, और वह सांख्य का पुरुष या आत्मा है प्रकृति से भिन्न, पुरुष विवेकी है, निर्गुण तथा अविषय है और अपरिणामी है। पुरुष न किसी का कारण है और न किसी का कार्य। पुरुष शरीर, इन्द्रिय, मन, बुद्धि तथा अंहकार से भिन्न है। वह सांसारिक विषय नहीं है। अतः अविषय तथा निर्गुण है। सांख्यमतानुसार, आत्मा वह शुद्ध चैतन्य स्वरूप है जो सर्वदा ज्ञाता के रूप में रहता है। अतः वह 'ज्ञ' है। वह कभी भी ज्ञान का विषय नहीं है। चूँकि पुरुष त्रिगुणातीत है, इसलिए उसमें कोई क्रिया नहीं है। वह अविकारी स्वयंभू, नित्य और सर्वव्यापी सत्ता है। संसार में जितने भी विकार या परिणाम हैं वे प्रकृति के परिणाम या रूपान्तर हैं न कि आत्मा के। चैतन्य पुरुष का गुण नहीं, अपितु स्वभाव है। वह ज्ञाता, द्रष्टा तथा साक्षी है और प्रकृति के समस्त बन्धनों से मुक्त है। चेतन होने के कारण, वह अचेतन पदार्थों का भोक्ता है।

## पुरुष की अस्तित्वसिद्धि के लिए युक्तियाँ

सांख्य दर्शन ने पुरुष की सिद्धि के लिये युक्तियाँ प्रस्तुत की हैं–

1. **संघात्परार्थत्वात्:** घट, पट, मुकुटादि संसार के सावयव द्रव्य होने के कारण 'संघात' कहे जाते हैं। ये संघात पदार्थ अपने नहीं दूसरों अर्थात् परार्थ के हेतु हैं जैसे–शैय्या, आसनादि संघात दूसरों के उपभोग के लिए है। इसी प्रकार प्रकृति से उद्भूत यह संघातमय संसार भी किसी अन्य के उपभोग के लिए है। इनका उपभोक्ता जड़-तत्त्व नहीं हो सकता। अतः कोई चेतन तत्त्व (पुरुष) होना आवश्यक है।

2. **त्रिगुणादिविपर्ययात्:** जगत् की समस्त ज्ञेय वस्तुएँ त्रिगुणात्मक हैं; अचेतन एवं अविवेकी हैं। अतः संघात हैं। इस संघात का उपभोक्ता कोई असंघात या त्रिगुणातीत होना चाहिए। पुरुष उपभोक्ता है, क्योंकि वह त्रिगुणातीत है। ये संघात त्रिगुणात्मक होने के कारण उपभोग्य हैं। इस प्रकार त्रिगुणादि विपर्यय होने के कारण पुरुष (आत्मा) उपभोक्ता सिद्ध होता है।

3. **अधिष्ठानात्:** संसार के सभी सावयव पदार्थ अचैतन हैं। ये किसी चेतन तत्त्व से अधिष्ठित होकर ही गतिशील हो सकते हैं।

जैसे रथ नहीं चल सकता। उसे कोई चेतना तत्त्व ही खींचता है। शरीर, इन्द्रिय, मन, बुद्धि आदि जड़ पदार्थ किसी चेतन तत्त्व की अपेक्षा रखते हैं। कोई चेतन अधिष्ठाता ही इन्हें प्रेरित कर गतिशील बनाता है। अतः इनका अधिष्ठाता चेतन पुरुष के अलावा अन्य कोई नहीं हो सकता।

4. **भोक्तृभावात्ः** प्रकृति और उसके परिणाम त्रिगुणात्मक होने से, दृश्य एवं सुख-दुःखमोहात्मक होने से भोग्य माने जाते हैं। इसलिए इन्हें किसी द्रष्टा एवं भोक्ता की अपेक्षा होती है, क्योंकि इनके बिना पदार्थों का दृश्य एवं भोग्य होना निरर्थक ही होगा। वह द्रष्टा तथा भोक्ता इनसे भिन्न चेतन पुरुष ही है। अतएव भोक्तृभाव से भी पुरुष की सिद्धि होती है।
5. **कैवल्यार्थ प्रवृत्तेश्चः** संसार में कुछ ऐसे मनुष्य हैं जो कैवल्य या मोक्ष के लिए निरन्तर प्रयत्नशील रहते हैं। सभी प्रकार के दुःखों से आत्यन्तिक निवृत्ति को कैवल्य कहते हैं। सांसारिक विषय इसके लिए प्रयत्न नहीं कर सकते, क्योंकि वे स्वतः दुख के कारण होते हैं न कि उनकी निवृत्ति के। मोक्षादि के लिए अशरीरी पुरुष ही प्रयत्नशील हो सकता है। अतः सिद्ध होता है कि कोई त्रिगुणातीत पुरुष ही कैवल्य की प्राप्ति कर सकता है।

## पुरुष और प्रकृति का सम्बन्ध

प्रकृति और पुरुष का संयोग सामान्य भौतिक सम्बन्ध नहीं जैसा कि रथ एवं घोड़े के दृष्टान्त में पाया जाता है। यह एक विलक्षण संयोग है जिसमें दोनों एक-दूसरे की अपेक्षा रखते हैं। अन्धा-पंगु दो व्यक्ति एक-दूसरे की सहायता से जंगल पार कर सकते हैं। कुछ ऐसा सही सम्पर्क एवं सहयोग प्रकृति तथा पुरुष के बीच पाया जाता है। पुरुष पंगु के समान है, क्योंकि वह निष्क्रिय है, पर चेतन होने के कारण मार्ग-दर्शन कर सकता है। प्रकृति अन्धे के समान है, क्योंकि वह अचेतन है, किन्तु सक्रिय होने के नाते वह पुरुष को अपने कंधों पर बिठाकर ले जा सकती है। इस प्रकार दोनों को एक-दूसरे की अपेक्षा है। प्रकृति दर्शनार्थ (ज्ञात होने के लिए) पुरुष की अपेक्षा रखती है और पुरुष कैवल्यार्थ (अपना स्वरूप पहचानने के लिए) प्रकृति की सहायता लेता है।

सृष्टि के प्रारम्भ में मूल-प्रकृति ही विद्यमान थी अर्थात् तीनों गुण– सत्त्व, रज और तम साम्यावस्था में थे, किन्तु जैसे ही प्रकृति तथा पुरुष में संसर्ग होता है; वैसे ही गुणों की साम्यावस्था में विकार (परिणाम) उत्पन्न हो जाता है। यह 'गुण-क्षोभ' कहलाता है। यह गुण-क्षोभ पुरुष के प्रभाव से होता है और प्रकृति में परिणाम होना प्रारम्भ हो जाता है अर्थात् गुणों में स्पन्दन होने लगता है। रजोगुण के क्रियाशील होने पर अन्य गुण भी अपना-अपना प्रभाव जमाते हैं। तीनों गुणों के संयोजन तथा पृथक्करण की प्रक्रियाओं के फलस्वरूप नानारूप जगत् का विकास या सृष्टि का क्रम चल पड़ता है।

विकास क्रम में प्रकृति का प्रथम विकार (परिणाम) महत् या बुद्धि है। बाह्य जगत् की दृष्टि से यह विराट् बीजरूप है इसलिए इसे 'महत्तत्त्व' भी कहते हैं। बुद्धि प्रत्येक जीव में विद्यमान रहती है। इसके कार्य हैं निश्चय तथा अवधारणा। बुद्धि न केवल अपने को, अपितु दूसरे पदार्थों को भी प्रकाशित करती है। महत्तत्त्व के रूप में इसमें धर्म, ज्ञान, वैराग्य, ऐश्वर्य आदि महान (उत्कृष्ट) गुण विद्यमान रहते हैं। बुद्धि के दो रूप होते हैं– सात्विक एवं तामसी। धर्म, ज्ञान, वैराग्य, ऐश्वर्य, ये सात्विक बुद्धि के गुण हैं, जबकि अधर्म, अज्ञान, अवैराग्य तथा अऐश्वर्य ये तामसी बुद्धि के गुण हैं।

प्रकृति का दूसरा विकार 'अहंकार' है जो महत्तत्त्व का ही परिणाम है। जब बुद्धि में 'मैं' और 'तेरा' अहंभाव उत्पन्न होता है तब उसे अहंकार कहते हैं अर्थात् यह अभिमान का भाव ही अहंकार है। बुद्धि की भाँति यह अहंकार भी त्रिगुणात्मक होता है। अहंकार के कारण ही भ्रमवश पुरुष अपने को कर्ता, कामी, स्वामी आदि समझने लगता है, और जब पुरुष की सांसारिक प्रवृत्ति हो जाती है तब मनुष्य नाना प्रकार के व्यवहारों में संलग्न हो जाते हैं।

सृष्टि के क्रम में सात्त्विक अहंकार से एकादश इन्द्रियों की उत्पत्ति होती है अर्थात् पंच ज्ञानेन्द्रिय, पंच कर्मेन्द्रिय और एक मन ये– मिलकर ग्यारह इन्द्रियाँ होती हैं। तामसिक अहंकार से पंच तन्मात्रों– शब्द, रूप, स्पर्श, रस तथा गन्ध की उत्पत्ति होती है और पंच तन्मात्रों से पंच महाभूतों– आकाश, तेज, वायु, जल एवं पृथ्वी का आविर्भाव होता है।

**पंच ज्ञानेन्द्रियाँः** चक्षुः, श्रोत्र, घ्राण, रसना और त्वक्– ये पांच ज्ञानेन्द्रियाँ है जिनके विषय क्रमशः हैं रूप, शब्द, गन्ध, रस और स्पर्श। ये अहंकार के परिणाम हैं और पुरुष के निमित्त उत्पन्न है।

**पंच कर्मेन्द्रियाँः** वाक्, पाणि, पाद, पायु और उपस्थ– ये पाँच कर्मेन्द्रियाँ है जिनके विषय क्रमशः हैं वचन, आदान, गमन, मल त्याग और जनन।

**मनः** उपर्युक्त दस बाह्येन्द्रियाँ हैं, जबकि मन एक आभ्यन्तरिक इन्द्रिय है। मन एक सूक्ष्म इन्द्रिय है जो ज्ञानेन्द्रियों तथा कर्मेन्द्रियों दोनों का साथ देती है अर्थात् दोनों की प्रवर्त्तक है। संकल्प तथा विकल्प इसके विषय हैं।

**पंच तन्मात्राएँः** शब्द, स्पर्श, रूप, रस तथा गन्ध– इन विषयों के सूक्ष्म तत्त्वों को ही 'तन्मात्र' कहते हैं। पाँच विषयों के पाँच तन्मात्र हैं इनका प्रत्यक्ष नहीं हो सकता, क्योंकि ये अति सूक्ष्म हैं। अनुमान द्वारा ही इनका ज्ञान सम्भव है। तामस अहंकार से इनकी उत्पत्ति बतलाई गई है।

**पंच महाभूतः** पंच तन्मात्रों से पंच महाभूतों की उत्पत्ति होती है अर्थात् शब्द तन्मात्र से आकाश; शब्द-स्पर्श तन्मात्रों से वायु; शब्द-स्पर्श-रूप तन्मात्रों से तेज; शब्द-स्पर्श-रूप-रस तन्मात्रों से जल; और शब्द-स्पर्श-रूप-रस तथा गन्ध तन्मात्रों के योग से पृथ्वी की उत्पत्ति होती है। इस प्रकार आकाश, वायु, तेज, जल और पृथ्वी– ये पंच महाभूत कहलाते हैं।

इस तरह सांख्यमत का सृष्टिं विकास क्रम चौबीस तत्वों का खेल है जो पुरुष एवं प्रकृति के संसर्ग से प्रारम्भ होकर पंच महाभूतों में समाप्त होता है।

### कैवल्य

जब पुरुष तत्त्वज्ञान के अभ्यास से प्रकृति में समाहित अपने 'अहं' को 'विवेकख्याति' से पृथक् कर लेता है, उसके कार्यों से 'मेरे' नहीं, और बुद्धि में पड़े 'चित्प्रतिबिम्ब' को 'यह मैं नहीं हूं', ऐसा समझने लगता है तब, उसे 'शुद्ध' केवल ज्ञान उत्पन्न होता है। ज्ञान के कारण यथार्थतः असंग पुरुष के लिए प्रकृति 'निवृत्तप्रसवा' धर्माधर्म आदि अपने सात रूपों से विरहित हो जाती है। फिर उसे पुरुष प्रेक्षक (दर्शक) के समान स्वच्छ होकर देखता है। उसे पुनः उससे लिप्त रहने की आशंका नहीं रहती। प्रारब्ध में संचित कर्मों के भोग को शरीर के रहने तक वह भोगता है। शरीर भी पुराने भोगों के रहने तक चलता है। ठीक उसी प्रकार जैसे कुम्हार चाक से जब बर्तन उतार लेता है फिर तब भी वह चाक वेग-संस्कार के कारण चलता ही रहता है। परन्तु ज्ञानोदय से आधुनिक कर्म-प्रचय दग्ध बीज के समान भोग उत्पादन में समर्थ नहीं होता। प्रारब्ध के कार्यों को भोग चुकने पर जब शरीर समाप्त हो जाता है तब पुरुष 'ऐकान्तिक' और 'आत्यन्तिक' कैवल्य को प्राप्त करता है, जिसकी प्राप्ति से दुःख सदा के लिए अस्त हो जाते हैं।

जिस प्रकार सेना लड़ती है और उससे प्राप्त विजय पराजय का भोग राजा के लिए होने से वह यही समझता है कि लड़ाई मैंने की, जीत मेरी हुई, पराजय मेरी हुई आदि-आदि। इसी तरह कार्य प्रकृति (बुद्धि) करती है परन्तु उसका भोग पुरुष करता है। ऐसा चिराभ्यास से करने के कारण वह प्रकृति से कार्य सुख-दुःखानुभवों को अपने में अपदेश करने का आदि हो जाता है। यही उसका अहम है। इस अहम और अपदेश को उसके दिमाग से निकाल फेंकने का प्रयत्न सांख्य ने किया है। प्रकृति के कार्यों में अपने अपदेश को हटा लेना ही पुरुष की मुक्ति है। प्रकृति पुरुष के समक्ष अनेक कठिनाइयाँ उत्पन्न करता है और पुरुष अपने तत्व ज्ञान से उसे दूर करने का यत्न करता है। यही कैवल्य है, यही मोक्ष है।

### निरीश्वरवाद

निसंदेह सांख्यमत निरीश्वरवादी है, किन्तु कुछ विद्वान् ईश्वरवाद का खण्डन करके सेश्वर सांख्य को ही स्वीकार करते हैं। अतः यह विवाद का विषय है। लेकिन सांख्य के निरीश्वर एवं सेश्वर दोनों पक्षों का यहाँ दृष्टिकोण प्रस्तुत है–

मूल सांख्य दर्शन में ईश्वर को स्वीकार नहीं किया गया है जिसके लिए ये युक्तियाँ दी गई हैं–

1. यह जगत् कार्य कारण की एक शृंखला है। इसका कोई मूल कारण अवश्य है। ईश्वर जगत् का मूल कारण नहीं हो सकता है, क्योंकि वह नित्य, निराकार एवं निर्विकार है। ईश्वर अपरिणामी है, जबकि जगत् मूल कारण का परिणाम है और परिवर्तनशील भी है।

   सांख्य में कहा गया है कि जिस प्रकार बछड़े के पालन के लिए गाय के थन से अचेतन दूध स्वयं निकलता है उसी प्रकार अचेतन होने पर भी प्रकृति पुरुष के प्रयोजन के लिए स्वयं कार्य करती है। प्रकृति में गति तथा नियम–सभी पुरुष के हेतु संप्रेरित होते हैं। उसके लिए ईश्वर की कल्पना आवश्यक नहीं है।

2. यदि ईश्वर की सत्ता को मान लिया जाए तो सभी जीवों की स्वतन्त्रता तथा अमरता बाधित हो जाती है; और यदि जीवों को ईश्वर का अंश स्वीकार किया जाए तो जीवों में ईश्वरीय शक्ति रहनी चाहिए जो कहीं दृष्टिगोचर नहीं होती।

विज्ञानभिक्षु के अनुसार, ईश्वर का अस्तित्व युक्ति-सिद्ध और शास्त्र-संगत है, पर इस मत को सांख्य-दर्शन में सामान्यतः अस्वीकार किया गया है। इनके सेश्वर सांख्य की तुलना में निरीश्वर सांख्य का अधिक प्रचार एवं प्रसार है।

सारांशतः यह कहा जा सकता है कि सांख्य दर्शन मूलतः दो ही सत्ता (तत्त्व)– प्रकृति एवं पुरुष, मानता है जो परस्पर विरोधी और स्वतन्त्र हैं। इसी दृष्टि से सांख्य को द्वैतवादी दर्शन कहा जाता है। सारा जगत् इन्हीं दो तत्त्वों का खेल है। प्रकृति जगत् का उपादान कारण भी है और निमित्त कारण भी, पर सक्रिय तथा निरन्तर परिणामी है। पुरुष न कारण है और न कार्य। वह तो अचेतन प्रकृति का द्रष्टा मात्र है। लेकिन दोनों के संसर्ग से ही समस्त जगत् का विकासक्रम आरम्भ होता है। इसमें कहीं भी ईश्वर के हस्तक्षेप या सहयोग का सहारा नहीं लिया गया। अतः सांख्य दर्शन मूलतः निरीश्वरवादी द्वितत्त्ववाद का सिद्धान्त है।

## ■। योग दर्शन

योग दर्शन के प्रवर्तक महर्षि पतंजलि हैं। कहा जाता है कि वैसे योगशास्त्र अनादि हैं, किन्तु योग में संस्कर्ता होने के कारण उन्हें योग शास्त्र का प्रवर्तक माना गया है। यह दर्शन जीवन के व्यवहारिक पक्ष पर अधिक बल देता है तथा मोक्ष को मानव जीवन का परम लक्ष्य मानता है। योग दर्शन सांख्य के पच्चीस तत्वों को भी मानता है, किन्तु उनमें 'ईश्वर' नाम के तत्व को और जोड़ देता है ताकि प्रकृति और पुरुष के संसर्ग की अवस्था भली भांति समझी जा सके। योग दर्शन का मूल ग्रन्थ पतंजलि द्वारा रचित 'योग सूत्र' है। व्यास ने 'योग सूत्र' पर भाष्य लिखा जो कि अत्यंत महत्वपूर्ण 'योग भाष्य' माना जाता है। साथ ही, विज्ञान भिक्षु द्वारा रचित योगवार्तिक और योगसार संग्रह भी योग दर्शन के महत्वपूर्ण ग्रंथ हैं।

### चित्त और चित्तवृत्तियों की अवधारणा

**चित्त का स्वरूपः** सांख्य-योग मानता है कि पुरुष (आत्मा) मूलतः शुद्ध-चैतन्य है, और वह स्थूल शरीर, मन, बुद्धि, अहंकार आदि से भिन्न है। यद्यपि वह सूक्ष्म शरीर से सम्बन्ध है, पर उससे भी पृथक् है। पुरुष समस्त प्राकृतिक एवं वैकारिक बन्धनों से मुक्त है, किन्तु अविद्या के कारण वह 'चित्त' के साथ अपना तादात्म्य मान लेता है अर्थात् भ्रमवश अपने को 'चित्त' समझने लगता है जो प्रकृति का प्रथम विकार है और जड़-तत्त्व है, चित्त पुरुष के सम्पर्क में होने के कारण आत्मा के प्रकाश से आलोकित

हो उठता है, चित्त निर्मल होता है और आत्मा का जब प्रतिबिम्ब उसमें पड़ता है तब वह चैतन्य जैसा आभासित होने लगता है। यही चित्त विषयों के साथ सम्पर्क होने पर उन्हीं के आकार धारण कर लेता है। इन्हीं चित्त-विकारों के कारण आत्मा को विभिन्न विषयों का ज्ञान होता है। आत्मा में कोई विकार या वृत्ति नहीं होती है, किन्तु चित्त-विकारों या वृत्तियों के कारण आत्मा में परिवर्तन का आभास होता है। प्रकृति का विकार होने के कारण, चित्त त्रिगुणात्मक है अर्थात् उसमें सत्त्व, रज तम तीनों गुण विद्यमान होते हैं। अतः चित्त भी तीन प्रकार का होता है– प्रख्याशील, प्रवृत्तिशील और स्थितिशील। जब चित्त, सत्त्व, रज और तम तीनों से युक्त होकर ऐश्वर्य एवं विषयप्रेमी हो जाता है तब उसे प्रख्याशील कहते हैं। वही चित्त जब तमोगुण से युक्त होकर अधर्म, अज्ञान, अवैराग्य तथा अनैश्वर्य को प्राप्त करता है तब वह प्रवृत्तिशील होता है। जब वही चित्त रजोगुण से रहित और सत्त्वगुण प्रधान होकर प्रकृत्ति पुरुष के विवेक ज्ञान को प्राप्त कर लेता है तब वह धर्ममेघ नामक समाधिनिष्ठ हो जाता है। यही चित्त स्थितिशील होता है।

**चित्त-वृत्तियाँः** वस्तुतः चित्त एक ही है, किन्तु त्रिगुणात्मक होने के कारण उसमें अनेक विकार या वृत्तियाँ उत्पन्न होती रहती हैं अर्थात् चित्त अनेक अवस्था वाला हो जाता है। चित्त की वृत्तियाँ पाँच प्रकार की होती हैं।

*(i)* **प्रमाण (सत्यज्ञान)ः** ज्ञान प्राप्ति के साधन को प्रमाण कहते हैं। यह तीन प्रकार का होता है– प्रत्यक्ष, अनुमान तथा शब्द। इस सम्बन्ध में योग मत लगभग सांख्य मत जैसा ही है।

*(ii)* **विपर्यय (मिथ्याज्ञान)ः** इसे अविद्या कहा गया है अर्थात् जो वस्तु जिस रूप में है उसे उस रूप में न समझना विपर्यय है। इसी के अन्तर्गत भ्रम, संशय आदि आ जाते हैं।

*(iii)* **विकल्प (कल्पना)ः** इसका अर्थ है वह शब्द-जनित-वृत्ति जिसका लगाव वस्तु-स्थिति से न हो जैसे; आकाश-कुसुम, शून्य, खरगोश के सींग आदि। इन शब्दों से अर्थबोध होते हैं, किन्तु उन बोधों के अनुरूप वस्तुएँ नहीं हैं।

*(iv)* **निद्रा (नींद)ः** तमोगुण का अवलम्बन करने वाली वृत्ति 'निद्रा' कहलाती है। इसके अन्तर्गत हमारे सभी जाग्रत एवं स्वप्नावस्थाओं के अनुभव विलीन हो जाते हैं। इस अवस्था को 'सुषुप्ति' भी कहते हैं। यह अवस्था निष्क्रिय नहीं होती, क्योंकि इसमें मन, इन्द्रिय आदि सक्रिय रहते हैं, किन्तु सम्बन्धित विषयों का अभाव होता है अर्थात् विषय का अभाव ही इस वृत्ति का आलम्बन है। इसलिए इसे 'अभाव प्रत्ययालम्बना वृत्ति' भी कहते हैं।

*(v)* **स्मृति (स्मरण)ः** गत अनुभवों की यथावत् मानसिक प्रतीति 'स्मृति' कहलाती है।

वस्तुतः पुरुष (आत्मा) इन सभी क्रियाओं या विकारों से परे है। चित्त में आत्मा का प्रतिबिम्ब होने से यह लगता है कि वृत्तियाँ हैं, ऐसा होने पर पाँच प्रकार की क्लेशकर भ्रान्त-वृत्तियाँ उत्पन्न होती हैं, जो इस प्रकार हैं–

*(i)* **अविद्याः** आत्म-अनात्म, नित्य-अनित्य, यथार्थ-मिथ्या आदि का भेद न समझना अविद्या है। शरीर, इन्द्रिय, मन बुद्धि, अहंकार को ही आत्मा मान लेना अविद्या, अविवेक है।

*(ii)* **अस्मिताः** भ्रमवश आत्मा को मन, बुद्धि या इन्द्रिय समझ बैठना अस्मिता है।

*(iii)* **रागः** सुख और उसकी प्राप्ति की प्रक्रियाओं एवं साधनों में ही लीन रहना 'राग' है।

*(iv)* **द्वेषः** दुःख तथा अन्य कष्टों को समझकर उनसे वैर करना 'द्वेष' है।

*(v)* **अभिनिवेशः** मृत्यु से भय करना 'अभिनिवेश' है।

**चित्तवृत्ति-निरोधः** योग का अर्थ 'चित्तवृत्ति-निरोध' है। सांख्य मत में चित्तवृत्ति-निरोध के दो उपाय बतलाए गए हैं– अभ्यास और वैराग्य।

विषयों के प्रति उदासीनता का भाव 'वैराग्य' है; अर्थात् 'राग' का विरोधी 'विराग' है और विराग का भाव 'वैराग्य' है; और चित्तवृत्तियों के निरोध में चित्त की स्थिरता के निमित्त जो यत्न किया जाता है उसे 'अभ्यास' कहा जाता है।

योग का एकमात्र उद्देश्य 'आत्मा के यथार्थ स्वरूप' को समझना है और यह देखना है कि किन-किन चित्तवृत्तियों का लोप किन-किन चित्तभूमियों में होता है अर्थात् कौन-कौन चित्तभूमि योग के अनुकूल है। अतएव चित्तभूमियों के स्वरूप को समझने का अर्थ है, योग की दशा में अग्रसर होना। ये चित्तभूमियाँ पाँच प्रकार की होती हैं–

*(i)* **क्षिप्तः** इस अवस्था में चित्त रजोगुण के प्रभाव में होता है। अर्थात् जब चित्त रजोगुण से अभिभूत होकर सुख-दुःखादि विषयों में निरन्तर भ्रमण करने वाला, अत्यन्त चंचल और अस्थिर होता है, तब उसे 'क्षिप्त चित्त' कहते हैं।

*(ii)* **मूढ़ः** जब चित्त तमोगुण से अभिभूत होकर, कर्त्तव्य-अकर्त्तव्य पर विचार किए बिना, काम, क्रोध, मोह आदि भावों से तन्द्रा, निन्द्रा आदि से आक्रान्त रहता है, तब वह 'मूढ चित्त कहलाता है।

*(iii)* **विक्षिप्तः** चित्त की वह अवस्था जिसमें कभी-कभी चित्त चंचल और कभी-कभी स्थिर हो, 'विक्षिप्त-चित्त' कहलाता है। इसमें चित्त थोड़ी देर किसी विषय पर टिकता है। लेकिन शीघ्र ही अन्य विषय की ओर चला जाता है।

*(iv)* **एकाग्रः** वह चित्तभूमि जिसमें चित्त सभी वस्तुओं से हटकर किसी एक विषय पर केन्द्रित होकर बहिर्वृत्तियों का निरोध हो 'एकाग्र' कहलाती है। एकाग्रावस्था वह है जिसमें चित्त एक विषय पर देर तक लगा रहता है अतः यह मानसिक केन्द्रीकरण या ध्यान की अवस्था है।

*(v)* **निरुद्धः** निरूद्धावस्था में चित्त की सभी वृत्तियों का निरोध हो जाता है। यहाँ तक कि इसमें ध्येय वस्तुओं का भी लोप हो जाता है और चित्त अपनी स्वाभाविक स्थिर शान्त अवस्था में पहुँच जाता है। ऐसा चित्त सिद्ध योगियों का होता है।

## योग का अष्टांग मार्ग

योग दर्शन में चित्त की शुद्धि एवं मन तथा इन्द्रियों के संयम के लिए, योगाभ्यास करना पड़ता है जिसमें आठ साधन हैं। अतएव अष्टांग-योग की साधना आवश्यक है। योग के अष्टांग-साधन निम्न प्रकार हैं–

*(i)* **यमः** इस साधन के अन्तर्गत पाँच अंग हैं– अहिंसा, सत्य, अस्तेय, ब्रह्मचर्य और अपरिग्रह। मन, वचन, शरीर से किसी प्राणि को कष्ट न पहुँचाना 'अहिंसा' है। झूठ न बोलना तथा यथार्थ स्वरूप का कथन 'सत्य' है। चोरी न करना 'अस्तेय' है। विषय-वासना की ओर न जाना 'ब्रह्मचर्य' है और लोभवश अनावश्यक वस्तुओं को ग्रहण न करना 'अपरिग्रह' है। ये पाँच प्रकार के यम आसक्तियों एवं कुप्रवृत्तियों को नष्ट करने के लिए उपयुक्त हैं। ये सार्वभौम महाव्रत हैं।

*(ii)* **नियमः** सदाचार के पालन की दिशा में पाँच प्रकार के नियम बतलाए गए हैं– शौच, सन्तोष, तप, स्वाध्याय और ईश्वर-प्राणिधान। शारीरिक शुद्धि जैसे; स्नान, पवित्र भोजन, आदि के द्वारा और मानसिक शुद्धि जैसे; मैत्री, करुणा, मुदिता, आदि के द्वारा– 'शौच' के ये दो रूप हैं। सन्निहित साधनों से अधिक साधन के ग्रहण करने में प्रवृत्ति का न होना 'सन्तोष' है। सर्दी-गर्मी आदि सहने का अभ्यास, कठिन व्रत का पालन करना 'तप' है। प्रणव आदि का जप और धर्म-ग्रन्थों का अध्ययन करना 'स्वाध्याय' है। ईश्वर का ध्यान करना और अपने समस्त कर्मों को उनके प्रति अर्पित करना 'ईश्वर-प्राणिधान' होता है।

*(iii)* **आसनः** आसन शरीर को स्वस्थ रखने का साधन होता है। स्थिर और सुख देने वाले बैठने के प्रकार को 'आसन' कहते हैं। आसन अनेक प्रकार के होते हैं जैसे– पद्मासन, वीरासन, भद्रासन, सिद्धासन, भुजंगासन, शीर्षासन, गरुड़ासन, शवासन आदि। इन आसनों के अभ्यास से चित्त शान्त तथा शरीर निरोग रहता है। शरीर तथा मन सबल बनते हैं।

*(iv)* **प्राणायामः** श्वास के नियन्त्रण को 'प्राणायाम' कहा गया है अर्थात् आसन की सिद्धि हो जाने पर श्वास-प्रश्वास की गति का विच्छेद 'प्राणायाम' है। प्राणायाम तीन प्रकार की क्रियाओं द्वारा होता है अर्थात् 'पूरक' (पूरा श्वास अन्दर खींचना), कुम्भक (श्वास को अन्दर रोकना) और 'रेचक' नियमित विधि से श्वास बाहर निकालना।

*(v)* **प्रत्याहारः** इन्द्रियों को अपने-अपने बाह्य विषयों से खींचकर चित्त में अवस्थित कर देना 'प्रत्याहार' कहलाता है। जब इन्द्रियाँ नियन्त्रित होकर पूर्णतः मन का अनुसरण करती हैं तब वे अपने विषयों से विमुख होकर चित्त के समान निरुद्ध हो जाती है।

यह योग-साधना कठिन है और इसके लिए इन्द्रिय-निग्रह परमावश्यक है। जब चित्त के निरुद्ध होने पर इन्द्रियाँ भी निरुद्ध हो जाएँ यही 'प्रत्याहार' होता है।

*(vi)* **धारणाः** चित्त को किसी अभीष्ट वस्तु (विषय) पर स्थिर कर देना 'धारणा' है। यह अभीष्ट विषय कुछ भी हो सकता है जैसे– कोई बाह्य-पदार्थ (सूर्य, देवता की प्रतिमा आदि) अथवा कोई अपने शरीर का अंग। बाहरी, भीतरी, नाभिचक्र, नासिकाग्र आदि किसी भी एक अंग पर चित्त का केन्द्रित करना 'धारणा' है।

*(vii)* **ध्यानः** ध्येय विषय पर निरन्तर मनन ध्यान कहलाता है। जब धारणा के द्वारा प्रत्ययों की एकाग्रता हो जाती है अर्थात् विभिन्न वृत्तियों का प्रवाह एक रस हो जाए, तब उसे 'ध्यान' कहा जाता है।

*(viii)* **समाधिः** जब योगी को अपने ध्येय विषय और स्वयं का कुछ भी ज्ञान नहीं रहे, तब 'समाधि' होती है। ध्यान की अवस्था में ध्येय विषय तथा ध्यान क्रिया पृथक्-पृथक् प्रतीत होती है, किन्तु समाधि की स्थिति में ध्यान की क्रिया का पृथक् अनुभव नहीं होता। योगी ध्येय विषय में तन्मय होकर अपने को खो बैठता है। यही समाधि होती है।

उपर्युक्त अष्टांग साधनों में प्रथम पाँच– यम, नियम, आसन, प्राणायाम और प्रत्याहार, बहिरंग साधन कहलाते हैं; और अन्तिम तीन– धारणा, ध्यान तथा समाधि, अन्तरंग साधन हैं, क्योंकि इनका समाधि से सीधा सम्बन्ध है। इन अष्टांग-साधनों से चित्त के मल धुल जाते हैं। चित्तवृत्तियों का निरोध होकर अविद्यादि क्लेशों का पूर्ण नाश हो जाता है। इस प्रकार योगी तत्त्व ज्ञान की प्राप्ति कर विवेकख्याति का प्रकाश ग्रहण कर लेता है।

## योग में ईश्वर की भूमिका

प्राचीन योगदर्शन में ईश्वर का अधिक महत्त्व नहीं था, किन्तु कालान्तर में ईश्वर की उपयोगिता पर ध्यान दिया गया। ईश्वर के अस्तित्व का इतना सैद्धान्तिक महत्त्व नहीं है जितना कि व्यावहारिक है, क्योंकि ईश्वर-प्राणिधान योगी के लिए चित्त की एकाग्रता में अधिक उपयोगी सिद्ध हुआ है। ईश्वर के प्राणिधान से समाधि-लाभ होता है। योगदर्शन में ईश्वर के अस्तित्व के विषय में सैद्धान्तिक विचार किया गया है और युक्तियाँ भी प्रस्तुत की गई है।

**ईश्वर का स्वरूपः** महर्षि पतञ्जलि ने कहा कि–'क्लेशकर्मविपाकाशयैर-परामृष्टः पुरुषविशेषः ईश्वरः' अर्थात् क्लेश, कर्म, विपाक और आशयों से रहित पुरुष विशेष ईश्वर है।

किन्तु ईश्वर इन चारों बन्धनों से परे है और इसलिए, ईश्वर को 'पुरुष विशेष' की संज्ञा दी जाती है। अतएव ईश्वर नित्य, सर्वव्यापी, सर्वज्ञ, सर्वशक्तिमान पूर्ण परमात्मा है। सभी क्लेशों से परे, ईश्वर अपरिणामी है और सदा एकरस तथा निर्विकार होता है। कर्म और फल ईश्वर से दूर है। ईश्वर पूर्ण, अनन्त और अद्वितीय है।

ईश्वर के समान कोई नहीं है। पुरुष ही चित्तगत सुख-दुःखों का भोक्ता है। ईश्वर में ऐसे क्लेशों की सम्भावना नहीं है, क्योंकि वह तो

पुरुष और प्रकृति का गतिदाता है। लेकिन वह सदा मुक्त और सदा ईश्वर ही है। ईश्वर का ऐश्वर्य सबसे बढ़कर है अर्थात् उससे बढ़कर ऐश्वर्य नहीं है। ईश्वर में ज्ञान और ऐश्वर्य की पराकाष्ठा है। वह नित्य तृप्त, विभु और स्वतन्त्र है। वह देश-काल से परे है।

**ईश्वर-सिद्धिः** स्पष्टतः योगदर्शन में ईश्वर के अस्तित्व को स्वीकार किया गया है। ईश्वर-सिद्धि के लिए निम्नलिखित युक्तियाँ प्रस्तुत की गई हैं–

1. ईश्वर के अस्तित्व को सिद्ध करने के लिए सर्वप्रथम शब्द-प्रमाण का सहारा लिया गया है अर्थात् वेद, उपनिषद् आदि समस्त धर्मग्रन्थ ईश्वर या परमात्मा को आदि सत्ता के रूप में स्वीकार करते हैं।
2. ईश्वर के अस्तित्व को अविच्छन्नता के आधार पर भी सिद्ध करने का प्रयास किया गया है। जिन वस्तुओं की लघुतम मात्रा है, उनकी महत्तम मात्रा भी होनी चाहिए। लघुतम परिमाण 'परमाणु' है और महत्तम परिमाण 'आकाश' है। इसी भाँति ज्ञान की सीमाएँ भी है। ईश्वर के अन्दर ज्ञान की सर्वोच्च मात्रा है, जबकि पुरुषों में ज्ञान की मात्राएँ कम है। अतः ईश्वर वह है जिसमें सर्वाधिक ज्ञान एवं शक्ति है।
3. कारण-नियम के आधार पर भी ईश्वर का अस्तित्व सिद्ध होता है। प्रकृति पुरुष का संयोग तथा वियोग कौन करता है? सृष्टि तथा प्रलय किस प्रकार होते हैं? प्रकृति और पुरुष दोनों भिन्न-भिन्न जड़ तथा चेतन तत्त्व है। अतः बिना किसी परम शक्ति के उनका संयोग-वियोग असम्भव है। ईश्वर ही उनके संयोग-वियोग का निमित्त कारण है।

उसी प्रकार अचेतन प्रकृति की गति, सृष्टि आदि ईश्वर के द्वारा ही सम्भव है। अतः ईश्वर की सत्ता सिद्ध है।

**महत्वः** आज सर्वत्र देखा जाता है कि मानव-प्राणी विभिन्न प्रकार के शारीरिक एवं मानसिक तनावों में जी रहे हैं। धन लोलुपता और अन्य भौतिक साधनों एवं उनकी प्राप्ति की दौड़ में अनेक प्रकार के व्यक्तिगत तथा सामाजिक क्लेश, राग, द्वेष आदि मानवीयता को दबोच रहे हैं। अतः वर्तमान तनावयुक्त समाज में योग का अत्यधिक महत्त्व है। आत्मोन्नति के साधन के रूप में प्रायः सभी भारतीय दर्शनों ने योग-साधना को स्वीकार किया है। जब तक मनुष्य का शरीर, मन, चित्त आदि नियन्त्रित नहीं होंगे, शुद्ध एवं शान्त नहीं बनेंगे, तब तक उसे सम्यक् ज्ञान नहीं हो सकता। ज्ञान के अभाव में मनुष्य अनेक दुःखों एवं पीड़ाओं से ग्रसित बना रहेगा। शुद्ध हृदय और शान्त मन से ही इन तनावों पर विजय पा सकते हैं। आत्म-शुद्धि और तनावों का अन्त करने के लिए, योग ही सर्वोतम साधन है। संक्षेप में, आत्म-ज्ञान या विवेक ज्ञान अथवा दुःखों की एकान्तिक एवं आत्यन्तिक निवृत्ति के लिए, योग ही व्यावहारिक मार्ग बतलाता है। अतएव आधुनिक युग में भी योग-साधना की उपयोगिता तथा व्यावहारिकता पर व्यापक अनुसन्धान और क्रियान्वयन किए जा रहे हैं ताकि उसका लाभ सामान्य लोगों तक पहुँच सके।

## मीमांसा दर्शन

'मीमांसा' शब्द का सामान्य अर्थ 'विचार करना' है। इस दर्शन के प्रवर्तक महर्षि जैमिनी हैं। इसमें धर्म एवं ब्रह्म जिज्ञासा का विवेचन मिलता है और इसी दृष्टि से मीमांसा के दो भाग किए गए हैं– पूर्व मीमांसा और उत्तर मीमांसा। पूर्व मीमांसा में 'धर्म जिज्ञासा' और उत्तर मीमांसा में 'ब्रह्म जिज्ञासा' का विश्लेषण है। पूर्व मीमांसा को 'कर्म मीमांसा' भी कहते हैं क्योंकि इसके अन्तर्गत यज्ञादि की विधियों, अनुष्ठानों आदि वेद कर्मकांड सम्बन्धी विषयों का सम्यक् विवेचन किया गया है। मीमांसा दर्शन का मूल ग्रन्थ जैमिनी द्वारा रचित 'जैमिनी-सूत्र' है। शबरस्वामी द्वारा लिखित जैमिनी के सूत्र पर 'शाबर भाष्य' है। दो अन्य प्रख्यात टीकाकार और हुए हैं, जिनके नाम हैं–कुमारिल भट्ट और प्रभाकर। इनके नाम से मीमांसा के दो सम्प्रदाय अर्थात् भाट्ट-मीमांसा और प्रभाकर मीमांसा चल पड़े।

### प्रमाण विचार

मीमांसा दर्शन में अज्ञात और सत्य अर्थ के ज्ञान को प्रमा कहा गया है अर्थात् यथार्थ ज्ञान वह है जो नवीन विषय की जानकारी दे, जो अन्य प्रमाणों से अबाधित हो और कोई दोष न हो। प्रमा के कारण (साधन) को 'प्रमाण' कहते हैं। ज्ञान के दो भेद होते हैं–प्रत्यक्ष और परोक्ष। प्रत्यक्ष तो अपरोक्ष ज्ञान है और परोक्ष ज्ञान पाँच तरह के होते हैं–अनुमान, शब्द, उपनाम, अर्थापत्ति और अनुपलब्धि। जैमिनि ने तीन प्रमाण माने–प्रत्यक्ष, अनुमान और शब्द; प्रभाकर ने इन तीन के अतिरिक्त दो और माने–उपमान तथा अर्थापति और कुमारिल ने इनके साथ एक अन्य–अनुपलब्धि को जोड़कर छः प्रमाण निश्चित कर दिए।

1. **प्रत्यक्ष**–सबसे पहले किसी विषय का इन्द्रिय के साथ संयोग होने पर विषय की प्रतीति मात्र होती है। केवल इतना ज्ञात होता है कि 'वह है'। अतः ऐसे निर्विशेष ज्ञान को 'निर्विकल्प' ज्ञान (आलोचना ज्ञान) कहते हैं। दूसरी अवस्था में उस विषय की प्रकारता का ज्ञान होता है अर्थात् 'वह यह है'। जैसे–'वह गौ है' या 'वह मनुष्य है'। ऐसे सविशेष ज्ञान को सविकल्प प्रत्यक्ष कहते हैं। प्रत्यक्ष के द्वारा नानारूप जगत् का सत्य ज्ञान होता है।
2. **अनुमान**–मीमांसा का अनुमान-विषयक विचार भी लगभग न्याय-वैशेषिक-दर्शन जैसा ही है। अतः शेष चार प्रमाणों का वर्णन यहाँ दिया जाता है।
3. **उपमान**–वैसे मीमांसा-दर्शन का उपमान प्रमाण भी लगभग न्याय-वैशेषिक जैसा ही है, पर दोनों की दृष्टियों में कुछ अन्तर है। न्याय मत में उपमान को एक स्वतंत्र प्रमाण माना गया है, किन्तु मीमांसा-दर्शन उसे स्वतंत्र प्रमाण नहीं मानता है। मीमांसा के अनुसार 'यह जन्तु गाय के समान है' यह ज्ञान प्रत्यक्ष के द्वारा होता है और 'गाय के समान जन्तु गवय है' यह ज्ञान शब्द प्रमाण की स्मृति द्वारा होता है। अतएव 'यह जन्तु गवय है' यह ज्ञान अनुमान के द्वारा होता है। इसलिए उपमान कोई स्वतंत्र प्रमाण नहीं है।

4. **शब्द**–मीमांसा-दर्शन में शब्द प्रमाण का महत्वपूर्ण स्थान है, क्योंकि वह वेद का प्रामाण्य स्थापित करना चाहता है। आप्तवचन को शब्द-प्रमाण कहते हैं। यह दो प्रकार का होता है–पौरुषेय और अपौरुषेय। आप्तपुरुष (विश्वास करने योग्य व्यक्ति) के वाक्य को पौरुषेय और वेदवाक्य को अपौरुषेय कहा गया है। वेदवाक्य भी दो तरह के होते हैं–सिद्धार्थ वाक्य और विधायक वाक्य। सिद्धार्थ वाक्य वह है जिससे किसी सिद्ध विषय के बारे में ज्ञान होता है और विधायक वाक्य वह है जिससे किसी क्रिया के लिए विधि (आज्ञा) सूचित होती है।

5. **अर्थापत्ति**–किसी प्रत्यक्ष विषय की सिद्धि, जिसके बिना अनुपपन्न (असिद्ध) हो उसे 'अर्थापत्ति' कहते हैं अर्थात् अनुपपत्ति के समाधान हेतु कुछ अदृष्टार्थ की कल्पना, जिसकी सहायता के बिना उसकी उपपत्ति (सिद्धि) नहीं हो सकती, अर्थापत्ति कहलाती है। मान लीजिए–'शिवदत्त व्रत रखता है, फिर भी मोटा है।' यहाँ पर 'व्रत रखना' और 'मोटा रहना' दोनों वाक्यों में असंगति है, स्पष्ट विरोध है। लेकिन दोनों की उपपत्ति तभी हो सकती है जब हम यह कल्पना करें कि 'वह रात्रि में खाता है'। इस अदृष्टार्थ की कल्पना से असंगति एवं परस्पर विरोध समाप्त हो जाते हैं और शिवदत्त का 'मोटा रहना' समझ में आ जाता है। इसी कल्पना को अर्थापत्ति कहा जाता है।

   अर्थापत्ति के दो भेद होते हैं–दृष्टार्थापत्ति और श्रुतार्थापत्ति। जहाँ अर्थापत्ति से किसी देखी हुई घटना की उपपत्ति (सिद्धि) हो सके जैसे; शिवदत्त का प्रत्यक्ष मोटापन तभी समझा जा सकता है जब यह कल्पना की जाए कि वह रात्रि में भोजन करता है। यह दृष्टार्थापत्ति है। लेकिन यहाँ अर्थापत्ति से किसी सुनी हुई बात की संगति बैठ सके जैसे कि 'वह गाँव नहर के किनारे पर बसा है।' यह श्रुतार्थापत्ति है।

6. **अनुपलब्धि**–अभाव को 'अनुपलब्धि' कहा गया है। भाट्ट-मीमांसा तथा अद्वैत वेदान्त के अनुसार, किसी विषय के अभाव का जो साक्षात् ज्ञान होता है, वह अनुपलब्धि प्रमाण द्वारा ही होता है। इस कोठरी में घट-पटादि नहीं है। यहाँ इनका ज्ञान कैसे होता है? यहाँ पर विषय और इन्द्रिय का सम्पर्क तो है नहीं। घट-पटादि के अभाव का ज्ञान उनकी अनुपलब्धि अर्थात अदर्शन के कारण होता है। इस प्रमाण को केवल कुमारिल भट्ट ही मानते हैं।

अनुपलब्धि प्रमाण प्रत्यक्ष, अनुमान, उपमान तथा शब्द प्रमाणों से भिन्न एवं स्वतन्त्र प्रमाण है। यह प्रत्यक्ष नहीं है, क्योंकि इसके अन्तर्गत वस्तु और इन्द्रिय का कोई सम्पर्क नहीं होता जो प्रत्यक्ष के लिए आवश्यक है। अनुपलब्धता अनुमान भी नहीं है, क्योंकि घट-पटादि का अभाव किसी व्याप्ति-सम्बन्ध पर आधारित नहीं है। इसी भाँति अनुपलब्धि उपमान के अन्तर्गत भी नहीं आती, क्योंकि यहाँ किसी सादृश्य का सहारा नहीं लिया जाता। अनुपलब्धि तो किसी देखी हुई वस्तु का अभाव है, न कि कोई सादृश्य। इस अभाव को हम शब्दों द्वारा भी नहीं ज्ञात करते। अतः अर्थापत्ति शब्द प्रमाण से भी भिन्न है। संक्षेप में, 'कोठरी में घट-पटादि नहीं है', यह केवल अभाव का साक्षात् ज्ञान है जिसके लिए एक स्वतन्त्र प्रमाण मानना पड़ेगा। इसी को 'अनुपलब्धि' प्रमाण कहा जाता है।

## पूर्व मीमांसा का अनीश्वरवाद

मीमांसा में यद्यपि अनेक देवों को माना जाता है, परन्तु ईश्वर को एक सृष्टि-कर्ता के रूप में स्वीकार नहीं करता। देवों की परिकल्पना यज्ञादि में उन्हें आहुति प्रदान करने के लिए की गई है। किसी एक ईश्वर में उपासना हेतु उनका एकीकरण नहीं किया गया है। ईश्वर को एक शक्ति के रूप में मानना निरर्थक है, क्योंकि कर्म का फल तो यज्ञ से ही मिलता है। शबर स्वामी भी ईश्वर को सृष्टि-कर्ता नहीं मानते, क्योंकि जागतिक सृष्टि प्राकृतिक है। वे वेदों के रचयिता के रूप में भी ईश्वर को नहीं मानते, क्योंकि वेद तो अपौरुषेय हैं। प्रभाकर और कुमारिल दोनों ही ईश्वर को जगत् का सर्जक नहीं मानते, क्योंकि जगत् प्राकृतिक कारण से उत्पन्न होता है और जहाँ तक वेदों की उत्पत्ति का प्रश्न है वे नित्य, अपौरुषेय, स्वतः प्रकाश तथा स्वतः प्रमाण हैं। अतः किसी सर्वज्ञानी या सर्वशक्तिमान ईश्वर की कोई आवश्यकता नहीं है। न्याय-वैशेषिक मत में ईश्वर के अस्तित्व के लिए दिए गए प्रमाणों को ये दोनों ही मत (प्रभाकर एवं कुमारिल) स्वीकार नहीं करते।

उपर्युक्त दृष्टि से मीमांसा-दर्शन निरीश्वरवादी भले ही हो, पर वह नास्तिक नहीं है। कहा जाता है कि 'नास्तिको वेदनिन्दकः' अर्थात् वेदों की निन्दा करने वाला नास्तिक होता है। मीमांसा तो वेद को स्वतः प्रकाश तथा स्वतः प्रमाण मानता है और उसके अनुसार वेद नित्य एवं अपौरुषेय हैं। अतः मीमांसा-दर्शन निरीश्वरवादी होते हुए भी नास्तिक-दर्शन नहीं है।

इस तरह मीमांसा दर्शन में ईश्वर को अत्यन्त तुच्छ स्थान प्रदान किया गया है। संसार की सृष्टि के लिए धर्म और अधर्म का पुरस्कार एवं दण्ड देने के लिए ईश्वर को मानना भ्रामक है। मीमांसा के देवताओं को महाकाव्य के अमरपात्रों की तरह माना गया है। अतः मीमांसा-दर्शन अनीश्वरवादी है और ईश्वर जैसे सर्वशक्तिमान किसी तत्व को स्वीकार नहीं करता है।

## मीमांसा दर्शन में तत्व–विचार

तत्त्व-मीमांसा की दृष्टि से, मीमांसक वस्तुवाद तथा बहुतत्त्ववाद को स्वीकार करते हैं और क्षणिकवाद, शून्यवाद तथा मायावाद जैसे तात्त्विक सिद्धान्तों को अस्वीकार करते हैं। प्रत्यक्ष ज्ञान की यथार्थता के आधार पर मीमांसक जगत् और उसके समस्त विषयों को सत्य मानते हैं। लेकिन अन्य प्रमाणों के आधार पर कुछ अप्रत्यक्ष बातें जैसे–नरक, स्वर्ग, शक्ति, अपूर्व, आत्मा देवता को भी स्वीकार करते हैं। सृष्टि की रचना कर्म-नियम के अधीन हुई है। जगत् तीन प्रकार के तत्वों से निर्मित है–

1. **शरीर या भोगायतनः** जिसमें जीवात्मा अपने-अपने पूर्व कर्मों का भोग करते हैं।
2. **ज्ञानेन्द्रियाँ तथा कर्मेन्द्रियाँः** ये सुख-दुःख भोग के साधन हैं।
3. **भोग के विषयः** समस्त बाह्य वस्तुएँ भोग के विषय हैं।

मीमांसा-दर्शन में ईश्वर की सृष्टि रचना में कोई विशेष प्रयोजन नहीं माना गया है, क्योंकि सृष्टि जीवात्माओं के कर्मानुसार होती है। कुछ मीमांसक परमाणुवाद (वैशेषिक मत की भाँति) को भी स्वीकार करते हैं, किन्तु कर्म के स्वाभाविक नियम के अनुसार ही परमाणु सदा इस तरह प्रवर्त्तित होते हैं जिससे जीवात्माओं को कर्मफल भोग कराने के योग्य जगत् बन जाता है। चूँकि जगत् सर्वदा वर्तमान रहता है इसलिए मीमांसक सृष्टि और प्रलय को नहीं मानते। आत्मा और अणु नित्य, अविनाशी पदार्थ हैं। संक्षेप में, कुछ भाट्ट-मीमांसक द्रव्य, जाति, गुण, क्रिया, अभाव–इन पाँच पदार्थों को स्वीकार करते हैं और वैशेषिक के नौ द्रव्यों के अतिरिक्त 'तम' (अन्धकार) और शब्द को भी द्रव्य स्वीकार करते हैं।

स्पष्टतः तत्त्व-विचार के क्षेत्र में, मीमांसा-दर्शन वस्तुवादी और बहुतत्त्ववादी हैं। मीमांसा में वेदवाक्य को सबसे बढ़कर माना गया है। अतः वेदों में जिन अतीन्द्रिय विषयों (स्वर्ग, नरक, अदृष्ट आदि) का विवेचन किया गया है, मीमांसक उनमें विश्वास करते हैं।

## (क) शक्ति और अपूर्व

कार्य-कारणभाव के सम्बन्ध में मीमांसक एक नवीन तात्त्विक दृष्टिकोण प्रस्तुत करते हैं जो शक्ति तथा अपूर्व विचारों पर आधारित है।

1. **शक्तिः** मीमांसा मत यह मानता है कि सभी कार्यों की उत्पत्ति के मूल में एक अदृष्ट-शक्ति विद्यमान रहती है जिसे कारण के रूप में निरूपित किया जाता है। कारणरूप शक्ति ही सभी कार्यों को उत्पन्न करती है। यदि कारण के रूप से शक्ति नष्ट हो जाये तो कार्य की उत्पत्ति नहीं हो सकती; बीज में एक अदृश्य शक्ति होती है जिससे वह अंकुर उत्पन्न कर सकता है, परन्तु जब वह शक्ति नष्ट या बाधित हो जाती है तब वह कार्य को उत्पन्न नहीं कर सकती जैसे–बीज के भूंज देने पर उससे कोई अंकुर उत्पन्न नहीं हो सकता। इसी प्रकार अग्नि में जलाने की शक्ति होती है। शब्द में अर्थ-बोधकता और क्रियोत्पादकता की शक्ति है और प्रकाश में भासित करने की शक्ति है। इस प्रकार मीमांसा में शक्ति को एक पृथक पदार्थ के रूप में स्वीकार किया गया है। अतएव कार्य-कारण-सम्बन्ध के विषय में मीमांसा 'शक्तिवाद का सिद्धान्त' मानता है।
2. **अपूर्वः** अदृष्ट शक्ति के आधार पर ही मीमांसा-दर्शन अपूर्व को मानता है। इसके अनुसार वर्तमान समय में किया गया कार्य भविष्य में बिना किसी अदृश्य शक्ति की सहायता के फल को उत्पन्न नहीं कर सकता है। अतः इस लोक में किया गया कार्य एक अदृष्ट शक्ति का प्रादुर्भाव करता है जिसे मीमांसक 'अपूर्व' कहते हैं। यह कर्म-फल भोग करने की शक्ति है जो समय पाकर फलित होती है। अपूर्व का सिद्धान्त कर्मवाद का ही एक पक्ष है, क्योंकि कर्म के नियम के अनुसार सभी कर्मों का फल संचित होता है। कुमारिल की दृष्टि में, कर्म के द्वारा उत्पन्न वह शक्ति जो कर्मफल तक पहुँचती है उसे 'अपूर्व' कहते हैं और प्रभाकर परम्परा में, इस लोक में किया गया कार्य एक अदृश्य शक्ति को उत्पन्न करता है। इसी को 'अपूर्व' कहा गया है। संक्षेप में, शक्ति और अपूर्व की परिकल्पना मीमांसा-दर्शन का एक मौलिक सिद्धान्त है।

## (ख) आत्मा

मीमांसा-दर्शन में आत्मा को बुद्धि तथा इन्द्रियों से भिन्न तत्त्व माना गया है। शबर स्वामी के अनुसार आत्मा, शरीर, प्राण, बुद्धि और इन्द्रियों से भिन्न नित्य तथा विभु पदार्थ है अर्थात् आत्मा नित्य अविनाशी द्रव्य है। आत्मा 'स्वयंवेद्य' है जो न तो किसी के द्वारा देखा जाता है और न अन्य को ही दिखाया जा सकता है। जितने जीव हैं उतने ही आत्मा हैं अर्थात् प्रत्येक जीव में अलग-अलग आत्मा है। आत्मा स्वयं-प्रकाश और चेतन है। शरीर, इन्द्रिय आदि नष्ट हो जाते हैं, पर आत्मा इनसे भिन्न अविनाशी द्रव्य और सर्वव्यापक है।

1. **प्रभाकर मतः** इसके अनुसार आत्मा शरीर, बुद्धि और इन्द्रियों से भिन्न है। आत्मा नित्य, विभु और अनेक है। प्रभाकर की दृष्टि में ज्ञान आत्मा का गुण है और स्वयं-प्रकाश नहीं हैं, क्योंकि यदि ऐसा होता तो निद्रावस्था में भी ज्ञान बना रहता। आत्मा ज्ञान है, किन्तु शरीर ज्ञाता नहीं है। अतः आत्मा शरीर से पृथक् है। आत्मा नित्य होने के कारण बुद्धि तथा ज्ञानेन्द्रियों से भिन्न है, क्योंकि ये अनित्य हैं। आत्मा कर्ता तथा भोक्ता है। शरीर भोगायतन है और इन्द्रियाँ भोग के साधन हैं और सुख-दुःख भोग के विषय हैं। अन्य शब्दों में प्रभाकर के अनुसार 'अहंवित्ति' की धारणा ह. अयुक्त है, क्योंकि एक ही आत्मा उसी ज्ञान का ज्ञाता और ज्ञेय विषय दोनों नहीं हो सकता। उदाहरणतः जब कोई ज्ञान होता है तो कहते हैं कि 'मैं घड़ा देख रहा हूँ' अथवा 'मुझे घड़े का ज्ञान हो रहा है'। यहाँ यदि 'मैं स्वयं ज्ञाता के रूप में भासित नहीं होता तो फिर 'मैंने ही घड़ा देखा' उसका प्रतिपादन करना कठिन होता।
2. **कुमारिल मतः** वैसे कुमारिल मत के अनुसार भी आत्मा शरीर, बुद्धि और इन्द्रियों से पृथक् है और आत्मा, नित्य, विभु, चैतन्य तथा अनेक है। आत्मा ज्ञाता, कर्ता, भोक्ता, सुख, दुःख, इच्छा, द्वेष, संस्कार, धर्म-अधर्म का आश्रय भी है, किन्तु ज्ञान आत्मा का गुण नहीं है, बल्कि उसका परिणाम है। जैसा कि प्रभाकर मत में है–आत्मा ज्ञाता है, ज्ञान का विषय नहीं है। कुमारिल इसे नहीं मानते। उनका कहना है कि आत्म-ज्ञान विषय-ज्ञान का नित्य सहचर नहीं है। वह कभी उदित नहीं है, कभी नहीं होता है। अतएव वह विषय-ज्ञान से भिन्न है। आत्मा भी ज्ञान का विषय है, क्योंकि वैदिक विधिवाक्य में भी कहा गया है कि 'आत्मानं विद्धि' अर्थात् आत्मा को पहचानो और यह कहना कि 'मैं आत्मा को जानता हूँ' बिल्कुल निरर्थक होता। संक्षेप में, यदि आत्मा ज्ञान का विषय नहीं होता तो गत जीवन में आत्मा की सत्ता को स्मरण करना कैसे सम्भव होता? अतः यह मानना पड़ेगा कि आत्मा भी ज्ञान का विषय है।

## धर्म विचार

मीमांसा दर्शन में धर्म विचार का भी महत्वपूर्ण स्थान है। धर्म-विचार के अन्तर्गत मुख्यतः वेद, कर्मकांड, निःश्रेयस् तथा ईश्वर-सत्ता आते हैं। अतः इन्हीं का विवेचन यहाँ क्रमशः प्रस्तुत है–

(क) **वेदः** मीमांसा के अनुसार, वेद नित्य, शाश्वत तथा अपौरूषेय हैं। वेद नित्य ज्ञान के भंडार हैं और उन्हीं से धर्म का ज्ञान होता है अर्थात् वेद विधि-वाक्यों के आधार हैं जिनके अनुसार आचरण (यज्ञादि) करने से मानव-प्राणी धर्म प्राप्त कर सकते हैं। यहाँ धर्म का अर्थ है वेद विहित कर्मकांड। इसलिए मीमांसा-दर्शन में 'कर्त्तव्य' या कर्मकांड का एकमात्र स्रोत वेदवाक्य माने गए हैं। वैदिक कर्म चार प्रकार के होते हैं–काम्य, निषिद्ध, नित्य और नैमित्तिक। फल की कामना (यज्ञादि द्वारा स्वर्ग की इच्छा) से किया जाने वाला कर्म 'काम्यकर्म' कहा जाता है। अनिष्ट फल के साधनभूत अधर्म आदि कर्म 'निषिद्ध कर्म' हैं जैसे–सुरापान, ब्रह्म-हत्या आदि। वह कर्म जिससे न पाप होता है और न पुण्य, 'नित्यकर्म' होता है जैसे–संध्या-वंदन। किसी निमित्त को लक्ष्य करके वेदानुसार कर्म ''नेमित्तिक कर्म' होता है जैसे –पुत्र-प्राप्ति के लिए अनुष्ठान।

(ख) **कर्मकांडः** वेदों की दृष्टि में अनेक देवों का अस्तित्व है जिनकी पूजा-आराधना करने से इष्ट-साधन और अनिष्ट-निवारण होता है। मीमांसा वैदिक-धर्म की ही एक शाखा है जिसमें देवताओं को इतना महत्व नहीं है जितना कि उनके लिए दी जाने वाली हवि या आहुति का होता है, क्योंकि यज्ञादि से आत्मा की शुद्धि अधिक होती है, देवताओं की संतुष्टि की कोई विशेष बात नहीं है।

(ग) **निःश्रेयस्ः** प्राचीन मीमांसा के मतानुसार, स्वर्ग अर्थात् नित्य निरतिशय आनन्द की प्राप्ति ही मानव-जीवन का चरम लक्ष्य माना गया है। अतएव कहा गया है कि 'स्वर्गकामो यज्ञेत्' अर्थात् जो स्वर्ग का इच्छुक है, वह यज्ञ करे। स्वर्ग प्राप्त करना ही सभी कर्मों का एक मात्र लक्ष्य है अर्थात् समस्त सांसारिक बन्धनों से मुक्ति पाना मानव के लिए कल्याणकारी है। जीवन का कल्याण ही निःश्रेयस है।

(घ) **ईश्वरः** मीमांसा दर्शन में बहुदेवतावाद की स्थापना की गई है और इन देवताओं का अस्तित्व केवल वैदिक मंत्रों में ही है। इनकी कोई पृथक या स्वतंत्र सत्ता नहीं मानी गई है और न ही उन्हें उपास्य माना गया है।

## जाति शक्तिवाद

प्रभाकर जाति और व्यक्ति के पारस्परिक संबंध को मानते हैं। परन्तु इस संबंध में अवयव-अवयवी के संबंध के समान समवायसंबंध नहीं है। उनके मन्तव्यानुसार जाति और व्यक्ति भी परस्पर अवयवी और अवयव ही हैं। प्रत्यक्ष प्रक्रिया में भी अन्य अवयवावयवियों के संबंध में जिस प्रकार का प्रत्यक्ष और अनन्तर अवयवों का प्रत्यक्ष होता है उस प्रकार जाति और व्यक्ति में नहीं है। यहाँ तो जाति के अवयवभूत व्यक्ति का प्रत्यक्ष पहले और अवयवी जाति का बाद में होता है। फिर भी इन्होंने जाति और व्यक्ति दोनों को पृथक्-पृथक् अवयवायवी की तरह सम्बद्ध माना है। दोनों की प्रत्यक्ष सत्ताएं इन्होंने प्रत्यक्ष के आधार पर मानी हैं। व्यक्ति में व्यक्ति और उसकी जाति का भी प्रत्यक्ष मिला होता है। दोनों का समवाय संबंध भी इनको अभीष्ट है परन्तु नैयायिकों से भिन्न रूप में। उनके यहाँ समवाय संबंध नित्य है तो इनके यहाँ नित्य वस्तुओं में नित्य समवाय और अनित्य वस्तुओं में अनित्य समवाय माना है। जाति-व्यक्ति के प्रसंग में भी यह समवाय अनित्य है। जब कोई व्यक्ति जन्म लेता है तब उसका जाति के साथ नया समवाय संबंध पैदा होता है, जिसके कारण वह उस जाति से सम्बद्ध हो जाता है।

दृष्टिकोण के भेद से जब कोई जाति को प्रमुखता देना चाहता है तो जाति और जब कोई व्यक्ति को महत्व देता है तो व्यक्ति की प्रतीति होती है। वस्तुतः दोनों एक ही हैं, दो नहीं।

## मीमांसा के कुमारिल एवं प्रभाकर सम्प्रदाय तथा उनके प्रमुख मतभेद

कुमारिल एवं प्रभाकर पूर्वमीमांसा दर्शन के टीकाकार हैं जिन्होंने मीमांसा की अपने ढंग से व्याख्या की। परिणामस्वरूप दोनों के अलग सम्प्रदाय बन गए। दोनों में दार्शनिक मतभेद निम्न प्रकार हैं–

1. **प्रमाण-संबंधी मतभेदः** भट्ट के अनुसार प्रत्यक्ष, अनुमान, उपमान, शब्द, अर्थापत्ति और अनुपलब्धि ये छह प्रमाण हैं–

   प्रभाकर के अनुसार – अनुपलब्धि प्रमाण नहीं है, शेष पांच ही प्रमाण हैं। न्याय के छह प्रकार के सन्निकर्षों में भट्ट संयोग, संयुक्त तादात्म्य, संयुक्त तादात्म्यतादात्म्य इन तीन सन्निकर्षों को मानता है जबकि प्रभाकर संयोग, संयुक्त समवाय और समवाय इन तीन को मानता है। भट्ट अर्थापत्ति प्रमाण के दृष्टार्थापत्ति और श्रुतार्थापत्ति ये दो रूप स्वीकार करता है।

   प्रभाकर केवल दृष्टार्थापत्ति को ही मानता है।

2. **पदार्थ संबंधी मतभेदः** भट्ट–द्रव्य, गुण, कर्म, सामान्य और अभाव ये पांच पदार्थ मानता है–प्रभाकर उन पांचों में से 'अभाव' को नहीं मानता; उसके स्थान में शक्ति, संख्या, सादृश्य और समवाय ये चार और मिलाकर कुल आठ पदार्थ बताता है।

3. **द्रव्य संबंधी मतभेदः** भट्ट-पृथ्वी, जल, तेज, वायु, आकाश, काल, दिक्, आत्मा, मन, शब्द और तमस् ये 11 द्रव्य मानता है जबकि प्रभाकर के मत से अन्तिम दो अर्थात् शब्द और तमस् के अतिरिक्त शेष वैशेषिकों के समान 9 ही द्रव्य हैं। भट्ट वायु को स्पर्शजन्य ज्ञान से तथा प्रभाकर प्रत्यभिज्ञा के आधार पर प्रत्यक्ष ज्ञान से ज्ञेय समझता है।

भट्ट के मत से आकाश, काल और दिशाएं प्रत्यक्ष का विषय है परन्तु प्रभाकर के मत में अनुमेय हैं।

भट्ट आत्मा को मानस प्रत्यक्ष का विषय मानता है। इसके विपरीत प्रभाकर आत्मा को स्वयं प्रकाश बताता है। मनु को अणु मानने में दोनों एकमत हैं। भट्ट शब्द को द्रव्यों में गिनता है और प्रभाकर शब्द को आकाश का गुण मानता है। प्रभाकर तम को द्रव्य नहीं मानता जबकि भट्ट मानता है।

4. **गुण संबंधी मतभेदः** भट्ट के मत में रूप, रस, गंध, स्पर्श, संख्या, परिमाण, पृथकत्व, संयोग, विभाग, परत्व, अपरत्व, गुरूत्व, स्नेह, बुद्धि, दुःख, इच्छा, द्वेष, प्रयत्न, संस्कार, ध्वनि, प्राकट्य और शक्ति ये गुण हैं। प्रभाकर संख्या और शक्ति को द्रव्य में गिनता है।
5. **ज्ञान-संबंधी मतभेदः** भट्ट के मत में ज्ञान अनुमेय हैं परन्तु प्रभाकर उसे स्वयं प्रकाश मानता है।
6. **भ्रान्ति संबंधी मतभेदः** भट्ट के मत में भ्रान्ति 'अन्यथा ख्याति' है और प्रभाकर के मत में 'अख्याति'। प्रभाकर के मत में वस्तुवाद के लिए 'भ्रम' एक समस्या है जबकि कुमारिल के अनुसार 'भ्रम' एकमात्र भेदाग्रह या अज्ञानमात्र नहीं है अपितु मिथ्या ज्ञान है।
7. **जाति या सामान्य संबंधी मतभेदः** भट्ट जाति के 'पर' और 'अपर' दो रूप मानता है जबकि प्रभाकर केवल अपर रूप ही मानता है।

   कुमारिल भट्ट ब्राह्मत्वादि को भी जाति (सामान्य) मानता है जबकि प्रभाकर नहीं मानता।
8. **अभाव संबंधी मतभेदः** भट्ट वैशेषिक और न्याय पद्धतियों में स्वीकृत-प्रागभाव, प्रध्वंसाभाव, अत्यंताभाव और अन्योन्याभाव ये चार अभाव मानता है परन्तु प्रभाकर अभाव की पदार्थ रूप में किसी भी प्रकार सत्ता मानने को तैयार नहीं है।

## त्रिपुटी–संवित्

त्रिपुटी-संवित प्रभाकर के मतानुसार, प्रत्येक ज्ञान में तीन बातें होती हैं (जैसे मैं यह जानता हूं)–ज्ञाता (मैं); ज्ञेय (घड़ा) और ज्ञान (घड़े को जानना) अर्थात् इन तीनों का ज्ञान एक साथ होता है। अतः इसे 'त्रिपुटी' ज्ञान कहते हैं। जब ज्ञान उत्पन्न होता है तब वह ज्ञाता, ज्ञेय और ज्ञान अपने इन तीनों रूपों को अभिव्यक्त करता है। इस प्रकार ज्ञान न केवल ज्ञाता और ज्ञेय को प्रकाशित करता है, अपितु स्वयं प्रकाश भी होता है। इसलिए ज्ञान-आत्मा (ज्ञाता) का गुण है। आत्मा ज्ञान का विषय नहीं है। लेकिन कुमारिल मत इसे नहीं मानता, क्योंकि ज्ञान सम्भवतः अपना विषय स्वयं नहीं हो सकता जैसे; अंगुली का अग्रभाग अपना स्पर्श नहीं कर सकता। पुनः प्रश्न यह है कि हम यह कैसे जानते हैं कि हमें अमुक वस्तु का ज्ञान हो रहा है? भाट्ट-मीमांसकों का कहना है कि हमें कोई भी विषय या तो ज्ञात (प्रकट) होता है या फिर अज्ञात (अप्रकट)। यदि ज्ञान ज्ञात हो जाए तो उसकी ज्ञातता के आधार पर यह अनुमान किया जाता है कि हमें उस विषय का ज्ञान था। इस प्रकार ज्ञान का ज्ञान प्रत्यक्ष नहीं होता और उसे परोक्ष रूप से ज्ञातता के आधार पर, अनुमान के द्वारा प्राप्त किया जाता है। यदि दोनों मतों को अलग-अलग दृष्टि से देखा जाए तो वे एक-पक्षीय हैं। आत्म-ज्ञान का विवेचन करने से यह स्पष्ट हो जाता है कि आत्मा का ज्ञान दोनों ही प्रकार से होता है। प्रत्येक ज्ञान में 'ज्ञेय-ज्ञान-ज्ञाता' की त्रिपुटी के प्रत्यक्ष होने के कारण प्रभाकर का मत ही 'त्रिपुटी प्रत्यक्षवादी' कहलाता है।

## ज्ञातता

मीमांसकों का कहना है कि सभी ज्ञान स्वतः प्रमाण है। कोई भी प्रमाता अपने ज्ञान के बल से ही तदनुकूल कार्य में प्रवृत्त होता है। यदि उसे यह मालूम हो जाए कि मेरा ज्ञान सन्दिग्ध है तो उसकी तदनुकूल प्रवृत्ति नहीं हो सकती। प्रमाण एक ऐसा साधन है जिससे प्रमाता के अन्तस् में ज्ञान के द्वारा विषय की प्रतिकृति अंकित हो जाती है। ज्ञान से विषय का चित्र बन कर हमारे हृदय में उपस्थित हो जाता है। प्रमाण द्वारा उपस्थित किया हुआ विषय का आकार-प्रकार ज्ञान द्वारा ही अभिव्यक्ति पाता है। हम किसी विषय को तदाकारा तत्प्रकारक अपने ज्ञान के आधार पर ही जानते हैं। इस प्रकार ज्ञान नितान्त निराकार नहीं कहा जा सकता। प्रमाण द्वारा विषय को आकृति और गुण के स्पष्ट हो जाने पर उसमें 'ज्ञातता' का उदय हो जाने पर ज्ञान के अप्रमाण होने का प्रश्न ही नहीं उठता।

प्रभाकर के अनुसार, ज्ञान स्वतः प्रकाश है अर्थात् ज्ञान 'स्वतः' प्रामाण्य' है जिससे ज्ञान उत्पन्न होता है उसी से उस ज्ञान की सत्यता (प्रामाण्य) भी सिद्ध होती है। उदाहरणतः 'अयं घटः' ज्ञान होने पर 'ज्ञातो मया घटः' यह ज्ञान उत्पन्न होता है। इससे स्पष्ट है कि घट में 'ज्ञातता' नामक धर्म उत्पन्न होता है। यद्यपि 'अयं घटः' ज्ञान स्वयं प्रत्यक्ष नहीं है, अपितु 'ज्ञातता' का प्रत्यक्ष होता है। ज्ञातता ज्ञान के बिना अनुपपन्न है। मीमांसा अर्थापत्ति प्रमाण द्वारा ज्ञातता को ज्ञान से उत्पन्न मानता है और ज्ञानता को उत्पादक होने के कारण मीमांसक ज्ञान के अस्तित्व को भी मानते हैं। यही 'स्वतः प्रमाण' है। संक्षेप में, विश्वास उत्पन्न करना ज्ञान का स्वाभाविक नियम है।

## ■। वेदान्त दर्शन

वेदान्त का शब्दार्थ है 'वेद का अन्त'। वेदों का अन्त उपनिषदों में माना गया है। इसीलिए वेदों का अन्तिम भाग होने के कारण 'उपनिषदों' को 'वेदांत' कहा जाता है। वेदों में दार्शनिक विचार विद्यमान हैं, उनकी चरमावस्था उपनिषदों में परिलक्षित होती है। उपनिषदों को वेदों का गूढ़ एवं गंभीर रहस्य समझा जाता है। उपनिषदों में ही उच्च कोटि की अध्यात्मविद्या पर व्यापक विचार विमर्श हुआ। उनके संगठित रूप को 'वेदान्त दर्शन' नाम से पुकारा जाता है। इसमें कर्म की अपेक्षा ज्ञान का सर्वाधिक महत्व है।

वेदान्त दर्शन का मूल ग्रंथ बादरायण द्वारा रचित 'ब्रह्म सूत्र' है। ब्रह्मसूत्र पर अनेक भाष्य लिखे गए हैं जिससे भाष्यकारों ने अपनी-अपनी दृष्टि से वेदान्त की महत्ता का प्रतिपादन किया है। अतः सभी भाष्यकार वेदान्तदर्शन के भिन्न-भिन्न सम्प्रदायों में विभाजित हो गए।

## अद्वैत वेदान्त

इसके प्रवर्तक आचार्य शंकर हैं। उनके अनुसार ब्रह्म ही सत् है, जगत मिथ्या है। ब्रह्म के अलावा अन्य किसी की सत्ता नहीं है। अतः उनका मत 'अद्वैतवाद' कहलाता है। अद्वैतवाद का मूल ग्रन्थ आचार्य शंकर द्वारा रचित ब्रह्म सूत्र का शारीरिक भाष्य है।

### अध्यास

अद्वैतवाद के अनुसार, 'अविद्या' का दूसरा नाम 'अध्यास' है अर्थात् जहाँ जो वस्तु नहीं है उसे वहाँ कल्पित करना 'अध्यास' कहलाता है। जैसे; रस्सी में सांप कल्पित कर लेना। पुनः वस्तु में अविद्यमान वस्तु (अवस्तु) का आरोप करना अध्यास है। यही 'अध्यारोप' भी कहलाता है जिसे मनोविज्ञान में बहिरारोप (Projection) कहते हैं अर्थात् जहाँ-जहाँ भ्रान्त प्रत्यक्ष (Illusion) होता है वहाँ-वहाँ ऐसा अध्यास (Projection) होता है। जिस भांति सीपी में रजत अध्यस्त हो जाता है उसी भांति ब्रह्म में जगत् अध्यस्त हो जाता है।

वेदान्त के अनुसार, अध्यास के दो भेद हैं–अर्थाध्यास तथा ज्ञानाध्यास। सीपी में मिथ्यारूप रजत की प्रतीति 'अर्थाध्यास' और आत्मा में मिथ्या रूप ज्ञान का आभास 'ज्ञानाध्यास' कहलाता है। उपाधिभेद के आधार पर भी अध्यास दो प्रकार का होता है–निरूपाधिक और सोपाधिक। यदि अखण्ड ब्रह्म में अहंकार का आभास होता है तो वह निरूपाधिक अध्यास है और उसी ब्रह्म में यदि ईश्वर, जीवादि उपाधि भेद से आभास होता है उसे सोपाधिक अध्यास कहा जाता है। शंकर भी ऐसे भेदों की दृष्टि से कहते हैं कि सीपी का रजत के रूप में आभास होता है उसी प्रकार ब्रह्म का जगत् के रूप में आभास होता है। एक ही चन्द्रमा जिस भांति अनेक रूपों (पानी भरे घड़ों) में भासित होता है उसी भांति एक ब्रह्म अनेक जीवों में भासित होता है। शंकर का यह सिद्धांत 'अध्यासवाद' कहलाता है।

'अध्यास' सत् का असत् पर आरोप है। इस असत् अध्यस्त का सत् अधिष्ठान के साथ तादात्म्य है। शंकर का कहना है अध्यास आकाश कुसुम की तरह मिथ्या नहीं है, क्योंकि इसकी प्रतीति होती है, किन्तु सत् भी नहीं है। इनकी दृष्टि में एक वस्तु के गुणों को दूसरे पर आरोपित करना अध्यास है।

### माया

अद्वैत वेदांत की दृष्टि में 'ब्रह्म' ही परमतत्व है अर्थात् वही एक मात्र 'सत्' है। ब्रह्म से भिन्न जगत और जगत की समस्त वस्तुएं 'असत्' हैं अर्थात् मिथ्या हैं। लेकिन यह प्रपंचात्मक जगत् ब्रह्म का विवर्त्त है; उसका यथार्थ परिणाम या रूपान्तर नहीं है। ऐसा होता क्यों है? वेदांतदर्शन के अनुसार, यह जगत् माया का परिणाम है अर्थात् यह माया की लीला है। इस लीला को अज्ञानी सत्य समझते हैं, परन्तु जो तत्वज्ञानी हैं उनके लिए यह जगत् माया का एक खेल है और इस मायामय संसार में केवल ब्रह्म उन्हें सत्य ज्ञात होता है। श्वेताश्वतर उपनिषद् में तो यह स्पष्ट कहा गया है कि ब्रह्म की माया ही प्रकृति है। वेदान्त दर्शन में माया को ब्रह्म की शक्ति, अविद्या, अज्ञान, मिथ्यात्व, विवर्त्त आदि अनेक नामों से व्यवहृत किया गया।

यहाँ रस्सी और सांप का दृष्टान्त लीजिए। कभी-कभी रस्सी का यथार्थ ज्ञान न होने पर, उसमें सांप का भ्रम होता है और हम रस्सी के प्रति सांप जैसा ही व्यवहार करते हैं। यदि रस्सी का यथार्थ ज्ञान हमें होता तो यह भ्रम उत्पन्न नहीं होता। अतः इस भ्रम का कारण अज्ञान ही है। अज्ञान या अविद्या के दो मुख्य कार्य होते हैं–न केवल सत्य का 'आवरण' करना, अपितु उस पर 'विक्षेप' भी कर देना। यथार्थ रूप को ढक देना आवरण है और उस पर अन्य वस्तु का आरोपण कर देना विक्षेप है। ये दोनों ही अविद्या के कार्य हैं जो भ्रम पैदा करते हैं। इसी भांति माया भी वह शक्ति है जो न केवल 'ब्रह्म' का आवरण करती है वरन् उस पर अन्य वस्तुओं का आक्षेप भी करती है। जैसे कोई जादूगर एक रुपए के अनेक रुपए दिखा देता है, और अज्ञानी लोग उस खेल को सत्य समझ लेते हैं, उसी प्रकार अज्ञान के कारण सामान्यजन ब्रह्म को अनेक सत्ताओं के रूप में समझ बैठते हैं, जबकि ब्रह्म एक ही है।

**माया की विशेषताएं :** अद्वैत वेदांत में माया की स्थिति विचित्र है। शंकर के मतानुसार माया की अनेक विशेषताएं हैं। माया की मुख्य विशेषताओं का वर्णन निम्न प्रकार से किया जा सकता है–

1. माया एक अध्यास रूप है। जहाँ जो वस्तु नहीं है, वहाँ उस वस्तु को कल्पित करना अध्यास कहा जाता है। जिस प्रकार रस्सी में सांप और सीपी में चांदी का आरोपन होता है उसी प्रकार निर्गुण ब्रह्म में जगत् अध्यासित हो जाता है। चूंकि अध्यास माया के कारण होता है इसलिये माया को मुलाविद्या कहा जाता है।
2. माया की दूसरी विशेषता यह है कि माया-विवर्त मात्र है। माया ब्रह्म का विवर्त अथवा प्रतीति है जो व्यावहारिक जगत में दीख पड़ता है।
3. माया की तीसरी विशेषता यह है कि माया ब्रह्म की शक्ति है जिसके आधार पर वह नाना रूपात्मक जगत् का खेल प्रदर्शन करता है। माया पूर्णतः ईश्वर से अभिन्न है। उसका स्वतंत्र अस्तित्व नहीं है।
4. माया की चौथी विशेषता यह है कि वह अनिर्वचनीय है, क्योंकि वह न सत् है न असत् है, न दोनों है। वह सत् नहीं है; क्योंकि ब्रह्म से भिन्न उसकी कोई सत्ता नहीं है। वह असत् भी नहीं है क्योंकि वह नाना रूपात्मक जगत् को उपस्थित करता है। उसे सत् और असत् दोनों नहीं कहा जा सकता, क्योंकि वैसा कहना विरोधात्मक होगा। इसीलिए माया को अनिर्वचनीय कहा गया है।
5. माया की पांचवीं विशेषता यह है कि इसका आश्रय-स्थान ब्रह्म है। परन्तु ब्रह्म माया की अपूर्णता से अछूता रहता है। माया ब्रह्म

को उसी प्रकार नहीं प्रभावित करती है जिस प्रकार नीला रंग आकाश पर आरोपित होने पर भी आकाश को नहीं प्रभावित करता है।

6. माया की छठी विशेषता यह है कि यह अस्थायी (Temporary) है। माया का अंत ज्ञान से हो जाता है जिस प्रकार रस्सी का ज्ञान होते ही रस्सी सर्प भ्रम नष्ट हो जाता है, उसी प्रकार ज्ञान का उदय होते ही माया का विनाश हो जाता है।
7. माया की सातवीं विशेषता यह है कि माया अव्यक्त और अनैतिक है। सूक्ष्म भूत स्वरूप होने के कारण अव्यक्त है अर्थात् उसका यथार्थ वर्णन सम्भव नहीं है।
8. माया की आठवीं विशेषता यह है कि माया अनादि है, उसी से जगत् की सृष्टि होती है। ईश्वर की शक्ति होने के कारण माया ईश्वर के समान अनादि है।
9. माया की नवीं विशेषता यह है कि माया भाव रूप है। इसे भाव रूप यह दिखलाने के लिये कहा गया है कि यह केवल निषेधात्मक नहीं है। वास्तव में माया के दो पक्ष हैं–निषेधात्मक और भावात्मक। निषेधात्मक पक्ष में वह सत्य का आवरण है क्योंकि वह उस पर पर्दा डालता है। भावात्मक पक्ष में वह ब्रह्म के विक्षेप के रूप में जगत् की सृष्टि करती है।

वेदान्त में माया को ब्रह्म की शक्ति, अविद्या, अज्ञान, अध्यास, विवर्त, भ्रांति आदि शब्दों से व्यवहृत किया गया है। विद्यारण्य के अनुसार इसी माया में प्रतिबिम्बित होने वाला ब्रह्म, माया को वशवर्ती बनाकर ही ईश्वर बन जाता है। यह सारा खेल माया का ही है।

## सत्ता त्रैविध्य

शंकर ने सत्ता को तीन श्रेणियों में स्वीकार किया है–

1. **प्रतिभासिक सत्ताः** इस सत्ता के अन्तर्गत वैसे विषय शामिल हैं जो स्वप्न एवं विभ्रम में उपस्थित होते हैं। इनका अस्तित्व क्षणिक होता है तथा जाग्रत अवस्था के अनुभवों के द्वारा इसका खण्डन हो जाता है।
2. **व्यावहारिक सत्ताः** इस सत्ता के अन्तर्गत वैसी वस्तुएं आती हैं जो जाग्रतावस्था में सत्य प्रतीत होती है। इस प्रकार की वस्तुएं पूर्णतः सत्य नहीं होती हैं, क्योंकि तार्किक दृष्टि से इनका खंडन संभव है।
3. **पारमार्थिक सत्ताः** यह सत्ता न तो बाधित होती है और न ही इसके बाधित होने की कल्पना ही की जा सकती है।

शंकर ने जगत् को व्यावहारिक सत्ता की श्रेणी में रखा है। व्यावहारिक दृष्टिकोण से जगत् पूर्णतया सत्य है तथा प्रतिभासिक सत्ता की अपेक्षा अधिक सत्य है, परन्तु पारमार्थिक सत्ता की अपेक्षा अत्यल्प सत्य है। शंकर ने जगत् को न तो पूर्णतया सत्य माना है और न ही स्वप्न एवं विभ्रम की भांति मिथ्या ही स्वीकार किया है। पारमार्थिक दृष्टिकोण से जगत् की विवेचना करने पर यह असत्य प्रतीत होता है। जगत् को पारमार्थिक दृष्टिकोण से असत्य प्रमाणित करने के लिए शंकर ने अधोलिखित तर्कों का सहारा लिया है–

1. जो पदार्थ सदा विद्यमान रहता है उसे सत्य स्वीकार किया जाता है, लेकिन जो पदार्थ सदा विद्यमान नहीं होता वह असत्य है। चूंकि जगत् उत्पत्ति एवं विनाश का विषय है। अतएव, यह सिद्ध होता है कि जगत् सदा विद्यमान नहीं रहता है। इसलिए यह मिथ्या है।
2. अपरिवर्तनशील पदार्थ सत्य है, लेकिन, परिवर्तनशील पदार्थ असत्य है। ब्रह्म अपरिवर्तनशील होने के कारण सत्य है, लेकिन जगत् परिवर्तनशील होने के कारण असत्य है।
3. जो देश एवं काल से परे तथा स्वतंत्र होता है, वह सत्य है, लेकिन जो देश एवं काल में व्याप्त होने के साथ ही कारण-कार्य नियम के अधीन होता है वह असत्य है। ब्रह्म देश एवं काल से स्वतंत्र होने के कारण सत्य है, परन्तु जगत् देश एवं काल में व्याप्त रहने के फलस्वरूप तथा कारण कार्य नियम के अधीन होने के कारण असत्य है।
4. जो पदार्थ दृश्य हैं, वे असत्य हैं। जगत् के पदार्थ भी दृश्य होने के कारण असत्य है।
5. जगत् ब्रह्म का विवर्त हैं। ब्रह्म जगत्‌रूपी प्रपंच का अधिष्ठान है। जो विवर्त है उसे पारमार्थिक रूप से सत्य नहीं कह सकते हैं। अतएव, जगत् असत्य है।
6. पराविद्या से प्राप्त वस्तु सत्य एवं अपराविद्या से प्राप्त वस्तु असत्य है। ब्रह्म का ज्ञान पराविद्या से होने के कारण सत्य है, लेकिन जगंत का ज्ञान अपराविद्या से होता है जिस कारण वह असत्य है।
7. जैसे स्वप्न एवं भ्रम में अनुभूत पदार्थ असत्य होने पर भी सत्य प्रतीत होती है, उसी प्रकार यह जगत् पारमार्थिक दृष्टिकोण से असत्य होते हुए भी सत्य प्रतीत होता है।

## जीव

शंकर के अनुसार, शरीर और इन्द्रियों का स्वामी, कर्मफलों का उपभोक्ता आत्मा 'जीव' है। यह जीव अंतःकरण आदि भौतिक उपाधियों से युक्त है। आत्मा मूलतः स्वतंत्र है, पर अविद्या में अध्यस्त होने के कारण, वह परतंत्र 'जीव' कहलाता है। अविद्या के कारण ही जीव अनेक प्रकार का होता है और अविद्या के वशवर्ती होने के कारण इसे 'अल्पज्ञ' भी कहते हैं। अतः जीव जगत् में जन्म लेता है और मरता है। अविद्या की उपाधि से मुक्त जीव साक्षीरूप आत्मा है। अंतःकरण के साथ सम्बन्धित होने से वह कर्ता एवं भोक्ता है। जीव प्रत्येक शरीर में अलग-अलग है। अतः जीव अनेक हैं। जीवों को अपने कर्मानुसार सुख-दुःखों की अनुभूति होती है। यह आत्मा का व्यावहारिक पक्ष है।

पारमार्थिक रूप में, जिसे शरीर, इन्द्रिय, जीव आदि कहा जाता है, वे अन्यान्य भौतिक विषयों की भांति माया की सृष्टि हैं। यदि यह ज्ञान हो जाए कि ब्रह्म और जगत् अभेद हैं तो आत्मा और ब्रह्म में कोई अंतर नहीं है। यहाँ 'तत्त्वमसि' वाक्य का अर्थ जानना उपयुक्त होगा। इसका तात्पर्य है कि 'तू वही है' अर्थात् तू ब्रह्मरूप है। इसका अर्थ है जीवात्मा ब्रह्म से अभिन्न है अर्थात् दोनों में यथार्थतः अभेद-सम्बन्ध है। 'त्वम्' शरीर-युक्त जीवात्मा है और 'तत्' परमतत्व, परब्रह्म है अर्थात् जीवात्मा शुद्ध-चैतन्य पर ब्रह्म ही है। इन दोनों में पूर्ण अभेद है। यही अद्वैतवाद का सिद्धान्त है।

शंकर के अनुसार ब्रह्म (आत्मा) स्वतः प्रकाश, अनन्त चैतन्य स्वरूप है, किन्तु आत्मा सीमित जीवात्मा की भांति आभासित है और इसका कारण है अविद्याजनित शरीर, इन्द्रिय के साथ सम्बन्ध। फिर भी व्यावहारिक जगत में जीवात्मा की कल्पना का अपना एक विशेष महत्व है।

## जीवन्मुक्ति

अद्वैत-वेदान्त में मुक्ति के दो भेद बतलाए गए हैं- जीवनमुक्ति और विदेहमुक्ति।

(क) **जीवनमुक्तिः** 'तत्त्वमसि' वाक्य के द्वारा ब्रह्म और जीव की एकता का ज्ञान हो जाने पर जब परब्रह्म का साक्षात्कार होता है अर्थात् 'अहं ब्रह्मास्मि' का ज्ञान हो जाता है तब अज्ञान और उनके कार्यों का नाश हो जाने पर संचित, संशय, विपर्यय आदि कर्म भी नष्ट हो जाते हैं। तब ब्रह्मज्ञानी जीवित रहते हुए भी समस्त सांसारिक बंधनों से मुक्त हो जाता है। ऐसे ब्रह्म-निष्ठ पुरुष को 'जीवनमुक्त' कहा जाता है। मुक्तात्मा अपने को शरीर नहीं समझता और मिथ्या प्रपंच उसके सामने प्रकट हो जाता है। उसमें कोई तृष्णा नहीं रहती और न ही कोई दुःख रहता है। संसार में रहते हुए वह निर्लिप्त रहता है। शंकर का यह विचार परवर्ती वेदान्त साहित्य में 'जीवनमुक्ति' के नाम से जाना जाता है अर्थात् यह जीवितावस्था में ही मोक्ष पाना है।

(ख) **विदेहमुक्तिः** जीवनमुक्त पुरुष का जब देहावसान हो जाता है तब वह 'विदेहमुक्त' कहलाता है अर्थात् सभी प्रकार के कर्मों से वह मुक्त हो जाता है। कर्म तीन प्रकार के होते हैं–संचित, प्रारब्ध और क्रियामाण। पूर्वकाल के वे कर्म, जिनके संस्कार जमा हैं, संचित कर्म हैं। पूर्व काल के वे कर्म जिनका फल-भोग हो रहा है, वे प्रारब्ध कर्म हैं और वे नवीन कर्म जो वर्तमान जीवन में जमा हो रहे हैं क्रियामाण कहलाते हैं। तत्वज्ञान से संचित कर्मों का क्षय और क्रियमाण कर्मों का निवारण नहीं होता। उनका ही फल भोग करने के लिए यह शरीर रह जाता है। जब प्रारब्ध कर्मों की शक्ति नष्ट हो जाती है तब इस शरीर का भी नाश हो जाता है अर्थात् देहावसान का अर्थ है प्रारब्ध कर्मों के प्रभाव का सदा के लिए नाश। संक्षेप में, जब स्थूल और सूक्ष्म शरीर दोनों का अंत हो जाता है, तब जीवनमुक्त की जो अवस्था प्राप्त होती है वह 'विदेहमुक्त' कहलाती है।

## विवर्तवाद

ब्रह्म और जगत् के सम्बन्ध को लेकर शंकर का मत 'विवर्तवाद' कहलाता है। सत्कार्यवाद के दो भेद हैं–परिणामवाद और विवर्तवाद। दूध का दही में रूपान्तर परिणामवाद है, जिसे सांख्यमत मानता है और रस्सी में सांप का आभासित होना विवर्त है, जिसे शंकर स्वीकार करते हैं। परिणामवाद एवं विवर्तवाद इस बात पर सहमत हैं कि कार्य पहले से ही अपने उपादान कारण में विद्यमान रहता है। अतः दोनों ही सत्कार्यवाद को मानते हैं। सांख्यानुसार, जड़ प्रकृति ही इस जगत् में वास्तविक रूप में परिणत हो जाती है अर्थात् यह यथार्थ जगत् मूल प्रकृति का व्यक्त रूप है, किन्तु शंकर यह नहीं मानते। उनका कहना है कि ब्रह्म का कोई रूपान्तर नहीं होता और अज्ञानियों को जगत् के रूप में ब्रह्म का जो रूपान्तर आभासित होता है, वह यथार्थ नहीं है अर्थात् ब्रह्म में कोई परिवर्तन नहीं होता।

परिणामवाद के विपरीत शंकर ने विवर्तवाद का प्रतिपादन किया है, जिसके अनुसार कार्य कारण का विवर्त है। ऐसा प्रतीत होता है कि कारण का रूपान्तर कार्य में हुआ लेकिन ऐसा होता नहीं है। केवल इसकी प्रतीति होती है तथा प्रतीति एवं वास्तविकता में अंतर है। शंकर ने कहा है कि ब्रह्म ही एकमात्र सत्य है तथा जगत् का कारण ब्रह्म है। प्रतीत होता है कि ब्रह्म का रूपान्तर नानाविध जगत् में हुआ है, लेकिन वास्तविकता यह नहीं है क्योंकि ब्रह्म अपरिवर्तनशील है तथा अपरिवर्तनशील का रूपान्तर परिवर्तनशील में किस प्रकार होगा। यथार्थ ब्रह्म का रूपान्तर अयथार्थ जगत् में कैसे होगा। इसलिए शंकर ने कहा है कि जगत् ब्रह्म का विवर्त है।

शंकर ने इस सिद्धान्त का प्रतिपादन किया है कि जगत का आधार ब्रह्म है जो शुद्ध सत्ता एवं चैतन्य स्वरूप है तथा स्वयं निर्विकार होते हुए भी स्वयं को नाना रूपों में प्रकट करता है। अज्ञान के कारण इसे व्यक्ति सत्य एवं यथार्थ मान लेता है जबकि यह ब्रह्म का केवल विवर्त या आभास मात्र है।

## कार्य–कारण सिद्धान्त

आचार्य शङ्कर सत्कार्यवादी हैं। इनकी दृष्टि में कारण और कार्य में भेद नहीं है। असत् कार्यवाद के लिए उन्होंने अनेक तर्क दिए हैं। इनका कहना है कि कार्य अपने उपादान कारण से भिन्न नहीं है। मिट्टी घड़े का और सोना अलंकारों का उपादान कारण है; किन्तु घड़े और मिट्टी में सोने और अलंकारों में कोई भेद नहीं है। अतः कारण से कार्य की उत्पत्ति के आधार पर दोनों में भेद मानना अनुचित है। असत् कार्यवादी का कहना है कि यदि कारण और कार्य में अभेद है तो निमित्त कारण की आवश्यकता ही समाप्त हो जाती है। इस पर सत्कार्यवादियों का कहना है कि निमित्त कारण से नये कार्यों की उत्पत्ति नहीं होती है। जो उत्पत्ति दिखलाई पड़ती है, वह तो उसकी अभिव्यक्ति है। दोनों में केवल अवस्थाभेद है। आगे असत् कार्यवादियों का कहना है कि कारण और कार्य के बीच कोई सम्बन्ध नहीं है, क्योंकि सम्बन्ध तो दो सत् पदार्थों में होता है। सत् और असत् पदार्थों का सम्बंध वन्ध्यापुत्र की तरह अस्तित्वहीन है। इनकी दृष्टि में कारण के उपमर्दन से कार्य का आविर्भाव होता है। यह प्रलाप है। कारण कभी नष्ट

नहीं होता। दही बनकर दूध नष्ट नहीं होता। अंकुर बन कर बीज नष्ट नहीं हो जाता। कारण से भिन्न कार्य की सत्ता किसी भी स्थिति में सिद्ध नहीं की जा सकती। उत्पत्ति से पूर्व कारण में रहने पर ही कार्य उत्पन्न होता है। मिट्टी और धागे के रहने पर घट और पट की उत्पत्ति होती है। अतः कार्य और कारण में अभेद सम्बन्ध शङ्कर ने स्थापित किया है।

सृष्टि का समस्त विधान इसी कार्य-कारण सिद्धान्त पर आधारित है। इस सिद्धान्त के अनुसार प्रत्येक कार्य कारण से उत्पन्न होता है। कार्य-कारणभाव के सम्बन्ध में प्रायः भारत के सभी प्रमुख दर्शनों में विचार किया गया है। सांख्य दर्शन ने भी सत्कार्यवाद को स्वीकार किया है। तदनुसार प्रत्येक कार्य अपने कारण में सत् रूप में रहता है। सांख्य में सत्कार्यवाद को परिणामवाद कहा गया है। उनके अनुसार जगत् का मूल कारण प्रकृति है और यह जगत् उस प्रकृति का परिणाम है। बौद्धों का सिद्धान्त शून्यवाद है। बौद्ध शून्य से जगत् की उत्पत्ति मानते हैं। न्याय-वैशेषिक असत् कार्यवादी हैं। उनके अनुसार कार्य-कारण में असत् रहता है। अतः उनकी दृष्टि में कार्य की सत्ता कारण से भिन्न है। वेदान्त दर्शन में कार्य-कारण में अभेद सम्बन्ध माना गया है। उनकी दृष्टि में कार्य कारण का ही भ्रान्त या अध्यासरूप है। इसे वेदान्ती विवर्त्तवाद कहते हैं।

**परिणामवाद एवं विवर्त्तवादः** दर्शनशास्त्र के अनुसार किसी भी वस्तु का अन्यथा भाव दो प्रकार का होता है–परिणामवाद और विवर्त्तवाद। जहाँ कारण अपने स्वरूप को छोड़ कर कार्यरूप में परिणत हो जाता है, उसे परिणामभाव (Change for one figure to another) कहते हैं। जैसे दूध अपने स्वरूप को छोड़कर दही के रूप में परिणत हो जाता है, अतः दही को दूध का परिणाम कहते हैं। जब कारण अपने स्वरूप को छोड़े बिना दूसरे रूप में प्रतीति होने लगे तो उसे विवर्तवाद (change of form या Rolling onward) कहा जाता है अर्थात् भ्रमात्मक रूपान्तर ग्रहण करना। जैसे–रस्सी अपना रूप तो नहीं छोड़ती; पर दूसरे को देखने में साँप की तरह लगती है। अतः यहाँ रस्सी की साँप रूप में प्रतीति को 'विवर्त्त' कहा जाता है।

कार्य और कारण दोनों परिणामों की अवस्था में कार्य यथार्थ से भिन्न विषयभाव से भासित होता है। यथा–परिणामो नाम उपादानसमसत्ताककार्यापत्तिः। विवर्त्तो नाम उपादान - विषयसत्ताककार्यापत्तिः (वेदान्तपरिभाषा)। यह कार्य-कारणभाव का प्रातिभासिक चिन्तन है। आचार्य शङ्कर ने इसे सत् और असत् के मध्य कोटि का चिन्तन मान कर अनिर्वचनीय कहा है; क्योंकि निर्वचन तो सत्-असत् का ही हो सकता है।

## विशिष्टाद्वैत वेदान्त

इसके प्रवर्तक आचार्य रामानुज हैं। उनके अनुसार ब्रह्म चित् (जीव) और अचित् (जड़ प्रकृति) दोनों तत्वों से युक्त है, जो विशिष्ट हैं और वास्तविक हैं। यही विशिष्टाद्वैत है। रामानुज का प्रमुख ग्रंथ ब्रह्मसूत्र पर रचित 'श्री भाष्य' है। रामानुज का दर्शन अद्वैतवाद ही है, पर इसे विशिष्टा द्वैत कहते हैं क्योंकि ब्रह्म चित् और अचित अंशों में विशिष्ट होते हुए भी एक ही है।

### सगुण ब्रह्म

**सगुण ब्रह्म–** विशिष्टाद्वैत की दृष्टि में, ब्रह्म सगुण है और वह अनन्त गुणों का भण्डार है। वह सर्वज्ञ, सर्वशक्तिमान तथा दयालु है। उपनिषदों में ब्रह्म को निर्गुण कहने का तात्पर्य यह है कि ब्रह्म में जीव के समान हेय गुण (राग-द्वेष, क्रोध-मोह आदि) नहीं मिलते। रामानुज ब्रह्म को ईश्वर ही कहते हैं। ईश्वर जगत् की सृष्टि, स्थिति और लय करने वाले हैं। सृष्टि के समय ईश्वर चित् और अचित् दोनों तत्त्वों से विशिष्ट रहता है और प्रलय काल में भी वह इन तत्त्वों से विशिष्ट रहता है। ब्रह्म 'कारण-ब्रह्म' भी है और 'कार्य ब्रह्म' भी है, क्योंकि वही जगत् का सृष्टि-कर्ता है और संहारक भी वही है। ब्रह्म कभी निर्विशेष (निर्गुण) नहीं रहता, अपितु सदैव सगुण तथा सविशेष रहता है। शंकर की भाँति, रामानुज मानते हैं कि ब्रह्म सच्चिदानन्द स्वरूप है अर्थात् सत्, चित्, आनन्द– ये तीनों उसे विशेष स्वरूप और व्यक्तित्व प्रदान करते हैं। ब्रह्म का व्यक्तित्व परिपूर्ण है। ज्ञान और करुणा उसके प्रमुख गुण है। करुणावश ही ब्रह्म जगत् की सृष्टि करता है। 'तत्त्वमसि' वाक्य के द्वारा जीव और ब्रह्म की एकता सिद्ध होती है, किन्तु वह ब्रह्म चिदचिद्-विशिष्ट है।

रामानुज के अनुसार, चिदचिद्विशिष्ट चैतन्य ही ईश्वर है। वह अनुग्रह का आकांक्षी जगत् का कारण है। वह चित् तथा अचित् का प्रेरक है। चित् एवं अचित् दोनों ही ईश्वर के अंश हैं। रामानुज की दृष्टि में, ईश्वर का स्वरूप पाँच प्रकार का होता है– पर, व्यूह, विभव, अन्तर्यामी और अर्चावतार। ईश्वर का वासुदेव रूप 'पररूप' है। संकर्षण, प्रद्युम्न और अनिरुद्ध रूप 'व्यूहरूप' हैं। अवतार रूप 'विभव रूप' है, क्योंकि ईश्वर अच्छों की रक्षा और दुष्टों का नाश करने के लिए अवतार लेता है। जब ईश्वर चित्-अचित् के भीतर प्रवेश कर उनका नियमन करता है, तब वह 'अन्तर्यामी रूप' होता है। ईश्वर की उपास्य-मूर्ति 'अर्चावतार' कहलाती है। इस प्रकार ईश्वर के अनेक रूप है जो भिन्न-भिन्न गुणों से युक्त हैं।

### माया का निराकरण

रामानुज ने मायावाद को मिथ्यावाद कहकर उसका सबल खण्डन किया और अनेक तर्क प्रस्तुत किए जिन्हें अनुपपत्ति कहते हैं। उनके द्वारा प्रस्तुत अनुपपत्तियाँ संख्या में सात हैं जो 'सप्तविध अनुपपत्ति' के नाम से प्रख्यात है। इनका संक्षिप्त विवरण इस प्रकार है।

*(i)* **आश्रयानुपपत्तिः** जिस अविद्या या माया से जगत् की उत्पत्ति होती है, उसका आश्रय क्या है? यदि माया को जीवाश्रित कहा जाए तो शंका होती है कि जीवत्व तो स्वयं अविद्या का ही कार्य है। अतः जो कारण है, वह कार्य पर कैसे निर्भर रह सकता है? यदि कहा जाए कि ब्रह्म तो एक पूर्ण सत्ता है और स्वतः प्रकाश है। ब्रह्म की सत्ता नित्य एवं अविनाशी है। अतः माया से उसका नाश नहीं हो सकता है। इस प्रकार माया का आश्रय न तो जीव है और न ही ब्रह्म है।

*(ii)* **तिरोधानानुपपत्तिः** माया को अविद्या कहा गया है। अविद्या से ज्ञान का नाश हो जाता है, परन्तु शुद्ध ज्ञान कभी नष्ट नहीं होता। उसकी सत्ता अनन्त है। शुद्ध ज्ञान स्वयं प्रकाश है। इसलिए उसका तिरोधान नहीं हो सकता।

*(iii)* **स्वरूपानुपपत्तिः** माया के स्वरूप के विषय में असंगति है। अविद्या सत्य नहीं है, क्योंकि अद्वैतवाद में ब्रह्म के अलावा कुछ भी सत्य नहीं है। माया को असत्य भी नहीं कह सकते, क्योंकि अविद्या जगत् का कारण है। अतः इसे असत्य जगत् का असत्य कारण माना जाए तो तार्किक दृष्टि से अनवस्था दोष उत्पन्न हो जाएगा।

*(iv)* **अनिर्वचनीयानुपपत्तिः** आचार्य शंकर की दृष्टि में, माया अनिर्वचनीया है। यह परिभाषा योग्य नहीं है, क्योंकि यह एक सदसद्विलक्षण सत्ता है। आचार्य रामानुज के अनुसार, सत्ता-ज्ञान या तो सत् के रूप में होता है या असत् के रूप में और जो इनसे परे है उसका ज्ञान असम्भव है। अनिर्वचनीय की अनुभूति या ज्ञान सम्भव नहीं है।

*(v)* **प्रमाणानुपपत्तिः** माया को सिद्ध करने के लिए उचित प्रमाण का मिलना कठिन है। अविद्या सद्-असद्-विलक्षण है। अतः इसका प्रत्यक्ष नहीं हो सकता। श्रुतियाँ माया को ब्रह्म की सृष्टि-रचना-शक्ति के रूप में वर्णित करती है, किसी अनिर्वचनीय अज्ञान के रूप में नहीं। इसलिए, अनिर्वचनीया माया के अस्तित्त्व को सिद्ध करने के लिए प्रत्यक्ष, अनुमान तथा शब्द किसी भी प्रमाण का उपयोग करना सम्भव नहीं है।

*(vi)* **अद्वैत वेदान्तः** अद्वैत वेदान्त की दृष्टि में, अविद्या-निवृत्ति के लिए, निर्गुण, निर्विशेष, अद्वैत ज्ञान आवश्यक है, परन्तु रामानुज के अनुसार, निर्विशेष ज्ञान सम्भव नहीं है, क्योंकि सभी ज्ञान सविशेष होते हैं। अतः अविद्या का कोई निवर्त्तक ज्ञान सम्भव नहीं है, फलतः अविद्या कभी नष्ट नहीं हो पाएगी और अद्वैतवाद के सिद्धान्त की प्रतिष्ठापना सम्भव नहीं होगी।

*(vii)* **निवृत्त्यानुपपत्तिः** किसी निवर्त्तक के अभाव में अविद्या की निवृत्ति सम्भव दिखाई नहीं देती। अद्वैतवाद में ब्रह्म-ज्ञान को अविद्या का निवर्त्तक माना गया है। ब्रह्म-ज्ञान ब्रह्म-विषयक ज्ञान न होकर ऐसा ज्ञान है जो स्वयं ही ब्रह्म है। ज्ञान ही ब्रह्म है इसे शुद्ध या निर्विशेष ज्ञान भी कहा गया है। ब्रह्म और आत्मा की पूर्ण एकता का ज्ञान अथवा 'अद्वैत-ज्ञान' निवर्त्तक ज्ञान होता है।

## जीव

रामानुज ने उपनिषद् के 'तत्त्वमसि' वाक्य का अर्थ अपने ही ढंग से प्रस्तुत किया है। यहाँ तत् (वह) का तात्पर्य है वह ईश्वर जो सर्वज्ञ, सृष्टिकर्ता और सर्व-शक्तिमान है और त्वम् (तुम) का तात्पर्य है वह ईश्वर जो अचित्-विशिष्ट-जीव-शरीरक है अर्थात् अचेतन शरीर से विशिष्ट जीव के रूप में है। यहाँ जो ईश्वर को 'अभेद रूप' कहा गया है वह दो दृष्टियों से कहा गया है अर्थात् ईश्वर का एक विशिष्ट प्रकार और दूसरा विशिष्ट रूप। संक्षेप में, एक ही ईश्वर (ब्रह्म) दो रूपों में विद्यमान है। वस्तुतः वह एक ही परम सत्ता है, किन्तु दो विशिष्ट रूपों सहित। अतः यह मत विशिष्टाद्वैतवाद कहलाता है।

ईश्वर और जीव के सम्बन्ध को लेकर अनेक मत व्यक्त किए गए हैं जैसे— भेद, अभेद तथा भेदाभेद। शंकर अभेदवाद को मानते हैं, किन्तु रामानुज उसका खण्डन करके भेदवाद को स्वीकार करते हैं। उनके अनुसार जीव ब्रह्म का ही अंशमात्र है अर्थात् दोनों में भेद भी है और अभेद भी है अर्थात् जिस प्रकार सम्पूर्ण और अंश में भेद तथा अभेद दोनों है; उसी प्रकार ब्रह्म एवं जीव के सम्बन्ध को भी समझना चाहिए। कई दृष्टियों से ईश्वर और जीव के सम्बन्ध को देखा जा सकता है। ईश्वर पूर्ण और अनन्त है; जीव अपूर्ण और अणु है। यह भेद का सम्बन्ध है। जीव ईश्वर से पृथक् है अर्थात् ईश्वर जीवों का आत्मरूप है। यह अभेद तादात्म्य या अनन्यत्व का सम्बन्ध है। जीव ब्रह्म का ही अंश है, इस दृष्टि से दोनों का भेदाभेद का सम्बन्ध है।

रामानुज के अनुसार, जीवात्मा एक नित्य-द्रव्य है। वह चिद्रूप या ज्ञानरूप है। यह ज्ञान का आश्रय है। जीवात्मा ज्ञाता है और ज्ञान इसका धर्म है। आत्मा स्वभाव से ही ज्ञाता है, परन्तु कर्मो का कर्त्ता या कर्मफल का भोक्ता शरीर से सम्बन्ध होने के कारण है।

जीवात्मा मन, प्राण, इन्द्रिय और शरीर से भिन्न एक आनन्दमय सत्ता है और जीवात्मा का बोध 'मैं' के रूप में सदैव होता है। अतः जीवात्मा की वैयक्तिकता कभी नष्ट नहीं होती। संसार की स्थिति में ईश्वर से नियन्त्रित होकर भी आत्मा को कुछ स्वतन्त्रता प्राप्त है। मोक्षावस्था में भी जीवात्मा का ईश्वर से लोप सम्भव नहीं है, क्योंकि ब्रह्म और जीव परस्पर भिन्न सत्ताएँ हैं। जीव अंश है; ब्रह्म अंशी है। जीव विशेषण है; ब्रह्म विशेष्य है। जीव पर्याय है; ब्रह्म द्रव्य है। ब्रह्म चैतन्य है; आत्मा चेतन है, चैतन्य नहीं। जीवात्मा एक चेतन द्रव्य है। रामानुज के अनुसार, जीव अनेक हैं अर्थात् वह जीवों की अनेकता को स्वीकार करते हैं। प्रत्येक जीवात्मा की वैयक्तिकता होती है।

## भक्ति

विशिष्टाद्वैत के अनुसार भक्ति ईश्वर के प्रति मात्र प्रेम विषयक संवेग एवं श्रद्धा का भाव नहीं है जो ज्ञान शून्य है, अपितु यह एक विशेष प्रकार का ज्ञान है जो मानवीय मन को ईश्वर के प्रति अत्यधिक आसक्ति का भाव निर्मित करता है। इसलिये उन्होंने भक्ति को ध्यान और उपासना के तुल्य माना है। रामानुज के दर्शन में भक्ति, ज्ञान, उपासना, पर्यायवाची शब्द माने गयें हैं। इस प्रकार रामानुज ने भक्ति में बौद्धिक पक्ष की महत्ता पर बल दिया है। श्री भाष्य में रामानुज ने कहा है ईश्वर के स्वरूप के सम्बन्ध में प्रेमपूर्ण चिन्तन करना भक्ति है। यहाँ रामानुज ने कहा है कि ध्यान जो भक्ति से तादात्म्यता रखता है, उपासना और वेदना से अभिन्न है। अपने मन को ईश्वर में पूर्णतः केन्द्रित करना उपासना कहा जाता है। ईश्वर के स्वभाव का प्रेमपूर्ण स्मरण करना तथा ईश्वर का ध्यान करना भक्ति है। इस प्रकार भक्ति भाव मिश्रित ज्ञान है।

दूसरे शब्दों में, भक्ति ज्ञान के फलस्वरूप विद्यमान रहती है। कुछ विद्वानों के अनुसार रामानुज के दर्शन में भक्ति ज्ञान की पराकाष्ठा है। ज्ञान का चरम उत्कर्ष भक्ति है।

रामानुज के मतानुसार भक्ति के दो प्रकार हैं– (*i*) साधन भक्ति अथवा उपाय भक्ति, (*ii*) परा भक्ति और परम भक्ति। साधन भक्ति मुख्यतः ज्ञान के स्वरूप से सम्बन्धित है। जब मनुष्य आध्यात्मिक अनुभूति के लिये विकलता का अनुभव करता है तब वह आत्मावलोकन की दिशा में अग्रसर होता है। इस आत्मावलोकन की अवस्था ईश्वर के स्वरूप की जानकारी देने में सक्षम सिद्ध होती है।

रामानुज के अनुसार परा भक्ति का दूसरा प्रकार है। इसे परम भक्ति के रूप में भी मान्यता दी जा सकती है। यह साधन भक्ति का प्रतिफल है। ज्योंहि साधन भक्ति से मन शुद्ध हो जाता है त्योंहि भक्त भगवान का दर्शन प्राप्त कर लेता है। भगवान का दर्शन भक्त को अल्पकाल के लिये ही हो पाता है। इस प्रकार की भक्ति में भक्त भगवान को अपनी अन्तरात्मा के रूप में प्रत्यक्षीकरण करने लगता है। ऐसी स्थिति में भक्त के मन में अनन्य प्रेम का विकास होता है। वह निरन्तर ईश्वर के स्वरूप चिन्तन में निमग्न रहता है तथा संसार के किसी भी विषय के प्रति आकर्षण का भाव नहीं महसूस करता है। परम भक्ति को परा भक्ति की पराकाष्ठा के रूप में स्वीकारा जा सकता है।

## निम्बार्क दर्शन

स्वामी निम्बार्कार्चाय से पूर्व वैष्णव सम्प्रदाय के आराध्य श्रीराम थे; किन्तु इन्होंने राधा-कृष्ण की माधुर्योपासना को महत्त्व दिया। सीता-राम की जगह इन्होंने राधा-कृष्ण को दार्शनिक सम्प्रदाय के रूप में प्रतिष्ठित किया है। ऐसा करने वाले वैष्णव आचार्यों के बीच ये प्रथम आचार्य हैं। इन्होंने श्रीराधारानी को 'पराशक्ति' अथवा प्राह्लादिनी शक्ति के रूप में भगवान् श्रीकृष्ण के वामांग में स्थापित किया है। गोपीभाव की पराकाष्ठा राधामाधव हैं। प्रेम और त्याग की भावना का यह चरमोत्कर्ष है। श्रीराधा को परमानन्दस्वरूपिणी, वृषभानुदुलारी, वृन्दावनविहारिणी, रासेश्वरी और रसिकेश्वरी कहा जाता है। ये श्रीकृष्ण के वाम भाग में विराजित हैं। ये सहस्त्रों सखियों से सेवित हैं। श्रीराधा भक्तों की कामना पूरी करती हैं। श्रीकृष्ण की परम शक्तिस्वरूपिणी हैं। इन्होंने अपनी आराधना और अन्तःसाधना से दुराराध्य श्रीकृष्ण को भी अपने वश में कर लिया है।

### निम्बार्क की पदार्थ–मीमांसा

**जीवः** निम्बार्कसम्मत चित्, अचित् और ईश्वर का स्वरूप रामानुजाचार्य के तत्त्वत्रय की तरह ही मान्य है। इनका स्वरूप भी रामानुज की तरह ही मान्य है। इनके अनुसार चित् अथवा जीव एक साथ ज्ञानस्वरूप भी है और ज्ञानाश्रय भी है। जीव का स्वरूप शुद्ध चैतन्य भी है और ज्ञाता होने के कारण जीव ज्ञान का आश्रय भी है। ज्ञान स्वरूपभूत और धर्मभूत दोनों है। द्रव्यात्मक और गुणात्मक ज्ञान में धर्मि-धर्मभाव सम्बन्ध है।

जीव कर्त्ता है। प्रत्येक दशा में जीव कर्त्ता ही रहता है। बन्धनावस्था की सांसारिक स्थिति में जीव का कर्तृत्व तो अनुभवगम्य है; किन्तु मुक्तावस्था में भी जीव का कर्तृत्व श्रुतिप्रतिपादित है। श्रुतिवाक्य जिस प्रकार सांसारिक स्थिति में आत्मा में कर्तृत्व प्रतिपादित करते हैं, उसी प्रकार मुमुक्षु ब्रह्मोपासीत आदि श्रुतिवाक्य में भी उपासना करने का प्रतिपादन करते हैं। इससे यह सिद्ध होता है कि जीव ज्ञाता, कर्त्ता और भोक्ता भी है। जीव नित्य और चेतन द्रव्य है, अणुपरिमाण है। यह संख्या में अनन्त है। नित्य होते हुए भी वह ईश्वर पर सर्वथा आश्रित है। जीव ईश्वर द्वारा नियम्य है। यह भेदाभेदरूप है। द्रव्यात्मक और गुणात्मक ज्ञान में धर्मि-धर्मभाव सम्बन्ध है।

जीव को अविद्या अपने कृत कर्म के अनुसार शरीर मिलता है। इसी शरीर के कारण वह जन्म और मरणचक्र में घूमता रहता है। मुक्ति की स्थिति में भी जीव ईश्वर के नियन्त्रण में ही रहता है। परमात्मा की परम कृपा से ही जीव को अपने स्वरूप का ज्ञान होता है। निश्छल और अनन्य भक्ति से ही जीव ईश्वर की अनुकम्पा प्राप्त कर पाता है। जीव ईश्वर का अंश है। अंश का तात्पर्य जीव की शक्ति से है। ईश्वर सर्वशक्तिमान है और जीव शक्तिरूप है।

**जड़तत्त्वः** अचित् अर्थात् चेतनाहीन पदार्थ को अचेतन कहा जाता है। यह तीन प्रकार का होता है–प्राकृत्, अप्राकृत, काल। (1) प्रकृति या महत्तत्त्व से लेकर पंचमहाभूत तक प्रकृति से उत्पन्न समग्र जगत्। (2) अप्राकृतिक अर्थात् प्रकृति के नियन्त्रण से बहिर्भूत की सृष्टि। इससे दिव्यलोक और दिव्य शरीर निर्मित होते हैं। यह शुद्ध सत्त्व या नित्य विभूति के समान होता है। इसे परमव्योमन्, विष्णुपद और परमपद-जैसे नाम से श्रुतियों में कहा गया है। (3) काल–काल अचेतन पदार्थ है। जगत् के समस्त परिणामों का जनक है। अपनी उपाधियों के कारण काल अनेक हैं। काल अखण्डरूप हैं। रामानुज के शुद्धसत्त्व, मिश्रसत्त्व और सत्त्वशून्य की तरह है। काल जगत् का नियामक होने पर भी परमेश्वर के लिए नियम्य है। काल अखण्डरूप है। यह स्वरूप से नित्य और कर्म से अनित्य है।

**ईश्वरः** निम्बार्क के ईश्वर परब्रह्म हैं। इन्होंने ईश्वर की कल्पना सगुण रूप में की है। वे स्वभावतः अविद्या और अस्मिताप्रभृति समस्त दोषों से रहित हैं। वे ज्ञान, आनन्द, शक्ति, सौन्दर्यप्रभृति अशेष कल्याणगणों के आकर हैं। वे अंगी हैं और समस्त गोचर-अगोचर पदार्थ उनके अंग हैं। वे चतुर्व्यूहों में तथा अवतारों में अभिव्यक्त हैं। ये परमवरेण्य, नारायण, हरि या श्रीकृष्ण हैं। इनकी अनुकम्पा से ही जीव को अपने स्वरूप का ज्ञान प्राप्त होता है।

## द्वैत वेदान्त

द्वैत वेदान्त के प्रवर्तक मध्वाचार्य हैं। इन्होंने ब्रह्मसूत्र, गीता और उपनिषदों पर भाष्य लिखा है। इनका सिद्धान्त द्वैतवाद के नाम से विख्यात है। इनके सिद्धान्त को द्वैत इसलिए कहा जाता है कि क्योंकि इसमें निमित्त कारण और उपादान कारण में आत्यन्तिक भेद (द्वैत) माना गया है।

**तत्त्वविचारः** माध्वदर्शन में पदार्थों की संख्या दस मानी गयी है– द्रव्य, गुण, कर्म, सामान्य, विशेष, विशिष्ट, शक्ति, सादृश्य तथा अभाव। उनके मत में द्रव्य बीस प्रकार का होता है– परमात्मा, लक्ष्मी, जीव, अव्याकृत,

आकाश, प्रकृति, गुणत्रय, महत्तत्त्व, अहंकार, बुद्धि, मन, इन्द्रिय, तन्मात्र, भूत, ब्रह्माण्ड, अविद्या, वर्ण, अन्धकार, वासना, काल तथा प्रतिबिम्ब। मध्वाचार्य ने स्वतन्त्र और अस्वतंत्र नायक दो तत्वों को स्वीकार किया है। भगवान विष्णु स्वतंत्र तत्त्व हैं और अस्वतन्त्र तत्त्व परमात्मा का दास जीव है।

**परमात्माः** भगवान विष्णु परमात्मा हैं जो सब प्रकार से पूर्ण हैं। भगवान अनन्त गुणों से परिपूर्ण है। वह मत्स्य, कूर्म आदि अवतारों को धारण करता है। परमात्मा उत्पत्ति, स्थिति, संहार, नियमन, ज्ञान, आवरण, बन्ध और मोक्ष– इन सबका विधाता है। परमात्मा सर्वज्ञ है वह एकराट् कहलाता है। वह सर्वतन्त्र-स्वतन्त्र और एक है। वह जीव, जड़, प्रकृति से अत्यन्त विलक्षण है। लक्ष्मी परमात्मा की शक्ति और सहचरी हैं। वह परमात्मा के बाधित रहने के कारण उससे भिन्न हैं। लक्ष्मी, नित्य, चिद्रूप, और अनन्त है। वह समस्त गुणों से परिपूर्ण है। श्री, दुर्गा, ह्री, महालक्ष्मी, दक्षिणा, सीता, जयन्ती, सत्या, रूक्मिणी आदि लक्ष्मी की मूर्तियाँ हैं। वह ब्रह्म आदि जीवों की जननी है।

**जीवः** जीव परमात्मा से भिन्न और अनेक है। प्रत्येक जीव का अपना व्यक्तित्व अलग है, अतः एक जीव दूसरे से भिन्न है। जीव अज्ञान, मोह, दुःख, भय आदि दोषों से युक्त होने के कारण संसार में परिभ्रमण करता है। जीव के तीन भेद हैं– मुक्तियोग्य, तमोयोग्य और नित्यसंसारी। मुक्तियोग्य जीव देव, ऋषि, पितृ, चक्रवर्ती तथा पुरूषोत्तम रूप से पाँच प्रकार के होते हैं। तमोयोग्य जीव दो प्रकार का होता है– चतुर्गुणोपासक और एकगुणोपासक। पुनः चार प्रकार के होते हैं– दैत्य, राक्षस, पिशाच और अधम मनुष्य। नित्यसंसारी जीव कर्मानुसार स्वर्ग, नरक आदि लोकों में घूमते रहते हैं।

**प्रकृतिः** माध्वदर्शन में प्रकृति की मान्यता है। प्रकृति जगत् का उपादान कारण है। परमात्मा तो केवल निमित्त कारण है। परमात्मा की अध्यक्षता में प्रकृति अपना कार्य करती है। प्रकृति त्रिगुणात्मिका, परिणामिनी, जड़, अव्यक्त और व्यापक है। लक्ष्मी इसकी अधिष्ठात्री देवी है।

**मोक्ष का स्वरूपः** मध्वाचार्य के अनुसार भगवान परमात्मा का साक्षात्कार ही मोक्ष है। वैराग्य, शम, शरणागति, परमात्मा भक्ति और पंचविध भेदज्ञान मोक्षप्राप्ति के साधन हैं। भेद के पाँच प्रकार हैं– ईश्वर का जीव से भेद, ईश्वर का जड़ से भेद, जीव का जड़ से भेद, जीव का अन्य जीवों से भेद तथा एक जड़ पदार्थ का दूसरे जड़ पदार्थ से भेद।

इन पंचभेदों का परिज्ञान मुक्ति के साधन हैं। माध्वमत में मोक्ष चार प्रकार का होता है– कर्मक्षय, उत्क्रान्तिलय, अचिरादिमार्ग और भोग इनमें भोग मुक्ति सालोक्य, सामीप्य, सारूप्य और सायुज्य भेद से चार प्रकार की होती है। परमात्मा के अनुग्रह से जीव 'मुक्ति' को प्राप्त करता है।

## बल्लभ दर्शन

वल्लभाचार्य के अनुसार 'ब्रह्म' ही एकमात्र अद्वैत तत्त्व है। मायिक प्रपंच से रहित विशुद्ध, सर्वज्ञ, सर्वधर्मविशिष्ट और सच्चिदानन्दस्वरूप है। ब्रह्म सर्वधर्मविशिष्ट है, साथ ही विरुद्धधर्माश्रय भी है। ब्रह्म में विरुद्ध धर्मों की स्थिति मायिक न होकर स्वाभाविक है। ब्रह्म कार्य और कारण दोनों रूपों में शुद्ध है। इसका आविर्भाव और तिरोभाव उसकी अपनी इच्छा पर निर्भर है। भगवान् श्रीकृष्ण ही परब्रह्म हैं। इनकी शक्ति और महिमा अचिन्त्य है। ये एक भी हैं और अनेक भी हैं। समस्त प्रकृति ही परब्रह्म है। ये एक ओर निर्विशेष, निर्गुण हैं तो दूसरी ओर सविशेष, सगुण भी हैं। वे परम स्वतन्त्र भी हैं और भक्तों के अधीन भी हैं। वे अणु से अणु और महान् से महान् भी हैं। वे जड़ जगत्, चेतन जीवों और अन्तर्यामी नियामकों के रूप में अभिव्यक्त होते हैं। यह अभिव्यक्ति मायाकल्पित न होकर वास्तविक है। इस ब्रह्म से जड़ जगत् का आविर्भाव और चिदंश से तिरोभाव होता है। ब्रह्म के परिणामस्वरूप जगत् को मान कर भी बल्लभ ब्रह्म को अविकारी मानते हैं। जैसे कि स्वर्णाभूषण से निर्मित स्वर्ण में विकार नहीं होते।

### जीव–विचार

वल्लभाचार्य के अनुसार जीव और ईश्वर में अंशांशिभाव सम्बन्ध है। ईश्वर का जीव अंशरूप परिणाम है। ब्रह्म के अविकृत आनन्दांश से अन्तर्यामी का निर्माण होता है। अन्तर्यामी में सत्, चित् और आनन्द तीनों का आविर्भाव होता है। ये अन्तर्यामी ही जीवों में उनके नियामक बन कर रहते हैं। प्रत्येक जीव का एक नियामक होता है। संसार में जितने जीव हैं, उतने ही नियामकों की संख्या है। ये नियामक ही अन्तर्यामी हैं। ये अन्तर्यामी सच्चिदानन्द हैं; अतः ब्रह्मस्वरूप हैं। ब्रह्म इन अन्तर्यामियों का भी अन्तर्यामी है। ब्रह्म अपने विजातीय जड़ जगत् और सजातीय जीव और स्वगत अन्तर्यामी–इन तीनों रूपों में अनुस्यूत है। इसीलिए ब्रह्म इन तीनों का अन्तर्यामी है। यह ब्रह्म अपने परात्पर स्वरूप में मुरलीमनोहर भगवान् श्रीकृष्ण हैं।

वल्लभाचार्य के अनुसार जीव के तीन भेद हैं–शुद्ध, संसारी और मुक्त। अविद्या के सम्पर्क से पूर्व तथा आनन्दांश की समाप्ति के पश्चात् जीव का शुद्ध स्वरुप कहलाता है। अविद्याजन्य संस्कार से आच्छन्न, जीवन-मरण के चक्र में फँसी जीव संसारी कहलाता है। मुक्त जीव वे हैं, जो ईश्वर की कृपा से ईश्वर से अभिन्न हो जाते हैं। ये दो प्रकार के होते हैं–जीवन्मुक्त और मुक्त। जीवन्मुक्त वे हैं, जो अविद्या अर्थात् अज्ञान को दूर कर जीवन्मुक्त हो जाते हैं। जैसे–सनक-सनन्दन प्रभृति। मुक्त जीव वे हैं, जो संसार में रह कर भी ईश्वर की भक्ति से सांसारिक बन्धनों से मुक्त हो जाते हैं।

संसारी जीव भी दो खण्डों में विभक्त हैं–दैव और आसुर जीव। दैव जीव को भी दो खण्डों में विभक्त किया जाता है–पुष्टि जीव पुष्टिमार्गीय भक्ति से ईश्वर की कृपा प्राप्त कर मुक्त होते हैं। मर्यादा जीव अक्षर ब्रह्म को परमतत्त्व मानते हैं और उनकी उपासना से मरणोपरान्त मुक्ति प्राप्त करते हैं। भगवान् श्रीकृष्ण की भक्ति से जीव सांसारिक बन्धनों से मुक्त हो जाता है।

## जगत्

जगत् के विषय में वल्लभाचार्य अविकृत परिणामवाद के पक्षधर हैं। इसमें कारण स्वरूपतः अविकृत रहते हुए भी कार्यरूप में परिणत हो जाता है। ब्रह्म जगत् के रूप में परिणत होकर भी उसी प्रकार अविकृत बना रहता है, जैसे कंकण, कुण्डल, कटकादि आभूषण बनकर भी सुवर्ण अपने स्वरूप अर्थात् सुवर्णत्व को नहीं खोता। जैसे सांप अपने को कुण्डली मारकर संकुचित और विकसित होकर चलता है, उसी प्रकार ईश्वर भी अपनी क्रीड़ा के लिए जगत् का रूप बदलता रहता है। जगत के विस्तार और संकोच के कारण सृष्टि और प्रलय होते रहते हैं। जगत् की सृष्टि और प्रलय तो आविर्भाव और तिरोभाव के रूप में होते हैं। वस्तुतः चेतन और अचेतन दोनों प्रकार की सृष्टि ब्रह्म से ही होती है। वे अनित्य इसलिए प्रतीत होते हैं कि ब्रह्म के आनन्द और चैतन्य इसमें सन्निहित हैं। भौतिक पदार्थों में चैतन्य और चेतन जीवों में आनन्द गुण समवेत रहते हैं।

वल्लभ दर्शन में जगत् या प्रपंच सच्चिदानन्द भगवान् की इच्छा से उनके सदंश से आविर्भूत होने के कारण ब्रह्मरूप होने से सत्य तथा नित्य है। नित्य होने के कारण उत्पत्ति-विनाशरहित है। ब्रह्मरूप होने के कारण ही जगत् या प्रपंच का कभी नाश नहीं होता; क्योंकि यह ब्रह्म के समान नित्य है। यह जगत् प्रकृतिजन्य नहीं है। न परमाणुजन्य और न विवर्त्तरूप ही है। यह तो भगवान् का कार्य है। उनकी इच्छा से उनके सदंश से आविर्भूत हुआ है। अतः यह जगत् कार्य होने पर भी अविकृत भगवद्रूप ही है। अतः ब्रह्मरूप से जगत् की वास्तविक सत्ता है। पहले कहा जा चुका है कि जगत् की उत्पत्ति और विनष्टि ब्रह्म के स्वरूप का आविर्भाव और तिरोभाव है। वस्तुतः उसमें अनुभव की योग्यता का आना आविर्भाव है और उसका अभाव तिरोभाव है। वल्लभ के अनुसार जगत् न तो ब्रह्म का विवर्त है और न ब्रह्म से भिन्न; प्रत्युत वह तो ब्रह्म का सदंश है। ब्रह्म स्वयं अपनी इच्छा से जगत् के रूप में रूपान्तरित अपने-आपको कर लेता है; किन्तु इससे ब्रह्म के तात्त्विक अंश में कोई विकार उत्पन्न नहीं होता है। यह ब्रह्म जगत् के उपादान कारण के साथ अन्य कारण भी हैं। यह जगत् ब्रह्म से आविर्भूत है; अतः ब्रह्म के समान ही तात्त्विक यह संसार है।

वल्लभ दर्शन के अनुसार जगत् और संसार में विलक्षण भेद है। यह जगत् सच्चिदानन्द भगवान् की इच्छा से उनके सदंश से आविर्भूत है। ब्रह्मरूप होने के कारण यह जगत् सत्य और नित्य है। जगत् नित्य होने के कारण उत्पत्ति और विनाशरहित है। जगत् के ठीक विपरीत संसार अथवा जीव का जन्म-मरणचक्र अविद्याकल्पित है। यह अविद्या पंचपर्वा है–(क) संसार या जीव का स्वरूपज्ञान, (ख) देहाध्यास, (ग) इन्द्रियाध्यास, (घ) प्राणाध्यास और (ड़) अन्तःकरणाध्यास। कहने का तात्पर्य यह कि जब तक इस अविद्या का प्रभाव है तब तक संसार है। ज्ञान का उदय होने पर अविद्या की निवृत्ति के साथ ही संसार की भी निवृत्ति हो जाती है; किन्तु ब्रह्मरूप होने के कारण जगत् का कभी नाश नहीं होता है; क्योंकि जगत् ब्रह्म की तरह नित्य और अविनाशी है।

इस प्रकार स्वयं ब्रह्म ही सबका कर्त्ता है। यह ब्रह्म का नित्य स्वभाव है। वल्लभ के मत में अट्ठाइस तत्त्व हैं। सांख्यमत में पच्चीस तत्त्व मान्य हैं। इनके अतिरिक्त कर्म, काल और स्वभाव हैं। मुख्यतः एकमात्र तत्त्व ईश्वर है। जगत् उसी का विकार या प्रतिछवि है।

## मोक्षविचार

सांसारिक जड़ता और पीड़ा का परित्याग कर परमानन्द की एकनिष्ठ अनुभूति में निमग्न हो जाना ही मुक्ति है। जीव की देह, उसके इन्द्रिय और अन्तःकरण में ईश्वरीय आनन्द का स्थापन कर भगवान् उसे अपने स्वभाव में अवस्थित कर देते हैं। यही जीव की मुक्ति है। अन्यथाभाव को अर्थात् दुःख एवं जड़ता को त्याग कर स्व-स्वरूप में, आनन्दरूप में स्थित होना ही मुक्ति है। वल्लभाचार्य ने श्रीमद्भागवत का अनुसरण करते हुए अपने मोक्ष-सिद्धान्त का प्रतिपादन किया है। जीव को आनन्दमय बना देना प्रभु की प्रकृति है। प्रकृति का अर्थ स्वभाव है। भगवान् का यह स्वभाव है कि जो उन्हें भजता है, उसे वे अपने समान आनन्दमय बना देते हैं। पुरुषोत्तम स्वयं सच्चिदानन्द हैं। जीवों को भी वे अपना आनन्दमय स्वरूप प्रदान करते हैं। प्रभु का यह भाव 'स्वरूपापत्ति' कहलाता है। स्वरूप का अर्थ ही है–'आनन्दमय रूप'। यह रूप पाना ही मुक्ति है।

वल्लभाचार्य ने इस मुक्ति को दो खण्डों में विभक्त कर दिया है। एक है–मर्यादामुक्ति और दूसरी है–पुष्टिमुक्ति। शास्त्रों के अध्ययन, मनन और चिन्तन, वैदिक वचनों में आस्था, आचार-विचार की पवित्रता, मुक्ति के लिए सतत प्रयास से जो मोक्ष मिलता है, उसे मर्यादा मुक्ति कहा जाता है तथा जो ईश्वर के अनुग्रह से मुक्ति मिलता है, उसे 'पुष्टिमुक्ति' कहते हैं। वल्लभाचार्य ने इस मुक्ति के लिए पंचसाधनों की उपयोगिता बतलाई है।

1. **वैराग्यः** अर्थात् विषयवासना और सांसारिक सम्बन्धों से मन का उचट जाना।
2. **सांख्यः** नित्यानित्यविवेक।
3. **योगः** पतन्जलि द्वारा निर्दिष्ट अष्टांगयोग का अभ्यास। योग के ये आठ अंग हैं–यम, नियम, आसन, प्राणायाम, प्रत्याहार, धारणा, ध्यान और समाधि।
4. **तपः** विषय-वासना का त्याग कर कष्टकर व्रत, नियम, उपासना का प्रयोग, सदाचरण, शीतोष्णादि सहन करने की शक्ति का वर्धन, मौन, चान्द्रायण तथा प्राजापत्य प्रभृति का अनुष्ठान, प्रायश्चित, मन और इन्द्रियों को एकाग्र बनाने की क्षमता का विकास तप कहलाता है।
5. **भक्तिः** ईश्वर की सेवा, आराधना, उपासना तथा उनके प्रति सत्यानुरक्ति एवं प्रेमपूर्वक प्रभु में आत्मसमर्पण ही ईश्वरभक्ति है। वल्लभाचार्य ने ईश्वर के माहात्म्य-ज्ञान के साथ ईश्वर में सुदृढ़ एवं सर्वाधिक स्नेह, प्रेम या समर्पण की भावना या आस्था को 'भक्ति' कहा है।

## पूर्वमध्यकालीन भारतीय दर्शन

| दार्शनिक | जन्म | प्रस्तावित दर्शन | तथ्य |
|---|---|---|---|
| शंकराचार्य (आदि शंकराचार्य) | कलादी, केरल में 788 ई. | अद्वैत दर्शन (अद्वैतवाद या अद्वैत) | • उन्होंने हिंदू धर्म को उसके मूल स्वरूप में पुनर्स्थापित किया।<br>• उन्होंने वैदिक कैनन (उपनिषद, ब्रह्म सूत्र और भगवद गीता) पर संस्कृत में कई टीकाएँ लिखीं।<br>• उनकी सबसे प्रसिद्ध कृति ब्रह्मसूत्रभाष्य है।<br>• वह अपने गोविंद स्तोत्र के लिए सबसे ज्यादा जाने जाते हैं।<br>• उन्होंने अद्वैत वेदांत का प्रसार करते हुए पूरे भारत की यात्रा की।<br>• उन्होंने सनातन धर्म (हिंदू धर्म) को बनाए रखने के लिए भारत के चार कोनों में चार मठ स्थापित किए। |
| रामानुजाचार्य | 1017 सीई में श्रीपेरंबुदूर, तमिलनाडु। | विशिष्टाद्वैत दर्शन | • उन्होंने अपने नौ कार्यों के माध्यम से समाज में भक्ति और अनुशासन को नवरत्नों के रूप में जाना। उनकी तीन प्रमुख टीकाएँ हैं<br>1. वेदार्थ-संग्रह<br>2. श्रीभाष्य<br>3. भगवद्गीता-भाष्य |
| माधवाचार्य | 1238 ई. में उडुपी, कर्नाटक। | द्वैत दर्शन | • उन्होंने उत्तरी भारत में वैष्णवी भक्ति आंदोलन को प्रभावित किया।<br>• उन्होंने 'अणुख्यान' लिखा, जो ब्रह्म सूत्र पर उनकी व्याख्या का एक दार्शनिक पूरक है।<br>• संस्कृत में<br>• वे आदि शंकराचार्य और रामानुज के आलोचक थे।<br>• उन्होंने कर्नाटक के उडुपी में कृष्ण मठ की स्थापना की। |
| निम्बार्काचार्य या निम्बार्क | 12वीं या 13वीं शताब्दी | भेदभेद या द्वैताद्वैत | • उन्होंने भक्ति योग पर बल दिया।<br>• उन्होंने मुक्ति प्राप्त करने के साधन के रूप में राधा कृष्ण की पूजा पर जोर दिया। |
| वल्लभाचार्य | 1789 ई. में रायपुर, छत्तीसगढ़। | शुद्धाद्वैत दर्शन | • उन्होंने वैष्णववाद के पुष्टि संप्रदाय की स्थापना की।<br>• उन्होंने वेदांत सूत्र और भगवद् गीता पर भाष्य लिखे। |
| चैतन्य महाप्रदभु | 1486 ई. में नादिया, पश्चिम बंगाल। | अचिंत्याभेदाभेद दर्शन | • उन्होंने गौड़ीय वैष्णववाद की स्थापना की।<br>• उन्हें संस्कृत में आठ-श्लोक "शिक्षाष्टकम" प्रार्थना लिखने के लिए भी जाना जाता है। |
| बसवन्ना | 1105 में विजयपुरा, कर्नाटक। | वीरशैव या लिंगायत | • वे एक समाज सुधारक भी थे।<br>• उन्हें लिंगायत संप्रदाय का संस्थापक माना जाता है।<br>• उन्होंने अंधविश्वासों और कर्मकांडों की निंदा करते हुए लैंगिक और सामाजिक समानता की वकालत की। |

## बहुविकल्पीय प्रश्नोत्तर

**1.** जैन धर्म का वास्तविक संस्थापक किसे माना जाता है?
A. पार्श्वनाथ B. ऋषभदेव
C. महावीर D. नेमिनाथ

**2.** जैन परम्परा के अनुसार जैन धर्म में कुल कितने तीर्थंकर हुए?
A. 25 B. 23
C. 20 D. 24

**3.** जैन धर्म के प्रथम तीर्थंकर के रूप में किसे जाना जाता है?
A. महावीर स्वामी को B. ऋषभदेव को
C. पार्श्वनाथ को D. अजितनाथ को

**4.** सूची-I को सूची-II से सुमेलित करें:

| सूची-I | सूची-II |
|---|---|
| (*a*) महावीर का जन्म | 1. वैशाली |
| (*b*) महावीर की मृत्यु | 2. कुण्डग्राम |
| (*c*) महावीर को ज्ञान की प्राप्ति | 3. पावापुरी |
| (*d*) महावीर का सर्वाधिक प्रभाव | 4. जुम्भिक ग्राम के समीप |

| | (*a*) | (*b*) | (*c*) | (*d*) |
|---|---|---|---|---|
| A. | 1 | 2 | 3 | 4 |
| B. | 2 | 3 | 1 | 4 |
| C. | 2 | 3 | 4 | 1 |
| D. | 2 | 4 | 3 | 1 |

**5.** राजगृह में महावीर स्वामी ने सर्वाधिक निवास किस ऋतु में किया?
A. ग्रीष्म ऋतु B. वर्षा ऋतु
C. शीत ऋतु D. बसंत ऋतु

**6.** "स्याद्‌वाद" किस धर्म का मूलाधार था?
A. बौद्ध धर्म B. जैन धर्म
C. वैष्णव धर्म D. शैव धर्म

**7.** जैन मत का सर्वाधिक प्रचार-प्रसार किस समुदाय में हुआ?
A. शासक वर्ग B. किसान वर्ग
C. व्यापारी वर्ग D. शिल्पी वर्ग

**8.** महावीर के निर्वाण के बाद जैन संघ का अगला अध्यक्ष कौन हुआ?
A. गोशाल B. मल्लिनाथ
C. सुधर्मन D. वज्र स्वामी

**9.** जैन धर्म के पाँच व्रतों में सर्वाधिक महत्त्वपूर्ण व्रत कौन-सा है?
A. अहिंसा B. अस्तेय
C. अपरिग्रह D. ब्रह्मचर्य

**10.** जैन धर्म "श्वेताम्बर" एवं "दिगम्बर" सम्प्रदायों में कब विभाजित हुआ?
A. चन्द्रगुप्त मौर्य के काल में B. अशोक के काल में
C. कनिष्क के काल में D. इनमें से कोई नहीं

**11.** महावीर स्वामी ने पाँचवें व्रत के रूप में क्या जोड़ा?
A. अहिंसा B. अस्तेय
C. अपरिग्रह D. ब्रह्मचर्य

**12.** महावीर स्वामी का अपने दामाद जामालि से किस सिद्धांत पर मतभेद हुआ?
A. अहिंसा B. स्याद्‌वाद
C. क्रियामाणकृत D. ब्रह्मचर्य

**13.** महात्मा बुद्ध को किस नदी के तट पर ज्ञान प्राप्त हुआ?
A. निरंजना B. ऋजुपालिका
C. गंगा D. यमुना

**14.** किस शासक ने बोधिवृक्ष को कटवाया था?
A. पुष्यमित्र शुंग B. मिहिरकुल
C. शशांक D. महमूद गजनवी

**15.** बौद्ध धर्म के "त्रिरत्न" के बारे में क्या असत्य है?
A. स्तूप B. धम्म
C. संघ D. बुद्ध

**16.** महाभिनिष्क्रमण के बाद बुद्ध ने सर्वप्रथम किससे उपदेश प्राप्त किया?
A. अलार और कलाम B. अलार और उद्रक
C. मक्खलि गोशाल D. उपर्युक्त में से कोई नहीं

**17.** किस बौद्ध ग्रंथ में सर्वप्रथम संस्कृत का प्रयोग हुआ?
A. सुत्तपिटक B. विनयपिटक
C. अभिधम्म पिटक D. महावस्तु

**18.** महात्मा बुद्ध द्वारा दिए गए प्रथम उपदेश को क्या कहा गया?
A. महाभिनिष्क्रमण B. धर्मचक्र परिवर्त्तन
C. प्रतीत्य समुत्पाद D. उपसम्पदा

**19.** बौद्ध धर्म की किस शाखा में मंत्र, हठयोग एवं तांत्रिक आचारों को प्रधानता दी गयी है?
A. महायान B. हीनयान
C. वज्रयान D. उपर्युक्त सभी

**20.** महात्मा बुद्ध के वर्षाकालीन निवास के लिए वेलुवन एवं जेतवन का निर्माण क्रमशः किसने करवाया था?

A. बिम्बिसार एवं अशोक ने
B. बिम्बिसार एवं जेत राजकुमार ने
C. अजातशत्रु एवं बिम्बिसार ने
D. अशोक एवं जेत राजकुमार ने

**21.** बौद्ध धर्म ग्रहण करने वाली प्रथम महिला कौन थी?
A. गौतमी B. महामाया
C. यशोधरा D. बिम्बा

**22.** महात्मा बुद्ध के अष्टांगिक मार्ग के बारे में प्रथम जानकारी कहाँ से प्राप्त होती है?
A. छान्दोग्य उपनिषद् B. तैत्तिरीय उपनिषद्
C. केन उपनिषद् D. कठोपनिषद्

**23.** बौद्ध धर्म के पाँच महाव्रतों का उल्लेख सर्वप्रथम कहाँ से प्राप्त होता है?
A. मुण्डकोपनिषद् B. छान्दोग्योपनिषद्
C. तैत्तिरीयोपनिषद् D. केनोपनिषद्

**24.** महात्मा बुद्ध के विषय में निम्न में से क्या असत्य है?
A. अनीश्वरवादी थे
B. पुनर्जन्म में विश्वास नहीं करते थे
C. अनात्मवादी थे
D. कर्मकाण्ड एवं पशुबलि के विरोधी थे

**25.** सूची-I को सूची-II से सुमेलित करें-

| सूची-I | सूची-II |
|---|---|
| (*a*) प्रथम बौद्ध संगीति | 1. कुण्डलवन (कश्मीर) |
| (*b*) द्वितीय बौद्ध संगीति | 2. पाटलिपुत्र |
| (*c*) तृतीय बौद्ध संगीति | 3. सप्तपर्णी गुफा (राजगृह) |
| (*d*) चतुर्थ बौद्ध संगीति | 4. वैशाली |

| | (*a*) | (*b*) | (*c*) | (*d*) |
|---|---|---|---|---|
| A. | 3 | 4 | 2 | 1 |
| B. | 3 | 4 | 1 | 2 |
| C. | 1 | 2 | 3 | 4 |
| D. | 4 | 3 | 2 | 1 |

**26.** सूची-I को सूची-II से सुमेलित करें:

| सूची-I | सूची-II |
|---|---|
| (*a*) जन्म | 1. सारनाथ |
| (*b*) महाभिनिष्क्रमण | 2. कपिलवस्तु |
| (*c*) महाबोधि | 3. कुशीनगर |
| (*d*) धर्मचक्र परिवर्त्तन | 4. गया |
| (*e*) महापरिनिर्वाण | 4. लुंबिनी |

| | (*a*) | (*b*) | (*c*) | (*d*) | (*e*) |
|---|---|---|---|---|---|
| A. | 1 | 2 | 3 | 4 | 5 |
| B. | 5 | 2 | 4 | 1 | 3 |
| C. | 5 | 4 | 2 | 1 | 3 |
| D. | 3 | 1 | 4 | 5 | 2 |

**27.** सूची-I में बुद्ध के जीवन से संबंधित पशुओं को सूची-II में दिए गए उसके प्रतीकों से सुमेलित करें।

| सूची-I | सूची-II |
|---|---|
| (*a*) हाथी | 1. यौवन का प्रतीक |
| (*b*) घोड़ा | 2. समृद्धि का प्रतीक |
| (*c*) साँड़ | 3. बुद्ध के गर्भ में आने का प्रतीक |
| (*d*) शेर | 4. गृहत्याग का प्रतीक |

| | (*a*) | (*b*) | (*c*) | (*d*) |
|---|---|---|---|---|
| A. | 3 | 4 | 1 | 2 |
| B. | 3 | 4 | 2 | 1 |
| C. | 1 | 2 | 3 | 4 |
| D. | 3 | 2 | 4 | 1 |

**28.** व्यापारिक समुदाय जैन-धर्म की ओर सर्वाधिक आकर्षित हुआ क्योंकि–
A. वे अपनी आर्थिक गतिविधियों का निर्विघ्न रूप से अनुसरण करते हुए धर्मपालन भी कर सकते थे।
B. वैदिक कर्मकाण्ड एवं यज्ञ, व्यापार तथा वाणिज्य में बाधक थे।
C. जैन धर्म की शान्ति और अहिंसा, व्यापार और वाणिज्य के विकास में सहायक थी।
D. जैन धर्म के कर्म के सिद्धान्त का वणिकों और व्यापारियों पर अत्यधिक अनुकूल प्रभाव पड़ा।

**29.** आजीवक सम्प्रदाय का प्रतिपादक कौन था?
A. पुराण कस्सप B. पकुध काच्चायन
C. मक्खलि गोशाल D. अजित केशकम्बलिन

**30.** निम्नलिखित कौन-सी घटना भगवान बुद्ध के जीवन की एक महान घटना नहीं मानी जाती है?
A. विवाह और पुत्र का जन्म B. सम्बोधि (ज्ञान प्राप्ति)
C. प्रथम धर्मोपदेश D. निर्वाण

**31.** भगवान बुद्ध की पत्नी का अत्यन्त लोकप्रिय नाम क्या है?
A. सुजाता B. यशोधरा
C. गोपा D. बिम्बा

**32.** बुद्ध का जन्म कहाँ हुआ था?
A. कपिलवस्तु B. राजगृह
C. लुम्बिनी D. उरूवेला

**33.** निम्नलिखित में से कौन बौद्ध कला का द्योतक नहीं है?
A. स्तूप
B. चैत्य
C. विहार
D. बुद्ध के स्मृति चिन्हों से युक्त स्तम्भ

**34.** बुद्ध के गृहत्याग के उपरान्त उनके पहले गुरु कौन थे?
A. आलार और उद्रक B. आलार और कलाम
C. आनन्द और अश्वघोष D. सारिपुत्र और मोदगलायन

**35.** निम्नलिखित में से किसे *'धर्मचक्र परिवर्त्तन'* के रूप में जाना जाता है?

A. विहारों में प्रतिदिन प्रातः काल चक्र घुमाने की पद्धति।
B. मृगवन (सारनाथ) में बुद्ध द्वारा दिया गया प्रथम उपदेश।
C. कर्म की समाप्ति से निर्वाण की प्राप्ति होती है।
D. कारण और कार्य के चक्र की भाँति मानव जाति का निरन्तर अस्तित्व का बना रहना।

**36.** तृतीय बौद्ध संगीति में किस पिटक की रचना हुई?

A. विनय पिटक B. अभिधम्म पिटक
C. धम्म पिटक D. सुत्त पिटक

**37.** किस संगीति के परिणाम स्वरूप बौद्ध धर्म के प्रचार के लिए पहली बार विश्व के विभिन्न देशों में धर्म प्रचारक भेजे गए?

A. प्रथम B. द्वितीय
C. तृतीय D. चतुर्थ

**38.** किस बौद्ध संगीति ने संस्कृत को बौद्ध धर्म ग्रंथों का माध्यम बनाया?

A. प्रथम B. द्वितीय
C. तृतीय D. चतुर्थ

**39.** बुद्ध द्वारा बताए गए चार आर्य सत्यों के अनुसार मानवीय दुःखों का मूलभूत कारण थाः

A. दुःख का अस्तित्व।
B. दुःख निरोध।
C. तृष्णा के त्याग से दुःख निरोध सम्भव है।
D. अष्टांगिक मार्ग में दुःख की समाप्ति का मार्ग निहित है।

**40.** प्रथम बौद्ध संगीति का अध्यक्ष कौन था?

A. थेर यश B. महाकस्सप
C. मोग्गलिपुत्र तिस्स D. वसुमित्र

**41.** बौद्ध धर्म में कर्म के सिद्धान्त का अर्थ क्या है?

A. पूर्वनियति।
B. जीवन में सामाजिक और आर्थिक विषमताओं के प्रति औचित्य।
C. व्यक्ति के कार्य उसके जीवन मार्ग का निर्धारण करते हैं।
D. फल की इच्छा किए बिना अपने कार्य करना।

**42.** बौद्ध धर्म का *सर्वास्तिवादिन सम्प्रदाय* मुख्यतः कहाँ विकसित हुआ?

A. बंगाल
B. मगध
C. पंजाब और उ.प. सीमाप्रान्त
D. महाराष्ट्र

**43.** निम्नलिखित में कौन-सा विश्वास जैन एवं बौद्ध दोनों धर्मो का समान धार्मिक विश्वास नहीं था?

A. कर्म के नियम में विश्वास
B. नास्तिकता में विश्वास
C. अहिंसा के सिद्धान्त में विश्वास
D. कठोर यतित्ववाद पर बल

**44.** किस शासक के काल में बौद्ध धर्म का औपचारिक रूप से विभाजन हुआ?

A. कनिष्क B. अजातशत्रु
C. धर्मपाल D. अशोक

**45.** बौद्ध धर्म ग्रंथों का महानतम टीकाकार कौन था?

A. अश्वघोष B. बुद्धघोष
C. वसुमित्र D. नागार्जुन

**46.** निम्नलिखित में से कौन बौद्ध धर्म के त्रिरत्न का अंग नहीं है?

A. बुद्ध B. धम्म
C. निर्वाण D. संघ

**47.** निम्नलिखित में से कौन-सा ग्रंथ बौद्ध आध्यात्मिक चिन्तन का सर्वाधिक महत्त्वपूर्ण आधार स्तम्भ माना जाता है?

A. महावग्ग B. विनय पिटक
C. सुतविभंग D. जातक कहानियाँ

**48.** निम्नलिखित किस ग्रंथ में भगवान बुद्ध का जीवन चरित वर्णित नहीं है?

A. बुद्ध चरित B. ललित विस्तार
C. महावस्तु D. निदान कथा

**49.** निम्नलिखित में से किस स्थान पर स्थित बौद्ध संघ का एक महान बौद्ध शिक्षा-केन्द्र के रूप में उदय नहीं हुआ?

A. नालन्दा B. वल्लभी
C. वैशाली D. विक्रमशिला

**50.** सिद्धार्थ की मौसी, जिसने उनका पालन पोषण किया, का नाम थाः

A. आम्रपाली B. प्रजापति गौतमी
C. सुजाता D. महामाया

**51.** महापरिनिर्वाण-सुत्त, सुत पिटक के किस निकाय का अंग है?

A. दीघ निकाय B. खुद्दक निकाय
C. मज्झिम निकाय D. सम्युत्त निकाय

**52.** जातक-कथाएँ किस निकाय का अंग है?

A. दीर्घ निकाय B. खुद्दक निकाय
C. अंगुत्तर निकाय D. सम्युत्त निकाय

**53.** भारत एवं श्रीलंका के इतिहास के संबंध में अमूल्य जानकारी देने वाला बौद्ध धर्म का सर्वाधिक प्रसिद्ध गैर-धार्मिक ग्रंथ हैः

A. हरिवंश B. अष्ट कथा
C. महावंश D. दीपवंश

**54.** चीन में बौद्ध धर्म का प्रवेश कब हुआ?

A. प्रथम शताब्दी में B. प्रथम शताब्दी ई.पू. में
C. तीसरी शताब्दी ई.पू. में D. तीसरी शताब्दी में

**55.** नालन्दा विश्वविद्यालय को सर्वाधिक राजकीय संरक्षण किस राजवंश ने प्रदान किया था?
A. पाल राजा धर्मपाल एवं देवपाल
B. गुप्त राजा चन्द्रगुप्त द्वितीय विक्रमादित्य
C. सुमात्रा के राजा बालपुत्रदेव
D. कन्नौज के राजा हर्ष

**56.** चीन से भारत आने वाले बौद्ध विद्वानों में से निम्नलिखित कौन नहीं था?
A. इत्सिंग B. फाहियान
C. ह्वेनत्सांग D. तायिसुंग

**57.** बौद्ध धर्म का प्रथम महान राजकीय संरक्षक कौन था?
A. अशोक B. कनिष्क
C. अजातशत्रु D. उदयिन

**58.** ईसा-पूर्व मध्य एशिया में बौद्ध धर्म का सर्वाधिक प्राचीन केन्द्र था:
A. यारकन्द B. ताशकन्द
C. खोतान D. काशगर

**59.** निम्नलिखित किस देश में महायान बौद्ध धर्म की प्रसिद्ध शाखा के रूप में प्रचलित नहीं था?
A. म्याँमार B. मलाया
C. वियतनाम D. तिब्बत

**60.** बौद्ध धर्म के प्रभाव के परिणामस्वरूप चीनी जन-जीवन पर निम्नलिखित में से कौन-सा प्रभाव नहीं पड़ा?
A. पुनर्जन्म का सिद्धान्त
B. पुरस्कार एवं प्रतिफल संबंधी विचारधारा
C. दुर्दैववादी विचारधारा
D. अहिंसा के सिद्धान्त पर विश्वास

**61.** दक्कन में बौद्ध धर्म के महानतम केन्द्र थे:
A. अजन्ता और एलोरा
B. काँची और नेगपत्तनम्
C. अमरावती और नागार्जुनकोण्डा
D. नासिक और कार्ले

**62.** बोरोबुदूर का सबसे विशाल बौद्ध स्तूप कहाँ पर है?
A. रंगून B. अनुराधापुर
C. मध्य जावा D. अंकोरवाट

**63.** बौद्ध कला का महान केन्द्र बामियान कहाँ स्थित है?
A. कश्मीर
B. मध्य एशिया
C. पाकिस्तान का सीमान्त प्रान्त
D. अफगानिस्तान

**64.** बौद्ध धर्म के प्रारंभिक चरण में "चैत्यों" के निर्माण का क्या प्रयोजन था?
A. वे मन्दिरों की भाँति थे।
B. सामाजिक समारोहों के लिए इनका प्रयोग किया जाता था।
C. वे ध्यान या साधना भवन थे।
D. धार्मिक सभाओं एवं सामूहिक प्रार्थनाओं के लिए इनका प्रयोग किया जाता था।

**65.** पश्चिमी भारत के किस स्थान से बौद्ध विहारों का विशालतम समूह पाया गया है?
A. कार्ले B. जुन्नैर
C. अजन्ता D. कन्हेरी

**66.** बुद्ध की मृत्यु शताब्दी महोत्सव के समय की सबसे महत्त्वपूर्ण घटना थी:
A. दूसरी बौद्ध संगीति का आयोजन।
B. श्रीलंका में बौद्ध धर्म प्रचारक मण्डल भेजना।
C. बुद्ध के उपदेशों का संकलन।
D. बौद्ध धर्म का महायान एवं हीनयान सम्प्रदायों में विभाजन।

**67.** बौद्ध एवं जैन धर्म, दोनों में निम्नलिखित में से कौन सी समरूपता या समानता नहीं है?
A. दोनों अनीश्वरवादी एवं वैदिक विचारधारा के विरोधी थे।
B. दोनों का अहिंसा में समान विश्वास था।
C. दोनों ने बिना किसी जातीय भेदभाव के अनुयायी बनाए।
D. दोनों का कर्म के सिद्धान्त संबंधी विचारों में विश्वास था।

**68.** निम्नलिखित में से किसके प्रमाण पर महावीर की मृत्यु का वर्ष 468 ई.पू. निर्धारित किया गया है?
A. तारानाथ B. सिद्धसेन
C. हेमचन्द्र D. हरिभद्र

**69.** निम्नलिखित में से किसे महानतम जैन विद्वान माना जाता है?
A. हेमचन्द्र B. अमोघवर्ष
C. भद्रबाहु D. स्थूलभद्र

**70.** महावीर को "कैवल्य" (सर्वोच्च ज्ञान) की प्राप्ति कहाँ हुई थी?
A. गया B. वैशाली
C. कुण्डग्राम D. जम्भिक ग्राम

**71.** महावीर का परिनिर्वाण कहाँ हुआ था?
A. कुसीनगर B. राजगीर
C. पावापुरी D. वैशाली

**72.** वैशाली के लिच्छवियों के साथ महावीर के संबंधों के बारे में कौन-सा कथन सत्य है?
A. उनके पिता सिद्धार्थ लिच्छवियों के ज्ञात्रिक वंश के थे।
B. महावीर का विवाह लिच्छवी राज परिवार में हुआ था।
C. महावीर की माता त्रिशला वैशाली के लिच्छवी शासक-वंश से संबंधित चेटक की बहन थीं।
D. महावीर का दामाद जामाली लिच्छवियों का प्रधानमंत्री था।

**73.** किस जैन ग्रंथ का संकलन तीसरी शताब्दी ई.पू. में पाटलिपुत्र में आयोजित प्रथम जैन सभा में किया गया था?
A. पूर्वा  B. दस प्रकीर्ण
C. षड्भेदसूत्र  D. बारह अंग

**74.** "जैन" शब्द का अर्थ क्या है?
A. इसका तात्पर्य सांसारिक बंधनों से मुक्त व्यक्ति से है।
B. इसकी व्युत्पत्ति 'जिन' शब्द से हुई है जिसका अर्थ विजेता है।
C. इसका तात्पर्य उस व्यक्ति से है जिसने सांसारिक भोग-विलास को त्याग दिया हो।
D. इसका तात्पर्य उस व्यक्ति से है जो सभी विकारों और इच्छाओं से मुक्त हो।

**75.** जैन धर्म ने अपने आध्यात्मिक विचारों को किससे ग्रहण किया?
A. बौद्ध धर्म  B. आजीवक
C. सांख्य दर्शन  D. भागवत सम्प्रदाय

**76.** दक्षिण भारत में जैन धर्म का प्रचार किसने किया?
A. भद्रबाहु  B. गौतम
C. इन्द्रभूति  D. सुधर्मन

**77.** महावीर के बाद जैन धर्म के महान गुरु कौन थे?
A. भद्रबाहु  B. संभूति विजय
C. स्थूलभद्र  D. हेमचन्द्र

**78.** वह जैन तीर्थंकर कौन थे, जिन्हें भगवान कृष्ण का निकट संबंधी माना जाता है?
A. नेमिनाथ  B. ऋषभ
C. पार्श्वनाथ  D. महावीर

**79.** निम्नलिखित में से कौन-सा ग्रंथ भागवत् धर्म का स्रोत नहीं है?
A. महाभारत
B. नारद और शाण्डिल्य सूत्र
C. भागवत पुराण
D. विष्णु धर्मोत्तर पुराण

**80.** भागवत सम्प्रदाय के अनुसार सभी मानवीय पापों का कारण है:
A. लोभ  B. असत्य
C. अविद्या  D. माया

**81.** निम्नांकित कौन-सा दार्शनिक सम्प्रदाय भागवत धर्म की मुख्य शाखा है?
A. सांख्य  B. वैशेषिक
C. अद्वैत  D. विशिष्टा द्वैत

**82.** सर्वप्रथम किस उपनिषद् में देवकी पुत्र एवं अंगिरा के शिष्य के रूप में कृष्ण का उल्लेख मिलता है?
A. वृहद्अरण्यक उपनिषद्
B. कठोपनिषद्
C. छान्दोग्य उपनिषद्
D. तैत्तिरीय उपनिषद्

**83.** "अवतारवाद" का प्रथम उल्लेख कहाँ मिलता है?
A. महाभारत  B. रामायण
C. भागवतगीता  D. विष्णु पुराण

**84.** भागवत धर्म का प्रधान ग्रंथ निम्न में से कौन था?
A. श्रीमद् भगवद् गीता  B. रामायण
C. महाभारत  D. उपर्युक्त सभी

**85.** किस विदेशी दूत ने अपने को "भागवत" घोषित किया?
A. मेगास्थनीज
B. हेलियोडोरस
C. प्लूटार्क
D. उपर्युक्त में से कोई नहीं

**86.** कृष्ण का प्रारंभिक नाम वासुदेव किस समय प्रचलन में आया?
A. महाभारत काल  B. गुप्त काल
C. मौर्य काल  D. पाणिनी काल

**87.** वैष्णव धर्म के प्रवर्त्तक कृष्ण निम्न में से किससे संबंधित थे?
A. वैश्य वंशी  B. क्षत्रिय वंशी
C. वृष्णि वंशी  D. यादव वंशी

**88.** लिंग पूजा का प्रथम स्पष्ट प्रमाण कहाँ से मिलता है?
A. भागवत पुराण  B. मत्स्य पुराण
C. विष्णु पुराण।  D. अग्नि पुराण

**89.** "हरिहर" के रूप में शिव-विष्णु की मूर्तियाँ सर्वप्रथम किस काल में बनीं?
A. कुषाण काल  B. गुप्त काल
C. शुंग काल  D. सातवाहन काल

**90.** विष्णु के दस अवतारों की जानकारी का स्रोत है:
A. भागवत पुराण
B. विष्णु पुराण
C. मत्स्य पुराण
D. मार्कण्डेय पुराण

**91.** शिव भक्ति के विषय में प्रारंभिक जानकारी कहाँ से मिलती है?
A. सैन्धव सभ्यता से  B. वैदिक काल से
C. संगम काल से  D. मौर्य काल से

**92.** सर्वाधिक प्राचीन शैव सम्प्रदाय कौन-सा है?
A. कापालिक  B. कालामुख
C. पाशुपत  D. नाथ

**93.** ऐलोरा स्थित प्रसिद्ध "कैलाश मंदिर" का निर्माण किस वंश के शासकों ने करवाया था?
A. चोल वंश  B. पल्लव वंश
C. गुप्त वंश  D. राष्ट्रकूट वंश

**94.** वैष्णवमत किन शासकों के संरक्षण में अपने चरमोत्कर्ष पर पहुँचा?
A. गुप्त B. मौर्य
C. शुंग D. कुषाण

**95.** दक्षिण भारत में वैष्णवमत के प्रचार-प्रसार में किन लोगों ने महत्वपूर्ण योगदान दिया?
A. कुमारिल भट्ट एवं समर्थकों ने
B. शंकराचार्य एवं समर्थकों ने
C. आलवार सन्तों ने
D. इनमें से कोई नहीं

**96.** भगवान शिव के अठारह अवतारों में किसे गिना जाता है?
A. नकुलीश B. भैरव
C. वसुगुप्त D. मत्स्येन्द्रनाथ

**97.** किस विदेशी यात्री ने शिव को "डायोनिसस" कहा है?
A. हेलियोडोरस
B. मेगास्थनीज
C. स्ट्रैबो
D. इनमें से कोई नहीं

**98.** शिव की मूर्त्ति बनाकर पूजा करने का विवरण किसमें मिलता है?
A. महाभारत B. मत्स्य पुराण
C. अष्टाध्यायी D. महाभाष्य

**99.** पंचरात्र मूलतः किसके उपासक थे?
A. नारायण-विष्णु
B. पाँच वृष्णि वीरों के
C. कृष्ण और बलराम
D. त्रिमूर्त्ति

**100.** निम्नांकित किस ग्रंथ में सर्वप्रथम देवकी पुत्र कृष्ण का उल्लेख किया गया है?
A. छान्दोग्य उपनिषद् B. अथर्ववेद
C. महाभारत D. भागवत पुराण

**101.** भारतीय दर्शन की आरम्भिक विचारधारा है:
A. सांख्य B. मीमांसा
C. वैशेषिक D. चार्वाक

**102.** सांख्य दर्शन प्रतिपादित किया गया है:
A. गौतम द्वारा B. जैमिनी द्वारा
C. कपिल द्वारा D. पंतजलि

**103.** योग दर्शन के प्रतिपादक कौन हैं?
A. कपिल B. गौतम
C. पतंजलि D. जैमिनी

**104.** वैशेषिक दर्शन के प्रणेता कहे जाते हैं:
A. चार्वाक B. गौतम
C. कणाद D. कपिल

**105.** मीमांसा दर्शन का संस्थापक किसे माना जाता है?
A. वशिस्ठ B. कपिल
C. गौतम D. जैमिनी

**106.** लोकायत दर्शन का प्रतिपादक कौन हैं?
A. कपिल B. बादरायण
C. चार्वाक D. रामानुज

**107.** शून्यवाद के प्रतिपादक कौन माने जाते हैं:
A. मैत्रेयनाथ B. माधवाचार्य
C. रामानुज D. नागार्जुन

**108.** अद्वैतवाद सिद्धांत के प्रतिपादक कौन हैं?
A. रामनुज B. शंकराचार्य
C. माधवाचार्य D. निम्बकाचार्य

**109.** द्वैतवाद सिद्धांत के प्रतिपादक हैं:
A. शंकाराचार्य B. रामानुजाचार्य
C. माधवाचार्य D. निम्बकाचार्य

**110.** द्वैताद्वैत सिद्धांत के प्रवर्तक हैं:
A. शंकराचार्य
B. रामानुजाचार्य
C. माधवाचर्य
D. निम्बकाचार्य

**111.** शंकराचार्य ने निम्नलिखित में से कौन-सा सिद्धांत प्रतिपादित किया?
A. द्वैत वेदांत B. द्वैताद्वैत
C. विशिष्टाद्वैत D. अद्वैत वेदांत

**112.** निम्नलिखित में से कौन-सा दर्शन भागवत धर्म का प्रमुख आधार है?
A. अद्वैतवाद B. वैशेषिक
C. विशिष्टताद्वैत D. द्वैतवाद

**113.** कपिल मुनि द्वारा प्रतिपादित दार्शनिक प्रणाली है:
A. पूर्व मीमांसा
B. उत्तर मीमांसा
C. सांख्य दर्शन
D. न्याय दर्शन

**114.** महर्षि गौतम का सम्बन्ध किस दर्शन से है?
A. सांख्य दर्शन से
B. योग दर्शन से
C. न्याय दर्शन से
D. वैशेषिक दर्शन से

**115.** रामानुजाचार्य किससे सम्बन्धित है?
A. अद्वैतवाद B. द्वैत वाद
C. विशिष्टाद्वैत D. एकेश्वरवाद

## उत्तरमाला

| 1 | 2 | 3 | 4 | 5 | 6 | 7 | 8 | 9 | 10 |
|---|---|---|---|---|---|---|---|---|---|
| C | D | B | C | B | B | C | C | A | A |
| **11** | **12** | **13** | **14** | **15** | **16** | **17** | **18** | **19** | **20** |
| D | C | A | C | A | B | C | B | C | B |
| **21** | **22** | **23** | **24** | **25** | **26** | **27** | **28** | **29** | **30** |
| A | A | B | B | A | B | A | C | C | A |
| **31** | **32** | **33** | **34** | **35** | **36** | **37** | **38** | **39** | **40** |
| B | C | D | A | B | B | C | D | A | B |
| **41** | **42** | **43** | **44** | **45** | **46** | **47** | **48** | **49** | **50** |
| C | C | D | A | B | C | D | C | C | B |
| **51** | **52** | **53** | **54** | **55** | **56** | **57** | **58** | **59** | **60** |
| A | B | C | A | B | D | A | C | A | D |
| **61** | **62** | **63** | **64** | **65** | **66** | **67** | **68** | **69** | **70** |
| C | C | D | D | B | A | B | C | A | D |
| **71** | **72** | **73** | **74** | **75** | **76** | **77** | **78** | **79** | **80** |
| C | C | D | B | C | A | B | A | C | C |
| **81** | **82** | **83** | **84** | **85** | **86** | **87** | **88** | **89** | **90** |
| D | C | B | A | B | D | C | B | B | C |
| **91** | **92** | **93** | **94** | **95** | **96** | **97** | **98** | **99** | **100** |
| A | C | D | A | C | B | B | D | A | A |
| **101** | **102** | **103** | **104** | **105** | **106** | **107** | **108** | **109** | **110** |
| A | C | C | C | D | C | D | B | C | D |
| **111** | **112** | **113** | **114** | **115** | | | | | |
| D | C | C | C | C | | | | | |

❑❑❑

# अध्याय–5

# प्राचीन भारतीय कला और वास्तुकला (Early Indian Art and Architecture)

## सैंधव कला

सैंधव कला के अन्तर्गत प्रस्तर, धातु एवं मृण्मूर्तियों का उललेख किया जा सकता है। इसके अतिरिक्त मुहरें, मनके और मृदभाण्ड एवं लघु कलाएँ इनके सौन्दर्य बोध को इंगित करती है। उस समय के कलाकारों में निश्चित रूप से उच्च कोटि की कलात्मक सूझ-बूझ और कल्पनाशक्ति विद्यमान थी। उनके द्वारा बनाई गई मनुष्यों तथा पशुओं की मूर्तियाँ अत्यंत स्वाभाविक किस्म की हैं क्योंकि उनमें अंगों की बनावट असली अंगों जैसी ही हैं। मृण्मूर्तियों में जानवरों की मूर्तियों का निर्माण बड़ी सूझ-बूझ और सावधानी के साथ किया गया था।

सिंधु घाटी सभ्यता के दो प्रमुख स्थल हड़प्पा और मोहनजोदड़ो नामक दो नगर थे, जिनमें से हड़प्पा उत्तर में और मोहनजोदड़ो दक्षिण में सिंधु नदी के तट पर बसे हुये थे। ये दोनों नगर सुंदर नगर नियोजन की कला के प्राचीनतम उदाहरण थे। इन नगरों में रहने के मकान, बाजार, भंडार घर, कार्यालय, सार्वजनिक स्नानागार आदि सभी अत्यंत व्यवस्थित रूप से यथास्थान बनाए गए थे। इन नगरों में जल निकासी की व्यवस्था भी काफी विकसित थी। हड़प्पा एवं मोहनजोदड़ो इस समय पाकिस्तान में स्थित हैं। कुछ अन्य महत्वपूर्ण स्थलों से भी हमें कला-वस्तुओं के नमूने मिले हैं जिनके नाम हैं—लोथल और धौलावीरा (गुजरात), राखीगढ़ी (हरियाणा), रोपड़ (पंजाब) तथा कालीबंगा (राजस्थान)।

### पत्थर की मूर्तियाँ

हड़प्पाई स्थलों पर पाई गईं मूर्तियाँ, भले ही वे पत्थर, कांसे या मिट्टी की बनी हों, संख्या की दृष्टि से बहुत अधिक नहीं हैं पर कला की दृष्टि से उच्च कोटि की हैं। हड़प्पा और मोहनजोदड़ो में पाई गईं पत्थर की मूर्तियाँ त्रि-आयामी वस्तुएं बनाने का उत्कृष्ट उदाहरण हैं। पत्थर की मूतियों में दो पुरुष प्रतिमाएं बहुचर्चित हैं, जिनमें से एक पुरुष धड़ है, जो लाल चूना पत्थर का बना है और दूसरी दाढ़ी वाले पुरुष की आवक्ष मूर्ति है, जो सेलखड़ी की बनी है। मोहनजोदड़ो के एच.आर. क्षेत्र से लगभग 12 सेमी. ऊँची चूना-पत्थर की बनी भेड़ा की मूर्ति प्राप्त हुई है। इसी प्रकार डी. के. क्षेत्र से 25 सेमी. ऊँची चूना-पत्थर की बनी हुई भेड़ा तथा हाथी की संयुक्त मूर्ति मिली है। इसका शरीर और सींग भेड़ा का और सूँड़ हाथी का है।

*दाढ़ी वाले पुजारी की प्रतिमा*

दाढ़ी वाले पुरुष को एक धार्मिक व्यक्ति माना जाता है। इस आवक्ष मूर्ति को शॉल ओढ़े हुए दिखाया गया है। शॉल बाएं कंधे के ऊपर से और दाहिनी भुजा के नीचे से डाली गई है। शॉल त्रिफुलिया नमूनों से सजी हुई है। आँखें कुछ लंबी और आधी बंद दिखाई गई हैं, मानों वह पुरुष ध्यानावस्थित हो। नाक सुंदर बनी हुई है और होंठ कुछ आगे निकले हुए हैं जिनके बीच की रेखा गहरी दाढ़ी-मूँछ और गलमुच्छें चेहरे पर उभरी हुई दिखाई गई हैं। कान सीप जैसे दिखाई देते हैं और उनके बीच में छेद हैं। बालों को बीच की मांग के द्वारा दो हिस्सों में बाँटा गया है और सिर के चारों ओर एक सादा बना हुआ फीता बंधा हुआ दिखाया गया है। दाहिनी भुजा पर एक बाजूबंद है और गर्दन के चारों ओर छोटे-छोटे छेद बने हैं जिससे लगता है कि वह हार पहने हुए है।

### कांसे की ढलाई

हड़प्पा के लोग कांसे की ढलाई बड़े पैमाने पर करते थे और इस काम में प्रवीण थे। इनकी कांस्य मूर्तियाँ कांसे को ढालकर बनाई जाती थीं। इस तकनीक के अंतर्गत सर्वप्रथम मोम की एक प्रतिमा या मूर्ति बनाई जाती थी। इसे चिकनी मिट्टी से पूरी तरह लीपकर सूखने के लिए छोड़ दिया

*मिट्टी से बनी आकृति*

जाता था। जब वह पूरी तरह सूख जाती थी तो उसे गर्म किया जाता था और उसके मिट्टी के आवरण में एक छोटा-सा छेद बनाकर उस छेद के रास्ते सारा पिघला हुआ मोम बाहर निकाल दिया जाता था। इसके बाद चिकनी मिट्टी के खाली सांच में उसी छेद के रास्ते पिघली हुई धातु भर दी जाती थी। जब वह धातु ठंडी होकर ठोस हो जाती थी तो चिकनी मिट्टी के आवरण को हटा दिया जाता था। कांस्य में मनुष्यों और जानवरों दोनों की ही मूर्तियाँ बनाई गई हैं। मानव मूर्तियों का सर्वोत्तम नमूना है एक लड़की की मूर्ति, जिसे नर्तकी के रूप में जाना जाता है। कांसे की बनी हुई जानवरों की मूर्तियों में भैंस और बकरी की मूर्तियाँ विशेष रूप से उल्लेखनीय हैं। भैंस का सिर और कमर ऊँची उठी हुई है तथा सींग फैले हुए हैं। सिंधु सभ्यता के सभी केंद्रों में कांसे की ढलाई का काम बहुतायत में होता था। लोथल में पाया गया तांबे का कुत्ता और पक्षी तथा कालीबंगा में पाई गई साँड़ की कांस्य मूर्ति को हड़प्पा और मोहनजोदड़ो में पाई गई ताँबे और कांसे की मानव मूर्तियों से किसी प्रकार भी कमतर नहीं कहा जा सकता।

## मृण्मूर्तियाँ (टेराकोटा)

सैंधव लोगों की मृण्मूर्ति कला अनोखी थी। वे इस कला में पारंगत थे। मृण्मूर्तियों का निर्माण ज्यादातर 'चिकोटी विधि' से किया जाता था। वे लोग मिट्टी की मूर्तियाँ भी बनाते थे लेकिन वे पत्थर और कांसे की मूर्तियों जितनी बढ़िया नहीं होती थीं। सिंधु घाटी की मूर्तियों में मातृदेवी की प्रतिमाएं अधिक उल्लेखनीय हैं। कालीबंगा और लोथल में पाई गई नारी मूर्तियाँ हड़प्पा और मोहनजोदड़ो में पाई गई मातृदेवी की मूर्तियों से बहुत ही अलग तरह की हैं। मिट्टी की मूर्तियों में कुछ दाढ़ी-मूँछ वाले ऐसे पुरुषों की भी छोटी-छोटी मूर्तियाँ पाई गई हैं, जिनके बाल गुंथे हुए (कुंडलित) हैं, जो एकदम सीधे खड़े हुए हैं, टांगें थोड़ी चौड़ी हैं और भुजाएं शरीर के समानांतर नीचे की ओर लटकी हुई हैं। ठीक ऐसी ही मुद्रा में मूर्तियाँ बार-बार पाई गईं हैं, जिससे यह प्रतीत होता है कि ये किसी देवता की मूर्तियाँ हैं। एक सींग वाले देवता का मिट्टी का बना मुखैटा भी मिला है। इनके अलावा, मिट्टी की बनी पहिएदार गाड़ियाँ, छकड़े, सीटियाँ, पशु-पक्षियों की आकृतियाँ, खेलने के पासे, गिट्टियाँ, चक्रिका (डिस्क) भी मिली हैं। सबसे ज्यादा मृण्मूर्तियाँ पशु-पक्षियों की ही प्राप्त हुई है। नारी मृण्मूर्तियाँ पुरुषों की अपेक्षा अधिक प्राप्त हुई हैं।

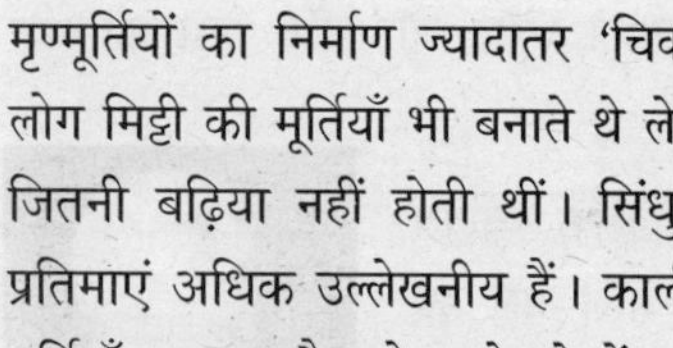

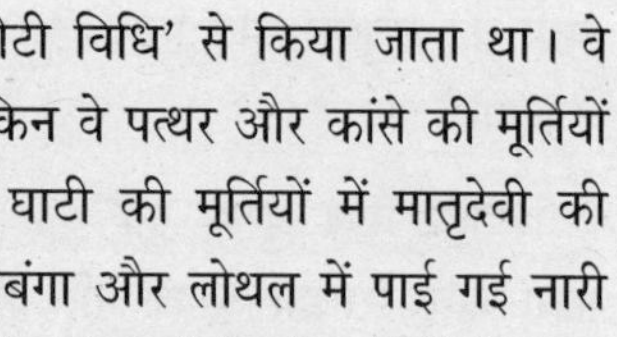

*टेराकोटा के खिलौने*

## मुद्राएँ (मुहरें)

पुरातत्वविदों को हजारों की संख्या में मुहरें (मुद्राएं) मिली हैं, जो आमतौर पर सेलखड़ी और कभी-कभी गोमेद, चकमक पत्थर, तांबा, कांस्य और मिट्टी से बनाई गई थीं। उन पर एक सींग वाले साँड़, गैंडा, बाघ, हाथी, जंगली भैंसा, बकरा, भैंसा आदि पशुओं की सुंदर आकृतियाँ बनी हुई थीं। इन आकृतियों में प्रदर्शित विभिन्न स्वाभाविक मनोभावों की अभिव्यक्ति विशेष रूप से उल्लेखनीय है। इन मुद्राओं को तैयार करने का उद्देश्य मुख्यतः वाणिज्यिक था। ऐसा प्रतीत होता है कि ये मुद्राएं बाजूबंद के तौर पर भी कुछ लोगों द्वारा पहनी जाती थीं जिनसे उन व्यक्तियों की पहचान की जा सकती थी, जैसे कि आजकल लोग पहचान पत्र धारण करते हैं। मुद्राओं का सबसे प्रचलित आकार 2.8 cm × 2.8 cm था। प्रत्येक मुद्रा में एक चित्रात्मक लिपि खुदी होती थी जो अभी तक पढ़ी नहीं जा सकी है। कुछ मुद्राएँ हाथीदांत की भी पाई गई हैं। मुद्राओं के डिजाइन अनेक प्रकार के होते थे पर अधिकांश में कोई जानवर, जैसे कि कूबड़दार या बिना कूबड़ वाला साँड़, हाथी, बाघ, बकरे और दैत्याकार जानवर बने होते हैं। उनमें कहीं-कहीं पेड़ों और मानवों की आकृतियाँ भी बनी पाई गई हैं। इनमें सबसे अधिक उल्लेखनीय एक ऐसी मुद्रा है जिसके केंद्र में एक मानव आकृति और उसके चारों ओर कई जानवर बने हैं। इस मुद्रा को कुछ विद्वानों द्वारा पशुपति मुद्रा कहा जाता है जबकि कुछ अन्य इसे किसी देवी की आकृति मानते हैं। इस मुद्रा में एक मानव आकृति पालथी मारकर बैठी हुई दिखाई गई है। इस मानव आकृति के दाहिनी ओर एक हाथी और एक बाघ (शेर) है जबकि बाँयी ओर एक गैंडा और भैंसा दिखाए गए हैं। इन पशुओं के अलावा, स्टूल के नीचे दो बारहसिंगे हैं। मार्शल ने इसे 'शिव का आदिरूप' कहा है। इस तरह की मुद्राएं 2500-1900 ई.पू. की है और ये सिंधु घाटी के प्राचीन नगर मोहनजोदड़ो जैसे अनेक पुरास्थलों पर बड़ी संख्या में पाई गई हैं। इनकी सतहों पर मानव और पशु आकृतियाँ उत्कीर्ण हैं।

*एक सिंघे की मुहर*

इन मुद्राओं के अलावा, तांबे की वर्गाकार या आयताकार पट्टियाँ (टैबलेट) पाई गई हैं, जिनमें एक ओर मानव आकृति और दूसरी ओर कोई अभिलेख अथवा दोनों ओर ही कोई अभिलेख है। इन पट्टियों पर आकृतियाँ और अभिलेख किसी नोकदार औजार (छेनी) से सावधानीपूर्वक काटकर अंकित किए गए हैं।

*पशुपति की मुहर*

## मृद्भाण्ड

इन पुरास्थलों से बड़ी संख्या में प्राप्त मृद्भांडों (मिट्टी के बर्तनों) की आकार-प्रकार तथा उन्हें बनाने की शैलियों से हमें तत्कालीन डिजाइनों के भिन्न-भिन्न रूपों तथा विषयों के विकास का पता चलता है। मृद्भाण्ड अधिकांशतः लाल और गुलाबी रंग के हैं। सिंधु घाटी में पाए गए मिट्टी के बर्तन अधिकतर कुम्हार की चाक पर बनाए गए बर्तन हैं, हाथ से बनाए गए बर्तन नहीं। इनमें रंग किए हुए बर्तन कम और सादे बर्तन

अधिक हैं। ये सादे बर्तन आमतौर पर लाल चिकनी मिट्टी के बने हैं। इनमें से कुछ पर सुंदर लाल या स्लेटी लेप लगी है। कुछ घुंडीदार पात्र हैं, जो घुंडियों की पंक्तियों से सजे हैं। काले रंगीन बर्तनों पर लाल लेप की एक सुंदर परत है, जिस पर चमकीले काले रंग से ज्यामितीय आकृतियाँ और पशुओं के डिजाइन बने हैं। लोथल से प्राप्त एक मृदभाण्ड में एक वृक्ष के ऊपर मुँह में मछली पकड़े हुए एक चिड़िया को दर्शाया गया है तथा नीचे एक लोमड़ी का चित्र है। यह पंचतंत्र की प्रसिद्ध कथा चालाक लोमड़ी को दर्शाता है।

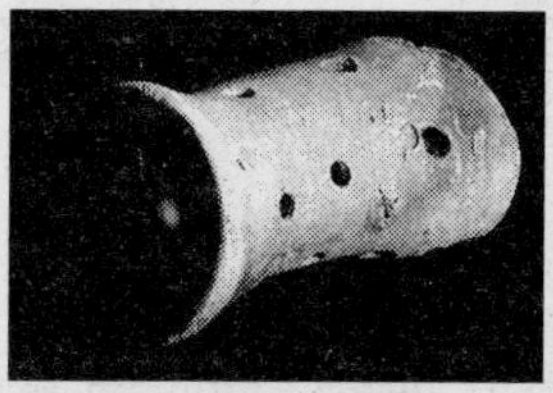

*छिद्रित बर्तन*

बहुरंगी मृद्भाण्ड बहुत कम पाए गए हैं। इनमें मुख्यतः छोटे-छोटे कलश शामिल हैं जिन पर लाल, काले, हरे और कभी-कभार सफेद तथा पीले रंगों में ज्यामितीय आकृतियाँ बनी हुई हैं। उत्कीर्णित बर्तन भी बहुत कम पाए गए हैं; और जो पाए गए हैं, उनमें उत्कीर्णन की सजावट पेंदे पर और बलि-स्तंभ की तश्तरियों तक ही सीमित थी। छिद्रित पात्रों में एक बड़ा छिद्र बर्तन के तल पर और छोटे छेद उनकी दीवार पर सर्वत्र पाए गए हैं। ऐसे बर्तन शायद पेय पदार्थों को छानने के काम में लाए जाते थे। घरेलू कामकाज में प्रयोग किए जाने वाले मिट्टी के बर्तन अनेक रूपों तथा आकारों में पाए गए हैं। सीधे और कोणीय रूपों वाले बर्तन अपवाद के तौर पर भले ही मिले हों, पर लगभग सभी बर्तनों में सुंदर मोड़ पाए गए हैं। छोटे-छोटे पात्र, जो अधिकतर आधे इंच से भी कम ऊंचाई वाले हैं, खासतौर पर इतने अधिक सुंदर बने हुए हैं कि कोई भी दर्शक उनकी प्रशंसा किए बिना नहीं रहता।

*मिट्टी के बर्तन*

## आभूषण

हड़प्पा के पुरुष और स्त्रियां अपने आपको तरह-तरह के आभूषणों से सजाते थे। ये गहने बहुमूल्य धातुओं और रत्नों से लेकर हड्डी और पकी हुई मिट्टी तक के बने होते थे। गले के हार, फीते, बाजूबंद और अंगूठियाँ आमतौर पर पुरुषों और स्त्रियों दोनों के द्वारा समान रूप से पहनी जाती थीं, पर करधनियाँ, बुंदे (कर्णफूल) और पैरों के कड़े या पैजनियाँ स्त्रियाँ ही पहना करती थीं। मोहनजोदड़ो और लोथल से ढेरों गहने मिले हैं, जिनमें सोने और मूल्यवान नगों के हार, तांबे के कड़े और मनके, सोने के कुंडल, बुंदे/झुमके और शीर्ष-आभूषण, लटकनें तथा बटनें और सेलखड़ी के मनके तथा बहुमूल्य रत्न शामिल हैं। सभी आभूषणों को सुंदर ढंग से बनाया गया है। यह ध्यान देने वाली बात है कि हरियाणा के फरमाना पुरास्थल पर एक कब्रिस्तान (शवाधान) पाया गया है, जहाँ शवों को गहनों के साथ दफनाया गया है।

चन्हुदड़ो और लोथल में पाई गई कार्यशालाओं से पता चलता है कि मनके बनाने का उद्योग काफी अधिक विकसित था। मनके कार्नीलियन, जमुनिया, सूर्यकांत, स्फटिक, कांचमणि, सेलखड़ी, फीरोजा, लाजवर्द मणि आदि के बने होते थे। इसके अलावा तांबा, कांसा और सोने जैसी धातुएँ और शंख-सीपियां और पकी मिट्टी भी मनके बनाने के काम में आती थीं। मनके तरह-तरह के रूप और आकार के होते थे—कोई तश्तरीनुमा, बेलनाकार, गोल या ढोलकाकार होता था तो कोई कई खंडों में विभाजित। कुछ मनके दो या अधिक पत्थरों के जोड़ से बने होते थे, कुछ पत्थर पर सोने का आवरण चढ़ा होता था, कुछ को काटकर या रंगकर सुंदर बनाया जाता था तो कुछ में तरह-तरह के नमूने खुदे होते थे। मनकों के निर्माण में अत्यधिक तकनीकी कुशलता का प्रयोग दर्शाया गया है।

हड़प्पा के लोग पशुओं, विशेष रूप से बंदरों और गिलहरियों के नमूने बनाते थे, जो एकदम असली जैसे दिखाई देते थे। इनका उपयोग पिन की नोक और मनकों के रूप में किया जाता था।

सिंधु घाटी के घरों में बड़ी संख्या में तकुए और तकुआ चक्रियां भी मिली हैं, जिससे पता चलता है कि उन दिनों कपास और ऊन की कताई बहुत प्रचलित थी। गरीब और अमीर दोनों तरह के लोगों में कताई का आम रिवाज था। यह तथ्य इस बात से उजागर होता है कि तकुए की चक्रियां मिट्टी तथा सीपियों की बनी हुई पाई गई हैं। पुरुष और स्त्रियाँ, धोती और शॉल जैसे दो अलग-अलग कपड़े पहनते थे। शॉल दाएं कंधे के नीचे से ले जाकर बाएं कंधे के ऊपर ओढ़ी जाती थी।

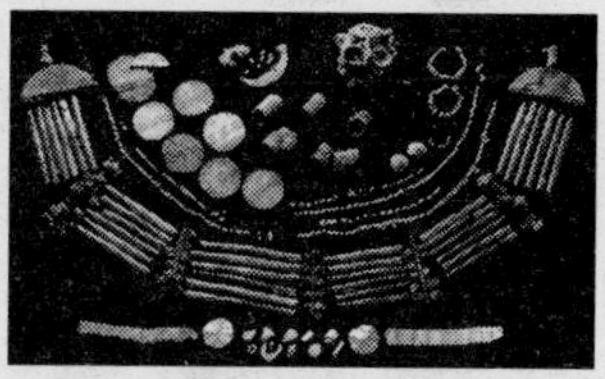

*मोती एवं आभूषण*

पुरातत्वीय खोजों में मिली चीजों से यह प्रतीत होता है कि सिंधु घाटी के लोग साज-सिंगार और फैशन के प्रति काफी जागरूक थे। उनमें केश-सज्जा की भिन्न-भिन्न शैलियां प्रचलित थीं। पुरुष दाढ़ी-मूँछ रखते थे। स्त्रियों सुंदर दिखने के लिए सिंदूर, काजल, लाली का प्रयोग करती थीं और चेहरे पर लेप लगाती थीं। धौलावीरा में पत्थरों के ढाँचों के अनेक अवशेष मिले हैं जिनसे यह प्रकट होता है कि सिंधु घाटी के लोग अपने घर आदि के निर्माण में पत्थर का प्रयोग करते थे।

सिंधु घाटी के कलाकार एवं शिल्पकार अनेकों शिल्पों में अत्यधिक पारंगत थे जिनमें धातु का ढलाव, पत्थरों पर नक्काशी, मिट्टी के बर्तन बनाना और उन्हें रंगना एवं जानवरों, पौधों और पक्षियों के साधारण रूप को लेकर टेराकोटा का निर्माण मुख्य है।

*टेराकोटा के खिलौने*

## नर्तकी की मूर्ति

सिंधु घाटी की कलाकृतियों में एक सर्वोत्कृष्ट कृति एक नाचती हुई लड़की यानी नर्तकी की कांस्य प्रतिमा है, जिसकी ऊँचाई लगभग चार इंच है। मोहनजोदड़ो में पाई गई यह मूर्ति तत्कालीन ढलाई कला का एक उत्तम नमूना है। नर्तकी की त्वचा का रंग सांवला दिखाया गया है। वह लगभग निर्वस्त्र है और उसके लंबे केश सिर के पीछे एक जूड़े के रूप में गुंथे हुए हैं। उसकी बायीं भुजा चूड़ियों से ढकी हुई है। वह अपनी दायीं भुजा के ऊपरी भाग में बाजूबंद और नीचे के भाग में कड़ा पहने हुए है।

कौड़ियों से बना एक हार उसके गले की शोभा बढ़ा रहा है। उसका दाहिना हाथ उसकी कमर पर टिका है और बायाँ हाथ परंपरागत भारतीय नृत्य की मुद्रा में उसके घुटने से कुछ ऊपर बायीं जंघा पर टिका हुआ प्रतीत होता है। आभूषणों को छोड़कर यह मूर्ति बिल्कुल नग्न है। उसकी आँखें बड़ी-बड़ी और नाक चपटी है। यह आकृति भावाभिव्यक्ति और शारीरिक ऊर्जा से ओतप्रोत है और हमें बहुत कुछ कह रही है।

## वृषभ प्रतिमा

मोहनजोदड़ो में पाई गई यह कांस्य प्रतिमा विशेष रूप से उल्लेखनीय है। कुबड़ वाले बैल की तुलना में बिना कुबड़ वाले बैल की मृण्मूर्तियाँ अधिक संख्या में मिली हैं। मोहनजोदड़ो से प्राप्त वृषभ प्रतिमा की विशेषता है कि इसमें एक भारी भरकम वृषभ को आक्रामक मुद्रा में बखूबी प्रस्तुत किया गया है। वृषभ गुस्से में अपना सिर दायीं ओर घुमाए हुए है और उसके गले में एक रस्सा बंधा हुआ है।

## पुरुष धड़

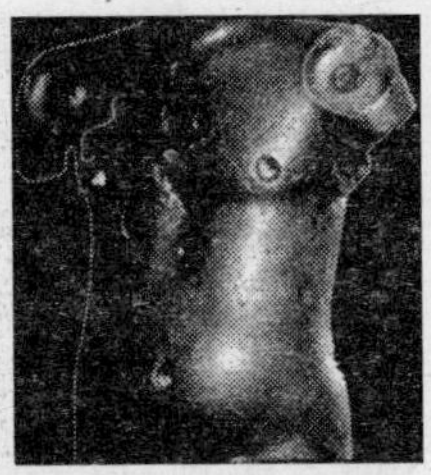

पुरुष धड़ की यह मूर्ति लाल बलुआ पत्थर की बनी है। इसमें सिर और भुजाएं जोड़ने के लिए गर्दन और कंधों में गड्ढे बने हुए हैं। धड़ के सामने वाले हिस्से को एक विशेष मुद्रा में सोच-समझकर बनाया गया है। कंधे अच्छे पके हुए हैं और पेट कुछ बाहर निकला हुआ है।

## चित्रित मृद्भांड

मोहनजोदड़ो में पाया गया यह पात्र कुम्हार की चाक पर चिकनी मिट्टी से बना हुआ है। कुम्हार ने अपनी कुशल अंगुलियों की सहायता से उसे एक आकर्षक रूप दिया है। आग में पकाने के बाद इस मिट्टी के पात्र को काले रंग से रंगा गया था। इस पर बने हुए चित्र वनस्पतियों और ज्यामितीय आकृतियों के हैं। वैसे तो ये चित्र साधारण हैं लेकिन इनमें अमूर्तिकरण की प्रवृत्ति दिखाई देती है। अलंकरणों में त्रिभुज, वृत्त, वर्ग आदि ज्यामितीय आकृतियों, पीपल की पत्ती, खजूर, ताड़, केला आदि वनस्पतियों, वृषभ, हिरण, बारहसिंगा आदि पशुओं, मोर, सारस, बत्तख, आदि पक्षियों तथा मछलियों का चित्रण विशेष लोकप्रिय है।

## मातृका

मातृका की मूर्तियों को आमतौर पर भद्दी अपरिष्कृत खड़ी मुद्रा में, उन्नत उरोजों पर हार लटकाए और कमर के चारों ओर एक अधोवस्त्र लपेटे हुए और करधनी पहने हुए दिखाया गया है। सिर पर पंखे जैसा आवरण और दोनों तरफ प्यालेनुमा उभार सिंधु घाटी की मातृ-देवी की प्रतिमाओं की एक आलंकारिक विशेषता है। इन आकृतियों की गोल-गोल आँखें और चोंच जैसी नाक बहुत भद्दी दिखाई देती है और उनका मुँह ऐसा लगता है कि जैसे चीरकर बनाया गया हो।

# मौर्य-मौर्योत्तर कला

भारतीय इतिहास के आरम्भ से मौर्यपूर्वकाल तक विभिन्न कला-रूपों का जन्म और विकास हुआ और इसमें तत्कालीन संस्कृति प्रतिबिंबित हुई है। ऐसी कलाकृतियों की संख्या काफी है, जिसमें आम आदमी की प्रतिदिन की जिंदगी प्रतिबिंबित हुई है, ये कलाकृतियाँ समाज के विशेषाधिकार प्राप्त वर्ग का प्रतिनिधित्व नहीं करती है। ये कलाकृतियाँ शिला चित्र, मिट्टी की मूर्तियों और खिलौनों के रूप में उपलब्ध है। धीरे-धीरे कलाकारों द्वारा तैयार की जाने वाली कलाकृतियाँ एक खास उद्देश्य के तहत बनायी जाने लगीं। मौर्यकाल में राज्य-संरक्षण में कई प्रकार की कलाओं को प्रोत्साहित किया गया। ऐसे नये सामाजिक वर्गों के उदय से, जो कला को संरक्षण दे सकते थे, कला संबंधी गतिविधियों में नये तत्वों का समावेश हुआ। मौर्योत्तर काल में विभिन्न सामाजिक समूहों द्वारा कला को संरक्षण दिए जाने के कारण इसका विस्तार भारत और उसके बाहर भी हुआ, अब यह केवल राज्य के अधीनस्थ नहीं रही। मौर्यकाल के पश्चात् एक और परिवर्तन आया : पत्थर जैसी न टूटने वाली सामग्री को कलात्मक अभिव्यक्ति का आधार बनाया गया। इस काल में भारत से बाहर के कला रूपों और यहाँ के कला-रूपों के बीच आदान-प्रदान हुआ। कई कला-केंद्रों का जन्म हुआ। इस सन्दर्भ में गांधार और मथुरा कला का स्थान उल्लेखनीय है। अधिकांश कला-रूप बौद्ध और जैन धर्म से प्रभावित हैं, कुछ ब्राह्मण धर्म का प्रभाव ग्रहण किए हुए हैं। इसके अतिरिक्त विभिन्न स्तूपों, विहारों, गुफाओं और मूर्तिकला आदि का विकास प्रारम्भ होना इस युग की विशेषता है।

## पृष्ठभूमि

मौर्यकाल में वास्तुकला और मूर्तिकला विकसित अवस्था तक पहुँच गयी थी। अशोक के स्तंभ, उन पर जानवरों की आकृतियाँ और खुदाई का काम, परिपक्व कला रूप का प्रमाण है। मौर्य काल की एक विशेषता यह थी कि इसमें पत्थर पर पालिश करके उसे चिकना बनाया जाता था, पत्थर की सतह पर इस प्रकार की शीशे जैसी चमक दूसरे किसी काल में देखने को नहीं मिलती। जानवर आकृतियों के अलावा दीदार गंज, पटना से यक्षिणी की मूर्ति मिली है, जो कला का सुंदर और उत्कृष्ट नमूना है। इस शानदार कलाकृति से उस समय की औरतों के बाल संवारने के ढ़ंग आभूषण और वस्त्रों का पता चलता है। खुदाइयों से मौर्यकालीन बहुत सी मिट्टी की मूर्तियाँ मिली हैं। यह इस बात का संकेत है कि कला कृतियों का निर्माण राजकीय घराने तक ही सीमित नहीं था, बल्कि जनता तक उनकी पहुँच थी। इसी कारण जब राजकीय कला का ह्रास हुआ और नये कलारूप सामने आये तब भी मिट्टी की मूर्तियों का निर्माण होता रहा।

जहाँ तक वास्तुकला का संबंध है, हम मेगस्थनीज के वर्णन से चंद्रगुप्त के लकड़ी के महल की सूचना पाते हैं। पाटलिपुत्र में हुई खुदाई से लकड़ी की दीवारें और खंभे मिले हैं। बौद्ध ग्रंथों और फाहयान, ह्वेन सांग के वर्णन से यह पता चलता है कि मौर्यकाल में स्तूपों का भी निर्माण हुआ था। यह हो सकता है कि सांची, सारनाथ, तक्षशिला और भरहुत जैसे धार्मिक केंद्रों में स्तूपों का निर्माण कार्य मौर्यकाल में ही शुरू हुआ हो और बाद के वर्षों में उनका विस्तार किया गया हो।

ई.पू. 200 से सन् ई. 300 के बीच की कला की निम्नलिखित विशेषताएँ थीः

1. कला संबंधी गतिविधियों का संबंध धर्म से था और कलाकृतियों में धर्म परिलक्षित होता था।
2. इस काल में बुद्ध की मूर्ति बनायी जाने लगी, इसके पहले बोधि वृक्ष, स्तूप, चरण-चिह्न आदि के रूप में ही उनकी पूजा की जाती थी। अन्य धर्मों में भी मूर्ति पूजा का प्रचलन तेजी से बढ़ा।
3. स्तूपों, चैत्यों और विहारों के निर्माण को लोकप्रियता मिली।
4. कलाकृतियों में, किसी एक ही धर्म का प्रतिबिंबन नहीं होता था। उदाहरण के लिए भरहुत और सांची स्तूपों में केवल बुद्ध के जीवन की झांकी ही नहीं अंकित है, बल्कि यक्ष, यक्षिणी, नाग और अन्य लोक प्रिय देवताओं के चित्र भी अंकित हैं।
5. इसी प्रकार, स्तूपों को सजाने के लिए प्राकृतिक दृश्य भी अंकित किए जाते थे। वस्तुतः यह "सेक्युलर" कला रूप का उदाहरण है।
6. दूसरी संस्कृतियों से आदान-प्रदान के कारण इस काल की कलाकृतियों में गैर भारतीय कला की छाप भी मिलती है। खास तौर पर यह बात गांधार कला के लिए सटीक है, जिसके अंतर्गत एक क्षेत्र विशेष की कला सामने आई और इसने कई विभिन्न तत्वों को आत्मसात किया।

## वास्तुकला

इस काल की वास्तुकला को दो श्रेणियों में विभक्त किया जा सकता हैः

(*i*) रिहायशी मकान/आवासीय संरचना

(*ii*) धार्मिक स्मारक

रिहायशी मकान के अवशेष काफी कम मात्रा में पाये जाते हैं, क्योंकि आरंभिक दौर में उनका निर्माण लकड़ी जैसी नष्ट होने वाली सामग्री से होता था। खुदाई के दौरान दूसरी श्रेणी के कई स्मारकों के अवशेष प्राप्त हुए हैं।

### रिहायशी वास्तुकला

आरम्भिक आर्य ग्रामीण ज़ीवन-शैली के थे। पशुपालन और कृषि उनका मुख्य पेशा था। इस समय तक कला की कोई विशिष्टता उभर कर नहीं आई। सूत्रकाल के बाद महाजनपद काल तक आते-आते हमें नगरीय जीवन की सूचना मिलती है। उदाहरण के लिए मिलिन्द पण्ह में खंदक, चहारदीवारी, प्रवेश द्वार, बुर्ज, सुनियोजित गलियों, बाजारों, बागों और मंदिरों से युक्त एक नगर का उल्लेख मिला है। ऐसी बहुमंजिली इमारतों का भी जिक्र किया गया है, जिसमें रेलिंग से घिरी खुली छत और बरामदे बने हुए थे, ये ज्यादातर लकड़ी के बने थे। इन वर्णनों की एक हद तक पुरातात्विक स्रोतों से पुष्टि कर ली गयी है। देहातों में वास्तुकला के तरीकों या झोपड़ियों के आकार-प्रकार में कोई विशेष बदलाव आने की सूचना नहीं मिलती है।

### धार्मिक स्मारक

उत्खनन से इस काल के मंदिर की संरचना का अपर्याप्त ब्यौरा ही प्राप्त हुआ है। इस काल के आरंभिक मंदिर निम्नलिखित हैं–

- झंडियाल (तक्षशिला) का मंदिर
- नागरी (राजस्थान) का शंकरशान मंदिर
- बेसनगर (मध्यप्रदेश) का भगवती मंदिर
- नागार्जुनकोंडा (आंध्र प्रदेश) का बहुकोणीय शिखर वाला मंदिर

फाहयान ने अपने वृतांत में पुरुषपुर (पेशावर) के बुर्ज का उल्लेख किया है। यह तेरह मंजिली भव्य इमारत थी, जिसमें लोहे का खंभा लगा था, इस खंभ से एक छतरी जुड़ी हुई थी। यह बुर्ज कनिष्क-1, को समर्पित था।

वस्तुतः मंदिरों का निर्माण और पूजा के लिए देवताओं की स्थापना जैसी गतिविधियाँ बाद के वर्षों में आरंभ हुई। इस काल में बौद्ध स्तूप और अन्य धार्मिक इमारतें ही ज्यादा बनायी गयीं।

*झंडियाल मन्दिर*

### *स्तूप*

महत्वपूर्ण व्यक्तियों के अवशेषों को मिट्टी में दबाकर सुरक्षित रखने की प्रथा बहुत पुराने समय से चली आ रही थी। बौद्ध कला ने इस प्रथा को अपनाया और इस प्रकार के पुनीत स्थलों के ऊपर बनी इमारतों को स्तूप कहा गया। बौद्ध स्रोतों के अनुसार बुद्ध के अवशेषों को आठ भागों में बांट कर विभिन्न स्तूपों का निर्माण किया गया। अशोक के शासनकाल में इन स्थलों की फिर से खुदाई हुई और बुद्ध के अवशेषों को फिर से कई भागों में बांटा गया और इस प्रकार कई नये स्तूप सामने आये। स्तूप

में पूजा-अर्चना आरंभ हुई, उसका अलंकरण बढ़ा और उनके निर्माण के लिए एक खास तरह की वास्तुकला विकसित हुई।

स्तूपों का आकार कटोरे या अर्द्ध वृत्ताकार गुंबद जैसा होता था। ऊपरी हिस्सा समतल होता था। जिसे हर्मिका या ईश्वर का आवास स्थल माना जाता था। यहीं पर बुद्ध या किसी अन्य धार्मिक व्यक्तित्व के अवशेष सोने या चांदी के डिब्बे में रखे जाते थे। मध्य में एक लकड़ी का खंभा (यश्ती) लगा होता था जिसका निचला हिस्सा स्तूप के ऊपरी हिस्से से जुड़ा होता था। इस खंभे के ऊपर तीन छतरियां लगी होती थी जो सम्मान, श्रद्धा और उदारता का प्रतीक मानी जाती थीं।

1. **बोध गया (बिहार):** गया से पंद्रह किलोमीटर दूर बोध गया में बुद्ध ने बोधिसत्व की प्राप्ति की थी और यहीं अशोक ने महाबोधि मन्दिर का निर्माण करवाया था। पर आज इस संरचना का कोई अवशेष उपलब्ध नहीं है। केवल शुंग काल में बने कुछ पत्थरों के खंभे प्राप्त हुए हैं। उनकी स्थापत्यगत संरचना स्तूपों के पास बने खंभों से मिलती-जुलती है। उनमें जातक कथाएँ चित्रित हैं।

2. **सांची का स्तूप (मध्य प्रदेश):** सांची विदिशा (भिल्सा) से 14 किलोमीटर दूर है और यहाँ का स्तूप शायद भारत का सबसे महत्वपूर्ण है। इसमें तीन स्तूप बने हैं, तीनों स्तूपों के लिए अलग-अलग प्रवेश द्वार है। पर इनमें सर्वाधिक महत्वपूर्ण वह महीन स्तूप है, जिसका निर्माण अशोक के शासनकाल (250 ई.पू.) में हुआ था। 150 ई.पू. में शुंग शासन काल में इसका आकार दुगना कर दिया गया। अशोक काल की ईटों को हटाकर पत्थर लगाया गया और इसके चारों ओर ''वेदिका'' का निर्माण किया गया। इसकी सुंदरता बढ़ाने के लिए, प्रत्येक दिशा में एक प्रवेश द्वार बनाया गया। दक्षिण द्वार पर स्तंभ स्थापत्यकार का एक वक्तव्य प्राप्त हुआ है, जिसके अनुसार यह प्रवेश द्वार राजा शतकर्णी ने धर्मार्थ दान दिया था और इसमें नक्काशी का काम हाथी दांत का काम करने वाले शिल्पकारों द्वारा किया गया था।

   उत्तरी द्वार और इसके चौखटों पर जातक कथाएँ अंकित हैं। इसके अतिरिक्त सांची स्तूप में निम्नलिखित चित्र बने हुए हैं:

   1. बुद्ध के जीवन से संबद्ध चार प्रमुख घटनाएँ—जन्म, बोधिसत्व की प्राप्ति, धर्मचक्र-प्रवर्तन और महापरिनिर्वाण।
   2. पक्षी और पशुओं जैसे शेर, हाथी, ऊँट, बैल आदि के चित्र काफी मात्रा में उपलब्ध हैं। इनमें कुछ जानवरों पर सवार भारी कोट और बूट पहने चित्रित किए गये हैं।
   3. दीवारों पर कमल और अंगूर के गुच्छों के सुंदर चित्रों द्वारा अलंकरण किया गया है।
   4. जंगली जानवरों का चित्र इस प्रकार बनाया गया है मानो सारा जंगल बुद्ध का उपासक हो गया हो।

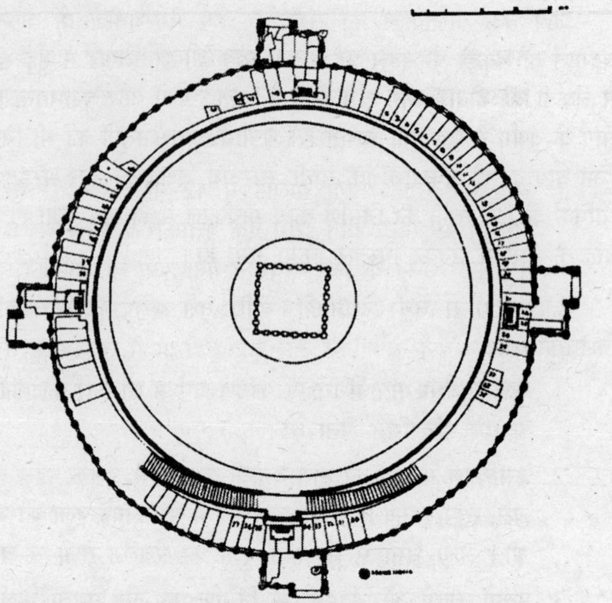

*सांची स्तूप की बनावट*

*सांची स्तूप*

3. **भारहुत स्तूप:** यह स्तूप सतना (मध्य प्रदेश) से 21 किलोमीटर दक्षिण में स्थित है। मुख्य स्तूप का अब नामोनिशान नहीं है। इस स्तूप के प्रमुख अवशेष अब भारतीय संग्रहालय, कलकत्ता और अन्य संग्रहालयों में सुरक्षित हैं। इसकी कुछ प्रमुख विशेषताएँ हैं:

   - प्रवेश द्वार या तोरण, जो लकड़ी का बना होता था, इसमें पत्थर की नक्काशी की जाती थी।
   - प्रवेश द्वार को छूती हुई रेलिंग। इसमें भी नक्काशी के तौर पर पत्थर लगाए जाते थे। भारहुत का रेलिंग का किनारा भारी पत्थर से निर्मित है।
   - इन रेलिंगों के अनुलंब भाग पर यक्ष, यक्षिणी और उन अन्य देवताओं को उत्कीर्ण किया गया है, जो बौद्ध धर्म के साथ जुड़े हुए थे। इनमें से कुछ देवताओं का विवरण भी उत्कीर्ण है, जिससे इन्हें पहचानने में आसानी होती है। अन्य स्तूप रेलिंगों की तरह इसमें भी जातक कथाओं और इनसे जुड़े अन्य प्राकृतिक तत्वों को उत्कीर्ण किया गया है।

4. **अमरावती का स्तूप:** गुंटूर से 46 किलोमीटर दूर स्थित यह स्तूप सफेद संगमरमर से बना है। हालांकि स्तूप अब पूरी तरह

नष्ट हो चुका है, पर इसके नक्काशीदार चौखटे मद्रास और ब्रिटिश संग्रहालय में सुरक्षित है। मूल रूप में यह स्तूप नगर-प्रमुख और जनता के सहयोग से बनाया गया था।

यह सुंदर स्तूप अपनी गोलाई में 42 मीटर और ऊँचाई में लगभग 29 मीटर था। इसमें एक वृत्ताकार प्रार्थना-पथ था जो 10 मीटर ऊँचा था और पत्थर से बना हुआ था। वेदिका खंभों पर माला पहने देवताओं, बोधि वृक्ष, स्तूप, धर्म-चक्र और भगवान बुद्ध के जीवन और जातक कथाओं से संबंधित चित्र उत्कीर्ण किए गए थे। स्तूप के प्रवेश द्वार (तोरण) की वेदिका पर चार शेरों को चित्रांकित किया गया है।

स्तंभों के ऊपर कमल को भी उत्कीर्ण किया गया था। अमरावती स्तूप से कई प्रकार की मूर्तियाँ पाई गयी है। आरंभिक चरण में बुद्ध का प्रतिनिधित्व प्रतीकों के माध्यम से होता था, पर प्रथम शताब्दी ई. से इन प्रतीकों के साथ बुद्ध की प्रतिमा भी बनने लगी।

5. **नागार्जुनकोंडा का स्तूपः** नागार्जुनकोंडा का स्तूप उत्तर भारत के स्तूपों से थोड़ा भिन्न है। यहाँ केंद्र में और बाहर की तरफ दो वृत्ताकार दीवारें थीं, ये दीवारें साइकिल की स्पोक जैसी दीवारों से जुड़ी थी और बीच का स्थान मिट्टी, छोटे पत्थर या ईटों के छोटे टुकड़ों से भरा होता था। इस स्तूप की गोलाई 30 मीटर और ऊँचाई 18 मीटर थी। बाहर की तरफ इसके गुंबद को नक्काशीदार संगमरमर के पत्थरों से अलंकृत किया गया था। गुंबद की अर्ध गोलाकार छत को चूने और गारे के काम से अलंकृत किया गया था।

इस स्तूप के महत्व का कारण इसकी सुंदर रेलिंग है, जिस पर बुद्ध के जीवन से संबंधित कथाएँ वर्णित हैं। इनमें से प्रमुख हैं:

1. पृथ्वी पर जन्म लेने के लिए देवता बोधिसत्व से प्रार्थना करते हुए
2. सफेद हाथी के रूप में गर्भ में बुद्ध का प्रवेश
3. सागौन के पुष्पित वृक्ष के नीचे बुद्ध का जन्म

*दीवार पर नक्काशी की हुई स्तूप की एक आकृति (नागार्जुनकोंडा)*

6. **तक्षशिला के स्तूपः** तक्षशिला और उसके आसपास के इलाकों में हुई खुदाई से कई स्तूप प्राप्त हुए हैं:

- सर जान मार्शल ने तक्षशिला के चिरतोप स्तूप (धर्मराजिका) का उत्खनन किया है। इस स्तूप में गुंबद का बाहरी हिस्सा पत्थर का बना था और बोधिसत्व के विभिन्न रूपों से अलंकृत था।
- 1908 में हुए उत्खनन से पेशावर के निकट शाह जी की ढेरी में एक स्तूप था। स्तूप का निर्माण कनिष्क ने करवाया था और इसका जिक्र फाहयान ने भी किया है। इनकी वास्तुकला गांधार कला का नमूना है।
- झंडियल से प्राप्त स्तूप स्कायथियन-पार्थियन शैली में बना हुआ है। इसी के पास एक छोटी चांदी का पात्र मिला था, जिसमें सोना और कुछ हड्डियाँ रखी थीं।

इसी प्रकार, देश के कई हिस्सों में कई स्तूप पाये गये हैं। मसलन, दो स्तूप मथुरा से प्राप्त हुए हैं। वस्तुतः इस काल में स्तूप कला की एक विशेष शैली का विकास हुआ। सबसे बड़ी बात यह है कि विभिन्न धर्मों के स्तूपों में एक प्रकार की समानता है। इससे यह पता चलता है कि शिल्पकारों के बीच कला का आदान-प्रदान होता था और स्तूप निर्माण में वे जगह-जगह की कलाओं का इस्तेमाल करते थे।

*तक्षशिला का चिरतोप स्तूप*

## गुफा वास्तुकला

बौद्ध और जैन दोनों ही पूजा-अर्चना के लिए चैत्यों और विहारों का निर्माण करते थे। चैत्य एक प्रकार का पूजा कक्ष था, जिसके केंद्र में एक स्तूप होता था। भिक्षुओं के रहने के लिए पहाड़ियाँ काटकर बनायी गयी गुफाओं को विहार कहते थे।

इस काल के अधिकांश चैत्य और विहार पश्चिमी और पूर्वी क्षेत्रों में बनाये गये थे। मसलन, पश्चिमी भारत में ये भाजा, कार्ले, कोंडन, नासिक, अजंता और कन्हेरी में स्थित हैं। इसी प्रकार पूर्वी भारत में इस दृष्टि से उदयगिरि (उड़ीसा) उल्लेखनीय है। चैत्य की सामान्य विशेषताएँ निम्नलिखित हैं—

- इसमें एक लंबा आयताकार कक्ष होता है, जिसका अंतिम छोर अर्द्ध वृत्ताकार होता है।
- यह कक्ष अंदर से मध्य भाग, एक बहुकोणीय शिखर और दो तरफा गलियारों में विभक्त होता है।
- गलियारे और झरोखे के बीच स्तंभों की दो कतारें होती हैं।
- उपासना स्तूप के चारों ओर स्तंभ होते थे और यह मध्य भाग के झरोखे जैसे भाग के केंद्र में स्थित होता था।
- कक्ष की छत गोलाकार-गुम्बददार होती है।
- प्रवेश द्वार प्रायः उपासना स्तूप की सीध में होता है।
- इसके अग्रभाग में घोड़े की नाल के आकार की एक खिड़की होती है, जिसे चैत्य खिड़की कहते हैं।

गुफा वास्तुकला का दूसरा नमूना विहार या मठ है, जिसमें जैन और बौद्ध भिक्षु रहा करते थे।

पश्चिमी भारत की गुफाओं की संरचना एक सी नहीं है। पूर्वी भारत में एक निश्चित योजना का पालन किया गया है। विहारों की सामान्य विशेषताएँ निम्नलिखित हैं–

- इसके केंद्र में एक चतुर्भुजाकार या अंडाकार कक्ष होता है।
- कक्ष के सामने खंभों वाला एक आँगन होता है।
- कई छोटी चतुर्भुजाकार कोठरियाँ भी मिलती हैं।
- इन कोठरियों और कक्षों में बेंच लगा होता था जिसका उपयोग भिक्षु किया करते थे।

पश्चिमी भारत के आरंभिक विहार भज, विदिशा, अजंता, पीतलकोरा, नासिक और कार्ले में प्राप्त हुए हैं। खारवेल के शासन काल में जैन भिक्षुओं के लिए उदयगिरि और खंडगिरि में विहार खुदवाये गये थे। दो हिस्सों में 35 गुफाएँ खोदी गयी थीं। किसी में एक कोठरी है और कई गुफाओं में अनेक कोठरियाँ हैं। इनमें एक खुला आँगन भी मिलता है। अंदरूनी हिस्सों के प्रवेश द्वार अर्द्ध वृत्ताकार मेहराबों से आच्छादित हैं। उदयगिरि की पहाड़ियों में निर्मित दुमंजिली रानीगुम्फा गुफा सभी गुफाओं में सबसे विशाल है।

*कार्ले चैत्य का सामने का भाग*

*कार्ले चैत्य की गुफा*

*भज चैत्य की गुफा*

## मूर्ति कला

मूर्ति कला को स्थापत्य कला से अलग करके नहीं देखा जा सकता है, क्योंकि स्तूप और चैत्य जैसी कलात्मक संरचनाओं का निर्माण दोनों के योग से ही होता है। किसी भी मूर्ति की स्थापना विहारों या अन्य धार्मिक स्थलों पर ही होती थी। इस काल में, हमें मूर्ति कला के क्षेत्र में क्षेत्रीय या स्थानीय शैलियाँ और केंद्र देखने को मिलते हैं। उत्तर में गांधार और मथुरा केंद्र विकसित हए, जबकि दक्षिण में निचली कृष्ण-गोदावरी घाटी में अमरावती प्रमुख आरंभिक केंद्र था।

समग्र रूप में, मौर्योत्तर काल की कला आरंभिक शाही मौर्य कला से अलग है। मौर्य कला को शाही कला कह सकते हैं, जबकि शुंग कण्व शासन कला की कला का सामाजिक आधार अधिक व्यापक है। इसके मूलभाव, तकनीक और महत्व में भी अंतर हैं।

इस युग की मूर्ति कला बुद्ध की मूर्ति और रेलिंगों पर उभरी हुई खोद कर बनायी गयी नक्काशी प्रवेश द्वार, स्तूपों के आधारों, तोरणों और विहारों और चैत्यों की दीवारों पर उभारदार नक्काशी में प्रतिबिंबित होती है। इस काल में ब्राह्मण धर्म से संबंधित मूर्तियाँ कम ही बनाई गयीं। इस काल में मथुरा और गांधार कला-केंद्रों में बुद्ध की प्रतिमा बनाने का चलन शुरू हुआ। बौद्ध और जैन धर्म की देखादेखी ब्राह्मण धर्म में भी कई देवी देवताओं की मूर्तियाँ बनाई जाने लगीं।

रेलिंगों पर चित्र उत्कीर्ण करने के अलावा गोलाकार आधार पर भी चित्र उत्कीर्ण किए जाते थे। ये चित्र आकार में बड़े और सुस्पष्ट हैं। इसके बावजूद वे सही गणितीय अनुपात में नहीं बने हुए हैं। इस श्रेणी में यक्ष और यक्षिणी की मूर्तियाँ सबसे ज्यादा उत्कीर्ण की गयीं। इनमें सर्वप्रमुख दीदारगंज (पटना) से प्राप्त चामरग्राहिणी यक्षिणी की मूर्ति है।

शुंग काल से जैन धर्म में मूर्ति पूजा शुरू हो गयी थी। लोहानीपुर (पटना) से प्राप्त सिर विहीन नग्न मूर्ति का संबंध तीर्थंकर से बताया जाता है। हाथीगुम्फा अभिलेख के अनुसार पूर्वी भारत के जैनों के बीच मौर्य काल के पहले से मूर्ति पूजा प्रचलित थी। कुछ जैन मूर्तियाँ मथुरा से अष्टमंगलों (आठ शुभ चिह्न) के साथ उपासना शिल्प पट्ट पर प्राप्त हुई है। इससे पता चलता है कि प्रथम शताब्दी ईस्वी तक जैनों के बीच मूर्ति पूजा आम बात हो गयी थी।

बौद्ध धर्म में महायान संप्रदाय ने मूर्ति पूजा की शुरुआत की। मथुरा और गांधार में बैठने और खड़े होने की मुद्रा में बुद्ध की मूर्ति बनायी गयी।

सांची, भरहुत और बोध गया की दीवारों पर उभारदार मूर्तियों का निर्माण किया गया है, ये उभारदार कला के आरंभिक उदाहरण हैं। इस प्रकार के अधिकांश शिल्प स्तूप को घेरे हुए रेलिंग के गोल या आयताकार फलक पर उत्कीर्ण पाये गये हैं। उभारदार शिल्प में या तो बुद्ध का जीवन उत्कीर्ण किया गया है या जातक कथाओं के दृश्य अंकित किए गये हैं और घटनाओं का वर्णन लगातार किया गया है।

## *गांधार कला*

गांधार भारतीय उपमहाद्वीप के उत्तरी पश्चिमी क्षेत्र में सिंधु नदी के दोनों ओर स्थित है। इसमें पेशावर की घाटी, स्वात, बुलेर और बज्जोरा के इलाके शामिल हैं। छठी-पांचवीं ई.पू. में ईरान के अक्कामेनिदों ने यहाँ शासन किया था। बाद में युनानियों, मौर्यो, शकों, पल्लवों और कुषाणों ने इस क्षेत्र पर अधिकार जमाया। परिणामस्वरूप इस क्षेत्र में एक मिश्रित संस्कृति का जन्म हुआ। बौद्ध धर्म से जुड़ी यह कला यूनानी कला रूप से काफी प्रभावित थी। उदाहरण के लिए बुद्ध की प्रतिमा में उत्कीर्ण वस्त्र यूनानी रोमन फैशन के अनुरूप झीने और पारदर्शी होते थे और बालों का डिजाइन प्रायः घुंघराला बनाया जाता था। द्रष्टव्य है कि गांधार कला के प्रमुख संरक्षक शक और कुषाण थे।

*बुद्ध की खड़ी हुई मुद्रा में मूर्ति*

गांधार कला केंद्र की कला के नमूने जलालाबाद, हड्डा, बामरान, बेग्राम और तक्षशिला से प्राप्त हुए हैं। गांधार कला को दो स्कूलों में विभक्त किया जा सकता है–आरंभिक और बाद की कला। आरंभिक कला केंद्र का अस्तित्व सन् ईस्वी की प्रथम और द्वितीय शताब्दी में था, इस काल में मूर्तियों का निर्माण नीले-भूरे रंग की परतदार चट्टानों से किया जाता था। बाद के कला केंद्र में परतदार चट्टानों के स्थान पर मिट्टी, चूना, भिति स्तंभ और पलस्तर का उपयोग किया जाता था। इन मूर्तियों में मनुष्य की आकृति का जीवंत अंकन हो पाता था। उनके नाक-नक्शे तीखे हुआ करते थे और उनमें एक गणितीय अनुपात होता था।

इन मूर्तियों के अतिरिक्त दीवारों पर उभारदार मूर्तियाँ भी उत्कीर्ण की जाती थीं। इनमें अधिकांशतः बुद्ध और बोधिसत्व के जीवन से संबंधित चित्र अंकित होते थे। उदाहरण के लिए:

- तक्षशिला का स्तूप बोधिसत्व की मूर्तियों से सजाया गया है, ये मूर्तियाँ पूजा के लिए ताखे पर रखी हैं।
- सेहरीभेलोल स्तूप के छोटे खंभों के परकोटे पर बुद्ध, बोधिसत्व और उनके जीवन से संबंधित घटनाएँ उत्कीर्ण हैं।

*ध्यान मग्न मुद्रा में बुद्ध*

- शाह जी की ढेरी स्थित स्तूप के बगल वाली दीवार से एक कांस्य अस्थि-मंजूषा प्राप्त हुई है। इसमें बुद्ध, कुषाण राजा और उड़ता हुआ हंस (विचरणशील भिक्षुओं का प्रतीक) चित्रित हैं।

गांधार कला की कई अन्य विशेषताएँ भी हैं। उदाहरण के लिए बामरान में एक सोने की अस्थि-मंजूषा प्राप्त हुई है, जिसमें एक छतरी के भीतर कई चित्र अंकित हैं। इसी प्रकार हाथी दांत की बनी एक पटिया बेग्राम से प्राप्त हुई है।

## *मथुरा कला*

*अपने केश संवारती एक स्त्री*

मथुरा कला का जन्म दूसरी शताब्दी ई.पू. से माना जा सकता है। ईस्वी सन् की प्रथम शताब्दी तक न केवल यह कला के एक प्रमुख केंद्र के रूप में सामने आ गयी थी, बल्कि इसकी मांग दूर-दूर के इलाकों तक फैल गयी। चार सौ वर्षो के अपने जीवन-काल में इस कला-केंद्र ने विविध प्रकार के शिल्प प्रस्तुत किए और बौद्ध, जैन तथा ब्राह्मण धर्म के अनुयायियों के लिए मूर्तियाँ बनायी। मथुरा कला की एक खास विशेषता यह है कि अफगानिस्तान की तरह इसमें भी कुषाण काल में राजा और सामंतों की मूर्तियाँ बनायी गयीं। इससे पता चलता है कि मथुरा के कलाकार इस युग की विभिन्न कलात्मक गतिविधियों से परिचित थे और भारतीय तथा विदेशी मूल के विभिन्न सामाजिक समूहों की मांगों को पूरा करने के प्रति जागरूक थे। मथुरा कला में स्थानीय रूप से उपलब्ध लाल बलुआ पत्थर का उपयोग होता था। इस कला केंद्र की एक अन्य विशेषता यह है कि इसमें पवित्र खंभों पर जीवन के विभिन्न पहलुओं का चित्रांकन किया गया है। मसलन, कहीं जंगल का दृश्य है, जहाँ पुरुष और स्त्री फूल चुन रहे हैं, महिलाएँ सारस के साथ खेल रही हैं या चिड़ियों को दाना चुगा रही हैं तथा फुलवारी और सरोवर में कीड़ा कर रही हैं। ''कंकालितिया के पवित्र खंभों पर नारी सौंदर्य को शिल्पी ने सजीवता से उत्कीर्ण किया है''।

वस्तुतः मथुरा कला केंद्र के कलाकारों ने अपनी कला की प्रस्तुति के लिए अनेक विषय चुने। सांची और भरहुत में कलाकार ने प्राकृतिक दृश्यों का सुंदर उपयोग किया है। इस कला केंद्र की मूर्तियाँ स्थानीय तौर पर प्राप्त लाल बलुआ पत्थर से बनायी जाती थीं।

1. **बुद्ध की प्रतिमाएँ** : पूर्व में ऐसा माना जाता था कि बुद्ध की मूर्तियाँ सर्वप्रथम गांधार कला में बनाई गई, परन्तु वसुदेव शरण अग्रवाल ने सिद्ध किया है कि बोधिसत्व और बुद्ध की मूर्ति संभवतः सबसे पहले मथुरा में बनायी गयी थी। उदाहरण के लिए कनिष्क प्रथम के शासन काल में सारनाथ में स्थापित खड़े बोधिसत्व की मूर्ति का निर्माण मथुरा में ही किया गया था। यहाँ बुद्ध की प्रतिमा मुख्यतः दो मुद्राओं में देखते हैं–खड़े और बैठे

हुए। बैठने की मुद्रा वाली मूर्तियों में सबसे पुरानी प्रतिमा कटरा केशवदेव (1807 में खुदाई) में पायी गयी है। इस प्रतिमा की विशेषताएँ निम्नलिखित हैं–

- बोधि वृक्ष के नीचे बैठे बुद्ध
- अभय की मुद्रा में दाहिना हाथ,
- हथेली और पैर के नीचे धर्म चक्र और त्रिरत्न के निशान उत्कीर्ण
- चुटिया के अतिरिक्त सिर पूरी तरह घुटा हुआ।

वस्तुतः इस युग की बौद्ध प्रतिमाओं की आम विशेषताएँ निम्नलिखित हैं–

(*i*) उनका निर्माण उजले धब्बे वाले लाल पत्थर से किया गया है।

(*ii*) मूर्तियों का निर्माण गोलाकार हुआ है ताकि चारों तरफ से उन्हें देखा जा सके।

*तीर्थंकर का मुख भाग*

(*iii*) सिर के बाल और चेहरे की दाढ़ी बिल्कुल साफ है।

(*iv*) दाहिना हाथ अभय की मुद्रा में है।

(*v*) ललाट पर कोई निशान नहीं है।

(*vi*) वस्त्र शरीर से बिल्कुल सटे होते हैं और इसका झालर बाएँ हाथ में रहता है।

**2. जैन प्रतिमाएँ :** मथुरा ब्राह्मण और बौद्ध धर्म का पवित्र स्थल होने के साथ-साथ जैन धर्म की भी पुण्य भूमि है। यहाँ बहुत से ऐसे अभिलेख प्राप्त हुए हैं, जिनमें जैन धर्म के अनुयायियों, जैन भिक्षुओं, भिक्षुणियों, उनको दिए गए दान-पुण्य का उल्लेख किया गया है। उदाहरण के लिए, द्वितीय शताब्दी की अर्द्ध शती के आस-पास के अभिलेख (प्रासाद-तोरण) में जैन श्रावक को "उत्तर दसक" कहा गया है। ककाली टीला मथुरा का प्रमुख स्थल है जहाँ से कई जैन मूर्तियाँ प्राप्त हुई हैं। इस स्थान से निम्नलिखित शिल्पगत नमूने प्राप्त हुए हैं:

- मूर्तियाँ
- जैन मूर्तियों से अंकित पत्थर की पट्टियां या आयक पट्ट, इन पट्टियों पर जैन धर्म की अन्य निशानियाँ, जैसे स्तूप आदि भी अंकित हैं।
- इमारतों के टूटे हुए अंश, जैसे खंभे, स्तंभ शीर्ष, अर्गला ढेंकली रेलिंग आदि।

आयक पट्ट पर जैन और तीर्थंकरों के चित्र कुषाण काल के पहले अंकित किए गए थे, पर कुषाण काल से ही मूर्तियाँ नियमित रूप से बनने लगी। इनमें से पार्श्वनाथ को सांपों के साथ और ऋषभनाथ को कंधे पर झूलते बालों के साथ पहचाना जा सकता है, पर अन्य तीर्थंकरों की प्रतिमाओं को आसानी से नहीं पहचाना जा सकता है।

**3. ब्राह्मण धर्म की मूर्तियाँः** ब्राह्मण धर्म से संबंधित कुछ मूर्तियाँ भी मथुरा से प्राप्त हुई हैं। इस प्रकार की आरंभिक मूर्तियों में शिव, लक्ष्मी, सूर्य और बलराम उल्लेखनीय हैं। कुषाण काल में कार्तिकेय, विष्णु, सरस्वती, कुबेर नाथ और अन्य देवताओं की मूर्तियाँ बनायी जाती थीं। इस काल की मूर्ति विद्या की यह विशेषता है कि प्रत्येक देवता अलग से पहचाने जा सकते हैं और उदाहरण के लिए हालांकि शिव लिंग-रूप में पूजे जाते हैं, पर इस काल में चतुर्मुख लिंग का निर्माण होने लगा। इसमें एक लिंग के चारों ओर शिव की मुखाकृति लगी होती है।

ब्राह्मण धर्म की अन्य मूर्तियाँ और विशेषताएँ–

- कुषाण काल में सूर्य देवता दो घोड़े से जुते एक रथ पर सवार दिखाये गये हैं। उन्होंने भारी कोट पहन रखा है, इसके अतिरिक्त उनके बदन पर सलवार और जूता भी है। उनके एक हाथ में तलवार और दूसरे में कमल है।
- बलराम के सिर पर भारी पगड़ी है।
- सरस्वती एक हाथ में रूद्राक्ष की माला और दूसरे हाथ में पुस्तक लिए बैठी है। उन्होंने साधारण वस्त्र पहन रखे हैं और उनके शरीर पर कोई आभूषण नहीं है, उनकी सेवा में दो प्रतिमाएं लगी हुई हैं।
- दुर्गा महिष-मर्दिनी रूप में है, उन्हें भैंस रूपी राक्षस को मारते हुए दिखाया गया है।

*सूर्य*

*चतुर्मुखी शिवलिंग*

मथुरा से यक्ष और यक्षिणी की अनेक मूर्तियाँ मिली हैं। उनका संबंध बौद्ध, जैन और ब्राह्मण तीनों धर्मों से है। कुबेर अन्य देवता है, जिसकी मूर्ति एक मोटे व्यक्ति के रूप में बनायी गयी है। उसका संबंध मद्य और मद्यपान के आयोजन से बताया गया है। इस देवता पर वधू और डायोनीसस जैसे रोमन और यूनानी मद्य देवता की छाप दिखायी देती है।

**3. शासकों की प्रतिमाः** मथुरा के मट गांव से प्रमुख कुषाण राजाओं जैसे कनिष्क, बीम और चष्टन की विशाल प्रतिमाएँ प्राप्त हुई हैं। शासकों और राज्य की प्रमुख हस्तियों की प्रतिमाओं को बनाने और उनके रखरखाव का विचार संभवतः मध्य एशिया से आया होगा। यह शासक को देवत्व का दर्जा देने के लिए किया

जाता था। इन प्रतिमाओं के वस्त्रों पर मध्य एशिया का प्रभाव स्पष्ट है।

कनिष्क की मूर्ति

मट से सिथियन अधिकारियों/शासकों की मूर्तियों का शीर्ष भाग प्राप्त हुआ है। इन खोजों से पता चलता है कि मथुरा कुषाण साम्राज्य के पूर्वी भाग का एक प्रमुख केंद्र था। इससे यह भी पता चलता है कि गांधार और मथुरा कला रूपों में काफी आदान-प्रदान हुआ था। कालांतर में गुप्त कला-रूपों के विकास में मथुरा कला रूप ने महत्वपूर्ण भूमिका निभाई।

## *अमरावती कला*

इस अवधि के दौरान, पूर्वी दक्कन में, कुषाण और गोदावरी की निचली घाटियों में अमरावती कला केंद्र का विकास हुआ। इस कला केंद्र को सातवाहन राजाओं, इक्ष्वाकु शासकों, राजनेताओं और उनके परिवारों, अधिकारियों, व्यापारियों आदि का संरक्षण प्राप्त था। यह कला बौद्ध धर्म से प्रभावित थी और इसके मुख्य केंद्र नागार्जुनकोंडा, अमरावती, गोली, घंटसाल, जग्गेयापेटा थे। यह कला 150 ई.पू. से सन् 350 ई. तक अपनी समृद्धि और उत्कर्ष पर थी। इस कला केंद्र के शिल्पगत नमूने भी रेलिंग, चबूतरे और स्तूप के अन्य हिस्सों के रूप में उपलब्ध हैं। इस कला केंद्र में भी बुद्ध के जीवन और जातक कथाओं को जगह-जगह उभारदार शैली में उत्कीर्ण किया गया है। उदाहरण के लिए अमरावती में बुद्ध द्वारा एक मतवाले हाथी को वश में किए जाने की कथा उत्कीर्ण है। शिल्पकार ने पूरी कथा को स्वाभाविक ढंग से चित्रांकित किया है:

- एक मतवाला हाथी मार्ग में खड़े बुद्ध की ओर बढ़ रहा है,
- पुरुष और महिलाएँ भयभीत हैं, पुरुषों ने अपने हाथ उठा रखे हैं और महिलाएँ उनसे चिपकी हुई हैं,
- बुद्ध हाथी की ओर आराधना और विनम्रता की मुद्रा में बढ़ रहे हैं,
- हाथी आत्मसमर्पण की मुद्रा में नतमस्तक हो जाता है।
- यह संपूर्ण घटना पुरुष और महिलाएँ झरोखे और खिड़कियों से देख रहे हैं।

शिल्पकार ने यह सारी कहानी गोलाकार रूप में उभारदार शैली में उत्कीर्ण की है:

- मूर्तियाँ उजले संगमरमर से बनायी गयी हैं,
- उनकी टांगे लंबी हैं और ढाँचा छरहरा है,
- इस कला में शारीरिक सौंदर्य और सांसारिक अभिव्यक्ति छाई हुई है,
- हालांकि प्राकृतिक दृश्य भी उत्कीर्ण किए गए हैं, पर केंद्र में मनुष्य ही है,
- राजाओं, राजकुमारों और राजप्रासादों को भी चित्रित किया गया है।

पाँच सौ वर्षों की लंबी अवधि में अमरावती की कला लगातार परिपक्वता प्राप्त करती गयी। उदाहरण के लिए इस कला का आरम्भिक उदाहरण जग्गेयापेट से मिला है, जिसका समय 150 ई.पू. माना जाता है। इनमें मूर्तियों की अलग-अलग इकाइयाँ हैं और एक समूह के रूप में उनका कृष्णा घाटी की वर्णनात्मक उभारदार उत्कीर्ण कला की अनिवार्य विशेषता थी, बाद में इसे पल्लव मूर्ति कला ने अपना लिया। इन चित्रों में मूर्तियाँ ढंग से बनी हुई और एक दूसरे से संबद्ध हैं।

विषयवस्तु या कथ्य की दृष्टि से मथुरा और अमरावती की कला में कहीं-कहीं आश्चर्यजनक समानता है। उदाहरण के लिए अमरावती में छह स्त्रियों को एक साथ पात्र से स्नान करते हुए दिखाया गया है, इससे बिल्कुल मिलता जुलता एक नमूना मथुरा में भी पाया गया है। मथुरा में भी कुषाण राजाओं की मूर्तियाँ बनायी गयीं और अमरावती मूर्तिकला ने भी राजाओं और राजकुमारों को अपनी कला का कथ्य बनाया। इसके बावजूद अमरावती में इनका अंकन व्यक्तिगत तौर पर नहीं, बल्कि कथा कहने के क्रम में हुआ है। उदाहरण के लिए–

- राजा उदयन और उसकी रानी की कहानी
- नजराना कबूल करते हुए राजा और राजदरबार का दृश्य
- हाथी, घुड़सवार और पैदल सेना के साथ राजा की शोभायात्रा

अमरावती कला

वस्तुतः सातवाहनों के संरक्षण और मंजे हुए शिल्पकारों के कारण अमरावती कला केंद्र ने प्राचीन भारत के कुछ सर्वोत्तम कला रूप प्रस्तुत किया।

## गुप्तकालीन कला

मौर्योत्तरकालीन कला का चरमोत्कर्ष गुप्तकाल की विशेषता है। इसे इसकी सांस्कृतिक विरासत के कारण अक्सर "स्वर्ण युग" के रूप में उल्लेखित किया गया है। यह कला के चहुँमुखी क्षेत्र में महान उपलब्धियों के लिये

प्रयुक्त हुआ है। इस प्रकार, गुप्तकाल, विशेष रूप से भारत के सांस्कृतिक इतिहास में, कलात्मक एवं साहित्यिक अभिव्यक्ति द्वारा स्थापित प्रभावशाली प्रतिमानों के कारण पूर्ववर्ती ऐतिहासिक कालों से महत्वपूर्ण व उल्लेखनीय विगम प्रस्तुत करता है। गुप्त शासक हिन्दू देवी व देवताओं की उपासना करते थे। वे संस्कृत विद्वानों को संरक्षण देते थे और कलाकारों को उदारतापूर्वक दान वैभव प्रदान करते थे। पूर्ववर्ती शासकों से भिन्न, उनके अधीन कला व वास्तुकला ने उत्कृष्टता का स्तर प्राप्त किया। यह सत्य है कि वाकाटकों द्वारा कला व स्थापत्य कला को प्रोत्साहित व प्रेरित किया गया था, परन्तु गुप्त शासकों के समय में यह एक व्यापक प्रवृत्ति बन गई। तार्किक अनुमानानुसार राजाओं, कुलीन व समृद्ध लोगों के पास इतनी संपन्नता थी कि वे अपनी आय का एक पर्याप्त भाग साहित्य व कला में संलग्न लोगों को आर्थिक सहायता प्रदान करने के लिए निवेश करते थे।

## स्थापत्य कला

गुप्त काल ब्राह्मणवादी धर्म के पुनरुत्थान काल के रूप में जाना जाता है। गुप्त शासकों को मंदिर निर्माण व मंदिरों में ईष्ट देवता की प्रतिमा स्थापित करने में गहरी दिलचस्पी थी। *भक्ति* विचारधारा व मूर्ति पूजा की बढ़ती महत्ता के परिणामस्वरूप मुक्त रूप से खड़े व आन्तरिक कक्ष, जिसे *गर्भगृह* कहा जाता था, वाले मंदिरों का निर्माण हुआ। इस काल के ऐसे कई मंदिरों की जानकारी उपलब्ध है। इनके निर्माण का माध्यम प्रस्तर खण्ड या ईंटें थीं। प्रारंभ में, ये छोटे आकार के होते थे जिनमें *गर्भगृह*, छत व जल के निस्तारण के लिये निकासी होती थी। सांची में *चैत्य* मण्डप के समीप मंदिर संख्या 17 गुप्त काल का सबसे प्राचीन मंदिर है। यह उचित रूप से अभिकल्पित है। वर्गाकार कक्ष के रूप में समावृत *गर्भगृभ* व स्तम्भ युक्त मण्डप मौजूद है। यह परवर्ती गुप्तकाल व उत्तर गुप्तकाल में मंदिर-निर्माण का आधारभूत नमूना बन गया।

गुप्तकालीन मंदिर-निर्माण गतिविधि पूर्व परम्परा के पत्थर से काटे मंदिरों के क्रमिक विकास को प्रदर्शित करती है जो कि अब एक अलग ही स्तर पर पहुंच गई थी। यह मंदिर निर्माण के रचनात्मक काल को चिह्नित करती है, परन्तु इस महत्वपूर्ण काल ने मध्यकाल तक मंदिर निर्माण गतिविधि को प्रभावित किया। इस युग ने भविष्य की अपरिमित सम्भावनाओं के लिये आधार प्रस्तुत किया जिसने भारतीय मंदिर स्थापत्य कला की विशिष्ट शैलियों की नींव रखी।

गुप्त काल सौन्दर्य के प्रति रचनात्मक उत्साह और गहन संवेदन व अभिज्ञता को दर्शाता है। ये निम्न दिये गये जीवंत उदाहरणों से सुस्पष्ट है:

झाँसी जिले (उ.प्र.) के देवगढ़ में *दशावतार* मंदिर, कानपुर (उ.प्र) के निकट भीतरगाँव मंदिर, तिगावा का विष्णु मंदिर (जबलपुर, म.प्र.), भूमरा (सतना, म.प्र.) व खोह (भरतपुर, राजस्थान) के शिव मंदिर, नचना-कुठार का पार्वती मंदिर (पन्ना, म.प्र.), आश्रमक स्थित सूर्य देवता को समर्पित मंदिर (सतना, म.प्र.) व एक और सूर्य मंदिर (मंदसौर, म.प्र.), ग्वालियर (म.प्र) के निकट पद्मावती (आधुनिक पवाया) स्थित *यक्ष* मंदिर, भीतरी (गाजीपुर, उ.प्र.) स्थित मंदिर, एरण (सागर जिला, म.प्र.) में एक बड़ा मंदिर परिसर और साथ में मूर्तियाँ।

*दशावतार मंदिर, देवगढ़ झांसी (उ.प्र.)*

*पार्वती मंदिर, नचना कुठार पन्ना (म.प्र.)*

*विष्णु मंदिर, तिगावा जबलपुर (म.प्र.)*

*शिव मंदिर, भूमरा सतना (म.प्र.)*

यह ध्यान देने योग्य है कि आसाम के वर्तमान जिले दरंग में ब्रह्मपुत्र नदी के किनारे यद्यपि विनष्ट स्थिति में परन्तु अत्यधिक कलात्मक उत्कृष्टता व महत्व उजागर करता मंदिर पाया गया है जो यह प्रदर्शित करता है कि मंदिर निर्माण गतिविधि गुप्त शासकों के भौगोलिक केन्द्र तक ही सीमित नहीं थी।

इनमें से कुछ मंदिर उभरी हुई सुन्दर मूर्तियों से अलंकृत हैं। ये देखने में बेढंगे नहीं दिखते क्योंकि इनका अलंकरण मंदिर की स्थापत्य योजना के सम्पूरक है। टूटा हुआ देवगढ़ मंदिर, जो मुख्य रूप से विष्णु को समर्पित किया गया है, अलंकृत, उभरी मूर्तियों की संकल्पना के कारण चित्ताकर्षक है। जैसे—नर-नारायण की मूर्ति, गजेन्द्र मोक्ष तथा शेषशायी विष्णु की उत्कीर्ण मूर्ति आदि।

इसके चौकोर कक्ष में मुख्य देव-प्रतिमा अवस्थित है। इसके चबूतरे के चारों कोनों पर एक सहायक मंदिर है जिसमें गौण/द्वितीयक देवता की मूर्ति को रखा गया है। यह मंदिर *पंचायतन* (पाँच मंदिर) शैली का प्रारंभिक प्रमाण है, जिसका कालांतर में वृहद स्तर पर निर्माण किया गया। इसने हिन्दू देव समूह में देवी-देवताओं के बढ़ते क्षेत्र को प्रदर्शित किया। इस प्रकार के कई मंदिरों में मूर्ति पट्टिकायें मिली हैं जिनमें मुख्य देवता को केन्द्रीय स्थिति में दिखाया गया है व अन्य गौण देवता उसे घेरे हुये हैं। इसके अलावा कई उदाहरणों में मुख्य देवता आकार व पैमाने में गौण देवताओं से बड़ा है।

यद्यपि ऊंचे और सुपरिष्कृत उत्कीर्ण *शिखरों* का प्रकटन अभी नहीं हुआ था, परन्तु इस विचार का उद्भव भीतरगाँव के ईटों से निर्मित मंदिर व लघु रूप में मंदिरों की मूर्ति पट्टिकाओं में प्रदर्शित मंदिरों में देखा जा सकता है।

भवन निर्माण के साथ-साथ गुहा स्थापत्य भी प्रचलन में था। अजन्ता गुफा की विस्मयकारी सौंदर्य युक्त चित्र कला इसी काल की मानी जाती है। विदिशा (म.प्र) के निकट उदयगिरी स्थित गुहा मंदिर भी इस काल से ही सम्बंधित है। गुफा में पत्थर काटकर 20 कक्ष निर्मित किये गए थे। इनमें से दो कक्षों से प्राप्त अभिलेख चन्द्रगुप्त II के शासन काल में दिनांकित हैं। गुफा में किया गया यह तक्षण महत्वपूर्ण है क्योंकि ये भारत में हिन्दू कला के प्राचीनतम अवशेष हैं, जो इस तथ्य का प्रमाण प्रस्तुत करते हैं कि बहुत से हिन्दू मूर्ति-निर्माण संबंधी विचार आरंभिक पाँचवीं शताब्दी में सुस्थापित हो चुके थे।

यह ध्यान रखने की आवश्यकता है कि हालांकि बहुत सी स्थापत्य गतिविधियां मुख्य रूप से ब्राह्मणवादी धर्म के चारों ओर केन्द्रित थीं परन्तु ये केवल यहीं तक सीमित नहीं थीं। हमारे समक्ष गुप्त काल के निम्नलिखित बौद्ध स्थलों से प्राप्त भव्य *स्तूप, चैत्य और विहारों* के भग्नावशेष साक्ष्य मौजूद हैं:

सारनाथ (उ.प्र), नालंदा (बिहार), राजगीर (नालंदा, बिहार), जौलियां और मोहरामरदू (दोनों तक्षशिला के समीप पाकिस्तान में), पुष्कलावती (वर्तमान पाकिस्तान स्थित प्राचीन गांधार क्षेत्र) इत्यादि।

सारनाथ का धार्मिक *स्तूप* विभिन्न प्रकार के ज्यामितीय स्वरूपों व कलात्मक आकृतियों के कारण अत्यधिक आकर्षक है। नालंदा स्थित बौद्ध विश्वविद्यालय का आरंभिक ईंट निर्मित ढांचा, जिसकी स्थापना कुमारगुप्त I द्वारा की गई थी, इसी काल से सम्बंधित है। नालंदा स्थित 300 फीट ऊंचा बौद्ध मंदिर इस काल का एक अन्य स्थापत्य कला का प्रमाण है। इस तथ्य के ऐतिहासिक साक्ष्य उपलब्ध हैं कि पश्चिमी महाराष्ट्र के बौद्ध *चैत्य* गुहा निर्माण व कन्हेरी, भाजा, जुन्नार, विदिशा और महार (सभी महाराष्ट्र में स्थित) न केवल कुलीन उच्च वर्ग द्वारा बनवाये गये थे बल्कि ये समृद्ध *श्रेणियों,* व्यापारियों, कलाकारों द्वारा भी निर्मित करवाये गये थे। इसी प्रकार, आन्ध्र देश (वर्तमान आंध्र प्रदेश, तेलंगाना और कर्नाटक के विभिन्न हिस्से) में कई *स्तूपों* व *विहारों* का निर्माण हुआ। राजगीर का मनी नाग जैन मंदिर इसी काल से सम्बंधित है।

## मूर्तिकला/तक्षण कला

गुप्तकालीन मूर्तियाँ कुशल निष्पादन और उच्च स्तरीय कौशल को व्यक्त/प्रदर्शित करती हैं। इस युग का प्रमुख योगदान ब्राह्मणवादी धर्म व बौद्ध धर्म दोनों से सम्बंधित उत्तम मूर्तियों का विकास है। दर्शक को ऐसा लगता है जैसे मूर्तिकार ने अपनी छेनी से पाषाण को स्थायी सौन्दर्य व लालित्य के सृजन में रूपान्तरित कर दिया हो। यह निश्चयात्मक रूप से कहा जा सकता है कि निश्चित, कुशल और पूर्ण सुबोधता; मूलभूत सिंद्धातों की समझ; मूर्ति के यथार्थ उद्देश्य; अत्यधिक विकसित सौंदर्य का बोध व सधे हुये हाथों की कुशलता इस काल की मूर्ति-निर्माण गतिविधि की विशेषतायें हैं।

असंख्य ब्राह्मणवादी देव समूह की मूर्तियाँ जैसे विष्णु, शिव, कार्तिकेय, गणेश, सूर्य इत्यादि, साथ ही साथ बौद्ध व जैन मूर्तियाँ जैसे–*बुद्ध, बोधिसत्व, तीर्थंकर* इत्यादि इस काल से सम्बंधित हैं।

वैष्णव मत व शैव मत लोकप्रिय सम्प्रदाय थे जिन्हें गुप्त शासकों का संरक्षण प्राप्त था। मूर्तिकारों ने अपने मुख्य देवताओं की मूर्तियाँ नियमित रूप से बनाई जो कि पौराणिक कथाओं को उकेरने की उनकी दक्षता को प्रदर्शित करता है। विष्णु के अवतारों से सम्बंधित पौराणिक कथायें, साथ ही साथ वैष्णव मत के गौण देवताओं की कथायें मूर्तियों को बनाने में सहायक थीं। देवगढ़ के मंदिर की मूर्तियों में राम व कृष्ण के जीवन का सफलता के साथ प्रभावकारी निरूपण किया गया है। हरि-हर (विष्णु व शिव का समन्वयात्मक मेल) की मानवाकार मूर्ति मध्य प्रदेश से प्राप्त हुई है। संयुक्त चित्रण के दो हिस्से मुकुट व अन्य लक्षणों की भिन्नता के आधार पर आसानी से पहचाने जा सकते हैं। अर्रा (वाराणसी, उ.प्र.) से कृष्ण द्वारा गोवर्धन पर्वत उठाने की घटना को उकेरती उत्कृष्ट मूर्ति प्राप्त हुई है। ऐरण से प्राप्त अभिलेखीय साक्ष्य समुद्रगुप्त काल से लेकर 6वीं शताब्दी के आरम्भ में हुणों के आक्रमण तक तीव्र कलात्मक गतिविधियों को प्रमाणित करते हैं। यहाँ पर वराह (विष्णु का वराह अवतार) की विशाल मूर्ति प्राप्त हुई है जिसका शीर्ष वराह का है व शरीर मानव का है। इसमें उसे समुद्र में डूबी हुई पृथ्वी (मानवाकार में देवी पृथ्वी) को अपने अग्रदंतों पर उठाते व बचाते हुये दर्शाया गया है। यह एक पौराणिक कथा की कलात्मक अभिव्यक्ति है। एक स्तम्भ के शीर्ष पर दो तरफा गरूड़ की मूर्ति भी यहाँ से प्राप्त हुई है। उसके पैरों के पास दो शेर मौर्यकालीन स्तंभ का सिंह शीर्ष (Lion Capital) सदृश्य प्रतीत होते हैं। यह प्रदर्शित करता है कि सम्भवतः कुछ पूर्व प्रचलित कला परम्परायें या उनसे संबंधित विचार गुप्त काल तक भी जारी रहे।

शैव मत अभी भी लिंग पूजा के चारों ओर केन्द्रित था। हमें उदयगिरी व खोह के मंदिरों में आकर्षक *एक मुखी शिवलिंग* मिले हैं। हालांकि, उदयगिरी, विदिशा और ऐरण जैसे स्थानों से शैव देवताओं जैसे स्कंद की कई मूर्तियां भी प्राप्त होती हैं। देवी लक्ष्मी, दुर्गा और पार्वती की प्रतिमायें भी प्राप्त हुई हैं। बंगाल के वर्तमान क्षेत्रों में सूर्य पूजा प्रचलित थी। यहाँ पायी गई सूर्य देवता की मूर्तियों से यह तथ्य प्रमाणित होता है।

इस काल के स्थापत्य कला के केन्द्रों से पता चलता है कि आरंभिक 5वीं शताब्दी सी.ई. तक हिन्दू प्रतिमा विद्या विकसित हो चुकी थी। यह इसलिये कहा गया है क्योंकि इस गुहा स्थल में व्यापक रूप से देवी-देवताओं की मूर्तियों का निर्माण हुआ हैः

1. *मकर* वाहिनी देवियाँ जो कि *मकरवाहिनी* गंगा और *कूर्मवाहिनी* यमुना की अग्रगामी मानी जाती हैं।
2. दरवाजे के अग्रभाग के दोनों बगलों की रक्षा करते हुये दो *द्वारपालों* (रक्षक) की मूतियाँ।
3. गणेश की मूर्तियाँ।
4. महिषासुरमर्दिनी रूप में दुर्गा (दुर्गा द्वारा महिष का वध)। यह बारह भुजा धारी प्रतिमा है जो कि विभिन्न अंगों के चित्रण के माध्यम से देवताओं की विविध शक्तियों व कार्यों को प्रतिबिंबित किये जाने के प्रचलन की ओर इंगित करती है।
5. विष्णु के दो चित्रण।

6. *सप्त मातृका* (सात मातायें)—विभिन्न मुख्य देवताओं की पत्नियाँ जिन्होंने शिव की विभिन्न रूपों व आकृतियों वाले एक असुर, जिसका नाम अन्धक था, को मारने में सहायता की थी।
7. वराह की विशाल मूर्ति व इससे जुड़े दृश्य। यह असाधारण रूप से ऐरण के वराह के समान है।
8. वराह के पीछे की दीवार के दोनों तरफ नदी देवियाँ - गंगा और यमुना।
9. *एकमुख लिंग*।

ऊपर चर्चा की गयी ब्राह्मणवादी धर्म से सम्बंधित देवताओं की मूर्तियों के अलावा विभिन्न पाषाण व कांस्य निर्मित बुद्ध की मूर्तियां भी उत्खनित स्थानों से प्राप्त हुई है। जैसे—

नालंदा (बिहार), मथुरा (उ.प्र.), सारनाथ (उ.प्र.), पहाड़पुर (बिहार), अजंता (महाराष्ट्र), नागार्जुनकोण्डा (आंध्र प्रदेश) इत्यादि।

ये ब्राह्मणवादी धर्म को मानने वाले गुप्त शासकों द्वारा भिन्न मतों को प्रदान की जाने वाली आदर्श सहनशीलता के प्रमाण हैं कि इन भिन्न मतों द्वारा ब्राह्मणवादी धर्म के साथ शांतिपूर्ण सह अस्तित्व व धार्मिक स्वतंत्रता का उपभोग किया गया था। यह इस विचार का भी सूचक है कि गुप्त काल बौद्ध कला के लिये भी स्वर्ण युग था। समृद्ध बौद्ध और जैन अनुयायी बुद्ध, *बोधिसत्व* और जैन *तीर्थंकरों* की विस्मय प्रेरक मूर्तियाँ स्थापित करने में पीछे नहीं रहे। ये मूर्तियाँ आध्यात्मिक भाव को बल देते हुये अन्तरस्थ भावना और बाहरी रूप से पूर्ण संयोजन को प्रदर्शित करती हैं। गुप्त काल के कारीगरों ने बुद्ध की मूर्तियों की बनावट में कुछ नये तत्वों को प्रारम्भ किया। कालांतर में, ये नव प्रवर्तन इस काल के प्रमाणिक चिन्ह बन गये। उदाहरणार्थः

- कुषाण कालीन मुंडे हुये सिर वाली बुद्ध की मूर्तियों के स्थान पर घुंघराले केश।
- मुद्राओं के विभिन्न प्रकार, जैसे हस्तमुद्राएं।
- गुप्त कालीन मूर्तिकार नैतिकता के प्रति जागरूक थे। कुषाण कला में वस्त्रविन्यास का उपयोग देह की मोहकता को प्रदर्शित करने के लिये किया जाता था। परन्तु गुप्त काल में वस्त्र विन्यास का उपयोग देह को छुपाने हेतु किया गया। इस काल में किसी भी प्रकार की नग्नता समाप्त कर दी गई।
- पूर्ववर्ती काल की गांधार कला व मथुरा कला के अन्तर्गत निर्मित मूर्तियों की तुलना में गुप्त काल में बुद्ध की मूर्तियों में अधिक आध्यात्मिक शांति दिखाई देती है।
- गांधार शैली में दृष्टिगोचर यूनानी प्रभाव गुप्त काल में पूर्ण रूप से त्याग दिया गया।

सारनाथ से प्राप्त असंख्य बुद्ध मूर्तियों में से सबसे अद्भुत मूर्ति रत्न जड़ित सिंहासन पर विराजमान करूणामयी बुद्ध की अपना पहला उपदेश (*धर्मचक्र प्रवर्तन*) देते हुये की है। यह अपनी निश्चत मुस्कुराहट और निर्मल ध्यानशील मुद्रा के कारण ध्यान देने योग्य है। इस सारनाथ शैली का प्रभाव पूर्वी एवं पश्चिमी भारत के साथ-साथ दक्कन पर भी पड़ा। मथुरा से प्राप्त खड़े बुद्ध की मूर्ति भी यहाँ पर उल्लेखनीय है।

लगभग छः फीट ऊंची कांस्य निर्मित बुद्ध की मूर्ति भागलपुर (बिहार) के निकट सुल्तानगंज से प्राप्त हुई है। यह एक टन से भी अधिक भारी है। फाहयान ने 82 फीट ऊँची विशाल ताम्रनिर्मित बुद्ध की मूर्ति का उल्लेख किया है, परन्तु यह प्राप्त नहीं हुई है। गुप्त कारीगरों ने लौह, ताम्र और कांस्य में मूर्तियाँ निर्मित कीं जो कि उनकी धातु विज्ञान में निपुणता एवं विकसित धातु तकनीक के ज्ञान को प्रदर्शित करता है। इस काल में व्यापक रूप से कांसे में मूर्ति-निर्माण के समुचित प्रमाण उपलब्ध हैं। मैहरोली लौह स्तम्भ (कुतुब मीनार के निकट, दिल्ली) लौह तकनीक में श्रेष्ठता अर्जित किये जाने का सर्वश्रेष्ठ उदाहरण है। यह शुद्ध लौह से निर्मित मजबूत स्तम्भ है जिसका भार लगभग छः टन है। 4वीं शताब्दी सी.ई. के आसपास दिनांकित यह स्तम्भ धूप, वर्षा, तूफान के बावजूद 1,500 वर्ष पश्चात् भी जंगरहित व क्षय रहित है। किस प्रकार इसका निर्माण हुआ यह आज भी रहस्य है। यह गुप्तकालीन तकनीकी विकास के अनुकरणीय स्तर का पर्याप्त उदाहरण प्रस्तुत करता है। लगभग एक सदी पूर्व तक इस प्रकार की विशेषताओं वाले स्तम्भ का निर्माण पश्चिम में किसी भी लोहे के ढलाईखाने में नहीं हुआ था। यह उत्कृष्ट उदाहरण गुप्त कालीन कारीगरों के प्रभावशाली धातु कर्म कौशल का सूचक है।

विदिशा के निकट दुर्जनपुर से प्राप्त तीन जैन मूर्तियां विशेष रूप से उल्लेखनीय हैं। उनमें से सर्वाधिक संरक्षित मूर्तियों में एक *ध्यान-मुद्रा* में लीन मुख्य आकृति है। शारीरिक संरचना पूर्ववर्ती कुषाण आदर्शों के सदृश्य प्रतीत होती है परन्तु श.ीश के पीछे प्रभामण्डल का अलंकरण गुप्त प्रतिमान की ओर संक्रमण की तरफ इंगित करता है। सभी तीनों मूर्तियाँ अभिलेखों के आधार पर गुप्त शासक राम गुप्त के समय में दिनांकित हैं। इस प्रकार, अपनी कलात्मक उपयोगिता के अतिरिक्त ये गुप्त इतिहास के लेखन हेतु भी महत्वपूर्ण हैं।

अजंता गुफायें अपने अलंकृत चित्रों के लिये विश्व विख्यात हैं। हालांकि इन गुफाओं में मूर्तियाँ भी हैं जो कि गुप्त कला के वैभव के लिये समान रूप से मुखरित हैं। उदाहरणार्थ, गुफा-9 में अपनी पत्नी के साथ बैठे नागराजा की मूर्ति।

खैरीगढ़ (उ.प्र.) से प्राप्त असाधारण, विशाल अश्व मूर्ति, इसके साथ-साथ प्राप्त अत्यधिक नष्ट हो चुके अभिलेख के आधार पर ऐसा विश्वास किया जाता है कि यह समुद्रगुप्त द्वारा *अश्वमेध यज्ञ* के लिये उपयोग में लाये गये यज्ञीय अश्व को दर्शाती है। *अश्वमेध यज्ञ* की छवि उसके सिक्कों पर भी उत्कीर्ण है। यह मूर्ति मटमैले बलुआ पत्थर से निर्मित है। गुप्त-लिच्छवीं सम्बंधों के संदर्भ में खैरीगढ़ क्षेत्र महत्वपूर्ण था।

## चित्रकला

गुप्तकाल में चित्रकला ने विकास की नयी रूपरेखा आरंभ की। प्राचीन भारतीय इतिहास में गुप्तकालीन चित्रकला की शोभा और भव्यता अद्वितीय है। इस काल के चित्रकला के साक्ष्य विभिन्न स्थानों से प्राप्त धूमिल

अवशेषों के अतिरिक्त इसके विख्यात उदाहरण अजंता भित्ति चित्रों, बाघ के गुहा चित्र और बादामी/वातापी से प्राप्त होते हैं। ऐसा प्रतीत होता है कि अंजता का स्थान प्रकृति और इसकी प्राकृतिक सुंदरता के महान दूरदर्शी और सराहना करने वालों द्वारा चुना गया था। अजंता गुफायें गहरी घाटी की ओर झुके हुए अश्वाकार पर्वत पर अवस्थित हैं। ये संख्या में 29 हैं जिनमें से हमारे लिये गुप्तकालीन चित्रकला की उत्कृष्टता का मूल्यांकन करने हेतु गुफा संख्या 1, 2, 16, 17, 19 बची हुई हैं। यद्यपि ये भिति चित्र पहली से लेकर सातवीं शताब्दी की विस्तृत समयावधि में दिनांकित हैं, परन्तु इनमें से अधिकतर गुप्तकाल से सम्बंधित हैं।

अजंता भित्ति चित्रों की विषय-वस्तु को निम्न में विभाजित किया जा सकता है:

1. बुद्ध और *बोधिसत्वों* का चित्रण;
2. बुद्ध के जीवन के दृश्य व घटनायें;
3. *जातक* कथायें (बुद्ध के पूर्वजन्म की कथायें);
4. प्रकृति का चित्रण जैसे फूल, पेड़ और पशु;
5. पौराणिक आकृतियाँ जैसे– *यक्ष, अप्सरा, गंधर्व* इत्यादि।

ये भित्ति चित्र धार्मिक एवं लौकिक जीवन के चित्रण से परिपूर्ण हैं। यद्यपि इनकी मुख्य विषय-वस्तु धार्मिक है परन्तु लौकिक जीवन के लगभग सभी पक्षों का चित्रण किया गया है जो कि अत्यधिक सजीव एवं सहज हैं। अद्वितीय कौशल के साथ फूल-पत्तियों और जीव जन्तुओं को स्वतंत्र रूप से चित्रित किया गया है। विशाल पर्वतों, प्रचुर व सरस वनस्पति, जंगलों और उद्यानों, खिलते पुष्पों, अलंकृत लतायें, पुष्पाच्छादित वृक्षों, बहती धाराओं, उड़ते पक्षियों, लड़ते या उछलते पशुओं, घूमते शिकारी पशुओं, एक शाख से दूसरी शाख पर कूदते वानरों, निष्कपट जीवों जैसे हिरण और हाथी को चित्रित किया गया है जिससे ज्ञात होता है कि कितने ध्यान से चित्रकार ने अपने चारों ओर के विश्व और प्रकृति को देखा, समझा, अनुभव व सुबोध किया है। यहाँ यदि एक तरफ हमें धनाढय लोगों की समृद्धता की सूक्ष्म दृष्टि प्राप्त होती है तो दूसरी ओर हम भिक्षुओं और भिखारियों के जीवन के दृश्यों को भी देखते हैं।

दृश्यात्मक रूप से विस्तृत व अद्वितीय चित्रण में ध्यानस्थ बुद्ध, *बोधसित्व* अवलोकितेश्वर और पद्मपाणी, राजा और रानियाँ, राजकुमार और राजकुमारियाँ, कुलीन वर्ग, योद्धा, ऋषि, शिकारी, कसाई, *अप्सराओं* और *नायिकाओं* के रूप में सुन्दर व आकर्षक स्त्रियाँ इत्यादि भी सम्मिलित हैं। ये हमें कलाकार के मस्तिष्क में उपजे अद्भुत विविध विचारों एवं कल्पनाओं का विवरण प्रदान करते हैं। सौन्दर्य युक्त स्त्रियों की मूर्तियाँ एवं चित्र, उनकी वेशभूषा, केशों की सजावट, उनके द्वारा पहने जाने वाले विभिन्न बनावट के आभूषणों का सुचित्रित वर्णन प्रस्तुत करते हैं। अजंता स्थित नारी चित्रण अक्सर साहित्य में वर्णित नारी सौन्दर्य के अनुरूप है।

छतों, पीठिकाओं, स्तम्भों, भवनों के अग्रभागों, द्वार-मार्गों, खिड़की की चौखटों पर किया गया अलंकरण चित्रकार की अद्भुत कल्पनाशीलता व तकनीक का प्रमाण प्रस्तुत करता है। ऐसा प्रतीत होता है कि कलाकार ने इन गुहा स्थलों को अपनी निपुणता, कुशलता एवं कारीगरी का सर्वोच्च नमूना बनाने में कोई कसर नहीं छोड़ी है।

अजंता की वर्तमान विनष्ट स्थिति इनके अनुपम सौन्दर्य को नहीं छिपा सकती है। 1500 वर्षों के पश्चात भी इसके रंगों की चमक क्षीण नहीं हुई है। अजंता की चित्रकला ने समकालीन चित्रकला के लिए उत्कृष्ट प्रतिमान व आदर्श स्थापित किए। विशेष रूप से गुफा संख्या 1 में त्याग की घोषणा करते *बोधिसत्व* और गुफा संख्या 17 में तुशीता स्वर्ग में बुद्ध से मिलने हेतु उड़ते देव इंद्र और उनके परिचारक गण देखने लायक दृश्य हैं।

बाघ की गुफाओं के चित्र भी अपने सशक्त निष्पादन व आकर्षक स्वरूपों और कटावदार रूपरेखाओं जैसे अलंकारिक चित्रों के कारण प्रभावशाली हैं। अपने समकक्ष अजंता के विपरीत ये अपनी विषय-वस्तु में अधिक लौकिक हैं।

हमें साहित्यिक स्रोतों से उल्लेख मिलता है कि तूलिका को कुशलता से उपयोग करने की योग्यता को केवल पेशेवर कलाकारों द्वारा ही हृदयांगम नहीं किया जाता था, बल्कि उच्च वर्ग के स्त्री एवं पुरुष भी इस योग्यता को अविरत प्रयास से सीखते थे।

## पल्लव कालीन कला

पल्लव नरेशों का शासन-काल कला एवं स्थापत्य की उन्नति के लिये प्रसिद्ध है। वस्तुतः उनकी वास्तु एवं तक्षण कला दक्षिण भारतीय कला के इतिहास में सर्वाधिक गौरवशाली अध्याय है। पल्लव वास्तुकला ही दक्षिण की द्रविड़ कला शैली का आधार बनी। उसी से दक्षिण भारतीय स्थापत्य की तीन प्रमुख अंगों का जन्म हुआ– (1) मण्डप, (2) रथ तथा (3) विशाल मन्दिर।

प्रसिद्ध कलाविद् पर्सी ब्राउन में पल्लव वास्तुकला के विकास की शैलियों को चार भागों में विभक्त किया है। इनका विवरण इस प्रकार है–

### महेन्द्र शैली (610-640 ई.)

इस शैली के अन्तर्गत कठोर पाषाण को काटकर गुहा मन्दिरों का निर्माण हुआ जिन्हें 'मण्डप' कहा जाता है। ये मण्डप साधारण स्तम्भयुक्त बरामदे हैं जिनकी पिछली दीवार में एक या अधिक कक्ष बनाये गये हैं। मण्डप के बाहर बने मुख्य द्वार पर द्वारपालों की मूर्तियाँ मिलती हैं जो कलात्मक दृष्टि से उच्चकोटि की हैं। मण्डप के सामने स्तम्भों की एक पंक्ति मिलती है। प्रत्येक स्तम्भ सात फीट ऊँचा है। स्तम्भ प्रायः चौकोर है जिनके ऊपर के शीर्ष सिंहाकार बनाये गये हैं। महेन्द्र शैली के मण्डपों में मण्डगपट्टु का त्रिमूर्ति मण्डप, पल्लवरम का पञ्चपाण्डव मण्डप, महेन्द्रवाड़ी का महेन्द्रविष्णु गृहमण्डप, मामण्डूर का विष्णुमण्डप, त्रिचनापल्ली का ललितांकुर पल्लवेश्वर गृहमण्डप आदि विशेष रूप से उल्लेखनीय है। इस शैली के प्रारम्भिक मण्डप सादे तथा अलंकरणरहित हैं किन्तु बाद के मण्डपों को अलंकृत करने की प्रवृत्ति दिखाई देती है। पञ्चपाण्डव मण्डप में छः अलंकृत स्तम्भ लगाये गये हैं। महेन्द्रवर्मन प्रथम के बाद भी कुछ समय तक इस शैली का विकास होता रहा।

## मामल्ल-शैली (640-674 ई.)

इस शैली का विकास नरसिंहवर्मन प्रथम महामल्ल के काल में हुआ। इसके अन्तर्गत दो प्रकार के स्मारक बने—मण्डप तथा एकाश्मक मन्दिर (Monolithic temples) जिन्हें 'रथ' कहा गया है। इस शैली में दस मण्डप बनाये गये हैं। इनमें आदिवाराह मण्डप, महिषमर्दिनी मण्डप, पञ्चपाण्डव मण्डप, रामानुज मण्डप आदि विशेष प्रसिद्ध हैं। इन्हें विविध प्रकार से अलंकृत किया गया है। मण्डपों का आकार-प्रकार बड़ा नहीं है। मण्डपों के स्तम्भ पहले की अपेक्षा पतले तथा लम्बे हैं। इनके ऊपर पद्म, कुम्भ, फलक आदि अलंकरण बने हुए हैं। स्तम्भों को मण्डपों में अत्यन्त अलंकृत ढंग से नियोजित किया गया है। मण्डप अपनी मूर्तिकारी के लिये प्रसिद्ध है। इनमें उत्कीर्ण महिषमर्दिनी, अनन्तशायी विष्णु, त्रिविक्रम, ब्रह्मा, गजलक्ष्मी, हरिहर आदि की मूर्तियाँ कलात्मक दृष्टि से अत्युत्कृष्ट है। पञ्चपाण्डव मण्डप में कृष्ण द्वारा गोवर्धन पर्वत धारण किये जाने का दृश्य अत्यन्त सुन्दर है। आदिवाराह मण्डप में राजपरिवार के दो दृश्यों का अंकन मिलता है।

मामल्लशैली की दूसरी रचना रथ अथवा एकाश्मक मन्दिर है। इन्हें कठोर चट्टानों को काटकर बनाया गया है। रथ मन्दिरों का आकार-प्रकार अन्य कृतियों की अपेक्षा छोटा है। ये अधिक-से-अधिक 42 फुट लम्बे, 35 फुट चौड़े तथा 40 फुट ऊँचे हैं तथा पूर्ववर्ती गुहा-विहारों अथवा चैत्यों की अनुकृति पर निर्मित प्रतीत होते हैं। प्रमुख रथ हैं—द्रौपदी रथ, नकुल-सहदेव रथ, अर्जुन रथ, भीम रथ, धर्मराज रथ, गणेश रथ, पिडारि रथ तथा वलेयकुट्टेथ रथ। प्रथम पाँच दक्षिण में तथा अन्तिम तीन उत्तर और उत्तर पश्चिम में स्थित हैं। ये सभी शैव मन्दिर प्रतीत होते हैं। द्रौपदी रथ सबसे छोटा है। इसमें किसी प्रकार का अलंकरण नहीं मिलता तथा यह एक सामान्य कक्ष की भाँति खोदा गया है। यह सिंह तथा हाथी जैसे पशुओं के आधार पर टिका हुआ है। धर्मराज रथ सबसे अधिक प्रसिद्ध है। इसके ऊपर पिरामिड के आकार का शिखर बनाया गया है। मध्य में वर्गाकार कक्ष तथा नीचे स्तम्भयुक्त बरामदा है। कुर्सी में गढ़े हुए सुदृढ़ टुकड़ों तथा सिंह-स्तम्भयुक्त अपनी ड्योढ़ियों से यह और भी सुन्दर प्रतीत होता है। पर्सीब्राउन के शब्दों में 'इस प्रकार की योजना न केवल अपने में एक प्रभावपूर्ण निर्माण है अपितु शक्तियों से परिपूर्ण होने के साथ-साथ सुखद रूपों तथा अभिप्रायों का भण्डार है।' इसे द्रविड़ मन्दिर शैली का अग्रदूत कहा जा सकता है। भीम, सहदेव तथा गणेश रथों का निर्माण चैत्यगृहों जैसा है। ये दीर्घाकार हैं तथा इनमें दो या अधिक मंजिलें हैं, और तिकोने किनारों वाली पीपे जैसी छतें हैं। सहदेव रथ अर्धवृत्त के आकार का है। नीलकंठ शास्त्री के अनुसार 'इन रथों की दीर्घाकार आयोजना, छोटी होती जाने वाली मंजिलों और कलशों तथा नुकीले किनारों के साथ पीपे के आकार वाली छतों के आधार पर ही बाद के गोपुरों अथवा मन्दिरों की प्रवेश बुर्जियों की डिजाइन तैयार की गयी होगी।'

मामल्लशैली के रथ अपनी मूर्तिकला के लिये भी प्रसिद्ध हैं। नकुल-सहदेव रथ के अतिरिक्त अन्य सभी रथों पर विभिन्न देवी-देवताओं जैसे—दुर्गा, इन्द्र, शिव, गंगा, पार्वती, हरिहर, ब्रह्मा, स्कन्द आदि की मूर्तियाँ उत्कीर्ण मिलती है। द्रौपदी रथ की दीवारों में तक्षित दुर्गा तथा अर्जुन रथ की दीवारों में बनी शिव की मूर्तियाँ विशेष रूप से प्रसिद्ध हैं। धर्मराज रथ पर नरसिंहवर्मन की मूर्ति अंकित है। इन रथों को 'सप्त पैगोडा' कहा जाता है। दुर्भाग्यवश इनकी रचना अपूर्ण रह गयी है।

## राजसिंह-शैली (674-800 ई.)

इस शैली का प्रारम्भ पल्लव नरेश नरसिंहवर्मन् द्वितीय 'राजसिंह' ने किया। इसके अन्तर्गत गुहा-मन्दिरों के स्थान पर पाषाण, ईंट आदि की सहायता से इमारती मन्दिरों (Structural temples) का निर्माण करवाया गया है। इस शैली के मन्दिरों में से तीन महाबलीपुरम् से प्राप्त होते हैं—शोर-मन्दिर (तटीय शिव मन्दिर), ईश्वर मन्दिर तथा मुकुन्द मन्दिर। शोर-मन्दिर (Shore-temple) इस शैली का प्रथम उदाहरण है। इनके अतिरिक्त पनमलाई (उत्तरी अर्काट) मन्दिर तथा काञ्ची के कैलाशनाथ एवं बैकुण्ठपेरूमाल मन्दिर भी उल्लेखनीय हैं।

महाबलीपुरम् के समुद्र तट पर स्थित शोर-मन्दिर (Shore-temple) पल्लव कलाकारों की अद्‌भुत कारीगरी का नमूना है। मन्दिर का निर्माण एक विशाल प्रांगण में हुआ है जिसका प्रवेश द्वार पश्चिम की ओर है। इसका गर्भगृह समुद्र की ओर है तथा इसके चारों ओर प्रदक्षिणापथ है। मुख्य मन्दिर के पश्चिमी किनारे पर बाद में दो और मन्दिर जोड़ दिये गये। इनमें से एक छोटा विमान है। बढ़े हुए भागों के कारण मुख्य मन्दिर की शोभा में कोई कमी नहीं आने पाई है। इसका शिखर सीढ़ीदार है तथा इसके शीर्ष पर स्तूपिका बनी हुई है। यह अत्यन्त मनोहर है। दीवारों पर गणेश, स्कन्द, गज, शार्दूल आदि की मूर्तियाँ उत्कीर्ण मिलती हैं। इसमें सिंह की आकृति को विशेष रूप से खोद कर बनाया गया है। घेरे की भव्य दीवार के मुंडेरे पर उँकडू बैठे हुए बैलों की मूर्तियाँ बनी हैं तथा बाहरी भाग के चारों ओर थोड़ी-थोड़ी अन्तराल पर सिंह-भित्ति-स्तम्भ बने हैं। इस प्रकार यह द्रविड़ वास्तु की एक सुन्दर रचना है। शताब्दियों की प्राकृतिक आपदाओं की उपेक्षा करते हुए यह आज भी अपनी सुन्दरता को बनाये हुए है।

कांची स्थित कैलाशनाथ मन्दिर राजसिंह शैली के चरम उत्कर्ष को व्यक्त करता है। इसका निर्माण नरसिंहवर्मन द्वितीय (राजसिंह) के समय से प्रारम्भ हुआ तथा उसके उत्तराधिकारी महेन्द्रवर्मन् द्वितीय के समय में इसकी रचना पूर्ण हुई। द्रविड़ शैली की सभी विशेषतायें जैसे—परिवेष्ठित प्रांगण, गोपुरम्, स्तम्भयुक्त मण्डप, विमान आदि इस मन्दिर में एक साथ प्राप्त हो जाती है। इसके निर्माण में ग्रेनाइट तथा बलुआ पत्थरों का उपयोग किया गया है। इसका गर्भगृह आयताकार है। जिसकी प्रत्येक भुजा 9 फीट है। इसमें पिरामिडनुमा विमान तथा स्तम्भयुक्त मण्डप है। सम्पूर्ण मन्दिर ऊँचे परकोटों से घिरा हुआ है। मन्दिर में शैव सम्प्रदाय एवं शिव-लीलाओं से सम्बन्धित अनेक सुन्दर-सुन्दर मूर्तियाँ अंकित हैं जो उसकी शोभा को द्विगुणित करती है।

कैलाशनाथ मन्दिर के कुछ बाद का बना बैकुण्ठपेरुमाल का मन्दिर है। उसका निर्माण परमेश्वरवर्मन् द्वितीय के समय में हुआ था। यह भगवान विष्णु का मन्दिर है जिसमें प्रदक्षिणापथयुक्त गर्भगृह एवं सोपानयुक्त मण्डप है। मन्दिर का विमान वर्गाकार एवं चारतल्ला (Four storeyed) है। प्रथम तल्ले में विष्णु की अनेक मुद्राओं में मूर्तियाँ बनी हुई हैं। साथ

ही साथ मन्दिर की भीतरी दीवारों पर युद्ध, राज्याभिषेक, अश्वमेघ, उत्तराधिकार-चयन, नगर-जीवन आदि के दृश्यों को भी अत्यन्त सजीवता एवं कलात्मकता के साथ उत्कीर्ण किया गया है। ये विविध चित्र रिलीफ स्थापत्य के सुन्दर उदाहरण प्रस्तुत करते हैं। इन चित्रों के माध्यम से तत्कालीन जीवन एवं संस्कृति की जानकारी हो जाती है। मन्दिर में भव्य एवं आकर्षक स्तम्भ लगे हैं। पल्लव वास्तु-कला का विकसित स्वरूप इस मन्दिर में दिखाई देता है।

### नन्दिवर्मन्-शैली (800-900 ई.)

इस शैली के अन्तर्गत अपेक्षाकृत छोटे मन्दिरों का निर्माण हुआ। इसके उदाहरण काञ्ची के मुक्तेश्वर एवं मातंगेश्वर मन्दिर, ओरगडम् का वड्मल्लिश्वर मन्दिर, तिरुत्तैन का वीरट्टानेश्वर मन्दिर, गुडिडमल्लम् का परशुरामेश्वर मन्दिर आदि है। काञ्ची के मन्दिर इस शैली के प्राचीनतम नमूने हैं। इनमें प्रवेश-द्वार पर स्तम्भयुक्त मण्डप बने हैं। इसके बाद के मन्दिर चोल-शैली से प्रभावित एवं उसके निकट हैं।

इस प्रकार पल्लव राजाओं का शासन काल कला एवं स्थापत्य की उन्नति के लिये अत्यन्त प्रसिद्ध रहा। इस काल की कुछ कलात्मक कृतियाँ आज भी अपने निर्माताओं की महानता का संदेश दे रही हैं।

## चोलकालीन कला

दक्षिण भारत में चोल राजवंश का राज्यकाल (850 ई. 1250 ई.) कला एवं स्थापत्य के सतत समृद्धि का युग था। चोल राजाओं ने अपनी विस्तृत विजयों से प्राप्त धन सम्पदा का उपयोग दीर्घायु प्रस्तर मन्दिरों के निर्माण तथा कास्य की मूर्तियों के निर्माण में किया। चोलयुगीन कलाकारों ने अपनी कुशलता का प्रदर्शन पाषाण-मन्दिर एवं मूर्तियाँ बनाने में किया है। कलाविद् फर्ग्युसन के अनुसार चोल कलाकारों ने 'दैत्यों के समान कल्पना की तथा जौहरियों के समान उसे पूरा किया' (They conceived like giants and finished like jewellers)। चोल शासकों ने अपनी राजधानी में बहुसंख्यक पाषाण मन्दिरों का निर्माण करवाया। चोल काल के प्रारम्भिक स्मारक पुडुक्कोट्टै जिले से प्राप्त होते हैं। इनमें विजयालय द्वारा नार्त्तामलाई में बनवाया गया चोलेश्वर मन्दिर सर्वाधिक प्रसिद्ध है। यह चोल शैली का एक सुन्दर नमूना है। इसमें एक वर्गाकार प्राकार के अन्तर्गत एक वृत्ताकार गर्भगृह बना हुआ है। प्राकार तथा गर्भगृह के ऊपर विमान है। यह चार मंजिला है। प्रत्येक मंजिल एक दूसरे के ऊपर क्रमशः छोटी होती हुई बनायी गयी है। नीचे की तीन मंजिलें वर्गाकार तथा सबसे ऊपरी मंजिल गोलाकार है। इसके ऊपर गुम्बदाकार शिखर तथा सबसे ऊपरी भाग में गोल कलश स्थापित है। सामने की ओर घिरा हुआ मण्डप है। बाहरी दीवारों को सुन्दर भित्तिस्तम्भों से अलंकृत किया गया है। मुख्य द्वार के दोनों ओर ताख में दो द्वारपालों की मूर्तियाँ उत्कीर्ण है। मुख्य मन्दिर के चारों ओर खुले हुए बरामदे में सात छोटे देवस्थान हैं जो मन्दिर ही प्रतीत होते हैं। ये सभी पाषाण-निर्मित हैं। इस प्रकार का दूसरा मन्दिर कन्ननूर का बालसुब्रह्मण्यम् मन्दिर है जिसे आदित्य प्रथम ने बनवाया था। उसकी समाधियों की छतों के चारों कोनों पर हार्थियों की मूर्तियाँ है। विमान के शिखर के नीचे बना हुआ हाथी सुब्रह्मण्यम् का वाहन है। इसी समय का एक अन्य मन्दिर कम्बकोनम में बना नागेश्वर मन्दिर' है। इसकी बाहरी दीवारों की ताखों में सुन्दर मूर्तियाँ बनाई गयी है। गर्भगृह के चारों ओर अर्द्धनारी 'ब्रह्मा' दक्षिणामूर्ति के साथ-साथ बहुसंख्यक मनुष्यों की मूर्तियाँ ऊँचे रिलीफ में बनी हैं जो अत्यधिक सुन्दर हैं। मानव मूर्तियाँ या तो दानकर्त्ताओं की हैं या समकालीन राजकुमारों तथा राजकुमारियों की हैं। आदित्य प्रथम के ही समय में तिरुवकट्टलै के सुन्दरेश्वर मन्दिर का भी निर्माण हुआ। इसके परकोटे में गोपुरम बना हुआ है, विमान दुतल्ला (Double storeyed) है तथा इसमें एक अर्द्धमण्डप भी है। इस मन्दिर में द्रविड़ शैली की सभी विशेषतायें देखे जा सकते हैं।

परान्तक प्रथम के राज्य-काल में निर्मित श्रीनिवासनल्लूर का कोरगनाथ मन्दिर चोल मन्दिर निर्माण-कला के विकास के द्वितीय चरण को व्यक्त करता है। यह कुल मिलाकर 50 फीट लम्बा है। इसका वर्गाकार गर्भगृह 25 फीट का है तथा सामने की ओर का मण्डप $25' \times 20'$ के आकार का है। मन्दिर का शिखर 50 फीट ऊँचा है। गर्भगृह की बाहरी दीवार में बनी ताखों में एक पेड़ के नीचे भक्तों, सिंहों तथा गणों के साथ बैठी हुए दुर्गा की दक्षिणामूर्ति तथा विष्णु एवं ब्रह्मा की खड़ी हुईं मूर्तियाँ उत्कीर्ण मिलती हैं। दुर्गा के साथ लक्ष्मी तथा सरस्वती की मूर्तियाँ भी मिलती है। सभी तक्षण अत्यन्त सुन्दर हैं।

चोल स्थापत्य का चरमोत्कर्ष त्रिचनापल्ली जिले में निर्मित दो मन्दिरों—तंजौर तथा गगैकोण्डचोलपुरम—के निर्माण में परिलक्षित होता है। तंजौर का भव्य शैव मन्दिर जो राजराजेश्वर अथवा बृहदीश्वर नाम से प्रसिद्ध है, का निर्माण राजराज प्रथम के काल में हुआ था। भारत के मन्दिरों में सबसे बड़ा तथा लम्बा यह मन्दिर एक उत्कृष्ट कलाकृति है जो दक्षिण भारतीय स्थापत्य के चरमोत्कर्ष को दर्शाते हैं। इसे द्रविड़ शैली का सर्वोत्तम नमूना माना जा सकता है। इसका विशाल प्रागण $500' \times 250'$ के आकार का है। इसके निर्माण में ग्रेनाइट पत्थरों का प्रयोग किया गया है। मन्दिर चारों ओर से एक ऊँची दीवार से घिरा है। मंदिर का आकर्षण गर्भगृह के ऊपर पश्चिम में बना हुआ लगभग 200 फीट ऊँचा विमान है। इसका आधार 82 वर्ग फुट है। आधार के ऊपर तेरह मजिलों वाला पिरामिड के आकार का शिखर 190 फीट ऊँचा है। मंदिर का गर्भगृह 44 वर्ग फीट का है जिसके चतुर्दिक 9 फीट चौड़ा प्रदक्षिणापथ निर्मित है। प्रदक्षिणा-पथ की भीतरी दीवारों पर सुन्दर भित्तिचित्र बने हैं। गर्भगृह के भीतर एक विशाल शिवलिंग स्थापित है जिसे अब बृहदीश्वर कहा जाता है। प्रवेशद्वार पर दोनों ओर ताख में दो द्वारपालों की मूर्तियाँ बनी है। मन्दिर के बहिर्भाग में विशाल नन्दी की एकाश्मक मूर्ति बनी है। मन्दिर की दीवारों में बने ताखों में अनेक देवी-देवताओं की मूर्तियाँ बनी हुई हैं। इस प्रकार भव्यता तथा कलात्मक सौन्दर्य की दृष्टि से यह दक्षिण भारत का सर्वश्रेष्ठ हिन्दू स्मारक है। पर्सी ब्राउन के शब्दों में इसका विज्ञान न केवल द्रविड़ शैली की सर्वोत्तम रचना है अपितु इसे समस्त भारतीय स्थापत्य का कसौटी भी कहा जा सकता है।

गंगकोण्डचोलपुरम् के मंदिर का निर्माण राजराज के पुत्र राजेन्द्र चोल के शासन काल में हुआ। यह 340 फीट लम्बा तथा 110 फीट चौड़ा है। इसका आठ मंजिला पिरामिडाकार विमान 100 वर्ग फीट के आधार पर

बना है तथा 86 फीट ऊँचा है। मन्दिर का मुख्य प्रवेशद्वार पूर्व की ओर है जिसके बाद 175′ × 95′ के आकार का महामण्डप है। मण्डप तथा गर्भगृह को जोड़ते हुए अन्तराल बनाया गया है। मण्डप एवं अन्तराल की दोनों छतें सपाट हैं। अन्तराल के उत्तर तथा दक्षिण की ओर दो प्रवेशद्वार बने हैं जिनसे होकर गर्भगृह में पहुँचा जाता है। मण्डप के स्तम्भ अलंकृत तथा आकर्षक हैं।

तंजौर तथा गंगैकोंडचोलपुम् के मन्दिर चोल स्थापत्य के चरमोत्कर्ष को व्यक्त करते हैं। साथ ही साथ चोल सम्राटों की महानता एवं गौरवगाथा को आज भी सूचित कर रहे हैं।

राजेन्द्र चोल के उत्तराधिकारियों के समय में भी मन्दिर निर्माण की परम्परा कायम रही। इस समय कई छोटे-छोटे मन्दिरों का निर्माण किया गया। इनमें मन्दिर की दीवारों पर अलंकृत चित्रकारियाँ एवं भव्य मूर्तियाँ उत्कीर्ण हैं। राजराज द्वितीय तथा कुलोतुंग तृतीय द्वारा बनवाये गये क्रमशः दारासुरम् का ऐरावतेश्वर का मन्दिर तथा त्रिभुवनम् का कम्पहरेश्वर का मन्दिर अत्यन्त भव्य एवं सुन्दर है। इन मन्दिरों का निर्माण भी तंजौर मन्दिर की योजना पर किया गया है। ऐरावतेश्वर मन्दिर में महामण्डप के सामने अग्रमण्डप बनाये गये हैं। ये पहियेदार रथ की भाँति है जिन्हें हाथी खींच रहे हैं। मण्डपों में अलंकृत स्तम्भ लगाये गये हैं। कालान्तर में इस मन्दिर का प्रभाव कोणार्क के सूर्य मन्दिर पर पड़ा। वास्तु तथा तक्षण, दोनों ही दृष्टियों से यह मन्दिर उल्लेखनीय है। कम्पहरेश्वर, जिसे त्रिभुवनेश्वर भी कहा जाता है, की योजना भी ऐरावतेश्वर मन्दिर के ही समान है। इसमें मूर्तिकारी की अधिकता है। मूर्तियाँ कलात्मक दृष्टि से भी अच्छी है। नीलकण्ठ शास्त्री ने इसे मूर्तिदीर्घा कहा है।

स्थापत्य के साथ-साथ तक्षण-कला (Sculpture) के क्षेत्र में भी चोल कलाकारों ने सफलता प्राप्त की। उन्होंने पत्थर तथा धातु की बहुसंख्यक मूर्तियों का निर्माण किया। उनके द्वारा निर्मित मूर्तियों में देवी-देवताओं की मूर्तियों ही अधिक हैं, यद्यपि छिट-पुट रूप से मानव मूर्तियाँ भी प्राप्त होती हैं। चूँकि चोलवंश के अधिकांश शासक उत्साही शैव थे, अतः इस काल में शैव मूर्तियों का निर्माण ही अधिक हुआ। पाषाण मूर्तियों से भी अधिक धातु (कांस्य) मूर्तियों का निर्माण हुआ। सर्वाधिक सुन्दर मूर्तियाँ नटराज (शिव) की है जो बहुत बड़ी संख्या में मिलती हैं। ये आज भी दक्षिण के कई स्थानों पर विद्यमान है जिनकी पूजा होती है। त्रिचनापल्ली के तिरुभरगकुलम् से नटराज की एक विशाल कास्य प्रतिमा मिली है जो इस समय दिल्ली संग्रहालय में है। इसी जिले के तिरुवलनकडु से शिव के अर्द्धनारीश्वर रूप की एक मूर्ति मिलती है जो मद्रास संग्रहालय में सुरक्षित है। इसमें नारी तथा पुरुष की शारीरिक विशेषताओं को उभारने में कलाकार को विशेष सफलता मिली है। इसके अतिरिक्त ब्रह्मा, विष्णु, लक्ष्मी, भूदेवी, राम-सीता, कालियानाग पर नृत्य करते हुए बालक कृष्ण तथा कुछ शैव सन्तों की मूर्तियाँ भी प्राप्त होती हैं जो कलात्मक दृष्टि से भव्य एवं सुन्दर हैं। चोल कलाकारों ने धातु मूर्तियों के निर्माण में एक विशिष्ट विधा का प्रचलन किया है। चोल मूर्तिकला मुख्यतः वास्तु कला की सहायक थी और यही कारण है कि अधिकांश मूर्तियों का उपयोग मन्दिरों को सजाने में किया गया। केवल धातु मूर्तियाँ ही स्वतंत्र रूप से निर्मित हुई हैं।

*नटराज रूप में शिव*

*कांस्य की महादेवी (पार्वती)*

वास्तु तथा तक्षण के साथ-साथ चोल काल में चित्रकला का भी विकास हुआ। इस युग के कलाकारों ने मन्दिरों की दीवारों पर अनेक सुन्दर चित्र बनाये हैं। अधिकांश चित्र बृहदीश्वर मन्दिर की दीवारों पर उत्कीर्ण मिलते हैं। ये अत्यन्त आकर्षक एवं कलापूर्ण हैं। चित्र प्रमुखतः पौराणिक धर्म से सम्बन्धित है। यहाँ शिव की विविध लीलाओं से सम्बन्धित चित्रकारियाँ प्राप्त होती हैं। एक चित्र में राक्षस का वध करती हुई दुर्गा तथा दूसरे में राजराज को सपरिवार शिव की पूजा करते हुए प्रदर्शित किया गया है।

इस प्रकार चोल राजाओं के शासन-काल में राजनैतिक और सांस्कृतिक दोनों ही दृष्टियों से तमिल देश की महती उन्नति हुई। वस्तुतः स्थानीय प्रशासन, कला, धर्म तथा साहित्य के क्षेत्र में इस समय तमिल देश जितना अधिक उत्कर्ष पर पहुँचा उतना बाद के कालों में कभी भी नहीं पहुँच सका।

## बहुविकल्पीय प्रश्नोत्तर

**1.** निम्नलिखित स्मारकों को तिथिक्रम में व्यवस्थित कीजिएः

1. बृहदीश्वर मंदिर, तंजावुर
2. द्रौपदी रथ, मामल्लपुरम
3. कैलाश मंदिर, एलोरा
4. मीनाक्षी मंदिर, मदुरै

नीचे के कूट से सही उत्तर का चयन कीजिएः

A. 1, 4, 2, 3　B. 2, 3, 1, 4
C. 3, 1, 4, 2　D. 4, 2, 3, 1

**2.** निम्नलिखित में से कौन-सा/से सूर्य मंदिरों के लिए विख्यात है/हैं?

1. अरसावल्ली
2. अमरकंटक
3. ओंकारेश्वर

नीचे दिए गए कूट का प्रयोग कर सही उत्तर चुनिएः

A. केवल 1　B. केवल 2 और 3
C. केवल 1 और 3　D. 1, 2 और 3

**3.** निम्नलिखित में से कौन-सा/से कथन सही है/हैं?

1. अजंता गुफाएँ जैनमत से लिये दृश्यों से चित्रित की गई हैं।
2. ऐलोरा गुफाओं की उत्तमांग उपलब्धि वहाँ का विराट एकाश्मक कैलाशनाथ मन्दिर है।
3. अजंता गुफाएँ आठ शताब्दियों पर्यन्त अवधि में विभिन्न शासकों द्वारा निर्मित की गई हैं।

नीचे दिये कूट का प्रयोग कर सही उत्तर चुनिएः

A. 1, 2 और 3 B. केवल 1 और 3
C. केवल 2 D. केवल 2 और 3

**4.** एलोरा के गुहा-मंदिर सम्बन्धित हैं:

1. हिन्दू धर्म से 2. बौद्ध धर्म से
3. जैन धर्म से 4. उक्त सभी से

नीचे के कूट से सही उत्तर का चयन कीजिएः

*कूटः*

A. केवल 1 B. केवल 2
C. 1 एवं 2 D. 1, 2 एवं 3

**5.** निम्नलिखित पर विचार कीजिएः

निम्नलिखित में से किस स्थान पर प्रागैतिहासिक काल के चित्रित शैलाश्रयों की सबसे बड़ी मेखला खोजी गई है?

1. भाजा 2. भीमबेटका
3. जौरा 4. अजन्ता

नीचे दिए गए कूट का प्रयोग कर सही उत्तर चुनिएः

A. केवल 1, 2 और 3 B. केवल 2, 3 और 4
C. केवल 2 और 3 D. केवल 3 और 4

**6.** अजंता और महाबलीपुरम के रूप में ज्ञात दो ऐतिहासिक स्थानों में कौन-सी बात/बातें समान है/हैं?

1. दोनों एक ही समयकाल में निर्मित हुए थे।
2. दोनों का एक ही धार्मिक सम्प्रदाय से संबंध है।
3. दोनों में शिलाकृत स्मारक हैं।

नीचे दिए गए कूट का प्रयोग कर सही उत्तर चुनिए।

A. केवल 1 और 2
B. केवल 3
C. केवल 1 और 3
D. उपर्युक्त कथनों में से कोई भी सही नहीं है

**7.** भारतीय शिलावस्तु के इतिहास के संदर्भ में, निम्नलिखित कथनों पर विचार कीजिएः

1. बादामी की गुफाएँ भारत की प्राचीनतम अवशिष्ट शैलकृत गुफाएँ हैं।
2. बराबर की शैलकृत गुफाएँ सम्राट चन्द्रगुप्त मौर्य द्वारा मूलतः आजीविकों के लिए बनवाई गई थीं।
3. एलोरा में, गुफाएँ विभिन्न धर्मों के लिए बनाई गई थीं।

उपर्युक्त कथनों में से कौन-सा/से सही है/हैं?

A. केवल 1 B. केवल 2 और 3
C. केवल 3 D. 1, 2 और 3

**8.** भुवनेश्वर के समीप अवस्थित उदयगिरि तथा खंडागिरि की जैन शैलकृत गुफाओं के अभिलक्षण हैं:

1. सभागारों तथा बहुत छोटे कक्षों की अनुपस्थिति।
2. फर्श के ढलान का ऊपर की ओर होना।
3. बड़े सभागारों तथा कक्षों का एक योजना के अनुरूप उत्खनन होना।
4. कक्षों के अन्दर के भाग का सादगीपूर्ण होना।

नीचे दिए गए कूट का प्रयोग कर सही उत्तर चुनिएः

A. 2, 3 और 4 B. 1, 2 और 4
C. केवल 1 और 2 D. केवल 1 और 4

**9.** निम्नलिखित ऐतिहासिक स्थलों पर विचार कीजिएः

1. अजन्ता की गुफाएँ
2. लेपाक्षी मन्दिर
3. साँची स्तूप

उपर्युक्त स्थलों में से कौन-सा/से भित्ति चित्रकला के लिए भी जाना जाता है/जाने जाते हैं?

A. केवल 1 B. केवल 1 और 2
C. 1, 2 और 3 D. कोई नहीं

**10.** उड़ीसा के मंदिर के वास्तुशिल्प के संदर्भ में निम्नलिखित कथनों पर विचार कीजिएः

1. भुवनेश्वर के मुक्तेश्वर मंदिर के पूजागृह में प्रवेश ऐसे तोरण से होकर है जो अभी तक भुवनेश्वर के मंदिरों में ज्ञात अकेला तोरण है।
2. भुवनेश्वर के लिंगराज मंदिर के जगमोहन में दो वेदिकामय गवाक्ष हैं, जो कि उड़ीसा की अनन्य विशेषता है।

उपर्युक्त कथनों में से कौन सा/से सही है/हैं?

A. केवल 1 B. केवल 2
C. 1 और 2 दोनों D. न तो 1 और न ही 2

**11.** एलीफैंटा के प्राचीन स्मारक प्रायः हैं:

1. बौद्ध 2. जैन
3. शैव 4. वैष्णव

नीचे दिए गए कूट से सही उत्तर का चयन कीजिएः

*कूटः*

A. 1 B. 2
C. 3 D. 1 और 4

**12** **कथन (A):** काष्ठक वास्तुशिल्पीय आदिप्रारूपों पर प्रतिरूपित बराबर पहाड़ियों की लोमश ऋषि और सुदामा गुफाएँ भारत में पर्वत गुफा वास्तुशिल्प के उदाहरण हैं।

**कथन (R):** बराबर पहाड़ियों की गुफाएँ चन्द्रगुप्त मौर्य द्वारा आजीवकों को समर्पित की गई थीं।

A. (A) और (R) दोनों सही हैं, और (R), (A) का सही स्पष्टीकरण है

B. (A) और (R) दोनों सही हैं, परन्तु (R), (A) का सही स्पष्टीकरण नहीं है

C. (A) सही है, परन्तु (R) गलत है

D. (A) गलत है, परन्तु (R) सही है

**13. कथन (A):** गान्धार शैली पर यूनानी (हिलिनिस्टिक) प्रभाव के चिन्ह हैं।

**कारण (R):** उस कला से हीनयान का रूप प्रभावित हुआ।

A. (A) और (R) दोनों सही हैं, और (R), (A) का सही स्पष्टीकरण है

B. (A) और (R) दोनों सही हैं, परन्तु (R), (A) का सही स्पष्टीकरण नहीं है

C. (A) सही है, परन्तु (R) गलत है

D. (A) गलत है, परन्तु (R) सही है

**14. कथन (A):** मथुरा की समृद्ध मूर्तिकला परम्परा अपने प्रधान माध्यम, सफेद छीटों वाले लाल बालुकाश्म, द्वारा विशेषित है।

**कथन (R):** सफेद छीटों वाला लाल बालुकाश्म स्थानीय रूप से मथुरा क्षेत्र में उपलब्ध है।

A. (A) और (R) दोनों सही हैं, और (R), (A) का सही स्पष्टीकरण है

B. (A) और (R) दोनों सही हैं, परन्तु (R), (A) का सही स्पष्टीकरण नहीं है

C. (A) सही है, परन्तु (R) गलत है

D. (A) गलत है, परन्तु (R) सही है

**15.** निम्नलिखित वक्तव्यों पर विचार कीजिए तथा नीचे के कूट से सही उत्तर का चयन कीजिए:

**कथन (A):** साँची कला में बुद्ध के जीवन दृश्यों का अंकन हुआ है।

**कारण (R):** साँची का बुद्ध के जीवन से निकट का सम्बन्ध था।

*कूट:*

A. (A) और (R) दोनों सही हैं, तथा (A) की सही व्याख्या (R) है

B. (A) और (R) दोनों सही हैं, किन्तु (A) की सही व्याख्या (R) नहीं है

C. (A) सही है, किन्तु (R) गलत है

D. (A) गलत है, किन्तु (R) सही है

**16.** सूची-I को सूची-II के साथ सुमेलित कीजिए और सूचियों के नीचे दिए गए कूट का प्रयोग कर सही उत्तर चुनिए:

| सूची-I (मन्दिर) | सूची-II (शहर) |
|---|---|
| (*a*) कैलाशनाथ | 1. भुवनेश्वर |
| (*b*) लिंगराज | 2. खजुराहो |
| (*c*) कंदरिया महादेव | 3. माउंट आबू |
| (*d*) दिलवाड़ा | 4. कांचीपुरम |

| | (*a*) | (*b*) | (*c*) | (*d*) |
|---|---|---|---|---|
| A. | 4 | 2 | 1 | 3 |
| B. | 4 | 1 | 2 | 3 |
| C. | 3 | 1 | 2 | 4 |
| D. | 3 | 2 | 1 | 4 |

**17.** सूची-I को सूची-II से सुमेलित कीजिए और सूचियों के नीचे दिए गए कूट का प्रयोग कर सही उत्तर चुनिए:

| सूची-I (मध्यकालीन मंदिर) | सूची-II (अवस्थान) |
|---|---|
| (*a*) चतुर्भुज मंदिर | 1. ग्यारसपुर |
| (*b*) मालादेवी मंदिर | 2. खजुराहो |
| (*c*) ऐरावतेश्वर मंदिर | 3. जगत |
| (*d*) अम्बामाता मंदिर | 4. दारासुरम |

*कूट:*

| | (*a*) | (*b*) | (*c*) | (*d*) |
|---|---|---|---|---|
| A. | 2 | 4 | 1 | 3 |
| B. | 2 | 1 | 4 | 3 |
| C. | 3 | 4 | 1 | 2 |
| D. | 3 | 1 | 4 | 2 |

**18.** सूची-I को सूची-II से सुमेलित कीजिए और नीचे दिए गए कूट से सही उत्तर चुनिए:

| सूची-I (मन्दिर) | सूची-II (जनपद) |
|---|---|
| (*a*) दशावतार मंदिर | 1. एटा |
| (*b*) बाबा सोमनाथ मंदिर | 2. फरुखाबाद |
| (*c*) श्रृंगी ऋषि का मंदिर | 3. देवरिया |
| (*d*) वराह भगवान का मंदिर | 4. ललितपुर |

*कूट:*

| | (*a*) | (*b*) | (*c*) | (*d*) |
|---|---|---|---|---|
| A. | 1 | 2 | 3 | 4 |
| B. | 4 | 3 | 2 | 1 |
| C. | 3 | 4 | 1 | 2 |
| D. | 3 | 4 | 2 | 1 |

**19.** सूची-I को सूची-II से सुमेलित कीजिए और सूचियों के नीचे दिए गए कूट का प्रयोग करते हुए सही उत्तर का चयन कीजिए:

| सूची-I | सूची-II |
|---|---|
| (*a*) गुप्त | 1. बादामी |
| (*b*) चन्देल | 2. खजुराहो |
| (*c*) चालुक्य | 3. वातापी (बादामी) |
| (*d*) पल्लव | 4. देवगढ़ |

***कूटः***

| | (*a*) | (*b*) | (*c*) | (*d*) |
|---|---|---|---|---|
| A. | 4 | 3 | 1 | 2 |
| B. | 4 | 2 | 3 | 1 |
| C. | 2 | 3 | 4 | 1 |
| D. | 3 | 4 | 1 | 2 |

**20.** सूची-I को सूची-II से सुमेलित कीजिए और नीचे दिये गये कूट का प्रयोग कर सही उत्तर चुनिएः

| सूची-I | सूची-II |
|---|---|
| (*a*) बैजनाथ धाम | 1. जैन मंदिर |
| (*b*) सारनाथ | 2. शिव मंदिर |
| (*c*) दिलवाड़ा | 3. बुद्ध का शान्ति का प्रथम प्रवचन स्थल |
| (*d*) बद्रीनाथ | 4. विष्णु मंदिर |

***कूटः***

| | (*a*) | (*b*) | (*c*) | (*d*) |
|---|---|---|---|---|
| A. | 2 | 3 | 1 | 4 |
| B. | 1 | 2 | 3 | 4 |
| C. | 3 | 4 | 2 | 1 |
| D. | 4 | 1 | 3 | 2 |

**21.** सूची-I को सूची-II से सुमेलित करें तथा नीचे दिये गये कूट से सही उत्तर ज्ञात करेंः

| सूची-I (स्थान) | सूची-II (स्मारक) |
|---|---|
| (*a*) एलीफेन्टा | 1. स्तूप |
| (*b*) श्रवणबेलगोला | 2. मन्दिर |
| (*c*) खजुराहो | 3. गुफा |
| (*d*) साँची | 4. मूर्ति |

***कूटः***

| | (*a*) | (*b*) | (*c*) | (*d*) |
|---|---|---|---|---|
| A. | 2 | 4 | 3 | 1 |
| B. | 3 | 4 | 2 | 1 |
| C. | 2 | 4 | 1 | 3 |
| D. | 3 | 2 | 4 | 1 |

**22.** सूची-I को सूची-II से सुमेलित कीजिए और नीचे दिये गये कूट से सही उत्तर का चयन कीजिएः

| सूची-I (मंदिर) | सूची-II (स्थान) |
|---|---|
| (*a*) ईंट निर्मित मंदिर | 1. एरण |
| (*b*) दशावतार मंदिर | 2. देवगढ़ |
| (*c*) शिव मंदिर | 3. भीतरगाँव |
| (*d*) विष्णु मंदिर | 4. भूमरा |

***कूटः***

| | (*a*) | (*b*) | (*c*) | (*d*) |
|---|---|---|---|---|
| A. | 4 | 2 | 1 | 3 |
| B. | 3 | 2 | 4 | 1 |
| C. | 2 | 1 | 3 | 4 |
| D. | 1 | 3 | 2 | 4 |

**23.** निम्नलिखित युग्मों में से कौन-सा एक सुमेलित है।

A. कुषाण-गंधार कला शैली
B. मुगल-अजंता चित्रकारी
C. मराठा-पहाड़ी चित्र शैली
D. सिन्धु घाटी सभ्यता-चित्रित धूसर मृदभाण्ड

**24.** निम्नलिखित जोड़ों में से कौन-सा सही मेल खाता हैः

A. एलोरा की गुफाएँ – शक
B. महाबलीपुरम् – राष्ट्रकूट
C. मीनाक्षी मंदिर – पल्लव
D. खजुराहो – चन्देल

**25.** किस राजवंश ने भारत को प्रसिद्ध खजुराहो के मंदिर दिये?

A. परमार B. मौर्य
C. चंदेल D. होल्कर

**26.** कौन-सा पर्यटन स्थल 'मूर्तिकला का तीर्थ' कहलाता है?

A. उज्जैन B. खजुराहो
C. ओरछा D. माण्डू

**27.** एलोरा के कैलाश मंदिर का निर्माण किसने करवाया था?

A. गोविन्द III B. कृष्णा I
C. कृष्ण II D. कृष्ण III

**28.** एलोरा के प्रसिद्ध कैलाश मंदिर के निर्माण को आप किस शासक-वंश से सम्बद्ध करेंगे?

A. पल्लव B. चोल
C. राष्ट्रकूट D. चालुक्य

**29.** निम्नलिखित में से कौन एक शैलकृत स्थापत्य का उदाहरण है?

A. तटीय मंदिर, मामल्लपुरम B. राजराजेश्वर मन्दिर, तंजावुर
C. कैलाश मन्दिर, एलोरा D. जगन्नाथ मन्दिर, पुरी

**30.** अमरावती कला शैली के विकास का काल हैः

A. ई.पू. 200 – 200 ई.
B. प्रथम शताब्दी ई. – पाँचवीं शताब्दी ई.
C. 50 ई. – 250 ई.
D. 50 ई.पू. – 400 ई.

**31.** एलोरा में गुफाएँ और शैलकृत मंदिर हैंः

A. बौद्धों के B. बौद्धों और जैनों के
C. हिन्दुओं और जैनों के D. हिन्दुओं, बौद्धों और जैनों के

**32.** अजन्ता चित्रकला का संबंध हैः

A. जैन धर्म B. ब्राहमण धर्म
C. शाक्त धर्म D. बौद्ध धर्म

**33.** निम्न स्थानों में से बौद्ध गुफा मंदिरों के लिए कौन-सा प्रसिद्ध है?
A. एलीफेन्टा B. नालन्दा
C. अजन्ता D. खजुराहो

**34.** अजन्ता के प्राचीनतम चित्र किस काल के माने जाते हैं:
A. तीसरी शताब्दी ई.पू. B. दूसरी शताब्दी ई.पू
C. चौथी शताब्दी ई. D. पाँचवीं शताब्दी ई.

**35.** प्राचीन भारत में गुप्त काल से संबंधित गुफा चित्रांकन के केवल दो उदाहरण उपलब्ध हैं। इनमें से एक अजंता की गुफाओं में किया गया चित्रांकन है। गुप्त काल के चित्रांकन का दूसरा अवशिष्ट उदाहरण किस स्थान पर उपलब्ध है?
A. बाघ गुफाएँ B. एलोरा गुफाएँ
C. लोमस ऋषि गुफा D. नासिक गुफाएँ

**36.** पश्चिमी भारत में प्राचीनतम शैलकृत गुफाएं कहाँ हैं?
A. नासिक, एलोरा और अजन्ता
B. जुभार, कल्याण और पीतलखोरा
C. अजन्ता, भाजा और कोंडने
D. भाजा, पीतलखोरा और कोंड़ने

**37.** अजन्ता और एलोरा गुफाएं हैं:
A. आंध्र प्रदेश B. मध्य प्रदेश
C. महाराष्ट्र D. राजस्थान

**38.** अजंता व एलोरा की गुफाएँ किस जिले में स्थित हैं:
A. नासिक B. मुम्बई
C. औरंगाबाद D. पुणे

**39.** अजंता की कला को इनमें से किसने प्रश्रय (सहायता) दिया?
A. चालुक्य B. पल्लव
C. वाकाटक D. गंग

**40.** मीनाक्षी मंदिर स्थित है:
A. मदुरई में B. पुदुकोट्टै में
C. श्रीरङ्गम में D. तंजावुर में

**41.** महाबलीपुरम का सप्तरथ मंदिर बनवाया गया था:
A. महेन्द्र वर्मन द्वारा B. नरसिंह वर्मन द्वारा
C. परमेश्वर वर्मन द्वारा D. नन्दि वर्मन द्वारा

**42.** निम्नलिखित में से कौन-सा रथ मंदिर सबसे छोटा है?
A. द्रौपदी रथ B. भीम रथ
C. अर्जुन रथ D. धर्मराज रथ

**43.** निम्नलिखित में से कौन-सा एक दृश्य विख्यात मामल्लपुरम् स्थल पर उत्कीर्ण नहीं है?
A. किरात के छद्मवेश में शिव
B. गंगावतरण
C. द्रौपदी का चीरहरण
D. अर्जुन की तपस्या

**44.** महाबलीपुरम् में रथ मंदिरों का निर्माण कराया गया था:
A. चोलों द्वारा B. पल्लवों द्वारा
C. चेदियों द्वारा D. चालुक्यों द्वारा

**45.** हीनयान अवस्था का विशालतम एवं सर्वाधिक विकसित शैलकृत चैत्यगृह स्थित है:
A. पीतलखोरा में B. जुन्नार में
C. कार्ले में D. विदिशा में

**46.** भारत में सबसे प्राचीन विहार है:
A. नालन्दा B. उदन्तपुरी
C. विक्रमशिला D. भाजा

**47.** निम्नलिखित में से किस स्थान पर एक चैत्यगृह का निर्माण अधिकांशतः यवनों के दान से हुआ था?
A. अजन्ता B. भाजा
C. जुन्नर D. कार्ले

**48.** निम्नलिखित में से किस शैलकृत गुफा में ग्यारह सिरों के बोधिसत्व का अंकन मिलता है?
A. अजन्ता B. एलोरा
C. कन्हेरी D. कार्ले

**49.** निम्नलिखित में से किसने सोमपुर महाविहार का निर्माण कराया था?
A. कुमार गुप्त प्रथम B. हर्ष
C. धर्मपाल D. विजयसेन

**50.** विक्रमशिला नामक प्राचीन विश्वविद्यालय की स्थापना बंगाल के किस शासक ने की:
A. धर्मपाल B. गोपाल
C. देवपाल D. महीपाल

**51.** निम्नलिखित में से किस मूर्तिकला में सदैव हरित स्तरित चट्टान (शिस्ट) का प्रयोग माध्यम के रूप में होता था?
A. मौर्य मूर्तिकला B. मथुरा मूर्तिकला
C. भरहुत मूर्तिकला D. गांधार मूर्तिकला

**52.** गांधार-शैली की मूर्तिकला में बुद्ध का सारनाथ में हुए प्रथम धर्मोपदेश से सम्बद्ध प्रवचन-मुद्रा का नाम है:
A. अभय B. ध्यान
C. धर्मचक्र D. भूमिस्पर्श

**53.** गांधार शैली की विख्यात मूर्ति में, जिसमें उपवास करते हुए सिद्धार्थ को दर्शाया गया है, हाथ किस मुद्रा में है?
A. भूमिस्पर्श मुद्रा B. धर्मचक्र मुद्रा
C. ध्यानमुद्रा D. अभय मुद्रा

**54.** निम्नलिखित में से कौन-सा एक गांधार शैली की बुद्ध मूर्तियों का लक्षण नहीं है?
A. वे लगभग सदैव पद्मासन में बैठे दर्शाए गए हैं

B. उनके कान लंबे दर्शाए गए हैं
C. वे कभी भी मुण्डित सिर नहीं दर्शाए गए हैं
D. वे सदैव अभय मुद्रा में दर्शाए गए हैं

**55.** गन्धार कला शैली एक संश्लेषण है:
A. भारतीय तथा फारसी कला का
B. भारतीय तथा चीनी कला का
C. भारतीय तथा तुर्की-अफगानी कला का
D. भारतीय तथा यूनानी कला का

**56.** कला की गांधार शैली निम्न समय में फली-फूली:
A. कुषाणों के समय B. गुप्तों के समय
C. अकबर के समय D. मौर्यों के समय

**57.** जो कला शैली भारतीय और यूनानी आकृति का सम्मिश्रण है, उसे कहते हैं:
A. शिखर B. वेरा
C. गान्धार D. नागर

**58.** निम्नलिखित स्तूपों का सही तैथिक क्रम (कालानुक्रम) क्या है?
A. भरहुत, साँची, अमरावती, धमेख
B. अमरावती, साँची, भरहुत, धमेख
C. साँची, अमरावती, भरहुत, धमेख
D. धमेख, भरहुत, अमरावती, साँची

**59.** सांची के महास्तूप के चार तोरणों में किस एक का निर्माण सर्वप्रथम हुआ था?
A. उत्तरी B. पूर्वी
C. दक्षिणी D. पश्चिमी

**60.** भारत में सबसे बड़ा बौद्ध स्तूप कहाँ स्थित है?
A. सारनाथ B. साँची
C. गया D. अजन्ता

**61.** निम्नलिखित में से प्राचीनतम स्तूप कौन-सा है?
A. साँची स्तूप B. पिपरहवा स्तूप
C. भरहुत स्तूप D. अमरावती स्तूप

**62.** आरम्भिक भारतीय मंदिरों के निम्नलिखित उदाहरणों में से कौन-सा एक ईटों द्वारा निर्मित है?
A. एरण B. ग्यारसपुर
C. भितरगाँव D. नचना-कुठार

**63.** निम्नलिखित मंदिरों में से कौन ईंटों से निर्मित किया गया था?
A. देवगढ़ का दशावतार मंदिर
B. खजुराहो का कन्दारिया महादेव मंदिर
C. सीरपुर का लक्ष्मण मंदिर
D. भुवनेश्वर का लिंगराज मंदिर

**64.** निम्नलिखित में से कौन-सा स्मारक गुप्त काल से सम्बन्धित नहीं है?
A. बाघ गुफाएँ
B. श्रीलंका के सिगरिया शैलकृत मंदिर
C. महाबलीपुरम गुफा मंदिर
D. सीतन्नवासल मंदिर

**65.** निम्न में से किस एक स्थल पर शिल्प में विष्णु का वराह अवतार दर्शाया गया है?
A. उदयगिरि गुफा, विदिशा B. एलोरा गुफा, औरंगाबाद
C. हाथीगुम्फा गुफा, भुवनेश्वर D. एलीफैंटा गुफा, मुम्बई

**66.** निम्नलिखित में से कौन-सा कथन सही नहीं है?
A. श्रवणबेलगोला स्थित गोमतेश्वर की प्रतिमा जैनियों के अन्तिम तीर्थंकर को दर्शाती है
B. भारत का सबसे बड़ा बौद्ध मठ अरुणाचल प्रदेश में है
C. खजुराहो के मन्दिर चन्देल राजाओं द्वारा बनवाए गए
D. होयसलेश्वर मन्दिर शिव को समर्पित है

**67.** सोनगिरि, जहाँ 108 जैन मंदिर बने हुए हैं, किसके सन्निकट स्थित है?
A. दतिया B. झाँसी
C. ओरछा D. ललितपुर

**68.** सोनगिरी का ऐतिहासिक दिगम्बर जैन तीर्थस्थल स्थित है:
A. उत्तर प्रदेश में B. राजस्थान में
C. मध्य प्रदेश में D. उड़ीसा में

**69.** दिलवाड़ा जैन मंदिर कहाँ स्थित है:
A. असम B. उत्तर प्रदेश
C. राजस्थान D. मध्य प्रदेश

**70.** दिलवाड़ा जैन मन्दिर है:
A. माउन्ट आबू में अरावली पर्वत पर
B. सिन्धु के किनारे
C. खजुराहो में
D. नीलगिरी पहाड़ियों पर

**71.** मथुरा की शिल्प कला के लिए किस पत्थर का प्रयोग होता है?
A. संगमरमर B. काला पत्थर
C. लाल बलुआ पत्थर D. ग्रेनाइट

**72.** देवगढ़ का दशावतार मंदिर किस प्रकार का है?
A. द्विकूट प्रकार B. त्रिकूट प्रकार
C. एकायतन प्रकार D. पंचायतन प्रकार

**73.** भारत के सांस्कृतिक इतिहास के संदर्भ में 'पंचायतन' शब्द किसे निर्दिष्ट करता है?
A. ग्राम के ज्येष्ठ-जनों की सभा
B. धार्मिक सम्प्रदाय
C. मन्दिर रचना-शैली
D. प्रशासनिक अधिकारी

**74.** उड़ीसा में कोणार्क मन्दिर का निर्माण किसने करवाया था:

A. राजा नरसिंह देव I B. राजा कृष्ण देव राय

C. कनिष्क D. पुलकेशिन II

**75.** नागर, द्रविड़ और बेसर हैः

A. भारतीय उपमहाद्वीप के तीन मुख्य जातीय समूह

B. तीन मुख्य भाषा वर्ग, जिनमें भारत की भाषाओं को विभक्त किया जा सकता है

C. भारतीय मंदिर वास्तु की तीन मुख्य शैलियाँ

D. भारत में प्रचलित तीन मुख्य संगीत घराने

**76.** द्रविड़ शैली के मंदिरों में 'गोपुरम्' से तात्पर्य है:

A. गर्भगृह से

B. दीवारों पर की गई चित्रकारी से

C. शिखर से

D. तोरण के ऊपर बने अलंकृत एवं बहुमंजिला भवन से

**77.** भुवनेश्वर तथा पुरी के मंदिर किस शैली में निर्मित हैं?

A. नागर B. द्रविड़

C. बेसर D. उपरोक्त में से कोई नहीं

**78.** निम्नलिखित शहरों में किस में लिंगराज मन्दिर अवस्थित है?

A. भुवनेश्वर B. बीजापुर

C. कोलकाता D. श्रवणबेलगोला

**79.** चित्रगुप्त स्वामी मंदिर जिसे चित्रगुप्त का एकमात्र मंदिर माना जाता है, स्थित है:

A. काँची में B. मथुरा में

C. पुरी में D. उज्जैन में

**80.** अंकोरवाट का विष्णु मन्दिर कहाँ है:

A. भारतवर्ष में B. श्रीलंका में

C. कम्बोडिया में D. जापान में

**81.** दक्षिण भारत के भगवान रंगनाथ (जिन्हें भगवान वेंकटेश भी कहते हैं), का मंदिर स्थित है:

A. बिलिगिरि गंगा पहाड़ी पर B. तिरुमल्लाई पहाड़ी पर

C. नन्दी पहाड़ी पर D. चामुण्डी पहाड़ी पर

**82.** जगन्नाथ मंदिर किस राज्य में है?

A. बंगाल B. उड़ीसा

C. केरल D. उत्तर प्रदेश

**83.** भारत के कला और पुरातात्विक इतिहास के सन्दर्भ में, निम्नलिखित में से किस एक का सबसे पहले निर्माण किया गया था?

A. भुवनेश्वर स्थित लिंगराज मन्दिर

B. धौली स्थित शैलकृत हाथी

C. महाबलीपुरम स्थित शैलकृत स्मारक

D. उदयगिरि स्थित वराह मूर्ति

**84.** एलीफैन्टा के प्रसिद्ध शैल को काटकर बनाये गये मंदिरों का श्रेय दिया जाता है:

A. राष्ट्रकूटों को B. पल्लवों को

C. चोलों को D. चालुक्यों को

**85.** निम्नलिखित मंदिरों में से किसे शैलकृत स्थापत्य का आश्चर्य माना जाता है?

A. बृहदीश्वर मंदिर, तंजावुर

B. लिंगराज मंदिर, भुवनेश्वर

C. कैलाश मंदिर, एलोरा

D. कन्दरिया महादेव मंदिर, खजुराहो

**86.** चोल काल में निर्मित नटराज की कांस्य प्रतिमाओं में देवाकृति प्रायः

A. अष्टभुज है B. षट्भुज है

C. चतुर्भुज है D. द्विभुज है

**87** नटराज की प्रसिद्ध कांस्य-कलाकृति किस कला का एक विशिष्ट उदाहरण है?

A. चोल कला B. गांधार कला

C. मथुरा कला D. मौर्य कला

**88.** निम्नलिखित में से किस मंदिर परिसर में एक भारी भरकम नन्दी की मूर्ति है जिसे भारत की विशालतम् नन्दी मूर्ति माना जाता है?

A. वृहदेश्वर मंदिर B. लिंगराज मंदिर

C. कन्दरिया महादेव मंदिर D. मीनाक्षी मंदिर

**89.** निम्नलिखित में से कौन-सा एक चोल राजाओं द्वारा बनाया गया मन्दिर था?

A. बृहदीश्वर मन्दिर, तंजावुर

B. मीनाक्षी मन्दिर, मदुरई

C. श्रीरंगम मन्दिर, तिरुचिरापल्ली

D. दुर्ग मन्दिर, ऐहोल

**90.** चट्टानों को काट कर महाबलीपुरम् का मंदिर किसके द्वारा बनवाया गया:

A. पल्लव B. चोल

C. चालुक्य D. राष्ट्रकूट

**91.** उत्तर भारत के किस मंदिर का शिखर द्रविड़ शैली का है?

A. लिंगराज मंदिर, भुवनेश्वर

B. लक्ष्मण मंदिर, खजुराहो

C. सूर्य मंदिर, मोढ़ेरा

D. तेली का मंदिर, ग्वालियर

**92.** निम्नलिखित में से कौन-सा राजवंश, शैलकृत मंदिरों के निर्माण में अपने योगदान के लिए प्रख्यात है?

A. चालुक्य B. राष्ट्रकूट

C. परमार D. चन्देल

**93.** कम्बोडिया में अंकोरवाट मंदिर किसको समर्पित है?

A. बुद्ध B. तारा

C. शिव D. विष्णु

**94.** निम्नलिखित स्थानों में से किस एक में राष्ट्रकूटों द्वारा एलोरा पहाड़ियों में निर्मित गुफा मंदिर स्थित है?

A. औरंगाबाद (महाराष्ट्र) B. नासिक (महाराष्ट्र)
C. ग्वालियर (मध्य प्रदेश) D. गोलकुण्डा (आंध्र प्रदेश)

**95.** निम्न में से गुप्तकालीन मंदिर कहाँ नहीं बनाये गयेः

A. नालन्दा B. देवगढ़
C. भितरगाँव D. भीतरी

**96.** ''सफेद संगमरमर का प्रयोग, लम्बी टाँगें और इकहरे बदन, केन्द्रीय चरित्र के रूप में मनुष्य और राजाओं, राजकुमारियों और राजमहलों को प्रमुखता'' भारत के निम्नलिखित प्राचीन कला-रूपों में से किस एक की लाक्षणिक विशेषताएँ थीं?

A. अमरावती कला शाखा B. गान्धार कला शाखा
C. मथुरा कला शाखा D. पहाड़ी कला शाखा

**97.** एलोरा स्थित कैलाश मंदिर और मामल्लपुरम स्थित शोर मंदिर के बीच निम्नलिखित में से कौन-सी एक समानता है?

A. दोनों ही नागर वास्तुकला के उदाहरण हैं
B. दोनों ही ठोस चट्टानों में से उत्कीर्ण किए गए हैं
C. दोनों ही गुप्त-काल के मंदिर हैं
D. दोनों ही पल्लव राजाओं के संरक्षण में निर्मित किए गए थे

**98.** भारत अनेक सुंदर प्राचीन मंदिरों की भूमि है। निम्नलिखित में से कौन-सा एक मंदिर भारत में सर्वाधिक सुविस्तृत तथा वैभवशाही शैलकृत वेदिकाएँ तथा सर्वाधिक अद्‌भुत स्थापत्यकलात्मक विलक्षणता प्रदर्शित करता है?

A. मामल्लपुरम का रथ मंदिर
B. एलोरा का कैलाश मंदिर
C. खजुराहो का चतुर्भुज-विष्णु मंदिर
D. कांची का कैलाशनाथ मंदिर

**99.** स्थापत्य कला की नागर शैली अधिकांशतः कहाँ विकसित हुई?

A. दक्षिण भारत B. उत्तर भारत
C. उत्तर-पश्चिमी भारत D. उत्तर-पूर्वी भारत

**100.** भारत के निम्नलिखित मंदिर संकुलों में से कौन-सा एक प्रारूपिक नागर शैली को निरूपित नहीं करता?

A. तिगावा, मध्य प्रदेश B. नचना, राजस्थान
C. देवगढ़, उत्तर प्रदेश D. माम्मलपुरम, तमिलनाडु

## उत्तरमाला

| 1 | 2 | 3 | 4 | 5 | 6 | 7 | 8 | 9 | 10 |
|---|---|---|---|---|---|---|---|---|---|
| B | A | D | D | C | B | C | C | B | C |
| **11** | **12** | **13** | **14** | **15** | **16** | **17** | **18** | **19** | **20** |
| C | C | C | A | C | B | B | B | B | A |
| **21** | **22** | **23** | **24** | **25** | **26** | **27** | **28** | **29** | **30** |
| B | B | A | D | C | B | B | C | C | A |
| **31** | **32** | **33** | **34** | **35** | **36** | **37** | **38** | **39** | **40** |
| D | D | C | B | A | C | C | C | C | A |
| **41** | **42** | **43** | **44** | **45** | **46** | **47** | **48** | **49** | **50** |
| B | A | C | B | C | A | D | C | C | A |
| **51** | **52** | **53** | **54** | **55** | **56** | **57** | **58** | **59** | **60** |
| D | C | C | D | D | A | C | A | C | B |
| **61** | **62** | **63** | **64** | **65** | **66** | **67** | **68** | **69** | **70** |
| B | C | C | C | A | A | A | C | C | A |
| **71** | **72** | **73** | **74** | **75** | **76** | **77** | **78** | **79** | **80** |
| C | D | C | A | C | D | A | A | A | C |
| **81** | **82** | **83** | **84** | **85** | **86** | **87** | **88** | **89** | **90** |
| B | B | B | A | C | C | A | A | A | A |
| **91** | **92** | **93** | **94** | **95** | **96** | **97** | **98** | **99** | **100** |
| D | B | D | A | A | A | B | A | B | D |

❑❑❑

# अध्याय–6

# प्राचीन भारतीय पुरालिपि और अभिलेख
# (Ancient Indian Paleography and Epigraphy)

## पुरालिपि

भारतीयों को लिपि का ज्ञान अत्यन्त प्राचीन समय से है। हड़प्पा सभ्यता में भी लिपि का प्रचलन था, परंतु अभी तक इसे पढ़ा नहीं जा सका है। वैदिक काल में वाङ्मय वाचिक परम्परा का हिस्सा रहा है। महाजनपद काल तक खरोष्ठी और ब्राह्मी लिपि का प्रचलन उत्तर पश्चिमी और उत्तर भारत में था। लिपि का पुरातन ज्ञान और गौरवशाली अतीत होने के बावजूद पश्चिमी साम्राज्यवादियों द्वारा हमें भुलावे की स्थिति में रखा गया। खरोष्ठी का प्रचलन सीमित दायरे में था अतः ब्राह्मी लिपि की परम्परा भारतीय लिपि की प्राकान्तर की कथा है।

ब्राह्मी लिपि की कुछ मौलिक विशेषताएँ सामान्यतया दृष्टिगोचर होती हैं, जैसे–इनका अन्य लिपियों की अपेक्षा अधिक कोणाकार होना, टेढ़े-मेढ़े अक्षरों का प्रयोग भी किया जाना आदि। प्रारम्भ में इनमें दीर्घ मात्राओं का कुछ अभाव-सा दिखता है विशेषतः ई, आदि का। अनुस्वार का प्रयोग भी इसमें प्रारम्भ में नहीं के ही बराबर था। यहाँ दोहरे व्यञ्जनों का प्रयोग प्रायः नहीं मिलता है यथा पक्का के स्थान पर 'पका' अर्थात एक व्यञ्जन से ही काम निकालने की परिपाटी का चलन था।

### मौर्य कालीन लिपि

अशोक के समय से अभिलेखों की व्यापक परम्परा का ज्ञान प्राप्त होता है। ये एक विशेष शैली में सम्पूर्ण भारत में ब्राह्मी लिपि में खोदे गए हैं जबकि शहबाजगढ़ी तथा मानशेहरा (जो अब पश्चिमी पाकिस्तान में पड़ गए हैं) के लेख खरोष्ठी लिपि में और अफगानिस्तान से प्राप्त अरमेइक तथा यूनानी लिपि में मुद्रित हैं। इनमें ब्राह्मी लिपि वाले ही यहाँ हमारे अध्ययन की सामग्री है। ये लेख, शिला, स्तम्भ, फलक और गुहाओं में अंकित हैं। इनकी भाषा प्राकृत है और लिपि ब्राह्मी। ये राजाज्ञाएँ हैं जो सर्वत्र एक ही रूप में पाई गई हैं। साथ ही अलग-अलग स्थानों पर लेखन की बनावट में थोड़ा अन्तर ज्ञात होता है। इस आधार पर डॉ. ब्यूलर तथा डॉ. पाण्डेय ने इसके लेखन में स्थानीय प्रकारों का अनुमान लगाया है। किन्तु महामहोपाध्याय पं. गौरीशंकर हीराचन्द ओझा ने इसमें स्थानीय प्रभाव को बहुत ही आंशिक रूप में स्वीकार किया है और विभेद का कारण लेखकों के हाथों का कौशल या सजावट की गति माना है। डॉ. चन्द्रिका सिंह उपासक आदि बाद के अन्वेषकों ने यह तथ्य खोज निकाला है कि अशोक कालीन ब्राह्मी की उपशाखायें अथवा क्षेत्रीय प्रकार नहीं बनी थीं। भिन्नता का कारण स्थानीय लेखकों के हाथ का अन्तर मात्र रहा होगा। इसकी पुष्टि स्वतः अशोक के अभिलेखों के विभिन्न वर्गों पर अंकित लिपि को देखने मात्र से ही हो जाती है। उसके शिलालेखों की लिखावट भद्दी हैं, पंक्तियाँ कुछ टेढ़ी हैं, अक्षरों की बनावट कुछ कोणाकार हैं आदि। इनसे ज्ञात होता है कि पत्थरों पर अंकन के लिए स्थानीय कलाकारों का उपयोग किया जाता था जिससे भद्दापन दिखता है। ठीक यही बात गुहा लेखों में भी दिखती है। इससे भी अच्छा लेखन हमको अशोक के स्तम्भों पर मिलता है जो सीधी रेखाओं में, मानक अक्षरों में, साफ-साफ, कलात्मक तथा स्पष्ट अंकन में खुदे दिखाई देते हैं। सम्भवतः राजकीय कलाकार इसके अंकन के लिए प्रयोग किये जाते होंगे तभी यह विभेद यहाँ दिखाई देता है।

इस समय की ब्राह्मी अक्षरों की विशेषताएँ निम्न हैं–

1. इसके अक्षर सीधी रेखा में बने हैं तथा मोड़ कर कोणाकार बनाए जाते हैं। किन्तु कहीं-कहीं इनकी गोलाकार आकृति भी दिखाई देती है यथा–

   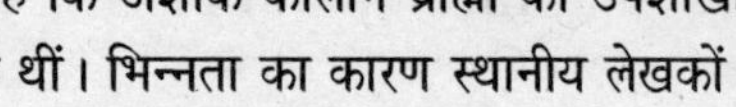

2. अक्षरों की ऊँचाई लगभग समान बनाई गई है, यथा– 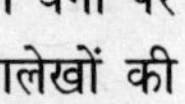 आदि।

3. इसको बनाये रखने के लिए संयुक्ताक्षरों के लेखन में भी अक्षरों की आकृति को छोटा करके ऊँचाई में समता बनाने का प्रयास किया गया है। यथा– (भ्य), (म्य) आदि।

4. पंक्तियाँ पूर्णतया सीधी रखने का प्रयास किया गया है, फिर भी कभी-कभी उनमें टेढ़ापन दिखाई पड़ जाता है जैसे–एरानगुड्डी वाले अभिलेख की पंक्ति।

5. इसकी लिखावट बायें से दायें की ओर है। केवल एरानगुड्डी अभिलेख में कुछ अन्तर दिखाई देता है। कहीं-कहीं एक ही पंक्ति में कुछ शब्द बायें से दायें लिखे गये हैं और कुछ दायें से बायें। यथा–

पहली पंक्ति
दूसरी पंक्ति
तीसरी पंक्ति

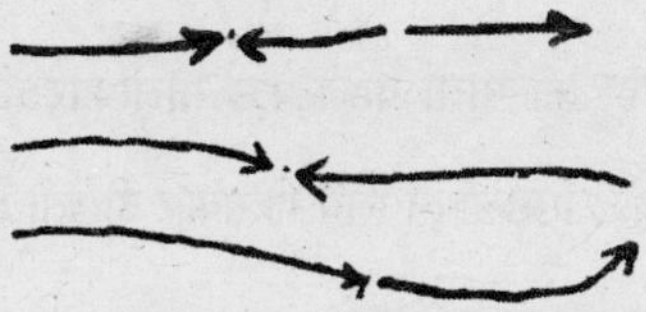

किन्तु यही प्रचलित रीति हो तथा बाद के युगों में इसी का चलन हो गया हो ऐसा ज्ञात नहीं होता है।

6. ये अक्षर सामान्यतया नीचे की ओर ही खुले हैं। ऊपर की ओर प्रायः सीधे उठते हुए ही दिखते हैं यथा–

(ग) + (क) (त्तं) (द) आदि किन्तु म→ तथा झ→ ये दो अक्षर ही ऐसे दिखते हैं जो ऊपर की ओर मुँह खोले हुए हैं।

7. ऊपर के उदाहरणों से यह भी द्रष्टव्य है कि ये अक्षर सीधी रेखाओं से निर्मित हैं। इनके बीच में या नीचे दूसरी खड़ी या आड़ी रेखायें जोड़कर विभिन्न अक्षरों का निर्माण किया गया है, यथा– (।) जोड़कर ('क') जोड़कर (य) जोड़कर ('ह') इत्यादि।

8. इनमें ह्रस्व, दीर्घ तथा अनुनासिक का प्रयोग समुचित रूप से प्रचलित दिखाई पड़ता है यथा– **'देवानंपिय पियदसिनो लाजा हेवं आहा,**

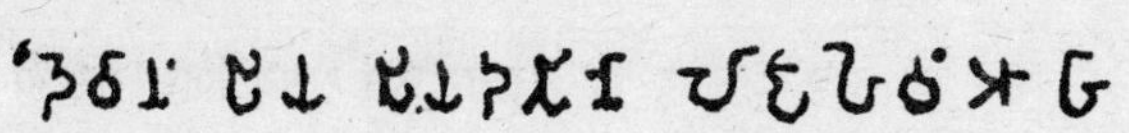

9. इनके शिरो-भाग खुले हैं (च, छ)। इनमें किसी पर भी शिरोरेखा (हेडलाइन) का अभाव है। (I) में जो शिरोरेखा दिखती है वास्तव में वह शिरोरेखा नहीं है। (T) से भिन्नता लाने के लिए यह अक्षर की बनावट है।

10. ज्यामित आकृतियों की तरह अर्द्धवृत्त, वृत्त, कोण, खड़ी रेखा, बिन्दु आदि के सहयोग से इन अक्षरों का निर्माण हुआ है, यथा–

(ट), (ठ), (ग), (र), ∴ (इ) आदि।

11. प्रायः संयुक्ताक्षरों का प्रयोग बचाया गया है, किन्तु यदि कहीं हुआ है तो उनमें एक निश्चित सिद्धान्त का प्रयोग किया गया है। पहले उच्चारण किये जाने वाले अक्षर को ऊपर लिखते थे तथा बाद में उच्चारण किये जाने वाले अक्षर को नीचे जैसा ऊपर 3 के उदाहरण से स्पष्ट होता है। किन्तु कहीं-कहीं इसका अपवाद भी मिलता है। यथा– (ब्र)। किन्हीं स्थानों पर ऊपर-नीचे संयुक्ताक्षर न लगाकर मूलाक्षर के साथ ही मिलाकर बगल में लिख दिया गया है। यथा– इसके बाएँ की टेढ़ी रेखा 'र' है और शेष 'ब' का भाग है। हो सकता है कि यह लेखक की गलती रही हो।

12. लघु शिलालेख सिद्धपुर तथा एरानगुड्डी में 'अ' अक्षर जो द्रष्टव्य है वह इन दोनों में पहले अभिलेख में यह मोटा है तथा दूसरे में पतला है, यथा– , इसमें मोटाई सर्वत्र समान है ऐसा नहीं कि एक ही अक्षर का एक सिरा मोटा हो और दूसरा भाग पतला हो। लगता है कि किसी कतकटी कलम से नहीं अपितु शलाका से यह पहले चिह्नित करके पीछे टंकित किया गया होगा। डॉ. नारायण तथा ठाकुर प्रसाद ने इसे 'शलाका प्रविधि' की संज्ञा दी है।

डॉ. ब्यूलर आदि विचारकों का मत है कि अशोक कालीन ब्राह्मी लिपि मूलतः शैली के आधार पर दो कोटियों में विभक्त की जा सकती है–उत्तरी शैली और दक्षिणी शैली। यह अन्तर कुछ अक्षरों के बनावट के आधार पर ढूँढ़ने का प्रयास किया गया है। यह भी धारणा है कि स्थानीय प्रभाव के कारण उत्तरी ब्राह्मी शैली के अक्षरों को तीन उप-कोटियों में भी विभक्त किया जा सकता है–एक में कौशाम्बी, निग्लिवासागर, रामपुरवा आदि के अभिलेखों के अक्षर, दूसरे में भरहुत, साँची, सासाराम और बराबर आदि अभिलेखों के अक्षर तथा तीसरे में धौली, मेरठ, बैराट तथा रानी द्वारा उत्कीर्ण कराये गये गुहालेखों के अक्षर। किन्तु आधुनिक शोधकर्ता डॉ. ठाकुर प्रसाद, डॉ. चन्द्रिका प्रसाद उपासक आदि का मत है कि इस प्रकार का वर्गीकरण बहुत उचित नहीं है। जो अन्तर हुआ है, वह मात्र आधार के अव्यवस्थित होने तथा लेखकों के कारण रहा होगा न कि शैली के अन्तर के कारण।

जैसा ऊपर कहा गया है कि इस समय उत्तरी-पश्चिमी सीमा प्रदेश पर एक और लिपि प्रचलित थी जिसे खरोष्ठी की संज्ञा दी जाती है। भारत में दो अभिलेख इस लिपि में खुदे हैं–शाहबाजगढ़ी और मानसेहरा। ये स्थान अब पश्चिमी पाकिस्तान में चले गये हैं। इस लिपि की निम्नांकित विशेषताएँ देखने को मिलती हैं–

1. इसके अक्षर कुछ अधिक टेढ़े-मेढ़े तथा भिन्न-भिन्न ऊँचाई के हैं यथा–

(भ), (घ), (च), (क)

2. कुछ अक्षर सीधी रेखा पर बने हैं तो कुछ तिरछी और झुकी रेखाओं पर। यथा–

(थ), (झ), (फ), (य) आदि।

3. इसमें दीर्घ मात्राएँ नहीं हैं, यथा– आदि।
4. अं की मात्रा अक्षर के नीचे लगती हैं– (थं)।
5. गोल आकृतियों से निर्मित अक्षरों का बहुत कुछ अभाव ही दिखाई देता है।
6. कोणदार रेखाकृतियों एवं लहराती हुई रेखाओं का प्रयोग बहुतायत से दिखाई देता है।
7. ब्राह्मी की अपेक्षा इसके अक्षरों को अभ्यास करने तथा याद रखने में अत्यन्त कठिनाई है।

किन्तु इस लिपि का आगे विकास नहीं हो सका। इसका कारण है कि अशोक के बाद यह लिपि प्रयोग में लगभग बन्द हो गयी। तभी से इस लिपि में उत्कीर्ण अभिलेख उस भाग से, अभी तक नहीं मिल सके हैं।

अशोक के बाद उसके पौत्र दशरथ के समय के तीन अभिलेख नागार्जुनी पहाड़ी की गुफाओं से प्राप्त हुए हैं। ये अभिलेख आकार में छोटे हैं। इसी प्रकार के दो अन्य अभिलेख उत्तर प्रदेश के नेपाल तराई में स्थित सोहगौरा तथा पिपरहवाँ नामक स्थानों से भी प्राप्त हुए हैं जो 'देवनांपियदशी लाजा' के सम्बन्ध में हैं किन्तु उसमें राजा का नाम अज्ञात है तथा लिपि मौर्य कालीन ब्राह्मी है। इनमें ब्राह्मी के अक्षर अशोक के अभिलेखों से भिन्न हैं। पं. गौरी शंकर हीराचन्द ओझा इन्हें बुद्ध के निर्वाण के तुरन्त बाद का माना है। किन्तु इनके अक्षरों में तथा दशरथ के लेख के अक्षरों में बहुत कुछ समता दिखाई देती है। इसलिये ये भी इसी काल के कहे जा सकते हैं। यह विचार 'एण्टीफ्यूटोज ऑफ दी तराई ऑफ नेपाल' के लेखक पी.सी. मुखर्जी, डॉ. उपासक तथा डॉ. ठाकुर आदि का भी है। इनके अक्षर कुछ छोटे हो गये हैं तथा पहले की अपेक्षा यह अधिक गोलाकार है। 'स' अब 'ष' की तरह लिखा गया है। 'ओ' की मात्रा में भी सुधार दिखाई देता है। यहाँ अब तक दो आड़ी रेखाओं द्वारा ( ) यह लिखा जाता था वहीं अब एक ही आड़ी रेखा द्वारा लिखा जाने लगा ( )।

## मौर्य काल से कुषाण काल के प्रारम्भ तक

मौर्य काल के बाद भारतीय राजनीतिक इतिहास में एक क्रान्तिकारी परिवर्तन आता है। इस समय मगध की गुरुता उतनी नहीं बनी रही। उत्तर तथा दक्षिण में छोटे-छोटे स्वतन्त्र राज्यों की स्थापना हुई जिनमें कुछ विदेशी शासक भी थे। शक-क्षत्रप इसी समय पश्चिम तथा उत्तरी-पश्चिम भारत में आए जो कुछ समय तक यहाँ बने रहे। यवन भी यहाँ आये थे। शक-क्षत्रप शाखा दक्षिण-पश्चिम में भी फैली थी। यहीं सातवाहन वंशी शासक भी शासन करते थे। इनके तथा स्थानीय शासकों के सम्बन्ध में अनेक लेख इस समय ब्राह्मी में मिलते हैं यथा–शुंग राजाओं के अभिलेख, कलिंगाधिपति खारवेल का हाथी गुम्फा अभिलेख आदि। चूँकि ये सभी लेख विभिन्न क्षेत्रों में खुदे हुए मिले हैं अतः इनके अक्षरों की बनावट में स्थानीय कौशल एवं चलन के अनुसार अन्तर आना स्वाभाविक था। यही अन्तर स्थानीय शैलियों के निर्माण का संकेत करते हैं जो पीछे विकसित हुई। किन्तु यह बात ध्यान देने की है कि इस समय के सभी अभिलेखों की लिपि मौर्ययुगीन ब्राह्मी लिपि के अक्षरों के ही अनुरूप हैं जो थोड़े बहुत अन्तर के साथ अंकित की गई हैं। मुख्यतः ये अन्तर निम्न हैं–

1. मौर्यकालीन ब्राह्मी लिपि में 'अ' के ऊपर पड़ी लकीर लगातार प्रायः 'आ' ( ) बनाते थे। पर जब मात्रा जोड़ने में थोड़ा अन्तर हुआ तब 'आ' के लिए 'अ' के बीच में पड़ी लकीर जोड़ा जाने लगा ( )।
2. 'इ' की मात्रा पहले कुछ गोलाकार होती थी ( ) किन्तु अब कुछ छिछलापन लिये गोलाकार दीखती है, यथा– ('खी'-भरहुत) ('खी'-मथुरा) ।
3. अनुस्वार के लिये विशेष रूप से अक्षरों के दायें किनारे पर बिन्दु ऊपर की ओर लगाया जाने लगा– (तं), (धं) आदि।
4. गिरनार के अभिलेख में कोणदार 'इ' का बड़ा ही स्पष्ट प्रयोग मिलता है।
5. 'र' का प्रयोग संयुक्ताक्षर में करने के लिए कोई एक नियम का अभाव दीखता है। कभी यह बगल में लगा है (द्र) तो कभी नीचे की ओर (प्रा)।
6. जब दो अक्षरों को संयुक्त करना होता था तो जोड़ा जाने वाला अक्षर मूल अक्षर के नीचे जोड़ा जाता था लेकिन अक्षर का अनुपात बनाये रखने के लिए मूल अक्षर की अपेक्षा संयुक्त अक्षर छोटा होता था, यथा– (भ्या), (म्ह)।
7. अब अक्षर पहले की अपेक्षा अधिक प्रौढ़ तथा पुष्ट दिखाई पड़ते हैं।
8. डॉ. ठाकुर प्रसाद के अनुसार उस समय जिस लेखनी का प्रयोग होता था उसकी कत-कटी होती थी। इससे अक्षरों की आकृति में मोटाई इच्छानुसार दिखाई देती है। यह अधिकांश अक्षरों में उभर पड़े हैं, जैसे– (त) (द) आदि।
9. अक्षरों के आधार चपटे होने लगे (म) (व) (ह)।
10. एक प्रकार का त्रिकोणात्मक शीर्ष अक्षरों में दिखाई देता है, जैसा कि ऊपर 'त' 'म' आदि से स्पष्ट है। संभवतः यही पीछे चलकर शिरोरेखा वाले शीर्ष का रूप ले लिया।
11. अशोक के काल में अक्षर अधिक लम्बे और कम चौड़े होते थे। किन्तु अब लम्बाई और चौड़ाई समान दिखने में आती है।

12. दीर्घ स्वरों का प्रयोग अधिकाधिक होने लगा क्योंकि अब इसकी भाषा संस्कृत हो गयी। स्वर में मात्रा जोड़कर दीर्घ स्वर बनाये जाते थे। (अ), (ऐ) आदि।
13. विसर्ग चिह्नों का प्रयोग मिलने लगा। ये चिह्न आजकल विसर्ग के लिए प्रयोग किए जाने वाले चिह्नों की तरह बनाये जाते थे।
14. व्यंजनों में ऋ का प्रयोग मिलता है, यथा– "वृ"।
15. नये अक्षरों का चलन मिलता है जिन्हें संयुक्ताक्षरों के माध्यम से लिखा जाता था, यथा– क्ष (क + ष या ख) = या, ज्ञ (ज + ञ =)।

डॉ. ठाकुर प्रसाद के अनुसार इन परिवर्तनों के लिए दो तत्त्वों को उत्तरदायी बताया जा सकता है–एक अक्षरों का सरल स्वरूप तथा दूसरा उनका अधिक प्रयोग होना।

## स्थानीय विशेषताएँ

**(क) गिरनारः** उपर्युक्त विशेषताओं के अतिरिक्त कुछ स्थानीय विशेषताएँ भी विशेष क्षेत्रों में दिखाई देते हैं। गिरनार के अभिलेखों में सामान्य लेखों की अपेक्षा अधिक अनियमितता दिखाई पड़ती है–

(*i*) संयुक्ताक्षरों में नीचे वाले अक्षर का चिह्न अधिक कोणाकार बनाया जाने लगा।

(*ii*) संयुक्ताक्षरों में संयुक्त किये जाने वाले अक्षर सुविधानुसार कभी-कभी मूल अक्षर के पहले भी रखे जाने लगे।

(*iii*) 'र' का स्वरूप सदा परिवर्तित होता रहता था।

**(ख) उड़ीसा-हाथी गुम्फाः** खारवेल के हाथीगुम्फा अभिलेख के अध्ययन से अक्षरों की बनावट में कुछ अन्य विशेषताएँ दिखलाई पड़ती हैं। शुंगकालीन अभिलेखों से भी यही ज्ञात होता है–

(*i*) अक्षरों का निचला भाग पहले की अपेक्षा अधिक चौड़ा होने लगा। यथा–

(ग), (त), (प), (ह)

(*ii*) सीधी रेखा वाले अक्षरों का शिरोभाग कुछ मोटा होने लगा। पर जिनमें सीधी रेखा नहीं होती थी उनमें प्रारम्भ तथा अन्त वाले भाग ही मोटे होते थे जैसा ऊपर 'ग' और 'त' के अन्तर से स्पष्ट होता है।

(*iii*) 'अं' की मात्रा प्रायः अक्षर की बायीं ओर बिन्दु लगाकर व्यक्त किया था किन्तु यहाँ 'लिं' लिखने में बायीं ओर अनुस्वार लगाया गया है, यथा–।

(*iv*) 'आ' की मात्रा प्रायः अक्षरों के बीच में ही लगी हुई दिखाई देती है, यथा– (जा) (रण) आदि।

(*v*) खड़ी लकीरों वाले अक्षरों में खड़ी लकीरें नीचे की ओर बढ़ गयी हैं, यथा– (अ)।

**(ग) क्षत्रपों के अभिलेखः** क्षत्रपों के अभिलेखों के अक्षरों की बनावट में भी जो लगभग इसी समय के हैं, कुछ अन्तर दिखाई देते हैं। ये क्षत्रप दो क्षेत्रों में थे– उत्तर और दक्षिण में। जहाँ रंजुबल और शोडास के लेख मथुरा तथा उसके पड़ोसी क्षेत्र में मिले हैं, वहीं रुद्रदामन, नहपान आदि के लेख दक्षिणी भारत में मिले हैं। अतः इन दोनों क्षेत्रों में अक्षरों की बनावट में कुछ स्वाभाविक अन्तर स्पष्ट रूप से दिखाई देते हैं–

(*i*) केवल 'ल' को छोड़कर सभी अक्षरों की ऊपर की सीधी रेखाएँ एक ऊँचाई की बनने लगीं–

(ल) (न) (प) (फ)

(*ii*) यहाँ कलम की कत कुछ अधिक चौड़ी दिखाई देती है। इसी से अक्षरों में मोटाई बनी हुई है।

(*iii*) अक्षर अधिक छोटे होने लगे थे।

(*iv*) 'य' की बनावट बदल गयी। नीचे का कुछ भाग कुछ अधिक चौड़ा होने लगा था– (य)।

(*v*) कुछ व्यंजनों के ऊपर लकीर का प्रयोग होने लगा, यथा–

(त), (च), (छ)

(*vi*) 'घ' की बनावट पहले की अपेक्षा अधिक कोणदार होने लगीं– (घ)।

(*vii*) इन लेखों में पहली बार मध्यम 'इ' का प्रयोग हुआ।

## कुषाण कालीन ब्राह्मी लिपि

बलापहारी कुषाण शासकों के अभिलेख भारत में मिले हैं। इनमें मुख्यतया लेख कनिष्क, हुविष्क, वासिष्क आदि के समय के हैं। ये अभिलेख प्रायः मथुरा और उसके आस-पास के क्षेत्रों से बहुतायत से प्राप्त हुए हैं। इनमें से कुछ तिथि युक्त भी हैं। पूर्वी राजस्थान और साँची आदि से भी इन राजाओं के कतिपय अभिलेख प्राप्त होते हैं। इस समय लिपि में कुछ परिवर्तन होना स्वाभाविक था। इसका कारण यह था कि अब तक अभिलेखों की भाषा प्राकृत थी। पर अब व्यापक रूप से संस्कृत का प्रयोग होने लगा। अतः कतिपय नये अक्षरों का प्रयोग होना नितान्त स्वाभाविक था। दूसरा कारण था कि कुषाण शासकों के समय तक डॉ. दानी के अनुसार लिपि-शास्त्र के प्रयोग के आधार पर भारत को चार प्रमुख क्षेत्रों में विभक्त किया जा सकता है–पश्चिमोत्तर भारत–मथुरा और उसका समीपवर्ती क्षेत्र; पूर्वी भारत–कौशाम्बी, बोधगया आदि का क्षेत्र; पश्चिमी भारत–मध्य प्रदेश, गुजरात, महाराष्ट्र का क्षेत्र तथा दक्षिणी भारत–आंध्र, तमिलनाडु का क्षेत्र। इससे अक्षरों में भिन्नता होने से सामान्य अक्षरों का नया रूप होना नितान्त स्वाभाविक था। इन तथ्यों को ध्यान में रख कर अध्ययन करने से स्पष्ट होता है कि कुषाण कालीन लिपि की निम्नांकित विशेषताएँ हैं–

(*i*) ब्यूलर के अनुसार कुषाणकालीन अक्षर बौने और चौड़े होने लगे–

(ह), (स), (य)

(ii) ऊपर के अक्षरों के उदाहरण से स्पष्ट होगा कि इस समय कलम की कत पहले की अपेक्षा अधिक मोटी तथा पतली दोनों ही प्रकार की होती थी तभी अक्षरों की बनावट में इतना गहरा उतार-चढ़ाव दिखाई देता है।

(iii) दीर्घ स्वरों का प्रयोग इसके पहले इतना अधिक प्रचलन में नहीं मिलता था जितना इस समय क्योंकि संस्कृत में दीर्घ स्वरों का प्रयोग किया जाता है। अतएव दीर्घ स्वरों का स्थायी रूप अब बना। इसके लिए ह्रस्व में ही थोड़ा अन्तर करके उसका दीर्घ रूप बनाया जाता था, यथा–  आदि। यहाँ मात्रा जोड़कर उनका दीर्घ रूप बनाया गया है।

(iv) संस्कृत में अनुस्वार और विसर्ग का प्रयोग किया जाता है उसके लिए यहाँ अक्षरों के ऊपर एक बिन्दु लगाकर अनुस्वार बना दिया जाता था (नं)। विसर्ग के लिए आधुनिक प्रणाली के अनुसार अक्षर के ऊपर और नीचे दो बिन्दु लगा कर विसर्ग बनाया जाता था। यह अभिलेख में पहली बार दिखाई पड़ता है।

(v) एक नया व्यंजन  मराठी अक्षर का प्रयोग सांची आदि से प्राप्त अभिलेखों में देखने को मिलता है। साँची में इसकी लिखावट इसी प्रकार है। आज भी गंगाधर तिळक में (ड) के आस-पास कुछ उच्चारण के लिए ळ मराठी अक्षर का ही प्रयोग किया है। इसका उत्तरी भारत में अपना उच्चारण नहीं है।

(vi) 'अ' की बनावट नागरी लिपि की तरह होने लगी– 

(vii) 'आ' की मात्रा पहले की अपेक्षा अब नीचे लगने लगी– 

(viii) 'उ' की मात्रा कुछ बाई ओर मुड़ी हुई बनने लगी–  (थु)  (भु)

(ix) 'ण' की ऊपरी लकीर अब बीच में घुमी हुई होने लगी–  (ण)

(लगता है यह दो अर्द्धवृत्त रेखाओं के योग से बना हो।)

(x) 'ऋ' का प्रयोग भी होने लगा। इसके लिए अक्षर के नीचे एक तिरछी रेखा जोड़ दी जाती थी– वृ 

(xi) डॉ. ब्यूलर के अनुसार इन लेखों की लकीरें चौड़ी और मोटी हैं तथा किसी ऐसी लिपि का अनुकरण किया गया है जिसका स्याही से आलेख लिखा गया हो।

## गुप्तकालीन ब्राह्मी लिपि का विकास

प्राचीन भारतीय इतिहास में गुप्तकाल एक अत्यन्त समुन्नत युग था। इस समय के इतिहास के सभी स्रोत प्रचुर मात्रा में उपलब्ध हैं। प्रायः समुद्रगुप्त से लेकर सभी गुप्त राजाओं के अभिलेख भारत के विभिन क्षेत्रों से प्राप्त हुए हैं। इस समय तक ब्राह्मी लिपि का विविध क्षेत्रों में विकास हो चुका था, अक्षरों की बनावट के नवीन प्रयोगों में यह लिपि निरन्तर विकसित होती गई जैसे गिरनार के अभिलेख में अक्षरों के शीर्ष भाग पर लकीर का प्रयोग प्रारम्भ हो चुका था तथा कुषाणकाल में मौर्यकाल के गोलाकार अक्षरों की अपेक्षा कोणदार अक्षरों का निर्माण होने लगा। पारस्परिक विकास क्रम में गुप्तकालीन अक्षर एक नवीन कड़ी प्रतीत होते हैं।

इस समय अक्षरों के स्वरूप तथा मात्राओं के आकार में भी परिवर्तन दिखाई देता है। इस दृष्टि से लगता है कि गुप्तकाल में ब्राह्मी लिपि ने एक नया मोड़ ले लिया था। इसका ज्ञान अशोककालीन ब्राह्मी लिपि से इसका तुलनात्मक अध्ययन करने से ही प्राप्त हो सकता है। इस अध्ययन के द्वारा गुप्त लिपि की निम्नांकित विशेषताएँ ज्ञात होती हैं–

(1) गुप्तकाल पूर्व ही अक्षर कोणदार बनने लगे थे, किन्तु इस समय इनका स्वरूप पूर्णतया कोणदार होने लगा, यथा

| नागरी | अशोक कालीन ब्राह्मी | गुप्तकालीन ब्राह्मी |
|---|---|---|
| छ<br>प<br>फ<br>श | 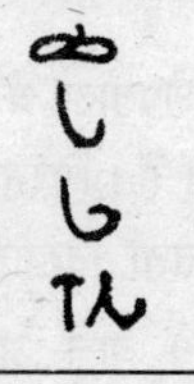 | 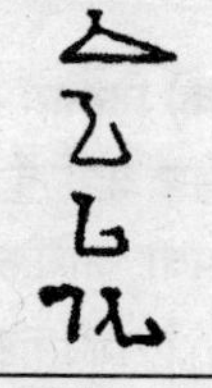 |

(2) कुछ अक्षरों की दाहिनी भुजा पहले की अपेक्षा अधिक लम्बी होने लगी थी, यथा

| नागरी | अशोक कालीन ब्राह्मी | गुप्तकालीन ब्राह्मी |
|---|---|---|
| क<br>ग<br>अ<br>ड<br>त<br>भ | 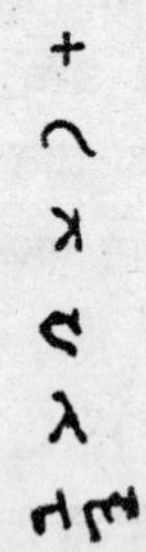 | 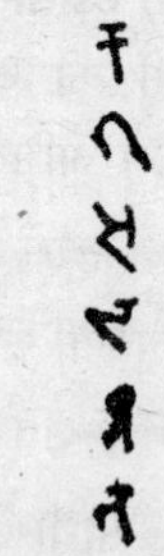 |

(3) विसर्ग का प्रयोग नये प्रकार के चिह्नों को लगाकर किया जाने लगा। 'क' तथा 'प' को छोड़कर शेष अक्षरों के साथ पूर्ववत् ऊपर और नीचे दो बिन्दु लगाकर विसर्ग लिखते थे। किन्तु 'क' के साथ इसके पहले × तथा 'प' के साथ इसके पहले  चिह्न बनाकर किया जाने लगा। '×' चिह्न को जिह्नामूलीय तथा को  उपधमानीय नामों से सम्बोधित किया जाता है।

(4) गुप्तकाल में शिला लेखों के अतिरिक्त मुद्राओं पर भी अक्षरों का अंकन बहुलता से हुआ है किन्तु इनमें अन्तर है। शिलाओं पर अंकित इस काल के अक्षरों की अपेक्षा मुद्राओं पर अंकित अक्षर निम्न प्रकार की आकृति के हैं–

| नागरी | मुद्रा के अक्षर | अभिलेख के अक्षर |
|---|---|---|
| य | | |
| म | | |
| ल | | |

प्रायः ये परिवर्तन गुप्त राजाओं द्वारा पूर्वी भारत में प्रचलित सिक्कों में ही पाए गए हैं। इसलिए इन अक्षरों को पूर्वी प्रकार के अक्षर कहते हैं। पश्चिमी तथा दक्षिणी भारतीय गुप्त अभिलेखों में इनका नितान्त अभाव है। फिर भी उदयगिरि की गुफाओं में उत्कीर्ण कराए गए अभिलेख में 'य' तथा 'प' की बनावट यथावत है, यथा– (य) (प)। इसका कारण यह प्रतीत होता है कि पाटलिपुत्र से ही लेखक विभिन्न स्थानों पर भेजे जाते थे जो अपनी परिपाटी से अक्षरों को अंकित करते थे। इसी से यह परिवर्तन यहाँ दिखाई देता है। दक्षिणी भारतीय प्रभावती गुप्त के पूना प्लेट में भी इसी प्रकार के अक्षरों के होने के लिए भी यही कारण उत्तरदायी ठहराया जा सकता है।

(5) मात्राओं का प्रयोग एक नवीन रीति से यहाँ किया जाने लगा–

| नागरी | अशोक कालीन ब्राह्मी | गुप्तकालीन ब्राह्मी |
|---|---|---|
| इ | | |
| कि | | |
| उ | | |
| कु | | |
| ऊ | | |
| कू | | |

गुप्त शासकों के अन्तिम चरण में अक्षरों और मात्राओं दोनों के स्वरूप में परिवर्तन हो चुका था। इसका कारण लगता है कि वहाँ क्षेत्र की व्यापकता थी तथा रुचि की विविधता थी। पूर्व में अक्षरों की दाहिनी भुजा लम्बी होती थी। पर इस चरण में आते-आते यह पहले से भी अधिक लम्बी होने लगी, यथा– त– . व– इनको देखने से स्पष्ट होता है कि दाहिने हाथ की रेखा का निचला भाग शीर्ष के रूप से और अधिक बढ़ा दिया गया। दूसरी ओर कुछ अक्षरों में विशेष विकास दिखाई देता है जिसकी अगली कड़ी कुटिल लिपि के आकार की ओर बढ़ती हुई ज्ञात होती है। ये अक्षर हैं–ष, म, भ आदि।

## बाक्स शीर्ष अक्षरों की विशेषताएँ

दक्षिण भारत में इसी समय वाकाटक राजा शासन करते थे। इनके विभिन्न अभिलेख प्राप्त हुए हैं। इनके भी अक्षरों का स्वरूप यद्यपि गुप्त काल की तरह ही है मगर इनकी शिरोरेखा गुप्त कालीन अक्षरों की शिरोरेखा से भिन्न है। यहाँ पड़ी शिरोरेखा के स्थान पर बक्स की तरह की आकृति बना दी गई है। इनको ▭ बाक्स हेडेड– अक्षर कहते हैं जबकि पड़ी लकीर वाले अक्षरों को जो उसी समय उत्तरी भारतीय अभिलेखों में प्राप्त हुए हैं–नेल हेडेड– अक्षर कहते हैं। ये बाक्स हेडेड अक्षर लगभग सम्पूर्ण दक्षिण भारतीय वाकाटक अभिलेखों में प्राप्त हुए हैं, यथा– + अशोक कालीन गुप्त कालीन वाकाटक अभिलेख। यहाँ बाक्सहेड देखकर मात्र इतना ही अनुमान होता है कि लिपि में नवीनता नहीं लाई गई उसमें सौष्ठव जोड़ने के लिए उसके सिर वाले भाग में थोड़ी कलात्मकता का समावेश कर दिया गया–

1. इन अक्षरों के शीर्ष पर बाक्स की आकृति बनी होती है यथा– (उ) घ
2. इस प्रकार के अक्षरों का प्रयोग दक्षिण भारत में वाकाटक राजाओं के अभिलेखों में मिलता है।
3. ये बाक्स कभी-कभी ऊपर और नीचे दोनों ही ओर बने होते हैं यथा– (व) न (च)
4. अक्षर प्रायः चौकोर और खड़ी रेखाओं के योग से बने हैं– (ख) (ए)। (ह)
5. नीचे जहाँ बाक्स नहीं बने हैं वहाँ बाक्स की आकृति बनी है– र भ
6. इन अक्षरों का मुँह प्रायः ऊपर की ओर खुलते हैं, किन्तु निम्न पाँच अक्षरों का मुँह नीचे की ओर खुलते हैं– (ग), (ण), (त), (ई) और (श)
7. केवल दो अक्षर ज और ट का मुँह दाई ओर खुला होता है– (ज) (ट)
8. अन्य जिन अक्षरों का मुँह किसी ओर नहीं खुला है, वहाँ केवल बाक्स बना है। उनमें नीचे की रेखाएँ ऊपर की ओर उठती हैं–(य)
9. मात्राएँ भी सीधी रेखाओं के योग से बनी हैं– (उ) (आ) (ए) (ऊ)

इस प्रकार गुप्त लिपि के अन्तिम चरण में कुछ नवीन प्रयोग हुए। इनमें अक्षरों के ऊपर किये गये प्रयोग ने लिपि को एक नवीन दिशा दी जिससे बाद में कुटिल लिपि का विकास हुआ।

## कुटिल लिपि

छठी शताब्दी ई. से लेकर नवीं, दसवीं शताब्दी तक अक्षरों के लिखने के क्रम में जो परिवर्तन आया उसे साधारणतया गुप्त कालीन अक्षरों से भिन्न पाते हैं। ये अक्षर डॉ. फ्लीट, डॉ. प्रिंसेप आदि विचारकों के अनुसार कुटिल लिपि के नाम से पुकारे गए हैं। पर डॉ. ब्यूलर इस मत से सहमत नहीं हैं। इन्हीं की तरह श्री कीलहार्न महोदय ने भी कुटिल अक्षरों की मान्यता को स्वीकार नहीं किया है। इनका विरोध इस नामकरण से है।

फिर भी चाहे जो नाम दिया जाय 588-89 ई. के लगभग के उत्कीर्ण अभिलेखों को देखने से यह ज्ञात होता है कि इस समय अभिलेखों में अक्षरों के लिखने की परम्परा में अक्षर दाएँ की अपेक्षा बाएँ ओर झुके होते थे। इन अक्षरों में कोणाकार या कुटिलता इनके निम्न भाग में अथवा दाहिनी ओर होती थी। सीधी रेखाओं के छोर भी कुछ एक ओर को झुके होते थे तथा कुछ झुकी रेखा खींची जाती थी।

सातवीं शताब्दी के अभिलेखों के अक्षरों की आकृति विशेष कोणाकार होती थी। 'स' का स्वरूप पहले की अपेक्षा अधिक गोलाकार होने लगा।

इसी प्रकार क्रमशः अक्षरों का स्वरूप परिवर्तित होता गया। इसका परिणाम यह हुआ कि धीरे-धीरे बदलते हुए ये अक्षर देवनागरी के स्वरूप में आने लगे। 11वीं तथा बारहवीं शताब्दी के अभिलेखों में बने अक्षरों का स्वरूप बहुत अंशों में देवनागरी के आधुनिक अक्षरों से मिलता-जुलता है। उसी का विकसित स्वरूप पीछे चलकर देवनागरी लिपि के नाम से सम्बोधित किया जाने लगा।

## अभिलेख

प्राचीन भारत में कोई हेरोडोट्स नहीं हुआ था जिसने यहाँ का व्यवस्थित इतिहास लिख छोड़ा हो। प्राचीन भारतीय इतिहास लेखन के लिए हमें अनेक सामग्रियाँ जुटानी पड़ती हैं। उनमें से प्रायः मूक सामग्रियाँ ही अधिक हैं जिनकी मूक भाषा में ही मुखर कथा सुननी पड़ती हैं। साथ ही वह भी इतनी उलझी गुत्थी है कि उसको इतिहास की कसौटी पर रखकर सुलझाना भी बहुत सरल नहीं है। पर इसका अभिप्राय यह नहीं कि राजतरंगिणी जैसे ऐतिहासिक ग्रन्थ के अभाव तथा इतिहासकार की स्पष्ट वाणी की कमी ने हमारा इतिहास ही अन्धकार में रख छोड़ा हो। हमारे पास इतने साधन हैं कि उसको जोड़कर हमारा सारा का सारा का पुराना इतिहास बड़ी सरलता एवं वैज्ञानिकता से तैयार किया जा सकता है। इसके मूल स्रोतों में एक पठनीय स्रोत है अभिलेख जो भारत भूमि में बिखरे पड़े हैं। आवश्यकता है इनके पढ़ने और समझने की। इनके द्वारा हमारा अतीत पुनः अपने वास्तविक रूप में जीवित हो उठता है तथा सत्य की अनवरत धारा में अपने ही इतिहास सुनाने लगता है। ये अभिलेख भले ही राजाश्रित या व्यक्तिगत छाया में खुदे हों पर इनमें ऐसी ऐतिहासिक सामग्रियाँ संजोई गई हैं जो समकालीन हैं, सत्य हैं तथा विश्वसनीय हैं।

### अभिलेखों का महत्व

अभिलेखों द्वारा व्यक्तिगत चरित्र पर भी प्रकाश पड़ता है। इसमें प्रसंगवत लेखक अपने शासक की कृतियों की चर्चा करते हुए उसके चरित्र का भी वर्णन करते पाये गये हैं। कई अभिलेखों का तो इस दृष्टि से एकांतिक महत्व है क्योंकि अन्य किसी भी स्रोत से इस पक्ष पर प्रकाश ही नहीं पड़ता। यदि ये अभिलेख न लिखे गये होते तो इतिहास उस राजा के चरित्र से पूर्णतया वंचित ही रह जाता। इस दृष्टि से हम हरिषेण की प्रयाग प्रशस्ति को ले सकते हैं। समुद्रगुप्त को जानने का यही अभिलेख एकमात्र साधन है। इसमें समुद्रगुप्त के गुणों की चर्चा की गई है कि वह विद्या में कविकुल गुरु था, शास्त्र तत्वार्थ भर्तुः था, संगीत में गुरु, नारद और तम्बरु के समान था तथा युद्ध में यम और कुबेर की तरह था। इसी प्रकार मेहरौली के 'चन्द्र' अभिलेख तथा पुलकेशिन द्वितीय के एहोल अभिलेख से भी क्रमशः चन्द्रगुप्त द्वितीय तथा चालुक्य-वंशीय शासक पुलकेशिन द्वितीय का ज्ञान प्राप्त होता है।

राजनीतिक स्थिति के ज्ञान में अभिलेखों का बड़ा अधिक महत्व है। कुषाणकाल के बाद तथा गुप्तकाल के प्रारम्भ को भारतीय इतिहास का अन्धकार युग कभी कहा जाता था। उस समय की राजनीतिक स्थिति का अत्यन्त व्यवस्थित ज्ञान आधुनिक अन्वेषणों के बावजूद भी नहीं प्राप्त हो सकता है, जब तक कि हम समुद्रगुप्त की प्रयाग प्रशस्ति का अध्ययन करके उस समय का व्यवस्थित विवरण नहीं प्राप्त करते। इसी प्रकार किसी भी दूसरे स्रोत के अभाव में शक तथा सातवाहन राजाओं के अभिलेखों से उनके समय के दक्षिणी भारत का राजनीतिक ज्ञान प्राप्त होता है। खारवेल के हाथी-गुम्फा अभिलेख से भी उस समय की राजनीतिक स्थिति जानी जा सकती है। इस प्रकार के एक नहीं अनेक अभिलेख इस दिशा में हमारे ज्ञान में सहायक हैं।

सामाजिक अवस्था का ज्ञान देने में भी अभिलेखों का महत्व बहुत अधिक है। अशोक के अभिलेख इस बात के साक्षी हैं कि उस समय सामूहिक परिवार प्रणाली थी। धनी लोग बहुत-सी पत्नियाँ रखते थे तभी 'अन्तःपुर' शब्द का प्रयोग उनमें किया गया है। इसी प्रकार पाल राजाओं के समय के उत्कीर्ण कराये गये दामोदरपुर ताम्रपत्रों से शिक्षा के सम्बन्ध में परिचय मिलता है। अन्तरजातीय विवाह का ज्ञान शक-सातवाहन अभिलेखों से प्राप्त होता है।

आर्थिक अवस्था के सम्बन्ध में भी इनके द्वारा बहुत कुछ प्रकाश पड़ता है। कुछ राजवंशों के अभिलेख तो इस दृष्टि से अत्यन्त लाभकर सिद्ध हुए हैं क्योंकि दूसरे किसी भी साधन के अभाव में अभिलेखों से ही एक काल विशेष तथा क्षेत्र विशेष का आर्थिक अध्ययन किया जा सका है। उदाहरणार्थ शक-सातवाहन अभिलेखों के द्वारा ही उस समय के दक्षिणी भारत की आर्थिक स्थिति का ज्ञान मिलता है। गुप्त अभिलेख भी इस दृष्टि से महत्व के सिद्ध हुए हैं।

धार्मिक अवस्था के सम्बन्ध में भी अभिलेख बहुत अंश तक हमारे जानकारी के साधन हैं। अशोक के अभिलेखों से ज्ञात होता है कि उस समय ब्राह्मण, श्रमण, आजीवक आदि धार्मिक सम्प्रदायों का चलन था। यह भी ज्ञात होता है कि अशोक ने एक ऐसे राष्ट्र-धर्म का प्रचलन किया था जिसमें सभी धर्मों की प्रमुख बातें सम्मिलित थी जबकि व्यक्तिगत जीवन में उसने बौद्ध धर्म स्वीकार कर लिया था। इसी प्रकार गुप्त शासकों के अभिलेखों से जहाँ स्कन्दगुप्त तक के गुप्त शासकों का वैष्णव धर्मानुयायी होना ज्ञात होता है वहीं उसके बाद के शासकों की रुचि बौद्ध धर्म की ओर हो चली थी, सिद्ध होता है। हर्ष के अभिलेखों से ज्ञात होता है कि वह बौद्ध धर्मानुयायी था। पाल राजाओं के अभिलेख वज्रयान बौद्ध सम्प्रदाय के आगमन का परिचय देते हैं तथा उनके बौद्ध धर्मानुयायी होने के सूचक हैं।

इसी प्रकार अभिलेख साम्राज्य विस्तार, तत्कालीन लिपि, भाषा एवं साहित्य एवं विदेशियों का भारतीयकरण (बेसनगर का गरुड़ ध्वज) आदि जानने का उल्लेखनीय श्रोत है। इसके द्वारा हमारे प्राचीन इतिहास की लगभंग सम्पूर्ण विधाओं पर प्रामाणिक प्रकाश पड़ता है क्योंकि ये प्रत्यक्ष साक्ष्य हैं। इसमें मिलावट की सम्भावना नहीं की जा सकती है।

## ■| अभिलेखों की आधार सामग्रियाँ

प्राचीन भारत में लेखन कला के विकास के साथ सामग्रियों की विविधता का भी ज्ञान प्राप्त होता है। ताड़पत्रों से लेकर धातु और पुनः कागज तक का प्रयोग लेखन सामग्री के रूप में यहाँ किया गया है। इस वैविध्य के दो कारण थे—एक जिस क्षेत्र में लिखा जा रहा है वहाँ लेखन सामग्रियों की उपलिब्ध तथा दूसरे जो कुछ भी लिखा जा रहा है उसकी प्रकृति। इसको और स्पष्ट करने के लिए हम कह सकते हैं कि अभिलेख लेखन के लिए जिस क्षेत्र में पत्थर उपलब्ध होता था वहाँ लेखन में भरसक पत्थर का ही प्रयोग किया जाता था। जहाँ नहीं उपलब्ध था वहाँ मिट्टी पर लिखते थे। दक्षिण भारत में ताड़पत्र सरलता से मिल जाते थे। अतः वहाँ ताड़पत्र का ही प्रयोग करते थे। यदि कोई सामग्री किसी को दान दी जाती थी और उसको उसके साथ लिखित पत्रक देना होता था तो वह किसी स्थायी चीज पर ही दी जाती थी जो उसके पास रहे और सरलता से अवसर पर कहीं ले जाया जा सके। इससे ताम्रपत्रों के टुकड़ों का प्रयोग किया जाता था। कुछ ऐसी घोषणाएँ होती थीं जो किसी स्थान विशेष पर जनसाधारण के सूचनार्थ लगानी होती थी तो उसको पत्थर पर खुदवाया जाता था जिससे उसका स्थायी स्वरूप बना रहे। इसके ठीक विपरीत पुस्तकें आदि ताड़पत्र, भुर्जपत्र आदि कोमल और हल्की सामग्रियों पर लिखी जाती थीं। इस दृष्टि से अध्ययन करने पर सामग्रियों की विविधता स्वतः स्पष्ट हो जाती है।

यूनानी इतिहासकार कर्टियस यह विवरण देता है कि भारत में कागज का प्रयोग किया जाता था। किन्तु हमारा सन्दर्भ जहाँ तक अभिलेखों से है उनकी लेखन सामग्रियों को हम निम्नलिखित खण्डों में विभक्त कर सकते हैं—

**लेखन सामग्री**

पत्थर | मिट्टी | धातु

### लगन

इसका प्रयोग अभिलेखों में बहुतायत से किया गया है। मौर्य काल के पूर्व से लेकर बारहवीं शताब्दी तक अभिलेखों के लिए अनेक रूपों में पाषाण का प्रयोग भारत के विभिन्न क्षेत्रों में व्यापक रूप से पाया जाता है। इसके प्रयोग का कारण यह था कि 'चिलथितिका च होततीत' (अशोक का स्तम्भ लेख 2)—अर्थात् स्थायित्व इसमें विद्यमान होता था। इसीलिए जहाँ अन्य सामग्रियाँ प्राकृतिक व्यवधानों से विनष्ट हो गयीं तथा धातुएँ गाड़ दी गयीं वहाँ प्रस्तर अभिलेख अपने मूल रूप में प्राप्त हैं। दूसरा, कारण यह रहा होगा कि पत्थर पर उत्कीर्ण कराने में धातु की अपेक्षा बहुत कम खर्च पड़ता होगा। तीसरी, सुविधा यह भी रही होगी कि बड़े-बड़े अक्षरों में लम्बा लेख आसानी से इस पर खोद दिया जाता होगा जो पढ़ने की दृष्टि से सुविधाजनक रहा होगा। मिट्टी और धातु में इस सुविधा की सर्वथा कमी ही दिखाई देती है।

### मिट्टी

प्राचीन भारतीय पुरातत्वविद् कनिंघम, फ़्रूरर आदि ने उत्खनन तथा सर्वेक्षण में बहुत-सी मिट्टी की बनी ऐसी सामग्रियाँ प्राप्त की हैं जिनपर कुछ लेख उत्कीर्ण हैं। मथुरा से मिट्टी की सामग्रियों पर अंकित लेख बहुतायत से मिले हैं। प्रायः बर्तनों के ऊपर लेख उत्कीर्ण करने का चलन था। कहीं-कहीं मिट्टी की बनी मूर्तियों पर भी लेख खुदा हुआ है। ऐसी मूर्तियाँ प्रायः सजावट के लिए प्रयोग की जाती थीं। इन्हें घरों के ताखों पर रखा जाता था। इनके पदाधार पर ही विशेषतया खुदे लेख प्राप्त हुए हैं। मिट्टी की ईंटों पर यज्ञों के वृत्त उत्कीर्ण किये हुए पाये गये हैं। ये ईंट प्रायः धार्मिक स्थानों तथा यज्ञ के स्थानों पर लगाये जाते थे। कुछ चिट्ठियाँ तथा धार्मिक उद्धरण भी मिट्टी के टुकड़ों पर खुदे हुए मिले हैं। उत्तर प्रदेश में एक मिट्टी के टुकड़े पर बौद्ध सूत्र अंकित किया हुआ मिला है। उत्तर प्रदेश के राजघाट तथा भीटा नामक स्थानों से बहुत-सी मिट्टी की मुहरें प्राप्त हुई हैं। ये मुहरें कुछ तो राजाओं की हैं और कुछ संस्थाओं की। कतिपय मुहरें श्रेणियों की भी मिली हैं। इनमें राजचिह्न तथा राजा का नाम अंकित हैं। संस्थाओं की मुहरों में व्यक्ति तथा संस्था का नाम अंकित होता था। श्रेणियों की मुद्राओं में श्रेणी की मुहर तथा श्रेष्ठी का नाम पाया जाता है। कभी-कभी धार्मिक संस्थाओं की भी मुद्राएँ प्राप्त होती हैं। इस प्रकार मिट्टी पर लेख लिखने का विधान रहा होगा कि गीली मिट्टी को आकार प्रदान कर उस पर किसी नुकीली चीज से लिख देते होंगे और तब पकाते होंगे।

### धातु

धातु का प्रयोग साधारण लोगों तथा सामान्य कार्यों के लिये सम्भव नहीं था। प्रायः बहुमूल्य धातुएँ राज्य परिवार द्वारा प्रयोग की जाती थी। साथ ही उन पर केवल स्मरण सम्बन्धी अथवा प्रमाण सम्बन्धी छोटे लेख ही उत्कीर्ण किये जाते थे क्योंकि उन्हें सुरक्षित रखना होता था। यदि बड़े लेख जन सामान्य के प्रयोग के लिये उत्कीर्ण करने होते थे तो उन्हें साधारण धातुओं पर उत्कीर्ण कराया जाता था, जैसे लोहा आदि। बहुमूल्य धातुओं का प्रयोग गौरव प्रदर्शित करने के लिए किया जाता होगा। साथ ही अभिलेखों को स्थायी रखने के लिए भी धातुओं का प्रयोग किया जाता होगा। सोना, चाँदी, तांबा, पीतल, काँसा, लोहा तथा टीन आदि का प्रयोग सामान्यतया अभिलेखीय सामग्री के रूप में किया जाता था।

इन सभी धातुओं की अपेक्षा तांबे का प्रयोग लेख उत्कीर्ण कराने के प्रयोजन से प्राचीन भारत में सबसे अधिक किया गया है। बिहार तथा बंगाल से ताम्रपत्र बहुतायत की संख्या में प्राप्त हुए हैं। दक्षिण भारत से भी ताम्रपत्रों पर उत्कीर्ण अभिलेख मिले हैं। इनका प्रचलन मौर्य काल से ही हम देखते हैं। सोहगौरा से मौर्यकालीन ताम्रपत्र अभिलेख प्राप्त हुआ

है और तब से बारहवीं शताब्दी तक ताम्रपत्रों का प्रचलन रहा। कनिष्क के समय चौथी बौद्ध संगीति के निष्कर्ष ताम्र पत्रों पर ही उत्कीर्ण करके कश्मीर के कुण्डलवन में कहीं गाड़ दी गयी हैं जो आज तक उत्खन्नकर्ताओं के प्रयास से भी निकल नहीं सकी हैं। अवनतिकालीन गुप्त राजाओं के तथा पाल राजाओं के समय में विशेष रूप से ताम्र पर अंकित अभिलेख प्राप्त हुए हैं। दक्षिण भारत में भी ताम्रपत्रों का प्रचलन था। ये अभिलेख कुछ तो पाषाण पर अंकित किये गये अभिलेखों की तरह विवरण देते हैं और कुछ भूमिदान का विवरण मात्र प्रस्तुत करते हैं। प्रायः अग्रहार दान में भूमि दी जाती होगी उसे प्रमाणस्वरूप ताम्रपत्र प्रदान किया जाता होगा क्योंकि एक तो यह हल्का होता है दूसरे अन्य बहुमूल्य धातुओं की तरह महँगा नहीं होता है तथा इसके पत्र सरलतापूर्वक रखे जा सकते हैं। कभी-कभी तो ताम्रपत्रों पर ग्रन्थ भी लिखा जाता था। आज भी ताम्रपत्र पर लिखा हुआ एक ग्रन्थ तिरुपति में सुरक्षित है।

## अभिलेखों के विभाजन के आधार

यह एक महत्वपूर्ण प्रश्न है कि अभिलेखों का विभाजन या वर्गीकरण हम किस आधार पर करें। इस सन्दर्भ में हम उत्कीर्ण आधार सामग्रियों को वीकार कर सकते हैं, जैसे—शिलापट्ट पर खुदे हुए लेख-शिलालेख, ताम्रपत्र पर खोदे जाने वाले लेख-ताम्रलेख, स्तम्भ पर खोदे गये लेख-स्तम्भ लेख, मूर्तियों के पदाधार पर खोदे हुए लेख-मूर्तिलेख आदि। पर यदि इस दृष्टि से हम आधार को स्वीकार करके लेखन सामग्रियों की गणना करने लगें तो अनेक सामग्रियों पर अंकित लेख हमको प्राप्त होंगे। उनमें भी वे सामग्रियाँ कभी गौण हो जाती हैं और कभी प्रमुख होती है। किन्तु वह सामग्री जिसपर लेख खुदा होता है, जैसे—पत्थर की मूर्ति पर खुदा हुआ लेख—यहाँ पत्थर महत्वपूर्ण नहीं है अपितु महत्वपूर्ण है मूर्ति। अतः इसे हम यदि पत्थर की मूर्ति पर खुदे अभिलेख के नाम से वर्गीकृत करें तो फिर सोना, चाँदी, काँसा, ताँबा आदि अनेक धातुओं की मूर्तियों पर खुदे हुए अभिलेखों को भी अलग-अलग कोटि में रखना पड़ेगा। यह वर्गीकरण दो दृष्टियों से दोषपूर्ण है—एक तो इसके विभाजन में कोई वैज्ञानिकता नहीं है तथा दूसरे इसमें विविधता इतना अधिक हो जायेगी कि वर्गीकरण का महत्व ही समाप्त हो जायगा। यही बात एक और उदाहरण से स्पष्ट की जा सकती है। यदि कोई लेख स्तूप के शिलापट्ट पर खोदा गया है और हम कहें कि अमुक स्तूप के विशालपट्ट पर खुदा लेख है तो यह कोई वर्गीकरण नहीं हुआ और न इस वर्गीकरण में एक निश्चितता ही है। यदि हम इसे केवल स्तूप लेख ही कहें तो वर्गीकरण का अभिप्राय स्पष्ट नहीं होगा।

पर यहाँ सन्देह यह होगा कि जब सामग्रियों के आधार पर अभिलेखों के वर्गीकरण की विधि अवैज्ञानिक है तो फिर अशोक के अभिलेखों को आधार-सामग्रियों के आधार पर कैसे विभाजित कर उनका नामकरण चतुदर्श शिलालेख, सप्त स्तम्भ लेख, लघु शिलालेख, लघु स्तम्भ लेख, गुहा लेख आदि किया गया है? इस सन्दर्भ में यह बात विचारणीय है कि अशोक के अभिलेखों को हम धार्मिक लिपि की कोटि में रख सकते हैं। अशोक ने स्वयं उसे—धम्म लिपि कहा है क्योंकि उसके सभी अभिलेखों में मूलतः धम्म की ही चर्चा की गयी है। चूँकि उसकी धम्म लिपियाँ विभिन्न आधार-सामग्रियों पर अंकित की गयी हैं अतः उन्हें स्पष्ट रूप से विलग करने के लिए उसका नामकरण आधार सामग्री पर किया गया है। दूसरी ओर यह भी विचार करना चाहिए कि वर्गीकरण का आधार चाहे जो भी हम स्वीकार करें पर जब तक हम आधार सामग्री का नाम साथ-साथ नहीं जोड़ेंगे तब तक स्पष्टता नहीं प्राप्त हो सकती और वह भी जब हम किसी एक राजा के समय के अभिलेखों का वर्गीकरण कर रहे हों तब विशेष रूप से ऐसा करना आवश्यक होगा।

फिर दूसरा आधार बनाया जा सकता है अभिलेखों का प्रतिपाद्य विषय। जिन अभिलेखों का प्रतिपाद्य विषय एक प्रकार का हो उनको एक श्रेणी या कोटि में रखकर विषय के आधार पर उनका विभाजन किया जा सकता है। आगे हम देखेंगे कि अभिलेखों में कुछ तो राजाज्ञाएँ हैं; कुछ में तत्कालीन सामाजिक, आर्थिक, धार्मिक आदि परिस्थितियों की चर्चा की गयी हैं तथा उसके सम्बन्ध में विधान का उल्लेख किया गया है। कतिपय अभिलेखों में राजाओं के कर्मचारियों द्वारा अपने स्वामी की प्रशस्ति गायी गयी है जिसके माध्यम से उनके सम्बन्ध में विस्तृत जानकारी होती है। कभी-कभी राजा या महाजन लोग किसी धार्मिक कृत्य के समय अथवा अपनी किसी इच्छित वस्तु की पूर्ति पर अथवा स्वेच्छा से किसी मन्दिर, किसी ब्राह्मण आदि को दान देते थे। यह दान जिस किसी भी चीज का हो उसको दाता अभिलेखों में अंकित करा देता था जिससे उसकी कीर्ति स्थायी रहे। इस प्रकार एक नहीं, अनेक विषय के विविध लेख प्राचीन काल में अंकित किये गये थे। इनके तथ्यों के आधार पर हम लेखों का वर्गीकरण कर सकते हैं।

यह वर्गीकरण आधार सामग्री के वर्गीकरण की अपेक्षा अधिक व्यापक और पुष्ट है। इसके द्वारा एक प्रकार के तथ्य वाले अभिलेखों को एक कोटि में रखा जा सकता है। यह सिद्धान्त अधिक वैज्ञानिक प्रतीत होता है। इसके द्वारा वर्ग के नाम लेने मात्र से ही तथ्य का सामान्य परिचय प्राप्त हो जायगा। पर यदि आधार सामग्री के सहारे इनका विभाजन किया जाय तो केवल आधार मात्र का ज्ञान वर्गीकरण से होगा, तथ्य का परिचय नहीं मिल सकता जब कि अभिलेखों में महत्वपूर्ण पक्ष उनका वर्ण्य विषय ही होता है। उदाहरणार्थ, यदि हम कहें कि अमुक अभिलेख शिला लेख है या स्तम्भ लेख है तो इसमें कई कठिनाई श्रोताओं के सम्मुख उपस्थित हो जायगी। एक तो उनको इतना जान लेने मात्र से ही स्पष्ट नहीं होगा कि यह अभिलेख किस सन्दर्भ का है। दूसरे, इस वर्गीकरण में एकरूपता स्थापित करना भी एक समस्या है, जैसे—लघु स्तम्भ लेख, सप्त स्तम्भ लेख, अलग स्तम्भ लेख आदि। तीसरे, ऐसे विभाजन में भ्रम बना रहता है कि वास्तव में इस वर्ग के नाम का महत्व क्या है? जैसे—सप्त स्तम्भ लेख कहने मात्र से यही अनुमान लगाया जा सकता है कि सात खम्भों पर अंकित लेख। जब तक कि पाठक इस बात से परिचित न रहे कि एक ही खम्भे पर सातों लेख खुदे हुए हैं।

अतः उचित यही है कि अभिलेखों का वर्गीकरण उनकी प्रतिपाद्य सामग्री के आधार पर ही किया जाय। यह अधिक ठोस, परिचयात्मक, निश्चयात्मक तथा वैज्ञानिक आधार प्रतीत होता है। पर यहाँ स्पष्टता को

और भी व्यक्त करने के लिए अभिलेखों के नायक, प्राप्ति स्थान, सामग्री के साथ वर्ग का उल्लेख करना चाहिए। इससे सारी बात स्पष्ट हो जायगी, यथा समुद्र की प्रयाग प्रशस्ति स्तम्भ लेख कहने मात्र से स्पष्ट हो जायगा कि समुद्रगुप्त नामक राजा से सम्बन्धित प्रयाग नामक स्थान में स्तम्भ के ऊपर एक प्रशस्ति अंकित की गयी है। ऐसा नामकरण करने से विभाजन का उद्देश्य स्पष्ट हो जायगा कि श्रोता अभिलेख की मूलभूत विशेषताओं से उसका नाम सुनते ही परिचित हो जायगा।

## ■। अभिलेखों के प्रकार

धर्मशास्त्रों में भी अभिलेखों की चर्चा करते हुए इसके प्रकारों का उल्लेख किया गया है। डॉ. राजबली पाण्डेय ने विषय प्रस्तुतीकरण के आधार पर इनको दो श्रेणियों में विभक्त किया है—विशिष्ट और संग्रहाकार। विशिष्ट कोटि में दो प्रकारों का उल्लेख किया गया है—लौकिक और राजकीय। राजकीय की भी चार कोटियाँ बताई गई हैं—शासन (भावी राजाओं की जानकारी के लिए भूमि के दान आदि का उल्लेख जब कोई राजा कराता है), जय-पत्र (किसी भी प्रकार के विजय के उपलक्ष्य में प्रमाण स्वरूप दिया गया लेख); आज्ञापत्र (जो अधीनस्थ सामन्तों या अधिकारियों को आदेश दिया जाता है) तथा प्रज्ञापन (जिसके द्वारा अभ्यर्थियों के कार्य सम्पन्न होते हैं) किन्तु यह बहुत अधिक वैज्ञानिक और सूक्ष्म विभाजन नहीं है। अतः पाण्डेय जी ने आगे इसका वैज्ञानिक विभाजन भी किया और नौ प्रकार के अभिलेखों की प्राप्ति की चर्चा की है। ये नौ प्रकार निम्न हैं—

1. **व्यापारिक लेखः** डॉ. पाण्डेय ने सिन्धु घाटी से प्राप्त मुहरों को व्यापारिक अभिलेख बताया है। उसमें अंकित लेख पढ़े नहीं जा सके हैं। अतः कुछ निश्चयपूर्वक कहना तो बड़ा असम्भव है किन्तु विद्वानों का यह विचार है कि इन पर व्यापारियों के नाम तथा उनकी उपाधियाँ अंकित हैं। ये प्रपत्र के रूप में प्रयोग की जाती होंगी जब यहाँ के व्यापारी विदेशी व्यापार के लिए जाते होंगे। कुमार गुप्त और बन्धु वर्मा का मन्दसौर प्रस्तर अभिलेख भी इसी कोटि का है। इसके अतिरिक्त मिट्टी की बहुत-सी मुहरें विभिन्न स्थानों की खुदाई से प्राप्त हुई हैं जो वस्तुओं पर क्रय-विक्रय की सुरक्षा तथा गोपनीयता को बनाये रखने के लिए लगाई जाती थीं।

2. **तांत्रिक लेखः** इस प्रकार के अभिलेख सर्वप्रथम सिन्धु घाटी में प्राप्त होते हैं। वहाँ की मुहरें जिनके ऊपर छिद्र बने हैं, कुछ इसी प्रकार की हैं। इन छिद्रों में सम्भवतः धागा पिरोकर पहनने का काम किया जाता होगा। ऐसा अनुमान किया जा सकता है कि ये ताबीज रहे होंगे जिन्हें अभिमन्त्रित करने के लिए मूर्तियों के नीचे गाड़ा जाता होगा क्योंकि बहुत से ठीकरे सिन्धु घाटी में मूर्तियों के नीचे से निकाले गये हैं। इसकी पुष्टि इस बात से भी होती है कि उन पर अनेक प्रकार की विचित्र पशु आकृतियाँ बनी हुई मिली हैं।

3. **धर्म लेखः** अशोक के अभिलेखों को धम्म लिपि कहा जाता है। इसके चौथे शिला लेख की ये पंक्तियाँ 'तिन अमुतपदानि इअ सु-अनुठितानि। नेयंति स्वगं दय चाग अप्रमाद' इस बात की स्पष्ट परिचायक है कि अशोक ने धर्म के सम्बन्ध में इन्हें लिखवाया था। विदिशा से प्राप्त हेलियोडोरस का गरुड़-ध्वज लेख इसका और भी अधिक पुष्टि प्रमाण है। इस गरुड़-ध्वज से ज्ञात होता है कि यूनानियों में भी वैष्णव धर्म का प्रचार होने लगा था। इस प्रकार जहाँ ये अभिलेख धार्मिक भावना की पुष्टि करते हैं वहीं धर्म के सिद्धान्तों को जनता तक पहुँचाने का प्रयास भी करते हैं।

4. **प्रशासनिक लेखः** गुप्त पूर्व शासकों के काल में प्रायः धार्मिक भावना से प्रेरित ही अभिलेख खुदवाये जाते थे। ये शिला स्तम्भ, शिला-फलक तथा मूर्तियों के पीठ या पदाधार पर खुदवाये जाते थे। इसमें प्रायः शासकों के नाम तथा उसका मन्तव्य मात्र होता था। इनमें कतिपय स्थानीय भावना से सम्बोधित होते थे। उन्हें जहाँ कार्यान्वित करना होता था वहाँ के अधिकारी को सम्बोधित होता था, जैसे अशोक ने तोशली के महामात्र को सम्बोधित किया है। कभी-कभी इनके अंकन का उद्देश्य भी स्पष्ट किया जाता था जैसे हेलियोडोरस के अभिलेख में अंकित है कि—'देवदेवस वासुदेवस गरुड़ध्वजे अयं कारिते'—देवाधिदेव वासुदेव के निमित्त यह गरुड़ध्वज स्थापित किया गया। प्रसंगवत् राजा की उपलब्धियाँ और जनकल्याणकारी कार्य का भी उल्लेख इनमें मिलता है जैसे अशोक की धम्मलिपियाँ – 'देवानं पियपियदसि राजा.....' से प्रारम्भ होती है। इनमें कभी-कभी राजत्वकाल की भी चर्चा मिलती है, जैसे अशोक के एक अभिलेख में अंकित है— 'दुवाइस वसा भिसितेन में.......' गद्दी पर बैठने के बारह वर्ष बाद। कभी-कभी पड़ोसी राजा और उनकी स्थिति का भी ज्ञान इससे मिलता है जैसे अशोक के एक अभिलेख में उसकी सीमा के बाहर पश्चिम तथा दक्षिण के राजाओं और राज्य का उल्लेख है। इसी प्रकार हेलियोडोरस का गरुड़ध्वज लेख का— 'कौत्सीपुत्रभागभद्रस' भी इसी ओर संकेत करता है कि तब मथुरा में कौत्सीपुत्र भागभद्र का शासन था जब तक्षशिला में यवन शासक ऐन्टियालकिड्स था तथा दोनों के बीच दौत्य सम्बन्ध था। अशोक ने अपने अनेक लेखों में अपने अधिकारियों को सम्बोधित करके आदेश दिया है कि उन्हें इस प्रकार के नियमों का पालन करना चाहिये। इस प्रकार का दूसरा उदाहरण रुद्रदामन का जूनागढ़ अभिलेख है। इसमें सुदर्शन झील के निर्माण का इतिहास है तथा रुद्रदामन का यह दृष्टिकोण ज्ञात होता है कि जनता से लिया हुआ कर ही जनता के उपयोगी तथा हित में आना चाहिए। हर्ष के बाँसखेड़ा अभिलेख में तत्कालीन अधिकारियों को आदेश दिया गया है। इसी प्रकार का पूना ताम्रपत्र अभिलेख प्रभावती गुप्त का है।

5. **प्रशस्तियाँः** प्रशस्ति का अभिप्राय है प्रशंसा, गुणगान आदि। जो भी प्रशस्तियाँ प्राप्त हुई हैं वह दो प्रकार की हैं—एक में केवल राजा की प्रशंसा की गई है तथा दूसरे में दान आदि का उल्लेख किया गया है और उसके साथ राजा का गुणगान भी मिलता

है। प्रथम प्रकार की प्रशस्ति में राजा का यशगान इसकी कीर्ति के साथ मिलता है। हरिषेण की प्रयाग प्रशस्ति इसी प्रकार की कृति है। इसमें समुद्रगुप्त के दरबारी हरिषेण ने समुद्रगुप्त के विजय, चरित्र, नीति, धार्मिक धारणा, व्यक्तिगत रुचियों, परिवार और गौरव आदि का उल्लेख किया है। इसी प्रकार का दूसरा अभिलेख खारवेल का हाथी-गुम्फा से प्राप्त हुआ है। इसमें खारवेल का चरित्र तथा उसके कार्यों का वार्षिक विवरण दिया गया है। अशोक का 13वाँ शिलालेख भी इसी कोटि में परिगणित किया जा सकता है। इन प्रशस्तियों के अध्ययन से ज्ञात होता है कि इनके लिखने का निश्चित क्रम साधारणतया निर्धारित था। इसमें सबसे पहले वंशवृक्ष दिया जाता था, उसके बाद राजा का चरित्र और फिर उसकी उपलब्धियों का विवरण होता था और तब समकालीन राज्यों का उल्लेख किया जाता था तथा राजा का आदर्श और उसकी शासन व्यवस्था का विवरण होता था। इसके पश्चात उसकी व्यक्तिगत रुचि तथा दानशीलता आदि का भी उल्लेख किया जाता था।

6. **समर्पणात्मक लेखः** कभी-कभी मूर्तियों पर, गुहा की दीवारों पर, मन्दिरों तथा धातु पत्रों पर कुछ लेख खुदे हुए मिलते हैं जिनसे ज्ञात होता है कि वे अमुक धर्मानुयायियों को समर्पित किये गये हैं। पिपरहवाँ का धातु पात्र लेख गौतम बुद्ध के धातु विशेष के समर्पण का उल्लेख करता है। कुछ में किसी धर्मानुयायी को आवास, धन, भोजन तथा अन्य सुविधाओं के लिए दान, भूमि तथा ग्राम दान का वर्णन है। इस प्रकार के अभिलेखों के लिखने में किसी निश्चित शैली का प्रयोग नहीं किया जाता था। बराबर पहाड़ियों में अशोक का अभिलेख उसके गुहादान को सम्बोधित करता है। इसी प्रकार का अशोक के पौत्र दशरथ का लेख नागार्जुनी गुफाओं में मिलता है। हुविष्क का मथुरा अभिलेख धार्मिक कार्य के लिए धन के अनुदान की चर्चा करता है। उषवदात्त के नासिक अभिलेख में तीन सहस्र गौदान की चर्चा की गई है। वासिष्ठिपुत्र पुलमावी के नासिक अभिलेख में भूमिदान की चर्चा की गई है।

7. **स्मृत्यात्मक लेखः** रूम्मनदेई (आधुनिक लुम्बिनी) नामक ग्राम में अशोक का एक अभिलेख है। इस पर अंकित है– 'हिद बुद्ध जाते साक्यमुनीति।' अर्थात् (यहाँ बुद्ध, शाक्यमुनि उत्पन्न हुए थे)। इसका अभिप्राय है कि भगवान बुद्ध के जन्म स्थान पर उनके जन्म की स्मृति में यह अभिलेख अंकित कराया गया था।

8. **साहित्यिक लेखः** कुछ लेख इस प्रकार के हैं जिन्हें शुद्ध साहित्यिक कृति माना जा सकता है। इसमें साहित्य का उतार-चढ़ाव और साथ ही किसी साहित्यिक अवयव के सम्बन्ध में सिद्धान्तों का प्रतिपादन मिलता है। ऐसे साहित्यिक अभिलेखों में नाटक, काव्य, संगीत तथा धार्मिक विवरण प्रचुर मात्रा में मिलते हैं। इस प्रकार का 'ललित विग्रहराज' नामक अभिलेख अजमेर से प्राप्त है। तमिलनाडु से एक ऐसा अभिलेख प्राप्त हुआ है जिसे संगीत शास्त्र का ग्रन्थ कहा जाता है।

9. **दान-शासन लेखः** उत्तरगुप्त शासकों के समय एक विशिष्ट प्रकार के लेख लिखे जाने लगे थे जिन्हें दान-शासन के नाम से जाना जाता है। चूँकि शासक इस अभिलेख को मूल रूप से दान देने के सन्दर्भ में खुदवाता था इसलिए इन्हें दान-शासन कहा जाता है। इस प्रकार के अभिलेख पाँचवीं शताब्दी के पूर्व के मध्यकाल तक मिलते हैं। ऐसे दान पत्र प्रायः ताम्रपट्टों पर अंकित कराए जाते थे। कहीं-कहीं शिला खण्डों पर भी इनके अंकित किये जाने का ज्ञान प्राप्त होता है। परन्तु वह अत्यन्त ही न्यून हैं। इसको प्रायः ताम्रपट्टों पर देने का कारण यह रहा होगा कि दानग्राही इसको सरलतापूर्वक तथा सुरक्षात्मक रीति से अपने पास रख सकें, वह स्थायी संपत्ति इसकी बनी रहे। कभी-कभी ये दान पत्र बड़े लम्बे होते थे।

इस परम्परा का प्रारम्भ पाल नरेश धर्मपाल के खालिमपुर ताम्रपत्र से ज्ञात होता है। पीछे प्रायः बिहार तथा बंगाल के अधिकांश अभिलेख इसी प्रकार के अंकित मिलते हैं जैसे कमौली (वाराणसी) का ताम्रपत्र, गहड़वाल नरेशों का बांसखेड़ा (शाहजहाँपुर) ताम्रपत्र, नालंदा (पटना, बिहार) ताम्रपत्र, वैग्राम (बंगाल) ताम्रपत्र आदि।

दान-शासन लेख का प्रारम्भ 'स्वस्ति', 'सिद्धम्' या 'ओंस्वस्ति' से होता है। यह शुभ सूचक शब्द है जिनका प्रयोग आज भी चिट्ठी लिखने के पहले किया जाता है। इसके बाद लेख का मूल पाठ प्रारम्भ होता है।

मूल पाठ में प्रमुख रूप से निम्न बातों का उल्लेख मिलता है–

1. दान पत्र के जारी करने का स्थान
2. शासनकर्त्ता और उसकी वंशावली तथा उपलब्धियों का उल्लेख
3. दानग्राही के वंश का विवरण
4. दान की भूमि और उसकी चतुर्दिक सीमाएँ
5. दान का प्रयोजन और तत्सम्बन्धी निर्देश
6. कर और पदाधिकारियों को आदेश
7. तिथियों का अंकन
8. धार्मिक श्लोक

इस सम्बन्ध में एक बात बड़ी स्पष्ट है कि ये सभी दानपत्र संस्कृत भाषा और गुप्तोत्तर कालीन ब्राह्मी लिपि में अंकित किए गए हैं।

## अभिलेखों की लिपि तथा भाषा

अभिलेखों का सिलसिला भारतीय इतिहास में अशोक के समय से चलता हुआ दिखाई पड़ता है। यद्यपि सिन्धु घाटी में भी मिट्टी के ठीकरों पर अंकित लेख मिले हैं। इन लेखों में किस लिपि विशेष का प्रयोग हुआ है नहीं कहा जा सकता क्योंकि उसका अध्ययन समुचित रूप से अभी तक नहीं किया जा सका है। अनुमानतः इसे चित्र लिपि कहा जाता है। किन्तु इसका भारतीय लिपि शास्त्र के इतिहास में तब तक कोई विशेष महत्व नहीं है जब तक कि इसको प्रामाणिक रीति से पढ़ा नहीं जाय।

इसके बाद अशोक के काल से हमें व्यापक रूप से सम्पूर्ण भारत में अभिलेखों का चलन ज्ञात होता है। स्वयं अशोक के ही अभिलेख भारत के विभिन्न भागों में बिखरे हुए हैं। इस अभिलेखों में दो प्रकार की लिपियों का मुख्यतः प्रयोग हुआ है—ब्राह्मी तथा खरोष्ठी। खरोष्ठी लिपि अशोक के राज्य के पश्चिमी भाग में प्रयोग की गई है तथा ब्राह्मी शेष भारत में। इसके अतिरिक्त अरामइक लिपि का प्रयोग इसके एक अभिलेख से ज्ञात होता है जो हाल में ही अफगानिस्तान से मिला है। पर इसे हम भारतीय अभिलेखों की प्रचलित लिपि स्वीकार नहीं कर सकते क्योंकि इसका यत्किंचित प्रयोग ही हमें प्राप्त होता है। इसके साथ ही ग्रीक अक्षर भी चंद विदेशी राजाओं के सिक्कों पर मिलता है। कभी-कभी अभिलेखों में भी ग्रीक लिपि का भी प्रयोग हुआ है। परन्तु यह भी अत्यन्त न्यून है। मूलतः ब्राह्मी लिपि में ही प्राचीन भारत के अधिकांश अभिलेख प्राप्त हुए हैं जो बदलते हुए अक्षरों में विभिन्न युगों में मिलते हैं। बदलते अक्षरों के आधार पर ब्राह्मी लिपि के स्पष्ट नामकरण के लिए इसे वंश के साथ जोड़कर लिया गया है जैसे—कुषाण ब्राह्मी लिपि, गुप्तयुगीन ब्राह्मी लिपि आदि। इसके अतिरिक्त नवीं-दसवीं शताब्दी में आते-आते क्षेत्रीय लिपियों का प्रचलन भी प्रारम्भ हो गया जैसे तमिलनाडु में तमिल लिपि का प्रयोग, प्रचलन आदि।

भाषा की दृष्टि से विचार करने पर ज्ञात होता है कि अशोक के समय में प्राकृत भाषा का चलन था। उसके सभी लेखों में चाहे वे किसी भी लिपि के हों प्राकृत भाषा ही प्रयोग की गई है। इसका कारण यह था कि अशोक के समय मगध की स्थानीय भाषा प्राकृत थी। इसे उसके राज्य की जनता आसानी से समझ सकती थी। परन्तु स्थान के अन्तर से इसमें भी किंचित अन्तर परिलक्षित होता है। अशोक के स्तम्भ लेखों की भाषा ठीक वही नहीं है जो शहबाजगढ़ी और मानसेहरा के शिलालेखों में तथा गिरनार के अभिलेखों में प्रयुक्त की गई है। इस अन्तर का कारण बोली का स्थानीय भेद ही बताया जा सकता है। इस आधार पर इस काल में तीन प्राकृत भाषाओं का चलन माना जा सकता है। उत्तर-पश्चिमी प्राकृत, पूर्वी प्राकृत और दक्षिण प्राकृत। इनमें से बुद्ध का प्रवचन तो मध्य देशीय प्राकृत या (पूर्वी प्राकृत) में अंकित किया गया था। अशोक के अभिलेख भी मूलतः इसी भाषा में हैं किन्तु स्थानीय अन्तरों के कारण उसके लेखों में ये विभेद उभरे हैं।

किन्तु पहली शताब्दी से संस्कृत का प्रयोग अभिलेखों में स्पष्ट रूप से दिखाई पड़ता है। यदि हम 150 ई. का लिखा हुआ रुद्रदामन का जूनागढ़ अभिलेख पढ़ें तो उसमें संस्कृत गद्य का बड़ा ही मनोहारी स्वरूप मिलता है। यद्यपि संस्कृत का स्पष्ट प्रयोग इसके पहले के कतिपय अभिलेखों में भी प्राप्त होता है। इस सन्दर्भ में हम धनदेव का अयोध्या अभिलेख ले सकते हैं। पर गुप्त काल से जो भी अभिलेख मिले हैं उनमें शुद्ध संस्कृत का प्रयोग प्राप्त होता है। साथ ही अलंकार और साहित्य का स्पष्ट प्रयोग इनमें दिखता है। वे पद्यात्मक और गद्यात्मक दोनों ही शैली में पाये गये हैं। चन्द्र का मेहरौली अभिलेख पूर्ण पद्यात्मक है जबकि समुद्रगुप्त की प्रयाग प्रशस्ति तथा स्कन्दगुप्त का भीतरी स्तम्भ लेख गद्य एवं पद्य दोनों से युक्त है।

इसके बाद के अभिलेखों में क्षेत्रीय भाषाओं का प्रयोग दक्षिण भारत से होना प्रारम्भ हुआ। सबसे पहली क्षेत्रीय भाषा है तमिल जिसका प्रयोग अभिलेख में किया गया है। तमिलनाडु में 8वीं और 9वीं शताब्दी में इसका प्रयोग संस्कृत के साथ पल्लव राजाओं द्वारा प्रारम्भ हुआ। पर इसका प्रयोग कुछ तमिल गुफाओं में बहुत पहले से हम पाते हैं जिनकी तिथि दूसरी या तीसरी शताब्दी निर्धारित की जा सकती है। आंध्र प्रदेश में तेलगू भाषा में अभिलेख छठी शताब्दी में लिखे जाने लगे तथा इसी समय के अभिलेख कन्नड़ भाषा में मैसूर क्षेत्र से भी पाये गये हैं। पर दक्षिण की अपेक्षा उत्तर में क्षेत्रीय भाषाओं का प्रयोग बहुत बाद की देन है। 11वीं शताब्दी तक उत्तर भारत के अभिलेख शुद्ध संस्कृत में अंकित किये गये हैं। उसके बाद ही स्थानीय बोलियों का प्रयोग इसमें हमें मिलता है। इनमें भी अन्य बोलियों की अपेक्षा मराठी का प्रयोग अभिलेखों में अधिक प्राप्त होता है। फिर बंगला, उड़ीसा आदि की भाषाएँ भी अभिलेखों में देखने को मिलती है।

## अभिलेखों की सीमायें

अभिलेखों के अध्ययन से स्पष्ट होता है कि इसको अशोक की तरह बहुत कम ही राजा अपनी ही देख-रेख में खुदवाये हों। प्रायः दरबारी, सामन्त, राजकवि आदि स्वेच्छानुसार इसकी रचना करके उत्कीर्णक को दे देते थे जो उसे निर्दिष्ट स्थान पर उत्कीर्ण कर देते थे। इस रचना में रचयिता राजा का पक्षपाती व्यक्ति ही होता था। इसलिए वह घटनाओं का निष्पक्ष विवरण देते हुए भी अतिरंजना से बिलकुल निर्लिप्त रहता हो ऐसा नहीं कहा जा सकता है। वह प्रायः उसके गुणों के वर्णन में अतिरंजना का सहारा लेता ही होगा जिससे उसका स्वामी राजा उससे प्रसन्न हो जाय। यह मानव स्वभाव है। इससे वंचित होने वाला विरक्त कोई रचयिता होगा ऐसा स्वीकार नहीं किया जा सकता।

लेखक राजा की वंशावली की चर्चा करता है पर उसमें भी वंशानुक्रम का ही अनुकरण करता है, राज्यानुक्रम का नहीं। गुप्त अभिलेखों में देखते हैं कि श्रीगुप्त के बाद घटोत्कच, फिर चन्द्रगुप्त तब समुद्रगुप्त और फिर चन्द्रगुप्त आदि का उल्लेख किया गया है। वहाँ रामगुप्त, जो चन्द्रगुप्त द्वितीय का बड़ा भाई था, उसका नाम लेखक ने छोड़ दिया है। सम्भवतः इसलिए कि चन्द्रगुप्त और रामगुप्त भाई थे जिनमें रामगुप्त अशक्त एवं क्लीव शासक था। इसी दोष के कारण रामगुप्त की ऐतिहासिकता आज भी इतिहासकारों के बीच एक विवाद की कड़ी बनी हुई है।

समुद्रगुप्त की प्रयाग-प्रशस्ति को लीजिए तो वहाँ समुद्रगुप्त की दिग्विजय का उल्लेख किया गया है। इस चर्चा में हरिषेण नामक कवि, जो इस लेख का रचयिता है, सबसे पहले उसकी दक्षिण-विजय की चर्चा करता है और बाद में उत्तर भारत की विजयों का वर्णन करता है। यह वास्तव में बड़ा अस्वाभाविक है कि एक शासक, जो इतना बड़ा राजनीतिज्ञ था कि दक्षिण में अपनी स्थिति समझने के कारण ही वहाँ के शासकों को जीतकर भी स्वतन्त्र कर दिया था, भला कैसे उत्तर में अपनी राजधानी को अरक्षित छोड़कर दक्षिण में विजय के लिए आया होगा। यह रचयिता का दोष ही प्रतीत होता है जो विद्वानों के बीच विवादास्पद समस्या बन चुका है कि इस शासक ने पहले उत्तर में विजय की थी अथवा दक्षिण में?

कभी-कभी समस्तपद भी हमारे अध्ययन में कठिनाइयाँ उत्पन्न करते हैं। समुद्रगुप्त का ही लेख लें तो वहाँ एक स्थल है 'पैष्टिपुरकमहेन्द्रगिरिकौट्टूरकस्वामिदत्त' इसकी व्याख्या दो प्रकार से की जाती है– पैष्टिपुर का राजा महेन्द्र गिरि तथा कोट्टूर का राजा स्वामिदत्त अथवा पैष्टिपुर, महेन्द्रगिरि और कोट्टूर का राजा स्वामिदत्त। इसमें कौन सत्य के अधिक समीप है यह स्वतः एक समस्या बन गई है। इसके निराकरण के अभाव में एक निश्चित धारणा प्रतिपादित करना बड़ा ही कठिन है।

गुप्तवंशीय शासन वृक्ष में स्कन्दगुप्त के बाद के राजाओं में कुमारगुप्त नामक एक राजा का ज्ञान मिलता है। इस नाम के स्कन्दगुप्त के बाद शासन करने वाले राजा के दो अभिलेख प्राप्त हुए हैं एक सारनाथ की बुद्ध मूर्ति के पदाधार पर अंकित है जिसमें गुप्त सम्वत् 154 है तथा दूसरा गाजीपुर के भीतरी नामक स्थान से प्राप्त हुआ है जो तिथि विहीन है। यह बड़ा अनिश्चित है कि ये दोनों अभिलेख क्या एक ही व्यक्ति के हैं अथवा दो अलग-अलग व्यक्तियों के? इसी समस्या ने इतिहास जगत में झगड़ा खड़ा किया है कि स्कन्दगुप्त के बाद उत्तराधिकार क्रम किस प्रकार निर्धारित किया जाय। यदि दोनों अभिलेखों में राजाओं की तिथियाँ दी गई होतीं तो यह समस्या न उत्पन्न होती। इसी प्रकार की तिथि सम्बन्धी दूसरी समस्या है कि कुछ राजवंश जिनमें किसी सम्वत् का प्रचलन नहीं था उनके भी अभिलेखों में तिथियाँ दी गई हैं किन्तु यह उल्लेख नहीं किया गया है कि वे किस सम्वत् से सम्बन्धित हैं। अतः उनकी वास्तविक गणना बड़ी ही दुरूह हो गई है। इस सम्बन्ध की तीसरी समस्या है कि बहुत दिनों तक किसी भी काल गणना का चलन नहीं था। उस समय अभिलेखों में किसी भी तिथि क्रम के उल्लेख का अभाव राजाओं या राजवंशों की काल गणना के लिए समस्या बन गई है।

ऐतिहासिक घटनाओं का उल्लेख प्रायः अभिलेखों में मिलता है। किन्तु वहाँ संकेत मात्र ही उल्लेख किया जाता है जबकि उसका व्यवस्थित विवरण सर्वदा अपेक्षित है। इसका कारण यह है कि स्थान इतना सीमित होता है कि लेखक के लिए यह सम्भव नहीं होता कि वह तथ्य का व्यवस्थित विवरण दे सके। यही कारण है कि शक-सातवाहन अभिलेखों के अध्ययन से संकेत मात्र प्राप्त होता है कि दोनों के बीच युद्ध हुआ था। पर उस युद्ध का व्यापक वर्णन किसी एक अभिलेख में न होकर बिखरा पड़ा है, जिनको संजोकर तथा दूसरे स्रोतों से उनको पुष्ट करके ही इस सम्बन्ध में हम व्यवस्थित जानकारी प्राप्त कर सकते हैं।

कभी-कभी अभिलेख अधूरी बात कहकर मौन हो जाते हैं। वहाँ इतिहासकार के सम्मुख समस्या बन जाती है कि उसका व्यवस्थित ज्ञान कैसे प्राप्त करें। इस सम्बन्ध में हम मेहरौली के 'चन्द्र' नामक राजा को लें तो स्पष्ट होगा कि वहाँ इस राजा के विजय का वर्णन किया गया है किन्तु यह नहीं बताया गया है कि इसका पूरा नाम क्या था? यह किस वंश का था? इसके माँ-बाप कौन थे? यह कहाँ का रहने वाला था? तथा इसके शासन की तिथि क्या थी? इसके अभाव में इतिहासकार बहुत दिनों तक अटकल लगाते रहे कि वह शासक चन्द्रगुप्त मौर्य था अथवा चन्द्रगुप्त प्रथम या द्वितीय में से था या पुष्करण का राजा चन्द्र था।

बादामी के महाकूट स्तम्भ लेख में चालुक्य राजा कीर्तिवर्मम की विजय का उल्लेख किया गया है। उसने अंग, वंग, कलिंग, मगध, मद्रक, केरल, मूसक, पाण्डय आदि को इस विवरण के अनुसार जीता था। पर उसके बेटे पुलकेशिन द्वितीय के ऐहोल अभिलेख में अपने पिता द्वारा किए गए विजयों की चर्चा में केवल नल, मौर्य और कदम्बों का ही उल्लेख है। इन विरोधी विवरणों में पुलकेशिन द्वारा की गई विजय का उल्लेख उचित प्रतीत होता है। सम्भवतः कीर्तिवर्मन के लिए महाकूट स्तम्भ अभिलेख का वर्णन कल्पना मात्र ही रहा होगा। अतएव अभिलेखों के अध्ययन तथा कल्पना के बीच पाठक को रेखा खींचना आवश्यक होता है।

कभी-कभी उत्कीर्णक के दोष के कारण अभिलेखों में दोष आ जाता है। इनमें कुछ अक्षर इतने अस्पष्ट तथा धुन्धले खुदे हुए मिलते हैं कि उसके कारण पाठ को शुद्ध करना तथा उचित जानकारी प्राप्त करना बड़ा ही कठिन हो जाता है। इसका स्पष्ट उदाहरण है स्कन्दगुप्त के समय पुष्यमित्रों के आक्रमण का उल्लेख जो उसके भीतरी स्तम्भ लेख में हुआ है। धुंधलेपन के कारण यह स्पष्ट ज्ञान नहीं प्राप्त होता कि वहाँ यवधेय मित्र अंकित हैं अथवा आमित्र अथवा पुष्यमित्र। जो भी तथ्य हो इतना तो स्पष्ट है कि मित्र नामान्त किसी शासक ने उसके राज्य पर आक्रमण किया था। यदि यह स्पष्ट अंकित होता तो इतिहास की यह गुत्थी सुलझाने में कल्पना का सहारा नहीं लेना पड़ता।

उत्कीर्णक के दोष के कारण अभिलेखों में कभी-कभी ऐसा दोष उत्पन्न हो जाता है कि उस राजा या राजवंश के सम्बन्ध में जिसके लिये अभिलेख अंकित किया जा रहा है गलत जानकारी प्राप्त हो जाती है अथवा साथ-साथ विरोधी विचार मिलने लगते हैं।

किन्तु इन कमियों के कारण यह सोच बैठना कि अभिलेख महत्वहीन या भ्रामक विवरण देते हैं अत्यन्त निराधार है। ऐसी सीमायें तो प्रायः प्रत्येक मानव निर्मित सामग्री में रहती हैं। इनको विवेक द्वारा परिशोधित करके इनसे तथ्य निकाल लेना ही अध्ययन की विशेषता है। समसामयिक होने के कारण ये किसी भी दूसरे स्रोत की अपेक्षा अधिक महत्वपूर्ण हैं तथा इसमें पाठ भेद वाला दोष जो साहित्यिक ग्रन्थों में बहुतायत से मिलता है, नहीं मिलता। अतः ये हमारे इतिहास के अध्ययन के अत्यन्त ही महत्वपूर्ण साधन हैं।

## प्रमुख अभिलेख

### पिपरहवा बौद्ध अस्थि कलश अभिलेख

प्राक् मौर्य ब्राह्मी लिपि में उत्कीर्ण यह अभिलेख उत्तर प्रदेश के बस्ती जिले की उत्तरी-पूर्वी सीमा पर स्थित पिपरहवा नामक स्थान से प्राप्त हुआ है। यह स्थान नेपाल का समीपवर्ती है। यह अभिलेख बुद्ध के महापरिनिर्वाण के ठीक बाद ही उत्कीर्ण कराया गया होगा। इसकी भाषा पूर्वी वर्ग की प्राकृत है। इस अभिलेख में बुद्ध के शाक्यवंशीय बन्धुओं द्वारा परिजनों के साथ बुद्ध के अवशेष मंजूषा में रखने का उल्लेख है।

## सोहगौरा ताम्र–पत्र अभिलेख

गोरखपुर जिले के सोहगौरा नामक स्थान से प्राप्त यह ताम्रपत्र अभिलेख, कलकत्ता की एशियाटिक सोसाइटी में सुरक्षित है। इसकी भाषा प्राकृत और लिपि प्रारम्भिक ब्राह्मी है। यह विशुद्ध शासनपरक अभिलेख है ''सोहगौरा ताम्रपत्र एकमात्र उदाहरण ऐसा है जो बालू के साँचे में ढाला गया था, जिसमें प्रतीकों समेत वर्ण पहले ही लौह लेखनी से या नुकीली लकड़ी से खोद दिये गये थे। इस पत्र पर वर्ग और प्रतीक दोनों ही उभरे हुए प्रतीत होते हैं।'' इस अभिलेख में वंशग्राम में स्थापित किये गये दो कोष्ठागारों का उल्लेख है, जिनमें एकत्रित अनाज को दुर्भिक्ष और, आपत्तिकाल में ग्रामों में वितरित करने का आदेश श्रावस्ती के महामात्रों ने दिया था।

## अशोक का प्रथम गिरनार शिलालेख

अशोक के प्रथम शिलालेख का मुख्य विषय 'जीव-दया' है, जिसमें पशुहत्या और माँस-भक्षण का निषेध किया गया है। इस शिलालेख के अनुसार अशोक के साम्राज्य में किसी भी पशु का वध न किया जाये। अशोक ने दो मोर, और एक मृग ही भोजनार्थ मारने की अनुमति दी थी। देवानंप्रियस प्रियदसिनो (देवानांप्रिय प्रियदर्शी) का प्रयोग अशोक के विभिन्न अभिलेखों में अनेक बार हुआ है।

## अशोक का द्वितीय गिरनार शिलालेख

सौराष्ट्र के जूनागढ़ नगर से लगभग एक मील की दूरी पर गिरनार की पहाड़ियाँ स्थित हैं। यहाँ पर अशोक के चौदह शिलालेखों का समूह मिला है। यह अभिलेख ब्राह्मी लिपि में उत्कीर्ण है। इसकी भाषा प्राकृत है। गिरनार में अशोक के अतिरिक्त दो अन्य प्रसिद्ध राजाओं रूद्रदामन और स्कन्दगुप्त के भी अभिलेख प्राप्त होते हैं। गिरनार से प्राप्त अशोक के दूसरे शिलालेख से उसके साम्राज्य विस्तार, प्रत्यन्त राज्य, विदेशी राज्य एवं उनसे सम्बन्ध तथा अशोक द्वारा मनुष्यों और पशुओं के लिए किये गये कल्याणकारी कार्यों का ज्ञान होता है। इस शिलालेख के आधार पर यह अनुमान लगाया जा सकता है कि भारत में अशोक का अधिकार चोल, पाण्ड्य, सत्यपुत्र, केरलपुत्र एवं ताम्रपर्णी को छोड़कर सर्वत्र था, जिसकी पुष्टि अशोक के अन्य अभिलेखों से होती है, क्योंकि इन राज्यों को प्रत्यन्त अथवा सीमावर्ती राज्य कहा गया है। इस अभिलेख में यह भी उल्लिखित है कि अशोक ने धर्म प्रचार के लिए स्वदेश और विदेश में अनेक लोकोपकारी कार्य किये, जैसे–मनुष्यों और पशुओं के कल्याण के लिए मार्गों पर छायादार वृक्ष लगवाये तथा पानी की व्यवस्था के लिए कुएँ खुदवाये।

## अशोक का सप्तम स्तम्भ अभिलेख (दिल्ली–टोपरा)

ब्राह्मी लिपि में उत्कीर्ण अशोक का सप्तम स्तम्भ लेख केवल देहली टोपरा स्तम्भ पर ही प्राप्त होता है। यह स्तम्भ आजकल दिल्ली के फिरोजशाह कोटला में है। तुगलक वंश के शासक फिरोजशाह तुगलक द्वारा यह अम्बाला जिले के टोपरा ग्राम से दिल्ली लाया गया था। इसीलिए यह दिल्ली टोपरा स्तम्भ लेख के नाम से प्रसिद्ध है। यह अभिलेख अशोक के राज्याभिषेक के 27 वर्ष बाद लिखवाया गया। इस अभिलेख का विषय अशोक द्वारा धर्म प्रचार का सिंहावलोकन करना है। इस अभिलेख से ज्ञात होता है कि अशोक ने प्रजा में धर्म की वृद्धि के लिए धर्मोपदेश दिए और विभिन्न धर्मानुशासनों के पालन की आज्ञा प्रसारित की। धर्म प्रसारण के लिए उसने कुछ पुरुषों की नियुक्ति की। 'पुरूष' ऐसे राजकर्मचारी होते थे, जिनका कार्य साम्राज्य के विजित राज्यों में धर्म का प्रचार करना था। इसमें भूमिकर अधिकारी 'रज्जुक' का भी उल्लेख है। अशोक द्वारा धर्म प्रचार के लिए नियुक्त किये गये अन्य पदाधिकारी 'धर्म महामात्र' थे। शहबाजगढ़ी के अभिलेख से ज्ञात होता है कि अशोक ने अपने राज्याभिषेक के तेरह वर्ष पश्चात् धर्म महामात्रों की नियुक्ति की थी। इसी अभिलेख से धर्म महामात्रों के कर्त्तव्यों का भी ज्ञान होता है। सप्तम स्तम्भ लेख से ज्ञात होता है कि धर्ममहामात्रों को ब्राह्मण, आजीवक, और गृहस्थों की देखभाल की करनी पड़ती थी तथा संघ का कार्य भी वे ही करते थे। अशोक के धर्म स्तम्भ के दो प्रकार प्राप्त होते हैं– शिला-स्तम्भ और शिला-फलक। स्तम्भ, खम्भे को कहते हैं और फलक, सपाट चट्टान को। प्रस्तुत अभिलेख में अशोक ने कहा है– ''यह धर्मलिपि जहाँ-जहाँ शिला स्तम्भ व शिलाफलक हों, वहाँ लिखायी जाय, जिससे यह चिरस्थायी हो।''

## कलकत्ता बैराट अभिलेख

प्राकृत भाषा और ब्राह्मीलिपि में उत्कीर्ण यह लधु शिलालेख सन् 1840 ई. में बर्ट महोदय को वैराट से प्राप्त हुआ था। बैराट, जयपुर से 42 मील उत्तर-पूर्व की ओर स्थित है। हुल्त्ज महोदय ने इस अभिलेख को 'कलकत्ता बैराट अभिलेख' नाम दिया। यह अभिलेख अशोक को बौद्ध (धर्मावलम्बी) प्रमाणित करता है। इस अभिलेख में अशोक ने बुद्ध, धर्म और संघ के प्रति अपना आदर और विश्वास प्रकट किया है। बुद्ध, धर्म और संघ इन तीनों शब्दों का एक साथ प्रयोग बौद्ध धर्म में प्रविष्ट होने का प्रवज्या मंत्र है। अशोक ने प्रस्तुत अभिलेख में बौद्ध भिक्षुणियों और उपासक-उपासिकाओं के श्रवण, अध्ययन एवं मनन के लिए कुछ बौद्ध ग्रन्थों का उल्लेख किया है।

## हाथीगुम्फा अभिलेख

यह चेदि वंश के प्रतापी राजा खारवेल के विषय में जानकारी का प्रमुख स्रोत है। यह अभिलेख भुवनेश्वर के समीप खंडगिरि उदयगिरि पर्वत पर हाथीगुम्फा की दीवार पर उत्कीर्ण है। ब्राह्मी लिपि और प्राकृत भाषा में उत्कीर्ण हाथीगुम्फा अभिलेख कई मायनों में प्रयाग प्रशस्ति से साम्यता रखता है, जिसमें चेदिराज महाराजा खारवेल की तमाम उपलब्धियों की चर्चा है। प्रयाग प्रशस्ति और हाथीगुम्फा अभिलेख में मुख्य अंतर यह है कि खारवेल के अभिलेख में उसकी विजयों का काल के क्रमानुसार विश्लेषण हुआ है वहीं प्रयाग प्रशस्ति में समुद्रगुप्त के विजय अभियानों के क्रमानुसार विश्लेषण का अभाव है। अभिलेख में कहा गया है कि 24 वर्ष की आयु पूरी करने के बाद खारवेल का कलिंग के शासक के रूप में अभिषेक हुआ था। अभिलेख में पितृहुंड, तमिल राजाओं के संघ, सातवाहन सातकर्णी प्रथम आदि से युद्धों का उल्लेख है। खारवेल को अभिलेख में मात्र सैनिक

उपलब्धियों के लिए नहीं बल्कि उसकी सांस्कृतिक उपलब्धियों के लिए भी जाना जाता है। उसे धर्म-परायण तथा कला के संरक्षक के रूप में भी चित्रित किया गया है। उसे शांति और समृद्धि का सम्राट कह कर पुकारा गया है। इसके अतिरिक्त इसमें महापद्मनंद द्वारा कलिंग में नहर खुदवाये जाने का उल्लेख है। इसे नहरों की जानकारी देने वाला प्रथम अभिलखीय साक्ष्य माना गया है। इसी प्रकार जैन भिक्षुओं को ग्राम दान में दिए जाने का प्रथम उल्लेख इसी अभिलेख में प्राप्त होता है। हाथीगुम्फा अभिलेख दक्षिण के तीन राज्यों चोल, चेर एवं पाण्डयों को खारवेल द्वारा पराजित किए जाने का उल्लेख है। पाण्ड्य शासक के यहाँ उसने गधों से हल चलवाया था।

## रूम्मिनदेई लघु स्तम्भ अभिलेख

रूम्मिनदेई नामक स्थान उत्तर प्रदेश के बस्ती जिले के समीप नेपाल में है। यह स्तम्भ अभिलेख प्राकृत भाषा और ब्राह्मी लिपि में है। यह लेख अशोक के अभिलेख के बीस वर्ष बाद उत्कीर्ण कराया गया। इस अभिलेख का मुख्य विषय अशोक द्वारा बुद्ध के जन्म स्थान 'लुम्बिनी' की यात्रा करना है। अभिलेख के आधार पर यह कहा जा सकता है कि अशोक के पूर्व और उसके समय में लुम्बिनी की यात्रा करने वालों को प्रवेश कर के रूप में धार्मिक कर देना पड़ता था अतः उसने अपनी यात्रा के समय इस धार्मिक कर को समाप्त कर दिया। अशोक ने बुद्ध के प्रति श्रद्धा प्रकट करते हुए लुम्बिनी ग्राम के निवासियों से लिये जाने वाले भूमिकर को घटाकर आठवाँ भाग कर दिया।

## हेलियोडोरस का बेसनगर गरुड़ स्तम्भ अभिलेख

संस्कृत प्रभावित प्राकृत भाषा और ब्राह्मी लिपि में लिखा हुआ यह अभिलेख, मध्यप्रदेश के विदिशा नामक स्थान पर गरुड़ध्वज स्तम्भ पर उत्कीर्ण है। अभिलेख का मुख्य विषय यूनानी राजदूत हेलियोडोरस द्वारा विदिशा में विष्णु की पूजा के लिए गरुड़ध्वज स्थापित करना है। यह अभिलेख इण्डो यूनानी शासकों और शुंग राजाओं के मैत्रीपूर्ण सम्बन्ध को प्रकट करता है तथा यह भी सूचना देता है कि प्रथम शताब्दी ई.पू. में वैष्णव धर्म इतना अधिक लोकप्रिय हो चुका था कि विदेशी भी उसे स्वीकार कर रहे थे।

## रूद्रदामन का गिरनार (जूनागढ़) अभिलेख

रूद्रदामन का यह अभिलेख जूनागढ़ (गुजरात) जिले में गिरनार पर्वत पर प्राप्त हुआ है। ब्राह्मी लिपि में उत्कीर्ण संस्कृत भाषा का यह अभिलेख अब तक के प्राप्त संस्कृत अभिलेखों में सर्वाधिक प्राचीन है। इस अभिलेख की तिथि 72 है जिसे विद्वान शक सम्वत् का वर्ष मानते हैं। रूद्रदामन महाक्षत्रप स्वामी चष्टन का पौत्र एवं राजा क्षत्रप जयदामन का पुत्र था। चष्टन की महाक्षत्रप और स्वामी की उपाधियाँ उसकी महानता एवं स्वतन्त्रता की द्योतक है। इस अभिलेख में चष्टन के पुत्र जयदामन के लिए क्षत्रप उपाधि का प्रयोग हुआ है। अभिलेख की 12वीं पंक्ति में यौधेयों और दक्षिणापंथपति सातकर्णी का उल्लेख हुआ है। रूद्रदामन ने दक्षिणी पूर्वी पंजाब में निवास करने वाले यौधेयों को बुरी तरह पराजित किया। रूद्रदामन ने दक्षिणपथ के राजा सातकर्णी को दो बार खुली लड़ाई में पराजित किया। यह अभिलेख रूद्रदामन के व्यक्तित्व और उसके शासन प्रबन्ध पर भी प्रकाश डालता है। इसके अनुसार रूद्रदामन उच्च नैतिक आदर्शों और नियमों का पालन करता था। उसने युद्ध के अतिरिक्त आजीवन किसी का वध न करने की प्रतिज्ञा की थी। सुदर्शन झील का जीर्णोद्धार इस अभिलेख का प्रमुख वर्ण्य-विषय है। इस झील का निर्माण चन्द्रगुप्त मौर्य के प्रान्तीय शासक ने इस प्रदेश में बाँध बनाकर सिंचाई करने के लिए कराया था। अशोक के राज्यकाल में यूनानी शासक तुषास्प ने इस झील से अनेक जल प्रणालियाँ (नहरें) निकलवायी। रूद्रदामन ने आमात्य सुविशाख की देख-रेख में प्रजा के अनुग्रह के लिए व्यक्तिगत कोष से इस बाँध का पुननिर्माण कराया। रूद्रदामन का यह अभिलेख तत्कालीन संस्कृत गद्य-शैली के विकास का प्रमाण है।

## समुद्रगुप्त का प्रयाग–स्तम्भ अभिलेख

संस्कृत भाषा एवं उत्तरी ब्राह्मीलिपि में उत्कीर्ण समुद्रगुप्त की प्रशस्ति इलाहाबाद के किले में 35 फुट लम्बे स्तम्भ पर उत्कीर्ण है। अशोक के समय में निर्मित यह स्तम्भ मूल रूप में कौशाम्बी में स्थित था, इस पर जहाँगीर के समय का भी एक लेख उत्कीर्ण है। समुद्रगुप्त के निर्वाचन और उसके द्वारा अच्युत, नागसेन, गणपतिनाग और कोतकुलज के विरूद्ध लड़े गये युद्धों का वर्णन प्रयाग प्रशस्ति में है। समुद्रगुप्त को दक्षिणापथ के 12 राजाओं से युद्ध करने पड़े थे। इस प्रकार दक्षिण भारत के 12 प्रदेशों को जीतता हुआ समुद्रगुप्त कांची तक पहुँच गया था। समुद्रगुप्त ने इन राजाओं को पराजित कर बंदी बनाया और बाद में इन्हें स्वतंत्र कर (मोक्ष) उनके राज्य उन्हें लौटा दिये (अनुग्रह)। इसे 'ग्रहणामोक्षानुग्रह' कहा गया है। समुद्रगुप्त की दक्षिण भारत की विजय के उपरान्त प्रयाग-प्रशस्ति आर्यावर्त के नौ राजाओं का उल्लेख करती है। प्रयाग-प्रशस्ति समुद्रगुप्त के व्यक्तित्व और चरित्र पर भी प्रकाश डालती है साथ ही समुद्रगुप्त के विद्यानुराग पर भी प्रकाश डालती है। उसे उच्चकोटि के काव्य के लिए 'कविराज' की उपाधि दी गयी थी। अपनी वीणा शैली की मुद्राओं में समुद्रगुप्त वीणा लिए हुए चित्रित किया गया है। प्रयाग-प्रशस्ति अपने रचनाकार हरिषेण के विषय में भी सूचनायें प्रदान करती है, जो महादंडनायक ध्रुवभूति का पुत्र और समुद्रगुप्त का कुमारामात्य तथा सान्धिविग्रहिक था। इस प्रशस्ति को चम्पू-शैली में लिखा गया है। इसका प्रारम्भिक भाग पद्य में और उत्तर कालीन भाग गद्य में लिखा गया है। दुर्भायवश प्रयाग प्रशस्ति में तिथि का उल्लेख प्राप्त नहीं होता है। फ्लीट के अनुसार उसने अश्वमेघ-यज्ञ सम्पन्न किया था।

## चन्द्र का मेहरौली लौह–स्तम्भ अभिलेख

दिल्ली से नौ मील दक्षिण में मेहरौली नामक ग्राम में कुतुबमीनार के निकट एक लौह स्तम्भ है, जिस पर संस्कृत भाषा और ब्राह्मी लिपि में यह लेख उत्कीर्ण है। इस अभिलेख का विषय 'चन्द्र' नामक राजा की उपलब्धियों एवं उसके द्वारा विष्णु पद नामक पर्वत पर विष्णु-ध्वज स्थापित कराने का वर्णन करना है। अभिलेख में उल्लिखित चन्द्र का समीकरण विद्वानों के लिए विवाद का विषय है। एच.सी. सेठ ने चन्द्र की पहचान चन्द्रगुप्त मौर्य

से की है। फ्लीट, आयंगार, चन्द्र की पहचान गुप्तवंश के चन्द्रगुप्त प्रथम से करते हैं। हार्नले, अल्टेकर, डी.सी. सरकार, जायसवाल, मुकर्जी, दाण्डेकर, गंगाप्रसाद मेहता, सुधाकर चट्टोपाध्याय, जी.आर. शर्मा आदि विद्वानों ने चन्द्र का समीकरण गुप्तवंशी राजा चन्द्रगुप्त द्वितीय के साथ किया है। विभिन्न विद्वानों के विभिन्न मतों के अध्ययन से आधुनिकतम निष्कर्ष यह निकाला गया है कि मेहरौली स्तम्भ लेख में उल्लिखित चंद्र वस्तुतः गुप्तवंशीय चंद्रगुप्त द्वितीय ही था। इस अभिलेख में तिथि का उल्लेख नहीं हुआ है तथापि, लिपि के आधार पर इसे गुप्तकालीन माना जाता है।

## कुमारगुप्त और बन्धुवर्मन का मन्दसौर अभिलेख

संस्कृत भाषा और गुप्तकालीन ब्राह्मी लिपि की दक्षिणी शैली में उत्कीर्ण यह अभिलेख मालवा के दशपुर नामक स्थान से प्राप्त हुआ है। इस अभिलेख की खोज करने और उसे प्रकाश में लाने का श्रेय कनिंघम और फ्लीट महोदय को है। इस अभिलेख का मुख्य विषय गुप्त सम्राट कुमारगुप्त प्रथम के गोप्ता विश्ववर्मा के पुत्र बन्धुवर्मा के समय में प्राचीन दशपुर (आधुनिक मन्दसौर) नामक नगर में पट्टवाय श्रेणी के द्वारा मालव संवत् 413 में एक सूर्य-मन्दिर का निर्माण और मालव संवत् 521 में उसका जीर्णोद्धार है। अभिलेख के प्रारम्भिक तीन श्लोकों में सूर्य-स्तुति की गयी है। वैदिक साहित्य में सूर्योपासना का उल्लेख मिलता है। इस प्रशस्ति में लाट में रहने वाली तन्तुवाय श्रेणी के दशपुर नगर में जाकर बसने का वर्णन है। पट्टवायों की यह श्रेणी दशपुर में आकर अपने परम्परागत व्यवसाय के अतिरिक्त अन्य व्यवसायों में भी संलग्न हो गयी। यह अभिलेख उनकी कला-प्रियता का स्पष्ट प्रमाण है। इस प्रशस्ति की रचना गुप्तवंशीय राजा कुमारगुप्त द्वितीय के समय में 472 ई. (521 मा.स.) में हुई। लाट प्रदेश से तंतुवाय की श्रेणी का दशपुर आना और सूर्य मन्दिर का निर्माण कराना इस प्रशस्ति की प्रमुख उल्लिखित घटना है। इस प्रशस्ति के रचयिता वत्सभट्टि हैं।

## स्कन्दगुप्त का जूनागढ़ जिला अभिलेख

जूनागढ़ (गुजरात) जिले में गिरनार पर्वत पर प्राप्त स्कन्दगुप्त का यह अभिलेख संस्कृत भाषा और दक्षिणी ब्राह्मी लिपि में उत्कीर्ण है। इस अभिलेख का मुख्य विषय स्कन्दगुप्त के शासन काल में सुदर्शन झील के बाँध का टूटना और सौराष्ट्र प्रांत के राज्यपाल पर्णदत्त के पुत्र चकपालित द्वारा उसका पुनः निर्माण कराना है। अभिलेख का आरम्भ विष्णु की स्तुति से हुआ है। इस अभिलेख के पाँचवें श्लोक में कहा गया है कि लक्ष्मी ने स्वयं अन्य सभी राजपुत्रों का परित्याग कर स्कन्दगुप्त का वरण किया। रमेशचन्द्र मजूमदार, बी.पी. सिन्हा, पी.एल. आदि विद्वानों ने उपर्युक्त कथन के आधार पर यह मत प्रतिपादित किया कि कुमारगुप्त की मृत्यु के उपरान्त उसके पुत्रों में सिंहासन के लिए युद्ध हुआ। इस संघर्ष में स्कन्दगुप्त विजयी हुआ और लक्ष्मी ने उसका वरण किया। समस्त भूमण्डल पर विजय प्राप्त करने के उपरान्त स्कन्दगुप्त ने अपने साम्राज्य के विभिन्न प्रान्तों में राज्यपाल (गोप्ता) नियुक्ति किये। जूनागढ़ अभिलेख के अनुसार सौराष्ट्र का प्रान्त उसके साम्राज्य का सर्वाधिक महत्वपूर्ण प्रान्त था। स्कन्दगुप्त ने पर्णदत्त को यहाँ का राज्यपाल नियुक्त किया। गुप्त-सम्वत् 136 में सुदर्शन झील का बाँध टूट गया। सुदर्शन झील का निर्माण चन्द्रगुप्त मौर्य के सौराष्ट्र के राज्यपाल पुष्यगुप्त वैश्य ने गिरनार पर्वत पर कराया था। स्कन्दगुप्त के समय में घनघोर वर्षा के कारण यह बाँध पुनः टूट गया, जिससे जनता को भीषण कष्ट होने लगा। अतः पर्णदत्त के पुत्र चकपालित ने राज्य और नागरिकों के कल्याण के लिए 137 गुप्त-सम्वत् में (456 ई.) इस झील का जीर्णोद्धार किया। गुप्त सम्वत् 168 में चक्रपालित ने इसके किनारे पर चक्रधारी विष्णु के एक मन्दिर का भी निर्माण कराया।

## स्कन्दगुप्त का भितरी स्तम्भ अभिलेख

उत्तरी ब्राह्मी लिपि, संस्कृत भाषा में रचित यह अभिलेख गाजीपुर जिले के सैदपुर से उत्तर-पूर्व 5 मील दूर स्थित भितरी नामक गाँव में प्राप्त हुआ था। इस अभिलेख के खोजकर्ता ट्रेगियर है। भितरी लेख के प्रारम्भ में स्कन्दगुप्त तक गुप्तवंश की वंशावली प्रस्तुत की गयी है। लिच्छवि दौहित्र महाराजाधिराज समुद्रगुप्त को महाराज गुप्त का प्रपौत्र, महाराज घटोत्कच का पौत्र और महाराजाधिराज चन्द्रगुप्त तथा महादेवी कुमारदेवी का पुत्र बतलाया गया है। इस अभिलेख में सभी महाराजाधिराजों की रानियों के नाम दिये गये है पर कुमार गुप्त की रानी और स्कन्दगुप्त की माता का नाम नहीं है। भितरी-अभिलेख के चौथे श्लोक में पुष्यमित्रों की चर्चा है। पुष्यमित्र जाति के निवास के विषय में फ्लीट का मत है, वह नर्मदा तट के निवासी थे। स्कन्दगुप्त ने पुष्यमित्रों को पराजित किया। कुमारगुप्त के अन्तिम दिनों एवं स्कन्दगुप्त के प्रारम्भिक वर्षों में हूणों ने गुप्तवंश पर आक्रमण कर दिया था। यह युद्ध बड़ा भयंकर था। सम्भवतः यह युद्ध गंगा की घाटी में हुआ था।

## ईशानवर्मन का हरहा शिलालेख

संस्कृत भाषा और उत्तरी ब्राह्मी लिपि में उत्कीर्ण यह अभिलेख उत्तर प्रदेश के बाराबंकी जिले के हरहा ग्राम से हीरानंद शास्त्री को 1915 ई. में प्राप्त हुआ था। अभिलेख में विक्रम सम्वत् की 611 (554 ई.) तिथि उत्कीर्ण है। अभिलेख का मुख्य उद्देश्य ईशानवर्मा के पुत्र सूर्यवर्मा द्वारा एक शिव-मंदिर के उद्धार का वर्णन है। इस अभिलेख से मौखरी-वंश के प्रथम चार राजाओं की कृतियों का विस्तृत ज्ञान प्राप्त होता है। अभिलेख का आरम्भ शिवस्तुति से हुआ है। इस अभिलेख में अश्वपति नामक एक नरेश का उल्लेख हुआ है। मौखरी उन्हीं के वंशज थे। हरिवर्मा मौखरी वंश का प्रथम नरेश था। हरिवर्मा का पुत्र आदित्यवर्मा था। आदित्यवर्मा का पुत्र एवं उत्तराधिकारी ईश्वरवर्मा था। ईश्वरवर्मा का उत्तराधिकारी उसका पुत्र ईशानवर्मा हुआ। हरहा अभिलेख ईशानवर्मा के शासन काल की प्रमुख घटनाओं पर प्रकाश डालता है। अभिलेख के 13वें श्लोक में उसके द्वारा पराजित तीन शक्तियों के नाम दिये गये हैं– आन्ध्र, शूलिक और गौड़।

## आदित्यसेन का अफसढ़ शिलालेख

अफसढ़ अभिलेख बिहार प्रांत के गया जिले के नवादा तहसील की सकारी नदी के किनारे स्थित अफसढ़ गांव में सन् 1850 ई. के आस-पास पूर्व

मेजर मरखम किट्टो को प्राप्त हुआ था। पद्य में लिखित इस अभिलेख की भाषा संस्कृत तथा लिपि उत्तरी ब्राह्मी है। अभिलेख का मुख्य विषय आदित्यसेन का यशगान करना तथा उसके द्वारा भगवान विष्णु के मंदिर के निर्माण कार्य का उल्लेख करना है। आदित्यसेन के सन्दर्भ में उसकी वंशावली, माता के द्वारा निर्मित एवं धार्मिकों को प्रदत्त मठ तथा पत्नी के द्वारा तड़ाग के उत्खनन कार्य का भी परिचय दिया गया है। उत्तर-गुप्त वंश तथा उत्तरगुप्तों एवं मौखरियों के संघर्ष के इतिहास के लिए यह अभिलेख अत्यंत उपयोगी है। इस अभिलेख में उत्तरगुप्त वंश के प्रथम कृष्णगुप्त से लेकर आठवें शासक आदित्यसेन तक का विवरण प्राप्त होता है। आदित्यसेन को छोड़कर इस वंश के सभी राजाओं के नाम गुप्त नामन्त है, जिसके कारण इन राजाओं के वंश को उत्तर-गुप्त भी कहा जाता है। यह अभिलेख कृष्णगुप्त को आदित्यसेन के वंश का प्रथम शासक बतलाता है, जिससे यह सिद्ध होता है कि कृष्णगुप्त उत्तर गुप्त वंश का संस्थापक था। अभिलेख में उसे असंख्य रिपुओं के प्रताप को जीतने वाला कहा गया है परन्तु शत्रुओं के नामों की चर्चा नहीं है। अभिलेख के अनुसार इस वंश का दूसरा शासक कृष्णगुप्त का पुत्र हर्षगुप्त था। उसने भयंकर युद्धों में विजय प्राप्त की थी, जिसके फल-स्वरूप उसके सीने पर कठोर शस्त्रों के प्रहार से चिंह अंकित हो गये थे। हर्षगुप्त का उत्तराधिकारी उसका पुत्र जीवितगुप्त हुआ। जिसका उल्लेख देवबरनाक अभिलेख में हुआ। जीवितगुप्त प्रथम के पश्चात् उसका पुत्र कुमारगुप्त राजा हुआ। अफसढ़ अभिलेख के अनुसार कुमारगुप्त ने ईशानवर्मन की सेना रूपी समुद्र को मंदार पर्वत की भाँति मथ डाला। इससे यह निष्कर्ष निकलता है कि कुमारगुप्त ने ईशानवर्मन को पराजित किया। अभिलेख में कहा गया है कि उसने प्रज्ज्वलित अग्नि में प्रविष्ट होकर प्रयाग में अपने प्राण त्यागे थे। निहाररंजन राय के अनुसार कुमारगुप्त से ईशानवर्मन पराजित हुआ था, जिसके कारण उसने प्रयाग में प्रज्ज्वलित अग्नि में कूदकर अपने प्राण त्याग दिये थे। माधवगुप्त के बाद उसका पुत्र आदित्यसेन राजा हुआ। यह प्रशस्तिपरक अभिलेख सूक्ष्मशिव के द्वारा उत्कीर्ण कराया गया।

## पुलकेशिन द्वितीय का ऐहोल अभिलेख

संस्कृत भाषा एवं दक्षिणी ब्राह्मी लिपि का पुलकेशिन द्वितीय का ऐहोल अभिलेख बीजापुर जिले के ऐहोल नामक स्थान पर रविकीर्ति द्वारा निर्मित जैन मन्दिर की एक दीवार पर उत्कीर्ण है। बादामी के प्रसिद्ध शासक पुलकेशिन द्वितीय के सम्बन्ध में विस्तृत एवं व्यवस्थित सूचना देने के कारण यह अभिलेख 'पुलकेशिन द्वितीय का ऐहोल अभिलेख' नाम से प्रसिद्ध हुआ। पुलकेशिन द्वितीय बादामी की चालुक्य शाखा से सम्बन्धित था। इस अभिलेख के अनुसार जयसिंह प्रथम बादामी की चालुक्य शाखा का पहला राजा था उसका उत्तराधिकारी रणराग था। रणराग का पुत्र पुलकेशिन प्रथम ही वास्तव में बादामी के चालुक्य वंश की राजसत्ता का संस्थापक था उसने 543-566 ई. तक शासन किया। पुलकेशिन प्रथम ने अश्वमेघ, वाजपेय और हिरण्यगर्भ आदि यज्ञों का सम्पादन कर अपनी शक्ति का परिचय दिया और श्रीपृथ्वीवल्लभ, रणविक्रम, सत्याश्रय, आदि के विरूद् धारण किए। पुलकेशिन प्रथम के पश्चात् उसका पुत्र कीतिवर्मन, राजा हुआ। उसने कदम्बों, मौर्यो एवं नलों को पराजित किया, जो क्रमशः बनवासी प्रदेश, कोंकण प्रदेश और बस्तर प्रदेश में राज्य कर रहे थे। कीर्तिवर्मन के बाद उसका अनुज मंगलेश सिंहासन पर बैठा। ऐहोल अभिलेख में उसे पूर्वी और पश्चिमी घाट के बीच के प्रदेशों का विजेता कहा गया है। इस अभिलेख में कन्नौज के शासक हर्षवर्द्धन के साथ पुलकेशिन के युद्ध का उल्लेख है जिसमें हर्ष को पराजय का सामना करना पड़ा। शुद्ध साहित्यिक संस्कृत में लिखा हुआ यह अभिलेख उत्कृष्ट काव्य का उदाहरण प्रस्तुत करता है।

## बहुविकल्पीय प्रश्नोत्तर

**1.** अभिलेखों से प्राचीन भारतीय इतिहास के विविध पक्ष प्रकाशित होते हैं, निम्नलिखित में से किस अभिलेख से हमें कनिष्क के बारे में जानकारी प्राप्त होती है:

A. मधुवन अभिलेख B. मानिक्याला अभिलेख
C. मथुरा अभिलेख D. पुरुष अभिलेख

**2.** निम्नलिखित में किस अभिलेख को संस्कृत भाषा में उत्कीर्ण किया गया है:

A. रुद्रदामन का गिरनार अभिलेख
B. सोहगौरा का अभिलेख
C. बोंगाजकोई अभिलेख
D. इनमें से कोई नहीं

**3.** निम्नलिखित में से किस अभिलेख से यह ज्ञात होता है कि दारा प्रथम ने सिन्धु घाटी पर अधिकार कर लिया था:

A. पर्सिपोलिस के बेहिस्तून अभिलेख द्वारा
B. बोंगाजकोई अभिलेख द्वारा
C. रुद्रदामन के गिरनार अभिलेख द्वारा
D. उपरोक्त में से कोई नहीं

**4.** सिंधु सभ्यता के सबसे बड़े शिलालेख में कितने अक्षर हैं?

A. 25 B. 20
C. 15 D. 17

**5.** अशोक के शिलालेखों तथा उनकी ब्राह्मी लिपि के बारे में सर्वप्रथम किसने रहस्योदघाटन किया?

A. एलेक्जेण्डर कनिंघम
B. मैक्समूलर
C. जेम्स प्रिंसेप
D. मार्टिमर व्हीलर

**6.** निम्नलिखित में से वह कौन-सा शिलालेख है, जिसकी 1915 में खोज की गई थी और जिसमें इसके लेखक का नाम अशोक प्रियदर्शी दिया गया है?
A. मनसेहरा शिलालेख B. गिरनार शिलालेख
C. मास्की शिलालेख D. भाब्रू शिलालेख

**7.** अशोक का नवीनतम प्राप्त शिलालेख हैः
A. कन्धार द्विभाषी शिलालेख B. सन्नताई शिलालेख
C. मास्की शिलालेख D. सारनाथ स्तम्भ लेख

**8.** निम्नलिखित में से किस शिलालेख को अशोक द्वारा प्रसारित नहीं किया गया?
A. जूनागढ़ शिलालेख B. भाब्रू शिलालेख
C. कलिंग शिलालेख D. दिल्ली-टोपरा स्तम्भ लेख

**9.** 1966 में दिल्ली की सीमा पर अशोक का निम्नलिखित में से कौन-सा शिलालेख पाया गया था?
A. अहरौरा शिलालेख B. कन्धार शिलालेख
C. बाहपुर शिलालेख D. बैराट शिलालेख

**10.** मानसेहरा तथा शाहबाजगढ़ी स्थित अशोक के दो वृहद् उत्तरी शिलालेखों में प्रयुक्त लिपि हैः
A. आरमाइक B. ग्रीक
C. खरोष्ठी D. ब्राह्मी

**11.** कन्धार शिलालेख किस लिपि में लिखे गये थे?
A. खरोष्ठी B. ग्रीक
C. आरमाइक D. उपर्युक्त (A) और (B) दोनों

**12.** कलिंग युद्ध का वर्णन अशोक के कौन-से शिलालेख में है?
A. 12वें B. 13वें
C. 14वें D. 15वें

**13.** कहाँ पर प्राप्त अशोक के अभिलेख (स्तम्भ) के निचले भाग में मयूर का चिन्ह अंकित है?
A. शाहबाजगढ़ी B. लौरियानन्दनगढ़
C. मानसेहरा D. मास्की

**14.** दिल्ली में अशोक के स्तम्भों को खोजने का श्रेय किसे दिया जाता है?
A. जेम्स प्रिंसेप B. मैक्समूलर
C. रीफेन्थैलर D. अलेक्जेंडर कनिंघम

**15.** अशोक के किस स्थान के अभिलेख को 'रानी का अभिलेख' कहा जाता है?
A. मास्की अभिलेख B. कौशाम्बी अभिलेख
C. कालसी अभिलेख D. मान सेहरा अभिलेख

**16.** अशोक का सबसे छोटा स्तम्भलेख कौन-सा है?
A. रुम्मिनदेई B. मास्की
C. निगलीवा D. धौली

**17.** अशोक के कुल के कितने गुहालेख अब तक मिले हैं?
A. 5 B. 3
C. 7 D. 14

**18.** अशोक का सबसे लम्बा स्तंभ लेख निम्न में से कौन-सा था?
A. 3 B. 13
C. 7 D. 4

**19.** अशोक का उसके किस लघु शिलालेख में 'बुद्धशाक्य एवं अशोक' नाम मिलता है ?
A. गुर्जरा लघु शिलालेख B. मास्की लघु शिलालेख
C. एर्रगुडी लघु शिलालेख D. सहसाराम लघु शिलालेख

**20.** अशोक का कौन-सा अभिलेख दो भाषाओं ग्रीक और आरमाइक, में प्राप्त हुआ है ?
A. शाहबाज गढ़ी B. मानसेहरा
C. कालसी D. शार-ए-कुना (कंधार)

**21.** सूची-I को सूची-II से सूमेलित कीजिए:

| सूची-I | सूची-II |
|---|---|
| (a) सारनाथ | 1. सिंह |
| (b) संकिसा स्तंभ | 2. वृषभ |
| (c) रुम्मिनदेई स्तंभ | 3. घोड़ा |
| (d) रामपुरवा स्तंभ | 4. हाथी |

| | (a) | (b) | (c) | (d) |
|---|---|---|---|---|
| A. | 1 | 2 | 3 | 4 |
| B. | 2 | 4 | 3 | 1 |
| C. | 4 | 1 | 3 | 2 |
| D. | 1 | 4 | 3 | 2 |

**22.** अशोक के स्तंभों में एक सर्वाधिक सौष्ठवपूर्ण एवं भव्य स्तम्भ कहाँ से प्राप्त है?
A. लौरियानन्दन गढ़ B. रामपुरवा
C. बसाढ़ D. सारनाथ

**23.** सारनाथ से प्राप्त अशोक के स्तंभ पर कौन-सा पशु उत्कीर्णित नहीं है?
A. कूबड़वाला बैल B. हिरण
C. हाथी D. अश्व

**24.** अशोक के निम्नलिखित किस शिलालेख में कराधान का विशेष उल्लेख हुआ है?
A. रुम्मिनदेई शिलालेख B. निग्लीव शिलालेख
C. कंधार शिलालेख D. बराबर गुहा अभिलेख

**25.** अशोक के किस स्तंभ लेख को उसके मूल स्थान से हटाकर दिल्ली लाया गया था?
A. मेरठ और टोपरा स्तंभ
B. साँची और सारनाथ स्तंभ
C. लुम्बिनी और रामपुरवा स्तंभ
D. कौशाम्बी और लौरियानन्दनगढ़ स्तंभ

**26.** निम्नलिखित किस शिलालेख में पश्चिमी भारत में चंद्रगुप्त मौर्य की विजय का प्रमाण मिलता है?
A. रुद्रदामन के जूनागढ़ शिलालेख
B. अशोक के गिरनार शिलालेख
C. अशोक के सोपारा शिलालेख
D. पृथक् (कलिंग) शिलालेख

**27.** निम्नलिखित किस शिलालेख में अशोक ने यह आदेश दिया था कि जो कोई भी भिक्षु या भिक्षुणी संघ में विघटन का प्रयास करेगा उसे श्वेत वस्त्र पहनाकर संघ से बहिष्कृत कर दिया जाएगा ?
A. सारनाथ शिलालेख B. कौशाम्बी शिलालेख
C. साँची शिलालेख D. रानी की राजाज्ञा अभिलेख

**28.** अशोक के किस शिलालेख से युद्ध और हिंसा के कारण जनित उसके अन्तर्मन की व्यथा प्रकट होती है?
A. धौली और जौगढ़ B. शाहबाजगढ़ी और सोपारा
C. मॉस्की और भाब्रू D. मानसेहरा और गिरनार

**29.** खरोष्ठी लिपि की उत्पत्ति किससे हुई?
A. चित्रलिपि B. कीलाक्षर लिपि
C. अरमाइक D. ब्राह्मी

**30.** कहाँ से प्राप्त अपने अभिलेखों में अशोक का नाम उल्लेख है?
A. केवल मॉस्की एवं गुजर्रा
B. केवल धौली एवं रूपनाथ
C. निट्टूर, उदेगोलम, मॉस्की एवं गुजर्रा
D. कंधार, वैराट, एर्रागुडी एवं मास्की

**31.** अशोक ने कहाँ चोल, पाण्ड्य, केरलपुत्र और सतियपुत्रों का अपनी पड़ोसी शक्तियों के रूप में उल्लेख किया है?
A. शिलालेख-II B. शिलालेख-XIII
C. स्तंभ लेख-VII D. लघु शिलालेख

**32.** निम्नलिखित में से किनका अशोक के अभिलेखों में उल्लेख हुआ है?
A. चोल, चेर, पांड्य एवं पल्लव
B. चोंल, सतियपुत्र, चेर एवं पांड्य
C. पांडय, सतियपुत्र, आंध्र एवं चेर
D. चोल, पाड्य, भोज एवं आंध्र

**33.** निम्नलिखित अभिलेखों में से किसमें चन्द्रगुप्त मौर्य और अशोक दोनों के नाम का उल्लेख है?
A. शाहबाजगढ़ी शिलालेख
B. मॉस्की लेख
C. रुद्रदामन का जूनागढ़ अभिलेख
D. स्कन्दगुप्त का जूनागढ़ अभिलेख

**34.** अशोक का समकालीन सीरिया का ग्रीक राजा, जिसका उसके अभिलेखों में उल्लेख मिलता है, थाः
A. एन्टियोकस द्वितीय थियॉस B. टालेमी द्वितीय
C. एण्टीगोनस D. अलेक्जेंडर

**35.** मौर्य काल में दुर्भिक्ष काल में राहत कार्य के लिए कोष्ठागारों के अस्तित्व का प्रमाण निम्नांकित से ज्ञात हुआ हैः
A. गिरनार का शिलालेख-II B. स्तम्भ लेख-II
C. सासाराम का लघु शिलालेख D. सोहगौरा पट्ट अभिलेख

**36.** सम्राट अशोक का नाम किस शिलालेख में प्राप्त होता है?
A. मास्की का लघु शिलालेख B. जौगढ़
C. दिल्ली टोपरा D. लौरिया अरेराज

**37.** अशोककालीन अभिलेख किस भाषा में थे?
A. ब्राह्मी, खरोष्ठी B. ब्राह्मी, खरोष्ठी, यूनानी
C. ब्राह्मी D. ब्राह्मी, अरमाइक, खरोष्ठी

**38.** अशोक के किस अभिलेख से यह स्पष्ट होता है कि उसने अपने समकालीन शासकों के साथ मैत्री संबंध बनाये थे?
A. 13वें शिलालेख से B. शाहबाजगढ़ी अभिलेख से
C. सोपारा अभिलेख से D. ब्रह्मगिरि अभिलेख से

**39.** निम्नलिखित में से किस अभिलेख में अशोक ने कहा है ''सभी मनुष्य मेरी सन्तान हैं''?
A. 5वाँ शिलालेख B. छठा स्तम्भलेख
C. प्रथम पृथक् शिलालेख D. द्वितीय पृथक् शिलालेख

**40.** अशोक ने समकालीन शासकों से मैत्रीपूर्ण संबंध बनाये रखा, इसका उल्लेख हैः
A. लघु शिलालेख-I में B. स्तम्भलेख-VII में
C. वैराट अभिलेख में D. त्रयोदश शिलालेख में

**41.** निम्नलिखित अभिलेखों में से किससे ज्ञात होता है कि राज्यकोष्ठागारों द्वारा अकाल के समय पीड़ित जनों को अनाज का वितरण किया जाता था?
A. अशोक का लुम्बिनी अभिलेख
B. खारवेल का हाथीगुम्फा अभिलेख
C. रुद्रदामन का जूनागढ़ अभिलेख
D. सोहगौरा का ताम्रपत्र अभिलेख

**42.** धौली अभिलेख किसके शासन से संबंधित है?
A. अशोक B. कनिष्क
C. हर्ष D. समुद्रगुप्त

**43.** अशोक का इलाहाबाद का सुप्रसिद्ध स्तम्भ जो कि मूलतः कौशाम्बी में था, सम्भवत : किसके द्वारा स्थानान्तरित करके इलाहाबाद लाया गया?
A. समुद्रगुप्त B. हर्षवर्धन
C. अकबर D. जहाँगीर

**44.** अशोककालीन स्तंभों के निर्माण के लिए लाल बलुए पत्थर को कहाँ से खोदा गया था?
A. तक्षशिला B. चुनार
C. अरावली की पहाड़ियों D. उपयुक्त (B) और (C) दोनों

**45.** किस अभिलेख से ज्ञात होता है कि कलिंग नरेश खारवेल ने सातवाहन नरेश शातकर्णी प्रथम को परास्त किया?

A. हाथीगुम्फा B. जूनागढ़
C. नानाघाट D. नासिक

**46.** काव्य-शैली में लिखा गया प्रथम अभिलेख किसका है?

A. अशोक का गिरनार अभिलेख।
B. रुद्रदामन का जूनागढ़ अभिलेख।
C. रुद्रदामन का काठियावाड़ अभिलेख।
D. अशोक का लौरियानन्दनगढ़ अभिलेख।

**47.** सूची-I तथा सूची-II को सुमेलित कीजिए तथा सूचियों के नीचे दिए कूट का प्रयोग कर सही उत्तर चुनिएः

| सूची-I | सूची-II |
|---|---|
| (*a*) साँची स्तूप | 1. कनिष्क |
| (*b*) पुरुषपुर का पैगोडा | 2. खारवेल |
| (*c*) हाथीगुम्फा अभिलेख | 3. अशोक |
| (*d*) शिनकोट अभिलेख | 4. मिनाण्डर |
| | 5. एंटिआल्किडस |

| | (*a*) | (*b*) | (*c*) | (*d*) |
|---|---|---|---|---|
| A. | 3 | 2 | 4 | 1 |
| B. | 3 | 1 | 2 | 4 |
| C. | 4 | 1 | 5 | 2 |
| D. | 5 | 3 | 2 | 4 |

**48.** भारत में भागवत धर्म का सबसे पहला अभिलेखीय प्रमाण मिलता हैः

A. राजा सर्वतात के घोसुन्डि प्रस्तर अभिलेख से
B. हेलिओडोरस के वेसनगर अभिलेख से
C. सातवाहन रानी नागनिका के नानाघाट गुफा अभिलेख से
D. चंद्रगुप्त के मेहरौली स्तंभ अभिलेख से

**49.** कृषि हेतु राज्य की चिन्ता का किस पुरातात्विक अभिलेख में प्रमाण मिलता है?

A. खारवेल के हाथी गुम्फा अभिलेख में
B. एहोल अभिलेख में
C. धौली अभिलेख में
D. स्कन्दगुप्त के जूनागढ़ अभिलेख में

**50.** वेसनगर में हेलियोडोरस ने जो स्तंभ स्थापित किया था, वह किससे संबंधित था?

A. विष्णु B. वासुदेव
C. कृष्ण D. नारायण

**51.** निम्नलिखित में से किस अभिलेख का संबंध विष्णु से हैः

A. गंगधर अभिलेख B. गढ़वा अभिलेख
C. अफसढ़ अभिलेख D. इन तीनों का

**52.** निम्नलिखित में से कौन अभिलेख विष्णु को मधुसूदन कहता है?

A. गंगधर अभिलेख B. अफसढ़ अभिलेख
C. भितरी अभिलेख D. इनमें से कोई नहीं

**53.** मेहरौली का स्तम्भ लेख किस शासक से संबंधित है?

A. चंद्रगुप्त द्वितीय B. चंद्रगुप्त मौर्य
C. अशोक D. समुद्रगुप्त

**54.** गुप्त काल में रेशम बुनकरों की श्रेणी ने 437-38 ई. में एक भव्य सूर्य मंदिर का निर्माण कराया। इसका उल्लेख किस अभिलेख में मिलता है?

A. मंदसौर अभिलेख B. जूनागढ़ अभिलेख
C. कन्नौज अभिलेख D. प्रयाग प्रशस्ति

**55.** स्कन्दगुप्त को किस स्तंभ लेख में 'शक्रोपम' कहा गया?

A. कन्नौज स्तम्भ लेख B. जूनागढ़ अभिलेख
C. प्रयाग प्रशस्ति D. मन्दसौर लेख

**56.** समुद्रगुप्त के किस अभिलेख में 'भारतीय नेपोलियन' की विजयों का विस्तृत विवरण मिलता है?

A. एरण अभिलेख B. प्रयाग प्रशस्ति
C. गढ़वा अभिलेख D. उपर्युक्त में कोई नहीं

**57.** सर्वप्रथम किस गुप्त सम्राट के समय के अभिलेख उत्तरी बंगाल से मिले थे?

A. चंद्रगुप्त प्रथम B. चंद्रगुप्त द्वितीय
C. कुमारगुप्त प्रथम D. समुद्रगुप्त

**58.** सती प्रथा का पहला उल्लेख कहाँ से मिलता है?

A. भीतरगांव लेख से B. विलसंड स्तंभलेख से
C. एरण अभिलेख से D. भितरी स्तंभलेख से

**59.** हर्ष एवं पुलकेशिन द्वितीय के मध्य हुए संघर्ष की जानकारी कहाँ से मिलती है?

A. ऐहोल अभिलेख B. वंशखेरा लेख
C. हाथी गुम्फा अभिलेख D. ह्वेनसांग के वर्णन से

**60.** मेहरौली के लौह स्तंभ के बारे में निम्नलिखित में से क्या सत्य है?

A. यह 28 फुट लम्बा, 16.4 इंच व्यास वाला एवं 6 टन वजन का है।
B. यह गुप्तकालीन शिल्पकला का उत्कृष्ट उदाहरण है।
C. इसकी प्रमुख विशेषता अभी तक इसका संक्षारण न होना है।
D. उपर्युक्त तीनों कथन सत्य हैं।

**61.** गुप्तोत्तरकालीन अभिलेखों में भोज्यमान अथवा भोज्य मानक शब्दों का प्रयोग किया गया है, जिसका आशय हैः

A. सामन्त सम्मान B. भोज समारोह
C. भूमिदान D. एक विशेष कर

**62.** निम्न अभिलेखों में से किसमें पुरोहित, द्विवेदी, त्रिवेदी, चतुर्वेदी, मिश्र, दीक्षित एवं त्रिपाठी का उल्लेख प्राप्त होता हैः

A. मन्दसौर अभिलेख B. अयोध्या अभिलेख
C. पुष्कर अभिलेख D. आहार अभिलेख

**63.** चोलों के स्थानीय प्रशासन के संदर्भ में हमें किस अभिलेख से जानकारी प्राप्त होती है?

A. उत्तरमेरूर अभिलेख B. तंजौर अभिलेख
C. उरगपुर अभिलेख D. कांची अभिलेख

**64.** निम्नलिखित में किन ऐतिहासिक स्रोतों से गहड़वालों के बारे में जानकारी प्राप्त होती है?
A. कसौली का ताम्र पत्र अभिलेख
B. कुमार देवी का सारनाथ अभिलेख
C. गोविन्द चन्द्र का देवरिया अभिलेख
D. उपर्युक्त तीनों अभिलेख

**65.** निम्नलिखित में से किस अभिलेख प्रशस्ति में भारत में प्रथम आक्रमण का उल्लेख मिलता है?
A. ग्वालियर अभिलेख B. मन्दसौर अभिलेख
C. देवल प्रशस्ति D. सारनाथ अभिलेख

**66.** भारत की सर्वाधिक प्राचीन लिपि है:
A. सिन्धी B. प्राकृत
C. खरोष्ठी D. ब्राह्मी

**67.** आधुनिक देवनागरी लिपि का प्राचीन रूप है?
A. खरोष्ठी B. ब्राह्मी
C. देवप्रिय D. पाली

**68.** पंजावी भाषा किस लिपि में लिखी जाती है?
A. देवनागरी B. गुरुमुखी
C. इंडो-ईरानी D. सिन्धी

**69.** किस लिपि को सभी लिपियों का जन्मदाता कहा जाता है?
A. ब्राह्मी B. खरोष्ठी
C. मोड़ी D. नागरी

**70.** खरोष्ठी लिपि लिखी जाती है?
A. बायीं से दायीं ओर B. दायीं से बायीं ओर
C. उपर्युक्त दोनों D. इनमें से कोई नहीं

**71.** अशोक के ब्राह्मी लिपि अभिलेखों को सर्वप्रथम किसने पढ़ा?
A. जेम्स प्रिन्सेप B. एच.डी. संकालिया
C. एच.आर. गोयल D. वी.एन. मिश्रा

**72.** किस अभिलेख में वंशग्राम में स्थापित कोष्ठागारों में एकत्रित अनाज को दुर्भिक्ष और आपत्तिकाल में ग्रामों में वितरित करने का आदेश श्रावस्ती के महामात्रों ने दिया था।
A. कसौली का ताम्रपत्र अभिलेख
B. कुमार देवी का सारनाथ अभिलेख
C. ईशानवर्मन का हरहा शिलालेख
D. सोहगौरा का ताम्र पत्र अभिलेख

**73.** हिन्दी किस लिपि में लिखी जाती है?
A. देवनागरी B. रोमन
C. पर्शियन D. पाली

**74.** मुख्य रूप से अशोक के अभिलेख किस लिपि में है?
A. देवनागरी B. ब्राह्मी
C. गुरुमुखी D. अरमाइक

**75.** जैन सूत्र में कितनी लिपियों का उल्लेख है?
A. 6 B. 12
C. 18 D. 64

**76.** अशोक के किस शिलालेख का मुख्य विषय 'जीव दया' है, जिसमें पशुहत्या और माँस-भक्षण का निषेध किया गया है?
A. कलकत्ता बैराट अभिलेख
B. अशोक का प्रथम गिरनार शिलालेख
C. अशोक का द्वितीय गिरनार शिलालेख
D. अशोक का सप्तम स्तम्भ अभिलेख

**77.** किस काल की लिपि का 'चित्राक्षर लिपि' कहा जाता है?
A. सिन्धु काल B. मौर्य काल
C. वैदिक काल D. गुप्त काल

**78.** अशोक ने किस लिपि का प्रयोग राजकीय लिपि के रूप में किया?
A. ब्राह्मी B. खरोष्टी
C. ग्रीक D. अरामाइक

**79.** उत्तर भारत से नागरी लिपि के लेख कब से मिलने लगे हैं?
A. आठवीं सदी B. छठी सदी
C. नौवीं सदी D. चौथी सदी

**80.** प्राचीन काल में आम लोग किस भाषा का प्रयोग करते थे?
A. पाली B. संस्कृत
C. अरबी D. प्राकृत

**81.** पांडुलिपियाँ किस पेड़ की छाल से बनाई जाती थी?
A. ताड़ B. केला
C. भोजपत्र D. ताड़ एवं भोजपत्र

**82.** लिपि की आवश्यकता होती है:
A. भाषा संकेत में B. भाषा बोलने में
C. भाषा लिखने में D. तीनों में

**83.** ब्राह्मी लिपि के विकास के कितने चरण हैं?
A. दो B. तीन
C. चार D. एक

**84.** दक्षिणी ब्राह्मी से किस भाषा का विकास नहीं हुआ?
A. तमिल B. मलयालम
C. कन्नड़ D. मराठी

**85.** खरोष्ठी लिपि में कुल कितने वर्ण हैं?
A. 52 B. 51
C. 37 D. 50

**86.** किस लिपि को गुप्त लिपि के नाम से जाना जाता है?
A. दक्षिणी ब्राह्मी B. उत्तरी ब्राह्मी
C. खरोष्ठी D. अरमाइक लिपि

**87.** किस लिपिमाला में सभी वैदिक ध्वनियों के सम्पूर्ण प्रतीक विद्यमान हैं?
A. यूनानी B. ब्राह्मी
C. खरोष्ठी D. अरमाइक

**88.** सिद्ध-मात्रिक लिपि का विकास किस लिपि से हुआ है?
A. दक्षिणी ब्राह्मी B. उत्तरी ब्राह्मी
C. खरोष्ठी लिपि D. रोमन लिपि

**89.** मिहिरभोज की ग्वालियर प्रशस्ति किस भाषा में है?
A. प्राकृत में
B. अपभ्रंश में
C. संस्कृत में
D. हिंदी में

**90.** 'भारतीय लिपियों की कहानी' किनकी रचना है?
A. गुणाकर मुले की
B. नलिन विलोचन शर्मा
C. महादेवी वर्मा
D. सुमित्रानंदन पंत की

**91.** किस शासक ने अपने अधिकारियों को पत्थर के सतहों पर राजाज्ञा उत्कीर्ण करने का आदेश दिया था?
A. वागितक
B. सिमुक
C. वसुदेव
D. अशोक

**92.** काव्य शैली का प्राचीनतम नमूना किसके अभिलेख में मिलता है?
A. रूद्रदामन के
B. अशोक के
C. राजेन्द्र के
D. इनमें से कोई नहीं

**93.** निम्नलिखित किस प्राचीन अभिलेख में खाद्यान्न को देश में संकटकाल में उपयोग हेतु सुरक्षित रखने के बारे में शाही आदेश है?
A. सोहगौरा अभिलेख में
B. रूम्मिनदेई स्तम्भ लेख
C. प्रयाग प्रशस्ति
D. मेहरौली लौह स्तम्भ

**94.** देवनागरी लिपि का विकास क्रम है:
A. गुप्त लिपि, ब्राह्मी लिपि, नागरी लिपि, देवनागरी लिपि
B. नागरी लिपि, ब्राह्मी लिपि, गुप्त लिपि, देवनागरी लिपि
C. ब्राह्मी लिपि, गुप्त लिपि, नागरी लिपि, देवनागरी लिपि
D. गुप्त लिपि, नागरी लिपि, ब्राह्मी लिपि, देवनागरी लिपि

**95.** खरोष्ठी लिपि भारत के किस क्षेत्र में प्रचलित थी?
A. पूर्वोत्तर क्षेत्र
B. पश्चिमोत्तर क्षेत्र
C. उत्तरी क्षेत्र
D. दक्षिणी क्षेत्र

**96.** निम्नलिखित में से किस देश में खरोष्ठी लिपि का आविष्कार किया गया था?
A. भारत
B. पाकिस्तान
C. यूनान
D. चीन

**97.** किस प्रशस्ति के रचयिता वत्सभट्टि हैं?
A. मंदसौर अभिलेख
B. जूनागढ़ अभिलेख
C. हरहा शिलालेख
D. अफसढ़ शिलालेख

**98.** चेदि वंश के प्रतापी राजा खारवेल के विषय में जानकारी का प्रमुख स्रोत कौन-सा है?
A. अशोक का द्वितीय गिरनार शिलालेख
B. रूद्रदामन का गिरनार (जूनागढ़) अभिलेख
C. समुद्रगुप्त का प्रयाग-स्तम्भ अभिलेख
D. हाथीगुम्फा अभिलेख

**99.** भाषा के चिह्नों को प्रकट करने का माध्यम है:
A. ध्वनि
B. लिपि
C. व्याकरण
D. वाक्य

**100.** निम्नलिखित में से किस शहर में अशोक के अभिलेख नहीं हैं?
A. गिरनार
B. कन्धार
C. पाटलिपुत्र
D. टोपरा

## उत्तरमाला

| 1 | 2 | 3 | 4 | 5 | 6 | 7 | 8 | 9 | 10 |
|---|---|---|---|---|---|---|---|---|---|
| B | A | A | C | C | C | C | A | C | C |
| **11** | **12** | **13** | **14** | **15** | **16** | **17** | **18** | **19** | **20** |
| D | B | B | C | B | A | B | C | B | D |
| **21** | **22** | **23** | **24** | **25** | **26** | **27** | **28** | **29** | **30** |
| D | A | B | A | A | A | D | A | C | A |
| **31** | **32** | **33** | **34** | **35** | **36** | **37** | **38** | **39** | **40** |
| A | B | C | A | D | A | D | A | C | D |
| **41** | **42** | **43** | **44** | **45** | **46** | **47** | **48** | **49** | **50** |
| D | A | C | D | A | C | B | B | A | B |
| **51** | **52** | **53** | **54** | **55** | **56** | **57** | **58** | **59** | **60** |
| D | A | A | A | A | B | C | C | A | D |
| **61** | **62** | **63** | **64** | **65** | **66** | **67** | **68** | **69** | **70** |
| C | C | A | D | C | D | B | B | A | B |
| **71** | **72** | **73** | **74** | **75** | **76** | **77** | **78** | **79** | **80** |
| A | D | A | B | C | B | A | A | A | D |
| **81** | **82** | **83** | **84** | **85** | **86** | **87** | **88** | **89** | **90** |
| D | C | B | D | C | B | B | C | C | A |
| **91** | **92** | **93** | **94** | **95** | **96** | **97** | **98** | **99** | **100** |
| D | A | A | C | B | B | A | D | B | C |

❑❑❑

अध्याय–7

# प्राचीन भारतीय मुद्राशास्त्र
# (Ancient Indian Numismatics)

## मुद्रा की उत्पत्ति एवं विकास

मुद्रा का इतिहास किसी वस्तु या सेवा के बदले में पाने की इच्छा से दी गयी वस्तुओं से प्रारम्भ होता है, जिसे हम वस्तु-विनिमय प्रणाली (Barter System) के नाम से जानते हैं। यह वस्तु-विनिमय प्रणाली आज भी ग्रामीण क्षेत्रों में यदा-कदा देखने को मिलती है। मुद्रा प्रणाली के विकास को हम निम्नलिखित चार चरणों के माध्यम से समझ सकते हैं।

**प्रथम चरणः** प्रारम्भिक भारतीय अर्थव्यवस्था जीवन-निर्वाह अर्थव्यवस्था थी। पूर्व एवं मध्य पाषाण-काल तक मानव जीविका आखेट और अन्न संग्रह पर निर्भर थी। इसलिए उनकी आवश्यकताएं भी सीमित थीं। आखेटक मानव मांस व खाल के बदले अनाज, कन्दमूल, फल इत्यादि प्राप्त करता था। अतः सर्वप्रथम विनिमय का माध्यम खाद्य सामग्रियाँ बनी।

**द्वितीय चरणः** वस्तु विनिमय प्रणाली में किसी वस्तु के बदले में वस्तु की कितनी मात्रा दी जाय तथा अदला-बदली का आधार क्या हो इत्यादि अनेक कारणों से अदला-बदली की प्रक्रिया में समस्यायें उत्पन्न होने लगीं। इन समस्याओं के निराकरण के लिए मनुष्य का ध्यान सर्वप्रथम पाषाण के औजारों पर गया। पाषाण के उपकरण संचय और सुरक्षा की दृष्टि से उपयुक्त थे क्योंकि इनके खराब होने का भय कम था तथा ये लम्बे समय तक रखे जा सकते थे। इस प्रकार पशु-पक्षी, भेड़-बकरियों के साथ-साथ पाषाण के उपकरण भी विनिमय के माध्यम के रूप में स्वीकार किए जाने लगे।

**तृतीय चरणः** मानव समुदाय के विकास के साथ-साथ कालान्तर में स्वर्ण, रजत एवं ताम्र के ज्ञान के साथ ताम्रयुगीन सभ्यता का सूत्र-पात हुआ। इस चरण में व्यापार का माध्यम शंख, प्रस्तर एवं धातु निर्मित मनके बने। सिन्धु सभ्यता की समकालीन मेसोपोटामिया की सभ्यता में व्यापार-विनिमय के निमित्त चाँदी के धातुखण्ड का प्रयोग होता था जिसे शेकेल कहते थे। मोहनजोदड़ो से भी चाँदी के चौकोर धातुखण्ड मिले हैं। सम्भवतः इनका प्रयोग भी विनिमय के माध्यम के रूप में होता रहा होगा।

**चतुर्थ चरणः** व्यापार विनिमय में धातु के प्रयोग में उसकी शुद्धता की जाँच आवश्यक थी। चूँकि परीक्षण और तौल में अधिक समय लगता था, इसलिए विनिमय के लिए एक नया माध्यम ढूँढ निकाला गया, धातु के इस नये माध्यम को हम सिक्का (Coins)/मुद्रा के नाम से जानते हैं।

**सिक्का (Coins):** भारतीय साहित्यिक विवरणों में इन धातुखण्डों को 'आहत' नाम दिया गया है। आहत सिक्कों को पंचमार्क सिक्के भी कहा जाता है क्योंकि इसमें पाँच प्रकार के चिन्ह पाये जाते हैं। ये सिक्के रजत एवं ताम्र निर्मित होते थे।

स्वर्ण निर्मित धातुखण्ड (आहत मुद्रा) अभी तक प्राप्त नहीं हो सका है। स्वर्ण निर्मित धातुखण्डों का उल्लेख केवल साहित्यिक विवरणों (ऋग्वेद) में प्राप्त होता है। ऋग्वेद में इन धातुखण्डों को निष्क और सुवर्ण कहते थे।

इन स्वर्ण, रजत एवं ताम्र निर्मित निश्चित भार के धातुखण्डों को निम्नलिखित नामों से जाना जाता हैः

| धातु | | नाम |
|---|---|---|
| स्वर्ण | - | निष्क, सुवर्ण |
| रजत | - | कार्षापण, शतमान, शाण (शतमान का 1/8) |
| ताम्र | - | माषक, काकणी, विंशतिक |

मनुस्मृति में इन सिक्कों को धरण (निश्चित वजन धारण करते थे) एवं पुराण (पुराना) कहा गया है।

**निष्कः** निष्क का सर्वप्रथम उल्लेख ऋग्वेद में मिलता है। ऋग्वेद में चार स्थानों पर इसका उल्लेख मिलता है। ऋग्वेद में निष्क का उल्लेख स्वर्ण के आभूषण के रूप में मिलता है जो गले में धारण किया जाता था। इसे निष्कग्रीव कहते थे। पंचविश ब्राह्मण ग्रन्थ में प्रथम बार रजत निष्क का उल्लेख मिलता है। उत्तर वैदिक साहित्य में भी निष्क का प्रयोग दान एवं आभूषण के सन्दर्भ में ही प्राप्त होता है। कहीं भी इसका उपयोग विनिमय के माध्यम के रूप में नहीं मिलता है।

किन्तु आगे चलकर पाणिनि के अष्टाध्यायी में तीन सूत्रों में निष्क का उल्लेख हुआ है। जिसमें से दो सूत्रों में निष्क का प्रयोग वस्तुओं को क्रय करने के सन्दर्भ में हुआ है। पाणिनि के काल तक आते-आते निष्क मुद्रा का सूचक बन गया। जातक कथाओं में भी निष्क का उल्लेख मुद्रा के रूप में हुआ है।

**शतमानः** वैदिक काल में शतमान रजत एवं स्वर्ण दोनों ही धातुओं के बने होने का उल्लेख मिलता है। ऋग्वेद में राजसूय यज्ञ के अवसर पर शतमान को दान दिए जाने का उल्लेख मिलता है। शतमान 100 के मान का धातु पिण्ड था।

रजत शतमान का प्राचीनतम उल्लेख मैत्रायणी संहिता में प्राप्त होता है। पाणिनि के अष्टाध्यायी में शतमान का उल्लेख रजत मुद्रा के रूप में हुआ है जिसका वजन लगभग 100 रत्ती (1.75) ग्रेन के बराबर है।

**शाणः** पाणिनि के काल में शाण नामक सिक्के का भी प्रचलन था। यह रजत से निर्मित था। यह शतमान का 1/8 होता था।

**कार्षापणः** कार्षापण का सर्वप्रथम उल्लेख सामविधान ब्राह्मण में हुआ है। कार्षापण स्वर्ण, रजत एवं ताम्र तीनों ही धातुओं के बने होते थे। कार्षापण दो शब्दों से मिलकर बना है– कर्ष + पण।

जहाँ कर्ष एक प्रकार का बीज तथा पण एक धातु पिण्ड है। कर्ष के बीज के आधार पर धातुपिण्ड का भार-मान निर्धारित होने के कारण इसको कार्षापण नाम दिया गया। मनुस्मृति में इन सिक्कों को धरण और पुराण नाम से सम्बोधित किया गया है।

**शलाका मुद्राः** शलाका मुद्रायें गांधार क्षेत्र से प्राप्त हुई हैं जिनकी संख्या 33 है। शलाका मुद्राओं की तौल लगभग शतमान के बराबर होती थी। इनको प्यालीनुमा मुद्रायें भी कहते हैं।

*शलाका मुद्रा*

## प्राचीन भारतीय मुद्रा उत्पत्ति सम्बन्धी मत

प्राचीन भारतीय मुद्राशास्त्र के जनक जेम्स प्रिंसेप हैं। मुद्रा के अध्ययन को मुद्राशास्त्र (Numismatics) कहा जाता है। मुद्रा की उत्पत्ति के सम्बन्ध में अनेक मत दिए गए हैं जो निम्न हैं–

### ■। यूनानी उत्पत्ति का मत

इस मत के प्रवर्तक जेम्स प्रिंसेप हैं। उनके अनुसार भारत में मुद्राओं का प्रचलन, बख्त्री-यवन शासकों की मुद्राओं **(द्राख्म)** के अनुकरण पर आरम्भ हुआ। इसी प्रकार का विचार विल्सन महोदय का भी है। इन विद्वानों के इस मत का आधार बख्त्री-यवन एवं औदुम्बर मुद्रा में समानता है। किन्तु औदुम्बर मुद्राओं के बहुत पहले ही भारत में आहत मुद्राओं का प्रचलन हो गया था। सिकन्दर के आक्रमण के बहुत पहले ही (लगभग दो शताब्दी पूर्व) भारत में मुद्रा का प्रचलन था। इस बात का प्रमाण तक्षशिला से प्राप्त दो मुद्रा निधियां हैं। जिसके साथ डायोडोटस और सिकन्दर की मुद्रा भी प्राप्त हुई है। दोनों मुद्राओं के तुलनात्मक अध्ययन से पता चलता है भारतीय मुद्राओं की अपेक्षा यूनानियों की मुद्रायें नयी हैं। अतः यह मत स्वीकार्य नहीं है।

### ■। पारसिक उत्पत्ति का मत

इस मत के प्रवर्तक जे.ऐ. डिकार्डिमेन्वेज थे। ये भारतीय आहत मुद्रा की उत्पत्ति हखामनी मुद्राओं से मानते हैं। उनका कहना है कि हखामनी शासकों ने अपनी मुद्रा **सिग्लोई (Sigloi)** के साथ-साथ उसका भारतीय प्रकार, आहत मुद्राओं के रूप में प्रचलित किया। उनका यह तर्क स्वीकार नहीं किया जा सकता क्योंकि सिग्लोई मुद्रा टेलेन्ट के तौर पर निर्मित है जिनका वजन 86 ग्रेन है जबकि आहत मुद्राओं का मानक वजन 56 ग्रेन था।

### ■। बेबीलोन उत्पत्ति का मत

इस मत का प्रतिपादन केनेडी महोदय द्वारा किया गया। उनके अनुसार छठी शताब्दी ई.पू. में पश्चिम एशिया के साथ व्यापार प्रारम्भ करने के बाद भारतवासियों ने बेबिलोन की मुद्रा का अनुकरण करते हुए आहत मुद्राओं का प्रचलन किया था। बेबिलोनिया की शेकेल तथा भारतीय आहत मुद्रा में आकार, बनावट, बनाने की विधि आदि में काफी समानता है। किन्तु दोनों मुद्राओं में समानता के साथ-साथ कुछ अन्तर भी है। दोनों ही मुद्राओं की तौल, चिह्न आदि में विभिन्नता है। आहत मुद्राओं की तौल 56 ग्रेन तथा शेकेल की तौल 132 ग्रेन है। आहत मुद्रायें भारत के मध्यवर्ती भागों में प्रचलित थीं। इस क्षेत्र का बेबिलोन से कोई सम्बन्ध नहीं था और न ही भारत में शेकेल की प्राप्ति हुई है। अतः इस मत को स्वीकार नहीं किया जा सकता।

### ■। भारतीय उत्पत्ति का मत

इस मत के समर्थक ई.जे. रैप्सन, कनिंघम, डी.आर. भण्डारकर, एस.के. चक्रवर्ती, ए.एस. अल्टेकर आदि इतिहासकार भारतीय आहत मुद्रा की स्वदेशी उत्पत्ति में विश्वास करते हैं। वैदिक साहित्य में प्राप्त कुछ मुद्रा-सूचक शब्दों के आधार पर थामस तथा भण्डारकर जैसे विद्वान भारत में मुद्रा का प्रारम्भ वैदिक काल से मानते हैं। वैदिक साहित्य में अनेक स्थानों पर निश्चित तौल के धातुखण्डों का उल्लेख मिलता है। किन्तु ऐसे निश्चित

तौल के धातुखण्डों को, जिन पर किसी निश्चित प्राधिकारी अथवा संस्था द्वारा निर्धारित चिह्न अंकित न किए गये हों उन्हें धन तो कहा जा सकता है किन्तु मुद्रा नहीं।

वैदिक साहित्य में उल्लेखित 'हिरण्य' ऐसा ही मूल्यवान धातुखण्ड था। ऋग्वेद में उल्लेख मिलता है कि एक ऋषि ने दिवोदास को दस अश्व, दस कोश, दस बहुमूल्य वस्त्र और दस हिरण्यपिण्ड प्रदान किए थे। सामान्यतः हिरण्य से तात्पर्य स्वर्ण से माना जाता है किन्तु संहिताओं एवं ब्राह्मण ग्रन्थों में हरित हिरण्य (स्वर्ण) के साथ ही रजत हिरण्य (चाँदी) एवं हिरण्यबिन्दु (मोती) का उल्लेख मिलता है। पाणिनि की अष्टाध्यायी में धन के निश्चित परिमाण को हिरण्य कहा गया है। अतः इस बात की प्रबल सम्भावना है कि हिरण्य शब्द का प्रयोग वैदिक काल में धनसूचक मूल्यवान धातुखण्डों के लिए किया जाता था। जिसमें स्वर्ण एवं रजत दोनों ही धातु सम्मिलित थी। ऋग्वेद के एक श्लोक में भारद्वाज धन के रूप में चन्द्र की वृद्धि के लिए प्रार्थना करते हैं। रजत का चांदी नामकरण सम्भवतः चन्द्रमा के समान धवल दिखाई देने के कारण ही पड़ा होगा।

पुरातात्त्विक साक्ष्य इस बात की पुष्टि करते हैं कि भारत के साथ-साथ विश्व के अनेक देशों में मुद्रा के प्रचलन के पूर्व निश्चित तौल के धातुखण्ड विनिमय के माध्यम के रूप प्रयोग किए जाते थे। ईरान, इराक, सीरिया, मिस्र इत्यादि देशों से ऐसी निधियां प्राप्त हुई हैं। भारत में ऐसी निधियां आन्ध्र प्रदेश के सिंगावरम्, उत्तर प्रदेश में बिजनौर जिले के शामियांवाला नामक स्थान से तथा मध्य प्रदेश में बालाघाट इत्यादि स्थानों से प्राप्त हुए हैं। बालाघाट के गुंगेरिया से प्राप्त ताम्रनिधि के साथ रजत-पत्र से बनी गोल एवं गोमुण्ड आकार के कुछ रजत उपकरण प्राप्त हुए हैं। चूँकि गाय वैदिक काल में विनिमय के माध्यम के रूप में स्वीकार की जाती थी अतः उसके प्रतीक के रूप में मुण्ड के आकार के रजत के धातु-पत्र भी स्वीकार किए जाते रहे होंगे। इस प्रकार निश्चित तौल के धातुखण्डों का विनिमय के माध्यम के रूप में प्रचलन लगभग 1,000 ई.पू. तक सम्पूर्ण विश्व में दिखायी देता है। अतः भारतीय मुद्रा की उत्पत्ति के सन्दर्भ में किसी भी अन्य मत को स्वीकार नहीं किया जा सकता।

## प्राचीन मुद्रा प्रणाली का विकास

पुरापाषाण युग में मानव शिकारी एवं आखेटक हुआ करता था। उस समय तक मुद्रा प्रणाली की कोई विशेष आवश्यकता नहीं थी। बाद के समय में मानव ज्यों-ज्यों सभ्य हुआ, जरूरतें बढ़ती गई। उनके बीच विनियम का आधार खोजा जाने लगा। पहले इसके लिए उन्होंने वस्तु-विनिमय की प्रणाली अपनाई। कुछ समय बाद वे वस्तुएं जिनका प्रयोग सभी करते थे विनिमय का साधन बन गईं जैसे कि ऋग्वेद के एक सूक्त में इन्द्र की मूर्ति का मूल्य गायों में निश्चित किया गया। सैनिक लोग घोड़ों में वस्तुओं का मूल्य निश्चित करते थे और शिकारी पशुओं की खालों में। परन्तु गाय, घोड़े, खाल सभी एक प्रकार के न थे और उनका मूल्य एक नहीं हो सकता था। फिर किसी छोटी वस्तु को खरीदने के लिए पूरी गाय या पूरा घोड़ा देना आवश्यक नहीं था। इस प्रकार ये विनिमय के साधन पूर्णतया सफल नहीं हुए। इन कठिनाइयों को दूर करने के लिए धातु का प्रयोग विनिमय के लिए किया जाने लगा। सोना, चांदी, तांबे का ढेर या सलाखें इस काम में लाई जाने लगीं।

प्रारंभ में व्यापार वस्तु-विनिमय में प्रारंभ हुआ। परन्तु वस्तु-विनिमय तभी सफल हो सकता है जब खरीदने व बेचने वाले दोनों व्यक्तियों को उन वस्तुओं की आवश्यकता हो जो उन दोनों के पास हैं। इसलिए किसी ऐसी वस्तु की आवश्यकता प्रतीत हुई जिसे सब स्वीकार कर लें। इस प्रकार मुद्राओं का आविष्कार हुआ।

हड़प्पा-सभ्यता के अवशेषों में 1200 से अधिक मुहरें तो मोहनजोदड़ो में ही मिली है और सैकड़ों मुहरें अन्य स्थानों पर मिली हैं। इससे यह संभावना होती है कि इनका प्रयोग विनिमय के साधन के रूप में किया जाता होगा। संभवतः मिट्टी के त्रिभुज भी विनिमय के साधन के रूप में लाए जाते थे। ऐसे मिट्टी के पके हुए अनेक त्रिभुज नालियों में मिले हैं। ऐसा इसलिए संभव है कि कुछ अन्य देशों में पत्थर के टुकड़े विनिमय का साधन थे। संभव है सोना, चांदी, तांबे के ढेर या सलाखें भी इस सभ्यता में विनिमय के साधन रहे हों।

### वैदिक व वेदोत्तर काल

ऋग्वैदिक आर्यों का प्रमुख व्यवसाय पशुपालन था किन्तु वे कृषि भी करते थे। किसान खेती के लिए अधिक पशु और योद्धा लूट में अधिक पशु पाने के लिए प्रार्थना करते थे। इसलिए उनके दैनिक कार्यकलापों में पशु विनिमय का साधन बन गए। वस्तु-विनिमय तो होता ही होगा परन्तु संभवतः विनिमय के लिए सोना-चांदी और तांबे के सिक्के भी काम में लाए जाने लगे। उदाहरण के लिए निष्क प्रारंभ में सोने का हार था। परन्तु बाद में इसे सिक्के के रूप में प्रयुक्त किया जाने लगा। ऋग्वेद में एक प्रसंग में लिखा है कि एक गायक को एक सौ निष्क व एक सौ घोड़े पुरस्कार के रूप में मिले। उत्तर वैदिक काल में निष्क का प्रयोग सिक्के के रूप में अनेक ग्रन्थों में मिलता है।

वैदिक साहित्य में **मना** का भी सोने के सिक्के के रूप में प्रयोग हुआ है। वैदिक काल में चांदी के सिक्के **रयि** का भी उल्लेख मिलता है। संभवतः सोने के ढ़ेर **हिरण्यपिण्ड** का भी विनिमय के लिए प्रयोग किया जाता था।

वैदिक साहित्य में निष्क की तोल का उल्लेख नहीं है। किन्तु मनु और विष्णु के अनुसार निष्क की तोल सुवर्णों की तोल के बराबर होती थी और एक सुवर्ण 320 रत्ती के बराबर होता था। शतमान की तोल 100 रत्ती होती थी। अर्धशतमान=आधा एक शतमान का, पादशतमान=चौथाई शतमान का, पादार्धशतमान=शण (शतमान का आठवां भाग) के भी सिक्के होते थे। पाणिनि, मनु और याज्ञवल्क्य ने भी शतमान का उल्लेख किया है।

रामायण काल में वस्तु-विनिमय की पद्धति विद्यमान थी। इसके लिए इस ग्रन्थ का निष्क्रिय शब्द प्रयुक्त किया गया है। उदाहरण के लिए विश्वामित्र वसिष्ठ की प्रसिद्ध गाय के लिए साधारण एक लाख गाय देने को उद्यत थे। एक लाख गायों के बदले में शुनःशेप को उसके माता-पिता

से खरीदा गया था। निष्क मुद्रा था या जेवर, कहना मुश्किल है परन्तु विनियम का एक आधार था।

## 600 ई. पूर्व से मौर्यकाल तक

गौतम बुद्ध के जीवन काल में सिक्कों का प्रचलन प्रारंभ हो गया था। इस काल में अधिकतर चांदी के सिक्के चलाए गए। इनसे व्यापार को प्रोत्साहन मिला। ये सिक्के आहत सिक्के कहलाते हैं।

प्राचीन बौद्ध ग्रन्थों में निष्क, सुवर्ण, कांस, पाद, मासक, कांकणिक और कार्षापण नाम के सिक्कों का उल्लेख मिलता है। परन्तु इनका मूल्य सब प्रदेशों में एक न था। विनयपिटक से हमें ज्ञात होता है कि बिन्दुसार के राज्यकाल में राजगृह में एक मासक एक पाद के बराबर था।

ए.एल. बाशम के अनुसार आयताकार या वृत्ताकार धातु के टुकड़ों का प्रयोग ईसा पूर्व छठी शताब्दी से प्रारंभ हुआ। इनकी निश्चित तोल होती थी और इन पर अनेक प्रकार के चिन्ह जैसे कि सूर्य, पर्वत, वृक्ष, वृक्ष की शाखाएं, मानव, खरगोश, कुत्ता, बिच्छू, सांप आदि की आकृतियां ठप्पा मार कर खोदी जाती थीं। इन्हें **आहत सिक्के** कहते हैं। संभवतः ये आकृतियां धार्मिक क्रियाओं में पूज्य समझी जाती थीं।

रैप्सन आदि विद्वानों ने आहत-सिक्कों पर विदेशी प्रभाव दिखलाने का प्रयत्न किया था। उसके अनुसार ईरानी सम्राट् दारा के सिगलोई नामक सिक्के ईसा पूर्व 500 से 331, तक प्रचलित थे। इन पर भी उसी प्रकार के चिन्ह हैं जैसे कि भारतीय आहत-सिक्कों पर हैं और उन पर भी ब्राह्मी और खरोष्ठी लिपियों के अक्षर खुदे हैं। सिगलोई और भारतीय आहत-सिक्के बिल्कुल एक जैसे लगते हैं। परन्तु दुर्गा-प्रसाद और डी.डी. कोसाम्बी रैप्सन के उक्त मत से सहमत नहीं हैं। तक्षशिला के सबसे निचले स्तरों पर जो चांदी के सिक्के मिले हैं वे तोल में सौ रत्ती (180 ग्रेन) थे और ईरानी सिगलोई तोल में 36.45 ग्रेन थी। अगर इसकी दूनी सिगलोई 72.90 ग्रेन को तक्षशिला के चांदी के सिक्के मानें तो ठीक नहीं है। इसलिए यह निष्कर्ष तर्क-संगत प्रतीत होता है कि तक्षशिला में जो सिक्के मिले थे वे पूर्णतया भारतीय थे और संभवतः ये शतमान थे। इन पर विदेशी प्रभाव की कोई संभावना प्रतीत नहीं होती।

फाउलर के अनुसार आहत-सिक्कों पर हाथी और सांड यह प्रकट करते हैं कि मौर्य वंश का बौद्ध धर्म से घनिष्ठ संबंध था। जंगले में जो वृक्ष दिखलाया गया है वह सम्बोधि का प्रतीक है और मेहराब बौद्धों के स्तूपों की संकल्पना को प्रकट करती है।

कौटिल्य ने प्रमुख रूप से दो सिक्कों का उल्लेख किया है पण और मासक। पण चांदी का सिक्का था और उसके आधे, चौथाई और आठवें भाग के सिक्कों का भी प्रचलन था। मासक तांबे का सिक्का था उसके भी आधे, चौथाई और आठवें भाग के सिक्के चलते थे। तांबे के सिक्के का चौथाई भाग काकणि कहलाता था। अधिकतर व्यापार चांदी के सिक्के पण के माध्यम से होता था। अधिकतर सरकारी कर्मचारियों का वेतन भी पणों में दिया जाता था। अर्थशास्त्र से हमें यह भी ज्ञात होता है कि सिक्के ढालने के लिए सरकारी टकसाल थी और अधिकारी उसका निरीक्षण करते थे। इस काल में सोने के सिक्के का प्रचलन कम था। परन्तु इस काल की अर्थव्यवस्था में व्यापार, जुर्माने, भूमि-कर आदि में सिक्कों का खूब प्रचलन था।

## लगभग 300 ई.पू. से 300 ई. तक

मनु (लगभग 200 ई.पू. से 200 ई.) ने सिक्कों की निम्नलिखित तालिका दी।

| | | |
|---|---|---|
| 5 रत्ती | = | 1 माष |
| 16 माष | = | 1 सुवर्ण |
| 4 सुवर्ण | = | 1 निष्क या पल |
| 10 निष्क या पल | = | 1 धरण। |

हिन्द यूनानी राजाओं का ड्रैक्म सिक्का वजन में 67.2 ग्रेन होता था और इसका छठा भाग जो ओवोल कहलाता था, 11.2 ग्रेन होता था। इसी आधार पर उन्होंने अफगानिस्तान में अपने सिक्के चलाए किन्तु भारत में जो सिक्के उन्होंने चलाए उनका वजन 152 ग्रेन और 38 ग्रेन था। उनके सोने के सिक्के बहुत कम मिले हैं। मिनांडर और अपोलोडोटस के सिक्के भड़ौंच तक चलते थे। पश्चिम भारत के शक शासकों ने इन्हीं के अनुरूप अपने सिक्के चलाए। सबसे अधिक प्रचलन तीन ड्रैक्म का सिक्का था। संभवतः इन्हीं सिक्कों के माध्यम से पश्चिमी देशों से भारत का व्यापार होता था। कुषाण शासकों ने तांबे के बहुत सिक्के चलाए।

दक्षिण भारत के सातवाहन शासकों ने सीसे और पोटीन के सिक्के चलाये। गुजरात, मालवा और पश्चिमी दक्षिणापथ के शकों ने चांदी के अच्छी किस्म के सिक्के चलाये। पेरिप्लस में लिखा है कि दक्षिणापथ में यूनानियों के सोने के और शकों के चांदी के सिक्कों का प्रचलन था। इन दोनों का आपस में क्या अनुपात था यह हमें मालूम नहीं है।

प्राचीन भारत में सोने के सिक्के नियमित रूप से कुषाण राजाओं ने चलाये। विम कदफिस की तीन-चार पीढ़ी बाद तक कुषाणों के सिक्के चलते रहे। इसका यह अर्थ है कि इस समय भारत की आर्थिक अवस्था बहुत अच्छी थी। उत्तर भारत में रोम के सिक्के भी दक्षिण भारत की अपेक्षा अधिक संख्या में मिले हैं। संभवतः इसका यह कारण था कि दक्षिण में बनी वस्तुओं का आयात किया जाता था जिनकी स्थानीय खपत थी किन्तु उत्तर भारत का व्यापार बहुत कुछ पार-गमन व्यापार था। उत्तर भारत का व्यापार वस्तु-विनिमय के द्वारा मिस्र से भी होता था। इसीलिए रोम के सिक्के उत्तरी भारत में अधिक संख्या में मिले हैं।

भारत के कुछ यूनानी शासकों और शकों ने चांदी के सिक्के चलाये थे किन्तु कुषाणों के चांदी के कोई सिक्के नहीं मिले हैं। संभवतः यूनानियों और शकों के चांदी के सिक्के बिना किसी रोक-टोक के कुषाण साम्राज्य में चलते थे इसीलिए कुषाणों को चांदी के सिक्के चलाने की आवश्यकता प्रतीत नहीं हुई। कुषाणों के सोने के सिक्के का वजन औसतन 23.2 ग्रेन होता था। परन्तु यूनानी शासकों का सिक्का वजन में 134.4 ग्रेन होता था। कुषाणों के अधिकतर सिक्के एक दीनार, दो दीनार और चौथाई

दीनार के मिले हैं। वासुदेव प्रथम के बाद के कुषाण शासकों के सोने के सिक्कों में खोट अधिक है। छोटे पैमाने का व्यापार इस काल में वस्तु-विनिमय या कुषाणों के तांबे के सिक्कों से होता था। इन तांबे के सिक्कों का वजन 240 से 260 ग्रेन होता था।

## गुप्त काल (लगभग 300 ई. से 550 ई.)

गुप्त सम्राटों के तांबे के सिक्के बहुत कम मिले हैं। फाहियान ने लिखा है कि दैनिक उपभोग की वस्तुओं की बिक्री व खरीद लोग अधिकतर कौड़ियों के द्वारा करते थे। गुप्त सम्राटों के सोने और चांदी के सिक्कों का उपयोग मनुष्य, धन संग्रह करने के लिए भी करता है क्योंकि इनके शीघ्र ही नष्ट होने की संभावना नहीं होती। गुप्त सम्राटों के सिक्कों के अभी तक 16 संचय मिले हैं। इनके अतिरिक्त जो गुप्त सम्राटों के सिक्के मिले थे उन्हें पाने वालों ने पिघलाकर सोना बना लिया। मनुष्य धन का संग्रह इसलिए करता था कि वह दुर्भिक्ष, सूखा, युद्ध आदि आपत्तियों के समय संगृहीत धन से अपनी आवश्यकताओं की पूर्ति कर सके।

प्रारंभिक गुप्त सम्राटों के सिक्के कुषाण सम्राटों के सिक्कों के अनुरूप हैं। समुद्र गुप्त के सिक्कों का वजन कुषाण सम्राटों के तीसरी शती ईसवी के सिक्कों के समान है। इनका वजन 118 से 123 ग्रेन है। कनिंघम के अनुसार कुषाण सम्राटों के सिक्के वजन में 123 ग्रेन होते थे जिसमें 107 ग्रेन सोना और 16 ग्रेन खोट होता था। परन्तु एस.के. मैती का मत है कि कुषाण सम्राटों के सिक्कों में सोने की मात्रा इससे अधिक थी।

स्कन्दगुप्त के राज्यकाल के अन्त की ओर सोने के सिक्कों का वजन 144 से 146 ग्रेन हो गया। किन्तु इनमें सोने की मात्रा केवल 70 ग्रेन रह गई। इन राजाओं ने संभवतः भारतीय परंपरा को फिर से चालू किया क्योंकि मनु के अनुसार सुवर्ण नाम के भारतीय सिक्के का वजन 80 रत्ती या 44 ग्रेन होता था। परन्तु सोने की मात्रा कम होने से यह स्पष्ट है कि स्कन्दगुप्त के बाद गुप्त साम्राज्य की आर्थिक स्थिति खराब हो गई थी क्योंकि हूणों तथा अन्य शत्रुओं ने साम्राज्य पर आक्रमण प्रारंभ कर दिये थे।

कुषाण और गुप्त सम्राटों ने सोने के सिक्के चलाये। ये सिक्के गुप्त काल में अधिकतर भूमि की खरीद या बिक्री में काम में आते थे। दैनिक वस्तुओं की खरीद व बिक्री अधिकतर वस्तु विनिमय के द्वारा या कौड़ियों के द्वारा होती थी। गुप्त काल में अधिकतर गांव उतना ही उत्पादन करते थे जितने की उन्हें आवश्यकता होती थी। परन्तु उनके बाद के उत्तर भारत के राजाओं ने बहुत कम सोने के सिक्के चलाये। इन सोने के सिक्कों का मनुष्यों ने संग्रह करना प्रारंभ कर दिया। कुषाणों और गुप्त सम्राटों के राज्य काल में भारत का व्यापार चरमोत्कर्ष पर था इसीलिए इन सम्राटों ने सोने के सिक्के चलाये।

गुप्त वंश के संस्थापक श्रीगुप्त व उसके बाद घटोत्कच ने अपने कोई सिक्के प्रचलित नहीं किये, क्योंकि वे एक सामन्त थें। उसके बाद तीसरे नरेश चन्द्रगुप्त ने स्वतंत्र महाराधिराज की उपाधि धारण करते हुए सिक्के शुरू किये। पहला सोने का (दण्डधारी प्रकार) सिक्का समुद्रगुप्त ने चलाया। समुद्रगुप्त को गुप्त सिक्कों का जन्मदाता मानते हैं। गुप्त मुद्राओं में बयाना-निधि उल्लेखनीय है। इसमें 183 मुद्राएं समुद्रगुप्त की हैं। उनमें 143 ध्वजधारी अथवा दण्डधारी प्रकार की हैं। इन मुद्राओं पर कुषाण मुद्राओं का सर्वाधिक प्रभाव मिलता है। काव्यात्मक लेखों से सुसज्जित विविध प्रकार की स्वर्ण मुद्राओं ने भारतीय मुद्राओं के विकास में महत्वपूर्ण योगदान दिया। प्रो. अल्तेकर बताते हैं कि ''एरण-अभिलेख'' में स्वर्ण मुद्राओं के उदारतापूर्ण दान की चर्चा मिलती है।

### दण्डधारी अथवा ध्वजाधारी प्रकार की मुद्रा

**पुरोभागः** इस मुद्रा के पुरोभाग पर प्रभामण्डल से युक्त दक्षिणमुखी राजा का अंकन है। वह कानों में कुण्डल, गले में माला, तथा हाथ में कड़ा पहने हुआ है। इस मुद्रा में राजा ने कुषाण राजाओं की भाँति वस्त्र धारण किये हुए हैं। सिर पर टोपी पहनने का तरीका भारतीयता से प्रभावित है। राजा ने बाएँ हाथ में ध्वज का अंकन किया है। राजा को दायें हाथ से वेदिका में आहुति डालते हुए दिखा रहे हैं। वेदिका के पीछे की तरफ गरूड़ ध्वज अंकित है। मुद्रा में राजा के बाएँ हाथ के नीचे "समुद्र" लिखा मिलता है। मुद्रा के पुरोभाग पर ''समरशत विवत विजयो जितरिपु रजितो दिवंजयति'' अंकित है।

**पृष्ठभागः** इस भाग पर देवी का अंकन मिलता है। प्रभामण्डल से युक्त सम्पूर्ण वस्त्राभूषणों से सुसज्जित दर्शाया गया है । देवी के बाएँ हाथ में कार्नुकोपिया तथा दाहिने में पाश का अंकन मिलता है। वे मणिमय गोलाकार चटाई पर विराजमान हैं। समुद्रगुप्त की इस प्रकार की अधिकांश मुद्राओं पर सिंहासन की पीठ दिखाई देती है। मुद्रा के इस भाग पर लेख "पराक्रमः" अंकित है। इन मुद्राओं का व्यास प्रायः 0.80 इंच से लेकर 0.90 इंच तक है। इनका वजन लगभग 112 ग्रेन से लेकर 121.6 ग्रेन तक है।

उपरोक्त मुद्रा पर बनी आकृतियों को लेकर विभिन्न मुद्रा शास्त्री के अलग-अलग मत हैं। स्मिथ का मानना है कि राजा के हाथ में अंकित आकृति ध्वज या दण्ड है वहीं एलन इसे दण्ड मानते हैं जिसके कारण इसे ''दण्ड प्रकार'' की मुद्रा कहा है। अल्तेकर और परमेश्वरी लाल गुप्त ने इस आकृति को ध्वज का नाम दिया है। इस कारण इसका नामकरण ध्वजाधारी प्रकार की मुद्रा के रूप में स्वीकार किया गया है।

### धनुर्धारी प्रकार की मुद्रा

**पुरोभागः** प्रभामण्डल से युक्त राजा, ध्वजाधारी प्रकार की तरह ही वस्त्र धारण किये हुए हैं। राजा को बाएँ हाथ में धनुष और दाएँ हाथ में बाण लिये हुए अथवा वेदिका में हवन डालते हुए खड़ा दिखाया गया है। मुद्रा में राजा के बायीं ओर गरुड़ध्वज है। कहीं-कहीं मध्य में चन्द्रमा भी अंकित है। मुद्रा पर राजा के बाएँ हाथ के नीचे ''समुद्र'' लेख अंकित है। इस पर वर्तुलाकार में '''अप्रतिरथों विजित्य क्षितिं सुचरितैः दिवे जयति'' अंकित है।

**पृष्ठभागः** इस भाग पर देवी चौकी पर विराजित है। उनके बाएँ हाथ में कार्नुकोपिया तथा दाहिने हाथ में पाश है। इस पर मुद्रा लेख ''अप्रतिरथ'' अंकित है।

समुद्रगुप्त की धनुर्धारी प्रकार की मुद्राओं को लेख के आधार पर दो वर्गों में विभक्त किया गया है। इन मुद्राओं पर दो प्रकार के लेख मिलते हैं।

1. अप्रतिरथों विजित्य क्षितिं सुचरितैः दिवं जयति
2. अप्रतिरथों विजित्य क्षितिं अविनिशों दिवं जयति

इन मुद्राओं का व्यास लगभग 0.8 इंच से लेकर 0.9 इंच तक तथा तौल में 110 ग्रेन से लेकर 120 ग्रेन तक है। ये मुद्राएँ बोधगया, बयाना और जौनपुर आदि स्थानों से प्राप्त हुई हैं। ये मुद्राएँ दण्डधारी या ध्वजाधारी मुद्राओं का परिवर्तित रूप प्रस्तुत करती है। कालान्तर में ये मुद्राएँ अत्यन्त लोकप्रिय सिद्ध हुई। इन मुद्राओं का रूप काफी हद तक भारतीय था। इसकी लोकप्रियता का कारण संभवतः यह हो सकता है कि राजा का धनुष बाण लेना उसके तारणकर्ता के रूप को अभिव्यक्त करता है। सी.डी. चटर्जी ने मुद्रा के इस रूप को राजा के अभिषेक का सूचक माना है।

## परशुधारी प्रकार की मुद्रा

**पुरोभागः** उपरोक्त मुद्रा में प्रभामण्डल युक्त राजा, बाएँ हाथ में परशुधारण किये हुए खड़ी मुद्रा में है। उसका दाहिना हाथ कटि पर अवस्थित है। उसके दाएँ व बाएँ तरफ वामन पुरूष अंकित हैं जो राजा की देख रहे हैं। दोनों के मध्य ध्वज अंकित है, जिसके सिर पर चन्द्रमा है। इस प्रकार की कुछ मुद्राओं पर समुद्रगुप्त या केवल ''समुद्र'' अंकित मिलता है। इस मुद्रा में राजा को परशुधारण किये दिखाया गया है इसलिए इसे परशुधारी प्रकार की मुद्रा कहते हैं।

**पृष्ठभागः** मुद्रा के इस भाग पर सिंहासन पर बैठी लक्ष्मी अंकित है। जिसके बाएँ हाथ में कार्नुकोपिया तथा दाएँ हाथ में पाश है। वे कमलासन पर विराजमान हैं। कमल पुष्प से ढ़के होने के कारण कभी-कभी सिंहासन सर्वथा अदृश्य प्रतीत होता है। मुद्रा पर ''कृतान्तपरशुः'' लेख अंकित है।

परशुधारी प्रकार की मुद्राओं का तौल 117.8 ग्रेन से लेकर 123.4 ग्रेन तक है। इसका व्यास 0.75 इंच से 0.85 इंच तक है। इनका प्राप्ति स्थल बनारस, कन्नौज तथा बयाना हैं। मुद्राशास्त्रियों ने पुरोभाग पर अंकित वामन आकृति को उन राजाओं का प्रतीक बताया है जिन्हें समुद्रगुप्त ने पराजित किया था। कुछ मुद्राशास्त्रियों का मत है कि ये वामन पुरुष राजा के द्वारा युद्ध के निरीक्षण करते सैनिक बताये गये हैं। ये मुद्रा मानों पूर्णरूप से लक्ष्मी जी को समर्पित की गई हो।

## अश्वमेध प्रकार की मुद्रा

अवश्मेध प्रकार की मुद्रा पर्याप्त संख्या में मिली है। अकेले बयाना निधि से ही 20 मुद्राएँ प्राप्त हुई हैं। प्रो. पाठक का मत है कि समुद्रगुप्त ने अश्वमेध यज्ञ के अवसर पर ब्राह्मणों को दान देने के निमित्त इसे ढलवाई थी। परमेश्वरी लाल गुप्त उपरोक्त मत से सहमत हैं। इन सिक्कों का आकार 0.75" से 0.9" तक तथा तौल में 112.5 ग्रेन से 119 ग्रेन तक है।

**पुरोभागः** जीनरहित घोड़ा जिसके गले में कभी-कभी पट्टा दिखाई देता है। इस मुद्रा पर बायीं ओर चबूतरा दिख रहा है। उसके साथ युप का अंकन मिलता है। स्तम्भ के ऊपरी भाग में वस्त्र पताका उड़ रही है। घोड़ा अयाल मोती की माला से विभूषित दिखलाई देता है। घोड़े की पीठ पर अर्धचन्द्र का अंकन है। मुद्रा के इस भाग पर वर्तुलाकार लेख "राजाधिराज पृथिवीमवित्वा दिवं जयत्याछतवजिमेधः" अंकित है।

**पृष्ठभागः** इस पर राजमहिषी बायीं ओर मुख करके खड़ी है। मणिमण्डित चटाई पर उनके पैर हैं। वे साड़ी, चोली, कुण्डल, हार, भुजदण्ड धारण किए हुए हैं। उन्होंने दाहिने हाथ में चंवर ले रखा है। उसके सामने फीते से बंधी हुई सूची है। मुद्रा के इस भाग पर "अश्वमेध पराक्रमः" अंकित है।

## व्याघ्र निहन्ता प्रकार की मुद्रा

**पुरोभागः** राजा वाममुख पगड़ी, कोट, धोती धारण किये हुए है। उन्होंने हार, कुण्डल, भुजदण्ड भी धारण किये हैं। इस मुद्रा पर राजा को झपटते हुए व्याघ्र को पैर से कुचलते तथा दायें हाथ से प्रत्यंचा को कान तक खींचते हुए दर्शाया गया है। व्याघ्र पीछे की ओर गिरते हुए दिखाया गया है। उसके निकट फीते से विभूषित चन्द्रध्वज भी दर्शाया गया है। इस पर ''व्याघ्र पराक्रमः'' लेख अंकित है।

**पृष्ठभागः** बिन्दु विभूषित वर्तुल में मकर वाहिनी गंगा का अंकन है। देवी आभायुक्त वस्त्राभूषण से युक्त है। उनके बाएँ हाथ में खिला हुआ कमल है। दाहिना हाथ खाली है। इस पर ''व्याघ्र पराक्रमः'' अथवा ''राजा समुद्रगुप्तः'' अंकित है।

गुप्त सम्राट समुद्रगुप्त ने इस मुद्रा का प्रवर्तन अपने युवराजत्व काल में किया था। ये बहुत अल्प मात्रा में प्राप्त हुई है। ये आकार में छोटी हैं। इनका आकार 0.85 इंच है। ये तौल में 111 ग्रेन से लेकर 117 ग्रेन तक हैं। ये मुद्रा कलात्मक दृष्टि से अत्यन्त सुन्दर हैं। इस पर अंकित दृश्य अपनी प्रभावकता प्रदर्शित करते हैं। इस मुद्रा के पृष्ठ भाग पर अंकित देवी के संबंध में स्मिथ का मत है कि वह वरूण की पत्नी वरूणनी है या फिर देवी कामदेव की भार्या रति भी हो सकती हैं, जिसका वाहन मकर है। अल्तेकर के मतानुसार यह देवी मकरवाहिनी गंगा है क्योंकि गुप्तकालीन कलाकृतियों में इस देवी का अंकन मिलता है।

## वीणावादक प्रकार की मुद्रा

**पुरोभागः** इस मुद्रा पर प्रभामण्डल युक्त राजा पैर मोड़े हुए पर्यंक पर बैठा दिखाया गया है। राजा ने छोटा अधोवस्त्र पहना है। सिर पर मोतीयुक्त टोपी, हार, कुण्डल और भुजदण्ड धारण किये और वीणा बजाते हुए राजा को दिखाया गया है। इस पर ''महाराजाधिराज श्री समुद्रगुप्तः'' अंकित है।

**पृष्ठभागः** प्रभामण्डल से युक्त देवी मोढ़े पर बैठी हुई दिखायी गई है। वे सम्पूर्ण वस्त्र व आभूषण धारण किये आभायुक्त लग रही है। वह बाएँ हाथ में कमल तथा दाहिनी हाथ में पाश लिये दिख रही हैं। मुद्रा के पृष्ठभाग पर "समुद्रगुप्त" अंकित है।

वीणावादक प्रकार की मुद्राओं में राजा को पर्यंक पर बैठकर वीणा बजाते हुआ दिखाया गया है। पर्यंक के नीचे ब्राह्मी "सि" का अंकन है जो सम्भवतः ''सिद्धम'' का संक्षिप्त रूप है। इस मुद्रा के पृष्ठभाग पर देवी बैठी मुद्रा में है। उनके बाएँ हाथ में कमल तथा दाएँ हाथ में पाश अंकित है।

ये मुद्राएँ अल्प संख्या में प्राप्त हुई हैं। इन मुद्राओं का तौल 111 ग्रेन से 117 ग्रेन तक है। कुछ मुद्राओं का वजन 119 ग्रेन से 121 ग्रेन तक है। कुछ मुद्राएँ आकार में 0.75″ तथा 0.85″ हैं। उपरोक्त मुद्रा के संबंध में अल्तेकर ने सम्भावना व्यक्त की है कि इन मुद्राओं का प्रचलन विशेष अवसर पर किया गया होगा। शतपथ ब्राह्मण में इस बात का विधान है कि अश्वमेध जैसे यज्ञ के अवसर पर एक राजन्य को वीणा पर स्वरचित तीन गाथाओं को गाना पड़ता था। अल्तेकर महोदय का मत है कि यह असम्भव सा लगता है कि समुद्रगुप्त ने अपने अश्वमेध यज्ञ में स्वयं ऐसी गाथाओं को गाया हो।

चन्द्रगुप्त द्वितीय के राज्य काल में सबसे पहले गुप्त सम्राट ने चांदी के सिक्के चलाये क्योंकि उसने शकों को हराकर पश्चिमी भारत पर अधिकार किया था और वहाँ शकों के राज्यकाल से ही चांदी के सिक्के चलते थे। इसीलिए चांदी के ये सिक्के आकृति और वजन में शकों के सिक्कों के अनुरूप हैं। कुमारगुप्त प्रथम के चांदी के सिक्के दो प्रकार के हैं और बड़ी संख्या में मिले हैं। एक प्रकार के सिक्के पश्चिमी भारत में और दूसरे प्रकार के मध्य देश में चलते थे।

कुमारगुप्त प्रथम के कुछ सिक्के ऐसे मिले हैं जिनमें नीचे तांबा है और ऊपर से चांदी का खोल चढ़ा है। स्मिथ का मत है कि पिछले गुप्त सम्राटों ने इस प्रकार के सिक्के इसलिए चलाये क्योंकि उनके पास पर्याप्त मात्रा में चांदी न थी।

स्कन्दगुप्त ने दो प्रकार के चांदी के सिक्के चलाये और बन्धुगुप्त (लगभग 475 से 495 ई.) ने भी चांदी के सिक्के जारी किये।

गुप्त सम्राटों ने तांबे के सिक्के भी चलाये। आर.डी. बैनर्जी ने अपने ग्रन्थ में समुद्रगुप्त के दो तांबे के सिक्कों का उल्लेख किया है। वे सब उपलब्ध नहीं हैं। रामगुप्त के छः तांबे के सिक्के विदिशा के निकट मिले थे। परमेश्वरशील गुप्त के अनुसार ये सभी छह सिक्के रामगुप्त के हैं।

गुप्त सम्राटों के सोने के सिक्के अधिक हैं तांबे के अपेक्षाकृत कम। सोने के सिक्के तो केवल भूमि खण्डों को बेचने या खरीदने में प्रयोग किये जा सकते थे। इससे इतिहासकार इस निष्कर्ष पर पहुंचे हैं कि गुप्तकालीन अर्थव्यवस्था स्वतः पर्याप्त तो थी किन्तु उसमें व्यापार का अपेक्षाकृत कम महत्व था।

चन्द्रगुप्त द्वितीय के राज्यकाल के नौ प्रकार के तांबे के सिक्के उपलब्ध हैं। परन्तु कुमारगुप्त प्रथम के तांबे के सिक्के बहुत कम मिले हैं। कुमारगुप्त के बाद के कोई तांबे के सिक्के नहीं मिले हैं। इसके दो कारण हो सकते हैं—एक तो तांबे के सिक्कों में जंग लगने से वे बहुत जल्दी नष्ट हो जाते हैं। इसीलिए वे अब उपलब्ध नहीं हैं।

नारद और बृहस्पति की सिक्कों की तालिकाओं से इस तथ्य की पुष्टि होती है कि गुप्तकाल में सिक्कों का प्रचलन बड़े पैमाने पर विद्यमान था। नारद की तालिका निम्नलिखित है।

| | | | |
|---|---|---|---|
| 48 | काकणि | = | माष या 1 पण |
| 20 | माष या पण | = | चांदी का 1 कार्षापण या अंडिका |
| 4 | कार्षापणणया अंडिका | = | 1 घानक |
| 12 | घानक या | | |
| 48 | चांदी के कार्षापण | = | 1 सुवर्ण |

बृहस्पति की तालिका निम्नलिखित हैः

| | | | |
|---|---|---|---|
| तांबे का 1 | कार्षापण | = | 1 पण |
| 4 | कार्षापण | = | 1 घानक |
| 12 | घानक या 48 कार्षापण | = | 1 सुवर्ण |
| 4 | सुवर्ण या दीनार | = | 1 निष्क |

गुप्त काल में चांदी का सिक्का लगभग 58 ग्रेन का होता था और सोने का सिक्का 123 या 124 ग्रेन। बृहस्पति और नारद दोनों के अनुसार $58 \times 48 = 2784$ ग्रेन चांदी = 124 ग्रेन सोना अर्थात् 1 ग्रेन सोना = $22\frac{7}{16}$ या लगभग $22\frac{1}{2}$ ग्रेन चांदी।

ये बृहस्पति और नारद की तालिकाएं गुप्त काल के सोने और चांदी के सिक्कों के अनुरूप नहीं है क्योंकि गुप्तकाल में $16 \times 58 = 928$ ग्रेन चांदी = 124 ग्रेन सोने के अर्थात् लगभग 8 ग्रेन सोना। ऐसा प्रतीत होता है कि स्मृतिकारों ने सिक्कों का वर्णन नहीं किया है। उन्होंने सुनारों के बटखरे का वर्णन किया है।

उस समय धन की कीमत (विनिमय मूल्य) बहुत अधिक थी। 2, 3 या 4 दीनार में एक व्यक्ति काफी बड़ा भूमिखण्ड (एक कुल्यवाप) खरीद सकता था। 10 या 12 दीनार अक्षयनीवि के रूप में जमा कर दानी उसके ब्याज से भिखारियों के एक निवास-स्थान का खर्च चला सकता था। दो अवसरों पर दानियों ने 25 और 16 दीनार अक्षयनीवी के रूप में दान में दिये जिनके ब्याज से भिक्षुओं का भोजन और मन्दिरों में दीपक जलवाया जाता था।

चांदी के सिक्कों का विनिमय-मूल्य भी काफी ऊंचा था। बेग्राम ताम्रलेख से हमें ज्ञात होता है कि चांदी के 6 सिक्के सोने के 1 सिक्के के बराबर थे। इसलिए सोने और चांदी के सिक्के दैनिक उपयोग की वस्तुएं खरीदने में काम में नहीं आते थे। वे तो भूमि आदि खरीदने या दान देने में खर्च किये जाते थे। संभवतः दैनिक उपयोग की वस्तुएं खरीदने में तांबे के सिक्कों का प्रयोग किया जाता था। कौड़ी भी इस काम में आती थीं। वस्तु-विनिमय पद्धति विद्यमान होने के कारण छोटे सिक्कों की अधिक आवश्यकता नहीं होती होगी।

संभवतः गुप्त सम्राटों में सबसे पहले सोने के सिक्के चन्द्रगुप्त प्रथम ने चलाये। इन सिक्कों में एक ओर चन्द्रगुप्त और कुमार देवी की आकृति उत्कीर्ण है और एक देवी की आकृति पीछे की ओर खुदी है और उसके नीचे लिच्छवयः शब्द उत्कीर्ण है। कुछ विद्वानों के अनुसार इन सिक्कों को समुद्रगुप्त ने स्मरणात्मक सिक्कों के रूप में चलाया था क्योंकि इस विवाह का गुप्तवंश के उत्कर्ष में बहुत महत्व था परन्तु स्मिथ और मैती का यही मत है कि ये सिक्के चन्द्रगुप्त प्रथम ने ही चलाये थे।

## गुप्तोत्तर काल (550–700 ई.)

गुप्तोत्तर काल की मुद्रा-व्यवस्था की कुछ प्रमुख विशेषताएं हैं। गुप्त साम्राज्य के विघटन के बाद अनेक राज्य स्थापित हो गए अतः उनके शासकों ने अपने राज्य में अपने-अपने सिक्के चलाये। इसीलिए उत्तर भारत में सर्वत्र एक मुद्रा-प्रणाली न रह सकी जबकि गुप्त साम्राज्य में सर्वत्र एक प्रकार के तथा एक मूल्य के सिक्के चलते थे। कश्मीर, थानेश्वर और बंगाल आदि के शासकों ने अपने-अपने सिक्के चलाये।

दूसरी विशेषता यह थी कि इन शासकों ने गुप्त सिक्कों के अनुरूप सिक्के चलाने का प्रयत्न किया परन्तु वे रूप और शुद्धता में गुप्त सिक्कों की अपेक्षा बहुत निकृष्ट हैं।

तीसरी विशेषता यह है कि सोने व चांदी के सिक्के केवल बड़े व्यापार में प्रयोग में लाये जाने लगे। छोटा व्यापार कौड़ियों से होता रहा। भूमिखण्ड खरीदने में दीनारों का प्रयोग पहले की भांति होता रहा।

ईसा की छठी व सातवीं शताब्दी के अनेक सोने के सिक्के उत्तर भारत मे मिले हैं। डा. हार्नले को एक सिक्का हर्ष का मिला था जिस पर हर्षदेव खुदा है। बंगाल में जयनाग शशांक के भी सोने के सिक्के मिले हैं। शशांक के कुछ सिक्के तांबे के थे जिन पर चांदी का परत चढ़ा था और उस पर सोने का पानी था। शशांक ने चांदी के कोई सिक्के नहीं चलाये। किन्तु देश के अन्य भागों में इस काल में भी चांदी के सिक्कों का प्रचलन था। प्रभाकरवर्धन और हर्षवर्धन के चांदी के सिक्के मिले हैं। प्रभाकरवर्धन के सिक्कों पर प्रतापशील और हर्षवर्धन के सिक्कों पर शिलादित्य शब्द खुदे हैं। हर्षचरित में प्रभाकर-वर्धन का उपनाम प्रतापशील दिया है और ह्वेनसांग ने हर्ष का उपनाम शिलादित्य कहा है। छठी शताब्दी में कश्मीर के शासक प्रवरसेन ने सोने और चांदी दोनों के सिक्के चलाये।

इस काल में तांबे के सिक्के भी चलाये गए। कश्मीर में तोरमाण के तांबे के सिक्के मिले हैं। उड़ीसा में जो तांबे के सिक्के मिले हैं उन्हें पुरी-कुषाण सिक्के कहा जाता है क्योंकि वे कुषाणों के तांबे के सिक्कों के अनुरूप हैं।

इस काल में भी कौड़ियों का सिक्कों के रूप में प्रयोग किया जाता था। ह्वेनसांग के अनुसार इस काल में भी वस्तु-विनिमय पद्धति विद्यमान थी।

## पूर्वमध्यकाल

इस काल के शासकों ने चांदी और तांबे की मिश्रित धातु के सिक्के चलाये परन्तु उनमें न तो वजन एक जैसा है और न शुद्धता।

सेन शासकों के ताम्र-लेखों से ज्ञात होता है कि भूमि-कर कपर्दक पुराणों में निश्चय किया जाता था। कपर्दक का अर्थ कौड़ी है और पुराण चांदी का सिक्का था।

डाहल के कलचुरि वंश के शासक गांगेयदेव विक्रमादित्य (लगभग 1015-41 ई.) ने गुप्त सम्राटों के सिक्कों के अनुरूप सिक्के चलाये। जैजाकभुक्ति के चन्देल शासकों ने गांगेयदेव के सिक्कों की नकल की। इनके पृष्ठभाग में बैठी हुई लक्ष्मी की आकृति बनी है।

चाहमान शासकों ने सांड और घुड़सवार के चांदी के सिक्के चलाये। ये उत्तर पश्चिमी भारत के शाही वंश के शासकों के चांदी के सिक्कों की नकल थे। उत्तर भारत के तुर्क शासकों ने भी प्रारंभ में इन्हीं के अनुरूप सिक्के चलाये।

कश्मीर के इस काल के शासकों ने तांबे के भी सिक्के चलाये।

दक्षिण भारत के चालुक्य शासकों ने जो सोने के सिक्के चलाये वे पद्मटंक कहलाते हैं। उन पर सूअर की आकृति है। दक्षिण भारत में सबसे अधिक प्रचलन वराह नाम के सिक्के का था क्योंकि इस पर सूअर की आकृति बनी होती थी। उन्हें सोने का गद्यान भी कहा जाता था। उनका वजन 48 रत्ती होता था।

इसी सिक्के को कन्नड़ भाषा में पोन या हुन, संस्कृत में निष्क और तमिल में क्लंजु या माउय कहा जाता था। यूरोपीय लेखकों ने वराह को पगोड़ा लिखा है। तांबे का सिक्का दक्षिण भारत में काषु कहलाता था।

चोल शासकों के सिक्कों पर तीन चिन्ह हैं—मछली, धनुष और चीता। संभवतः ये तीन आकृतियां चोल, पाण्ड्य और केरल राज्यों के राष्ट्रीय चिन्ह थे जिन पर अधिकार करके चोल शासकों ने इस प्रकार के सिक्के चलाये। पाण्ड्य शासकों ने मछली की आकृति वाले सोने के सिक्के चलाये।

### प्राचीनतम भारत में चित्रित कला

प्राचीन भारत में ललित कलाओं का बड़ा विकास हुआ था। मानव तथा पशु-पक्षियों के बाह्य स्वरूप का जैसा चित्रण प्राचीन चित्रकला तथा मूर्तिकला में मिलता है, वैसा ही प्रदर्शन सिक्कों पर भी मिलता है। प्राचीन भारतीय इतिहास के विभिन्न अंगों की सही जानकारी में सिक्के अत्यन्त सहायक हैं। राजनीतिक इतिहास के अतिरिक्त सांस्कृतिक इतिहास का ज्ञान भी सिक्कों के आधार पर प्रभूत मात्रा में हुआ है। द्वितीय शताब्दी ई.पू. से द्वितीय शताब्दी ई. तक देवी देवताओं का क्या स्वरूप था, इसकी जानकारी सिक्कों से प्राप्त उनकी आकृतियों से होती हैं। पंचाल के सिक्कों पर अनेकों देवी देवताओं के मूर्त रूप मिलते हैं। उनमें भद्रादेवी और फाल्गुनीदेवी का स्वरूप केवल सिक्कों से ही ज्ञात हुआ है। गणों और जनपदों के सिक्कों पर शिव, कार्तिकेय और लक्ष्मी की विविध आकृतियाँ मिलती हैं। तक्षशिला तथा त्रिगर्त जनपद की मुद्राओं पर प्राचीन मन्दिरों के अनेक रूप अंकित हुए हैं। सातवाहनों के सिक्कों पर अनेक वृत वाले पर्वत इत्यादि बनाये गये हैं।

भारत के सिक्कों के उद्‌भव की कहानी मानव सभ्यता के विकास के साथ जुड़ी हुई हैं। मनुष्य के क्रमिक बौद्धिक विकास से ही सिक्कों का जन्म हुआ है। जिससे भूतकाल के बारे में नया ज्ञान मिलता है तथा ऐतिहासिक तथ्यों का निर्माण होता है। इसी का अध्ययन करने की सुविधा से मुद्राशास्त्र का निर्माण हुआ। अंग्रेजी के न्यूमिस्मेटिक्स शब्द की उत्पति ग्रीक नोमोस से हुई हैं। प्राचीन भारतीय साहित्य में उसे ''मुद्रा'' कहा गया है। अंग्रेजी में उसे ''कॉएन'' (Coin) कहते हैं जो फ्रेंच भाषा के एक शब्द ''कॉएन'' (Coygne) से बना है। भारत की राजनीतिक, सामाजिक, आर्थिक, धार्मिक और कला सम्बन्धी जानकारी के लिये प्राचीन सिक्के बहुत उपयोगी सिद्ध हुए हैं।

Imperial, 1st Series

इतिहास-निरूपण की दृष्टि से उपलब्ध साधनों और साक्ष्यों के रूप में जो भी प्राचीन कालीन अवशेष आज उपलब्ध हैं उनमें सिक्कों का विशिष्ट मूल्य और महत्व है। जब यूरोप में जागरण (रिनेसॉ) काल का आरम्भ हुआ उस समय लोगों में पुरावस्तुओं के संग्रह में रूचि जाग्रत हुई और उन्होंने सिक्कों में कला के लघु रूप दर्शन किये और उनके संग्रह की ओर प्रवृत हुए। उसके बाद उन विद्वानों ने इतिहास-निरूपण के साक्ष्य और साधन के रूप में सिक्कों की उपयोगिता का अनुभव किया। फिर तो अठारहवीं शती के आते-आते प्राचीन सिक्के गम्भीर अध्ययन के विषय बन गये। सिक्कों का अध्ययन और शोध इतिहास का उपांग माने जाने लगा और मुद्रातत्व के नाम से जाना जाने वाला वैज्ञानिक रूप धारण कर लिया।

Imperial, 4th Series

हमारे देश में प्राचीन सिक्कों की ओर सबसे पहले उन अंग्रेज सैनिकों, इंजीनियरों और राजकीय अधिकारियों का ध्यान गया जो अठारहवीं शती के अन्त और उन्नीसवीं शती ई. के आरम्भ में गाँवों-देहातों और जंगलों में विभिन्न प्रकार के काम करने के लिये नियुक्त किये गये थे। उन्हें अपने कार्य के बीच खुदाई करते हुए भूमि में दबे सिक्के प्राप्त हुए। उनके प्रति उनकी जिज्ञासा जगी; उन्होंने उनके संग्रह में रूचि ली और वे प्राचीन भारतीय सिक्कों के सर्वप्रथम अन्वेषी बने।

इन सिक्कों में निहित तीन तत्व हैं– (1) सन्तुलित धातु, (2) निश्चित वजन और (3) प्रतीक का अंकन। किन्तु धातु और वजन का उपयोग इतिहास-निरुपण की दृष्टि से सम्प्रति अत्यन्त सीमित हैं। वे कुछ ही अंशों में अपने देश काल की आर्थिक अवस्था का संकेत देते हैं; बहुलांश में उनका महत्व धात्विक विज्ञान की जानकारी की प्रस्तुति के लिये ही है। किन्तु इस दिशा में सिक्कों का उपयोग कम ही हो पाया है। मुद्रा अध्ययन में सर्वाधिक महत्व सिक्कों पर अंकित प्रतीकों का ही है। प्रत्येक भार के सिक्कों पर अंकित प्रतीकों का अपने स्वतन्त्र रूप हैं जिन्हें पहचान कर उनके प्रचलक राज्य, राजा और काल के प्रति अवधारणा बनाई जा सकती है। वे अपने काल के जीवन और संस्कृति तथा कार्यकलापों की जानकारी प्रस्तुत करने की क्षमता रखते हैं।

सिक्कों पर अंकित प्रतीक तीन रूपों में प्राप्त होते हैं– (1) आलेख, (2) छवि अथवा आकृति, (1) लांछन। इन तीनों की ही ऐतिहासिक जानकारी प्रस्तुत करने की अलग-अलग सीमा और क्षमता हैं। इनमें इतिहास-निरूपण में आलेखों का ही सर्वाधिक योग रहा है। ये आलेख सामान्यतया सिक्कों के किनारे अंकित देखे जाते हैं। यदा कदा वे सिक्के के समूचे पटल पर अंकित मिलते हैं। अक्सर वे प्राचीन सिक्कों के एक ओर ही अंकित मिलते हैं। किन्तु भारत के यवन-बख्त्री, शक-पहलव सिक्कों पर उनका अंकन समान रूप से दोनों ओर हुआ हैं। कुछ अंशों में यही बात कुषाण और गुप्तकालीन सिक्कों में भी परिलक्षित होती है। मुस्लिम शासकों के सिक्कों पर धार्मिक दृष्टि से आकृति अंकन का निषेध होने के कारण अधिकांशतः उसके दोनों पटल अरबी-फारसी लिपि से भरे रहते हैं।

ऐतिहासिक जानकारी आलेखों में अंकित तथ्यों से तो होती है, उनके लिपि, लिपि-स्वरूप और अक्षर निरूपण से भी अनेक बातों का ज्ञान प्राप्त होता है। अधिकांश सिक्के एकभाषी होते हैं किन्तु प्राचीनकालीन कुछ सिक्के द्विभाषिक और त्रिभाषिक भी हैं। यवन-बख्त्री, शक-पहलव सिक्के प्रायः सभी द्विभाषिक हैं। उन पर आलेख एक ओर यवन और दूसरी ओर खरोष्ठी लिपि में हैं। कुछ भारतीय-बख्त्री सिक्कों पर खरोष्ठी के स्थान पर ब्राह्मी लिपि का प्रयोग हुआ है। पश्चिमी क्षत्रप नहपान के सिक्के त्रिभाषिक हैं। उन पर यवन, खरोष्ठी और ब्राह्मी तीन लिपियों में लेख हैं। इसके अतिरिक्त उत्तर भारत के सभी सिक्कों पर ब्राह्मी लिपि में ही आलेखन हुआ है। गुप्तोत्तर काल में वह नागरी लिपि की ओर उन्मुख हो गयी थी। इस प्रकार लिपि ही किसी न किसी रूप में ऐतिहासिक काल-क्रम का परिचय दे देते हैं। कतिपय सिक्कों के उद्‌गम और प्रचार क्षेत्र का भी अनुमान लिपियों के सहारे किया जा सकता है।

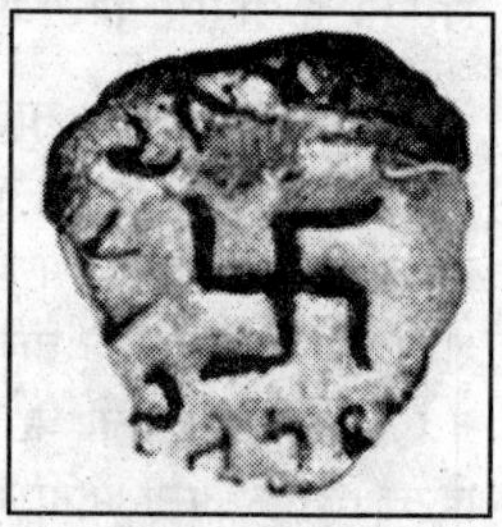

कुछ सिक्कों पर वे केवल एक या दो अक्षरों के रूप में उपलब्ध होते हैं जो शासक के नाम अथवा विरुद के लाघविक रूप अनुमान किये जाते हैं। अधिकांश सिक्कों के लेख काफी विस्तृत देखने में आते हैं। उनमें शासकों के नाम और विस्तृत विरुद का उल्लेख रहता है। विरुदों में सिक्कों के प्रचलनकर्ता की किन्हीं सफलता का संकेत मिल सकता है अथवा उनसे किसी अन्य महत्वपूर्ण ऐतिहासिक तथ्यों की जानकारी प्राप्त

हो सकती है। पश्चिमी क्षत्रपों के सिक्कों पर शासक के पिता अथवा उसके पूर्ववर्ती शासक का नामोल्लेख हुआ है। कुछ सिक्कों पर तिथि का भी अंकन हुआ हैं। इस प्रकार सिक्कों पर अंकित अभिलेखों से स्पष्ट रूप से राज्य, शासक और घटनाओं की जानकारी उपलब्ध होती है।

इतिहास निरूपण के निमित्त सिक्कों में उपलब्ध होने वाला दूसरा साधन उन पर अंकित मुख्य प्रतीक छवि और आकृति है। जिनका अंकन भारतीय-बख्त्री काल से आरम्भ होकर गुप्तोत्तर काल और कभी-कभी पीछे तक भी होता रहा है। उनपर शासकों के छवि का अंकन और उनके इष्ट देवी-देवताओं को आकृति के रूप में देखा जाता है। जिन सिक्कों पर छवि का अंकन मिलता है वे अत्यन्त महत्व के साक्ष्य समझे जाते हैं। उनसे शासक के व्यक्तित्व एवं चरित्र का अनुमान किया जा सकता है और कभी-कभी तो वह कथित चरित्र से भी अधिक प्रमाणित हो सकते हैं। कभी-कभी इन सिक्कों से शासक के शासनकाल की अवधि का भी अनुमान होता है। सिक्कों पर अंकित छवियों के आधार पर टार्न ने यवन और बख्त्री शासकों के इतिहास का विस्तृत स्वरूप प्रस्तुत किया था। हुविष्क के छवि के अंकन के आधार पर उसके विस्तृत राज्य-काल की कल्पना करने की चेष्टा हुई है। छवि का अंकन न होने पर उसके मात्र आकृति स्वरूप से राजनीतिक इतिहास के सम्बंध में तो कुछ नहीं कहा जा सकता किन्तु सांस्कृतिक इतिहास को अवश्य देखा जा सकता है। देवी-देवताओं की आकृति का चित्रण भारतीय सिक्कों का अभिन्न अंग है। इनसे धार्मिक इतिहास और प्रतिमा-विधान की जानकारी उपलब्ध हो सकती है।

हिन्द-यूनानी, शक-पह्लव, कुषाण आदि विदेशी राजाओं की आकृतियाँ उनके सिक्कों पर बनी हुई हैं। उन राजाओं के स्वरूप का अभिज्ञान उनके सिक्कों से होता है। उन पर विदेशी तथा भारतीय दोनों प्रकार के देवी देवताओं का अंकन हुआ है। शिव, कार्तिकेय, गणेश, कृष्ण, बलराम, इन्द्र, लक्ष्मी आदि की सुन्दर आकृतियाँ बनाई गई हैं। बुद्ध को स्थानक तथा आसन, दोनों रूपों में दिखलाया गया है। वह उत्तरीय तथा अधोवस्त्र पहने हुए हैं। उन्हें अभय मुद्रा, वितर्क मुद्रा अथवा धर्मचक्रप्रवर्तन मुद्रा में प्रदर्शित किया गया है।

गुप्त सम्राटों को उनके सिक्कों पर वीणा बजाते हुए, शिकार करते हुए, धनुर्धारी योद्धा के रूप में, गज अथवा अश्व पर सवारी करते हुए आदि विभिन्न रूपों में दिखाया गया है। देव-आकृति के साथ प्रभामण्डल मिलता हैं। देवी-देवता को अपने वाहन के साथ भी प्रदर्शित किया गया है। ये सिक्के कलात्मक दृष्टि से अत्यन्त उत्कृष्ट हैं। हर्षवर्धन के एक सोने के सिक्के पर नन्दी पर आरूढ़ शिव और पार्वती का चित्रण है। शिव जटाजूट हैं और उनके कानों में कुण्डल है। पार्वती को मस्तक पर ललाटिका, कानों में कुण्डल तथा गले में माला धारण किए हुए दिखाया गया है। चतुर्भुजी शिव के उपरी दो हाथों में माला तथा त्रिशूल है। निचला एक हाथ उनकी जंघा पर रखा है तथा दूसरा पार्वती के गले में है। पार्वती शिव की तरफ देख रही हैं। यह आकृति तत्कालीन मूर्तिकला से अत्यन्त साम्य रखती है। पूर्व मध्यकालीन सिक्कों पर चतुर्भुजी लक्ष्मी का अंकन अधिक लोकप्रिय हुआ। वह पद्मासन मुद्रा में आसीन हैं। उनके उपरी दो हाथ में कमल है तथा नीचे दोनों हाथ जंघा पर रखे हुए हैं। शिव, वराह तथा हनुमान की आकृतियाँ भी तत्कालीन सिक्कों पर मिलती हैं।

भारत के प्राचीनतम सिक्कों को पंच पद्धति से चिह्नित होने के कारण 'पंचमार्क' नाम से प्रासंगिक किया जाता है। यह पंच चिह्नित सिक्के महाजनपद् की छठी शताब्दी ईसा पूर्व के हैं। इन सिक्कों पर पाये रूपांकन ज्यादातर सूरज, विभिन्न पशु, पेड़ और कुछ ज्यामितीय प्रतीकों की तरह हैं। कुषाण कालीन सिक्कों में स्वर्ण सिक्कों की अधिकता है जिनपर हिन्दू एवं बौद्ध देवी-देवताओं के अतिरिक्त यूनानी एवं पारसीक देवताओं का अंकन अत्यन्त रोचक बन पड़ा है। वहीं सातवाहन शासक अपनी मुद्राओं पर स्थानीय प्रतीक चिह्न के रूप में वृषभ, गज, सिंह, घेरे में वृक्ष, मेहराबदार पर्वत, अश्व, चक्र, लक्ष्मी, मत्स्ययुक्त नदी, स्वस्तिक, नन्दिपद, कमल, त्रिरत्न इत्यादि को चित्रित करते थे। यह अपनी मुद्राओं में ब्राह्मी लिपि एवं प्राकृत भाषा का प्रयोग करते थे। इनके सिक्कों पर द्रविड़ भाषा का प्रयोग हुआ है जबकि लिपि ब्राह्मी ही है। इसी प्रकार जिस तरह गुप्तकाल भारतीय इतिहास का स्वर्णयुग माना जाता है उसी प्रकार यह विकास मुद्रा निर्माण के क्षेत्र में भी दिखाई पड़ता है। इस काल में सिक्कों पर देवी को सिंहासन, कमल, मोढ़ा, सिंह पर बैठे हुए, नदी देवी गंगा एवं कार्तिकेय देवता भी प्रदर्शित हुए हैं। इसके अतिरिक्त गुप्त सम्राटों की रानियाँ, अश्वरोही, गजरोही, चक्रध्वज, राजदण्ड, धनुर्धर आदि चित्रित हैं।

इतिहास निरूपण के निमित्त सिक्कों में उपलब्ध होने वाला अन्य साधन है लांछन! अनेक सिक्कों पर छवि अथवा आकृति के स्थान पर उसके लांछन मात्र प्राप्त होते हैं। यदा कदा ये लांछन छवि तथा आकृति के साथ भी देखा जाता है। प्राचीनतम सिक्कों पर केवल एक या अधिक लांछना के समूह का अंकन किया गया था। कुछ अन्य ढालित एवं टंकित अभिलेख-विहीन सिक्कों पर लांछनों का समूह देखने में आता है। कभी-कभी आरम्भिक अभिलिखित सिक्कों पर भी लांछन समूह देखा जा सकता है। सिक्कों पर अंकित इस प्रकार के लांछनों के पीछे धार्मिक, राजनीतिक, आर्थिक आदि कुछ भी कारण हों सकते हैं। उनसे ऐतिहासिक तथ्यों का कुछ अनुमान किया जा सकता है।

प्राचीन इतिहास के निरूपण में हमारे लिये आज उन सिक्कों का मूल्य और महत्व है जिन्हें हमारे पूर्वज जाने अनजाने अपने पीछे भूमि में दबा छोड़ गये थे। इतिहास-निरूपण की दृष्टि से उपलब्ध साधनों और साक्ष्यों के रूप में जो भी प्राचीन कालीन अवशेष आज उपलब्ध हैं उनमें सिक्कों का विशिष्ट मूल्य और महत्व है। इस प्रसंग में कहना ना होगा कि सिक्कों

का उद्भव दैनिक आवश्यकताओं की आपूर्ति के निमित्त, लेन-देन, क्रय-विक्रय में सरल और सुविधाजनक उपकरण के रूप में हुआ था। उनका आविष्कार जब भी हुआ हो और जिन लोगों ने भी किया हो, वे उनके रूप में अनचाहे, अनजाने ऐसा उपकरण प्रस्तुत कर गये, जिसने अपने उद्देश्य की पूर्ति तो की ही, साथ ही उनमें वे अपने जीवन, संस्कृति और अपने कार्य कलाप की अमिट छाप भी छोड़ गये। आज वे अपने काल के साक्ष्य बनकर हमारे लिये इतिहास-निरूपण के ताने-बाने का काम कर रहे हैं।

## बहुविकल्पीय प्रश्नोत्तर

**1.** हड़प्पा सभ्यता की मुद्राएँ किससे निर्मित की जाती थीं?

A. ताँबा B. सोना
C. मिट्टी D. काँस्य

**2.** निम्नलिखित में से कौन हड़प्पा संस्कृति का एक स्थल है, जहाँ से फारस की खाड़ी की मुद्रा उत्खनन से प्राप्त हुई थी?

A. मोहनजोदड़ो B. धौलावीरा
C. लोथल D. कालीबंगा

**3.** हड़प्पा संस्कृति की बहुसंख्यक मुहरें निर्मित हैं:

A. पकी मिट्टी से B. प्रकाचित वस्तु (फायन्स)
C. अकीक D. सेलखड़ी

**4.** हड़प्पा संस्कृति में विनिमय का आधार क्या था?

A. वस्तु B. जानवर
C. मुद्रा D. उपर्युक्त में से कोई नहीं

**5.** ऋग्वैदिक काल में विनिमय के माध्यम के रूप में किसका प्रयोग किया जाता था?

A. अनाज B. मुद्रा
C. गाय D. दास

**6.** भारत में निम्नलिखित के आने का सही कालानुक्रम क्या है?

1. सोने के सिक्के
2. आहत मुद्रा/चाँदी के सिक्के
3. लोहे का हल
4. नगर-संस्कृति

नीचे दिए गए कूट का प्रयोग कर सही उत्तर चुनें—

**कूटः**

A. 3, 4, 1, 2 B. 3, 4, 2, 1
C. 4, 3, 1, 2 D. 4, 3, 2, 1

**7.** मौर्यकाल में सिक्कों को ढालने हेतु किन धातुओं का प्रयोग होता था ?

A. स्वर्ण – चाँदी B. चाँदी – ताम्र
C. ताम्र – काँस्य D. सीसा – काँस्य

**8.** मौर्य काल में लक्षणाध्यक्ष कौन था?

A. पशुओं के लक्षणों का ज्ञान रखने वाला अधिकारी
B. एक पेशेवर ज्योतिषी
C. मार्ग के संकेतों का प्रभारी कर्मचारी
D. टकसाल का प्रभारी कर्मचारी

**9.** मौर्य सिक्कों के बारे में निम्नलिखित में से कौन से कथन सही हैं?

1. वे रजत एवं ताम्र आहत सिक्के हैं।
2. वे चलाने वाले राजाओं के नामों को धारण करते हैं।
3. उन पर भिन्न-भिन्न चिन्ह समूह अंकित हैं।

A. 1 एवं 2 B. 2 एवं 3
C. 1 एवं 3 D. 1, 2 एवं 3

**10.** कौटिल्य के अर्थशास्त्र के अनुसार सिक्कों का निरीक्षण का कार्य किसका था?

A. लोहाध्यक्ष B. लक्षणाध्यक्ष
C. रूपदर्शक D. सुवर्णाध्यक्ष

**11.** प्राचीन भारत में तौल की सबसे छोटी इकाई कौन-सी थी?

A. कर्ष B. माष
C. पल D. रत्तिका

**12.** मौर्य काल में 'सीताध्यक्ष' निम्नलिखित में से किससे संबंधित थाः

A. व्यापार B. खदान
C. पशुपालन D. कृषि

**13.** कार्षापण के सिक्के जारी किये जाते थेः

(*i*) शीशे में (*ii*) ताम्र में
(*iii*) रजत में (*iv*) स्वर्ण में

निम्न कूटों में से अपना उत्तर चुनिएः

A. (*i*), (*ii*) B. (*ii*), (*iii*), (*iv*)
C. (*i*), (*iii*) D. उपर्युक्त सभी

**14.** कार्षापण किसलिए प्रयोग किया जाता था?

A. वस्तुएँ खरीदने के लिए
B. सामान तौलने के लिए
C. भूमि नापने के लिए
D. नियम बनाने के लिए

**15.** पंचमार्क सिक्कों के चिन्हों की विशद व्याख्या निम्नांकित ने की हैः

A. डी. डी. कौशाम्बी B. रोमिला थापर
C. रेपसन D. बी. डी. चट्टोपाध्याय

**16.** सातवाहनों के समय में सर्वाधिक सिक्के किस धातु के बने?
A. सीसा B. पोटीन
C. ताँबा D. स्वर्ण

**17.** भारत में किस वंश के शासकों ने सर्वप्रथम सोने के सिक्के जारी किए?
A. पार्थियन B. कुषाण
C. शक D. हिन्द-यवन

**18.** किस कुषाण शासक ने सर्वाधिक स्वर्ण मुद्रायें जारी कीं?
A. कडफिसस प्रथम B. कडफिसस द्वितीय
C. कनिष्क D. विम कडफिसस

**19.** किस शासक ने शकों का उन्मूलन कर विजय के उपलक्ष्य में सर्वप्रथम चाँदी के सिक्के जारी किए?
A. गोन्दोफिर्नस B. मिनान्डर
C. चंद्रगुप्त विक्रमादित्य D. कनिष्क

**20.** सोने के सिक्के सर्वाधिक किसने जारी किये?
A. गुप्तों ने B. हिन्द-यवनों ने
C. कुषाणों ने D. शुंगों ने

**21.** वह कौन प्रथम भारतीय शासक था, जिसने रोमन मुद्रा प्रणाली के अनुरूप अपने सिक्कों का प्रसारण किया?
A. शुंग B. हिन्द-यूनानी
C. कुषाण D. गुप्तवंश

**22.** एक प्राचीन भारतीय राजवंश के शासकों ने उनके साम्राज्य में निवास करने वाले विभिन्न धर्मों के लोगों द्वारा पूजित 35 देवी-देवताओं की आकृतियों को अपने सिक्के पर अंकित कराया। उक्त राजवंश था:
A. मौर्य B. शक
C. कुषाण D. गुप्त

**23.** लेखयुक्त और रूपचित्रांकित सिक्के सर्वप्रथम भारत में जारी किए गये थे:
A. शुंगों द्वारा B. शकों द्वारा
C. हिन्द-यूनानियों द्वारा D. सातवाहनों द्वारा

**24.** निम्नलिखित में से किस एक क्षेत्र में रोमन सिक्कों का अत्यधिक संख्या में पता चला है?
A. पूर्वी भारत B. उत्तर-पश्चिमी भारत
C. दक्षिण भारत D. पश्चिमी भारत

**25.** कार्षापण सिक्कों को किस धातु में ढाला जाता था?
A. स्वर्ण एवं चाँदी B. ताँबा
C. सीसा D. चाँदी एवं सीसा

**26.** निम्नलिखित में से कौन-से सिक्के चाँदी में ढालकर प्रसारित किए गए?
A. निष्क B. पाल
C. शतमान D. काकिणी

**27.** वह कौन प्रथम भारतीय शासक था, जिसने रोमन मुद्रा प्रणाली के अनुरूप अपने सिक्कों का प्रसारण किया?
A. शुंग B. हिन्द-यूनानी
C. कुषाण D. शक

**28.** लेखवाले सिक्के (मुद्रा लेख) तथा स्वर्ण सिक्के सर्वप्रथम प्रचलित किए थे:
A. पल्लवों ने B. शकों ने
C. कुषाण शासकों ने D. इण्डो-ग्रीक शासकों ने

**29.** रोम में बनी वस्तुओं में से कौन-सी एक भारत में सबसे प्रचुर रूप से मिली है?
A. भाँड-खंड B. काँसे की मूर्तियाँ
C. दीपक D. सिक्के

**30.** सातवाहनों ने किन धातुओं में अपने सिक्के ढाले?
A. सीसा, ताँबा, चाँदी, पोटीन
B. सीसा, ताँबा, सोना, चाँदी
C. सीसा, ताँबा
D. सीसा, पोटीन

**31.** निम्नलिखित में से किस शासक के सिक्कों पर विष्णु अंकित हैं?
A. कनिष्क B. वसिष्क
C. हुविष्क D. कैडफिसेस

**32.** किस वंश के शासकों ने अपनी मुद्राओं पर 'परम भागवत' उत्कीर्ण करवाया?
A. मौर्य वंश B. गुप्त वंश
C. कुषाण वंश D. शुंग वंश

**33.** चन्द्रगुप्त द्वितीय ने 'विक्रमादित्य' की उपाधि कब धारण की?
A. शकों का उन्मूलन कर
B. गुप्त सिंहासन पर बैठने के बाद
C. चाँदी के सिक्के जारी रखने पर
D. उपर्युक्त सभी

**34.** चन्द्रगुप्त विक्रमादित्य ने अपनी किस विजय की खुशी में चाँदी के विशेष सिक्के जारी किये?
A. वाल्हीक प्रदेश को जीतने के बाद
B. हूणों को परास्त करने के बाद
C. शकों को पराजित करने के बाद
D. उपर्युक्त में से कोई नहीं

**35.** गुप्त काल की सोने की मुद्रा को क्या कहा जाता था?
A. दीनार B. कार्षापण
C. निष्क D. काकिनी

**36.** गुप्तकालीन सिक्कों का सबसे बड़ा ढेर कहाँ से प्राप्त हुआ है?
A. बयाना (भरतपुर) B. भूमरा (झाँसी)
C. देवगढ़ (मध्य प्रदेश) D. तिगवाँ (मध्यप्रदेश)

**37.** निम्नलिखित में से असत्य कथन चिन्हित कीजिए:
A. शिल्पकारों का व्यापारिक संगठन गिल्ड कहलाता था।
B. गिल्ड की ही भाँति निगम एवं पूग भी व्यापारियों के ही संगठन थे।
C. विम कडफिसस ने पहले स्वर्ण सिक्के जारी किये।
D. सातवाहनों द्वारा निर्मित एक सिक्का स्वर्ण का भी प्राप्त हुआ है।

**38.** निम्नलिखित में से किस गुप्त सम्राट तक सोने की शुद्धता उनके सिक्कों में पूर्ववत् रही?
A. समुद्रगुप्त B. चंद्रगुप्त-II
C. स्कन्दगुप्त D. बुधगुप्त

**39.** गुप्त काल के बारे में निम्नलिखित में से क्या सत्य कहा जा सकता है?
A. गुप्तों ने सोने के सर्वाधिक सिक्के जारी किए।
B. गुप्तकाल में वस्तु विनिमय का माध्यम कौड़ी था।
C. स्वर्ण एवं रजत सिक्के व्यापार एवं भूमि लेन-देन में प्रयुक्त होते थे।
D. उपर्युक्त तीनों सत्य हैं।

**40.** गुप्त काल में बड़े पैमाने पर जारी सोने के सिक्के का वास्तविक स्रोत निम्न में से क्या था?
A. रोम के साथ जारी लाभदायक व्यापार
B. कोलार की खान पर अधिकार
C. पूर्ववर्ती युग के व्यापार से संचित स्वर्ण
D. शकों से छीना गया मुद्रा भण्डार

**41.** गुप्तोत्तरकालीन सिक्कों में खोटेपन एवं स्वर्ण के सिक्कों का शनैः-शनैः विलुप्त हो जाना किस तथ्य का द्योतक है?
A. व्यापार का पतन
B. स्वर्ण का अभाव
C. मुद्रा अर्थव्यवस्था का पतन
D. वस्तुओं की कीमतों में गिरावट

**42.** फाह्यान के अनुसार विनिमय का सामान्य माध्यम क्या था?
A. निष्क B. कार्षापण
C. काकिणी D. कौड़ियाँ

**43.** गुप्तकालीन चाँदी के सिक्कों को क्या कहा जाता था?
A. दीनार B. रुप्यक
C. शतमान D. कार्षापण

**44.** निम्नलिखित में से किससे सिक्कों की एक श्रेणी का बोध होता है:
A. गजशतक B. गधिय
C. हिरण्यदाम D. कटिसम

**45.** चोलों ने निम्न में से किसके सिक्के चलवाये?
A. सोना, चाँदी, ताँबा B. सोना, चाँदी, राँगा
C. चाँदी, राँगा, ताँबा D. सीसा, सोना, चाँदी

## उत्तरमाला

| 1 | 2 | 3 | 4 | 5 | 6 | 7 | 8 | 9 | 10 |
|---|---|---|---|---|---|---|---|---|---|
| C | C | D | A | C | D | B | D | B | C |
| **11** | **12** | **13** | **14** | **15** | **16** | **17** | **18** | **19** | **20** |
| D | D | B | A | C | A | D | B | C | C |
| **21** | **22** | **23** | **24** | **25** | **26** | **27** | **28** | **29** | **30** |
| C | C | C | C | D | C | C | D | D | A |
| **31** | **32** | **33** | **34** | **35** | **36** | **37** | **38** | **39** | **40** |
| C | B | A | C | A | A | D | B | D | C |
| **41** | **42** | **43** | **44** | **45** | | | | | |
| A | D | B | B | A | | | | | |

❑❑❑

## अध्याय–8

# दक्षिण–पूर्व एशिया में भारतीय संस्कृति का प्रसार
# (India's Cultural Contacts with South-East Asia)

प्राचीन काल में भारतीय व्यापारी व्यापार के नए अवसरों की खोज में अनेक देशों में गए थे। वे व्यापारी सोने की खोज में प्रथम शताब्दी में इण्डोनेशिया और कम्बोडिया आदि देशों में गए। उनकी जावा, सुमात्रा तथा मलाया द्वीपों की यात्राओं के विशेष वर्णन मिलते हैं। यही कारण है कि इन क्षेत्रों को प्राचीन काल में 'सुवर्ण द्वीप' कहा गया था। सुवर्ण का अर्थ 'सोना' और द्वीप मिलकर बना 'सोने का द्वीप'। वास्तव में व्यापारियों ने संस्कृति-दूत की भूमिका निभायी तथा बाहरी दुनिया के देशों के साथ व्यापारिक संबंध स्थापित किये। ईसा-पूर्व पहली शताब्दी में व्यापारी उज्जैन, मथुरा, काशी, प्रयाग, पाटलिपुत्र आदि नगरों से और पूर्वी तट के मामल्लपुरम्, ताम्रलिप्ति, कटक, पुरी, रामेश्वरम् तथा कावेरीपत्तनम् से विदेश के लिए चलते थे। सम्राट अशोक के काल में कलिंग राज्य का श्रीलंका के साथ व्यापारिक संबंध था। जहाँ कहीं भी व्यापारी गए वहीं उनके सांस्कृतिक संबंध स्थापित हो गए थे। इस प्रकार व्यापारियों ने सांस्कृतिक राजदूतों की भूमिका का निर्वाह किया और बाहरी दुनिया से व्यापारिक सम्बन्ध बनाए।

## श्रीलंका और दक्षिण-पूर्व एशिया

### श्रीलंका

महाकाव्यों एवं भारतीय परम्परा से पता चलता है कि अयोध्या के राजा भगवान राम, सीताजी को वापस लेने श्रीलंका गए थे। सम्राट अशोक ने भारत के बाहर बौद्ध-धर्म के प्रचार के लिए अथक प्रयास किए। उन्होंने अपने पुत्र महेन्द्र और पुत्री संघमित्रा को बुद्ध के संदेशों के प्रचार कार्य के लिए श्रीलंका भेजा। उनके साथ अन्य कई विद्वान भी गये। ऐसा कहा जाता है कि वे अपने साथ बोधगया से बोधिवृक्ष की एक शाखा भी काट कर ले गये जो वहाँ लगाई गई। उस समय श्रीलंका में देवानाम्पिय तिस्स नामक राजा था। भारत से जो लोग गए, उन्होंने मौखिक रूप से ही बुद्ध की शिक्षाओं का प्रचार किया। प्रायः दो सौ वर्षों तक श्रीलंका में लोगों ने महेन्द्र द्वारा सिखाए गए शास्त्रों के उच्चारण को संभाल रखा। सबसे पहले महाविहार और अभयगिरि नामक बौद्ध विहारों का निर्माण हुआ।

उस समय से आज तक श्रीलंका बौद्ध धर्म का एक सशक्त केन्द्र रहा है। श्रीलंका के लोग पालि भाषा का साहित्यिक भाषा के रूप में प्रयोग करने लगे। श्रीलंका की संस्कृति को सुंदर बनाने में बौद्ध धर्म का महत्वपूर्ण योगदान है। श्रीलंका में दीपवंश और महावंश बौद्धधर्म के विख्यात स्रोत हैं।

बौद्ध धर्म के साथ-साथ भारतीय कला भी श्रीलंका पहुंची। भारतीय विषय, नृत्य, चित्रकला की तकनीक शैली और तरीके, लोक गीत और कला की शैली और वास्तुकला की विधि भी यहीं से वहाँ पहुंची। श्रीलंका की चित्रकला का सबसे सुन्दर निदर्शन 'सिगीरिया' नामक गुफा विहार में मिलता है। ऐसा विश्वास किया जाता है कि राजा कश्यप ने 5वीं शताब्दी में इसे एक मजबूत किले के रूप में परिवर्तित कर दिया। इसकी भित्तियों पर बनाये गये चित्रों का आकार प्रकार भारत की अमरावती की कला शैली में है।

### म्यांमार (बर्मा)

ईसा संवत् के प्रारंभ में भारतीय संस्कृति और भारतीय लोग बर्मा पहुंचने लगे थे। लेकिन बौद्ध परम्पराओं के अनुसार बुद्ध के काल से ही भारत और बर्मा के सम्बन्ध थे। बौद्ध परम्परा के अनुसार बुद्ध के शिष्य बर्मा के दो व्यापारी तापुस और भाल्लुक बने थे। म्यांमार चीन जाने वाले रास्ते में पड़ता था। अमरावती और ताम्रलिप्ति से आने वाले लोगों ने दूसरी सदी के बाद म्यांमार में बसना आरंभ कर दिया। म्यांमार में आकर बसने वाले

लोगों में व्यापारी, ब्राह्मण, कलाकार, शिल्पी और अन्य लोग शामिल थे।

बर्मा में, पगान 11वीं से 13वीं सदी तक बौद्ध-संस्कृति का महान केन्द्र बना रहा। यहाँ के एक प्रतापी राजा का नाम अनिरुद्ध था। इन्होंने खेजेगोन पैगोडा तथा हजारों की संख्या में मंदिर बनवाये। उन्होंने पालि भाषा को विकसित किया तथा बौद्ध एवं हिन्दू धर्मग्रन्थों का अपनी पालि भाषा में अनुवाद करवाया।

बर्मा के राजदरबार पर भी भारतीय परंपरा का गहरा प्रभाव रहा। हाल के दिनों तक यहाँ ज्योतिषी, भविष्यवक्ता तथा आचार्य ब्राह्मण हुआ करते थे। इन्हें बर्मा में पोन्ना कहा जाता है। इनमें अधिकांश भारत के मणिपुर प्रदेश के थे। माना जाता है कि बर्मा में ये पंडित अत्यंत सक्रिय रहे। पंडित गण की प्रसिद्धि विज्ञान, चिकित्सा तथा ज्योतिष में उनके अच्छे ज्ञान के कारण थी।

## थाईलैंड

सन् 1939 ई. तक थाईलैंड को स्याम नाम से ही जाना जाता था। इस देश में भारतीय संस्कृति का प्रवेश ईसा की प्रथम शताब्दी में होना शुरू हुआ। सबसे पहले यह कार्य व्यापारियों ने किया तथा उनके पश्चात् प्रचारकों और धर्माचार्यों ने इसे आगे बढ़ाया। भारतीय संस्कृति अनेक प्रकार से वहां पहुंची। वहां के राज्यों के नाम संस्कृत में रखे गये जैसे—द्वारावती, श्रीविजय, अयोध्या और सुखोदय आदि। थाईलैंड में नगरों के नाम भी भारतीयता के द्योतक हैं जैसे—कंचनपुरी के तर्ज पर कांचनबुरी, राजपुरी के समान राजबुरी और लवपुरी के समान लोबपुरी। यहाँ शहरों के प्राचीनबुरी, सिहबुरी जैसे नाम मिलते हैं जो संस्कृत भाषा के प्रभाव को दर्शाते हैं। यहाँ तक कि राजाराम, राजा-रानी, महाजया और चक्रवंश जैसे गलियों के नाम यहां रामायण की लोकप्रियता का साक्ष्य देते हैं।

ब्राह्मणों की मूर्त्तियाँ और बौद्ध मंदिरों का वहाँ पर निर्माण तीसरी-चौथी शताब्दी में आरंभ हो गया था। वहाँ के मंदिरों से प्राप्त होने वाली सबसे प्राचीन मूर्तियां भगवान विष्णु की हैं। विभिन्न समय पर थाईलैंड की राजधानी कई बार परिवर्तित हुई। जहाँ भी नई राजधानी बनती थी वहाँ भव्य मंदिरों का निर्माण किया जाता था। अयोध्या जिसे 'अयुत्थिया' कहते हैं उन्हीं में से एक है। यहाँ बहुत बड़े-बड़े मंदिर थे पर आज वे सब खण्डहरों के रूप में खड़े हैं परन्तु वर्तमान राजधानी बैकांक में आज भी 400 मंदिर हैं।

## कम्बोडिया

चम्पा (अन्नम) और कम्बोज (कम्बोडिया) साम्राज्यों पर भारतीय मूल के राजाओं ने शासन किया। भारत और कम्बोडिया के गहरे सांस्कृतिक संबंध का इतिहास पहली और दूसरी शताब्दी ई. पश्चात् तक जाता है। प्रथम शताब्दी से कम्बोज में भारतीय मूल के शासक कौन्डिन्य राजवंश ने शासन किया। असंख्य संस्कृत अभिलेख तथा साहित्य से हम उनके इतिहास का अनुमान लगा सकते हैं। इस काल के प्राप्त एक अभिलेख में एक राजा श्रीमार का नाम दिया हुआ है। मीकांग कम्बोज की मुख्य नदी है जो माँ गंगा के समान पवित्र मानी गई है।

कम्बोडिया के लोगों ने बड़े-बड़े स्मारक बनाए और उनको भारतीय महाकाव्यों और पुराणों से लेकर शिव, विष्णु, बुद्ध और अनेक देवी-देवताओं की मूर्तियों से सजाया। राजाओं के द्वारा इन ग्रन्थों के ऐतिहासिक घटनाओं को प्रदर्शित करने के लिए कथानकों से अनेक अंश चुने गए। चौदहवीं शताब्दी तक संस्कृत राजभाषा के पद पर आसीन रही।

राजाओं ने संस्कृत में अपनी उपाधियाँ खुदवाईं। ब्राह्मणों को सबसे ऊंचे पदों पर नियुक्त किया गया। शासन का सारा कार्य हिन्दू नियमों और ब्राह्मण ग्रन्थों के अनुसार चलाया जाने लगा। मंदिरों के साथ ज्ञान केन्द्र के रूप में आश्रम खोले गए। ताम्रपुर, विक्रमपुर, ध्रुवपुर आदि नगरों के संस्कृत नाम रखे गए। आज तक यहाँ भारतीय महीनों के नाम-चेत्, बिसाक, जेश, आसाढ़ आदि चलते हैं। ये भारतीय नामों के ही अपभ्रंश उच्चारण हैं। इसी प्रकार थोड़े से उच्चारण भेद के साथ हम आज भी उनकी भाषा में हजारों शब्द देख सकते हैं।

कम्बोडिया में स्थित अंकोरवाट का मंदिर संसार का सबसे बड़ा विष्णु मंदिर है। इस मंदिर के पाँच शिखर सुमेरू पर्वत के पाँच शिखर माने जाते हैं। इस मंदिर में वहाँ के एक राजा सूर्यवर्मन को विष्णु के रूप में मूर्त्तिमान किया गया है। माना जाता है कि वह अपने पुण्य-कार्यों के कारण विष्णुलोक चला गया। यह मंदिर एक वर्गमील में फैला हुआ है। इसके चारों ओर की खाई स ा पानी से भरी रहती है जो इसकी शोभा में चार चांद लगाती है। इसकी दीवारों पर रामायण और महाभारत के चित्र खोदे गये हैं। इनमें सबसे बड़ा दृश्य समुद्रमंथन अर्थात् समुद्र के मथने का है।

*अंकोरवाट (कम्बोडिया) का विष्णु मन्दिर*

कम्बोडिया में यशोधरपुर में एक और भव्य मंदिर है—बाफुओन। यह ग्यारहवीं शताब्दी में बनाया गया था। इसकी दीवारों पर महाकाव्यों के चित्र खुदे हुए हैं जैसे राम-रावण के युद्ध के दृश्य, कैलाश-पर्वत पर अधिष्ठित शिव-पार्वती के दृश्य तथा कामदेव के भस्म होने का दृश्य।

## वियतनाम (चम्पा)

यह हिन्द-चीन के पूर्वी तट पर अन्नम क्षेत्र है। यह प्राचीन काल में चम्पा राज्य था। दूसरी शताब्दी ईस्वी में यहाँ हिन्दू राज्य की स्थापना हुई। इस

राज्य की राजधानी चम्पा थी जिसके नाम पर ही इस राज्य को जाना जाता था। चम्पादेश में भारतीय संस्कृति के प्रसार का कार्य भारत के व्यापारियों और राजकुमारों ने किया। वहाँ जाकर उन्होंने राजनीति और अर्थशास्त्र के अग्रणी के रूप में अपने को सिद्ध किया। दोनों दृष्टियों से उन्होंने वहाँ के नगरों के नाम इन्द्रपुर, अमरावती, विजय, कौठार, पाण्डुरंग आदि रखे।

चम्पा के लोग चम कहलाते हैं। चम लोगों ने बड़ी संख्या में हिंदू और बौद्ध मंदिरों का निर्माण किया। वे भगवान शिव, गणेश, लक्ष्मी, पार्वती, सरस्वती, बुद्ध तथा लोकेश्वर आदि देवताओं की पूजा किया करते थे। इन्होंने मंदिरों में अन्य मूर्तियों के अलावा शिवलिंगों की भी स्थापना की। ये मंदिर भव्य थे परन्तु आज जीर्ण-शीर्ण अवस्था में हैं।

## मलेशिया

प्राचीन काल से ही अपनी भौगोलिक स्थिति के कारण मलाया प्रायद्वीप भारत तथा दक्षिण-पूर्व एशिया के मध्य यातायात व संचार का केन्द्र रहा है प्रवासी भारतीयों ने चौथी और पाँचवीं शताब्दी में इस प्रायद्वीप में कई राज्यों की स्थापना की। आरम्भ से भारतीयों को मलेशिया के बारे में जानकारी थी। रामायण, जातक कथाओं, मिलिन्दपण्ह, शिल्पादिकारम् तथा रघुवंश नामक महाकाव्यों में मलयेशिया का उल्लेख आता है। मलेशिया के केडाह तथा वैलेस्ली आदि प्रान्तों से इस बात के प्रमाण मिले हैं कि वहाँ शैव धर्म प्रचलित था। यहाँ से कुछ ऐसी देवियों की मूर्तियां भी मिली हैं जिनके हाथ में त्रिशूल है। अन्य मूर्तियों में सातवीं और आठवीं सदी से संबंधित ग्रेनाइट का नन्दी-शीर्ष, दुर्गा-प्रतिमा तथा गणेश मूर्ति आदि विभिन्न स्थलों से प्राप्त हुए हैं।

प्राचीन काल में मलेशिया में ब्राह्मी लिपि के परवर्ती रूप का ही प्रयोग किया जाता था।

केडाह नामक स्थान से कुछ ऐसे बौद्ध ग्रंथों के अंश मिले हैं जो पुरानी तमिल से मिलती जुलती किसी लिपि में लिखे गए हैं। संस्कृत वहाँ की स्रोत भाषा रही। वहाँ की भाषा को शब्द देने का कार्य भी संस्कृत भाषा ने किया। स्वर्ग, रस, गुण, दण्ड, मंत्री, दोहद धीपति, लक्ष इत्यादि अनेक संस्कृत शब्द उनकी भाषा में पाये जाते हैं। हनुमान और गरुड़ अपनी अलौकिक शक्तियों के लिए मलेशिया में प्रसिद्ध थे।

भारत और मलेशिया के सांस्कृतिक संबंधों के सबसे प्राचीन प्रमाण वहाँ से मिले संस्कृत के शिलालेख हैं। ये चौथी पांचवीं शताब्दी की भारतीय लिपि में लिखे गये हैं। इनमें सबसे महत्वपूर्ण लिगोर के शिलालेख को माना जाता है। यहाँ पर करीब पचास मंदिर मिले हैं।

## इण्डोनेशिया

चीनी स्रोतों के अनुसार जावा में भारतीय राज्य की स्थापना प्रथम शताब्दी में हुई थी। भारतीय महाकाव्य रामायण में जावा की चर्चा है। धार्मिक वास्तुशिल्प के क्षेत्र में इण्डोनेशिया का सबसे बड़ा शिव-मंदिर जावा द्वीप में स्थापित है। इसे प्रम्बनन कहा जाता है। यह मंदिर नवीं शताब्दी में बनाया गया था। इसके मध्य में सबसे बड़ा मंदिर शिव मंदिर है। इसके दोनों ओर ब्रह्मा और विष्णु के मंदिर हैं। इन तीन मन्दिरों के सामने तीन मंदिर और हैं जो तीनों देवताओं के वाहनों के मंदिर हैं। जैसे शिव के सामने नन्दी का, विष्णु के सामने गरुड़ का और ब्रह्मा के सामने हंस का मंदिर है। इन दो पंक्तियों के बीच में दो अन्य मंदिर देवी दुर्गा तथा गणपति के हैं। इस प्रकार इन आठ मंदिरों का एक समूह बन गया है। इस समूह के चारों ओर छोटे-छोटे 240 मंदिरों की पंक्तियाँ हैं। यह वास्तुशिल्प का अनुपम उदाहरण है। इस मंदिर की दीवारों पर रामायण तथा कृष्ण कथा के चित्रों की जो नक्काशी की गई है, वह संसार की सबसे प्राचीन प्रस्तुतियों में से हैं।

यहाँ पूजा के समय संस्कृत मंत्रों का पाठ किया जाता है। बाली द्वीप से संस्कृत के ऐसे पाँच सौ से अधिक सूक्त तथा श्लोक इकट्ठे किये गये हैं जो अनेक देवी-देवताओं की स्तुति में गाये जाते हैं, जैसे—शिव, ब्रह्मा, दुर्गा, गणेश, बुद्ध आदि। वास्तव में बाली ही एक मात्र प्रदेश है जहाँ हिंदू संस्कृति समृद्ध हुई और अभी तक अस्तित्व में है। जबकि समस्त (पुराने लोगों) ने इस्लाम स्वीकार कर लिया है, 'बालि' फिर भी हिंदू संस्कृति और धर्म का ही अनुसरण करता है।

इण्डोनेशिया के जावा द्वीप से भारी संख्या में पाण्डुलिपियां मिली हैं। ये प्रायः ताड़पत्रों पर जावा की प्राचीन लिपि 'कावि' में लिखी गयी हैं। कावि लिपि का आधार भी ब्राह्मी लिपि ही है। इन ग्रंथों में प्रायः संस्कृत में श्लोक तथा 'कावि' भाषा में उन की टीकाएँ लिखी हुई हैं। यदि शैव धर्म तथा दर्शन के ग्रंथों पर विचार किया जाये तो उनमें 'भुवनकोश' सबसे बड़ा और सबसे पुराना ग्रन्थ है। इसमें 525 श्लोक संस्कृत में हैं तथा एक टीका इन श्लोकों के अर्थ को बताते हुए लिखी गई है।

दक्षिण पूर्व एशिया में भारतीय संस्कृति तथा धर्म का जितना प्रभाव हुआ उतना शायद संसार के किसी अन्य राज्य पर नहीं पड़ा। सांस्कृतिक आदान-प्रदान तथा भारतीय लिपि में संस्कृत शिलालेख सबसे महत्वपूर्ण स्रोत हैं। ये शिलालेख सभी राज्यों में प्राप्त होते हैं। इन शिलालेखों तथा साहित्य के अध्ययन से तथा अन्य साहित्य से यहाँ की भाषा, धर्म राजनीति, सामाजिक संस्थानों पर भारत का बहुत प्रभाव दिखता है।

'ब्राह्मण, क्षत्रिय, वैश्य, शूद्र'—ये जाति विभाजन तथा वर्ण व्यवस्था को भी जानते थे। लेकिन यह व्यवस्था भारत के समान कठोर नहीं थी। ऋग्वेद के काल में जैसी कर्म के आधार पर विभाजित व्यवस्था थी वैसी ही व्यवस्था यहाँ पर थी। जन्म के आधार पर बाली में वर्णव्यवस्था नहीं है। विवाह के रीति-रिवाज भी प्रायः एक जैसे ही हैं।

मनोरंजन का बहुत लोकप्रिय साधन (भारतीय कठपुतली के प्रदर्शन जैसा) छाया नाटक 'वायुंग' हैं— जिसकी कहानियां मुख्यरूप से रामायण और महाभारत से ली जाती हैं और जो दक्षिण पूर्व एशिया में अभी भी बहुत लोकप्रिय है।

# बहुविकल्पीय प्रश्नोत्तर

1. भारतीय व्यापारी किसकी खोज में इण्डोनेशिया और कम्बोडिया गए थे?
   A. सोने के B. गेहूँ के
   C. ताम्बे के D. कोयले के
2. किस सम्राट के शासन काल में कलिंग राज्य का सम्बन्ध श्रीलंका के साथ था?
   A. अजातशत्रु B. धनानन्द
   C. अशोक D. पुष्यमित्र शुंग
3. कौन दो बर्मा के व्यापारी बुद्ध के शिष्य थे?
   A. तापुस, भाल्लुक B. आनंद, उपालि
   C. भाल्लुक, सरियपुत्र D. मौदग्लायन, सुन्द
4. पगान का प्रतापी राजा कौन था?
   A. अनिरूद्ध B. खेजगोन
   C. तापुस D. इनमें से कोई नहीं
5. पगान के राजा ने बर्मा में किस भाषा के प्रश्रय में योगदान दिया?
   A. अपभ्रंश B. संस्कृत
   C. सिंहली D. पालि
6. ज्योतिषी, भविष्यवक्ता को बर्मा में कहा जाता है?
   A. रून B. पैगोडा
   C. पोन्ना D. इनमें से कोई नहीं
7. द्वारावती, श्रीविजय किस देश के दो राज्यों का संस्कृत में नाम था?
   A. स्याम B. जावा
   C. बर्मा D. कम्बोज
8. 'अयुत्थिया' किसकी प्राचीन राजधानी थी?
   A. चम्पा B. कम्बोज
   C. स्याम D. जावा
9. 'श्रीमार विजयोतुंग' किस देश का प्रसिद्ध राजा था?
   A. कम्बोज B. स्याम
   C. चम्पा D. मलेशिया
10. 'श्रीमार विजयोतुंग' किस वंश के प्रतापी राजा थे?
    A. शैलेन्द्र B. चोल
    C. हान D. चेर
11. कौन-सी कम्बोज की प्रसिद्ध नदी है?
    A. इरावदी B. मीकांग
    C. यारलुंग D. सांग्पो
12. किस देश में भारतीय महीना चेत्, बिसाक, जेश आदि का प्रचलन है?
    A. कम्बोडिया B. इण्डोनेशिया
    C. वियतनाम D. मलेशिया
13. संसार का सबसे बड़ा विष्णु मन्दिर है–
    A. दशावतार मंदिर B. अंकोरवाट का मंदिर
    C. तिरूनेलवेली का मंदिर D. नैमिषरण्यम
14. किस मंदिर के पाँच शिखर सुमेरू पर्वत के समान पाँच शिखर माने जाते हैं?
    A. भूमरा का शिव मंदिर B. पुष्कर का ब्रह्मा मंदिर
    C. शिरपुर का लक्ष्मण मंदिर D. अंकोरवाट का विष्णु मंदिर
15. किस राजा को अंकोरवाट के मंदिर में विष्णु के रूप में मूर्तिमान किया गया है?
    A. अवंतिवर्मन B. यशोवर्मन
    C. हर्षवर्द्धन D. सूर्यवर्मन
16. समुद्रमंथन का दृश्य किस मंदिर की शोभा बढ़ाता है?
    A. अंकोरवाट का मंदिर
    B. यशोधरपुर का मंदिर
    C. दशावतार मंदिर
    D. कैलाशनाथ मंदिर (कांची)
17. कामदेव के भस्म होने का दृश्य किस मंदिर की विशेषता है?
    A. यशोधरपुर (कम्बोडिया)
    B. देवगढ़ का दशावतार
    C. अंकोरवाट
    D. कोणार्क का सूर्य मंदिर
18. किस देश के लोग चम कहलाते थे?
    A. वियतनाम B. मलेशिया
    C. थाईलैण्ड D. इण्डोनेशिया
19. मलेशिया का उल्लेख है:
    A. ऋतुसंहार B. मणिमेखलै
    C. शिल्पादिकारम् D. दीपवंश
20. लिगोर का शिलालेख किस देश से सम्बन्धित है?
    A. इण्डोनेशिया B. मलेशिया
    C. वियतनाम D. कम्बोडिया
21. 'प्रम्बनन' सम्बन्धित है:
    A. जावा के शिव मंदिर से
    B. अंकोरवाट के शिव मंदिर से
    C. सुमात्रा के शिव मंदिर से
    D. इनमें से कोई नहीं

**22.** संस्कृत के पाँच सौ से अधिक सूक्त तथा श्लोक प्राप्त किए गए हैं:

A. जावा द्वीप से B. सुमात्रा द्वीप से
C. बाली द्वीप से D. चम्पा से

**23.** इण्डोनेशिया की प्राचीन लिपि 'कावि' का सम्बन्ध है:

A. ब्राह्मी लिपि से B. खरोष्ठी लिपि से
C. चीनी लिपि से D. इनमें से कोई नहीं

**24.** 'भुवनकोश' के दर्शन का आधार है:

A. शैव धर्म B. वैष्णव धर्म
C. शाक्त D. इनमें से कोई नहीं

**25.** 'वायुंग' जिसकी कहानियाँ मुख्यरूप से रामायण-महाभारत से ली गई है, का सम्बन्ध है:

A. नुक्कड़ नाटक B. छाया नाटक
C. पारसी नाटक रंगमंच D. इनमें से कोई नहीं

## उत्तरमाला

| 1 | 2 | 3 | 4 | 5 | 6 | 7 | 8 | 9 | 10 |
|---|---|---|---|---|---|---|---|---|---|
| A | C | A | A | D | C | A | C | A | A |
| **11** | **12** | **13** | **14** | **15** | **16** | **17** | **18** | **19** | **20** |
| B | A | B | D | D | A | A | A | C | B |
| **21** | **22** | **23** | **24** | **25** | | | | | |
| A | A | A | A | B | | | | | |

❑❑❑

# अध्याय-9

# प्राचीन भारतीय इतिहास लेखन
# (Historiography of Ancient India)

एक विषय के रूप में इतिहास अपने आप में विशिष्ट है, क्योंकि यह केवल अकादमिक विषय न होकर हमारी चेतना, हमारे अस्तित्व का अभिन्न हिस्सा है या यूं कहें कि इतिहास ही है, जो हमारी पहचान गढ़ता है। इतिहास को हम किसी समाज या किसी समुदाय की साझी याद्दाश्त मान सकते हैं, जो उनके अस्तित्व बोध एवं भविष्य की दिशा हेतु आवश्यक है। इतिहास और उससे जुड़े विमर्श लगभग सभी मानव संस्कृतियों का किसी-न-किसी रूप में अभिन्न हिस्सा रहे हैं, किंतु वर्तमान में विज्ञान व प्रौद्योगिकी की ''चूहा दौड़'' में दौड़ती मानवता के सामने इतिहास की प्रासंगिकता और उपादेयता को लेकर प्रश्नचिह्न भी उठे हैं, जिनका उत्तर जानना न सिर्फ किसी भी इतिहास के विद्यार्थी के लिए आवश्यक है अपितु एक प्रतियोगी छात्र हेतु सफलता की पूर्व शर्त भी है। सवाल उठता है कि ''इतिहास'' है क्या? इसके मायने क्या हैं? और आखिर हम इतिहास को पढ़ने, इसे जानने की कोशिश करें भी तो क्यों?

## इतिहास

यह कोई गड़े मुर्दे उखाड़ने जैसा नहीं है। किसी भी शब्द का अर्थ खोजने का सबसे आसान तरीका है– उसका अर्थ उस शब्द में ही खोजा जाए। अगर इस नजरिए से इतिहास शब्द को देखें तो यह संस्कृत भाषा के तीन शब्दों ''इति'' (ऐसा ही), 'ह' (निश्चित रूप से) और ''आस'' (था) के संयोग से बना है, जिसका शाब्दिक अर्थ है–''ऐसा ही निश्चित रूप से था''। अर्थात इससे इस बात की गारंटी हो जाती है कि ऐसा फिर दुबारा हो सकता है। हताशा के आवरण से बाहर निकलने का साधन तो है ही अतीत से प्रेरणा लेकर बेहतर भविष्य निर्माण का साधन भी है। इसी तरह अगर अंग्रेजी शब्द 'हिस्ट्री' की बात की जाए तो वह ग्रीक शब्द इस्टोरिआ (Istoria) से व्युत्पन्न है, जिसका अर्थ 'अनुसंधान' होता है। भारतीय परंपरा में इतिहास की अवधारणा अत्यंत प्राचीन है, जहाँ इसका पहला उल्लेख अथर्ववेद में मिलता है। किसी भी विधा में सबसे पहले उसे स्थापित करने एवं उसके विकास में महत्वपूर्ण योगदान देने वाले व्यक्ति को संबंधित विधा का जनक कहे जाने की परंपरा रही है। अतः पहली बार आधुनिक अर्थों में इतिहास लेखन करने के कारण हेरोडोटस को ''इतिहास का जनक'' कहा जाता है। यद्यपि ''इतिहास दर्शन का जन्मदाता'' होने का श्रेय वाल्टेयर को प्राप्त है।

इतिहास क्या है? प्रश्न जितना सरल है उसका उत्तर उतना ही कठिन। अगर हम अपनी मित्र मंडली में ही इस सवाल का जवाब जानना चाहें तो इतिहास के मायने सबके लिए अलग हो सकते हैं। ऐसे में कोई अचरज की बात नहीं है कि इतिहासविदों के मध्य भी इस संदर्भ में द्वंद्व की स्थिति रही है। यही कारण है कि विभिन्न विद्वानों द्वारा इतिहास को परिभाषित करने का प्रयास तो किया गया किंतु किसी एक परिभाषा पर मतैक्य की स्थिति नहीं बनी।

प्रख्यात विद्वान बेकन के अनुसार, *''इतिहास मनुष्य को बुद्धिमान बनाता है।''* इसी तरह रेनियर ने इतिहास को एक कथा के रूप में प्रस्तुत करते हुए कहा है कि ''इतिहास एक कहानी है''। रेनियर के इस मत का समर्थन पेरीने, ट्रैवेलियन और लोहिया आदि विद्वान भी करते हैं। ट्रैवेलियन इतिहास को ''एक अपरिवर्तनीय रूप वाली कहानी'' बताते हैं। वहीं हेनरी पेरीने इसे ''समाज के मनुष्यों के कार्यों एवं उससे उपजे अनुभवों की कहानी'' की संज्ञा देते हैं। हेरोडोट्स ने इतिहास को क्रमागत कहानी बताया है। कार्ल आर. पापर के अनुसार 'इतिहास का कोई लक्ष्य नहीं होता इसलिए उसका कोई अर्थ नहीं होता।'

जहाँ उपर्युक्त विद्वानों का समूह इतिहास को कहानी की संज्ञा देने का प्रयास करता है, वहीं कुछ विद्वान ऐसे भी हैं जो इतिहास को साहित्य की श्रेणी से निकाल कर उसे विज्ञान का दर्जा देने के पक्षधर हैं। इस वर्ग का नेतृत्व किया जे.बी. ब्यूरी महोदय ने, जिन्होंने स्पष्टतः कहा कि ''इतिहास विज्ञान है न इससे कम न इससे ज्यादा।''

मध्यकालीन अरब इतिहासकार अलबरूनी के इतिहास दर्शन में भी ब्यूरी की इसी सोच की झलक दिखती है, जब अलबरूनी कहता है कि "इतिहास समस्त विज्ञानों की रानी है।" इसी तरह इतिहास की वैज्ञानिक पद्धति का जनक माने जाने वाले थ्यूसीडीडीज ने इतिहास लेखन को वैज्ञानिक आधार देते हुए कहा कि "इतिहास युक्तिसंगत साक्ष्यों पर आधारित निष्कर्षों का समुच्चय है। गार्डनर का मानना है कि 'इतिहासकार अतीत के तथ्यों पर उस काल की घटनाओं का एक परिकल्पनात्मक चित्र प्रस्तुत करता है जिसमें वर्णित घटनाएं अर्थपूर्ण होती हैं– इसी को इतिहास का अर्थ कहते हैं।'

इतिहास दर्शन की श्रृंखला में कुछ लीक से हटकर परिभाषाएं दी गई। इस संदर्भ में सेलर और यीटमैन उल्लेखनीय हैं, जो इतिहास की बड़ी रोचक परिभाषा देते हुए कहते हैं कि "इतिहास वह नहीं है जो आपने सोचा था बल्कि यह वह है जो आपको याद है। अन्य सभी इतिहास अपने आप को हरा देते हैं।" इसी तरह फ्रांस के शासक रहे नेपोलियन बोनापार्ट ने भी इतिहास को एक अलग तरह से परिभाषित करते हुए कहा है कि "इतिहास झूठ पर सहमत होने का एक समूह है"।

इटली में जन्म लेने वाले बेनेदेत्तो क्रोचे इतिहास दर्शन के प्रमुख स्तंभ हैं। यह क्रोचे ही हैं, जिन्होंने कहा कि "संपूर्ण इतिहास समसामयिक इतिहास है। अब सवाल है कि *इतिहास भला समसामयिक कैसे हो सकता है?* तो इसे कुछ यूं समझ सकते हैं कि जब भी कोई इतिहासकार अतीत की किसी घटना के बारे में लिखता है तो वह उसका विश्लेषण अपनी समसामयिक परिस्थितियों एवं परंपरा के अनुसार ही करता है। सच तो यह है कि सभी इतिहासकार अतीत को अपने वर्तमान के चश्मे से ही देखते हैं। इसके अतिरिक्त जो आज वर्तमान है वही कल अतीत बन कर इतिहास का हिस्सा बन जाता है।

इतिहास को परिभाषित करने में कोलिंगवुड महोदय का भी उल्लेखनीय योगदान है। कोलिंगवुड के अनुसार, "सभी इतिहास विचारों के इतिहास हैं।" वे आगे कहते हैं कि "इतिहास का संबंध केवल अतीत या इतिहासकार के अतीत संबंधी विचारों में नहीं रहता अपितु इन दोनों से ही इतिहास का अन्योन्याश्रित संबंध होता है।" यह अद्वितीय ज्ञान है और मनुष्य के सम्पूर्ण ज्ञान का स्रोत है। इसी तरह इंग्लैंड के इतिहासकार जॉन सीले ने इतिहास और राजनीति को जोड़ते हुए कहा कि "इतिहास विगत की राजनीति है और राजनीति वर्तमान इतिहास।"

आदर्शवादी दृष्टिकोण के प्रतिपादक हीगल इतिहास को परिभाषित करते हुए इसे विवेकपूर्ण एवं अर्थपूर्ण ठहराते हैं। उनकी प्रसिद्ध उक्ति है "इतिहास की सबसे बड़ी सीख ही यही है कि इतिहास से कोई सीख नहीं लेता।" उल्लेखनीय है कि हीगल द्वारा ही द्वंद्वात्मक प्रक्रिया (Dialectical process) का भी विकास किया गया।

साम्यवाद को लोकप्रियता दिलाने वाले मार्क्स का इतिहास को परिभाषित करने के संदर्भ में आगमन, एक प्रस्थान बिंदु था। मार्क्स ने इतिहास की भौतिकतावादी व्याख्या करते हुए वर्ग संघर्ष का सिद्धांत दिया और कहा कि "सभी पूर्ववर्ती समाजों का इतिहास वर्ग संघर्ष का इतिहास रहा है।" मार्क्स ने इतिहास को "मानव इतिहास" कहते हुए इसे चार भागों में बांटा। मार्क्स ने कहा कि "इतिहास स्वयं को दोहराता है पहले त्रासदी के रूप में और दूसरी बार प्रहसन की तरह।" जहाँ मार्क्स ने भौतिकतावाद के ढांचे में इतिहास को डालने का प्रयास किया, वहीं जर्मन इतिहासकार लियोपोल्ड-वॉन-रांके ने आलोचनात्मक इतिहास लेखन की नींव डाली। रांके को आधुनिक इतिहास का कोलंबस एवं इतिहासवाद का महान पुजारी भी कहा जाता है। रांके के अनुसार "इतिहास में ईश्वर निवास करते हैं।" इसी संदर्भ में इतिहासकार के उद्देश्य की चर्चा करते हुए रांके ने कहा था कि "इतिहासकार का काम है जो कुछ जैसा था उसको ठीक वैसा ही दिखा देना।" इस सूक्ति ने परवर्ती इतिहासकारों की पीढ़ियों को वस्तुनिष्ठता के आग्रह से अभिभूत कर दिया। किंतु यहाँ प्रश्न यह उठा कि इतिहास का "जो कुछ" वस्तुतः था क्या? और इसका निर्णय कौन करेगा? इस प्रश्न का समकालीन उत्तर प्रस्तुत किया इतिहास दर्शन के प्रमुख हस्ताक्षर ई.एच. कार ने और यह दिखाया कि "इतिहास के तथ्य आमतौर पर वे तथ्य हैं, जिन्हें इतिहासकारों ने विवेचना के लिए चुना है।" दरअसल ऐतिहासिक तथ्य जिस रूप में हमारे सामने प्रस्तुत हैं, वह अपने युग के मूल्यों से प्रभावित इतिहासकार द्वारा अपेक्षित व्याख्या के लिए किए गए चुनाव के ही प्रतिफल होते हैं। इतिहास दर्शन के इसी सूत्र को आगे बढ़ाते हुए ई.एच. कार ने अपनी पुस्तक "इतिहास क्या है (What is History)" में वर्तमान में इतिहास की सर्वाधिक लोकप्रिय परिभाषा देते हुए कहा कि "इतिहास अतीत और वर्तमान के बीच अनवरत संवाद है।"

ऐसा बिलकुल नहीं है कि इतिहास को परिभाषित करने के प्रयास केवल विदेशों में हुए। भारत में भी विभिन्न विद्वानों द्वारा इतिहास को परिभाषित करने का प्रयास किया गया। अथर्ववेद में सर्वप्रथम 'इतिहास' शब्द का उल्लेख प्राप्त होता है। भारत के प्रथम वास्तविक इतिहासकार कल्हण ने कहा है कि "वही गुणवान, श्लाघनीय, प्रशंसनीय है, जिसकी वाणी राग-द्वेष का बहिष्कार कर एक न्यायाधीश के समान भूतकालीन घटनाओं को यथार्थ रूप में प्रस्तुत करती है। (भूतार्थकथने यस्य स्थेय स्येव!! श्लोक-राजतरंगिणी 1.7)।" इसी तरह भारत के राष्ट्रवादी इतिहासकार रमेश चंद्र मजूमदार ने कहा है कि "इतिहास व्यक्ति का अन्य व्यक्तियों के साथ व्यवहार एवं मानवीय समूहों के बीच कार्यकारी संबंधों के समन्वय का अध्ययन है।" वहीं मार्क्सवादी इतिहासधारा के पुरोधा डी.डी. कौशांबी के अनुसार, "उत्पादन के संसाधनों एवं संबंधों में उत्तरोत्तर परिवर्तनों की तिथि का क्रमानुसार प्रस्तुतीकरण ही इतिहास है।" भारत के प्रथम प्रधानमंत्री जवाहरलाल नेहरू ने भी इस संबंध में कहा है कि "वास्तव में इतिहास क्या है, परिवर्तन का एक लेखा मात्र।"

उपर्युक्त विद्वानों द्वारा इतिहास को परिभाषित करने के इन प्रयासों के संदर्भ से स्पष्ट दृष्टिगोचर है कि इतिहास की किसी एक सर्वमान्य परिभाषा पर पहुंचना अत्यंत ही कठिन है। यदि सरल शब्दों में कहा जाए तो "अतीत के बारे में जानने का प्रयास ही इतिहास है" या हम यह भी कह सकते हैं कि *"इतिहास का अध्ययन मनुष्य के संपूर्ण अतीत का अध्ययन है, जो लाखों वर्ष लंबा है।"*

## इतिहास क्यों?

चूंकि इतिहास एक विकासनशील प्रक्रिया है। किसी समाज या राष्ट्र के अतीत के अध्ययन द्वारा हम यह समझ सकते हैं कि *आखिर वह समाज या राष्ट्र विकसित कैसे हुआ?* उदाहरण के लिए किसी समाज के संदर्भ में इतिहास का अध्ययन यह बता सकता है कि शिकार का भाला पकड़ने वाले हाथों में खेती के हल-कुदाल कब और कैसे आए? या मृगछाला तैयार करने के गुर की जगह किस तरह कताई और बुनाई जैसे विभिन्न शिल्पकर्मों ने ले ली? या यूं कहें तो इतिहास इस प्रश्न का उत्तर देने का प्रयास करता है *कि किस तरह एक समाज बर्बर और स्वच्छंद जीवन शैली से आगे बढ़कर एक आधुनिक समाज बनने की ओर अग्रसर हुआ?* इस सरल प्रश्न के अलावा भी इतिहास अतीत के कई पहलुओं का विश्लेषण करता है जैसे किसी काल में राजनीतिक तथा प्रशासनिक प्रणालियों का विकास कैसे हुआ, किस तरह ग्रामीण अधिशेष की नींव पर नगरीकरण की अट्टालिकाएं खड़ी की गईं, साथ ही स्थापत्य कला, शिल्प, विज्ञान, साहित्य एवं अन्य ललित कलाओं का विकास कैसे हुआ, इत्यादि।

अब प्रश्न उठता है कि *आखिर इतिहास का अध्ययन क्यों किया जाए?* इससे न तो आर्थिक दृष्टि से कोई लाभ या योगदान है और न ही गरीबी एवं बेरोजगारी जैसी समस्याओं का समाधान। बल्कि कई बार यह पहचान की राजनीति को बढ़ावा देते हुए समाज में विद्वेष को फैलाने का उपकरण भी बन उठता है। कई बार यह भी कहा जाता है कि *हमें अपने अतीत में न जीते हुए वर्तमान को भविष्य का मार्गदर्शक मानना चाहिए।* दरअसल ये विचार अपने आप में जितने आकर्षक लगते हैं, वस्तुतः उतने ही सारहीन हैं। इतिहास का अध्ययन वर्तमान हेतु भी अत्यंत महत्वपूर्ण है, क्योंकि *जब भी हम वर्तमान का मूल्यांकन करते हैं तो इसके लिए मानदंड इतिहास को ही बनाते हैं। अपर यह मानदंड ही नहीं होगा तो वर्तमान की प्रगति या अवनति का निर्धारण करेंगे कैसे? वस्तुतः इतिहास हमारे लिए मील का पत्थर जैसा है, जो बताता है कि प्रगति के मार्ग पर हम कितना आगे बढ़ गए हैं और अभी कितना आगे जाना है।* दरअसल यह अतीत का मानदंड न सिर्फ वर्तमान के मूल्यांकन में सहायक सिद्ध होता है, अपितु भविष्य की दिशा प्राप्त करने हेतु भी मार्गदर्शक सिद्ध होता है।

इतिहास का अध्ययन हमें अपने अतीत से वर्तमान और भविष्य के लिए सबक लेना सिखाता है। *इतिहास हमें उन गलतियों को दोहराने से रोकता है, जिसके कारण अतीत में हमारे पूर्वजों को विपत्तियां एवं आपदाएं झेलनी पड़ी।* जैसे विभिन्न महामारियों एवं युद्धों से सबक लेना। इसी तरह इतिहास का निष्पक्ष अध्ययन एवं विश्लेषण हमें समाज की उन समस्याओं के समाधान का अवसर भी प्रदान करता है, जिनके अनुसरण से समरसता, शांति एवं समृद्धि को बढ़ावा मिल सकता है। उदाहरण हेतु वर्तमान परिदृश्य के अनुसार अगर देखा जाए तो अशोक द्वारा प्रोत्साहित किए गए धर्म की सारग्रहिता, सहिष्णुता एवं वचोगुटि (अन्य धर्मों और पंथों की आलोचना न करना) जैसे गुण समाज में समरसता लाने हेतु विशेष रूप से सहायक सिद्ध हो सकते हैं। इसी तरह अस्पृश्यता, जाति प्रथा एवं पर्दा प्रथा जैसी कुरीतियों का मूल भी इतिहास में ही खोजा जा सकता है और उनके निराकरण का प्रयास किया जा सकता है। यह बात सही है कि लोगों को अपनी पहचान इतिहास से ही मिलती है, किंतु अतीत के अध्ययन का यह अर्थ कदापि नहीं है कि इतिहास का अध्ययनकर्ता अतीत में जीता है, बल्कि सच तो यह है कि वह अतीत के साथ जीना सीख लेता है क्योंकि इतिहास कोई ऐसी चीज नहीं है, जिसे हम स्वीकार कर सकें या जिसका परित्याग कर सकें।

एक प्रशासक के नजरिए से देखें तो इतिहास का अध्ययन उस प्रशासक को उसके कार्यक्षेत्र के समाज एवं संस्कृति को जड़ से समझते हुए उनसे भावनात्मक जुड़ाव स्थापित करने की क्षमता देता है, जिससे वह न सिर्फ अपनी भावनात्मक प्रज्ञा का बेहतर उपयोग कर सकता है अपितु उस समाज के साझे चरित्र को समझते हुए उसी के अनुसार विभिन्न कल्याणकारी योजनाओं का परिस्थिति अनुकूल निर्माण, अपडेशन एवं क्रियान्वयन करते हुए समावेशी लोकतंत्र के आदर्श को मूर्त रूप देने में सफल हो सकता है।

इसी तरह कोई प्रशासक *अतीत से सीख* ले सकता है कि किस प्रकार अधिकारी वर्ग की कुशलता एवं नीतियों की सफलता व असफलता का समाज पर गहरा प्रभाव पड़ता है। उदाहरण के लिए *मौर्य साम्राज्य एवं रोमन साम्राज्य आदि के उत्थान एवं पतन में नौकरशाही की भूमिका को अत्यंत महत्वपूर्ण माना जाता है,* जो वर्तमान में भी प्रासंगिक है।

## इतिहास लेखन की परम्पराएं

भारतीय सभ्यता संसार की सबसे पुरानी सभ्यता है। इसे चीनी एवं यूनानी सभ्यता की तुलना में अधिक प्राचीन स्वीकार किया जाता है। प्राचीन समय से भारत को कई बार उत्थान और पतन का सामना करना पड़ा इसलिए प्राचीन भारतीय इतिहास लेखन में कई बड़े अंतराल दिखाई पड़ते हैं। इतिहास के संबंध में एक रोचक पहलू यह है कि बदलती हुई व्याख्याओं के अनुसार इतिहास स्वयं भी बदल जाता है। होता कुछ यूं है कि एक ही आधारभूत जानकारी और एक ही साक्ष्य की विवेचना जब भिन्न-भिन्न विद्वान करते हैं तो उसके भिन्न अर्थ निकल आते हैं। उदाहरण हेतु साम्राज्यवादी, राष्ट्रवादी एवं मार्क्सवादी आदि विभिन्न स्कूल इतिहास की अपनी-अपनी विचारधाराओं के अनुसार व्याख्या करने का प्रयास करते हैं, जिसका विश्लेषण समीचीन है।

## इतिहास लेखन की भारतीय परम्परा

प्राचीन भारतीय इतिहास के अध्ययन हेतु भारत में अन्य देशों की तुलना में शुद्ध ऐतिहासिक साहित्यिक सामग्री का अपेक्षाकृत अभाव रहा है। साथ ही भारत में यूनान के हेरोडोटस या रोम के लिवी जैसे इतिहास लेखक भी नहीं हुए हैं। इन्हीं सब कारणों से कुछ *पाश्चात्य विद्वानों द्वारा मत रखा गया कि प्राचीन भारत में इतिहास लेखन की कोई समझ नहीं थी और इतिहास के नाम पर यदि कुछ लिखा भी गया तो वह बिना अर्थ वाली*

*कथाओं के अतिरिक्त कोई भी प्रासंगिकता नहीं रखता।* अगर थोड़ा गहन विश्लेषण किया जाय तो पाएंगे कि इन विद्वानों की यह धारणा सत्य नहीं है। प्राचीन भारत में भी इतिहास के ज्ञान को उच्च स्थान प्राप्त था। वस्तुतः भारतीय इतिहास-लेखन का श्री गणेश वैदिक साहित्य की वंश और गोत्र प्रवर तालिकाओं में मिलता है। सामवेद शाखा के वंश ब्राह्मण में 60 आचार्यों की परम्परा का उल्लेख मिलता है। इस काल में अथर्ववेद, ब्राह्मणों एवं उपनिषदों में इतिहास-पुराण को विशिष्ट स्थान दिया गया है, वहीं कौटिल्य ने भी अपने अर्थशास्त्र में राजा को प्रतिदिन इतिहास पुराण सुनने की सलाह दी है। पुराणों के अनुसार, इतिहास अध्ययन के प्रमुख अवयव हैं— सर्ग (सृष्टि की उत्पत्ति), प्रतिसर्ग (सृष्टि का प्रत्यावर्तन एवं प्रतिविकास), मन्वंतर (समय की आवृत्ति), वंश (राजाओं और ऋषियों की वंशावली) एवं वंशानुचरित (उल्लेखनीय व्यक्तियों की जीवनियाँ)। इसके अतिरिक्त प्राचीन भारत में गाथा एवं नाराशंसी जैसी परंपराएं भी उपस्थित थीं, जो तत्कालीन इतिहास बोध का परिचायक है।

सच तो यह है कि प्राचीन भारत में इतिहास की संकल्पना आधुनिक अवधारणा से पूर्णतया भिन्न थी। अगर इसे देखा जाये तो पाएंगे कि *प्राचीन भारतीय इतिहासकार आज की तरह ऐतिहासिक घटनाओं में कार्य-कारण संबंधों को स्थापित करने का प्रयास नहीं करते थे, अपितु केवल उन्हीं घटनाओं का वर्णन करते थे, जिनसे जन सामान्य को भी कोई शिक्षा मिल सके।* उस समय की ऐतिहासिक संकल्पना को समझने हेतु महाभारत आपका सहायक बन उभरता है, जिसके अनुसार *"ऐसी प्राचीन रुचिकर कथा जिससे धर्म, अर्थ, काम एवं मोक्ष की शिक्षा मिलती हो, इतिहास कहलाती है।"* भारतीय संस्कृति सदैव ही इन पुरुषार्थ चतुष्टय की प्राप्ति की पक्षधर रही है। धर्म यानी अपने कर्तव्यों का पालन, अर्थ यानी धनोपार्जन, काम यानी सांसारिक सुख एवं मोक्ष यानी जीवन-मरण के चक्र से मुक्ति का प्रयास और उपर्युक्त चारों पुरुषार्थों की प्राप्ति हेतु इतिहास के श्रवण एवं उससे शिक्षा प्राप्त करना सहायक माना गया। संभवतः यही कारण रहा कि प्राचीन भारतीय इतिहासकारों द्वारा राजनीतिक मामलों जैसी उन घटनाओं को महत्व नहीं दिया गया, जिनसे इन पुरुषार्थों की प्राप्ति के संबंध में सहायता न मिलती हो। अतः यह स्वाभाविक ही है कि प्राचीन भारतीय इतिहास में पश्चिमी देशों की तुलना में राजनैतिक तत्व कम प्रभावशाली हैं, जबकि सांस्कृतिक तत्वों को स्पष्टतः वरीयता दी गई है।

## ■। साम्राज्यवादी इतिहास लेखन

19वीं शताब्दी के मध्य तक मिल के इतिहास की आलोचना होने लगी थी। यूरोपीय इतिहासकारों ने अब भारतीय इतिहास को भारतीय स्रोतों के आधार पर लिखने का बीड़ा उठाया। इन इतिहासकारों को विचारधारा के आधार पर पुराने पड़ चुके प्राच्यवादी या उपयोगितावादी खेमों में नहीं रखा जा सकता, परन्तु उनमें साम्राज्यवादी विचारधारा को स्पष्ट पहचाना जा सकता है। ब्रिटिश साम्राज्य द्वारा अपने औपनिवेशिक हितों की पूर्ति हेतु भारतीय इतिहास का आधुनिक ढंग से पुनर्लेखन करने का प्रयास किया गया। हुआ दरअसल यह कि अंग्रेजों ने प्रारंभ में प्राच्यवादी इतिहास लेखन को बढ़ावा दिया। इसमें *पूर्व के प्रति एक रोमानी भावना* अभिव्यक्त की गई। लेकिन अंग्रेजों की मंशा भारतीय संस्कृति की आध्यात्मिकता का यह यशोगान इन प्राच्यवादियों द्वारा इसलिए नहीं किया जा रहा था कि उन्हें इसके प्रति बहुत लगाव था, बल्कि इसका उद्देश्य साम्राज्यवादी हित में यह "प्रूव" करना था कि भारतीय संस्कृति आध्यात्मिक रही है, जिसका भौतिकतावादी मामलों से संबंध नहीं रहा है। अतः राजनीति एवं प्रशासन जैसे विषयों को संभालने के लिए औपनिवेशिक शासन भारत के हित में भी है और जरूरी भी।

इसी तरह इन प्राच्यवादी लेखकों द्वारा आर्यो के आगमन का सिद्धांत दिया गया, जिसका उद्देश्य *भारतीय समाज में उच्च समझी जाने वाली जातियों को आर्यों से जोड़ कर उनका संबंध यूरोपियों से स्थापित करना था।* उनके अनुसार भारतीय आर्य दिग्भ्रमित हो गए थे, अतः यह उनके यूरोपियन कुटुम्ब का दायित्व है कि वे उन्हें सही मार्ग दिखलाएं। शब्दों एवं भावनाओं के इस जाल के पीछे असल मंशा यही थी कि भारतीय समाज के इस प्रभावशाली वर्ग में *अंग्रेजों के साथ एक साझी विरासत की भावना उत्पन्न कर ब्रिटिश शासन की वैधता को स्थापित किया जाए।*

इसी तरह भारतीय जनता पर शासन हेतु यहाँ के तौर-तरीके समझने का प्रयास किया गया। इसी कड़ी में हिंदुओं के दीवानी न्याय कार्य में सहायता प्रदान करने के लिए अंग्रेजों द्वारा वर्ष 1776 में मनुस्मृति का अंग्रेजी अनुवाद 'ए कोड ऑफ जेंटो लॉज' के नाम से कराया गया। हालांकि प्राचीन भारतीय इतिहास के आधुनिक लेखन के संदर्भ में वर्ष 1784 विशेष महत्व का रहा, जब कोलकाता में सर विलियम जोंस द्वारा एशियाटिक सोसाइटी ऑफ बंगाल नामक शोध संस्था की स्थापना की गई। उल्लेखनीय है कि यह सर जोंस ही थे, जिन्होंने वर्ष 1789 में अभिज्ञानशाकुंतलम् का अंग्रेजी अनुवाद किया। इसी तरह वर्ष 1784 में विल्किंस द्वारा भगवद्गीता का अंग्रेजी अनुवाद किया गया। वर्ष 1804 में मुंबई में एशियाटिक सोसाइटी तथा वर्ष 1823 में लंदन में *एशियाटिक सोसाइटी ऑफ ग्रेट ब्रिटेन* की स्थापना हुई। 1857 के विद्रोह के बाद अंग्रेजों को महसूस हो गया कि जिन विदेशी लोगों पर उन्हें शासन करना है, उनके रीति-रिवाजों और सामाजिक व्यवस्था का गहन ज्ञान प्राप्त करना साम्राज्यिक हित की आवश्यकता है।

इसके अतिरिक्त विभिन्न ईसाई मिशनरियों द्वारा भारतीय जनता के धर्म परिवर्तन के हेतु रणनीति तैयार करने हेतु भी आवश्यक समझा गया कि भारतीय समाज की कमजोरियों को समझा जाए। इन्हीं उद्देश्यों से मैक्स मूलर द्वारा सैक्रेड बुक्स ऑफ द ईस्ट के 50 खंडों का संपादन किया गया।

इसी तरह जेम्स मिल द्वारा 1806-1818 की अवधि में छह खंडों में *भारत का इतिहास* लिखा गया। यहाँ रोचक बात यह थी कि *मिल न कभी भारत आया था, न ही उसे किसी भी भारतीय भाषा का ज्ञान था।* अतः इसमें कोई अचरज की बात नहीं कि उसने भारतीय इतिहास को बिना किसी तर्क और औचित्य के मनमाने ढंग से तीन भागों में विभाजित कर दिया। पहला हिंदू काल, दूसरा मुस्लिम काल और तीसरा ब्रिटिश

काल। इस काल विभाजन में आप *सांप्रदायिकता के आधार पर भारतीय समाज को बांटने की कुचेष्टा स्पष्ट देख सकते हैं।* उल्लेखनीय है कि यह पुस्तक इंग्लैंड के हेलनबरी स्कूल में पाठ्य-पुस्तक के रूप में निर्धारित की गई, जिसकी स्थापना भारत आने वाले युवा अंग्रेज प्रशासकों एवं सैन्य अधिकारियों को शिक्षा देने के लिए की गई थी।

जेम्स मिल की परंपरा को आगे बढ़ाते हुए ही वी.ए. स्मिथ नामक एक आईसीएस अधिकारी ने 1904 में प्राचीन भारत का पहला सुव्यवस्थित इतिहास अर्ली हिस्ट्री ऑफ इंडिया नाम से प्रकाशित किया। यह लगभग 50 वर्षों तक पाठय पुस्तक के रूप में कार्य करती रही। रोचक बात यह है कि इसका *एक-तिहाई भाग सिकंदर के आक्रमण को महिमामंडित करने हेतु ही समर्पित है।*

दरअसल उपर्युक्त अनुवाद एवं पुस्तकों में इन पाश्चात्य विद्वानों ने भारतीय समाज का अत्यंत सामान्यीकरण किया। उन्होंने मत दिया कि *भारत में न ही काल एवं तिथि क्रम का बोध था और न ही स्वशासन की योग्यता।* उनके अनुसार, भारत के लोग स्वशासन के आदी न थे, जो आध्यात्मिक या पारलौकिक समस्याओं में डूबे थे परंतु *इहलौकिक समस्याओं* की चिंता नहीं करते थे। स्वयं अपनी पुस्तक में स्मिथ ने लिखा है कि *"वस्तुतः भारतीय इतिहाकारों का सरोकार शासन के एकमात्र स्वरूप तानाशाही से ही है।"*

साम्राज्यवादी इतिहासकारों के इस समूचे दृष्टिकोण का अत्यंत सटीक सारांश आर.एस. शर्मा ने प्रस्तुत किया है, जो लिखते हैं कि *"ब्रिटिश इतिहासकारों ने भारत के इतिहास की जो व्याख्या की है उसका उद्देश्य था भारत के चरित्र और उसकी उपलब्धियों को नीचा दिखाना और विदेशी शासन को न्यायोचित ठहराना लेकिन इन इतिहासकारों द्वारा प्रतिपादित सामान्य निष्कर्ष मिथ्या हैं अथवा अपूर्ण हैं।"*

## राष्ट्रवादी दृष्टिकोण

साम्राज्यवादी इतिहास लेखन द्वारा जिस प्रकार भारतीय इतिहास को तोड़-मरोड़ कर अपने स्वार्थ की पूर्ति के लिए इस्तेमाल किया जा रहा था ऐसे में भारतीयों ने उनका विरोध करने का बीड़ा हाथ में लिया। दरअसल पहले इस संदर्भ में लोग अंग्रेजों की मंशा समझ नहीं पाए। लेकिन धीरे-धीरे भारतीय बुद्धिजीवी भी इस संदर्भ में सचेत हुए। भारतीयों में राष्ट्रवादी विचारधारा के उदय ने भी इस जागरूकता को प्रोत्साहन दिया और 19वीं शताब्दी के अंतिम वर्षों तक आते-आते राजेंद्र लाल मित्र, आर.जी. भंडारकर एवं वी.के. रजवाड़े जैसे कुछ विद्वानों ने प्राचीन भारतीय इतिहास का भारतीय दृष्टि से पुनर्लेखन कर साम्राज्यवादियों को प्रत्युत्तर देने का प्रयत्न शुरू कर दिया। राजेंद्र लाल मित्र (1822-1891 ई.) ने *"इंडो आर्यन"* नाम की पुस्तक लिखी। वहीं आर.जी. भंडारकर (1837-1925 ई.) ने सातवाहनों और दक्कन का इतिहास लिखा। उल्लेखनीय है कि ये महान समाज सुधारक भी थे, जिन्होंने अपने ऐतिहासिक शोधों से विधवा विवाह का समर्थन किया एवं जाति प्रथा तथा बाल विवाह की प्रथा का खंडन किया। इन्हीं की तरह वी.के. रजवाड़े (1869-1926 ई.) ने महाराष्ट्र के इतिहास के बारे में जमीनी स्तर पर काम किया, जो 22 खंडों में प्रकाशित हुआ।

उपर्युक्त इतिहासकारों के प्रयत्न अत्यंत महत्वपूर्ण थे, परंतु इतिहास की साम्राज्यवादी परंपरा को वास्तविक चुनौती बीसवीं शताब्दी के पहले पूर्वार्ध में मिली। इस काल में डी.आर. भंडारकर, एच.सी. रॉय चौधरी, आर.सी. मजूमदार, पी.वी. काणे, ए.एस. अल्तेकर, के.पी. जायसवाल, के.ए. नीलकंठ शास्त्री, आर.के. मुखर्जी तथा टी.वी. महालिंगम जैसे इतिहासकारों ने प्राचीन भारतीय इतिहास को विकृत करने के औपनिवेशिक प्रयासों का मुंह तोड़ जवाब दिया। जहाँ डी.आर. भंडारकर (1875-1950 ई.) ने पुरालेखों एवं मुद्राओं के आधार पर अशोक और प्राचीन भारतीय राज्य व्यवस्था के बारे में अनेक भ्रांतियों का निवारण करने का प्रयास किया। वहीं के.पी. जायसवाल (1881-1937 ई.) द्वारा लिखी गई पुस्तक *'हिंदू पॉलिटी'* ने इस भ्रांति को प्रभावशाली ढंग से निर्मूल कर दिया कि भारतीयों के पास कोई राजनीतिक विचार नहीं थे या उनकी कोई राजनीतिक संस्थाएं नहीं थीं, बल्कि उन्होंने तो प्रमाण पूर्वक दर्शाया कि *भारतीय राजव्यवस्था एवं शासन प्रणाली तत्कालीन विश्व के अन्य किसी भी भाग की तुलना में कहीं अधिक विकसित थी।* यद्यपि इस प्रयास में उनके ऊपर प्राचीन भारतीय संस्थाओं पर आधुनिक राष्ट्रीय भावना की कलई चढ़ाने का आरोप भी लगता रहा है।

इसी परंपरा में एच.सी. रॉय चौधरी (1892-1957 ई.) ने अपनी पुस्तक *पॉलिटिकल हिस्ट्री ऑफ इंडिया* में महाभारत के युद्ध के समय से लेकर गुप्त साम्राज्य के समय तक के प्राचीन भारत के इतिहास का पुनर्निर्माण किया। इसी तरह वरिष्ठ इतिहासकार आर.सी. मजूमदार (1888-1980 ई.) ने भारतीय इतिहास के लगभग हर पहलू पर लिखा। उनके प्रधान संपादकत्व में 11 खंडों में प्रकाशित हिस्ट्री एंड कल्चर ऑफ द इंडियन पीपल भारतीय इतिहास की बहुत बड़ी उपलब्धि है। इसी तरह आर.के. मुखर्जी (1884-1964 ई.) द्वारा लिखित हिंदू सिविलाइजेशन, चंद्रगुप्त मौर्य, अशोक और फंडामेंटल यूनिटी ऑफ इंडिया जैसी पुस्तकों ने प्राचीन भारत के सांस्कृतिक, आर्थिक और राजनीतिक इतिहास को ठोस आधार प्रदान करते हुए सामान्य पाठक तक उसे पहुंचाया। पी.वी. काणे का योगदान भी इस संदर्भ में बहुमूल्य है, जिन्होंने पाँच खंडों एवं 6000 से अधिक पृष्ठों वाली हिस्ट्री ऑफ धर्मशास्त्र नामक कृति की रचना की, जो प्राचीन भारतीय सामाजिक, धार्मिक एवं राजनैतिक नियमों और प्रथाओं का महान *विश्वकोश* है।

हालांकि राष्ट्रवादी इतिहासकारों ने साम्राज्यवादी इतिहास लेखन द्वारा उत्पन्न भ्रांतियों का निवारण करने का प्रयास किया, किंतु इनकी एक कमजोरी रही कि उन्होंने दक्षिण भारत के इतिहास पर समुचित ध्यान नहीं दिया। यद्यपि के.ए. नीलकंठ शास्त्री (1892-1975) ने हिस्ट्री ऑफ इंडिया एवं हिस्ट्री ऑफ साउथ इंडिया जैसी पुस्तकों द्वारा इस रिक्त स्थान को भरने का प्रयास किया।

## मार्क्सवादी इतिहास लेखन

मार्क्सवादी विचारधारा इन्हीं मार्क्स और एंजेल के विचारों पर आधारित है। मार्क्सवादी इतिहास लेखन मानता है कि सभी समाज इतिहास के कम-से-कम 5 चरणों से होकर गुजरते हैं–(1) आदिम साम्यवाद, (2) दासता, (3) सामंतवाद, (4) पूंजीवाद और (5) साम्यवाद।

दरअसल हीगल और हेनरी मॉर्गन से प्रभावित होकर कार्ल मार्क्स व एंजेल ने इन चरणों को परिभाषित किया था। यहाँ समझने वाली बात यह है कि जब मार्क्स एवं एंजेल इतिहास के इन चरणों का प्रतिपादन कर रहे थे, तो दरअसल वे *यूरोप के इतिहास* के बारे में अपनी समझ के आधार से ही प्रेरणा प्राप्त कर रहे थे। यदि स्वयं *कार्ल मार्क्स के भारत संबंधी विचारों के बारे में गौर किया जाए तो स्पष्ट है कि वह जातीय पूर्वाग्रह एवं स्वार्थ से मुक्त नहीं था।* उसके समाचार पत्रों में प्रकाशित लेखों से पता चलता है कि मार्क्स *भारत को ब्रिटेन द्वारा दास बनाए जाने का समर्थक* था।

उसने भारत को बिना इतिहास वाला पिछड़ा और असभ्य देश कह कर उसकी उपेक्षा भी की। वर्ष 1853 में वह लिखता है कि *"इस प्रकार भारत पराजित होने से नहीं बच सकता था। भारत का संपूर्ण पिछला इतिहास यदि कुछ है तो उन उत्तरोत्तर पराजयों का इतिहास है जो उसने झेली है। भारतीय समाज का कोई इतिहास नहीं है, कम-से-कम कोई ज्ञात इतिहास नहीं है। हम जिसे इसका इतिहास कहते हैं वह केवल इसके उत्तरोत्तर आक्रमणकारियों का इतिहास है, जिन्होंने इस अप्रतिरोधकारी और अपरिवर्तनशील समाज की निष्क्रियता के आधार पर अपने साम्राज्य स्थापित किए थे ....।"*

भारत की स्वतंत्रता के पश्चात इतिहास लेखन के उपर्युक्त सार्वभौम नियमों एवं चरणों को मार्क्सवादी इतिहासकारों द्वारा भारतीय इतिहास पर भी लागू किए जाने का प्रयास किया जाने लगा। इस प्रयास में कई बार तो ऐसा प्रतीत होता है कि *साम्राज्यवादी विचारधारा* की भांति यह विचारधारा भी *भारतीय सभ्यता में जो कुछ भी अच्छा है, उसे विजेताओं का योगदान मानती है।* इसीलिए इस विचारधारा के अनुसार कुषाण काल भारत के इतिहास का स्वर्णिम काल है, सातवाहन अथवा गुप्त काल नहीं।

यद्यपि इस विचारधारा का सर्वाधिक महत्वपूर्ण योगदान यह रहा कि इसने प्राचीन भारतीय सामाजिक एवं धार्मिक विचारों, रीति-रिवाजों एवं संस्थाओं की आर्थिक व्याख्या करने पर जोर दिया तथा इतिहास को शासकों की कहानी से परे उठा कर समाज के आर्थिक, सामाजिक एवं सांस्कृतिक संक्रियाओं के विश्लेषण को वैधता प्रदान की। आप पाएंगे कि अन्य विचारधाराओं की तुलना में इसमें वैज्ञानिकता का पुट भी थोड़ा अधिक ही रहा है।

भारत में डी.डी. कौशांबी मार्क्सवाद इतिहास लेखन के अग्रदूत रहे। इसके अतिरिक्त आर.एस. शर्मा, रोमिला थापर, विपिन चन्द्र, सतीश चंद्र, इरफान हबीब एवं डी.आर. चांनना आदि मार्क्सवादी इतिहास लेखन के अन्य प्रमुख हस्ताक्षर रहे। डी.डी. कौशांबी द्वारा रचित एन इंट्रोडक्शन टू द स्टडी ऑफ इंडियन् हिस्ट्री तथा एंसीएंट इंडियन कल्चर एंड सिविलाइजेशनः ए हिस्टोरिकल आउटलाइन आदि पुस्तकें राजनैतिक से अराजनैतिक इतिहास की ओर इसी दिशा परिवर्तन की ध्वजवाहक हैं। अराजनैतिक इतिहास लेखन के संदर्भ में ए.एल. बाशम की पुस्तक वंडर दैट वाज इंडिया भी महत्वपूर्ण है, जिसने भारतीय संस्कृति का तर्कपूर्ण विवेचन किया।

यह आरोप हमेशा लगते रहे है कि भारत के स्वतंत्र होने के बाद मार्क्सवादी इतिहासकारों ने भारत के इतिहास का पक्षपातपूर्ण लेखन किया है। डा. रमेश चन्द्र मजुमदार, के.एम. पणिक्कर, जदुनाथ सरकार जैसे इतिहासकारों के मतों की उपेक्षा कर इरफान हबीब और रोमिला थापर जैसे लेखकों के अधकचरे व संकीर्ण मतों को इतिहास बताने की कोशिश की गई। मुगल, तुर्क, मंगोल आदि विदेशी आक्रमणकारी शासकों का बचाव कर उन्हें श्रेष्ठ दर्शाने का कार्य मार्क्सवादी लेखकों ने किया। भीमराव अंबेडकर ने मार्क्सवादियों की आलोचना की, क्योंकि उन्हें जाति के मुद्दों की बारीकियों से अनजान या अनभिज्ञ माना। कई इतिहासकारों ने मार्क्सवादी इतिहासकारों पर भी बहस की है और भारत के इतिहास के उनके विश्लेषण की आलोचना की है। 1990 के दशक के उत्तरार्द्ध से हिंदू राष्ट्रवादी विद्वानों ने विशेष रूप से भारत में मार्क्सवादी परम्परा के खिलाफ देश के 'शानदार अतीत' के रूप में उपेक्षा की है। मार्क्सवादियों को मुसलमानों के समर्थन या बचाव के लिए जिम्मेवार माना जाता है, जो हिंदू राष्ट्रवादी मान्यता में दुश्मन के रूप में है। ऐसी आलोचना का एक उदाहरण है– अरूण शौरी की पुस्तक 'जाने-माने इतिहासकारः कार्यविधि, दिशा और उनके छल' (1998)।

## बहुविकल्पीय प्रश्नोत्तर

**1.** 'हिस्ट्री' शब्द व्युत्पन्न हैः
A. हिस्टोरिका से  B. इस्टोरिया से
C. इरेटोस्थैनिज से  D. इनमें से कोई नहीं

**2.** इतिहास की सर्वप्रचीन परम्परा मिलती हैः
A. अथर्ववेद  B. ऋग्वेद
C. रामायण  D. याज्ञवल्क्य स्मृति

**3.** किसे 'इतिहास दर्शन का जन्मदाता' कहा गया है?
A. अल्तेकर  B. वाल्टेयर
C. हेरोडोट्स  D. जेम्स प्रिंसेप

**4.** "इतिहास मनुष्य को बुद्धिमान बनाता है" प्रसिद्ध उक्ति हैः
A. बेकन की  B. रोनियर की
C. हेनरी पेरीन की  D. ट्रैवेलियन की

**5.** "इतिहास एक कहानी है" उक्ति का सम्बन्ध किस विद्वान से है?
A. हेनरी पेरीन  B. रेनियर
C. हेरोडोट्स  D. प्लिनी

**6.** भारत का वास्तविक इतिहासकार किसे माना गया है?
A. कल्हण को  B. विल्हण को
C. मेगास्थनीज को  D. कौटिल्य को

**7.** ''इतिहासकार अतीत के तथ्यों पर उस काल की घटनाओं का एक परिकल्पनात्मक चित्र प्रस्तुत करता है जिसमें वर्णित घटनाएं अर्थपूर्ण होती है'' प्रसिद्ध उक्ति है:
A. गार्डनर की B. थ्यूसीडीडीज
C. हेरोडोट्स की D. प्लिनी की

**8.** किसने कहा था ''इतिहास का कोई लक्ष्य नहीं होता, इसलिए उसका कोई अर्थ नहीं होता''?
A. कार्ल आर. पापर B. कार्ल मार्क्स
C. ई.एच. कार D. डी.डी. कौशाम्बी

**9.** ''इतिहास विज्ञान है न इससे कम न इससे ज्यादा'' प्रसिद्ध कथन का सम्बन्ध किस विद्वान से है?
A. रेनियर से B. बेकन से
C. जे.बी. ब्यूरी से D. स्ट्रैबो से

**10.** किसने कहा 'वास्तव में इतिहास क्या है, परिवर्तन का एक लेखा मात्र' ........... :
A. जवाहरलाल नेहरू B. डी.डी. कौशाम्बी
C. आर.एस. शर्मा D. जेम्स मिल

**11.** 'ए कोड ऑफ जेंटोलाज' किसका अंग्रेजी रूपान्तर है?
A. लीलावती B. महाभारत
C. श्रीमद्भागवत D. मनुस्मृति

**12.** किसके द्वारा भगवद्गीता का अंग्रेजी अनुवाद किया गया?
A. विलियम जोंस B. विल्किंस
C. ट्रैवेलियन D. मैक्स मूलर

**13.** 'सैक्रेड बुक्स ऑफ द ईस्ट' के 50 खण्डों का सम्पादन किया?
A. मैक्स मूलर B. विलियम जोंस
C. रोमिला थापर D. डी.डी. कौशाम्बी

**14.** जेम्स मिल ने भारतीय इतिहास को कितने भागों में विभाजित किया?
A. तीन B. चार
C. दो D. इनमें से कोई नहीं

**15.** प्राचीन भारत का पहला सुव्यवस्थित इतिहास 'अर्ली हिस्ट्री ऑफ इण्डिया' नाम से प्रकाशित करवाया:
A. जेम्स मिल B. बी.ए. स्मिथ
C. मैक्स मूलर D. विल्किंस

**16.** निम्नलिखित में से कौन राष्ट्रवादी इतिहासकार नहीं है?
A. राजेन्द्र लाल मित्र B. आर.जी. भंडारकर
C. बी.के. रजवाड़े D. सतीश चन्द्र

**17.** 'दक्कन का इतिहास' के लेखक कौन थे?
A. आर.जी. भंडारकर B. बी.के. रजबाड़े
C. एच.सी. रॉय चौधरी D. के.ए. नीलकंठ शास्त्री

**18.** किसने पुरालेखों और मुद्राओं के आधार पर अशोक के इतिहास को लिखने का प्रयास किया?
A. आर.जी. भंडारकर B. के.पी. जायसवाल
C. अल्तेकर D. रॉय चौधरी

**19.** किसने इस भ्रांति को निर्मूल साबित किया कि भारतीयों के पास कोई राजनीतिक विचार नहीं थे?
A. के.पी. जायसवाल B. डी.डी. कौशाम्बी
C. नीलकंठ शास्त्री D. रोमिला थापर

**20.** किस इतिहासकार ने महाभारत के युद्ध के समय से लेकर गुप्त साम्राज्य के समय तक के प्राचीन भारत के इतिहास का पुर्ननिर्माण किया?
A. एच.सी. राय चौधरी B. पुरूषोत्तम अग्रवाल
C. बी.के. रजवाड़े D. अल्तेकर

**21.** 'दक्षिण भारत के इतिहास' के रचनाकार हैं:
A. के.ए. नीलकंठ शास्त्री B. आर.के. मुखर्जी
C. आर.सी. मजूमदार D. पी.वी. काणे

**22.** किस विचारधारा के अनुसार कुषाण काल भारत के इतिहास का स्वर्णिम काल था, गुप्तकाल नहीं:
A. राष्ट्रवादी विचारधारा B. मार्क्सवादी विचारधारा
C. साम्राज्यवादी विचारधारा D. इनमें से कोई नहीं

**23.** इनमें से कौन मार्क्सवादी इतिहासकार नहीं है:
A. डी.डी. कौशाम्बी B. आर.एस. शर्मा
C. रोमिला थापर D. आर.के. मुखर्जी

**24.** 'अदभुत भारत' (Wonder that was India) के रचनाकार हैं:
A. ए.एल. वाशम B. अल्तेकर
C. मैक्स मूलर D. जेम्स मिल

**25.** 'जाने माने इतिहासकार : कार्यविधि, दिशा और उनके छल' के रचनाकार हैं:
A. खुशवंत सिंह B. गुन्नार मिर्डल
C. अरूण शौरी D. सलमान रूश्दी

## उत्तरमाला

| 1 | 2 | 3 | 4 | 5 | 6 | 7 | 8 | 9 | 10 |
|---|---|---|---|---|---|---|---|---|---|
| B | A | B | A | B | A | A | A | C | A |
| **11** | **12** | **13** | **14** | **15** | **16** | **17** | **18** | **19** | **20** |
| D | B | A | A | B | D | A | A | A | A |
| **21** | **22** | **23** | **24** | **25** | | | | | |
| A | B | D | A | C | | | | | |

❑❑❑

## अध्याय–10

# प्राचीन भारत में विज्ञान एवं तकनीकी
# (Science & Technology in Ancient India)

भारत में प्राचीन काल से ही शिक्षा, विज्ञान एवं तकनीकी की गौरवशाली संस्कृति रही है। भारत में विज्ञान का उद्‌भव ईसा से 3000 वर्ष पूर्व हुआ है। हड़प्पा तथा मोहनजोदड़ो की खुदाई से प्राप्त सिंधु घाटी के प्रमाणों से वहाँ के निवासियों की वैज्ञानिक दृष्टि तथा वैज्ञानिक उपकरणों के प्रयोगों का पता चलता है। प्राचीन काल में चिकित्सा विज्ञान के क्षेत्र में चरक और सुश्रुत, खगोल विज्ञान व गणित के क्षेत्र में आर्यभट्ट, ब्रह्मगुप्त और आर्यभट्ट द्वितीय और रसायन विज्ञान में नागार्जुन की खोजों का बहुत महत्वपूर्ण योगदान है। इनकी खोजों का प्रयोग आज भी किसी-न-किसी रूप में हो रहा है।

**भारतीय विज्ञान : विकास के विभिन्न चरण तथा उपलब्धियाँः** भारतीय विज्ञान का विकास प्राचीन समय में ही हो गया था। भारतीय विज्ञान की परंपरा दुनिया की प्राचीनतम परंपरा है, तो अतिशयोक्ति न होगी। जिस समय यूरोप में घुमक्कड़ जातियाँ अभी अपनी बस्तियाँ बसाना सीख रही थीं, उस समय भारत में सिंधु घाटी के लोग सुनियोजित ढंग से नगर बसा कर रहने लगे थे। उस समय तक भवन-निर्माण, धातु-विज्ञान, वस्त्र-निर्माण, परिवहन-व्यवस्था आदि उन्नत दशा में विकसित हो चुके थे। फिर आर्यों के साथ भारत में विज्ञान की परंपरा और भी विकसित हो गई। इस काल में गणित, ज्योतिष, रसायन, खगोल, चिकित्सा, धातु आदि क्षेत्रों में विज्ञान ने खूब उन्नति की। विज्ञान की यह परंपरा ईसा के जन्म से लगभग 200 वर्ष पूर्व से शुरू होकर ईसा के जन्म के बाद लगभग 11वीं सदी तक काफी उन्नत अवस्था में थी। इस बीच आर्यभट्ट, वराहमिहिर, ब्रह्मगुप्त, बोधायन, चरक, सुश्रुत, नागार्जुन, कणाद से लेकर सवाई जयसिंह तक वैज्ञानिकों की एक लंबी परंपरा विकसित हुई।

भारत में वैज्ञानिक अनुसंधानों और आविष्कारों की परंपरा आदिकाल से चली आ रही है। जिस समय यूरोप में घुमक्कड़ जनजातियाँ बस रही थीं उस समय सिंधु घाटी के लोग सुनियोजित नगर बसाकर रहते थे। मोहन जोदड़ो, हड़प्पा, काली बंगा, लोथल, चांहुदड़ो, बनवाली, सुरकोटड़ा आदि स्थानों पर हुई खुदाई में मिले नगरों के खंडहर इसके प्रत्यक्ष प्रमाण हैं। इन नगरों के भवन, सड़कें, नालियाँ, स्नानागार, कोठार आदि पक्की ईंटों से बने थे। यहाँ के निवासी जहाजों द्वारा विदेश से व्यापार करते थे। माप-तौल का ज्ञान उन्हें था। परिवहन के लिए बैलगाड़ी का उपयोग होता था। कृषि उन्नत अवस्था में थी। वे काँसे का उपयोग करते थे। काँसे के बने हथियार और औजार इसके प्रमाण हैं। सुनार सोने, चाँदी और बहुमूल्य रत्नों के आभूषण बनाते थे। इसका अर्थ यह हुआ कि ये लोग खनन विद्या में पारंगत थे। कठोर रत्नों को काटने, गढ़ने, छेद करने के लिए उनके पास उन्नत कोटि के उपकरण थे। ये लोग ऊनी और सूती वस्त्र बनाना जानते थे।

वैदिक काल के लोग खगोल विज्ञान का अच्छा ज्ञान रखते थे। वैदिक भारतीयों को 27 नक्षत्रों का ज्ञान था। वे वर्ष, महीनों और दिनों के रूप में समय के विभाजन से परिचित थे। 'लगध' नाम के ऋषि ने 'ज्योतिष वेदांग' में तत्कालीन खगोलीय ज्ञान को व्यवस्थित कर दिया था। गणित और ज्यामिति का वैदिक युग में पर्याप्त विकास हुआ था। वैदिक युग की विशिष्ट उपलब्धि चिकित्सा के क्षेत्र में थी। मानव शरीर के सूक्ष्म अध्ययन के लिए वे शव विच्छेदन (पोस्ट मार्टम) प्रक्रिया का कुशलता से उपयोग करते थे। प्राकृतिक जड़ी-बूटियों और उनके औषधीय गुणों के बारे में लोगों को विशद ज्ञान था। तत्कालीन चिकित्सक स्नायुतंत्र और सुषुम्ना (रीढ़ की हड्डी) के महत्व से भली-भाँति परिचित थे।

मौसम-परिवर्तन, शरीर में सूक्ष्मजीवों की उपस्थिति तथा रोग पैदा करने वाले अनुवांशिक कारकों आदि के सिद्धांतों को वहाँ से मान्यता प्राप्त थी। आयुर्वेद चिकित्सा-पद्धति का बहुतायत में उपयोग होता था। आवश्यकता पड़ने पर शल्य-चिकित्सा भी की जाती थी। बाद में तो अरबों तथा यूनानियों ने भी शल्य-चिकित्सा को अपनाया। फिर तो रोम साम्राज्य में

भारतीय जड़ी-बूटियों की भी माँग चिकित्सा के क्षेत्र में होने लगी। उसी समय वनस्पतियों और जंतुओं के बाह्य तथा आंतरिक संरचनाओं के अध्ययन भी किए गए। कृषि के क्षेत्र में मिट्टी की उवर्रता बढ़ाने के लिए फसल चक्र की पद्धति तब भी अपनाई जाती थी।

भारत में वैज्ञानिक प्रगति का स्वर्ण काल ईसा से पूर्व चौथी शताब्दी से लेकर ईसा के बाद छठी या सातवीं शताब्दी तक रहा। धातु-कर्म, भौतिकी, रसायन-शास्त्र जैसे विज्ञानों का विकास भी इस युग में हुआ था। मौर्यकाल में युद्ध के लिए अस्त्रों और शस्त्रों का विकास किया गया था। कुछ यांत्रिक अस्त्रों, जैसे—प्रक्षेपकों का विकास तथा सिंचाई में अभियांत्रिकी का उपयोग उल्लेखनीय है। इस काल में भू-सर्वेक्षण की तकनीक अत्यंत विकसित थी। विशालकाय प्रस्तर स्तंभों के निर्माण में अनेक प्रकार के वैज्ञानिक कौशलों का उपयोग इस युग की एक अन्य विशेषता है। गुप्तकाल में विज्ञान की सभी शाखाओं में उल्लेखनीय प्रगति हुई। बीज गणित, ज्यामिति, रसायन शास्त्र, भौतिकी, धातुशिल्प, चिकित्सा, खगोल विज्ञान का विकास चरम सीमा पर था। इस युग में अनेक ख्याति प्राप्त वैज्ञानिक हुए जिनके अनुसंधानों और आविष्कारों का लोहा तत्कालीन सभ्य समाज के लोग मानते थे।

## खगोल विज्ञान

यह विज्ञान भारत में ही विकसित हुआ। प्रसिद्ध जर्मन खगोलविज्ञानी कॉपरनिकस से लगभग 1000 वर्ष पूर्व आर्यभट्ट ने पृथ्वी की गोल आकृति और इसके अपनी धुरी पर घूमने की पुष्टि कर दी थी। इसी तरह आइजक न्यूटन से 1000 वर्ष पूर्व ही ब्रह्मगुप्त ने पृथ्वी के गुरुत्वाकर्षण सिद्धान्त की पुष्टि कर दी थी। यह एक अलग बात है कि किन्हीं कारणों से इनका श्रेय पाश्चात्य वैज्ञानिकों को मिला।

पाँचवीं शताब्दी में आर्यभट्ट ने सर्वप्रथम लोगों को बताया कि पृथ्वी गोल है और यह अपनी धुरी पर चक्कर लगाती है। उन्होंने पृथ्वी के आकार, गति और परिधि का अनुमान भी लगाया था। आर्यभट्ट ने सूर्य और चंद्र ग्रहण के सही कारणों का पता लगाया। उनके अनुसार चंद्रमा और पृथ्वी की परछाई पड़ने से ग्रहण लगता है। चंद्रमा में अपना प्रकाश नहीं है, वह सूर्य के प्रकाश से प्रकाशित है। इसी प्रकार आर्यभट्ट ने राहु-केतु द्वारा सूर्य और चंद्र को ग्रस लेने के सिद्धान्त का खण्डन किया और ग्रहण का सही वैज्ञानिक सिद्धान्त प्रतिपादित किया। आर्यभट्ट ने 'आर्यभटीय' तथा 'आर्य सिद्धान्त' नामक ग्रन्थों की रचना की थी। आर्यभट्ट के बाद छठी शताब्दी में वराहमिहिर नाम के खगोल वैज्ञानिक हुए। विज्ञान के इतिहास में वे प्रथम व्यक्ति थे, जिन्होंने कहा कि कोई ऐसी शक्ति है, जो वस्तुओं को धरातल से बाँधे रखती है। आज इसी शक्ति को गुरुत्वाकर्षण कहते हैं। वराहमिहिर का कहना था कि पृथ्वी गोल है, जिसके धरातल पर पहाड़, नदियाँ, पेड़-पौधों, नगर आदि फैले हुए हैं। 'पंचसिद्धान्तिका' और 'सूर्यसिद्धान्त' उनकी खगोल विज्ञान सम्बन्धी पुस्तकें हैं। इनके अतिरिक्त वराहमिहिर ने 'वृहत्संहिता' और 'वृहत्जातक' नाम की पुस्तकें भी लिखी हैं।

भारतीय खगोल विज्ञान में ब्रह्मगुप्त का भी काफी महत्वपूर्ण योगदान है। इनका कार्यकाल सातवीं शताब्दी से माना जाता है। वे खगोल विज्ञान संबंधी गणनाओं में संभवतः बीजगणित का प्रयोग करने वाले भारत के सबसे पहले महान गणितज्ञ थे। 'ब्रह्मगुप्त सिद्धान्त' इनका प्रमुख ग्रंथ है। इसके अतिरिक्त जीवन के अंतिम वर्षों में ब्रह्मगुप्त ने 'खण्ड खाद्यक' नामक ग्रन्थ भी लिखा था। इन्होंने विभिन्न ग्रहों की गति और स्थिति, उनके उदय और अस्त, युति तथा सूर्य ग्रहण की गणना करने की विधियों का वर्णन किया है। ब्रह्मगुप्त का ग्रहों का ज्ञान प्रत्यक्ष वेध (अवलोकन) पर आधारित था। इनका मानना था कि जब कभी गणना और वेध में अन्तर पड़ने लगे तो वेध के द्वारा गणना शुद्ध कर लेनी चाहिए। ये पृथ्वी को गोल मानते थे तथा पुराणों में पृथ्वी को चपटी मानने के विचार की इन्होंने कड़ी आलोचना की है। ब्रह्मगुप्त आर्यभट्ट के अनेक सिद्धान्तों के साथ पृथ्वी के अपनी धुरी पर घूमने के सिद्धान्त के भी आलोचक थे। ब्रह्मगुप्त पृथ्वी की आकर्षण शक्ति के सिद्धान्त से सहमत थे। उनके अनुसार 'वस्तुएँ पृथ्वी की ओर गिरती हैं क्योंकि पृथ्वी की प्रकृति है कि वह उन्हें अपनी ओर आकर्षित करे।'

ब्रह्मगुप्त के बाद खगोल विज्ञान में भास्कराचार्य का विशिष्ट योगदान है। इनका समय बारहवीं शताब्दी था। इन्होंने 'सिद्धान्तशिरोमणि' और 'करण कुतुहल' नामक दो ग्रन्थों की रचना की थी। खगोलविद् के रूप में भास्कराचार्य अपनी 'तात्कालिक गति' की अवधरणा के लिए प्रसिद्ध हैं। इससे खगोल वैज्ञानिकों को ग्रहों की गति का सही ज्ञान प्राप्त करने में मदद मिलती है।

## गणित

भास्कर ने एक तो गोले की सतह और उसके घनफल को निकालने के जर्मन ज्योतिर्विद केपलर के नियम का पूर्वाभ्यास कर लिया था। दूसरे उन्होंने सत्रहवीं शताब्दी में जन्मे आइजेक न्यूटन से लगभग 500 वर्ष पूर्व गुरुत्वाकर्षण सिद्धान्त का प्रतिपादन किया था। गणित के अधिकतर खोज और आविष्कार जिन पर आज यूरोप को इतना गर्व है, एक विकसित गणितीय पद्धति के बिना असंभव थे। यह पद्धति भी संभव नहीं हो पाती यदि यूरोप भारी-भरकम रोमन अंकों के बंधन में जकड़ा रहता। नई पद्धति को खोज निकालने वाला वह अज्ञात व्यक्ति भारत का पुत्र था। मध्ययुगीन भारतीय गणितज्ञों, जैसे ब्रह्मगुप्त (सातवीं शताब्दी), महावीर (नवीं शताब्दी) और भास्कर (बारहवीं शताब्दी) ने ऐसी कई खोजें कीं, जिनसे पुनर्जागरण काल या उसके बाद तक भी यूरोप अपरिचित था। इसमें कोई मतभेद नहीं कि भारत में गणित की उच्चकोटि की परंपरा थी।

**अंकगणितः** हड़प्पाकालीन संस्कृति के लोग अवश्य ही अंकों और संख्याओं से परिचित रहे होंगे। इस युग की लिपि के अब तक न पढ़े जा सकने के कारण निश्चित रूप से कुछ नहीं कहा जा सकता। लेकिन भवन, सड़कों, नालियों, स्नानागारों आदि के निर्माण में अंकों और संख्याओं का निश्चित रूप से उपयोग हुआ होगा। माप-तौल और व्यापार क्या बिना

अंकों और संख्याओं के संभव था? हड़प्पाकालीन संस्कृति की लिपि के पढ़े जाने के बाद निश्चित ही अनेक नए तथ्य उद्घाटित होंगे। इसके बाद वैदिककालीन भारतीय अंकों और संख्याओं का उपयोग करते थे। वैदिक युग के एक ऋषि मेघातिथि $10^{12}$ तक की बड़ी संख्याओं से परिचित थे। वे अपनी गणनाओं में दस और इसके गुणकों का उपयोग करते थे। 'यजुर्वेद संहिता' अध्याय 17, मंत्र 2 में 10,00,00,00,00,000 (एक पर बारह शून्य, दस खरब) तक की संख्या का उल्लेख है। ईसा से 100 वर्ष पूर्व का जैन ग्रन्थ 'अनुयोग द्वार सूत्र' है। इसमें असंख्य तक गणना की गई है, जिसका परिमाण 10140 के बराबर है। उस समय यूनान में बड़ी-से-बड़ी संख्या का नाम 'मिरियड' था, जो 10,000 (दस सहस्र) थे और रोम के लोगों की बड़ी-से-बड़ी संख्या का नाम मिल्ली था, जो 1000 (सहस्र) थी। शून्य का उपयोग पिंगल ने अपने छन्दसूत्र में ईसा के 200 वर्ष पूर्व किया था। इसके बाद तो शून्य का उपयोग अनेक ग्रंथों में किया गया है।

ब्रह्मगुप्त (छठी शताब्दी) पहले भारतीय गणितज्ञ थे जिन्होंने शून्य को प्रयोग में लाने के नियम बनाए। शून्य को किसी संख्या से घटाने या उसमें जोड़ने पर उस संख्या पर कोई प्रभाव नहीं पड़ता। शून्य से किसी संख्या का गुणनफल भी शून्य होता है। किसी संख्या को शून्य से विभाजित करने पर उसका परिणाम अनंत होता है। शून्य से विभाजित करो तो परिणाम शून्य होता है यह अनन्त की संख्या होती है। यह निर्विवाद रूप से सिद्ध हो गया है कि संसार को संख्याएँ लिखने की आधुनिक प्रणाली भारत ने ही दी है। ज्यामिति का ज्ञान हड़प्पाकालीन संस्कृति के लोगों को भी था। ईंटों की आकृति, भवनों की आकृति, सड़कों का समकोण पर काटना इस बात का द्योतक है कि उस काल के लोगों को ज्यामिति का ज्ञान था।

वैदिक काल में आर्य यज्ञ की वेदियों को बनाने के लिए ज्यामिति के ज्ञान का उपयोग करते थे। 'शुल्बसूत्र' में वर्ग और आयत बनाने की विधि दी हुई है। भुजा के संबंध को लेकर वर्ग के समान आयत, वर्ग के समान वृत्त आदि प्रश्नों पर इस ग्रंथ में विचार किया गया है। किसी त्रिकोण के बराबर वर्ग खींच ऐसा वर्ग बनाना जो किसी वर्ग का दो गुणा, तीन गुणा अथवा एक तिहाई हो, ऐसा वर्ग बनाना, जिसका क्षेत्रफल उपस्थित वर्ग के क्षेत्र के बराबर हो, इत्यादि की रीतियाँ भी 'शुल्ब सूत्र' में दी गई हैं। आर्यभट्ट ने वृत्त की परिधि और व्यास के अनुपात (पाई $\pi$) का मान 3.1416 स्थापित किया है। उन्होंने पहली बार कहा कि यह पाई का सन्निकट मान है।

त्रिकोणमिति के क्षेत्र में भारतीयों ने जो काम किया, वह मौलिक है। इन्होंने ज्या, कोटिज्या और उत्क्रमज्या का आविष्कार किया। वराहमिहिर कृत 'सूर्य सिद्धान्त' (छठी शताब्दी) में त्रिकोणमिति का जो विवरण है, उसका ज्ञान यूरोप को ब्रिग्स के द्वारा सोलहवीं शताब्दी में मिला। ब्रह्मगुप्त (सातवीं शताब्दी) ने भी त्रिकोणमिति पर लिखा है और एक ज्या सारणी भी दी है।

भारतीयों ने बीजगणित में भी बड़ी दक्षता प्राप्त की थी। आर्यभट्ट, ब्रह्मगुप्त, भास्कराचार्य, श्रीधराचार्य आदि प्रसिद्ध गणितज्ञ थे। बीजगणित के क्षेत्र में सबसे बड़ी उपलब्धि है– 'अनिवार्य वर्ग समीकरण का हल प्रस्तुत करना'। पाश्चात्य गणित के इतिहास में इस समीकरण के हल का श्रेय 'जॉन पेल' (1688 ई.) को दिया जाता है और इसे 'पेल समीकरण' के नाम से ही जाना जाता है, परंतु वास्तविकता यह है कि पेल से एक हजार वर्ष पूर्व ब्रह्मगुप्त ने इस समीकरण का हल प्रस्तुत कर दिया था। इसके लिए ब्रह्मगुप्त ने दो प्रमेयकाओं की खोज की थी। अनिवार्य वर्ग समीकरण के लिए भारतीय नाम वर्ग-प्रकृति है।

## चिकित्सा

भारत में चिकित्सा विज्ञान की सुदीर्घ परंपरा है। चिकित्सा शास्त्र को वेद तुल्य सम्मान दिया गया है। यही कारण है कि भारतीय चिकित्सा पद्धति को आयुर्वेद की संज्ञा से अभिनिहित किया जाता है। भारतीय चिकित्सा पद्धति के विषय में सर्वप्रथम लिखित ज्ञान 'अथर्ववेद' में मिलता है। अथर्ववेद में विविध रोगों के उपचारार्थ प्रयोग किए जाने संबंधी भैषज्य सूत्र संकलित हैं। इन सूत्रों में विभिन्न रोगों के नाम तथा उनके निराकरण के लिए विभिन्न प्रकार की औषधियों के नाम भी दिए गए हैं। जल चिकित्सा, सूर्य किरण चिकित्सा और मानसिक चिकित्सा के विषयों पर इसमें विस्तृत विवरण मिलता है। अथर्ववेद के बाद ईसा से लगभग 600 वर्ष पूर्व काय चिकित्सा पर 'चरकसंहिता' और शल्य चिकित्सा पर 'सुश्रुत संहिता' मिलती हैं। ये चिकित्सा शास्त्र के प्रामाणिक और विश्वविख्यात ग्रंथ हैं।

**चरक संहिताः** महर्षि चरक को काय चिकित्सा का प्रथम ग्रंथ लिखने का श्रेय दिया जाता है। 'चरक संहिता' को औषधीय शास्त्र में आयुर्वेद पद्धति का आधार माना जाता है। आयुर्वेद का अर्थ है 'जीवन का शास्त्र'। चरक संभवतः इस बात को जानते थे कि शरीर में हृदय एक मुख्य अवयव है। उन्हें शरीर में रक्त संचार क्रिया का भी ज्ञान था। वे यह भी जानते थे कि कुछ बीमारियाँ ऐसे कीटाणुओं के कारण होती हैं जिन्हें हम अपनी आँखों से सीधे नहीं देख सकते। 'चरक संहिता' में तत्कालीन प्रशिक्षित चिकित्सकों और चिकित्सालयों का भी विवरण मिलता है। चरक पहले चिकित्सक थे, जिन्होंने चयापचय, पाचन और शरीर प्रतिरक्षा के बारे में बताया। 'चरक संहिता' में शरीर विज्ञान, निदान शास्त्र के विषय में जानकारी मिलती है। चरक को अनुवांशिकी के मूल सिद्धान्तों का भी ज्ञान था। उन्हें उन कारणों का पता था जिससे बच्चे का लिंग निश्चित होता है। 'चरक संहिता' का अनुवाद अनेक विदेशी भाषाओं में हुआ है।

**सुश्रुत संहिताः** सुश्रुत रचित यह ग्रंथ भारतीय शल्य चिकित्सा पद्धति का विश्वविख्यात ग्रंथ है। इस संहिता में सुश्रुत ने अपने से पहले के शल्य चिकित्सकों के ज्ञान और अनुभवों को संकलित कर एक व्यवस्थित रूप दिया है। अपनी संहिता में उन्होंने लिखा है कि चिकित्सा विज्ञान के विद्यार्थी मृत शरीर के विच्छेदन से अपने कार्य में कुशल बनते हैं। सुश्रुत

के अनुसार शव विच्छेदन एक प्रक्रिया है। सुश्रुत ने शल्य चिकित्सा के लिए 101 उपकरणों की सूची भी दी है। उनका कहना था कि इनके अतिरिक्त आवश्यकतानुसार स्वयं भी उपकरण तैयार करने चाहिए। उनकी सूची में चिमटियाँ, चाकू, सूइयाँ, सलाइयाँ तथा नलिका आकृति के वे सब उपकरण हैं जिनका प्रयोग आज का शल्य चिकित्सक करता है। शल्य चिकित्सा से पहले उपकरणों को गर्म करके कीटाणु रहित करने की बात भी उन्होंने कही है। सुश्रुत भूज नलिका में पाए जाने वाले पत्थर निकालने में, टूटी हड्डियों को जोड़ने और मोतियाबिंद की शल्य चिकित्सा में बहुत दक्ष थे।

सुश्रुत को पूरे संसार में आज प्लास्टिक सर्जरी का जनक कहा जाता है। सुश्रुत संहिता में नाक, कान और ओंठ की प्लास्टिक सर्जरी का पूरा विवरण दिया गया है। चरक और सुश्रुत की ही परंपराओं को अनेक सुप्रसिद्ध चिकित्सकों ने आगे बढ़ाया। महर्षि अजेय ने नाड़ी और श्वास की गति पर प्रकाश डाला। महर्षि पतंजलि ने योग से शरीर को निरोग रखने के उपाय बताए। आधुनिक चिकित्सक भी अब हृदय के रोगों के लिए योग का सहारा लेते हैं। आचार्य जीवक ने अनेक असाध्य रोगों की चिकित्सा की विधियाँ बताई हैं। वाग्भट्ट ने 'अष्टांग संग्रह' और 'अष्टांगहृदय संहिता' की रचना की थी। इनमें आयुर्वेद का संपूर्ण ज्ञान समाहित हो गया है। 'चरक संहिता' के संपादक दृढ़बल तथा 'भावप्रकाश' के लेखक भावमिश्र चिकित्सा जगत के महान आचार्य थे।

## पशु चिकित्सा

भारत में पशुचिकित्सा विज्ञान भी काफी विकसित था। घोड़ों, हाथियों, गाय-बैलों की चिकित्सा से संबंधित अनेक ग्रंथ उपलब्ध हैं। 'शालिहोत्र' नामक पशु चिकित्सक के 'हय आयुर्वेद', 'अश्व लक्षण शास्त्र' तथा 'अश्व प्रशंसा' नाम के तीन ग्रंथ उपलब्ध हैं। इनमें घोड़ों के रोगों और उनके उपचार के लिए औषधियों का विवरण है। इन ग्रंथों के अनुवाद अनेक विदेशी भाषाओं में हुए। पालकप्य के 'हास्ते-आयुर्वेद' में हाथियों की शरीर रचना तथा उनके रोगों का विवरण, उनके रोगों की शल्य क्रिया और औषधियों द्वारा चिकित्सा, देखभाल और आहार का विवरण चरक और सुश्रुत की संहिताओं में भी मिलता है।

## भौतिकी

प्राचीन काल में भारत में अन्य विज्ञानों के साथ-साथ भौतिकी का भी प्रचलन था। कणाद ऋषि ने छठी शताब्दी ईसा पूर्व ही इस बात को सिद्ध कर दिया था कि विश्व का हर पदार्थ परमाणुओं से मिलकर बना है। उन्होंने परमाणुओं की संरचना, प्रवृत्ति तथा प्रकारों की चर्चा की है। भारत में रसायन विज्ञान की भी बहुत पुरानी परंपरा है।

## रसायन विज्ञान

प्राचीन काल के संस्कृत भाषा में लिखित रसायन विज्ञान के 44 ग्रंथ उपलब्ध हैं। नागार्जुन (दसवीं शताब्दी) ने रसायन विज्ञान पर 'रसरत्नाकर' नामक ग्रंथ लिखा है। इस ग्रंथ में पारे के यौगिक बनाने के प्रयोग दिए गए हैं। चाँदी, सोना, टिन और ताँबे के अयस्क भूगर्भ से निकालने और उन्हें शुद्ध करने की विधियों का विवरण भी दिया गया है। नागार्जुन वनस्पति निर्मित तेजाबों में वे हीरे, धातु और मोती गला लेते थे। नागार्जुन ने रसायन विज्ञान में काम आने वाले उपकरणों का विवरण भी दिया है। इस ग्रंथ में आसवन, द्रवण, उर्ध्वपातन और भूनने का भी वर्णन है। नागार्जुन के अतिरिक्त भारत के महान रसायन शास्त्र वृंद का नाम भी उल्लेखनीय है। इन्होंने औषधि रसायन पर 'सिद्ध योग' नामक ग्रंथ की रचना की है। इसमें विभिन्न रोगों के उपचार के लिए धातुओं के मिश्रण का विवरण दिया गया है। भारत में रसायन शास्त्रियों ने पहली और दूसरी शताब्दी तक ही कई रासायनिक फॉर्मूले खोज लिए थे। पारद (पारा) के यौगिक, अकार्बनिक लवण तथा मिश्र धातुओं का प्रयोग और मसालों से कई प्रकार के इत्र बनाए जाते थे।

## धातु विज्ञान

भारत में हड़प्पा कालीन संस्कृति के समय से ही अनेक धातुओं का उपयोग होता आ रहा है। धातुओं को प्राप्त करने के लिए कई विज्ञानों का सहारा लेना पड़ता है। धातुओं के अयस्कों की खोज के लिए भूविज्ञान में दक्षता अनिवार्य है। अयस्कों से धातु निकालने तथा उन्हें मिश्रित धातु बनाने के लिए रसायन विज्ञान और धातु विज्ञान की दक्षता अपेक्षित है। भारत को प्राचीन काल से ही इन सभी विज्ञानों में दक्षता प्राप्त है। धातु विज्ञान में भारत की दक्षता उच्च कोटि की थी। ईसा पूर्व 326 ई. में पोरस ने 30 पौंड वजन का भारतीय इस्पात सिकंदर को भेंट में दिया। उस काल में भारतीय इस्पात इतनी उच्चकोटि का होता था कि विशेष प्रकार के औजार और अस्त्र-शस्त्र बनाने के लिए तत्कालीन सभ्य देशों में उसकी बहुत माँग थी।

7.5 मीटर ऊँचा एक प्राचीन लौह स्तंभ कर्नाटक की पर्वत श्रृंखलाओं में खड़ा है। यह लौह-स्तम्भ धातु विज्ञान का बेहतरीन नमूना है। इस पर जंग का कोई प्रभाव नहीं हुआ है। यही नहीं उड़ीसा के कोणार्क मंदिर (तेरहवीं शताब्दी) में लगभग 10.5 मीटर लंबा तथा 90 टन के भार वाला लोहे का स्तंभ भी आज तक जंगविहीन है। यही नहीं इतने भारी स्तंभ को ढालकर बनाना ही भारत की विस्मयकारी उपलब्धि है। लोहा ही नहीं सोना, चांदी, ताँबा, टिन, जस्ता जैसी अनेक धातुओं के अयस्क खोजने तथा उन्हें गलाकर शुद्ध धातु प्राप्त करने में भारतीय वैज्ञानिकों को महारत हासिल थी। अनेक धातुओं की तो वे भस्म बनाकर औषधि के रूप में प्रयोग करते थे। भारत का रत्न विज्ञान भी उच्चकोटि का था। रत्नों को भूमि या जल से निकालना, उन्हें आभूषणों में जड़े जाने योग्य बनाना, हमारे विज्ञान और अभियांत्रिकी दोनों का ही कमाल था। हीरा संसार में कठोरतम पदार्थ है। इसे काटने के लिए उपकरण भी प्राचीन काल में भारतीयों ने विकसित किए थे। वस्त्र निर्माण में भारत ने असाधारण दक्षता प्राप्त की थी। शताब्दियों पहले भारत में कपड़े रंगने के लिए 100 से अधिक वनस्पति और खनिजों से प्राप्त रंगों का उपयोग होता था। विज्ञान की अनेक शाखाओं में भारत को उच्चकोटि की उपलब्धियाँ हासिल थीं।

## बहुविकल्पीय प्रश्नोत्तर

**1.** निम्नलिखित में से किस संदर्भ में विभिन्न हड़प्पा-युगीन स्थलों में सुस्पष्ट एकरूपता पायी जाती हैं?

A. कृषि संबंधी व्यवसाय B. शिल्पकला
C. नगर-योजना D. मुहरें

**2.** सिन्धु घाटी के लोगों द्वारा भवनों के निर्माण-कार्य के लिए धूप में सुखाई गई ईंटों के स्थान पर चूने और पकाई गई ईंटों का क्यों प्रयोग किया जाता था?

A. नगरों का नदी घाटियों के समीप स्थित होने के कारण नम जलवायु थी।
B. उन्नत प्रौद्योगिकी।
C. बेहतर नगर योजना।
D. चूना बनाने की जानकारी।

**3.** कताई-बुनाई की चक्रियाँ और कपास-सन-रेशम के तंतुओं के अवशेष निम्नांकित में से कहाँ से प्राप्त हुए हैं?

A. सिंधु प्रदेश से B. कामरूप से
C. बुर्जहोम से D. जोर्वे संस्कृति से

**4.** सिंधु घाटी के लोग निम्नलिखित में से किस औजार एवं उपकरण का उपयोग नहीं करते थे?

A. सुइयाँ और उस्तरे
B. हँसिया और हल
C. काँटा और चम्मच
D. गेहूँ पीसने की पत्थर की चक्की, सिल-बट्टा (बटना)

**5.** निम्नलिखित में से कौन-सी विशेषता हड़प्पाकालीन भौतिक संस्कृति से सम्बन्धित नहीं है ?

A. आयताकार नगर-योजना
B. नहर प्रणाली द्वारा सिंचाई व्यवस्था का अभाव
C. उपकरणों के लिए ताम्र अथवा काँस्य के साथ साथ लौह का प्रयोग
D. मोहनजोदड़ो और हड़प्पा के विशाल अन्नागार

**6.** निम्नलिखित किस कारण से हड़प्पा सभ्यता विश्व की अन्य समकालीन सभ्यताओं से भिन्न है?

A. धार्मिक आस्थाएँ और सामाजिक जीवन।
B. विज्ञान और प्रौद्योगिकी का विकास।
C. नगर-योजना, जल निकासी और सफाई व्यवस्था।
D. एक समान तौल एवं माप प्रणाली तथा वाणिज्यिक संबंध।

**7.** हड़प्पाकालीन लोगों को धातु-कर्म विज्ञान में दक्षता प्राप्त थी, इसकी पुष्टि किस तथ्य से होती है?

A. हड़प्पाकालीन लोगों द्वारा ताम्र, टीन, काँस्य, स्वर्ण आदि विभिन्न धातुओं का प्रयोग।
B. विभिन्न हड़प्पा स्थलों से धातु भट्ठियों की खोज।
C. काँस्य उपकरणों के लिए ताम्र और टीन का उचित अनुपात में मिश्रण।
D. विभिन्न धातुओं को गलाने के लिए आगलन तकनीक का ज्ञान।

**8.** सिन्धु सभ्यता की मुहरें निम्नलिखित में से किससे बनी थीः

A. लाजवर्द B. काँस्य
C. रजत D. स्टेटाइट

**9.** वैदिक आर्य, विज्ञान और प्रौद्योगिकी की निम्नलिखित किस शाखा में प्रवीण नहीं थे?

A. औषधि और शल्य चिकित्सा B. खगोल विज्ञान
C. गणित D. रसायन विज्ञान

**10.** निम्नलिखित ग्रंथों में से किसकी रचना वराहमिहिर ने नहीं की थीः

A. पंचसिद्धान्तिका B. वृहत्संहिता
C. योगयात्रा D. सिद्धांत शिरोमणि

**11.** सोना प्राप्त करने के कारण सिन्धु को कहा गया थाः

A. सिन्डन B. हिरन्यमयी
C. सुनार D. सोनारवती

**12.** श्याम अथवा कृष्ण अयस का प्रयोग किया गया। किस ग्रन्थ में इसका उल्लेख किया गया है?

A. ऋग्वेद B. यजुर्वेद
C. सामवेद D. अथर्ववेद

**13.** चांदी का सर्वप्रथम साक्ष्य किस सभ्यता से प्राप्त होता हैः

A. हड़प्पा सभ्यता B. वैदिक सभ्यता
C. सुमेर सभ्यता D. असीरियन सभ्यता

**14.** वैदिक साहित्य में चांदी और सोने की मिश्रित धातु को कहा जाता थाः

A. कांस्य B. अयस
C. रजत-हिरण्यय D. सोना-चांदी

**15.** प्राचीन भारत में किस धातु से लोग परिचित नहीं थे?

A. तांबा B. चांदी
C. सोना D. हीरा

**16.** रामायण में कांस्य बनाने वाले को कहा जाता थाः

A. कांस्यकार B. काँचकार
C. लोहार D. सोनार

**17.** पीतल का उल्लेख किस ग्रंथ में प्राप्त होता हैः

A. शब्दकोश B. अथर्ववेद
C. अमरकोश D. मिजिलंदपन्ह

**18.** मानव निर्मित सर्वप्रथम लोहा मेसोपोटामिया के किस शहरों से लगभग 1500 ई.पू. में प्राप्त हुआः

A. टल अश्मर B. टल चंगर बाजार
C. अनातोलिया D. उपरोक्त सभी

**19.** सिंधु सभ्यता में माप-तौल के लगभग 150 बॉट मिले हैं, निम्न में से बेमेल माप को छाँटिए:
A. सबसे बड़ा बॉट – 1375 ग्राम
B. सबसे छोटा बॉट – 0.87 ग्राम
C. 16 आने का – एक रुपया
D. 1 आने का – 1 रुपया

**20.** पायथागोरस प्रमेय किस ग्रंथ में उल्लेखित है?
A. ग्रहसूत्र B. शुल्वसूत्र (300 ई.पू.)
C. रामायण D. सूत्रसार

**21.** वेदांग ज्योतिष में उल्लेखत है:
A. एक सौर वर्ष में 366 दिन माने गए
B. इसमें 27 नक्षत्रों का नाम है
C. केवल (A)
D. (A) और (B) दोनों

**22.** प्रख्यात गणितशास्त्री आर्यभट्ट किस काल से संबंधित थे:
A. वैदिक काल B. वैदिकोत्तर काल
C. गुप्तकाल D. हर्ष काल

**23.** आर्यभट्ट ने किन विषयों में अभूतपूर्व योगदान दिया:
A. बीज गणित B. ज्यामिति
C. त्रिकोणमिति D. उपरोक्त सभी

**24.** आर्यभट्ट 5वीं सदी और वराहमिहिर 6वीं सदी के दो प्रख्यात विद्वान थे, वराहमिहिर की रचना का नाम है:
A. वृहतसंहिता B. ब्रह्मरज्जाक
C. पंचसिद्धांतिका D. उपरोक्त सभी

**25.** ''ब्रह्मस्फुट'' एवं ''खण्ड खाद्य'' किसकी रचना है:
A. आर्यभट्ट B. विष्णु गुप्त
C. ब्रह्मगुप्त D. भास्कराचार्य

**26.** 1150 ई में लिखी ''सिद्धांत शिरोमणी'' के रचनाकार हैं:
A. मालकाचार्य B. वराहमिहिर
C. भास्कराचार्य D. इनमें से कोई नहीं

**27.** चिकित्सा के क्षेत्र में वाग्भट्ट की रचना है:
A. अष्टांग संग्रह B. अष्टांग हृदय
C. (A) और (B) दोनों D. इनमें से कोई नहीं

**28.** पशु चिकित्सा के क्षेत्र में सबसे प्रसिद्ध ग्रंथ है:
A. चरक संहिता B. सुश्रुत संहिता
C. हस्त्यायुर्वेद D. इनमें से कोई नहीं

**29.** रसायन विज्ञान के क्षेत्र में रचित ग्रंथ रसरत्नाकर किसके द्वारा लिखित है:
A. अल्बरूनी B. नागार्जुन
C. धन्वंतरि D. सुश्रुत

**30.** 'पंचसिद्धांतिका' की रचना किसने की?
A. आर्यभट्ट B. वराहमिहिर
C. ब्रह्मगुप्त D. धन्वंतरी

**31.** 'वृहत्संहिता' विज्ञान के किस क्षेत्र से सम्बन्धित है?
A. शिल्पशास्त्र B. नक्षत्र विज्ञान
C. दोनों से D. उपरोक्त में से कोई नहीं

**32.** गुप्त काल का प्रसिद्ध खगोलशास्त्री कौन था?
A. आर्यभट्ट B. वराहमिहिर
C. भास्कराचार्य D. ब्रह्मगुप्त

**33.** धन्वंतरि निम्नांकित किस कारण से प्रसिद्ध थे?
A. गणितज्ञ होने के कारण
B. प्रसिद्ध राजनीतिज्ञ होने के कारण
C. आयुर्वेद के विद्वान चिकित्सक होने के कारण
D. ज्योतिष का प्रसिद्ध ज्ञाता होने के कारण

**34.** 'शल्यचिकित्सा' से सम्बन्धित थे:
A. पतंजलि B. आर्यभट्ट
C. सुश्रुत D. इनमें से कोई नहीं

**35.** भागलपुर के पास सुल्तानगंज में दो मीटर ऊँची बुद्ध की प्रतिमा कौन से विज्ञान का सर्वोत्तम उदाहरण है?
A. रसायन विज्ञान B. धातु विज्ञान
C. भौतिक विज्ञान D. औषध विज्ञान

## उत्तरमाला

| 1 | 2 | 3 | 4 | 5 | 6 | 7 | 8 | 9 | 10 |
|---|---|---|---|---|---|---|---|---|---|
| C | A | D | C | C | C | C | D | D | D |
| 11 | 12 | 13 | 14 | 15 | 16 | 17 | 18 | 19 | 20 |
| B | D | A | C | D | B | C | D | D | B |
| 21 | 22 | 23 | 24 | 25 | 26 | 27 | 28 | 29 | 30 |
| D | C | D | D | C | C | C | C | B | B |
| 31 | 32 | 33 | 34 | 35 | | | | | |
| B | A | C | C | B | | | | | |

❑❑❑